ITALIENISCHE
LITERATURGESCHICHTE

ITALIENISCHE LITERATURGESCHICHTE

unter Mitarbeit von
Hans Felten, Frank-Rutger Hausmann, Franca Janowski,
Volker Kapp, Rainer Stillers, Heinz Thoma,
Hermann H. Wetzel

herausgegeben von Volker Kapp

VERLAG J.B. METZLER STUTTGART · WEIMAR

Die einzelnen Kapitel bzw. Abschnitte wurden verfaßt:

Seite   1 bis 29   Frank-Rutger Hausmann
Seite   30 bis 87   Rainer Stillers
Seite   88 bis 115   Frank-Rutger Hausmann
Seite 116 bis 212   Volker Kapp
Seite 213 bis 248   Hans Felten
Seite 249 bis 302   Franca Janowski
Seite 303 bis 350   Heinz Thoma
Seite 351 bis 403   Hermann H. Wetzel

Die Deutsche Bibliothek – CIP-Einheitsaufnahme

Italienische Literaturgeschichte / unter Mitarb. von Hans Felten ...
Hrsg. von Volker Kapp. – Stuttgart ; Weimar : Metzler, 1992
   ISBN 3-476-00843-6
NE: Kapp, Volker [Hrsg.]; Felten, Hans

© 1992 J.B. Metzlersche Verlagsbuchhandlung
und Carl Ernst Poeschel Verlag GmbH in Stuttgart
Einbandgestaltung: Willy Löffelhardt, Herrenberg
Satz: PC-Satz & Layout, Hamburg 60
Druck und Bindung: Franz Spiegel Buch GmbH, Ulm
Printed in Germany
Verlag J.B. Metzler Stuttgart · Weimar

EIN VERLAG DER SPEKTRUM FACHVERLAGE GMBH

INHALTSVERZEICHNIS

OTTOCENTO

(Franca Janowski)

NOVECENTO

(Heinz Thoma/Hermann H. Wetzel)

VORWORT

Die geringere Bekanntheit der italienischen Literatur in Deutschland steht im Kontrast zu ihrem großen Reichtum an Werken, die auf die deutsche und die europäische Literatur insgesamt Einfluß genommen haben und für die literarische Entwicklung entscheidende Bedeutung hatten. Solange das Italienische zu den Sprachen gehörte, die ein Gebildeter erlernte und für seine Bildungsreise gebrauchen konnte, war die italienische Literatur vielen im Original zugänglich. Auch der nicht abreißende Fluß von Übersetzungen machte die wesentlichen Werke bekannt. Die deutsche Italianistik hat bisher erstaunlicherweise kaum Anstrengungen unternommen, eine Geschichte der italienischen Literatur zu schreiben, die dem spezifischen Informationsbedürfnis der deutschen Leser gerecht wird. Diese Lücke möchten wir mit unserer *Italienischen Literaturgeschichte* schließen.

Aus der Erfahrung unserer Lehre an deutschen Universitäten wissen wir, daß die *italienischen* Standardwerke den hier Studierenden sprachliche und sachliche Verständnisschwierigkeiten bereiten: Die innerhalb der schulischen und universitären Curricula in Italien verwendeten Handbücher setzen ein auf italienische Studenten zugeschnittenes Wissen voraus. Durch unsere allgemeinverständliche Darstellung, die Erklärung größerer Zusammenhänge und die Hintergründe geschichtlicher Faktoren wird ein umfassender Überblick über die vielen Facetten des literarischen Lebens in Italien gegeben, der ebenso für Studierende der Philologie wie auch für interessierte Leser und Italienliebhaber geeignet ist.

Die Literaturgeschichtsschreibung ist in den letzten Jahrzehnten besonders dadurch behindert worden, daß das Erzählen nicht mehr als wissenschaftliche Schreibweise akzeptiert wird. Wir haben gleichwohl eine erzählende Aussageform gewählt, damit diese Literaturgeschichte zusammenhängend gelesen werden kann. Die unterschiedlichen methodischen Orientierungen konnten und wollten die Autoren zwar nicht verleugnen, aber doch so in den Hintergrund rücken, daß zwischen den einzelnen Kapiteln keine Brüche entstehen. Obwohl ausgeprägte Begrifflichkeit für viele heute ein Maßstab für Wissenschaftlichkeit zu sein scheint, haben wir uns zu einem weitgehenden Verzicht auf sie entschlossen. Ebenso sollten die Zitate so spärlich wie möglich eingesetzt werden. Nur die Titel und einige zentrale Kategorien wie »Dolce stil novo« oder »Risorgimento« mußten im Original stehen bleiben, wie dies ja auch in den Literaturlexika der Fall ist. Als Ordnungskriterium für die konzentrierte Zusammenschau, die diese einbändige Literaturgeschichte leisten will, schien uns die chronologische Einteilung nach Jahrhunderten am angemessensten zu sein. Die einzelnen Jahrhunderte werden dabei weniger als klar umrissene Epochengrenzen denn als pragmatische Einteilungskriterien benutzt, die eine Gliederung des Stoffes erleichtern. Innerhalb dieses Schemas haben wir jedoch die einzelnen Unterabteilungen so frei bestimmt, daß gattungsspezifische oder literatursoziologische Gesichtspunkte zu ihrem Recht kommen. Die strikt chronologische Abfolge wurde durchbrochen, wann immer dies die Darstellung größerer Sachzusammenhänge erforderlich machte. Inhaltsangaben und Lebensläufe können in den größeren deutschen Literaturlexika nachgeschlagen werden. Wir haben sie nur insoweit berücksichtigt, wie sie für die Deutung der Werke notwendig sind. Neben den unumstrittenen Gipfelpunkten der italienischen »Höhenkammliteratur« haben wir auch Autoren aufgenommen, die nicht zum Kanon gehören, aber aus europäischer Sicht bemerkenswerter sind. In dieser Perspektive sind die Opernlibrettisten des frühen 17. Jahrhunderts wichtiger als die in den Kanon der italienischen Literatur eingegangenen Dramatiker der Zeit. Auch verdient beispielsweise ein heute nur dem Spezialisten bekannter Gelehrter wie Pierio Valeriano erwähnt zu werden, weil seine lateinischen Schriften für das Verständnis der Zeit erhellend sind. Umgekehrt wurde das literarische Vakuum, das zur Zeit des Faschismus existierte, durch eine Skizzierung der faschistischen Alltagskultur gefüllt. Wir haben Schwerpunkte gesetzt: Das 20. Jahrhundert wird ausführlich behandelt, denn die neuere und neueste Literatur wird viel übersetzt und gelesen, daher ist ihr Stellenwert innerhalb des literarischen Lebens in Italien von Interesse. Das Cinquecento wird breiter dargestellt als die anderen Jahrhunderte: Die italienische Literatur erreicht in dieser Zeit eine Größe, wie sie nur noch im Trecento vorhanden ist, das mit den drei Florentinern Dante, Petrarca und Boccaccio ebenfalls gebührend Raum erhält. Die Darstellung von Dantes Frühwerk ist von der seines Hauptwerkes getrennt worden, weil das Frühwerk in den Kontext des Dolce stil novo gehört. Mit Hilfe des Autoren-, Personen-, und Werkregisters, das die Lebensdaten der Dichter, Schriftsteller und bedeutender historischer Gestalten enthält, können die wichtigen Stellen, an denen die verzeichneten Personen im fortlaufenden Text vorkommen, erschlossen werden.

Das Zustandekommen des vorliegenden Bandes ist nicht nur dem Einsatz der Autoren zu verdanken, sondern auch vielen hilfreichen Geistern. Bernd Lutz und Petra Wägenbaur vom Metzler Verlag haben das Projekt umsichtig und tatkräftig betreut. In Kiel halfen mir Marcello Andolfatto, Nicola Bussenius, Maren Pfüller, Stephanie Schmidt-Janus und Dorothee Scholl, die zusammen das Register erstellt haben. Meine Frau unterstützte uns bei der Lektüre der Druckfahnen. Titus Heydenreich (Universität Erlangen) hat mir mit seiner reichen Bibliothek und seiner großen Belesenheit vielfach weitergeholfen. Ihnen allen möchte ich hier meinen ganz besonderen Dank aussprechen.

Kiel, im Juli 1992   Volker Kapp

ANFÄNGE UND DUECENTO

Kaisertum und Papsttum: der Streit um die Vorherrschaft in Italien

Historiker wie Kritiker der älteren italienischen Literatur stimmen darin überein, daß diese, verglichen mit der der übrigen Romania, verhältnismäßig spät, nämlich nicht vor dem Beginn des 13. Jahrhunderts, einsetzt. Sie erklären dies häufig mit der Konkurrenz des Lateins, das in Italien besonders lange verstanden wurde. Sie verweisen aber auch auf das Prestige anderer Volkssprachen (Provenzalisch, Altfranzösisch, Mittelhochdeutsch), die bereits eine literarische Hochblüte erreicht hatten und als Ausdrucksmittel auch Italienern zur Verfügung standen: Zu nennen sind beispielsweise der mittelhochdeutsch schreibende Friulaner Thomasin von Zerclaere und sein höfisches Lehrgedicht *Der welsche Gast* in 14742 Versen. Des Französischen bedienen sich Brunetto Latini mit seiner Enzyklopädie *Li livres dou tresor*, Martino Canale (da Canal) mit seiner venezianischen Geschichte *Cronique des Veniciens* und Rustichello da Pisa, der Marco Polos Reisebericht *Il Milione (Devisament du monde)* aufschreibt; provenzalisch dichten Trobadors wie Lanfranco Cigala, Sordello da Goito und viele andere.

Als die Italiener aber dann in der Volkssprache, dem Volgare, zu schreiben beginnen, erreichen sie sogleich eine staunenswerte Hochblüte, wenn sie auch Gattungen wie das Ritterepos (chanson de geste) oder den höfischen Roman, in denen die Nordfranzosen glänzen, wenig pflegen. Eine Ausnahme bildet hier allein die in der hybriden Mischsprache des Frankoitalienischen verfaßte norditalienische Heldenepik des 13. Jahrhunderts. Dies mag mit dem Fehlen einer ritterlichen Hofkultur erklärt werden, die in Italien (ab 1030) durch eine stark säkularisierte bürgerlich-kommunale Kultur ersetzt wird, welche die Feudalhierarchie langsam außer Kraft setzt. Folglich haben die Italiener Gattungen wie die Novelle und die Autobiographie »erfunden«, denn die Novelle ersetzt feudalständische Exklusivität durch Witz und Intelligenz. Auch antwortet sie auf die den Kaufmann interessierende Frage, »was es Neues gibt«. Die Autobiographie wertet das Individuum auf und wendet die im Geschäftsverkehr notwendige Rechnungslegung auf das private Leben an. Die Italiener haben aber auch das Sonett geschaffen, *die* Idealform der kurzen Kunstlyrik, das auf eine Kombination von juristischer, logischer und rhetorischer Schulung zurückzuführen ist. Dies alles entspricht bürgerlichem Pragmatismus, und auf der gleichen Linie liegt es, wenn sie einige Jahrhunderte später die ersten modernen Staatslehren (Machiavelli), Anstandsbücher und Zivilitäten (Baldassare Castiglione, Giovanni Della Casa, Stefano Guazzo) und Geschichtsphilosophien (Francesco Guicciardini, Giambattista Vico) beigesteuert haben, die ihren Wirklichkeitssinn wie ihre Unvoreingenommenheit bezeugen.

Das historische Erbe und die geographische Lage Italiens sind verantwortlich dafür, daß sich die Italiener als alleinige Nachfolger Roms verstehen konnten, war doch die Stadt Rom Sitz des Papsttums und zugleich Krönungsort der deut-

Die Konkurrenz der Sprachen

Aufbruch der Gebrüder Polo zur ersten Orientreise, französische Miniatur aus dem *Devisament du monde*

Frühe Hochblüte der Literatur

Imperium, Sacerdotium, Litterae

Darstellung der Künste
und Wissenschaften –
Reliefband am Campanile
des Doms zu Florenz von
Giotto, Andrea Pisano
und Francesco Talenti

*Die Dreigliederung
Italiens*

Fremde Eroberer

schen Kaiser bzw. der Ort mit den meisten Bauwerken der Antike. An dieser
Sonderrolle ändern die zeitweilige Schwäche des Papsttums oder die Abwesenheit der Kaiser nichts, auch nicht die Tatsache, daß die Bauwerke vielfach in
Ruinen lagen und die Einwohner den Marmor zu Kalk für ihre Profanbauten
brannten. Die Italiener besaßen das katholische Sacerdotium, das allumspan-
nende politische Imperium und konnten mit dem Latein eine Universalsprache
reklamieren, was zunächst der Herausbildung eines eigenen Nationalidioms
entgegenzustehen schien. Die in Italien entstandene spät- und mittellateinische
Literatur ist umfangreich und mustergültig, wenn sie auch meist publizistischen, historiographischen, enzyklopädischen oder religiösen Zuschnitts ist. Sie
bildet aber auch noch in späteren Jahrhunderten ein Ideen- und Ausdrucksreser-
voir, auf das volkssprachliche Autoren als Patrimonium zurückgreifen.

Die stiefelförmige Halbinsel Italien mit ihren fast 1000 km langen adria-
tischen und tyrrhenischen Küsten ist nach allen Seiten offen und macht das
Land für fremde Einflüsse empfänglich: Italiens Ostküste ist der slavischen,
byzantinischen und orientalisch-arabischen Welt zugewandt; seine Westküste
der französischen, katalanischen und spanischen. Sizilien blickt nach Afrika,
und am Alpenkamm stößt das Land an die germanische, oft als »barbarisch«
verketzerte Welt. So wurde Italien schon früh zum Schnittpunkt benachbarter
Kulturen, zum Schmelztiegel von Kenntnissen, Ideen und Meinungen fremden
Ursprungs, zum Reiseziel von Studenten, Priestern, Kaufleuten, Soldaten und
Aristokraten, aber auch zum politischen Zankapfel und Spielball der Anrainer-
mächte, die das Land mit seinen Schätzen in ihre Gewalt zu bringen versuchten.
Wer in Italien herrschte, beherrschte das Mittelmeer, denn das Land hat eine
geopolitische und strategische Schlüsselstellung. Eine eigene übergreifende
Staatlichkeit konnte sich kaum entfalten, stattdessen zerfiel das Land in
mehrere Machtblöcke: den Norden (Lombardei, Emilia, Venetien, Toscana),
das Zentrum (Rom und Kirchenstaat) und den Süden (Neapel, Sizilien), in
denen sich immer wieder andere Eindringlinge festsetzten. Diese Dreigliederung, die sich jahrhundertelang gehalten hat, wurde noch durch eine Sprach-
grenze verstärkt. Sie verläuft über den Apenninenkamm, ungefähr von La
Spezia nach Rimini, trennt die Ost- von der Westromania und ist für die
Existenz der bodenständigsten und langlebigsten Dialektliteratur Europas
verantwortlich. Diese Scheidelinie verwischte sich erst im 19. Jahrhundert im
Gefolge des modernen Nationalstaats und lebt heute allenfalls im »Mezzogior-
noproblem« fort, der Vorstellung vom rückständigen Süden und dem modernen Norden des Landes.

Das nördliche Oberitalien wurde später als Reichs-Italien der deutschen
Kaiser eng mit dem nordalpinen Europa verbunden. Mittelitalien mit dem
Kirchenstaat suchte seine Unabhängigkeit und stand meist in Konfrontation
mit dem Kaisertum; Unteritalien ging unter wechselnden Herren (Byzantiner,
Araber, Normannen, Staufer, Anjou, Aragon) eigene Wege. Die lokale Bevölkerung wurde in den Hader der Großen hineingezogen. So bildeten sich zwei
große Parteien heraus, die kaisertreuen Ghibellinen und die pro-päpstlichen
Guelfen. Wenn auch der eigentliche Dissens, der im Investiturstreit zwischen
Kaisertum und Papsttum wurzelt, schon bald vergessen wurde, hat diese Fraktio-
nierung das ganze Mittelalter überschattet und viele Dichter ins Exil gezwungen
oder sonst ihr Leben und Schaffen geprägt und beeinflußt. Die Namen Guelfen
und Ghibellinen gehen auf den Welfen Otto IV. und den Staufer Friedrich II.
zurück, den man nach einem alten staufischen Besitz, der süddeutschen Stadt
Waiblingen, so nannte.

Überblickt man die italienische Geschichte seit dem Fall des Weströmischen
Reiches (470 n. Chr.), so wechseln sich fremde Eroberer ab, die das Land immer

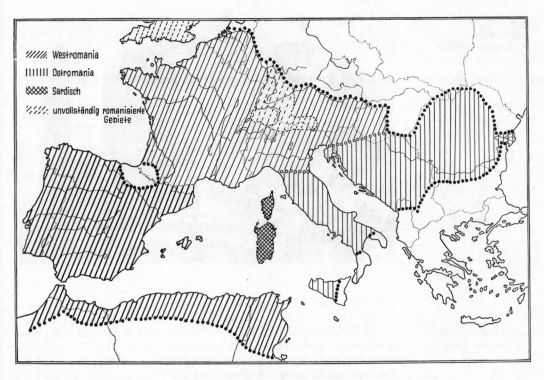

//////	Westromania
‖‖‖‖‖	Ostromania
⋈⋈⋈⋈	Sardisch
⸝⸝⸝⸝	unvollständig romanisierte Gebiete

wieder untereinander aufteilen. Auf die Ostgoten unter Theoderich (490–525) folgen die Byzantiner, die sich 568 mit den Langobarden arrangieren. Der Norden wird langobardisch, große Teile Süditaliens (mit Ravenna) byzantinisch, und zwischen diesen Mächten behauptet sich das Papsttum. Mitte des 8. Jahrhunderts bricht das byzantinische Exarchat von Ravenna zusammen, und an seine Stelle treten die Franken, die unter Karl dem Großen (774) die Langobarden ausschalten, um das Land unter schwäbische und fränkische Grafen aufzuteilen. Da die Karolinger von ihren Pfalzen nördlich der Alpen regieren, macht sich Anarchie breit; ganze Territorien (vor allem Venedig) erringen die Selbständigkeit. Das Papsttum kommt unter den Einfluß meist stadtrömischer Adelsfamilien; die Araber erobern Apulien und Sizilien, und die italienische Königswürde wird zum Streitobjekt der Herzöge von Spoleto und Friaul sowie der Könige der Provence.

Italien und die spätere Romania im 4. Jahrhundert

Otto I. interveniert 951 und befestigt nach seiner Kaiserkrönung (962) die deutsche Herrschaft. Er versucht sogar, das ganze Land in das Heilige Römische Reich zu integrieren. Im Verlauf des 11. Jahrhunderts erwächst aber den Kaisern in den oberitalienischen Städten ein politisches Gegengewicht, das mit militärischen Mitteln nicht mehr niedergehalten werden kann. Die Kommunen profitieren vom Aufschwung des internationalen Handels und nutzen geschickt den Investiturstreit, um die Feudalherrschaft der Staufer abzuschütteln. Während der Norden partikularistischen Tendenzen anhängt, wird der Süden unter der Herrschaft der Normannen vereint. Diese ursprünglichen Seeräuber, die seit 1018 in Süditalien siedeln, unterwerfen allmählich ganz Apulien und Sizilien und schalten die Araber und Byzantiner aus. Das von König Roger II. begründete Königreich beider Sizilien wird zum leistungsfähigsten und modernsten Zentralstaat der damaligen Zeit. Die starke Zentralgewalt ist dem byzantinischen und arabischen Regierungssystem nachgebildet, hat jedoch den Vorteil,

Die oberitalienischen Kommunen

Castel del Monte,
Jagdschloß des
Hohenstaufenkaisers
Friedrichs II. in Apulien

kein riesiges und unüberschaubares Territorium verwalten und stabilisieren zu müssen. Dadurch ist sie weniger anfällig gegen Anarchie, Chaos und Revolten.

*Der Griff nach der
Universalmonarchie*

Die Hohenstauferherrschaft (1138–1268) ist der letzte Versuch, die Universalmonarchie wieder herzustellen, zumal Heinrich VI. 1186 Konstanze, die Erbin Rogers II., heiratet und große Teile Italiens mit dem Reich vereint. Das Papsttum und die oberitalienischen Städte sehen ihre Autonomie gefährdet und leisten dem Kaisertum erbitterten Widerstand. Nach dem Tod Friedrichs II. (1250) zerrinnt der Traum eines geeinten Italien; Sizilien wird an Karl von Anjou verliehen, der sich nach der Sizilianischen Vesper (1282) auf das Festland und Neapel beschränkt, während die Insel Sizilien Besitz der Aragonier wird. Das vom Kampf gegen das Kaisertum zermürbte Papsttum gerät immer stärker unter französischen Einfluß, was zum Babylonischen Exil der Kirche, der Überführung der Kurie nach Avignon (1309–1376), führt. So gibt es in dieser jahrzehntelangen Auseinandersetzung keinen wirklichen Sieger, und Leidtragender ist das Volk, dessen politische Unterdrückung für alle Zeit besiegelt scheint.

Angesichts des Fehlens von politischer Autonomie entwickeln die Italiener frühzeitig als Ersatz eine kulturelle Identität, die ihnen hilft, als »Kulturnation« bis zum 19. Jahrhundert die Fremdherrschaft zu überleben. Individualität zählt mehr als Kollektivismus, und eine stillschweigende, aber oft verbissene Widersetzlichkeit gegen jede Autorität, ein stets gepflegtes anarchisches Residuum, macht es noch heute dem Staat schwer, zentralistische Maßnahmen gegen den einzelnen Bürger durchzusetzen. Nach außen paßt man sich scheinbar an, schafft sich aber schon früh persönliche Freiräume der Selbstverwirklichung, in denen man gegen fremde Eingriffe geborgen ist. So sind die Italiener in vielen geistigen und ökonomischen Lebensbereichen (Theologie, Geschichtsschreibung, Literatur, Wirtschaft, Staatslehre, Mathematik usw.) seit dem frühen 13. Jahrhundert führend, werden zu Lehrmeistern anderer Völker und zu gesuchten Gesprächspartnern im Wettstreit der Nationen. Nennen wir einige Beispiele: Zwei der bedeutendsten Ordensgründer des Mittelalters sind Italiener, Benedikt von Nursia (ca. 480–550), der Vater des abendländischen Mönchstums, und Franz von Assisi (1181–1226), der den wichtigsten Reformorden des hohen Mittelalters, die Minoriten oder Franziskaner, begründet.

Benedikt erhebt Gebet, Arbeit und Gehorsam zu den drei Hauptprinzipien

Der hl. Franziskus
von Assisi

Die Ordensgründer

des westlichen Mönchswesens. Klöster wie Montecassino, Bobbio, Nonantola, Novalesa und andere bewahren in ihren Bibliotheken das Wissen der Antike und schlagen die Brücke zwischen Altertum und Neuzeit. Franziskus sendet seine Brüder in die Welt, um durch Predigt und Armenpflege den Kranken und Ausgestoßenen zu helfen. Auf diese Weise wird das Ideal der apostolischen Armut verwirklicht. Die beiden franziskanischen Richtungen der Spiritualen, der weltverneinenden Nachfolger Christi, und der Konventualen, die sich den Erfordernissen der Außenwelt anpassen, verkörpern bereits früh zwei grundsätzliche, aber antinomische Haltungen gegenüber dem Leben, die sich, mutatis mutandis, bis heute unversöhnlich gegenüberstehen. Der Ordensgründer hat mit seinem *Sonnengesang,* der die Schöpfung mit dem Ausdruck demütiger Dankbarkeit als ein Geschenk Gottes und ein harmonisches Zusammenwirken von Natur und Mensch feiert, die italienische Literatur mit einem ihrer frühsten Meisterwerke beschenkt.

Italien wird schon bald das Land mit den meisten Universitäten (Salerno, um 1030; Parma, 1065; Bologna, 1088; Modena, 1175; Padua, 1222; Neapel, 1224 usw.), die juristische Selbständigkeit und Satzungsautonomie erhalten. Das Studium generale, der Unterricht der Sieben Freien Künste (Trivium: Grammatik, Dialektik, Rhetorik; Quadrivium: Arithmetik, Geometrie, Astronomie und Musik) steht den Angehörigen aller Nationen offen und ist als allgemeine Propädeutik Eingangsvoraussetzung für ein Fachstudium der Theologie, der Medizin oder des Rechts. Alle Studenten erfahren somit eine stark rhetorisch-literarische Grundausbildung, was den Boden für das Entstehen der Literatur bereitet. Bologna war aus der Glossatorenschule des Irnerius hervorgegangen und leitete die Wiederbelebung des Römischen Rechts *(Codex Iustinianus)* für ganz Europa ein. Neben das göttliche (oder kanonische) und das Naturrecht tritt das gesetzte menschliche Recht, das alle Lebensbereiche formalisiert und befriedet. Es dient aber nicht nur der Sicherung der sozialen Ordnung, sondern befördert ein klares und vorurteilsfreies methodisches Denken. Mit Salerno besitzt Italien die früheste europäische Medizinhochschule von Rang; hier werden der Mensch und die Natur als materielle Wesen betrachtet, was den Italienern schon bald einen naturwissenschaftlichen Vorsprung vor anderen Nationen sichert.

Erste Universitäten

Palazzo Vecchio und
Piazza della Signoria in
Florenz, Zentrum der
kommunalen Macht

*Sprachenvielfalt und
Sprachenstreit*

Erste Zeugnisse

Das geistige Leben spielt sich aber nicht nur in den Universitätsstädten ab. Die Handelsstädte an der Küste (Venedig, Amalfi, Genua, Livorno) wie im Hinterland (Florenz, Siena, Pisa, Mailand) sind dem Fortschritt gegenüber aufgeschlossen. Die Florentiner Münze, der Floren oder Gulden, wird zur »Leitwährung« des Abendlandes. Der lebhafte Handel erzwingt neue Formen des bargeldlosen Zahlungsverkehrs (Wechselbrief) und seiner Verbuchung (doppelte Buchführung). Dies gewöhnt die Italiener nicht nur daran, ökonomisch international zu denken, denn sie sind die führenden Bankiers der Welt, sondern auch Mathematik, Technik und Naturwissenschaften zu pflegen. Auf den entsprechenden italienischen Entdeckungen des 13. Jahrhunderts wird die gemeineuropäische Entwicklung noch bis zur Hochrenaissance und darüber hinaus fußen.

Das Vordringen der Araber und Osmanen verschließt zwar das östliche Mittelmeerbecken und drängt Venedig und Genua nach Westen ab, doch dies führt schließlich (15. Jahrhundert) zum Zeitalter der Entdeckungen. Italien gerät wirtschaftlich langsam ins Abseits, aber Makrokosmos und Mikrokosmos sind, dank italienischer Teilnahme (Christoph Kolumbus, Giovanni Verrazano, Amerigo Vespucci, John Cabot, Alvise Ca' Damosto usw.), bis in die letzten Winkel erforscht und ausgeleuchtet.

Wenn wir diese Ergebnisse zusammenfassen, können wir zu Beginn des 13. Jahrhunderts in allen Lebensbereichen einen Bruch mit dem Alten und einen Willen zum Aufbruch erkennen. So ist es kein Wunder, daß sich auch die Literatur diesem Drängen nicht mehr verschließt. Die auf dem Boden Italiens existierende Sprachenvielfalt ist zunächst überraschend groß: Neben dem Latein als Kirchen-, Verwaltungs- und Gelehrtensprache und dem sich langsam zur Koiné entwickelnden toskanischen Italienisch finden wir, allerdings in eher abgelegenen Randzonen, das Sardische, Rätoromanische und Dalmatinische als weitere grundständige romanische Sprachen, dazu germanische, slavische, albanische, rumänische, byzantinische, provenzalische und katalanische Sprachinseln kleineren Umfangs. Bedenkt man, daß Italien dialektal dreigegliedert ist und neben den gallo-italienischen ober- und norditalienischen bzw. den mittel- und süditalienischen Dialekten die wichtige Gruppe der eher dem Süden zuneigenden toskanischen Dialekte kennt, wird unschwer verständlich, daß die italienische Literatur länger als die anderer Völker Dialektliteratur ist. Der Kampf um die Durchsetzung einer Sprache (Latein) oder eines Dialekts, die sogenannte »Questione della lingua«, mit seinen zahllosen differenzierten Parteinahmen, wird erst im Einheitsstaat des 19. Jahrhunderts für das gesprochene Florentinisch entschieden werden. Mangels eines Hofzentrums erfolgt aber bereits früh eine Vorentscheidung für das Toskanische, in dem die Meisterwerke der »tre corone fiorentine«, der »drei florentinischen Kronen« Dante, Petrarca und Boccaccio, abgefaßt sind. Kein anderer Dialekt kann dem etwas Ebenbürtiges entgegensetzen, und die Vorbildhaftigkeit und Mustergültigkeit der *Divina Commedia,* des *Canzoniere* bzw. des *Decamerone* überzeugen letztlich auch die Gegner des Toskanischen, die nach Pietro Bembos Plädoyer (*Prose della volgar lingua,* 1525) mal für mal verstummen.

Wenn das Französische, die »langue d'oïl«, im Italien des 13. Jahrhunderts aufgrund des Prestiges seiner Literatur (höfischer Roman) neben dem Latein eine zweite Verkehrssprache ist, bezeugen doch bereits volkssprachliche Einsprengsel in zumeist juristischen Texten (Placita, Verträge, Schwurformeln, Schiedssprüche, Zeugenberichte, Privilegien und Rechnungsbücher) die Existenz des Sprechitalienischen, das sich allerdings literarisch erst noch vom lateinischen, provenzalischen und französischen Vorbild emanzipieren muß, ehe es selber zu literarischen Ehren gelangt.

Die Anfänge der italienischen Literatur

Gaukler und Kleriker

Streng genommen setzt die italienische Literatur bereits Ende des 12. Jahrhunderts ein, doch sind die wenigen Texte aus dieser Zeit nur lückenhaft überliefert. Auch wirken sie im Vergleich etwa zu der fast gleichzeitigen altfranzösischen *Chanson de Roland* unbeholfen und schwerfällig und können ihre fremdsprachigen Vorbilder nicht verleugnen, so daß die Literaturkritik hier eher von »Vortasten« und »Präludieren« spricht. Der anonyme *Ritmo laurenziano,* meist auf ca. 1115–1180 datiert, ist ein frisches Heischgedicht in drei Strophen unregelmäßiger Zeilenzahl. Die noch unbeholfenen Strophen sind jedoch am Reim und dem Inhalt erkenntlich. Sie sind an einen oder mehrere Bischöfe gerichtet und enthalten die Bitte um ein oder mehrere Pferde. Der *Ritmo* reiht sich neben die fast zeitgleichen unverschämten Betteleien eines Archipoeta, Hugo Primas oder Walter von Châtillon ein. Während diese aber lateinisch schreiben, gibt der *Ritmo laurenziano,* der nach seinem Fundort, der Biblioteca Medicea Laurenziana in Florenz so benannt ist, erste Kunde von einer volkssprachlichen Vagantenlyrik oder Spielmannsdichtung (it. »giullare«), von der wir sonst nur wenig wissen. Sie ist ein gemeineuropäisches Phänomen und hat Bildungsstätten mit arbeitslosen Klerikern sowie frühe Hofzentren mit Mäzenatentum zur Voraussetzung. Der *Ritmo cassinese* (12./13. Jahrhundert), lange als ein Streitgespräch über Wert und Unwert des östlichen und westlichen Mönchstums gedeutet, geht wohl auf einen Dialog des Sulpicius Severus zurück. Der Text ist aber so mehrdeutig, daß auch ganz andere Interpretationen vorgeschlagen wurden wie der Gegensatz von Geist und Materie, Tod und Leben, Mittelalter und Frührenaissance. Der *Ritmo di San Alessio* (Anfang 13. Jahrhundert) ist eine eher plumpe Paraphrase des altfranzösischen *Alexiusliedes,* und die *Elegia in dialetto giudeo-italiano,* die zu Manuskripten aus der Synagoge in Ferrara gehört und eine Midrasch-Legende (rabbinische Auslegung eines Bibeltextes) abwandelt, verdankt ihre Entstehung dem Synagogalgesang.

Ritmo cassinese, Handschrift aus dem Kloster Monte Cassino, frühes Zeugnis der italienischen Lyrik

Um 1230 ist aber dann an mehreren Stellen Italiens aus ganz unterschiedlichen Gründen und in sehr heterogener Ausformung ein wirklicher Beginn der Dichtung zu konstatieren: Im Norden haben die Kommunen dank einem gut florierenden Handel, für dessen Ausbreitung die Kreuzzüge gesorgt haben, das germanische Lehnswesen abgestreift und republikanische Herrschaftsformen eingeführt. Damit geht ein gesteigertes bürgerliches Selbstbewußtsein einher, das andererseits nach Regelungsmechanismen verlangt, die den allzu selbstmächtig sich gebärdenden Individualismus und jedwedes soziale Fehlverhalten dämpfen und in seine Schranken verweisen. Wenn in der Feudalhierarchie jeder seinen Platz hatte und das ritterliche Tugendsystem einen Normenkodex vorgab, übernimmt jetzt eine reichhaltige gnomisch-satirische Literatur diese Aufgabe. In Oberitalien hat sich nämlich ebenfalls eine Art literarischer Gemeinsprache herausgebildet, die von lombardischen und venezianischen Autoren wie Gerardo Patecchio, Pietro da Barsegapé (auch: Bascapé), Bonvesin de la Riva, Giacomino da Verona, Uguccione da Lodi und anderen benutzt wird. Sie bringen zwar diverse Formen von Spruch- und Lehrdichtung hervor, doch gelingt es ihnen nur selten, das allegorisch-enzyklopädische Erbe des lateinischen Mittelalters durch Witz und Ironie abzumildern und somit etwas Originelles zu gestalten. Der Reim dient hier eher als Gedächtnisstütze denn als Mittel lyrischer Verknappung. Ständesatire und Frauenschmähung, Lebenskunde und Anstandslehre, Sündenkataloge und Predigtparaphrasen bilden den Inhalt; der Kohelet und andere Weisheitsbücher des Alten Testaments, dazu Väterschriften und

Literatur als Korrektiv

Die Stiftungsurkunde der italienischen Literatur

Der hl. Franziskus von Assisi predigt den Vögeln

Kuriale Minnedichtung

mittellateinische Dichter, der *Rosen-* und der *Fuchsroman* aus Frankreich, all die Bestiarien, Specula, Thesauri, Flores und Summen der Moralphilosophen und Theologen liefern den Stoff. Der Natur der Sache nach ermüden diese Fehler- kataloge aber schon bald und erschöpfen sich in Stereotypie.

Weiter südlich, in den Städten Umbriens (Perugia, Todi, Assisi), ist seit dem 12. Jahrhundert eine inbrünstige Laienfrömmigkeit verbreitet, die oft Gefahr läuft, in Häresie umzuschlagen, da sich Sozialkritik mit mystischer Verzückung mischt. Die Gründung des Franziskanerordens wird aus diesem Umfeld ver- ständlich, und sein Stifter dichtet ein oder zwei Jahre vor seinem Tod (um 1224) seine *Laudes Creaturarum* (auch: *Cantico di Frate Sole*), einen Hymnus von nur 33 Zeilen Länge, den man jedoch gemeinhin die »Stiftungsurkunde« der italienischen Literatur nennt. Der »Arme von Assisi« war eine Künstler- natur, der seine Anhänger als Spielleute Gottes bezeichnete, die an die Herzen der Menschen rühren und sie mit der Heiterkeit des Geistes erfüllen sollten. Der *Cantico*, dieses Gebet zum Lobe Gottes, das von den einfachen, des Lateins unkundigen Ordensbrüdern gemeinschaftlich gesungen oder gebetet werden sollte, steht am Beginn einer mächtigen religiösen Lyrik, der sog. Laudendich- tung, die in der Folgezeit Hunderte von Texten umfassen wird und eine der wenigen wirklich vom Volk getragenen literarischen Bewegungen darstellt, die den Namen »Volksliteratur« oder »Volkslieder« zu Recht verdient.

Am Hof des Stauferkaisers Friedrich II. (1212–1250) und sicherlich von ihm gefördert und angestoßen, setzt ebenfalls um 1230 ein Dichten in einer neuge- schaffenen Kultursprache ein, einer sizilianisch-unteritalienischen Koiné, das ein Gruppenphänomen ist. Seine Träger sind Juristen der staufischen Hofkanz- lei, der Magna Curia, die Themen und Formen provenzalischer Troubadour- gedichten entnehmen. Aber sie setzen sich von diesen Vorbildern sprachlich und inhaltlich bewußt ab. Ihre Eigenständigkeit ist Ausdruck eines aufkeimen- den nationalen sizilianischen Selbstverständnisses, das auch sonst für diesen Staat kennzeichnend ist. Die Minnedoktrin ist nicht mehr höfisch eingebun- den, die Tugendbegriffe sind nicht mehr ständisch erklärbar, der Abstand zwischen geliebter Herrin und Dichter wird zusehends kleiner, kurz, alles, was an die Feudalität erinnert, wird verallgemeinert und vermenschlicht.

Die drei zuvor angesprochenen Kulturräume haben somit alle ihren Anteil am Entstehen der italienischen Literatur, wenngleich in unterschiedlichem Ausmaß und mit unterschiedlichem Rang. Lehrdichtung, Liebeslyrik und Gotteslob dominieren, und damit sind drei wichtige Tendenzen vorgegeben, die auch in der Folgezeit gepflegt, abgewandelt und vervollkommnet werden.

Geistliche Dichtung: *der* Sonnengesang *und die Lauden*

Der Sonnengesang

San Francescos *Sonnengesang* ist Ausdruck seiner beispiellosen Liebesfähigkeit, seiner jubelnden Begeisterungsfähigkeit und seiner unerschütterlichen Gottes- gewißheit. Er übernimmt zwar Elemente und ganze Passagen des 148. Psalms (»Laudate Dominum de coelis«), des Buchs Daniel (Dan. 3, 57 »Gesang der drei Männer im Feuerofen«), aber auch der Psalmen »Cantate Domino canticum novum« (Ps. 95), »Benedicite omnia opera Domini Domino«, »Coeli enarrant gloriam Dei« (Ps. 18), dazu Abschnitte des Schöpfungsberichts (Gen. 1, 1–31) sowie die Struktur der Litanei. Doch trotz dieser mächtigen Vorbilder ist der

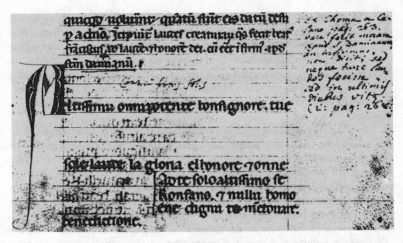

Anfang des *Sonnengesangs*
von Francesco d'Assisi

*Altissimu, omnipotente,
bon Signore,/ tue so'le
laude, la gloria e
l'honore et onne
benedictione./ Ad te solo,
Altissimo, se konfano,/ et
nullo homo ène dignu te
mentovare.*

*Du höchster,
allvermögender und
guter Herr,/ Dein sind
die Preisungen, die
Glorie/ und die Ehre
und alle Benedeiungen./
Dir allein kommen sie
zu/ und kein Mensch ist
würdig/ Dich zu
nennen./ (Übers.:
Romano Guardini)*

*Schöpfungslob und
Gotteslob*

Text nicht epigonal und auch nicht schlicht-naiv. Er hat etwas Forderndes, seinem Appellcharakter soll und kann sich niemand wirklich entziehen, auch wenn er zunächst für die Minderbrüder geschrieben ist. Franziskus sieht sich als von Gott selbst unterwiesen an, als jemanden, der seine Kraft aus dem Evangelium und der strikten Imitatio Christi bezieht wie niemand vor ihm. Er und seine Brüder sind nach ihrem Selbstverständnis ein neues Gottesvolk, und das verleiht ihm und ihnen trotz aller Selbstverneinung Autorität.

Die zahlensymbolische Struktur des *Cantico* – 33 Zeilen [das vermeintliche Lebensalter Christi beträgt 33 Jahre; (drei als Zahl der Trinität) und 9 (= 3 x 3) Lobpreisungen] – ist augenfällig. In frei rhythmisierter und assonantisch gebundener Zeilenprosa, die sich in zehn Strophen gliedert (10 ist die Zahl der Vollkommenheit), besingt der Ordensgründer nach der Gottesapostrophe zunächst in den vier Elementen und im Anschluß daran im Dulden und Sterben der Menschen den Ruhm des Allerhöchsten, da niemand Gottes Allmacht und Güte auszusagen vermag. Das Besondere ist einmal, daß in dieser Zeit des Welthasses und der häretischen Verirrungen der Kosmos in brüderlicher Harmonie mit den Menschen geschaut und verstanden wird: Die Gestirne, die Wolken, das Wasser, das Feuer und die Erde sind Brüder oder Schwestern des Menschen, und selbst der Tod wird noch in diese Allharmonie mit einbezogen. Alle Genannten werden zum Lobpreis aufgerufen, wobei die philologische Forschung bis heute keine Einigkeit über die grammatische Funktion des »laudato si' ... per« hat gewinnen können. »Per« kann nämlich »in, mit, für, durch, von, vermittels« heißen, und alles gibt einen Sinn! Die meisten Deuter tendieren zu »zusammen mit«, da Gott nicht für oder vom Tod gelobt werden könne. Aber soll dies nicht besagen, daß auch der Tod in Gottes Auftrag handelt und somit seinen Stachel verloren hat, zumal wenn der Sterbliche versucht, die Sünde abzuschütteln? Auffällig ist weiterhin, daß das Schöpfungslob in der 8. Strophe in die zweite und dritte Seligpreisung (Matth. 5, 3) einmündet, womit Franziskus seine Ordensbrüder unmittelbar anspricht und die Botschaft des Alten Testaments durch die des Neuen Testaments überhöht. Gotteslob, Dank und demütiger Dienst, mit denen der Hymnus endet, machen die unspekulative Theologie des Heiligen aus und sind Verpflichtung für jeden Bruder. Nicht von ungefähr steht das Wort »humilitate« am Ende und schlägt einen Bogen zum »Altissimu« des Beginns: in dieser Verbindung ist die ganze Dimension der Schöpfung eingefangen, an deren unterem Ende sich die Vertreter der Bettelorden ihren demütigen Platz zuweisen. Wie oft in der Folgezeit hebt sich die Dichtung eigentlich selber auf, denn Franziskus hatte mit einem Unsagbarkeitstopos (»Ineffabile«) begonnen: Zwar stehen Gott allein Lob, Ruhm, Ehre und Segen zu, aber eigentlich darf ihn niemand nennen. Der *Cantico* ist nun aber nichts anderes als Gotteslob, doch können wir ihn als einen einmaligen Aufruf an die Schöpfung mit allen ihren Teilen verstehen, durch ihre Existenz unablässig von der Größe Gottes Zeugnis abzulegen und somit alles weitere Sprechen überflüssig zu machen.

Die Lauden

Wenn der *Sonnengesang* noch keine Lauda im engen terminologischen Sinne ist, so präludiert er doch eine der mächtigsten literarischen und zugleich religiösen Bewegungen, die die Literatur überhaupt kennt. Von der Mitte des Duecento ab werden ca. 3000 Lauden gedichtet und vielfach in sog. Laudarien, von denen über zweihundert erhalten sind, gesammelt. Diese dienen den Laudesi-Bruderschaften als Textbücher. Das Laudensingen und -beten ist ein kollektives Phänomen, sein Geburtsjahr vermutlich das Halleluja-Jahr »12–33« (die 33 gemahnt wiederum an das Lebensalter Christi), als in Umbrien und der Toskana die Volksfrömmigkeit fast hysterische Ausmaße annimmt, was sich bis zum Jahr 1260 noch steigert, für das der kalabresische Zisterzienserabt Joachim von Fiore das Jüngste Gericht vorausgesagt hat. Nach seiner Lehre von den drei Weltaltern soll nach der Zeit des Vaters und des Sohnes jetzt die mönchische Geist-Zeit anbrechen. Ganze Städte und Landschaften verfallen in religiöse Verzückung und Raserei; Menschen verlassen Familie und Beruf, ziehen singend, betend und sich kasteiend umher. Das soziale Leben kommt zum Erliegen.

Die Funktion der Lauda ist para-liturgisch, denn sie verbindet Gebet – an Gott, Christus, die Madonna oder die Heiligen – mit dem Aufruf zu Buße und Umkehr; sie evoziert die biblische Geschichte, die Feste des Kirchenjahrs bei besonderer Bevorzugung des Passionsgeschehens. Schon bald verschmilzt die Lauda rhythmisch-musikalisch mit der archaischen und sehr populären Ballata, einem ursprünglichen Tanzlied, was sehr zu ihrer Beliebtheit beiträgt. Die Laienbruderschaften (it. »confraternite«; »compagnie«), bei denen die Lauden aufkamen, gehören zu den radikalen Spiritualen, den Fratizellen und Joachimiten, was auf den Inhalt dieser Texte abfärbt. Das extreme Flagellantentum geht ebenfalls aus dieser Richtung hervor. Ihr unabdingbares Gotteslob entspringt letztlich dem Geist der Weltverdammung und verbindet sich leicht mit dem der radikalen Weltverneinung.

Weltverdammung und Weltverneinung

Jacopone da Todi mit Laudarium (»Ke farai frate Jacopone, hor se' giunto al paragone«)

Der berühmteste Laudendichter ist Jacopone da Todi (eigentlich: Jacopo de' Benedetti). Seine Lebensumstände liegen weitgehend im dunkeln und können nur mühsam aus seinen Lauden (L 13, 14 u.a.) erschlossen werden. Man weiß ja um die hermeneutischen Schwierigkeiten und Unsicherheiten derartiger Rekonstruktionsversuche, die meist in einen Zirkelschluß münden, da die Biographie aus den Werken und die Werke mit Hilfe der Biographie erklärt werden. Demnach wäre Jacopone zunächst Notar und Rechtsbeistand gewesen, hätte 1267 seine Frau Vanna durch herabstürzende Balken bei einem Festmahl verloren. Dies habe eine Krise bei ihm ausgelöst, die ihn 1278 in den Franziskanerorden eintreten ließ. Hier habe er sich sogleich auf die Seite der Spiritualen geschlagen und in joachimitischer Erwartung der Endzeit für strikte Oboedienz gegenüber der Regel und absolute Armut gefochten. Deshalb sei er in Konflikt mit Bonifaz VIII. (1294–1303) geraten, der die Zugeständnisse seines Vorgängers Petrus von Morrone (Coelestin V.; 1294), welcher einer Splittergruppe um Jacopone sehr gewogen gewesen sei, sofort aufgehoben habe. Jacopone habe sich mit den Colonna, den Gegnern Bonifaz' VIII., verbunden, sei aber nach der Einnahme von deren Festung Palestrina für mehrere Jahre inhaftiert und erst 1303 von Benedikt XI. wieder befreit worden.

Die genaue Zahl der von Jacopone überlieferten Lauden schwankt je nach Werkausgabe. Ageno und Mancini gehen von 92 gesicherten Texten aus. Das Gesamtcorpus stammt vermutlich aus der Zeit nach der Konversion, einzelne Lauden können auf die Jahre 1287 bis 1303 datiert werden. Man kann Jacopones Lauden nach thematischen Gesichtspunkten gliedern und 1. 10 Lauden Gebete, Hagiographie, Heilsgeschichte; 2. 24 Lauden mit religiös-moralisierenden Tendenzen; 3. 20 Lauden Kompositionen zum Thema der mystischen Liebe, »Amore mistico« und der »annihilatio«, dem Aufgehen und Erlöschen in Gott; 4. 13 Lauden mit allgemeiner Theologie- und Glaubensthematik; 5. 13 Lauden im Umfeld des »contemptus mundi«, der Weltverachtung (Negativität des irdischen Lebens, Sündhaftigkeit, Dekadenz); 6. 7 Lauden mit Kritik an den Mönchsorden und der Kirche; sowie 7. 5 autobiographische Lauden unterscheiden. Diese inhaltliche Gliederung bleibt jedoch abstrakt und verrät nichts von den Spannungen, die den Dichter zerreißen, den Ängsten, die ihn quälen, der Aggressivität und dem Sarkasmus, mit denen er mitleidslos anklagt. Viele Lauden werden von einer extremen Lust- und Leibfeindlichkeit beherrscht, die sich bis zum Selbsthaß steigern. Dies geht so weit, daß alle persönlichen und familiären Bindungen geleugnet werden, jeder kulturellen und sozialen Ordnung eine radikale Absage erteilt wird. Was zählt, sind allein das Kreuz Christi (L 2, 15, 27, 51, 69), der Tod als der Sünde Sold (L 61), die Buße (L 11, 12, 49, 52), die Krankheit, die Armut (L 36, 47) und die Kasteiung, die alle Hoffart vernichten und ein gottgefälliges Leben garantieren.

Papst Bonifaz VIII., eines der frühesten Porträts eines Lebenden (Bronzeblech auf Holz)

So spricht jemand, der den Satan, den Antichrist und die Sünde überall wittert (L 38, 56), der aber auch als Kind vom Vater hart gezüchtigt wurde (L 58). Man geht kaum fehl, von einem an Masochismus grenzenden Charakter zu sprechen, der durch die bedingungslose Hingabe an die Mönchsgelübde noch verstärkt wird (L 33, 39, 41, 44, 82). Jacopone war sicherlich von übermächtiger Gottesliebe getrieben (L 14, 21, 22, 23, 25), und »Amore« ist mit 500 Belegen *das* Schlüsselwort seiner Lauden, aber er verkündet eine Liebe, die zur Selbstvernichtung führt. Erst dann hat der Geist den Körper und die Sinne besiegt, ein Dualismus, der immer wieder thematisiert wird (L 7, 19, 20, 34). Allerdings weiß man inzwischen, daß Jacopone die einschlägigen Vorbilder kannte: die gesamte Predigtliteratur von der Patristik bis zur beginnenden Scholastik mit ihren oratorischen und publizistischen Klischees, die die Hörer steuern und manipulieren sollten, und dies mindert vielleicht den Eindruck von Spontaneität und Authentizität ein wenig.

Übermächtige Gottesliebe

Jacopone ist meist ein rasender Eiferer, ein zelotischer Prediger, ein marktschreierischer Rhetoriker, ein düsterer Prophet des Untergangs. Nur selten zeigt er sich als freudig-beflügelter »giullare di Dio«, als »Spielmann Gottes«, den sich sein Ordensgründer Franziskus gewünscht hatte, aber er ist auch kein selig Verzückter und Entrückter, was seine Ängste und Obsessionen nicht erlauben. Dem direkten Zugriff der Lauden kann sich der Leser jedoch kaum entziehen, denn formal dominieren Dialog und Apostrophe, die den Angesprochenen benennen und nicht mehr loslassen wollen. Die Zeitgenossen waren durchaus an derartige schroffe stilistische Registerwechsel gewöhnt, empfanden sie auch kaum als Demagogie, sondern als authentische, wo nicht gar notwendige (unterhaltende) Dreingabe. Damit kann Jacopone aber auch als ein früher Vertreter einer satirisch-burlesken Schmähdichtung gesehen werden, die einen Gegenpol zur Tradition der neuplatonischen Liebeslyrik darstellt. Wo die eine Dichtung lobt, tadelt die andere. Statt auf Erhöhung zielt sie auf Erniedrigung, und sie kennt nur den egoistischen und sündigen Menschen, der triebhaft, verderbt und materialistisch ist. Beide Sehweisen bedingen und ergänzen sich, denn die Lyrik ist insgesamt janusköpfig; wenn die Minnelyrik ein eher aristokratisches

Jacopone da Todi beim Gebet, Holzschnitt aus der Inkunabel der *Laude*

Kreuzesschmach

Gruppenphänomen ist, wird die Gegenrichtung, die durchaus auch für eine Gruppe repräsentativ sein kann, von markanten Außenseiterpersönlichkeiten vorgetragen.

Großes Nachleben ist Jacopones Lauden und Dichtungen nicht beschieden gewesen, sieht man von zwei Gedichten ab. Sein lateinisches »Stabat mater dolorosa« ist 1727 als Sequenz zum Fest der Sieben Schmerzen in das *Missale Romanum,* das Buch mit den bei der katholischen Messe üblichen Gebeten und Gesangstexten, aufgenommen worden; das andere, thematisch verwandt, das volkssprachliche »Donna de Paradiso« (L 70), weist in seiner dialogischen Struktur bereits auf die »Sacre rappresentazioni« voraus. Die Verfasserschaft Jacopones für das »Stabat mater« ist übrigens nicht gesichert, wegen seiner franziskanischen Herkunft hat man auch an den hl. Bonaventura gedacht. In L 70 findet ein Wechselgesang zunächst zwischen einem anonymen Boten und der Gottesmutter statt, der ihr von der Kreuzesschmach berichtet, bis sie selber mit ihrem Sohn sprechen kann. Er redet sie ganz menschlich mit »Mamma« an und empfiehlt sie in die Hände des Lieblingsjüngers Johannes. Diese Lauda enthält alle Qualitäten Jacopones: liedhafte Schlichtheit, plakative Verdichtung, eingängige Vermittlung von Gefühlen wie Liebe und Schmerz, inniges Verständnis statt anklägerischer Predigt.

Guido d'Arezzo und
sein Schüler Teodaldo
am Monochord

Ein zweiter bedeutender religiöser Dichter neben Jacopone ist Fra Guittone d'Arezzo, der (um 1265) in den Orden der Cavalieri di Santa Maria eintrat und nach der Konversion 26 asketische und moralische Texte verfaßte, darunter fünf Lauden (Gebet an Christus, die Gottesmutter, auf die Heiligen Dominikus und Franziskus, eine *danza* christlicher *gioia*). Guittones Dichtungen sind von hohem Niveau, darin seiner herkömmlichen Liebesdichtung vergleichbar, haben aber nicht Jacopones Popularität und Demagogie und deshalb auch keinen Eingang in die Laudari gefunden.

Die »Sizilianische Schule«: Minnelyrik von Juristen und Königen

Mäzen und Dichter

Büste Kaiser Friedrichs II.
aus der Mitte des
13. Jahrhunderts

Die erste größere Gruppe von Dichtern mit einem homogenen Werk wird von Dante rückblickend (*De vulgari eloquentia* I, xii, 3) als »sizilianisch« bezeichnet, obgleich die ca. 30 Autoren, die ihr zugerechnet werden, auch vom Festland – aus Apulien und Kalabrien – oder gar aus der Toskana kommen. Aber sie gehören alle als Juristen, Notare und Beamte zur staufischen Hofkanzlei, der Magna curia, Kaiser Friedrichs II., was diesen Namen rechtfertigt, da sie ihren Sitz meist in Palermo hatte. Friedrich II. war ein hochgebildeter Herrscher, den Dante voll Bewunderung als »loico e clerico grande« (*Convivio* III, x, 6), als »bedeutenden Philosophen und Gelehrten«, feiert. Die Zeitgenossen bestaunten ihn gar als »stupor mundi«, als eine Art »Weltwunder«, doch klingt in diesem Beinamen auch Furcht an. Seine Muttersprache war Italienisch, aber er las oder sprach auch das Französische seiner normannischen Vorfahren, das Deutsche seiner nördlichen Reichsbewohner, das Griechische, Arabische und Lateinische der in seinem Reich lebenden Untertanen und Gelehrten. Dementsprechend übte er ein internationales Mäzenat aus, wie es im *Novellino* (XXI) heißt: »So kamen an seinen Hof Musiker, Dichter, und Geschichtenerzähler, bildende Künstler, Fechtmeister und solche, die sich im Zweikampf auszeichneten, Leute jedweder Art«. Er zog Dichter und Philosophen aus aller Herren

Länder an seinen Hof oder korrespondierte mit Naturforschern und Denkern des arabisch-islamischen Kulturkreises. Die provenzalischen Troubadoure Peire Bremont gen. Ricas, Guilhelm Figuera de Toulouse, Guacelin Faidit, Elia Cayrel, Uc de Saint Circ, Roman de Tors, Alberet de Sisteron, Aimeric de Peguilhan, Nue de San Caro und vielleicht Folquet de Romans fanden bei ihm gastliche Aufnahme. Ihre Gedichte wurden gelesen, übersetzt und nachgeahmt, und sie sind sicherlich das wichtigste Vorbild der neuen sizilianischen Dichter.

Das Falkenbuch

Kaiser Friedrich II. als Falkner und Verfasser eines Buchs über die Falknerei

Aber nur in dem Sinn einer gemeinsamen »forma mentis« wird man von »scuola siciliana« sprechen dürfen, die weder vom König organisiert wurde noch von einem der Dichter ein Programm verordnet bekam, wie dies etwa bei der französischen Pléiade der Fall ist. Der König selber, unter dessen Namen fünf Gedichte überliefert sind, war ein eher mäßiger Poet und damit kaum ein Vorbild, wenngleich ein Anreger und verehrtes Modell. Seine Leidenschaft galt der Jagd, und sein Falkenbuch *De arte venandi cum avibus* (Über die Kunst, mit Vögeln zu jagen) hat ihm literarischen Nachruhm erworben, ist es doch ein Zeugnis einmaliger Naturbeobachtung. Der unbekannte Biograph Papst Gregors IX. hat den Kaiser übrigens wegen seiner Jagdleidenschaft sogar verhöhnt und verächtlich gemacht, weil »er den Titel Majestät in ein Jagdamt verwandle, statt mit Waffen und Gesetzen geschmückt, von Hunden und schreienden Vögeln umgeben sei, und ohne der Rache an seinen Feinden zu gedenken, die Adler des Triumphes auf den Vogelfang loslasse«.

Ohne die provenzalische Dichtung könnte man sich demnach die Hochblüte der Sizilianer kaum vorstellen. Hier finden sie nicht nur ein ganzes Netz lyrischer Subgenera und Formen wie Vers, Kanzone, Sirventes, Planh, Alba, Pastourelle, Kreuzlied, Tenso, Devinhal, Fatrasie, Cossir, Joc-partit usw., sondern auch eine ausgeprägte und fein gesponnene neuplatonische Amorkonzeption *(fin' amors)* mit der entsprechenden feudalrechtlichen wie auch psychologischen Terminologie (joi/Freude, dolzor/Süße, mezura/Maße, valor/Wert, prets/Preis, leial/treu, joven/jung, cortes/höfisch, enoyos/lästig, descortes/unhöfisch, lauzengier/Schmeichler bzw. Verleumder usw.), dazu eine auf der lateinischen Ornatus-Abstufung aufbauende Dichtungstheorie, die mehrere Stufen unterscheidet: das hermetische und gedanklich virtuose »trobar-clus« (verschlossenes Dichten) als das schwierigste; das »trobar-ric« (reiches Dichten) als das formal ausgewählteste, das »trobar-plan« oder »trobar-leu« (einfaches oder leichtes Dichten) als unterste Stufe.

Das provenzalische Vorbild

Der provenzalische Formenreichtum wird jedoch stark vereinfacht und letztlich auf eine lyrische Langform (»canzone«) und eine daraus entwickelte Kurzform (»sonetto«) reduziert, denn andere Kleinformen (Discordo, Romanze) spielen kaum eine Rolle. Wir wissen nicht, wem wir das Sonett verdanken – vermutlich dem Notar Giacomo da Lentini, wir wissen auch nicht, wie es entstand – vermutlich durch Umkehrung der in eine zweigeteilte Frons (Aufgesang) und eine etwas längere zweigeteilte Sirma oder Cauda (Abgesang) geteilten Kanzonenstrophe, aber es ist bis heute eine der meistgepflegten lyrischen Formen und hat in der Folgezeit seinen Siegeszug durch alle abendländischen Literaturen angetreten. Die Kanzone ist meist Lehrkanzone, entwickelt schwierige theoretische Gedankengänge der Amorkonzeption; das Sonett ist lyrischer Syllogismus, ein Kreisen der Gedanken oder eines Gedankens des lyrischen Ich, der sozusagen »more geometrico« durchgeführt wird.

Kanzone und Sonett

Der Wortlaut all dieser Gedichte ist bis auf wenige Ausnahmen verschollen, die Giovanni Maria Barbieri in seinem *Arte del rimare* (postum 1790) überliefert hat. Wie das Sizilianische geklungen hat, können wir vielleicht aus Stefano Protonotaros »Pir meu cori alligrari« oder den Re Enzo-Fragmenten »Allegri cori plenu« bzw. »S'eo trovasse pietanza« erahnen. Ansonsten sind wir auf

Die Sprache der Sizilianer

spätere toskanische Handschriften mit starker toskanisierender Überlagerung (z.B. Codex vaticanus 3793) angewiesen. Der Grund für diese Veränderungen ist einmal, daß einige sizilianische Dichter Toskaner waren, vor allem aber, daß die von den Sizilianern gepflegte Sprache zwar bewußt einheitlich, jedoch künstlich und frei von Dialektismen war. Sie ist ein Mischdialekt aus sizilianischen und toskanischen Elementen und läßt sich leicht toskanisieren, wenn man vor allem die tontragenden í in é, die ú in ó verwandelt und die nichtbetonten End -i und -u in e und o. Rekonstruktionsversuche sind jedoch müßig, denn der Originalzustand wird wegen der Kunsthaftigkeit kaum wiederhergestellt werden können.

Die Amordoktrin

Gegenstand der Sizilianer ist ebenfalls der »fin' amore«, die hohe Minne, wie der Begriff in deutlicher Anlehung an die Provenzalen meint. Amor wird jetzt stärker personalisiert und schließlich vergottet, tritt als selbständig handelnde Macht auf und ist dem menschlichen Wollen entzogen. Damit gleicht er vielfach der Fortuna. Seine kriegerischen Attribute Köcher, Pfeil und Bogen hat er behalten, weshalb Liebe Kampf und Streit, Verletzung und Pein, Leiden und Siechtum bedeutet. Es wird zwar eine exklusive Zweierbeziehung bedichtet, in der es von vornherein nur einen Sieger, die unnahbare Herrin, und einen Besiegten, den Liebenden gibt, aber als »Mittler« wirkt Amor, dem selbst die Dame Gehorsam schuldet, was ihrer Macht seltsamerweise keinen Abbruch tut.

Sehen und Sagen

Amor wird im allgemeinen durch Blicke einer schönen und charakterlich hochstehenden Frau erweckt, deren Bild durch die Augen des sie anschauenden Liebenden ins Herz dringt und den Wunsch in ihm erregt, sich ihrer Schönheit und Güte würdig zu erweisen. Deshalb bemüht er sich um Veredelung und sittliche Besserung. Aufgabe des Dichters ist es, das Geschaute zu versprachlichen; Sehen und Sagen stehen in einer ständigen Wechselwirkung. Die Körperlichkeit der Herrin ist ganz stereotyp, wie diese ganze Lyrik entindividualisiert ist, aber das ist angesichts des Ideals der »Kalokagathia« (= Schönheit und Güte in einem) nicht weiter verwunderlich. Die Liebe ist wegen ihrer Macht, aber auch ihrer Einmaligkeit »unsagbar«. Angesichts dieser Tatsache nehmen die Dichter Zuflucht zu zahlreichen Metaphern, Paradoxen und Adynata, die das Unsagbare sagbar machen sollen. Sie sind Bestiarien, Herbarien, Lapidarien oder medizinischen Traktaten, dann aber auch allgemein alltäglichen Lebensbereichen wie Landwirtschaft, Schiffahrt, Jagd oder Kriegswesen, seltener der Religion, entnommen. Ihre Konkretheit kontrastiert erst recht mit der Unsagbarkeit, doch gibt es keinen anderen Weg, emotionale oder gar numinose Prozesse, die nicht oder nur schwer beschreibbar sind, zu erklären.

Dichtung für Eingeweihte

Der Liebesvorgang als solcher wird rituell-fiktiv dargestellt. Der Liebende braucht die Grausamkeit und Härte der Geliebten, da Erfüllung das Ende der spirituellen Liebe und somit auch des Dichtens wäre. Nur selten finden wir noch lehnsrechtliche Termini und Bilder, weil es in Sizilien kein Südfrankreich vergleichbares Lehnssystem mehr gibt und damit eine Parallele zwischen Herrin und Lehnsherr obsolet wird. Dennoch durchdringen sich Herrscherlob und Frauenlob gegenseitig. Der Abstand zwischen Liebendem und Donna ähnelt dem zwischen dienendem Beamten und Kaiser. Die Hofjuristen verfügen über eine gründliche rhetorisch-literarische Ausbildung. Sie schreiben, wenn man nach dem Sinn ihres Dichtens fragt, keine Erlebnislyrik, sondern virtuos gebaute Verse für Eingeweihte. Sie sind dem absoluten Willen ihres kaiserlichen Herrn unterworfen, dem sie auf diese Weise indirekt Reverenz erweisen, was allerdings nicht so weit geht, daß Herr und Herrin miteinander gleichgesetzt werden. Die Dichter übernehmen dabei das literarische Erbe der Provenzalen und passen es an die besonderen Gegebenheiten des staufischen Hofs an.

Die besten Dichter

Zwar finden wir unter den ca. 30 sizilianischen Dichtern auch vier Könige –

Friedrich II., seinen Sohn Enzo, seinen Schwiegervater Johann von Brienne, den König von Jerusalem, und König Manfred von Sizilien –, aber sie sind keinesfalls die bedeutendsten Vertreter dieser Gruppe. Aus ihr ragen der Notar Giacomo da Lentini (»Madonna, dir vo voglio«; »Meravigliosamente un amor mi distringe«; »Io m'aggio posto in core a Dio servire«), der Kanzler Pier della Vigna (»Amore, in cui disio ed ho speranza«), Rinaldo d'Aquino, der vielleicht Falkner war (»Per fin' amore vao sì allegramente«; »Già maï non mi conforto«), Guido delle Colonne, seit 1243 Richter in Messina (»Ancor che l'aigua per lo foco lassi«), und Giacomo Mostacci (»Umile core e fino e amoroso«), was Virtuosität der Form, Neuartigkeit der Bilder und Motive und programmatische Vorstellungen angeht, deutlich hervor. Da sich die Inhalte der Gedichte ähneln, ist formale Virtuosität wichtig, denn es stellt eine originale Leistung dar, Bekanntes immer wieder auf andere Weise zum Ausdruck zu bringen, ohne in Klischees zu verfallen.

Büste des Kanzlers Pier della Vigna aus dem 13. Jahrhundert

Neben dieser hohen Lyrik gibt es aber gleichzeitig eine volkstümliche (»popolareggiante«), für die Cielo d'Alcamo steht, den man ebenfalls zu den Sizilianern rechnet. Sein berühmter Contrasto, ein 32 pentastichische Strophen umfassendes Dialoggedicht »Rosa fresca aulentissima« (»Du junge Rose, duftend stark«), mit dem Francesco de Sanctis noch seine *Storia della letteratura italiana* (1870–1871) eröffnet hatte, zeugt vom Nebeneinander beider Richtungen. Auch die Sprache des Contrasto ist ein sizilianischer Mischdialekt, doch erklären sich hier die unterschiedlichen Stilniveaus durch die parodistische Absicht des Verfassers. Er läßt zwei Sprechweisen aufeinander treffen und miteinander ringen: die rhetorisch und literarisch geschulte Verführungskunst eines Spielmanns (giullare), der als Don Juan einem einfachen Mädchen aus dem Volk den Hof macht und möglichst schnell mit ihr ins Bett gehen möchte; andererseits ihre schnippische Schlagfertigkeit, ihr derber Mutterwitz und ihr Widerstandswille, der das Ringen lange in der Schwebe hält, da sie nur um den Preis der Ehe nachgeben will. Es entspricht einem antifeministischen Trend der Zeit, wenn das Mädchen schließlich unterliegt, aber sie hat in der Wechselrede viele Punkte für sich verbuchen können. In Texten dieser Art lebt die provenzalische Pastourelle fort, die sinnliche Seite der Minne, die bei der Betrachtung der italienischen Lyrik allzu oft minimalisiert oder gar negiert wird. Sie dürfte zu ihrer Zeit nicht minder erfolgreich gewesen sein als ihr hoher Widerpart, und beide stehen einmal mehr für den Spielcharakter dieser Dichtung.

Volkstümliche Dichtung

Die Bologneser Schule und der Dolce stil novo

Nach dem Untergang des Stauferreichs verbreitete sich die sizilianische Lyrik in ganz Mittel- und Norditalien, von Neapel bis Venedig, wo sie an kleinen geistlichen und weltlichen Höfen, in Universitätsstädten und Handelsmetropolen die provenzalischen und nordfranzösischen Muster verdrängte. Bologna und Florenz sind jedoch die wichtigsten Kristallisationspunkte dieses Durchdringungsprozesses. Die italienische Lyrik besitzt gegenüber der französischen, spanischen, englischen und deutschen eine größere Kohärenz und vermeidet harte Traditionsbrüche. Abrupte Übergänge gibt es kaum, die thematischen Veränderungen sind minimal, und von den Anfängen bis Petrarca wird in der hohen Lyrik ein Thema unmerklich immer wieder variiert: die unerfüllte Liebe als Herausforderung und geistiger Veredelungsprozeß. Insofern ist diese Lyrik abstrakt und atmet platonischen Geist. Die konstatierte Kohärenz dieser

Epochen der italienischen Lyrik

König Enzo »hinter
Gittern« in bolognesischer
Gefangenschaft,
Miniatur aus einer
Liederhandschrift des
14. Jahrhunderts

»Epochen der italienischen Lyrik« ist übrigens nicht zuletzt auf persönliche Begegnung und Beeinflussung der Dichter zurückzuführen. In einer Art geistiger Staffette geben herausragende Dichterpersönlichkeiten den »Stab der Ideen« an ihre Schüler und Bewunderer weiter: König Enzo saß in Bologna in Haft und vermittelte die sizilianische Lyrik an Universitätskreise. Hier studierten und lebten auffallend viele Florentiner und Toskaner wie Folcacchiero Folcacchieri da Siena, Bonagiunta Orbiciani da Lucca, Gallo oder Galletto da Pisa, Paolo Lanfranchi da Pistoia, Compagnetto da Prato, Chiaro Davanzati und wie sie alle heißen.

Guittone d'Arezzo erweitert das sizilianische Repertoire um sentimentale, politische und religiöse Nuancen und zeigt damit die große Spannbreite der lyrischen Möglichkeiten auf. Sein Schüler Guido Guinizelli, in Bologna geboren, dessen Werk Scharnierfunktion hat, aber leider nur fragmentarisch erhalten ist, ist Traditionalist und Neuerer in einem. Er greift die Themen, Motive und Formen der Provenzalen, Sizilianer und Sikulotoskaner auf, öffnet sie aber zur Gruppenlyrik und erweitert sie um die spirituelle Gentilezza-Lehre, den Primat von Geistes- und Gesinnungsadel. Sein Dichten erlaubt eine Lektüre nach dem mehrfachen Schriftsinn, wie sie die theologische Hermeneutik sanktioniert. Mit dem Florentiner Guido Cavalcanti ist endgültig der Übergang zum Dolce stil novo erreicht, denn in mehreren Sonetten und Kanzonen (vor allem »Donna me prega«) entwirft er ein Programm des Dolce stil novo und hebt dabei auf formales Raffinement, das sich bis zum Manierismus steigern kann, philosophische Terminologie und Begrifflichkeit sowie die idealisierte Amor-Lehre als wichtigste inhaltliche Bestandteile der Dichtung ab.

Der neue süße Stil

Wenn der Dolce stil novo als Höhepunkt der älteren italienischen Lyrik vor Petrarca gilt, so verdankt er diese Wertschätzung ohne Zweifel Dante Alighieri, seinem wortgewaltigsten Propagandisten, der sich hier allerdings selber ein Denkmal setzt. Ja, der »altissimo poeta« und Verfasser der *Divina Commedia* hat die anderen (sieben) Mitglieder seiner Gruppe so sehr in den Schatten gestellt, daß ihre Namen und Gedichte nur noch in wenigen Fällen in Erinnerung sind (Guido Guinizelli [Guinicelli], Guido Cavalcanti, Lapo Gianni, Gianni Alfani, Dino Frescobaldi, Cino da Pistoia, Chiaro Davanzati). In mehreren Passagen der *Divina Commedia* läßt Dante ältere Dichter auftreten und im Gespräch mit ihm selber, dem Jenseitsreisenden, Werturteile über seine eigenen Dichtungen,

Farinata degli Uberti und
Cavalcante dei Cavalcanti,
Vater des Dichters Guido,
Stich von G.G.
Macchiavelli zu *Inferno* X

die der Vorläufer wie die der Zeitgenossen abgeben. Diese vermeintliche Objektivierung, die wegen des transzendentalen Charakters der drei Reiche keinerlei Revision zuzulassen scheint, hat bis heute nachgewirkt und ist schon bald kanonisch geworden. Aussagen aus Dantes *Convivio* und *De vulgari eloquentia* gelten (fälschlich) als subjektiver oder pedantischer.

Der *Göttlichen Komödie* können wir zunächst einmal das Programm der Stilnovisten entnehmen. In der Begegnung mit Bonagiunta da Lucca (*Purg.* XXIV, 49 ff.) wird zwischen zwei Richtungen oder Schulen geschieden, die in zwei Stilarten dichten, welche sich insbesondere durch die Unmittelbarkeit der Inspiration unterscheiden, d.h. die stilnovistische Minnekonzeption will sublimer und konzeptuell genauer sein als die der Vorgänger. Es handelt sich um einen »uso moderno«, eben den »stil novo«, der einen »uso antico«, den der Provenzalen, Sizilianer, Sikulotoskaner und prä-stilnovistischen Bolognesen verdrängt, und man hat diese beiden Richtungen gerne mit der Analogie der kunsthistorischen Stile »Romanik« und »Gotik« verglichen. Bonagiunta sagt:

> »O frate, issa vegg'io« diss'egli »il nodo,
> Che il Notaro e Guittone e me ritenne
> Di qua dal dolce stil nuovo ch'io odo.
> Io veggio ben come le vostre penne
> Diretro al dittator sen vanno strette,
> Che delle nostre certo non avvenne;
> E qual più a riguardare oltre si mette,
> Non vede più dall'uno all'altro stile.«

> (»O Bruder«, sprach er, »nun seh ich den Knoten,/ Der den Notar, Guitton und mich noch ferne/ Von jenem süßen neuen Stil gehalten./ Ich sehe wohl, wie folgsam eure Federn/ Dem, der diktiert, auch auf sein Wort gehorchen;/ Das ist mit unsern freilich nicht geschehen./ Und wer noch weiter sich vertiefen möchte,/ Wird nichts mehr finden zwischen beiden Stilen.«/ (Übers.: H. Gmelin)

Ein »Knoten« im Sinne von »Fessel« oder »Schwierigkeit« trennt alle Vorgänger wie den namentlich genannten Notar Giacomo da Lentini, Guittone d'Arezzo und Bonagiunta selber vom neuen Stil. Dessen Vertreter gehorchen nämlich dem »dittator« Amor aufs Wort, was vorher anscheinend nicht der Fall war. Was ist aber damit gemeint? Feudalrechtliche und kuriale Analogien spielen offenbar keine Rolle mehr, die Lyrik hat sich von konkreten Realitätsbezügen so weit wie möglich zu lösen. Die Provenzalen gelten mehr als die Sizilianer, was eine Aufwertung der virtuosen Wortkunst meint. Der Provenzale Arnaut Daniel (*Purg.* XXVI, 117) erhält das ehrende Epitheton des »miglior fabbro del parlar materno«, »des besten Schmieds der Muttersprache«, zugesprochen. Guittone d'Arezzo, der Vorläufer und Anreger, wird entgegen der Wahrheit als Lehrmeister abgelehnt und herabgestuft. Stattdessen ist Guinizelli »il padre Mio e degli altri miei miglior che mai Rime d'amore usar dolci e leggiadre« (»mein Vater, und aller besten Vater auch, die jemals anmutig süße Liebeslieder sangen« [*Purg.* XXVI, 97] Übers.: H. Gmelin).

Da Bonagiunta Dante (*Purg.* XXVI, 51) mit der Anfangszeile von dessen Lehrkanzone »Donne, ch'avete intelletto d'amore« begrüßt, dürfen wir ihr wohl die Grundideen des Dolce stil novo entnehmen, der 1280 bis 1310 seinen Höhepunkt hat. In Ergänzung können wir die Lehrgedichte anderer Stilnovisten, etwa Guinizellis »Al cor gentil rempaira sempre Amore« (»In einem edlen Herzen findet Amor stets Zuflucht«) und »Madonna, il fino amore ched eo vo

Der Diktator Amor

Dante Alighieri, Fresco von Luca Signorelli im Dom zu Orvieto

Schlüsseltexte

Guido Guinizelli, »Al cor
gentil«

porto« (»Die Minne, Herrin, die ich für euch spüre«), Guido Cavalcantis »Poi
che di doglia cor conven ch'i'porti« (»Da ich ein Herz voll Kummer haben
muß«) und »Donna me prega, per ch'eo voglio dire« (»Mich bittet eine Herrin,
und so sprech ich«) oder Cino da Pistoias »Degno son io ch'io mora« (»Ich bin
es wert zu sterben«) und »Io no spero che mai per mia salute« (»Ich darf nicht
hoffen, daß zu meiner Rettung«) hinzuziehen.

Dantes von Bonagiunta zitierte Kanzone ist die erste der *Vita Nuova*, eine
reine Elfsilberkanzone mit »nuova matera«. Sie will zunächst auf einer unteren
Stufe als autobiographisches Testimonium gelesen werden, zugleich aber auch
als poetologische Reflexion, als Traktat, der die Frage nach Zielpublikum,
gewählter Stilart und hermeneutischer Vorgehensweise diskutiert. An die Stelle
der schmerzerfüllten Liebe der Vorgänger ist die Verherrlichung Beatrices getreten, deren Name (»die Beseligende«) »per interpretationem nominis« Verweis-
charakter auf das Jenseits hat. Der hagiographische, sozusagen franziskanisch-
mystische Charakter der Dichtung ist nicht zu übersehen und verbindet sich
mit persönlichem Erleben und neuplatonischer Liebesauffassung. Derartiges
Dichten ist in Dantes Augen »nuovo« und »dolce«, doch bilden beide Begriffe
ein vielschichtiges und komplexes Paar. »Nuovo« (ältere Form: novo) meint so
viel wie »neuartig, jung, frühlingshaft«, dann aber auch »echt, richtig, gott-
gewollt«. Dante versteht sich als »avantgardistischer« Dichter, der die Vorläufer
interpretiert und übertrifft, sich aber auch in die auf Paulus und Augustinus
zurückreichende christliche Tradition der geistigen Erneuerung einreiht.
»Dolce« ist ein Stilprädikat mit dem Wert von »soave, piano, leggiadro« und
sogar »sottile«, umgreift also den lautlichen Wohlklang, die mystische Versen-
kung und den intellektuellen Scharfsinn.

Dantes Lyrik

Zeugnis der Vielfalt

Überblickt man Dantes lyrisches Schaffen insgesamt, so ist es von erstaunlicher
Vielseitigkeit, die zu diesen doktrinären Aussagen nicht recht passen will: Es
reicht von burlesk-vulgärem Realismus (Streit-»Tenzone« mit Forese Donati) bis
hin zu abstrakt-scholastischem Belehren (*Convivio),* von eher harmlos-klischee-
haften Tändeleien (z.B. Garisenda-, Fioretta-, Violetta-Gedichte) bis hin zu
sprachlich-metrischen Experimenten mit schwerem und rauhem Wortmaterial
(Petrosen). Diese Heterogenität hängt damit zusammen, daß wir die drei
»Blöcke«, in denen die insgesamt 88 oder 89 Gedichte überliefert sind, nur
approximativ datieren können und nicht genau wissen, wie der reife Dante im
einzelnen dazu stand. Die 54 Rime (Sonette, Kanzonen, Ballate, Sestinen)
werden auf 1286/87 bis 1308 datiert, und die »Montanina canzone« gilt
gemeinhin als Dantes letzte lyrische Produktion überhaupt. Die *Vita Nuova,* ein
Prosimetrum mit 31 eingebetteten Gedichten, fällt vermutlich in die Jahre
1292/93–95; das *Convivio,* ca. 1304–08 verfaßt, ist die unvollendete Kommentierung in Traktatform dreier (von 14 geplanten) Kanzonen nach dem mehrfachen Schriftsinn. Nehmen wir die Nennung eigener Texte im relativ spät anzu-
setzenden (1304–1307/08) sprachtheoretischen Traktat *De vulgari eloquentia,*
in dem Dante die Existenz einer italienischen Nationalsprache beweisen und sie
theoretisch und praktisch beschreiben will, als Zeichen eines positiven Wert-
urteils, dann können vor Dantes Augen zu diesem Zeitpunkt nur noch die *Vita
Nuova,* das *Convivio,* einige Lehrkanzonen und die Petrosen bestehen. Mit anderen Worten sind die etwa 30 vor der *Vita Nuova* geschriebenen Juvenilia, viel-

fach Sonette und Ballate an einzelne Frauen, der Sonettwechsel mit Dante da Maiano (»Tenzone del Duol d'amore«), die Gedichte in cavalcantianischer Manier, die noch auf dem Leiden insistieren, als sekundär anzusehen.

Die *Vita Nuova* ist Summe und Abschluß stilnovistischen Dichtens; in die Jahre bis zur Verbannung (ab 1301/02) fallen etwa 20 Gedichte, darunter die Petrosen (um 1296), Hommage an Arnaut Daniel, aber auch wichtige Lehrkanzonen (»Doglia mi reca nello cor ardire«/»Der Schmerz trägt Kühnheit mir ins Herz hinein«) aus oder im Umfeld des *Convivio* (»Donne ch'avete intelletto d'amore«/»Ihr Frauen, die ihr wißt, was Minne ist«) bzw. die Gedichte des Exils (»Tre donne intorno al cor mi son venute«/»Drei Frauen sind zu meinem Herzen hingetreten«). Nach der *Vita Nuova* wandelt sich Dante zum »poeta rectitudinis«, zum gnomisch-satirischen Zeitkritiker, der sich in Gottes Auftrag geborgen weiß und an seine prophetische Mission glaubt. Die *Divina Commedia* wird diese Haltung vollenden. Irdische Liebe ist also verderblich und bedarf der Läuterung: Dante reklamiert für seine stilnovistische Produktion den Primat des Geistigen, und das *Convivio* hat eine ausschließlich philosophische Bedeutung.

Die Guido Cavalcanti gewidmete *Vita Nuova* mischt Prosa und Verse derart, daß sich Erzählung, Gedicht und Kommentar abwechseln. Sie wurde ca. 1292/93 bis 1300 geschrieben, doch reichen einige Gedichte sicherlich bis 1285 zurück. Auch sie hat bereits (wie später die *Divina Commedia*) einen dreigliedrigen Aufbau, der zahlensymbolisch relevant ist. Am Anfang steht die Verehrung der lebenden Beatrice im konventionellen (II–XVII), danach im selbstlos-lobenden Sinn (XVIII–XXVII), um mit der toten Beatrice (XXVIII–Ende) abzuschließen, die zum »Typus« wird. Die *Vita Nuova* erzählt eine Art autobiographischen Liebesroman, besser noch eine »Liebeslegende«, denn das Ich ist Dante, die gerühmte Frau Beatrice, doch handelt es sich nicht um historische Personen, auch ist die Ich-Form durch Augustinus' *Confessiones*, den *Roman de la Rose* von Guillaume de Lorris und Jean de Meung und den *Tesoretto* von Brunetto Latini angeregt. Dem neunjährigen Dante begegnet Beatrice zum ersten Mal; sie ist rot gekleidet. Neun Jahre später sieht er sie abermals; diesmal ist sie weiß gewandet. Beide Farben weisen auf Sinnliches und Spirituelles, auf Leben und Tod, hin. Ein Zittern ergreift ihn, er ist überwältigt. Amor, der ihm in Gedanken und Träumen erscheint, befiehlt ihm, seine Liebe zu verbergen und eine andere Herrin zu bedichten. Beatrice verweigert ihm darauf den Gruß. Dante hat Krisen und Visionen von ihrem Tod, und Beatrice stirbt auch wirklich. Es ist der 8. Juni 1290, nach dem von Dante benutzten syrischen Kalender ein astronomisch bedeutsames Datum. Der Dichter beschließt, hinfort nur noch Beatrices Ruhm zu leben und ihn zu verkünden, da sie unter die Seligen aufgenommen, zur »santa Beatrice« geworden ist.

Dante entwirft eine Minne-Autobiographie, die ein Sprechen auf zwei Ebenen auszeichnet. Der Dichter tritt nicht nur als gegenwärtiger Liebender in den eingeblendeten Gedichten (24 Sonette, 4 Kanzonen, 1 Ballata, 1 Stanza) auf, sondern auch als zurückschauender selbstreflektierender Kommentator. Diese perspektivische Doppelung ist den provenzalischen *Vidas* und *Razos* der Trobadors wie auch den didaktischen Schriften des Früh- und Hochmittelalters, die Dante Vorbild waren, fremd. Er entwirft zugleich ein neues Minnesystem, das die provenzalischen und stilnovistischen Muster insofern überwindet, als es nicht mehr für eine höfische oder geistige Elite, etwa die »fedeli d'amore« oder die »cor gentili«, die Jünger Amors oder die Edlen Herzen, bestimmt ist, sondern für jeden Leser, der für die Minne aufgeschlossen ist. Dies wird dadurch erreicht, daß der narzißtisch getönte »amor sui« (Eigenliebe), die Liebe zur Herrin um des Liebenden, nicht um der Geliebten willen, in den

Prachthandschrift der Vita Nuova

Die Läuterung der irdischen Liebe

Ein autobiographischer Liebesroman

Beatrice, die Beseligende

Dante Alighieri, Porträt
aus dem 14. Jahrhundert

mitleidsvollen uninteressierten »amor proximi« (Nächstenliebe) umgeschmolzen wird. Voraussetzung dafür ist ein neuer Stil (»stile della loda«), der den Grundsatz der Wahrhaftigkeit zu respektieren hat und die eigensüchtige Esoterik des Dolce stil novo abstreift. Die *Vita Nuova* ist zwar ein profaner Text, aber auch sie muß, um ihre universelle pädagogische Funktion erfüllen zu können, wie theologische Texte nach dem mehrfachen Schriftsinn (Allegorese) gelesen werden. Nur so kann Beatrice zur seligmachenden Beglückerin und zum moralischen Sinnbild für jeden Liebenden werden, nur so kann das persönliche »libro de la mia memoria« (»Buch meiner Erinnerung«) zum universellen Traktat aufgewertet werden. Die »via d'Amor« in der Nachfolge Beatrices führt das trobadoreske Denken zu der Erkenntnis, daß der Ursprung der Liebe zu Beatrice göttlich ist und zur adäquaten Darstellung einer neuen Aussageweise bedarf: des Epos'. Die *Vita Nuova* präfiguriert somit in Form eines Vermächtnisses das »poema sacro«, die *Divina Commedia*.

Auch hier begegnet im Titel das Schlüsselwort »nuovo«: Es geht Dante gleichzeitig um eine Darstellung seiner wie auch der Jugend Beatrices (»novella etate«; »la nova fantasia«), weiterhin um eine neue Form der Autobiographie, die eine Revision der provenzalischen Vidas impliziert (»spirtel novo d'amore«; »intelligenza nova«) und insofern ein wirklich »neues Leben« ist, um eine Vergöttlichung Beatrices, der ein neues ewiges Leben geschenkt werden soll (»cosa nova«, »andò nel secol novo«), und nicht zuletzt um eine neue mehrschichtige dichterische Aussage (»figura nova«; »matera nuova«; »fine novissimo«). Die *Vita Nuova* ist somit Poetik, Frauenlob, Hagiographie, neuplatonischer Amor-Traktat und biographische Verschlüsselung in einem.

Die Vorbereitung der Göttlichen Komödie

Bevor Dante mit der *Divina Commedia* beginnt, reflektiert er in mehreren, z.T. nicht beendeten Traktaten und Abhandlungen seine Auffassung von Sprache, Dichtung, Politik, Hermeneutik und übt sich in Reimspielen und diversen dichterischen Ausdrucksmöglichkeiten, was alles der *Divina Commedia* zugute kommen sollte. In der inzwischen Dante zugeschriebenen Parodie des *Rosenromans* mit dem Titel *Il Fiore* führt Dante die einseitige mittelalterliche Allegorie ad absurdum. In *De vulgari eloquentia* (1303/04–1307/08) und *Convivio* sanktioniert er das Toskanische letztendlich als Literatur- und Wissenschaftssprache, das auch denen, die kein Latein verstehen, Zugang zu Wissenschaft und Dichtung verschaffen soll. In *De Monarchia* (1310) tritt Dante für die Erneuerung des imperialen Gedankens und die Trennung von kirchlicher und weltlicher Gewalt ein.

Die Steingedichte

Zu diesen ernsten Beschäftigungen scheinen die vier Gedichte, deren gemeinsames Thema die abweisende »steinerne« Härte und Kälte einer Frau ist, die mit einem Stein (petra) verglichen oder unmittelbar so genannt wird, nicht recht zu passen. Es sind dies die Sestine »Al poco giorno e al gran cerchio d'ombra« (»Zum kurzen Tag, zum großen Kreis der Schatten«), die Kanzone »Io son venuto al punto de la rota« (»Am Punkt des Kreises bin ich angekommen«), die sogenannte Doppelsestine »Amor tu vedi ben che questa donna« (»Du, Amor, siehst genau, daß diese Herrin«) und die Kanzone »Così nel mio parlar voglio esser aspro« (»So rauh will ich bei meinem Sprechen sein«). Seit dem Ende des 19. Jahrhunderts nennt man diese Gedichte die Petrosen (le rime petrose), und als Datierung wird aufgrund der genauen astronomischen Konstellation die Zeit zwischen 1296 und 1305 angenommen, doch ist auch ein späteres Abfassungsdatum möglich. Dante ist sich selber bewußt gewesen, daß die Petrosen im Widerspruch zu den allgemein akzeptierten Dichtungstechniken der Zeit stehen, und er hat in *De vulgari eloquentia* II, xiii, 12 die Fehler selber moniert: Allzu gehäuften Widerhall desselben Reims, unnütze Mehrdeutigkeit und Rauheit. Aber in diesen Äußerungen ist kein Abrücken zu sehen, denn Dante rechtfertigt diese Vorgehensweisen, wenn sie etwas in der Dichtung noch nie Dagewesenes bewirken sollen. Sein dichterisches Vorbild ist der provenzalische Dichter Arnaut Daniel, aber die Petrosen sind nicht nur eine Verbeugung vor dem großen Provenzalen, sondern sicherlich auch der Versuch, Härte und Grausamkeit, Zwiespalt und Zerrissenheit adäquat dichterisch darzustellen und umzusetzen. Diese Virtuosität wird Dante insbesondere beim Abstieg ins Inferno zugute kommen, wo es gilt, nicht nur Finsternis, Lärm und Gestank als Begleiterscheinungen unvorstellbarer Höllenqualen umzusetzen, sondern gleichzeitig Mitleid mit den Büßenden und Verachtung gegen die zynisch Trotzenden verständlich zu machen.

Wenn die *Vita Nuova* noch ein Jugendwerk genannt werden kann, so wird sie spätestens im *Convivio,* einem Werk des Exils (ca. 1304–1307), überwunden, das, wie andere Traktate auch, als Vorbereitung auf das »poema sacro« gedeutet werden kann. Aus der Geliebten Beatrice ist jetzt die beseligende »donna … philosophia« (*Conv.* III, xi, 1) geworden. Dante tritt mit dieser Umdeutung zunächst den Kritikern entgegen, die ihm vorwerfen, sich nach dem Tod Beatrices einer anderen Frau zugewandt zu haben, einer »donna giovane e gentile«, wie dies *Vita Nuova* XXXV ff. nahelegt. Wichtiger aber als diese Rechtfertigung ist, daß er durch die Gleichsetzung von »donna« und »philosophia« eine Lektüre auch weltlich scheinender Liebeslyrik nach dem mehrfachen (vierfachen) Schriftsinn nahelegt und ihre vermeintlich triviale Wörtlichkeit theologisch-philosophisch überhöht. Zum dritten wird aber auch die Volkssprache für würdig befunden, wissenschaftliche Themen abzuhandeln und auszudrükken und dementsprechend Laien, vor allem auch den Frauen, Zugang zu philosophischer Schulung zu ermöglichen. Die wichtigsten dieser Gedanken finden sich im Einleitungstraktat (*Conv.* I), der deshalb auch keine Kanzone kommentiert. Zur Vorgeschichte erklärt Dante, nach Beatrices Tod habe er bei Boethius (*Consolatio philosophiae*) sowie Cicero (*De amicitia*) Trost gesucht und gefunden. Nicht Platons *Gastmahl* oder Macrobs *Saturnalia* haben den Titel des *Convivio* inspiriert, wie man meinen könnte, sondern das christliche Abendmahl, und man denke nur an den Hymnus »O sacrum convivium«.

Vierzehn Lehrkanzonen von »Liebe und Tugend« (»sì d'amor come di vertù materiata«; *Conv.* I, i, 14) sollen die »Speise« dieses Mahls sein; ausführliche Kommentare das Brot, und es soll alle die nähren, die durch häusliche Bindungen oder mangelnde kulturelle Gelegenheit am Studium gehindert werden (*Conv.* I, i, 1 u. 11 f.). Leider ist auch dieser Traktat nicht beendet, und nur drei Kanzonen werden interpretiert. In *Conv.* II »Voi ch'intendendo il terzo ciel movete« (»Ihr, die den dritten Himmel in Bewegung setzt«) erläutert Dante die Lehre vom vierfachen Schriftsinn (wörtlich, allegorisch, moralisch, anagogisch) und weist der Philosophie ihren Platz im damaligen Wissenschaftsgefüge zu. Diese hermeneutischen Überlegungen ermöglichen es erst, die Liebe zu einer Frau mit der Liebe zur Philosophie und zum Göttlichen gleichzusetzen. In *Conv.* III (»Amor che ne la mente mi ragiona«/»Die Minne, die im Herzen zu mir spricht«) arbeitet Dante zwar mit dem gleichen Wortmaterial wie in den Jugendversen und der *Vita Nuova,* aber sein Ziel ist eine möglichst verlockende und glänzende Darstellung der Philosophie. Dante benutzt dabei die aristotelischen und pseudo-aristotelischen Texte als Quellen, die zu seiner Zeit zirkulierten, vor allem den *Liber de causis.* Das *Convivio* steht unter dem Motto des ersten Satzes der aristotelischen Metaphysik (I, 1, 1), daß alle Menschen von Natur aus zur Wahrheit streben. So ist Philosophie nicht nur Ideenlehre, Abstraktion, sondern stets auf etwas Konkretes gerichtet; sie ist Verbindung von »Liebe« und »Tugend«, wie oben angedeutet, wobei wir Tugend durch Wissenwollen ersetzen können. Am ausführlichsten wird in *Conv.* IV (»Le dolci rime

Von der Liebe zur Philosophie

Dantes Gastmahl

Titelblatt des *Convivio,* Ausgabe 1529 von Niccolò di Aristotile gen. Zoppino

d'amor«/»Die süßen Liebesverse«) der Adel als Seelenadel rein moralisch-ethisch gedeutet; er hat nichts mehr mit gesellschaftlicher Hierarchie oder materiellem Reichtum zu tun. Man kann vermuten, daß in den nicht mehr ausgeführten Traktaten andere Voraussetzungen dieser neuen Philosophie hätten entwickelt werden sollen; vermutlich sollte »Doglia mi reca ne lo core ardire«, das von der Freigebigkeit (liberalitade) dichtet, den Gegenstand des nicht ausgeführten XV. Traktats bilden, dessen Aussage darin kulminiert, nur die Verbindung von männlicher Tugend und weiblicher Schönheit ergebe Liebe. Es spricht einiges dafür, daß das *Convivio* die Schnittstelle zwischen menschlich-erotischer Dichtung bzw. ihrer ausschließlich ethisch-allegorischen Sinndeutung bezeichnet.

Komisch-realistische Dichtung

Neben der sogenannten hohen oder aristokratischen Liebeslyrik hat ihr Widerpart, die bürgerliche komisch-realistische Dichtung in der Literaturkritik eher ein Schattendasein geführt, da man sie als unernstes literarisches Exerzitium oder als Ausdruck einer Spielkultur abtut. Eine derartige Argumentationsweise ist jedoch voreilig, denn wenn man glaubt, die Dichter hätten sich vom Lob der hohen Herrin, der »Donna angelicata«, durch derben Realismus erholen müssen, ist der Schritt zu einer totalen Umkehrung dieser Sehweise nur noch kurz: Die Zeitklage, zu der allerhand Mißstände durchaus Anlaß bieten, ist so kräftezehrend und entmutigend, daß nur die Flucht in die Phantasie einer idealisierten und unsinnlichen Liebe den Alltag erträglich macht.

Fröhliche Tänzer im Freien, Seite aus dem »Canzoniere di Parigi«, einer Liederhandschrift des 14. Jahrhunderts

Die Wahrheit dürfte wie immer in der Mitte liegen: Beide Dichtungsweisen betonen mehr die Form als den Inhalt, weshalb sie sich auch beide meist des Sonetts, einer identischen Form, bedienen, die für hohe wie niedrige Inhalte geeignet ist. Aber der nicht zu leugnende Stilisierungs- und Spieltrieb schließt nicht aus, daß sich damit echte satirische, moralische und sozialkritische Absichten verbinden, daß wahre Betroffenheit und Indignation dem Dichter die Feder führen. Auch erfinden sich die komisch-realistischen Dichter oft eine liederliche und verworfene Persönlichkeit, weshalb man sie zu Vorläufern der »poètes maudits« erklärt, deren markanteste Vertreter von Villon bis zu Verlaine reichen. Sie stellen sich als Herumtreiber und Sittenstrolche dar, doch tun sie dies aus sprachlichem Platonismus. Nur so dürfen sie hoffen, glaubhaft zu sein. Ihre Sprache muß dem geschilderten Gegenstand adäquat sein, und je perverser, obszöner und verworfener dieser ist, umso gemeiner muß auch der sprachliche Ausdruck wirken. Dies bedeutet, daß der Satiriker eine Rolle annimmt, selber auf die Stufe seiner Objekte herabsteigt, satirisches Subjekt und Objekt sich angleichen. Der Satiriker tut so, als ob er alle Laster und Perversionen aus eigenem Erleben kennte. Dieses Wechselspiel erklärt den scheinbar autobiographischen Hintergrund, die schockierende Themenwahl wie Sodomie (damals gleich Homosexualität), Elternhaß und Weltvernichtungswunsch, aber auch die schrillen, krassen und umgangssprachlichen Metaphern und Ausdrücke. Keiner der hier interessierenden Dichter hat übrigens ausschließlich »komisch-realistische« Gedichte verfaßt, sondern meist auch die hohe Minne oder religiöse bzw. politische Themen behandelt. Dies ist vielleicht die Ursache dafür, daß die italienische komisch-realistische Dichtung weniger Aufmerksamkeit als die mittelalterliche lateinische Vagantenlyrik, die provenzalische Sirventesdichtung oder die altfranzösischen Contes, Dits und Fabliaux gefunden hat.

Der Begriff »komisch-realistisch« verweist auf einen höchst bedeutsamen Doppelaspekt von Spiel und literarischer Wirklichkeitsdarstellung. Es handelt sich im allgemeinen um Gedichte mäßigen Umfangs, zumeist umgangssprachlichen Ausdrucks, in denen die ganze Welt und das Zeitalter oder aber einzelne Stände, Personen, Ereignisse, Anschauungen, Lebensweisen und Zustände durch Spott, Ironie, Übertreibung, Verzeichnung oder Parodie karikiert werden. Die stets wiederkehrenden Themen sind die Armut und Melancholie des Dichters, die Ungerechtigkeit Fortunas, die lasterhafte Welt, vor allem aber ungeliebte Personen (die Frauen, Vater, Mutter, Brüder und sonstige Familienangehörige, Rivalen, Neider, gehörnte Ehemänner, falsche Freunde, Alte, Impotente etc.), mißliebige politische Gegner (Guelfen, Ghibellinen, Nachbarstädte, ausländische Nationen etc.). »Komisch« meint die Stillage, »realistisch« verweist auf Inhalt und Tonalität. Im mittelalterlichen Drei-Stile-Schema gehört diese Dichtung der unteren, allenfalls der mittleren Stilebene an. Schon in früher Zeit finden wir derartige Zeugnisse. Aus der lombardisch-venetischen Region stammen die italienisch geschriebenen *Proverbia quae dicuntur super natura feminarum*, mehr als 700 Verse Frauenschmähung von Eva, Helena und Pasiphae über Dido bis hin zu Eleonore von Aquitanien. Matazone da Caliganos *Nativitas rusticorum et qualiter debent tractari*, Bauernschmähung auf der Linie von Rutebeuf, dem flämischen Kerelslied, den altfranzösischen *Proverbes au vilain* und ähnlichen Werken mehr sind ebenfalls zu nennen. Hier versucht offenkundig jemand, mit seiner eigenen bäuerlichen Herkunft abzurechnen, indem er sich auf die Seite der Aufsteiger und der Herren schlägt! An der Wende vom 12. zum 13. Jahrhundert dürften die *Noie* des Girardo Patecchio da Cremona und die darauf erfolgten *Riposte* des Ugo di Perso entstanden sein, die auf die provenzalischen »Ennuegs« zurückgehen. In dieser Gattung wird das geschmäht, was den Dichter stört, wie schon der Name Noia (von lat. in-odium) nahelegt und das meint, »was einem verhaßt ist«: schlechte Herren, säumige Zahler, unerquickliche Streithähne, auftrumpfende Wucherer usw.; es ist die lange Skala der üblichen und uns bereits bekannten Themen.

Musikanten mit verschiedenen Instrumenten, Miniatur aus dem *Liber Psalmorum*

Welthaß und Zeitklage

Erst mit Rustico di Filippo kommt etwas wirklich Neues auf, das weniger mechanisch, prosaisch und behäbig ist und nicht mehr nur aus eintönigen Litaneien und Aufzählungen besteht. Dies gilt jedenfalls für die erste Hälfte seiner 29 Sonette, die den Gegensatz von Sein und Schein behandeln und in burlesker Manier politische Gegner und lasterhafte Zeitgenossen bloßstellen. Überall spürt man die hyperbolische Freude an der Schmähung, die man wegen ihrer witzigen Exuberanz jedoch verzeiht: Luttieri (= Lothar) stinkt wie ein Löwenkäfig, wie ein Aas und ein Beinhaus; aus seinen Haaren kann man Bouillon kochen; seine speckige Mütze macht noch einen Ölhändler reich; aus seiner Kleidung kann man Lampendochte schneiden, und sein Schweiß ist ein Gemisch aus Gift und Öl. Die römischen Satirendichter Martial und Juvenal könnten Pate gestanden haben, aber sie sind zu dieser Zeit noch nicht bekannt. Offenkundig ist die Satire zeitlos. Die imaginierten Situationen des Ehebruchs, der Lust, des Streits verraten darüber hinaus bei aller Durchkomponiertheit und Traditionalität einen bis dahin noch nicht festzustellenden Realitätssinn.

Witz und Übertreibung

Der Meister dieses Stils ist jedoch unzweifelhaft der 1258/60 in Siena geborene Cecco Angiolieri, von dem ca. 130 Sonette überliefert sind. Sein berühmtestes ist »S'i' fosse foco arderei 'l mondo« (»Wär Feuer ich, die Welt würd ich verbrennen«), und man kann es programmatisch als Aufhebung oder Umkehrung des Sonnengesangs lesen: Statt Brüderlichkeit und Gotteslob herrschen Egoismus und Aggressivität. Cecco will Feuer, Wind, Wasser, Gott, Papst, Kaiser, Tod, Leben und schließlich Cecco selber sein, um die übrige Welt auszulöschen und nur sich und dem Genuß zu leben: Weiber, Wein und Würfelspiel,

Parodie des Dolce stil novo

Grabplatte von »Deo di
Ciecko di Miser
Anginliere«, dem Sohn
Cecco Angiolieris, in der
Abtei S. Cristoforo zu
Siena

*Dichter in Ceccos
Schatten*

»la donna, la taverna e 'l dado«, sind sein hedonistisches Credo. Becchina, die
schnippische Gerberstochter, die Dame seines Herzens, ist eine »mal maritata«,
die von ihrem Ehemann Prügel bezieht und diese ihrerseits verbal an Cecco
weitergibt. Alles, was der Dolce stil novo ernst nimmt, wird hier nun in Parodie
verkehrt und umgedreht. Cecco wendet sich an ein Publikum, das dem der
Fedeli d'amore der hohen Lyrik ähnelt und durch gemeinsames Herkommen
aus der politischen und wirtschaftlichen Führungsschicht der toskanischen
Kommunen sowie vergleichbare Bildung in der Tradition der Artes bestimmt
wird. Cecco schafft ansatzweise bereits einen kohärenten Zyklus, der gegensätz-
liche Seelenzustände erfaßt und jede Aussage relativiert: Mal wirbt er vergebens
um Becchina (I–IX), dann erhört sie ihn (XLII); mal liebt er leidenschaftlich
(I–IX), dann ist er lau (LVII); mal schmäht er den Vater (LXXXIX–XCVI),
dann erklärt er dies zur Sünde (XCVII); mal verflucht er den Reichtum
(XCVIII), dann ist er selber reich und verachtet die alten Freunde (XCIX) usw.
Diese Paradoxien gehören zwar zur Dynamik des Kanzoniere, der eine dichterische Entwicklung belegen soll, sind aber rhetorisches Mittel, sind doppelbödig,
stellen die Aussagen des satirischen Subjekts in Frage und entziehen dem Leser
die Gewißheit der Deutung, so daß sie ihn zu verstärkter Reflexion zwingen.

Meo De' Tolomei, ein anderer Senese, hat lange in Ceccos Schatten gestanden, da seine Sonette diesem z.T. zugeschrieben wurden. Dabei war er einer der
angesehensten Dichter seiner Zeit, den Dante und Cino da Pistoia verehrten. Er
entstammte der geachteten Familie der Tolomei und spielte selber eine Rolle in
der Kommunalpolitik seiner Heimatstadt, bis ihn sein Bruder Mino (gen. lo
Zeppo) verdrängte. Er verarmte, während Mino zu Macht und Ansehen
gelangte. So sind, wenn dies nicht alles Stilisierung ist, Armutsklage und
Verwandten- bzw. Freundesschelte zu Recht die beherrschenden Themen seiner
Dichtung. Vor überstarker biographischer Erklärung wird man sich aber hüten
müssen. Weitere Dichter wie Cenne de la Chitarra oder Folgòre di San-Gimig-

Gaukler und Musikanten,
Miniatur aus dem Kloster
Montecassino, vor 1023

nano können benannt werden, aber ihre Gedichte bieten nichts grundsätzlich
Neues. Auch sie variieren die Karikaturen des Häßlichen, das parodistische
Eulogium des Gemeinen, die ernste Rüge der Gesellschaft mit ihren Mißstän-
den, das zweckfreie Spiel der Burleske, die literarische Travestie. Festzuhalten ist
jedoch, daß auch der komische Stil seine Epochen kennt und sich vom
Duecento bis zu Francesco Bernis Grotesken, der das Triviale wie seine Pantof-
feln, den Nachttopf oder das abgeschnittene Barthaar lobt, ein Bogen schlagen
läßt. Auf dieser Linie begegnen wir zuletzt noch den Vertretern der Perusiner
Dichtergruppe des Trecento (Cecco Nuccoli, Nerio Moscoli, Marino Ceccoli),
den gnomisch-moralischen Dichtungen eines Simone Serdini oder Niccolò de'
Rossi, den Späßen eines Burchiello oder den zeitkritischen Hurengesprächen
eines Pietro Aretino.

Der Novellino – *die erste Novellensammlung der Neuzeit*

An der Schnittstelle von Mündlichkeit und Schriftlichkeit steht die erste bedeutende volkssprachliche Novellensammlung der Neuzeit, der *Novellino,* der
bereits zahlreiche Elemente enthält, die die späteren Novellensammlungen
auszeichnen, wie Hundertzahl, thematische Durchstrukturierung, Einbeziehung und Umwandlung populärer Erzählstoffe aus Mythos und Geschichte,
Verbindung von heidnischer Antike, christlichem Mittelalter und islamischem
Orient, Wortfreudigkeit und mögliche Nutzanwendung. Es ist in den letzten
Jahren viel über die literatursoziologischen Implikationen des *Novellino* speku-
liert worden, der in diesem Zusammenhang als Testimonium eines historischen
Übergangsstadiums zwischen mittelalterlichem Ordo mit einem religiös-feuda-
len Bezugsrahmen und einer schon neuzeitlichen kommunalen Autonomie der
sich verselbständigenden bürgerlichen Stadtrepubliken gedeutet wird. Richtig
daran ist, daß der *Novellino* erstmals Zeugnis ablegt von der Macht des Worts,
das jetzt nicht mehr allein ein Privileg von Priestern und Klerikern ist und im
Dienst von Bekehrung und Moral steht wie das aus der Predigt stammende
Exempel. Denn der *Novellino* ist eine Art weltliches pädagogisches Handbuch,
das schwierige Lebenssituationen in unterhaltsamer Form mit möglichen Lösungen versieht und daher immer wieder aufs Neue konsultiert werden kann. Diese
Säkularisierung geht einher mit der Etablierung einer frühen »Kommunikations-
gesellschaft«, die von Geselligkeit und Unterhaltung, Handel und Verkehr, glei-
tender Nivellierung der Sozialhierarchie und Emanzipation des Individuums
gekennzeichnet ist. Das dem Menschen eigene Urbedürfnis nach Unterhaltung
und Information, das zuerst im Orient nachweisbar ist, von wo viele Urformen
berühmter Novellen wie Ringparabel (*Nov.* 73), Herzmäre (*Nov.* 62), die Ma-
trone von Ephesus (*Nov.* 59) oder Barlaam und Josaphat (*Nov.* 14) stammen,
die sich auch im *Novellino* finden, wird durch Geschichtenerzählen gestillt, bei
dem sich Exotik und Authentizität in etwa die Waage halten, die Neugierde und
Wissensdurst befriedigen und zugleich der ausschweifenden Phantasie noch
genügend eigenen Freiraum lassen.

Holzschnitt aus einer
Inkunabel des *Novellino,*
Venedig, 1492

Die sich etablierende Warengesellschaft trägt sicherlich dazu bei, den zu favo-
risieren, der geschickt mit dem Wort umgeht, seine Ware anzupreisen versteht,
stets über die neuste Marktentwicklung orientiert und informiert ist und sich
im Konfliktfall redegewandt aus der Affäre zu ziehen weiß. Nicht Privilegien

der Geburt oder des ererbten Vermögens sichern a priori einen Vorteil, sondern wache Intelligenz und spontane Schlagfertigkeit, die den Zufälligkeiten des Lebens am besten gewachsen sind.

Novelle und Novellino

Der *Novellino* ist vermutlich in den beiden letzten Jahrzehnten des Duecento in Florenz entstanden, doch ist sein kulturelles Umfeld stark von Frankreich beeinflußt. Der Verfasser, vermutlich ein Jurist oder Notar, könnte eine Zeitlang im Veneto gelebt haben, wo die entsprechenden Voraussetzungen gegeben waren. Seine Stoffe sind gemeineuropäisch und reichen von Irland bis Spanien, von Nordfrankreich bis Kleinasien, von der Provence bis zum sagenhaften Reich des Priesterkönigs Johannes in Abessinien oder zu dem des verbrecherischen Alten vom Berge in Syrien. Der Titel *Novellino* findet sich erstmals in einem Brief des Herausgebers der Editio princeps (1525), Carlo Gualteruzzi, daneben verwendet man auch den Titel, den er dieser Ausgabe beilegte, *Le ciento novelle antike* oder den auf eine Handschrift zurückgehenden Titel *Libro di novelle e di bel parlare gentile.*

Die Macht der Rhetorik

Das »bel parlare« ist ein Schlüsselbegriff der Sammlung, denn im Vorwort stimmt der Verfasser ein Loblied auf das »treffliche Wort« an, das helfen kann, schwierige Lebenslagen zu meistern. »E chi avrà cuore nobile e intelligenzia sottile si e[i] potrà simigliare per lo tempo che verrà par innanzi, e argomentare e dire e raccontare in quelle parti dove avranno luogo, a prode e a piacere di coloro che non sanno e disidérano di sapere.« (Und wer ein offenes Herz und einen scharfen Verstand hat, der kann sich diese Geschichten zu eigen machen und sie bei passender Gelegenheit in seine Reden zur Veranschaulichung und Stützung seiner Gedanken einfließen lassen, zum Nutzen und zur Freude derer, die gerne belehrt werden wollen [Übers. J. Riesz]). Auch er wendet sich also wie die stilnovistischen Lyriker an eine Herzens- und Gesinnungselite, die in der Rhetorik die höchste irdische Kunst erblickt und hieraus ihr Selbstbewußtsein schöpft. Die Überlegenheit des Adels als solchen wird durchaus noch anerkannt, denn vielfach sind es in den Novellen Motti oder Witzworte der Höhergestellten gegenüber den ihnen Unterlegenen, die berichtet werden (z.B. *Nov.* 29, 43, 44).

> E acciò che li nobili e gentili sono nel parlare e ne l'opere quasi com'uno specchio appo i minori, acciò che il loro parlare è più gradito, però ch'esce di più delicato stormento, facciamo qui memoria d'alquanti fiori di parlare, di belle cortesie e di belli risposi e di belle valentie, di belli donari e di belli amori, secondo che per lo tempo passato hanno fatto già molti.

> (Da sich das einfache Volk in seinen Werken und in seinem Verhalten oft nach den Edlen und Wohlgeborenen richtet, deren Reden angenehmer zu hören sind, weil ihre Sprechwerkzeuge feiner gebildet sind, wollen wir auf den folgenden Seiten Beispiele für besonders schön gelungene Reden aufschreiben; Muster für feine Umgangsformen und geziemende Antworten, Beispiele von ruhmreichen Taten und vortrefflichen Geschenken, von Liebesglück und Leid, wie sie uns von unseren Vorfahren berichtet und überliefert werden).

Fürsten und Bürger

Zahlreiche Könige, von Salomon über Alexander den Großen bis hin zu Sultan Saladin, und vor allem dem Staufer Friedrich II., bevölkern die Novellen und sind offenkundig Lieblingsgestalten des Autors; Bürger als Protagonisten sind eher in der Minderzahl. Der Autor verzichtet noch wie in den vorangehenden Exempla-Sammlungen auf einen Rahmen und beschränkt sich auf einen Prolog, aber man hat zehn thematische Gruppen von Novellen erkennen wollen, die der Sammlung eine einheitliche Komposition verleihen und ihre prinzipielle

Offenheit eindämmen. Auch wenn man dies für Systemzwang hält, sind Themenschwerpunkte wie Tugend, Krieg und Frieden, Liebe und Sexualität, Recht und Gerechtigkeit, nicht zu übersehen. Es wäre aber falsch, den *Novellino* nur in Funktion von Boccaccios *Decamerone* zu lesen, wie es die Forschung lange getan hat. Denn wenn man ihn nach rückwärts gegen die mittelalterlichen didaktisch orientierten Vorläufer abgrenzt, erweist er sich als »die erste weitgespannte und organische Synthese der Erzählkunst des romanischen Mittelalters« (Salvatore Battaglia). Dieses positive Urteil resultiert aus der Konstatierung seiner Vielgestaltigkeit und Modernität: Vielfalt zunächst in gattungsmäßiger Hinsicht, da der *Novellino* die Subgenera Exempel, Vita, Legende, Kasus, Fabel, Mythe, Sage usw. mit einschließt, dann aber auch, was die Zahl und Farbigkeit der Quellen angeht; Modernität gemäß seines zielbewußten und schnörkellosen Erzählstils, seiner »Poetik der Kürze« und nicht zuletzt seiner Aktualität wegen, die darin besteht, daß die Sammlung vielfach vortreffliche Modelle sozialer Konfliktbewältigung simuliert.

Vom Rätsel zur Jenseitsreise

Werfen wir den Blick zurück auf die Anfänge der italienischen Literatur bis zum Ende des Duecento, so ist nach relativ spätem Beginn binnen kürzester Zeit vor allem in der Lyrik eine Hochblüte zu verzeichnen, die bis heute Italiens kulturellen Ruhm begründet und in Petrarca und seinen Epigonen würdige Fortsetzer gefunden hat. Der Primat der Lyrik verleiht allerdings der italienischen Literatur einen elitären Zug – spirituelle Entsinnlichung, abstrakt-logische Verdichtung und kühner Metaphernreichtum sind die Stichworte. Wenn der früheste altfranzösische literarische Text die *Eulaliasequenz,* der früheste spanische der *Cantar de mio Cid* sind, eine Märtyrerin des christlichen Glaubens und ein kriegerischer Held in der Auseinandersetzung zwischen Christen und Heiden bedichtet werden, so ist das für die weitere Entwicklung dieser Literaturen richtungsweisend, die zunächst vom Numinosen und vom Mythisch-Heroischen bestimmt werden und sich erst nach und nach individualisieren. Der älteste italienische Text ist dagegen ein Rätsel, der *Indovinello veronese* aus dem späten 8. oder frühen 9. Jahrhundert, der als Federprobe in einer mozarabischen Handschrift (heute in der Biblioteca Capitolare von Verona) erhalten ist:

Eine frühe Federprobe

Der »Indovinello veronese«

> Se pareba boves, alba pratalia araba, et albo versorio teneba, et negro semen seminaba.
> (Er spannte seine Ochsen an, er pflügte die weißen Felder, und hielt einen weißen Pflug, der schwarzen Samen säte).

Die Lösung dieses Rätsels ist offenkundig und für die italienische Literatur der Folgezeit programmatisch: Gemeint ist die Hand mit der Feder, aus der Tinte als sinnstiftende Buchstaben auf ein weißes Pergament fließt! In diesem Rätselbild geht die bäuerlich-georgische Vergangenheit des antiken Rom mit der neuen klösterlich-scholastischen Gelehrsamkeit des christlichen Mittelalters eine Symbiose ein.

Unter allen italienischen Landschaften ist bereits die Toskana *das* italienische Kulturzentrum geworden, obwohl die »tre corone fiorentine« erst noch kommen werden bzw. der Ruhm Dantes erst noch durch die *Divina Commedia* gefestigt werden muß. Auch wenn die »Questione della lingua« noch offen ist, ist eine Vorentscheidung für das florentinische Toskanisch gefallen. Dantes ambiva-

Florenz gehört die Zukunft

Ansicht von Florenz,
Ausschnitt aus dem Fresko
der »Madonna della
Misericordia«

lente Position in *De vulgari eloquentia* ist bezeichnend: Das von ihm gesuchte
»vulgare illustre« ist eine Chimäre, seine anti-florentinische Polemik nur Spiegel-
fechterei, denn eine echte Alternative zum Stadtflorentinischen kennt auch er
nicht. Dante ist nicht nur das wirkliche oder selbsternannte Oberhaupt des
Dolce stil novo; er wird auch im »poema sacro« andere literarische, wissenschaftliche und gesamtkulturelle Grundströmungen des Duecento synthetisieren, die
neben der Lyrik durchaus gepflegt werden und ein kräftiges Eigenleben führen:
die lehrhafte (noch) lateinische Fachprosa von Gelehrten und für Gelehrte
sowie ihre volkssprachliche Belehrung für Laien, was meist zu einer allegorisch-
didaktischen Personalisierung aus Gründen der Verbreitung und der besseren
Verständlichkeit führt. Nicht anders als in der Novellistik, manifestiert sich hier
nicht nur der Wunsch nach globaler Welterkenntnis und umfassender Laienbildung, sondern auch nach Auseinandersetzung mit den vielgestaltigen Phäno-
menen des Alltags und ihrer Durchdringung bzw. nach Anverwandlung der
Realität im Medium des geschriebenen Worts.

Enzyklopädie und
Allegorie

Es können hier nicht alle einschlägigen Specula, Summae, Thesauri, Artes,
Bestiari, Detti, Mari amorosi, Giostre, Intelligenze, Tesoretti, Favolelli und
ähnliche mehr aufgelistet werden, doch haben sie alle einen enzyklopädischen
und moralisch-allegorischen Anspruch. Sie wollen belehren, und zwar möglichst vollständig, dabei aber auch noch oder schon unterhalten. So bedienen
sich die Autoren, die vielfach anonym sind, einer ähnlichen Verfahrensweise.
Eine Reise zu Wasser *(Mare amoroso)*, zu Lande *(Tesoretto)*, auf eine Insel oder
ins Jenseits ermöglichen einen Ortswechsel mit zahlreichen Begegnungen; ein
Traum versetzt den Sprecher in einen Wundergarten, einen wilden Wald oder
einen verzauberten Palast, in dem seltsame Gestalten und wunderbare Natur-
phänomene seinen Weg kreuzen, und dies alles führt im Weiterschreiten zu
kommentierenden Listen und Beispielkatalogen.

Nicht von ungefähr hat Dante in *Inferno* XV in einem ganzen Gesang
Brunetto Latinis gedacht, der während seiner Verbannung in Frankreich (nach

Die Summe des Wissens

der Schlacht bei Montaperti 1260) mit französischer Wissenschaft und Gelehrsamkeit (z.B. Vincenz von Beauvais) in Berührung kam und in seinem französisch geschriebenen *Livres dou Tresor* und in dessen Extrakt, dem italienischen *Tesoretto* in drei Büchern, die Grundbegriffe der Theologie, Universalgeschichte, Naturwissenschaft, Philosophie und Politik behandelt, die Ethik des Aristoteles und die Rhetorik Ciceros einarbeitet und somit den wichtigsten Wissensstoff der Zeit kompiliert. Sein Einfluß auf Dante wie auch der der allegorischen Literatur insgesamt darf nicht gering veranschlagt werden, und er kann mit stolzer Gewißheit zu Dante sagen, »Siati raccomandato il mio Tesoro/ Nel qual io vivo ancora, e più non cheggio« (Es sei dir mein Tesoro noch empfohlen, In dem ich weiterlebe, dies genügt mir). Treffender noch ist Giovanni Villanis Urteil (*Cron.* VIII, 10): »Et di lui havemo fatto menzione, perché egli fu cominciatore e maestro in digrossare i Fiorentini e farli scorti in bene parlare e in sapere giudicare e regere la nostra Republica secondo la Politica« (Und ihn haben wir erwähnt, weil er der erste und zugleich der Bedeutendste war, der die Florentiner verfeinerte und sie redegewandt und urteilsfähig machte und ihnen beibrachte, unser Gemeinwesen gemäß den Regeln der Politik zu regieren).

Lehrer und Schüler –
Brunetto Latini und
Dante Alighieri

TRECENTO

Ein Jahrhundert der Übergänge

Charakteristika der Epoche: Vielfalt und Kontrast

Wer vom Trecento redet, wird zuerst an Dante, Petrarca und Boccaccio denken – drei der kühnsten Schriftsteller der italienischen Literaturgeschichte, die seit dem Humanismus als vorbildhaftes Dreigestirn galten und der Entwicklung der Literatur Italiens bis hin zur Moderne immer wieder starke Impulse geben konnten. Aber die außerordentliche Vitalität, mit der sich die Literatur dieses Jahrhunderts von der des vorangehenden abhebt, beschränkt sich nicht auf die »tre corone«. Sowohl quantitativ wie auch von Erscheinungsformen, Themen, Gattungen her ist das Trecento ein literarisch reiches, fruchtbares Jahrhundert. Zugleich wird sein Profil von kaum zu überbietenden inneren Gegensätzen und Kontrasten geprägt: Nur eine kurze Zeitspanne trennen etwa den Abschluß von Dantes *Commedia* vom Beginn der Lyrik Petrarcas oder des Erzählwerks Boccaccios, d.h. den Höhepunkt der spätmittelalterlichen von den ersten Marksteinen frühneuzeitlicher Dichtung. Doch ist das Trecento in seinen charakteristischen Tendenzen nicht einfach ein Aufeinandertreffen oder Überlappen zweier Epochen; vielmehr sind die divergierenden Erscheinungsweisen der Literatur dieser Zeit gleichermaßen Antworten auf eine komplexe geschichtliche Situation, die als herausfordernd erfahren werden mußte. Was man rückblickend als

Panorama der Gesellschaft des Trecento: Andrea Buonaiuti da Firenze, »Triumph der Kirche«, Florenz, Santa Maria Novella, 1365–67

die allmähliche Ablösung eines Zeitalters durch das folgende erkennt, erlebten die Zeitgenossen als Gleichzeitigkeit widerstreitender ideologischer, politischer und ökonomischer Tendenzen bzw. Möglichkeiten, mithin als eine Situation, die ebenso als Verlust überkommener wie als verunsicherndes Überangebot neuartiger Orientierungen verstanden werden konnte. *Commedia, Canzoniere* und *Decameron* sind unter diesem Aspekt doch enger miteinander verwandt als oft dargestellt wird; sie reagieren auf ähnliche geschichtliche Erfahrungen, wenngleich in ideell und ästhetisch gegensätzlicher Weise.

Auch in historiographischer Sicht ist das Trecento ein Jahrhundert der Übergänge, der Instabilität und damit einer andauernden Kette kleinerer und größerer Krisen, die die Politik der Regierenden ebenso wie den Alltag des Einzelnen erfaßt. Politische und soziale Überzeugungen und Strukturen, die bis ins Duecento hinein noch bestimmend wirkten (aber zum Teil bereits dort eine tiefgreifende Schwächung erfuhren), machen einer Umorganisation Platz, die hier schneller, dort langsamer verlaufen mag, im wesentlichen aber erst im Quattrocento zu sich konsolidierenden neuen Strukturen führen wird.

Besonders greifbar ist das zunächst an den beiden dominanten Instanzen des Spätmittelalters: Kaiser- und Papsttum. Beide prägen ja nicht bloß als politische Mächte einen Großteil der italienischen Geschichte der vorangehenden Jahrhunderte. Sie repräsentieren gleichermaßen ideologische Werte, die auch das Geschichts-, Kultur- und selbst das Literaturverständnis bestimmen. Daher geht mit ihrem realen Machtverlust der Zweifel an ihrer theologischen bzw. geschichtsphilosophischen Legitimation einher. Hinsichtlich des Reichs steht fest, daß nach der massiven Machteinbuße im Duecento – der Ablösung der Stauferkaiser durch das Haus Anjou in Sizilien und Neapel (1266), sodann durch das Haus Aragón in Sizilien (1282) – die deutschen Kaiser im Trecento nicht nur die Idee einer universalen Herrschaft, sondern zugleich ihr Interesse an den ihnen verbleibenden Teilen Mittel- und Norditaliens verlieren. Zwar knüpfen sich die Hoffnungen der Ghibellinen weiterhin daran, das Kaisertum als Italien einigende Kraft wiedererstarken zu sehen. Aber solche Aussichten werden bereits enttäuscht, als Heinrich VII., der 1308 auf die Habsburger Rudolf und Albrecht I. folgt, nach seiner Krönung in Rom 1313 in Siena stirbt. Das Ende der Hoffnungen stellt, nach Ludwig dem Bayern (1314–47), Karl IV. von Mähren dar, der Böhmen zum Kerngebiet seiner Politik macht, um das Reich als mitteleuropäische Macht zu konsolidieren, und der bezeichnenderweise nur noch zur Krönung (1354/55) nach Italien zieht. – Vom ehemals staufischen Süden, der Wiege italienischer Dichtung, vermag im Trecento nur das Königreich Neapel und nur noch unter Robert d'Anjou, dem »re dotto« (1309–43), eine politisch, wirtschaftlich und kulturell bedeutsame Rolle über die eigenen Grenzen hinaus zu spielen. Von der Entstehung her auf guelfischer, also papsttreuer Seite, greift es in Streitigkeiten in ganz Italien ein. Besonders eng sind die Beziehungen zur Toskana . Zwar ist ohnehin der Handel des Königreichs überwiegend in der Hand auswärtiger Kaufleute, es dominiert aber die Kolonie der Florentiner Bankiers und Händler. Dagegen wird nach dem Tod des Königs das Land nicht nur unter den Familienkämpfen der Anjou leiden, sondern zunehmend einen allgemeinen wirtschaftlichen Niedergang spüren, verbunden mit starker Entvölkerung und Verödung der ländlichen Gebiete. Erst im späten Quattrocento, unter Aragoneser Herrschaft, erreicht Neapel eine erneute Prosperität. – Für das Papsttum bezeichnet das Heilige Jahr 1300 in gewissem Sinn den letzten Triumph. Ab 1309 wird auch dessen Macht nicht mehr auf italienischem Boden, sondern in Avignon lokalisiert sein und weitgehend vom französischen König abhängen. Selbst als Frankreich zunehmend vom Hundertjährigen Krieg (1337–1453) beansprucht wird und der

Epoche der Krisen

Ritter am Hof Roberts von Anjou; Miniatur des 14. Jahrhunderts

Rom im frühen 14. Jahrhundert

Papst nach einer Reorganisation der Kurie und Umstrukturierung des Kirchenstaats zu einem zentral regierten Gefüge 1377 nach Rom zurückkehrt, bleibt
seine Stellung durch das Schisma angefochten, das erst auf dem Konstanzer
Konzil (1414–18) beendet werden wird. – In Rom selbst fördert die Abwesenheit des Papstes zwar die Erneuerung der kommunalen Struktur und eine Stärkung der merkantilen Schicht. Aber durch das Machtvakuum wird die Stadt
sehr bald auch zum Kampfplatz feudaler und bürgerlicher Interessen sowie der
dominierenden Adelsfamilien der Colonna und der Orsini untereinander. Auf
der vorübergehenden Beruhigung solcher Streitigkeiten, auf der Hoffnung des
Papstes, Rom als Hauptstadt des zergliederten Kirchenstaats zu sehen, aber auch
auf der entgegengesetzten Hoffnung, die theokratische Ordnung durch antike
Staatsprinzipien zu ersetzen, beruht weitgehend der Erfolg eines Mannes wie
Cola di Rienzo. Sein Ziel, einen italienischen Staatenbund unter der Führung
einer »römischen Republik« zu errichten, kann Cola aber kaum verwirklichen:
Sieben Monate herrscht er im Jahr 1347, bis er wegen der sich verschlechtern-
den Wirtschaftslage vertrieben wird. 1354 kehrt er, vom Papst unterstützt, noch
einmal zurück, wird aber bald nach einem Volksaufstand erschlagen.

Von der Kommune zur
»Signoria«

Zu den eigentlichen Trägern der Politik, der wirtschaftlichen Dynamik und
zugleich der Kultur waren schon im 13. Jahrhundert die Kommunen, die städtischen Zentren Italiens geworden. Kommunale Strukturen existierten in den
Städten der ganzen Halbinsel, d.h. ebenso im Kirchenstaat wie in den Monarchien des Südens; dort erreichten sie aber bei weitem nicht die Autonomie, die
sie in Mitte und Norden aufgrund der relativen Ferne von Kaiser und Papst
gewannen. Hatte die Verlagerung von Wirtschaft und Handel vom Land in die
Städte vor 1300 zu Wohlstand und kultureller Blüte der meisten zunehmend
bürgerlich geprägten Kommunen geführt, stürzt die weitere Entwicklung nun
viele in eine kritische Lage: Die Überbevölkerung hat zusammen mit der vorangehenden Ausbeutung des Bodens eine häufige Mangelversorgung der Menschen zur Folge. Während Neapel am Anfang des Quattrocento etwa 30 000
Einwohner zählt, hat Florenz rund 100 000, Venedig sogar annähernd 195 000.

Spiegel des kommunalen
Selbstbewußtseins:
Ambrogio Lorenzetti,
»Allegorie der Guten
Regierung«, Siena, Palazzo
Pubblico, 1337–40

Die wiederholten Seuchen, die Italien überziehen und in der Pestepidemie von 1348 gipfeln, sind zum einen eine Folge dieser Lage, verschlimmern sie andererseits auch. Hinzu kommen vielfache Streitigkeiten, Kriege und Revolten: Kämpfe zwischen den Stadtrepubliken und unter politischen Parteien innerhalb einzelner Kommunen, der Verlust der Selbständigkeit einiger Städte (Pisa, Padua, Bologna), Aufstände, die von den unteren, von der Krise am heftigsten betroffenen und zugleich nach Regierungsbeteiligung strebenden Schichten ausgehen, so der der Florentiner Wollschläger, der »Ciompi«, im Jahr 1378. Vielerorts erweist sich die bestehende oligarchische Regierung zunehmend als ineffizient; zudem fordern die erstarkenden nationalen Mächte (Frankreich, England) solide Administrationen auch in den kleinen Staatsgebilden heraus. All dies leistet dem Übergang zu zentralistischen Regierungen Vorschub: der »Signoria« als der (später auch erblichen) Alleinherrschaft eines Signore und seiner Familie. Am frühesten vollzieht sich diese Entwicklung durch die Visconti in Mailand; ihnen folgen unter anderem die Scaligeri (Verona), die d'Este (Ferrara), die Gonzaga (Mantua), die da Polenta (Ravenna), die Montefeltro (Urbino). Im Trecento behält nördlich des Kirchenstaats außer Venedig nur Florenz noch die kommunale Regierungsform. Dabei bleibt die Arnostadt keineswegs von den Krisen verschont, hat sie doch etwa den Zusammenbruch der größten Bankhäuser der Bardi und der Peruzzi zwischen 1339 und 1345, in der Pest von 1348 eine Dezimierung der Bevölkerung um möglicherweise drei Viertel oder die genannte Ciompi-Revolte zu verkraften. Die relative Stabilität zeigt sich aber z.B. an einem Bildungsstand, der – will man dem Chronisten Giovanni Villani glauben –, für das damalige Europa ungewöhnlich hoch gewesen sein muß. Sie zeigt sich mehr noch am weiterbestehenden Reichtum, der den Bürgern auch eine intensive Bautätigkeit erlaubt. Derartige Entwicklungen machen erklärbar, warum erst im 15. Jahrhundert die republikanische Struktur durch die Signoria der Medici verdrängt wird, deren Aufstieg als Bankiersfamilie im späten Trecento beginnt: In Florenz führt die Krisenserie am Ende des Trecento zunächst noch einmal zu einer Konsolidierung der führenden Bürgerfamilien.

Wie wirkt sich nun die hiermit grob umrissene politisch-gesellschaftliche Geographie des Trecento auf das Profil der Literatur aus? Wie immer wird man das eine nur sehr vorsichtig mit dem anderen in Zusammenhang bringen dürfen, abgesehen von solchen Texten – und sie sind nicht selten in dieser Epoche –, die auf einen unmittelbaren Zeitbezug ausdrücklich abzielen. Zum ersten läßt sich konstatieren (allerdings ist das kein Epochenspezifikum), daß kultureller Einfluß dort entsteht, wo eine relative äußere Stabilität bzw. ein Machtzentrum gegeben ist; Beispiele wären das Neapel Roberts von Anjou, die Kurie in Avignon, die oberitalienischen Fürstenhöfe, Venetien insbesondere mit Padua und schließlich Florenz. Zum zweiten korrespondiert die eingangs angedeutete Vielheit konkurrierender Literaturformen und -auffassungen mit dem politischen Polyzentrismus und dem Nebeneinander unterschiedlicher Gesellschaftsstrukturen. Was einzelne Textarten angeht, so lassen sich Schriften wie Dantes *Convivio* oder sein *De vulgari eloquentia* als Bemühungen verstehen, dem zunehmenden äußerlichen Partikularismus durch das Bewußtmachen kultureller Gemeinsamkeiten entgegenzutreten; das Vorhandensein eines solchen Bewußtseins beweist gleichfalls etwa die weit überregionale Wirkung der Werke Dantes, Petrarcas, Boccaccios und anderer. Zweifellos bezieht auch die religiöse und erbauliche Literatur ihren Aufschwung wie schon im Duecento aus der Entwurzelungserfahrung, die mit den gesellschaftlichen Wandlungen der Epoche (Schwächung der Amtskirche, Infragestellung der »großen« Ideologien, Landflucht) verbunden ist. Demgegenüber beruht die fortbestehende Beliebt-

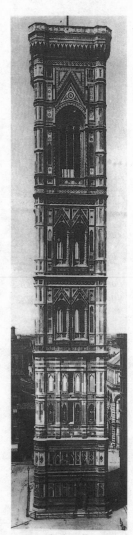

Campanile des Doms zu Florenz, 1334 von Giotto entworfen und begonnen

heit der lehrhaften und allegorischen Literatur in hohem Maß weiterhin auf der kommunalen Kultur und dem steigenden Bedürfnis nach einer universalen Laienbildung. Ähnlich entstehen die Chroniken aus dem Selbstbewußtsein der Stadtrepubliken und zugleich (ihre Verfasser sind häufig auch politisch aktiv) aus dem Bemühen um eine Restabilisierung ihrer Lage. Zu Recht wird des weiteren die Novellistik als Spiegelung der Vielheit von Erfahrungen und Interessen gedeutet, wie sie das kommunale Leben ermöglichte. Und sieht man einmal von Neapel ab, wo sich zur Zeit Roberts von Anjou ein Kreis von Humanisten bilden kann, entstehen schließlich auch die frühhumanistischen Bewegungen (Padua, Bologna) großenteils auf dem Boden der Republiken mit ihrem diesseitsbetonenden Bildungsbedürfnis.

Die Machtkonzentration in der Signoria und im höfischen Milieu schließt solche Bestrebungen nicht aus, begünstigt aber meistens eine ganz andere Tendenz. Der Schriftsteller ist hier – anders als in der Stadtrepublik – oft nicht mehr zugleich Politiker oder Kaufmann, sondern eng an die Gunst des Signore oder Fürsten als seines Mäzens gebunden. Dies erfahren vor allem zahlreiche lyrische Dichter, die an den oberitalienischen Höfen wirken. Damit bereitet sich andererseits die allmähliche Herausbildung eines auf den Umgang mit Sprache spezialisierten Literaten vor, der einen zuvor unüblichen Eigenwert gewinnt. Zugleich fördert dies den Kunstcharakter einer Literatur, wie sie exemplarisch von der Lyrik Petrarcas oder den narrativen Werken Boccaccios verkörpert wird. Aber auch hier wäre jeder Schematismus fehl am Platz: Wenngleich das aufkeimende neue Bild vom »spezialisierten« Literaten das Schwinden der kommunalen Wirklichkeit voraussetzt, braucht es gleichwohl die gerade dort möglich gewordene Aufwertung des Individuums und seiner je besonderen Interessen und Fähigkeiten.

Dante Alighieri: das Werk nach der Verbannung

Poetologische Kühnheit und ideologische Strenge

Ohne Zögern wird man auch aus heutiger Sicht den drei »Kronen des Trecento« den ersten Platz in der Literatur ihres Jahrhunderts einräumen, aus deren reicher, bunter Vielfalt sie deutlich herausragen: Nicht nur wegen ihres künstlerischen Vorsprungs gegenüber den sogenannten »autori minori«, sondern auch, weil sie ausdrücklicher als andere die skizzierte Lage ihrer Zeit zum Beweggrund ihres Werks machen. Dabei ist Dante Alighieri derjenige, der in Traktaten wie auch Dichtung kontinuierlich bestrebt ist, der kritischen Situation entgegenzuwirken. Nur vor dem Hintergrund der zunehmend problematischen Realitätserfahrung erklären sich die moralisch-ideologische Strenge, die politisch-soziale Kritik und die unerschütterliche Zuversicht, die nicht nur sein Hauptwerk prägen, in ihrer ganzen Tragweite. Nur vor diesem Hintergrund erklärt sich wiederum der für seine Zeit unerhörte poetologische Anspruch der *Commedia*. Dante erfährt charakteristische Momente des geschichtlichen Übergangs gewissermaßen exemplarisch: Seine Existenz und sein literarisches Schaffen entfalten sich zunächst im kommunalen Ambiente und in der Erfahrung von dessen Freiheitsspielraum wie inneren Spannungen, während sich sein Leben in den beiden letzten Jahrzehnten zwischen unstet wechselnden, aber Schutz gewährenden Machtbereichen feudaler Herrscher abspielt. Einer Familie des niederen Florentiner Adels entstammend, profitiert er von den Vorzügen seiner Vaterstadt: vor allem genießt er offenbar eine solide und breite Bildung, wie sie die vielfältigen Lehrinstitutionen des kommunalen Florenz ermöglichen. Diese

Domenico di Michelino:
»Dante und sein Epos«,
Florenz, Santa Maria del
Fiore, 1465

Bildung legt zum einen die Grundlage seines enzyklopädischen Wissens, das er in *Convivio* und *Commedia* entfalten wird; sie bringt ihn zum anderen in Kontakt mit bedeutenden Vertretern des kulturellen Lebens seiner Stadt, mit dem Dichter Cavalcanti, dem Musiker Casella, vielleicht mit dem Künstler Giotto, wahrscheinlich auch mit Brunetto Latini, dem Autor des *Trésor* und des *Tesoretto* (Dante selbst apostrophiert ihn in seinem Epos [*Inferno* XV, 85] als seinen »Lehrer«). Sie ermöglicht ihm letztlich auch die Teilnahme am öffentlich-politischen Leben der Kommune: eventuell schon als Zwanzigjähriger, mit Sicherheit nach 1295 wirkt er in verschiedenen Gremien mit, im Rat des Podestà, im Rat der Hundert, 1300 einige Monate sogar im Priorat, der einflußreichsten politischen Institution der Stadt. Doch wenngleich Dante sich in allen Funktionen offenbar beharrlich für eine Beilegung der Parteienkämpfe, insbesondere des zwischen »Schwarzen« und »Weißen Guelfen« entbrannten, einsetzt, wird gerade dieses Engagement für ihn zum Fallstrick: 1302 wird er mit anderen Weißen Guelfen aus Florenz verbannt. Ein unruhiges, leidvolles Leben beginnt, das ihn bis zu seinem Tod an zahlreiche italienische Fürstenhöfe führt, nach Verona, Treviso, Padua, Reggio, in die Lunigiana, nach Lucca, ins Casentino, nach Pisa – vielleicht auch nach Venedig, Bologna oder sogar nach Paris –, schließlich nach Ravenna, wo er 1321 stirbt.

Dantes exemplarische Realitätserfahrung ruft ein gleichermaßen außergewöhnliches Werk hervor. In seinen Schriften dominiert die Bemühung, stets etwas gegenüber der vorangehenden Literatur Neuartiges zu bieten, um hierdurch der eigenen Zeit neue Orientierungen zu geben. Zugleich leistet er dies, indem er die Überlieferung nicht zu überwinden, sondern zu bewahren, »aufzuheben« versucht. Die meisten Werke suchen das Neue über die Synthese. So nennt man die *Commedia* zu Recht gern eine Summa des Wissens, der Überzeugungen und der poetischen Möglichkeiten des späten Mittelalters; sie gestaltet aber zugleich ein Wirklichkeitsverständnis, das längst zu wanken begonnen

Giotto: Szene aus dem
»Leben des hl. Franziskus«,
Assisi, ca. 1290–92

hatte, in der Überzeugung, daß es dennoch erneut zur stabilisierenden Basis der zeitgenössischen Situation werden könne. Die Beharrlichkeit dieser zusammenfassenden Absicht führt des weiteren dazu, daß, von wenigen Ausnahmen abgesehen, Dantes Werke untereinander in engstem Zusammenhang stehen, in der Weise jedoch, daß das jeweils frühere im späteren und das Gesamtwerk in der *Commedia* überhöht wird. Gerade deswegen sollte man den Eigenwert jedes der sogenannten »opere minori«, ihre spezifische Intention nicht unterbewerten.

Das Exil war für Dante nicht nur eine einschneidende Lebenserfahrung, sondern offensichtlich auch höchste schriftstellerische und geistige Herausforderung, wie schon die in den Anfangsjahren der Exilzeit entstandenen Traktate *Convivio* und *De vulgari eloquentia* bezeugen. Vor der Verbannung war er vor allem lyrischer Dichter; und auch die beiden genannten theoretischen Schriften gehen von der Erfahrung des lyrischen Schreibens aus. Schon der Schluß der *Vita nuova* enthält die Absicht, die dort erreichte Dichtart sowie die Reflexion über diese zu übertreffen, wenn Dante dort ankündigt, in einem späteren Werk »in würdigerer Weise« von der »seligen« Beatrice zu reden. Obwohl diese Schlußpassage (möglicherweise ein späterer Zusatz Dantes) in erster Linie als Ankündigung des späteren Epos gelesen wird, ist in seinem Selbstverständnis schon das *Convivio* (ca. 1304–08) eine erste Verwirklichung jener Absicht. Mit dem wohl gleichzeitig bearbeiteten *De vulgari eloquentia* verbindet das *Convivio* die Hoffnung des Autors, sich Autorität als umfassend Gelehrter, insbesondere als Philosoph zu verschaffen und sich gegenüber dem Florentiner Publikum zu rehabilitieren. Wie ein roter Faden zieht sich durch alle Teile der Schrift die Umdeutung der stilnovistischen Liebe zur »donna gentile« als einer Liebe zur Philosophie. Zugleich verlagert Dante sein politisches Engagement, das ihn das Bürgerrecht gekostet hatte, in das gelehrt-literarische Schreiben. Beginnend mit dem *Convivio* stehen seine Werke fortan unter dem Vorzeichen einer christlich-ethischen Verantwortung des Schriftstellers. Sein »Gastmahl« konzipiert er als Enzyklopädie des gesamten Wissens seiner Zeit für die breite Schicht der bildungshungrigen Laien, der »illitterati«, die ohne Lateinkenntnis keinen Zugang zu Philosophie, Theologie und Wissenschaften hatten. Der Plan des Werks sah nach einem einleitenden Traktat vierzehn weitere vor, in denen jeweils eine Kanzone Dantes allegorisch kommentiert werden sollte. So erörtert der zweite Traktat die Struktur der Himmel, die Hierarchie der ihnen zugeordneten Engel und die mit den Himmelssphären korrespondierenden Wissenschaften des Trivium, des Quadrivium sowie der Physik, Metaphysik, Moralphilosophie und Theologie. Sodann behandelt der dritte Traktat den Bau des gesamten Universums, speziell die Astronomie der Sonne und ihre Entsprechung zur Güte Gottes, schließlich die Philosophie als auf dieses Wirken gerichtetes Instrument menschlicher Spekulation. Der vierte Traktat ist dem wahren Wesen der »nobiltà« gewidmet, das als Vervollkommnung der von Gott geschenkten persönlichen Natur gesehen wird, sowie der Bedeutung der menschlichen Lebensalter und der ihnen zukommenden Tugenden. Mit diesem Teil bricht das Werk ab.

Schon im Einleitungstraktat begründet Dante ausführlich die Bevorzugung der Volkssprache als notwendigen Schritt innerhalb seiner karitativ verstandenen Lehrabsicht. Parallel dazu richtet sich *De vulgari eloquentia* (1304–07 od. 08) an die Gelehrten in der Sprache der Gelehrten. Auch hier sollte die Verteidigung des Volgare im Rahmen des geplanten Werks nur einleitende Funktion haben für eine auf vier Bücher angelegte Poetik und Rhetorik des Italienischen. Je ein Buch sollten der Kanzone als der anspruchsvollsten volkssprachlichen Dichtform, sodann den übrigen lyrischen Genera und schließlich der Prosa gewidmet sein. Dante unterbricht den Text aber schon mitten in den Erörterun-

Enzyklopädie des Wissens: Convivio

Giovanni del Ponte: Porträt Dantes, frühes 15. Jahrhundert

Verteidigung der Volkssprache

gen über die Kanzone, d.h. im 14. Kapitel des zweiten Buchs. Der einzige voll-
endete Teil verfolgt ein Anliegen, das erst im 16. Jahrhundert wieder gleichermaßen heftig debattiert werden wird: die Anhebung des Italienischen in den Rang
des Lateinischen. Dazu muß Dante eine Ausprägung innerhalb der faktischen
Vielsprachigkeit seiner Zeit ausmachen, die dem Lateinischen im Grad der
Allgemeingültigkeit und Überregionalität gleichkommt. Er identifiziert sie
schließlich mit der Sprache, die sich in der Dichtung von den Sizilianern bis zu
den Stilnovisten ausgebildet hatte, einer Kunstsprache, die mit keinem der
gesprochenen Dialekte identisch ist, an der aber jedes dieser Idiome gemessen
wird. – Als Wissenschaftler, der im Blick auf sein Publikum lateinisch redet,
wird Dante auch viel später noch einmal auftreten, in seinem kurzen, 24 Kapitel umfassenden Traktat *De forma et situ duorum elementorum aque videlicet et
terre* (meist zitiert als *Questio de aqua et terra),* der auf einen 1320 in Verona
gehaltenen Vortrag zurückgeht und in scholastischer Methode das Höhenver-
hältnis von Meer und Festland behandelt. Selbst hier bedeutet die gewählte Sprache kein Abweichen vom leidenschaftlichen Eintreten für die Volkssprache;
Dante hatte sie 1319/20 erneut in einem in (lateinischen) *Eclogae* geführten
Briefwechsel mit dem Bologneser Rhetoriklehrer und Frühhumanisten Giovanni del Virgilio verteidigt. Der hatte ihm gar die Krönung zum »poeta laureatus« in Aussicht gestellt, falls er ein größeres Gedicht über ein zeitgeschichtliches Ereignis in lateinischer Sprache verfassen würde.

Wie *De vulgari eloquentia* ist auch die dritte große Abhandlung der Exilzeit,
die *Monarchia,* von Intention und Thematik her mit dem *Convivio* verknüpft.
Die Schrift entstand mit großer Wahrscheinlichkeit aus Anlaß des Italienzugs
Heinrichs VII., d.h. um 1310/12, obwohl vieles auch für eine spätere Abfas-
sung um 1317 spricht. Im vierten Traktat seines »Gastmahls« hatte Dante Über-
legungen über das Wesen des Adels zum Anlaß genommen, nicht nur einer
Auffassung Kaiser Friedrichs II. entgegenzutreten und darüber hinaus die
Haltung der italienischen Signori zu kritisieren, sondern auch in allgemeiner
Weise die Position der kaiserlichen gegenüber der geistig-philosophischen Autorität zu erörtern. Diese Gedankengänge werden in der *Monarchia,* die drei
Bücher umfaßt und sich eng an die Struktur mittelalterlicher »Quaestiones«
anlehnt, zu einer Staatstheorie auf zugleich erkenntnistheoretischer und moralphilosophischer Grundlage ausgeweitet. Ausgehend von der Vorstellung einer
zweifachen Glückseligkeit (»beatitudo«), deren Verwirklichung das gemeinsame
Ziel der ganzen Menschheit ist, bestreitet Dante die Abhängigkeit des Kaisertums vom Papsttum: Beide Instanzen sind für ihn direkt gegenüber Gott legitimiert. Insbesondere – und dies ist der eigentliche Kern der Schrift – kommen
dem römischen Kaiser die Schaffung einer Universalmonarchie und damit die
eines weltumfassenden Friedens als Voraussetzung der irdischen Glückseligkeit
zu.

Direkter, aber auch punktueller bezieht Dante in einigen seiner *Epistolae* Stellung zur aktuellen Lage Italiens. Wie auch die übrigen der insgesamt 13, die von
den wahrscheinlich weit zahlreicheren Briefen Dantes überliefert sind, hat
keiner der fünf zwischen 1310 und 1315 entstandenen politischen Briefe persönlichen Charakter im Sinn etwa von Petrarcas *Familiares* oder von Freundschafts-
briefen späterer Humanisten; vorherrschend ist das öffentliche Engagement
ihres Verfassers. In oft leidenschaftlicher Sprache wirbt Dante bei den »Köni-
gen, Fürsten und Völkern Italiens« für eine Unterordnung unter die Autorität
Heinrichs VII., der dem Land Einigung und Frieden bringen werde (*Epistola* V); warnt die »gottlosen Florentiner« vor dem gerechten Zorn des Kaisers
(*Ep.* VI); beschwört Heinrich selbst, den Widerstand der Florentiner Guelfen
als letzter Bastion gegen den Frieden Italiens zu brechen (*Ep.* VII); appelliert an

Anfang der *Monarchia,*
Handschrift des späten
14. Jahrhunderts

*Politisches Engagement
in den Briefen*

Dante und Vergil vor
Cato, dem Wächter des
Purgatorio; Miniatur aus
einer Handschrift des
14. Jahrhunderts

Die Commedia

die »italienischen Kardinäle«, bei der bevorstehenden Papstwahl (1314) sich
ihrer politischen und religiösen Verantwortung für das verwaiste Rom bewußt
zu sein (*Ep.* XI). In einem weiteren Brief weist er entrüstet das Angebot Florentiner Politiker zurück, ihn unter der demütigenden Bedingung einer Unterwerfung in die Heimat zurückkehren zu lassen (*Ep.* XII).

Es ist müßig zu fragen, ob Dante zur Zeit dieses Briefs, d.h. um 1315 noch an
eine Rückkehr nach Florenz glaubte. Noch im *Paradiso,* dem dritten Teil seiner
Commedia, drückt er diese Hoffnung und die auf eine Änderung der Zustände
in Italien und Florenz aus, zugleich aber den Wunsch, dann in seiner Taufkirche
zum Dichter gekrönt zu werden (vgl. *Par.* XXV, 1–9). Das »poema sacro« ist in
Dantes Gesamtwerk der in jeder Hinsicht kühnste Entwurf, der alle vorangehenden Versuche, als Gelehrter und Literat Ansehen zu gewinnen, überhöht. Den
von der Intention her engen Zusammenhang mit den vorangehenden Schriften
zeigt die Tatsache, daß Dante die beiden Traktate der frühen Exilzeit abbricht,
also deren Konzeption für überwunden hält, als er die Arbeit an der *Commedia*
aufnimmt. Obwohl die Daten auch bei diesem Werk noch immer unsicher
sind, wird der Entstehungsbeginn des ersten Teils, des *Inferno,* gemeinhin um
1307/08 angenommen, der des letzten Teils, des *Paradiso,* um 1316. Fest steht,
daß das *Inferno* 1317, der zweite Teil, das *Purgatorio,* 1319 bereits in Umlauf
war. Der vollständige Text wird erst nach dem Tod des Dichters durch die
Söhne Pietro und Iacopo publiziert. – Die *Commedia* erzählt die visionäre
Wanderung Dantes durch ein dreigeteiltes Jenseits, den Abstieg in die Hölle,
den Aufstieg auf den Läuterungsberg und den Flug durch die Himmelssphären
zum Empyreum. Am Anfang des Wegs, den der Erzähler sieben Tage – vom
Karfreitag des Heiligen Jahres 1300 bis zum darauffolgenden Donnerstag –
dauern läßt, steht die Verstrickung in persönliche Schuld, an seinem Ende die
mystische Vision der Allmacht göttlicher Liebe. Unter der Führung des antiken
Dichters Vergil, den die im Paradies wohnende Beatrice dem in einem Wald
verirrten Dante zu Hilfe schickt, steigt der Wanderer im ersten Teil hinab in die
trichterförmige Hölle. Auf den terrassenartig angelegten Stufen dieses Abgrunds
sühnen die zu ewiger Strafe Verdammten ihre Schuld. Von der Spitze des Trich-
ters – dort, im Erdmittelpunkt, steckt Luzifer bis zur Brust in einem Eissee –
führt ein Gang die beiden Wanderer zur südlichen Erdoberfläche. Sie gelangen

*Grundriß der
Jenseitswanderung*

im zweiten Teil zum Fuß des Läuterungsbergs; dessen wiederum ringförmige Simse müssen die Sünder, entsprechend ihrer noch zu tilgenden Schuld, hinaufwandern. Ihrem Weg folgen Dante und Vergil bis zum Irdischen Paradies, das den Gipfel des Läuterungsbergs bildet. Hier übernimmt Beatrice die Führung Dantes; sie begleitet ihn im dritten Teil des Gedichts durch die zehn Himmelssphären bis zum Feuerhimmel, in dem die Seligen ihren Sitz haben. Dort löst schließlich der hl. Bernhard Beatrice in ihrer Führerrolle ab, um für Dante die Gnade einer Vision der göttlichen Dreieinigkeit zu erwirken.

Erste Gesänge des *Paradiso* widmet Dante zwischen 1315 und 1317 seinem langjährigen Gönner, dem Veroneser Signore Cangrande della Scala, zusammen mit einem 33 Abschnitte umfassenden Brief (*Epistola* XIII), der einen Kommentar zu den 12 Eingangsversen des Textes enthält, also die früheste (Teil-)Interpretation der *Commedia* darstellt. Auch diese Selbstdeutung Dantes folgt einem mittelalterlichen Schema der Texterklärung, dem »accessus ad auctores«, und spricht die darin üblichen Gliederungspunkte an. Wenngleich in der *Commedia* selbst von einem »poema«, einem epischen Gedicht die Rede ist (*Par.* XXIII,62; XXV,1), ordnet der Brief an Cangrande das Werk als »opus doctrinale« den Lehrgedichten zu. Das geschieht zweifellos in der Absicht, den hohen didaktischen Wert herauszustellen, die Absicht, den Menschen »im irdischen Leben vom Elend abzuwenden und zur Glückseligkeit zu führen« (removere viventes in hac vita de statu miserie et perducere ad statum felicitatis; *Ep.* XIII,15). Mit dieser Lehrabsicht ist die allegorische Anlage der *Commedia* eng verbunden. Schon im *Convivio* hatte Dante nicht nur die eigenen Lehrkanzonen allegorisch interpretiert; er hatte auch theoretisch die Lehre vom mehrfachen Schriftsinn als eine grundsätzliche Deutungsmethode für Dichtungen beansprucht (*Conv.* II,I). Dies setzt der Cangrande-Brief fort: ein Buchstabensinn (»sensus litteralis«) der *Commedia* bestehe in der Erzählung vom Leben der Seelen nach dem Tod, während der Gegenstand des allegorischen Sinns der willensfreie Mensch sei, der belohnender und strafender Gerechtigkeit unterworfen ist (*Ep.* XIII,8). Der Anspruch ist für die Zeit nicht selbstverständlich. Zwar kennt der gebildete Leser die allegorische Grundabsicht von profaner didaktischer Epik her, z.B. vom *Roman de la Rose* oder von Brunetto Latinis *Tesoretto*. Aber Dante zielt auf einen weitergehenden Stellenwert der Allegorie ab, wenn er sie in Analogie zur Bibelexegese erläutert und dabei in der *Epistola,* im Unterschied zum *Convivio,* auf eine Abgrenzung der Dichter- von der Bibelallegorese verzichtet. Nun scheinen dieser poetologischen Kühnheit Dantes Erklärungen zu Gattung und Stil seines Gedichts entgegenzustehen. Übereinstimmend mit der Auffassung des Mittelalters versteht er die Komödie nicht als dramatisches Genus, sondern als eine Dichtung, deren Handlung unerfreulich beginne und glücklich ende. Sein Werk sei des weiteren deshalb eine »comedía«, weil sie in niedrigem Stil, in der Sprache des Volkes verfaßt sei (*Ep.* XIII,10). Tatsächlich vermengt jedoch Dante in seinem Werk alle Stilebenen miteinander, entsprechend der weitgespannten Thematik. Mehr noch: auf der Basis des zeitgenössischen Florentinischen mischt er alle seit der Lyrik der Sizilianer vorkommenden poetischen Sprachregister, verwendet Regionalismen, Latinismen, Gallizismen, bildet Neologismen, schöpft aus der Umgangs- wie aus der Gelehrtensprache.

Die Fähigkeit zur Synthese, die zugleich die Überlieferung künstlerisch übertreffen soll, bestimmt auch das Verhältnis der *Commedia* zu ihren »Quellen«. Die intertextuellen sachlichen wie strukturellen Beziehungen sind überaus zahlreich; und Dante legt sie, dem mittelalterlichen Umgang mit Literatur gemäß, nur zu einem Teil offen. Was das sachliche, philosophische und theologische Wissen angeht, das überall in der *Commedia* in Erörterungen, aber auch bloßen Anspielungen, in Motiven und Bildern begegnet, bewegt er sich im Rahmen

Christliche Belehrung und allegorischer Sinn

Eine der ältesten *Commedia*-Handschriften, 1337

Stilmischung

Quellen und Vorbilder

Titelblatt der *Commedia*,
Venedig, 1477

scholastischer Bildung. Aber er ist, wie die neuere Forschung hat nachweisen
können, ihr gegenüber keineswegs unselbständig. Trotzdem figuriert Aristoteles
mit Abstand am häufigsten unter den herangezogenen Philosophen; ebenso
setzt die *Commedia* eine genaue Kenntnis des Averroes, des Albertus Magnus,
Bonaventuras und natürlich Thomas von Aquins voraus. Auch die Bibel liest
Dante im mittelalterlichen, d.h. allegorischen Verständnis; in der Regel verwendet er biblische Motive in einer Deutung, wie sie die patristische und scholastische Exegese entwickelt hatte und über die religiös-liturgische Praxis auch dem
ungelehrten Leser vertraut sein konnte. Von den antiken Dichtern gilt Dantes
Vorliebe dem Autor der *Aeneis,* aber wie bei Vergil verbinden sich für ihn auch
bei Lukan, Ovid und Statius, seinen anderen Musterautoren, Weisheit und
Kunst in idealer Weise. – Für die ästhetische Struktur des Epos sind zwei Gruppen von »Modellen« von wesentlicher, aber gleichfalls im Einzelfall nicht genau
einzugrenzender Bedeutung: Jenseitsdarstellungen und die allegorisch-lehrhafte
Epik; beides konvergiert im übrigen schon in der Literatur vor Dante. Obwohl
Reminiszenzen von antiken Jenseitsbeschreibungen *(Aeneis, Somnium Scipionis)*
über islamische (wie der *Liber Scalae)* bis zu den christlich-mittelalterlichen
reichen, kann dennoch keine als direktes Vorbild gelten. Von den weiter zurückliegenden mittelalterlichen Darstellungen wird Dante besonders die lateinische
Visio Tungdali (12. Jahrhundert) gekannt haben, denn bereits hierin wird
ausführlich ein Zwischenreich zwischen Hölle und Himmel gestaltet. Strukturelle Anregungen bezieht die *Commedia* mit Sicherheit aus dem *Anticlaudianus*
(ca. 1182) des Alanus von Lille. Dagegen ist sie den volkssprachlichen, aber
künstlerisch wenig anspruchsvollen Werken eines Giacomino da Verona und
eines Bonvesin de la Riva (13. Jahrhundert) kaum verpflichtet. Eine Sonderstellung hat zweifellos Brunetto Latinis *Tesoretto,* da hier, wie in der *Commedia,* die
Darstellung einer Jenseitsreise eingebettet ist in das Genus des allegorischen
Lehrgedichts und darüber hinaus enzyklopädisches Wissen vermitteln will.
Möglicherweise hat Dante selbst in der Jugend seine Fähigkeiten in allegorischer bzw. didaktischer Dichtung erprobt. Bis heute ist umstritten, ob er der
Bearbeiter zweier Lehrgedichte aus dem späten 13. Jahrhundert ist: zum einen
des *Fiore,* einer Übertragung des französischen *Roman de la Rose* in Form von
232 Sonetten, zum anderen des *Detto d'amore,* das in 480 Versen (der Text ist
fragmentarisch überliefert) wie der *Fiore* die spätmittelalterlich-höfische Liebes-
konzeption behandelt.

Symbolische Architektur   Von allen möglichen Modellen und Vorbildern hebt sich die *Commedia*
jedoch bereits durch ihre formale Struktur ab. Man kann heute davon ausge-
hen, daß Dante die Architektur seines Epos nach einem bis in die Stellung
einzelner Verse, ja Schlüsselwörter reichenden, ausgeklügelten Schema konzipiert hat, dessen Formprinzipien immer auch symbolisch-verweisende Bedeutung tragen. Die insgesamt 14233 Verse des Gedichts verteilen sich auf drei
sogenannte »Cantiche« (den Begriff »cantica« prägt Dante selbst im Cangrande-
Brief), die den drei von Dante durchwanderten Jenseitsreichen entsprechen.
Jeder der drei Teile umfaßt 33 Gesänge (»canti«), im *Inferno* geht ein prologarti-
ger voraus, so daß die gesamte *Commedia* aus genau 100 Gesängen besteht. Die
verwendete dreizeilige Strophe (»terzina« oder »terzarima«) hat zwar Vorläufer
in der didaktischen Serventese-Dichtung, neu ist aber die Art der Reimverket-
tung (aba bcb cdc …), bei der mit Ausnahme des Gesangsanfangs jeder Reim
dreimal erscheint. Die Dreizahl, die schon in der *Vita Nuova* zentrales Symbol
ist und letztlich auf die göttliche Trinität verweist, kehrt neben der Sieben als
zweithäufigstem Zahlensymbol in vielfältiger Form wieder: in Personengruppie-
rungen, in Wahrnehmungen, in rhetorischen Figuren usw. Diese durchgängi-
gen Bauprinzipien sind nun nicht allein intensivster Ausdruck künstlerischer

Gestaltungswillens, sondern poetologische Spiegelung einer theologischen Überzeugung. Wie für das Mittelalter die göttliche Schöpfung auf maßvollen und meßbaren Größen und Relationen beruht, will die *Commedia* als poetische Schöpfung einen Weg darstellen, der den Leser auf die zu vermittelnde kosmologische, moralische und theologische Ordnung hinführt.

In einem weiteren wesentlichen Punkt unterscheidet sich die *Commedia* von vorangehenden allegorischen Jenseitsdarstellungen, aber ebenso von späteren allegorischen Lehrgedichten, nämlich in der Bemühung, die poetische Fiktion weitgehend mit der philosophisch-theologischen Doktrin in Einklang zu bringen. Das »poema« soll sowohl höchste dichterische Herausforderung sein als auch überpersönliche Allgemeingültigkeit beanspruchen. Dante bewerkstelligt das vor allem durch die Topographie seines Jenseits und ihre Verbindung mit der moralischen Ordnung: Die Hölle ist ein trichterförmiger Abgrund, dessen Zugang unter dem irdischen Jerusalem liegt. Der Abgrund umfaßt neun (also dreimal drei) Kreise und entstand durch Luzifers Sturz vom Himmel zum gottfernsten Punkt des geozentrischen Kosmos, der Erdmitte. Aus Schrecken vor Satan wich die verdrängte Erdmasse zurück und bildete auf der gegenüberliegenden Halbkugel den Läuterungsberg, der sich inmitten des Ozeans erhebt und gleichfalls neun abgestufte Kreise umfaßt. Entsprechend dem ptolemäischen Weltbild gliedert sich das Paradies in neun konzentrische Sphären (Mond-, Merkur-, Venus-, Sonnen-, Mars-, Jupiter-, Saturn-, Fixstern- und Kristallhimmel), die vom Feuerhimmel umgeben sind. – Der Ordnung der Strafen, Bußformen und Tugenden liegt ein gleichermaßen strenger Plan zugrunde. Im *Inferno* folgt Dante weitgehend Prinzipien der aristotelischen Ethik, mit Ausnahme zweier Kreise: des ersten (Limbus), in dem sich die Ungetauften, d.h. die ungewollt Ungläubigen aufhalten, und des sechsten, in den die Ketzer als willentlich Ungläubige verbannt sind. Die übrigen sind primär gegliedert nach Schuld aus Willensschwäche (»incontinenza«: 2. bis 5. Kreis), aus Bosheit (»malizia«: 7. bis 8. Kreis) und aus 'Tierheit' (»bestialitade«). Komplementär zur Hölle verhält sich der Läuterungsberg, auf dem nicht einzelne begangene Sünden, sondern sündhafte Neigungen gesühnt werden: die zu den schwersten der sieben Hauptsünden (Hochmut, Neid, Zorn, Trägheit, Geiz, Völlerei, Wollust) auf den unteren Simsen, die zu den leichteren auf den höheren. Wie in der Hölle gilt als weiteres Prinzip der sogenannte »contrapasso«, für den Dante bis auf frühchristliche Jenseitsvorstellungen zurückgreifen konnte: Die Art der Strafe oder Buße entspricht der jeweiligen Sündenart; sie ist ihr analog oder aber genau entgegengesetzt. – Eine Sonderstellung hat das Paradies. An sich wohnen die Seligen in Form einer weißen Rose im Feuerhimmel; aber Dante läßt sie aus Gründen der Anschaulichkeit und der ästhetischen Analogie zu den anderen Cantiche dem Jenseitswanderer während seines Flugs entgegenkommen. Sie begegnen ihm jeweils in der Sphäre, die die Tugend verkörpert, durch deren Übung sie sich im irdischen Leben das Paradies verdient haben.

Trotz der impliziten Schematik ist die *Commedia* vom ersten bis zum letzten Gesang ein Epos, eine Erzählung, deren Fortgang durch den Wechsel von Bericht und Beschreibung, Handlung und Dialog rhythmisiert wird. Man kann das z.B. an der Rolle der Landschaftsbeschreibungen erkennen, durch die trotz der Entrücktheit der dargestellten Welt stets die jenseitige auf die diesseitige Schöpfung bezogen bleibt. Mit ihrer bildhaften Konkretheit erhöhen die Landschaften der *Commedia* den atmosphärischen Charakter der vom Protagonisten durchlebten Erfahrungen: Im *Inferno* vermittelt die zunehmend dunkle, bedrohliche Szenerie den Schrecken vor den Strafen. Im *Purgatorio* unterstreichen die Gebirgslandschaften die Mühe der Büßenden, macht aber auch die zunehmende Heiterkeit, die im »locus amoenus« des Irdischen Paradieses ihren ersten

Illustration von Gustave Doré zum 5. Gesang des *Inferno,* 1861

Die moralische Ordnung

Raumdarstellung

Sandro Botticelli:
Illustration zum *Inferno*,
um 1500

Der Jenseitswanderer als
exemplarisches Ich

Höhepunkt findet, die Annäherung an das Wirken der göttlichen Liebe spürbar. Selbst im ungegenständlichen *Paradiso* begegnen Visionen, die sich in
anschauliche Landschaftsbilder einfügen, wie die des Lichtstroms im Feuerhimmel (*Par.* XXX).

Die eigentlichen Brennpunkte der erzählerischen Struktur sind jedoch die
zahlreichen persönlichen Begegnungen; in ihnen laufen alle Intentionen des
Epos zusammen. Zunächst einmal sind diese Begegnungen Dantes – mit seinen
drei Führern, den »edlen Heiden« im Limbus, den Verdammten, Büßern, Seligen und Heiligen – Anlaß zu Gesprächen, die in indirekter Weise einen großen
Teil der moralischen, wissenschaftlichen, philosophischen und theologischen
Lehre vermitteln. Sie geben ihm aber auch Gelegenheit, in den übergeordneten
Bericht eine Fülle episodenartiger Erzählungen der ihm begegnenden Gestalten
einzuflechten, die dadurch die Funktion exemplarischer Lebenshaltungen bekommen. Zudem bevorzugt Dante in den Dialogen Zeitgenossen oder seiner
Zeit relativ nahestehende Personen, so daß er, von ihnen ausgehend, zu morali-
scher Ermahnung und zu harter Kritik an zeitgenössischen Zuständen ausholen
kann. Das wiederum vermag er, weil die Begegnungen in allen Cantiche von
innerer Anteilnahme des Wanderers geprägt sind: von Mitleid oder Abscheu im
Inferno, von Zuneigung oder demütiger Verehrung in den folgenden Teilen.
Besonders durch diese durchgängige Anteilnahme macht der Erzähler dem
Leser die allmähliche geistig-moralische Entwicklung des Wanderers greifbar,
d.h. dessen wiederum exemplarischen Erkenntnis- und Läuterungsprozeß, der
den bereits rückblickenden Erzähler seinerseits legitimiert, zum »Führer« des
Lesers zu werden. Obwohl also der didaktische Erfahrungsprozeß und die erzählerische Struktur weitgehend kongruieren, gehört es gleichfalls zu Dantes Weltbild und Poetik, daß beide am Schluß auseinanderfallen. Während der Wanderer dort die göttliche Wirklichkeit »blitzartig« begreift, muß der Erzähler, an die
menschliche Unzulänglichkeit gebunden, verstummen. Die *Commedia*, Höhepunkt im Gesamtwerk Dantes, wird an ihrem Schlußpunkt ihrerseits von der

transzendenten Wirklichkeit überhöht: Die Vorstellungskraft des Dichters versagt, aber sein »Begehren und Wollen« beherrscht die »Liebe, die die Sonne und alle anderen Gestirne bewegt« (vgl. *Par.* XXXIII, 142–45).

Die Rezeption Dantes im 14. Jahrhundert

Wenn Dante schon zu Lebzeiten bei vielen Zeitgenossen in hohem Ansehen stand, so war bei seinem Tod der Boden längst vorbereitet für ein intensives Weiterwirken seines Schaffens, ja die rasche Entstehung eines regelrechten Mythos bis hin zur Legendenbildung in der unmittelbaren Nachwelt. Im Vergleich dazu ist die zeitgenössische Kritik an Dante aus theologischer und aus wissenschaftlicher Richtung ein marginales, weil vorübergehendes Phänomen, das trotzdem bezeichnend ist für den inhomogenen Kontext von Erwartungen, auf den Dantes Werke trafen. Auf kirchlicher Seite gab es zwar keinen generellen Widerstand gegen diese Werke; gleichwohl meldete sich immer wieder erbitterte Kritik zu Wort, die ihrerseits zahlreiche Verteidiger des Dichters auf den Plan rief. Den Vorwurf des theologischen Irrtums oder gar der Häresie hatte zunächst die *Monarchia* hinzunehmen. Im Gegenzug zu ihr verteidigten insbesondere Kleriker den von Dante bezweifelten weltlichen Anspruch des Papstes: so etwa Guido Vernani, ein Dominikanermönch aus Rimini, in seiner Streitschrift *De reprobatione Monarchie*, oder Guglielmo da Sarzana in *De potestate summi pontificis*. 1329 wird in Bologna gar durch den dortigen Kardinal die öffentliche Verbrennung des Dante-Traktats verfügt. Ähnlichen Anfechtungen war die *Commedia* ausgesetzt. Selbst von päpstlicher Seite wurden einzelne Passagen des »poema« der theologischen Irrlehre verdächtigt; die Florentiner Dominikaner verboten dagegen kurzerhand die Lektüre des Epos. Ein Einzelfall blieb die Polemik, die der in Bologna unterrichtende Cecco d'Ascoli an verschiedenen Stellen seines Lehrepos *L'Acerba* gegen die *Commedia* richtete. Zwar sind es vordergründig betrachtet einzelne Lehrmeinungen Dantes, die Cecco als irrig herausstellt. Signifikativ ist seine Kritik aber, weil er mit seiner enzyklopädischen Lehrabsicht und der Wahl der Volkssprache Dante fortsetzt, aber die ideologische Grundkonzeption nicht mehr teilen kann: die Überzeugung, Glaubens- und Wissensinhalte in einer dichterisch-allegorischen Struktur miteinander verbinden zu können.

Theologische und wissenschaftliche Kritik

Ungleich größer als die Gruppe der Kritiker ist seine Anhängerschaft im Trecento. Boccaccio, der wichtigste Dante-Biograph des Jahrhunderts, der auch zum erstenmal von der »Divina« *Commedia* spricht, berichtet in seinem *Trattatello in laude di Dante* (1351/60/72) von einem Wettstreit, den man geradezu um ein Dante-Epitaph geführt habe. Als wohl bekannteste ist hieraus die Inschrift Giovanni del Virgilios überliefert, der den Dichter der *Commedia* als »Theologen« preist, der, »keiner Lehre unkundig«, zugleich als »Ruhm der Musen« und »vom Volk hochgeschätzter Autor« gelte. Dantes Tod ist Anlaß zu vielen elegischen oder panegyrischen Sonetten und Kanzonen, z.T. von Dante nahestehenden Literaten, so von Bosone da Gubbio, Cino da Pistoia oder Giovanni Quirini. Immer dichter werden die biographischen Zeugnisse im Laufe des Jahrhunderts: Dante wird zum Gegenstand dichterischer Porträts; Giovanni Villani (s. S. 51) fügt unter dem Datum von 1321 die älteste uns überlieferte Dante-Vita in seine Florenz-Chronik, Filippo Villani am Ende des Trecento eine eng an Boccaccios *Trattatello* anschließende Biographie in seine florentinische Geschichte ein; und der Humanist Domenico Bandini, Zeitge-

Dante-Kult und -Nachahmung

Die Himmelssphären in
Dantes *Commedia;*
Illustration in einer
Handschrift des
Kommentars von Iacopo
della Lana,
14. Jahrhundert

Kommentatoren

nosse Coluccio Salutatis, widmet Dante ein Kapitel im letzten Teil seines enzyklopädischen *Fons memorabilium universi.*

Wenngleich literarhistorisch aufschlußreich, ist doch die Nachwirkung der mustergültigen Persönlichkeit Dantes weniger bedeutsam als das Weiterwirken seines Werks, vor allem der *Commedia.* Zwar gibt es praktisch keine Nachahmungen des Epos im engeren Sinn – sei es, weil das Modell eine zu große Herausforderung darstellte, sei es (das liegt historisch näher), weil die zugrundeliegende Konzeption als nicht mehr zeitgemäß empfunden wurde. Trotzdem hat Dante unübersehbare Einflüsse auf das nachfolgende Trecento ausgeübt, vor allem bis zur Jahrhundertmitte in den lyrischen Genera, darüber hinaus in der allegorischen und lehrhaften Literatur. – Ein einzigartiges Rezeptionsphänomen stellt schließlich die Kommentierung der *Commedia* im Trecento dar; die Interpretationsgeschichte keines anderen Werks der Epoche gewährt einen vergleichbaren Einblick in die zeitgenössischen Prinzipien des Dichtungsverständnisses und in die Wandlungen, die sie durchmachen. Auch zeigen diese Interpretationen (mit denen übrigens ein volkssprachliches Kommentarwesen in Italien erst beginnt) erneut die Interessenvielfalt, die die literarische Kultur der Zeit bestimmt. Kürzeren Einführungen in das Epos, v.a. aus den ersten Jahren nach dem Tod des Dichters, folgen die späteren ausführlichen Auslegungen, die eine reine Texterklärung oft weit in Richtung enzyklopädischer Darlegungen überschreiten. Verskommentare (auch diese zumeist aus der Anfangszeit) stehen neben solchen in Prosa, lateinische neben volkssprachlichen, betont gelehrte neben solchen, die für ein volkstümliches Publikum verfaßt wurden. Ein Zentrum der Dante-Auslegung ist Bologna, wo sich ja auch heftigster Widerstand äußert. Hier entstehen der Kommentar Graziolo (de') Bambagliolis (1324) und einige Jahre später der erste volkssprachliche Gesamtkommentar Iacopo della Lanas (vor 1328); hier hält ein halbes Jahrhundert später (1375) Benvenuto da Imola öffentliche Vorlesungen über die *Commedia.* Vor allem für die frühen Interpreten ist das Epos, Dantes eigener Kennzeichnung entsprechend, an erster Stelle ein »opus doctrinale«. Dantes Sohn Iacopo geht in seinen Glossen zum *Inferno* (ca. 1322) nur auf die allegorisch vermittelte ethische Lehre ein; und auch Bambaglioli und Lana arbeiten vorrangig Gelehrsamkeit und Philosophie der *Commedia* heraus, obwohl sie z.B. Wortsinn, sprachliche oder historische Erläuterungen nicht vernachlässigen. Nach und nach tritt ein neuartiges Interesse zutage, das etwa ab der Jahrhundertmitte auf eine zunehmende humanistische Einstellung der Interpreten hinweist. Das beginnt vielleicht bereits mit einer neuartigen Sensibilität für die Antike bei Guido da Pisa (vor 1340), wird deutlicher in der Hinwendung nun auch zu künstlerischen Aspekten Dantes im sog. *Ottimo commento* eines Andrea Lancia (vor 1340) oder im Offenlegen antiker, patristischer und scholastischer Quellen bei dem anderen Dante-Sohn Pietro Alighieri (um 1340). In jedem Fall ist mit den drei großen Kommentaren der zweiten Trecento-Hälfte eine neue Qualität der *Commedia*-Deutung erreicht: mit Boccaccios *Esposizioni sopra la Commedia di Dante* (1373/74), die allerdings nach dem 17. *Inferno*-Gesang abbrechen, sowie den Kommentaren Benvenuto da Imolas und Francesco da Butis; alle drei gehen auf öffentliche Vorlesungen (in Florenz, Bologna und Pisa) zurück. Obschon die philosophisch-ethische Lehrabsicht Dantes mit unterschiedlichem Gewicht bewußt bleibt, besonders stark bei da Buti, tritt doch die Allegorie ihre Vorrangstellung an die Auslegung des Litteralsinns, der sprachlich-ästhetischen, sachlichen, geschichtlichen oder mythologischen Aspekte ab. – Wie sehr die *Commedia*-Lektüre des Trecento insgesamt einen Austausch zwischen Laien- und Gelehrtenkultur gefördert hat, mag die Tatsache zeigen, daß ein ursprünglich lateinisch geschriebener Kommentar (Guido da Pisa) später vulgarisiert und

ebenso ein volkssprachlicher (Iacopo della Lana) mehrfach ins Lateinische übersetzt werden konnte. Das zeigt auch die Übersetzung der *Commedia* ins Lateinische und ihre Kommentierung durch Giovanni Bertoldi da Serravalle, der
1416/17 während des Konstanzer Konzils den nicht italienisch sprechenden
Theologenkollegen Dantes Werk zugänglich machen wollte.

Moralische Unterweisung und Wissensvermittlung: allegorische und didaktische Literatur

Daß man die *Commedia,* um ihre künstlerische Besonderheit kontrastiv zu
verdeutlichen, mit der vorangehenden und der nachfolgenden allegorisch-lehrhaften Literatur vergleicht, ist methodisch hilfreich und legitim. Zu historisch
schiefen Folgerungen muß man jedoch gelangen, wenn umgekehrt – wie das oft
geschieht – die *Commedia* zum Maßstab der Lehrepik nach Dante wird, die
dann notwendig nur noch »opere minori« hervorbringt. Die im vorigen Abschnitt dargestellte Hochschätzung von Dantes Werk ist nicht völlig identisch
mit den Erwartungen, die das Trecento mit dem allegorisch-lehrhaften Genus
verband. Zwar stellt die *Commedia* für die Zeitgenossen eine Herausforderung
dar, trotzdem zeigt das Weiterleben der Gattung, daß man Dantes Epos nicht
als unübertrefflichen Höhe- und gleichsam Endpunkt dieser Dichtungsform
ansah, sondern eher als Neubeginn einer Entwicklung, die, vor allem von veränderten ideologischen oder poetologischen Prinzipien aus, noch vielfältige
Möglichkeiten der Imitation und Variation bereithielt. Obwohl die Grenzen
zwischen erzählender Dichtung, moralischer Reflexion und Wissensvermittlung innerhalb dieser Literatur fließend sind, lassen sich doch aufgrund des Stellenwerts der Allegorie vier Typen der Gattung unterscheiden: 1. die Verbildlichung geistig-moralischer Begriffe oder moralischer Handlungsprinzipien in
einem narrativen Schema (*L'Intelligenza,* Francesco da Barberino); 2. die Verwendung der Allegorie als Medium theologisch-moralischer Erkenntnis im
Sinn der *Commedia* (Federico Frezzi); 3. das Zurückdrängen der Allegorie
(Fazio degli Uberti) oder der ausdrückliche Verzicht auf sie (Cecco d'Ascoli)
zugunsten einer direkten Vermittlung lehrhafter Inhalte. 4. Eine Sonderstellung
haben die allegorischen Dichtungen Boccaccios und Petrarcas (vgl. S. 68 und
S. 73 ff.), belegen sie doch die Überzeugung von der Wandlungsfähigkeit der
Allegorie unter zunehmend humanistischen Prämissen. Die allegorische Erzähl-
weise wird hier zu einer unter vielen möglichen Formen dichterischer Rede und
ist kein Korrelat einer hierarchischen Schichtung von geistigem und konkretem
Sein mehr. Zum einen wird eine allegorisch-moralische Bedeutung in diesen
Werken zunehmend innerweltlich verankert, zum anderen geht die fiktionale
Einkleidung oft nicht mehr ganz in einer übertragenen Bedeutung auf, sondern
gewinnt an poetischem Selbstwert.

Literarästhetisch epigonal mögen die Texte sein, in denen eine ursprünglich
mittelalterlich-aristokratische, durch den Dolce stil novo in den bürgerlichen
Kontext transponierte Moral- und Liebeskasuistik weiterlebt. Bezeichnend sind
sie aber, wie schon die Adaptationen des Rosenromans im *Detto d'amore* und im
Fiore, für das geistige und gesellschaftliche Selbstverständnis des Trecento,
dessen Übergangskultur dieser Literaturform noch das ganze Jahrhundert
hindurch eine gewisse Resonanz erlaubt. Den typischen allegorischen Schematismus setzt die von einem unbekannten Florentiner verfaßte *Intelligenza* (Anfang

*Typische Formen der
Entwicklung*

Federigo Frezzi:
Quadriregio; illuminierte
Handschrift des
15. Jahrhunderts

des Jahrhunderts) fort. Die Liebe des Erzählers zu einer schönen, edlen Frau bedeutet die Liebe zur göttlichen Weisheit, der »Intelligenza«, deren Palast symbolisiert den Körper des Menschen als Sitz der spirituellen Kräfte, die Königinnen, die der Intelligenza dienen, sind die sieben Tugenden usw. Im selben Themenkreis sind die *Documenti d'amore* (1314) Francesco da Barberinos angesiedelt, die jedoch eine andere Strukturvariante bringen: Liebe (Amore) und Beredsamkeit (Eloquenza) erörtern in einem Gespräch Verhaltensnormen individueller und gesellschaftlicher Art, die in jedem der 12 Bücher einer anderen allegorischen Frauengestalt, d.h. Tugend zugeordnet werden. Auch eine andere Schrift desselben Verfassers gehört hierher, das *Del reggimento e costume di donna* (1318/20), wiederum eine Erörterung pädagogischer und ethisch-sozialer Prinzipien innerhalb eines allegorischen Rahmens. Daß diese stereotype Einkleidung der Morallehre auch noch nach der Mitte und sogar am Ende des Jahrhunderts als gängige Literaturform galt, zeigen eine Terzinenversion des *Fiore di virtù* aus dem 13. Jahrhundert, die um 1363 ein Ristoro Canigiani unter dem Titel *Il Ristorato* anfertigte, oder auch das anonyme *Virtù e vizio* (um die Wende zum 15. Jahrhundert), das noch einmal den mittelalterlichen Leib-Seele-Kontrast bearbeitet.

In der Nachfolge Dantes

Der personalen und räumlichen Allegorie als Darstellung ethischer Bereiche oder Instanzen begegnet man zwar auch im *Quadriregio* (ca. 1394–1400/03) des Dominikaners Federico Frezzi, einem Epos, das in vier Büchern 74 Terzinengesänge umfaßt. Doch geht das Werk essentiell über die vorigen hinaus. Das erste Buch, in dem der Erzähler unter der Führung Cupidos in das Reich der Venus gelangt, zeigt den Versuch, Motive aus Boccaccios *Amorosa visione* und auch Elemente von Petrarcas *Triumphi* zu verarbeiten. Gleichwohl scheint das Epos die Überlegenheit der Danteschen Konzeption über die humanistischen Nachfolger beweisen zu wollen, wenn im zweiten bis vierten Buch der Erzähler seine Reise, nun unter der Führung der weisen Minerva, durch die Reiche Satans, der Laster und der Tugenden fortsetzt, die schließlich, in deutlicher Analogie zur *Commedia,* in einem Aufstieg zum Paradies und der Schau Gottes gipfelt.

Allegorie der »Hoffnung«
in einer Handschrift der
Documenti d'amore
Francesco da Barberinos

Wird hier also die Gültigkeit der Verbindung von moralisch-sachlicher Belehrung und theologischer Tragweite am Ende des Jahrhunderts noch einmal bestätigt, so konnte sie doch schon Jahrzehnte vorher auch in Zweifel gezogen werden. Der Aufschwung des Lehrepos war eng verbunden mit dem der bürgerlichen Laienkultur der Stadtrepubliken, die sich zwar nicht gegen die scholastische Gelehrtenbildung, aber doch in Konkurrenz zu ihr entfaltete. Insofern kann es als konsequent, ja zeitgemäßer erscheinen, wenn die beiden bei Dante durch die Allegorie eng aufeinander bezogenen Seiten – der theologisch-universale Anspruch und die Wissensvermittlung – mehr und mehr auseinandertreten. Ansätze zu einer solchen Tendenz belegt der *Dittamondo* (= »dicta mundi«; entst. 1346–67) des Fazio (Bonifazio) degli Uberti. Zwar teilt das Werk mit den bisher besprochenen die Grundabsicht einer universalen Belehrung, die sich formal in einer textübergreifenden organischen Struktur ausdrückt. Es unterscheidet sich aber durch die eingeschränkte Tragweite der Allegorie, die im wesentlichen den Anfang der Erzählstruktur bestimmt, und durch die Konzentration auf geschichtliches und geographisches Wissen. Das Werk, das wohl als einziges derjenigen, die mit dem Metrum der Terzarima auf die *Commedia* verweisen, sich auch stilistisch annähernd mit Dante messen kann, beginnt mit dem bekannten Motiv der Traumvision, in der dem Erzähler die personifizierte Tugend (Virtù) erscheint. Weitere allegorische (z.B. mit dem Unwissen, der Ignavia) und nicht-allegorische Begegnungen folgen, deren Reihe Solinus beschließt, der Autor der *Collectanea rerum memorabilium* aus dem 3. Jahrhundert. Unter seiner Leitung beginnt nun eine Reise, die den Erzähler in einer

Allegorische Geographie:
Rom in einer Handschrift
des *Dittamondo* von 1447

Cecco d'Ascoli: *L'Acerba* – aus einer Ausgabe von 1516

spiralförmigen Bewegung, deren Mitte Rom ist, durch Italien (1.–3. Buch), Griechenland und das übrige Europa (3.–4. Buch), sodann nach Afrika (5. Buch) und Palästina (6.Buch) führt, wo das Werk jedoch inmitten einer Erzählung der alttestamentarischen Geschichte abbricht. Trotz des scheinbar traditionellen Ansatzes – »Virtù« ist die den Erzähler motivierende Kraft – haben die allegorischen Elemente nicht den Sinn, das Wissen mit einem ethischen oder spirituellen Sinn »aufzuladen«. Vielmehr erhält der Wissenserwerb selbst den Rang einer Tugend, d.h. einer den Menschen auszeichnenden Qualität. Damit steht der *Dittamondo* der humanistischen Bewertung eines breiten historischen und sachlichen Wissens nahe, das (wie z.B. in Boccaccios *Amorosa visione*) zur Voraussetzung eines freien menschlichen Handelns wird.

Verzichtet Fazio auf die Universalität der Belehrung, aber nicht ganz auf die symbolische Überformung, so gehen beide folgenden Werke den entgegengesetzten Weg des Verzichts auf die Allegorie trotz Beibehaltung der umfassenden Wissensvermittlung. Der vergleichsweise kurze, 60 mal 60 Siebensilber umfassende *Dottrinale* des Dante-Sohns Iacopo Alighieri ist hierbei insofern bezeichnend, als er in enzyklopädischer und vulgarisierender Absicht wie das *Convivio* oder zuvor der *Tesoretto* Brunetto Latinis (dessen Metrum er auch verwendet) wissenschaftliche und ethische Inhalte miteinander verbindet, sie jedoch ohne fiktionale Einbettung erörtert. Ähnlich liegt auch die Bedeutung der *Acerba* (1324–27) des Cecco d'Ascoli (d.i. Francesco Stabili aus Ascoli) nicht in einer sachlich-inhaltlichen Originalität, sondern in der ausdrücklichen Distanzierung vom Anspruch einer Literatur, wie sie die *Commedia* verwirklicht. »Hier singt man nicht in der Art des Dichters, der bildlich eitle Dinge fingiert,« lautet die wohl meistzitierte der vielen gegen Dante polemisierenden Stellen (4. Buch, 12. Kap.); und: »hier strahlt und leuchtet jede Natur (der Dinge), die den Geist des Verständigen erfreut«. Die Absage an eine Wissensdarbietung, die einer universalen Perspektive untergeordnet wird, und die Wahl einer bewußt unorganischen Anlage drückt bereits der Titel aus, sofern er sich – so wird er meistens gedeutet – vom lateinischen »acervus« = Anhäufung herleitet. Nach anderen Lesarten meint er die Ungeglättetheit der Materie (»acerbo«) oder spielt auf die Hirschkuh (»cerva«) als mittelalterliches Symbol der Weisheit an. In der Tat lassen die fünf Bücher, dessen letztes nach 180 Versen abbricht, eine gewisse Disparatheit sowohl der Quellen (z.T. antik, z.T. mittelalterlich) als auch des Stoffs erkennen. Cecco, der als Wissenschaftler vor allem durch Beiträge zur Astrologie hervortrat, widmet auch hier der Vulgarisierung astrologischer, astronomischer, kosmologischer und meteorologischer Dinge, daneben der Tier- und Edelsteinkunde breiten Raum. Daß er gleichwohl dem Mittelalter verhaftet bleibt, zeigen etwa die Verbindung von Astrologie und Moralphilosophie oder die Deutung von Naturdingen als Allegorien ethischer Prinzipien, die auf den seit frühchristlicher Zeit sehr beliebten *Physiologos,* eine religiös-symbolische Naturkunde, zurückgeht.

Suche nach spiritueller Erneuerung: religiöse und erbauliche Schriften

Spiegel des geistigen Lebens

Lorenzo di Pietro, gen. Il Vecchietta, um 1412–1480: »Die hl. Caterina von Siena«, Siena, Palazzo Pubblico

Mit einem Teil der moralisch-didaktischen Literatur berührt sich von der Wirkabsicht her das sehr umfangreiche Schrifttum religiöser und erbaulicher Art, richtet es sich doch im Grunde an das gleiche nicht-gelehrte, aber in der zunehmend laizisierten Kultur einer geistig-ideellen Orientierung bedürftige Publikum. Der Einfluß dieser Schriften auf die Literatur im engeren Sinn wird aber geringer als im Duecento; nur in begrenztem Maß trägt es zu literarischen Neuerungen bei: Religiöse Themen – Kindheit, Leiden, Auferstehung Jesu, Marien- und Heiligenlegenden – bereichern das Stoffrepertoire der »cantari«, der epischen Dichtung in Oktaven; die im 13. Jahrhundert entstandene »lauda« wird in ihrer dialogisierten Variante zur Vorform des Mysterienspiels, der »sacra rappresentazione«. Die Bedeutung der religiös-erbaulichen Schriften liegt eher in der Spiegelung des spirituellen Lebens der Epoche. Die starke asketische Tendenz ist eine Antwort auch auf erschütternde äußere Ereignisse wie die sich ab 1348 wiederholenden Pestepidemien. Der sich fortsetzende Autoritätsschwund der Kirche als Institution und die sprachlich-intellektuelle Unzugänglichkeit der gelehrten Theologie finden für den Gläubigen eine Kompensation in der Hinwendung zur persönlichen oder moralischen Dimension des Religiösen. Damit hängt auch zusammen, daß wie im Duecento der größte Teil religiöser Schriften aus den jüngeren Orden und ihrem Umkreis hervorgeht; aus dem der Franziskaner und der Dominikaner, aber auch aus dem der Benediktiner, der Augustiner und dem von Giovanni Colombini neugegründeten Orden der »Gesuati«.

Viele der Schriften beziehen ihre Wirkung aus dem persönlichen spirituellen Erleben, sei es um ein unmittelbares Zeugnis davon weiterzugeben, sei es um aus der eigenen Erfahrung heraus die Strenge moralischer Mahnung zu rechtfertigen. Ein extremes Beispiel für die erste Richtung sind die mystischen Visionen einer Angela da Foligno, von denen der dreiteilige *Liber sororis Lelle de Fulgineo* (entst. 1292– ca. 1309) berichtet. Der gleichfalls geläufige Titel der von franziskanischen Fratres zusammengestellten Schrift – *Liber de vera fidelium experientia* – läßt besser erkennen, daß Angelas Visionen, die in einer »unio mystica« der Seele mit Christus kulminieren, nicht bloß subjektive, sondern exemplarische

Glaubenserfahrung vermitteln sollen. Gleichwohl behält die lateinische Form den *Liber sororis Lelle* einem begrenzten Leserkreis vor. – Das persönliche, asketisch-mystische Erlebnis ist Ausgangspunkt nicht nur des traktatartigen *Libro della divina dottrina* (1378) der Caterina da Siena (eigtl. Caterina Benincasa); es ist auch die Grundlage, aus der ihre *Lettere* ihre aufrüttelnde und überzeugende Kraft schöpfen. Die geschichtliche Bedeutung ihrer 381 Briefe, die Caterina vor allem an einflußreiche Zeitgenossen schreibt, geht weit über den Rahmen individueller Religiosität hinaus, engagiert sie sich doch in ihrer betont einfachen, »demütigen« Sprache nicht nur für eine Reform der Kirche und die Rückkehr des Papstes nach Rom, sondern ebenso gegen die unablässigen politischen Kämpfe zwischen den italienischen Städten und Fürsten.

Religiöses Engagement

Während aber auch der Brief nur einen engen Leserkreis erreicht – und das gilt noch mehr für die um eine als Weltflucht verstandene »imitatio Christi« kreisenden *Lettere,* die Giovanni Colombini an ihm nahestehende Ordensbrüder und -schwestern sendet –, geht eine breitere Wirkung von der vulgarisierenden erbaulichen Literatur aus. Neben zahlreichen Übersetzungen theologischer und religiöser Texte von der Patristik bis zur jüngeren Vergangenheit, von der Bibel bis zu Heiligenviten (z.B. der zwischen 1255 und 66 entstandenen *Legenda aurea,* die um die Mitte des Trecento ins Italienische übertragen wird) ist hier vor allem an Schriften zu denken, die in bewußtem Kontrast zur theologisch-abstrakten Lehre spirituelle Orientierung in Form anschaulich-erzählender Darstellungen bieten wollen. Dieses Ziel kann selbst wieder in die »volgarizzamenti« einfließen, wie in den *Vite dei Santi Padri,* die Domenico Cavalca zwischen 1320 und 42 übersetzt. Die Idee einer strengen Biographie wäre einem solchen Werk fremd; die Lebensbeschreibungen der Kirchenväter zeichnen sich durch ihre episodenreiche Struktur aus, wobei diese Episoden wiederum oft zur Demonstration einer spirituellen Erfahrung, einer religiös-moralischen Einsicht dienen. Eine ähnliche Absicht zeigt der *Specchio di vera penitenza* Iacopo Passavantis. Das Werk ist zwar an sich eine Sammlung von Fastenpredigten, die Passavanti 1354 in Florenz hielt, besondere Anziehungskraft übten jedoch die eingestreuten Exempla aus, die später sogar anthologisch zusammengestellt wurden. Anders als bei Cavalca ist die Grundhaltung, in der dem Anlaß entsprechend die Idee von Schuld und Sühne vorherrscht; doch auch hier stellt der Verfasser seinen Zuhörern bzw. Lesern moralische Lehren in narrativer Verbildlichung anschaulich vor Augen.

Vulgarisierung theologischer Lehre

Giotto, Szenen aus dem »Leben des hl. Franziskus«, Assisi, ca. 1290–92

Religiöse »Novellen«

Der hl. Antonius predigt
zu den Fischen;
Zeichnung in einer
Handschrift der *Fioretti di
san Francesco* von 1427

Zu den erzählerisch-exemplarischen Texten der Epoche sind auch zahlreiche, oft anonyme legendenartige Heiligen- und Mönchsviten, besonders aus franziskanischem Umkreis zu zählen. Der größte und das Jahrhundert selbst weit überdauernde Erfolg war hierunter jedoch den *Fioretti di san Francesco* (ca. 1375–96) vorbehalten. Sie stellen die Toskanisierung einer lateinischen Sammlung des späten Duecento dar, der *Actus beati Francisci et sociorum eius,* die einem Ugolino da Monte Santa Maria zugeschrieben werden. Auch die *Fioretti* (der Titel greift die für Kompilationen übliche Gattungsbezeichnung »floretum« bzw. »fioreto« od. »fiore« auf) wollen keine Biographie dokumentieren, vielmehr durch einzelne, novellenartige, jeweils in sich abgeschlossene Geschichten die besondere Lebenshaltung des Heiligen und seiner Freunde verständlich machen. Der erste Teil bringt Geschichten aus dem Leben und von den Wundern Francescos selbst, der zweite Teil widmet sich seinen ersten Weggefährten, der dritte der Verbreitung der franziskanischen Lehre in den Marken. Wie ein Leitmotiv durchzieht von Anfang an die Analogie zwischen Francesco und Christus, den »fratres« und den Jüngern die Legenden. Die Wirkung, die die *Fioretti* immer wieder ausüben konnten, beruht nicht nur auf dem Verzicht auf doktrinäre Elemente, sondern ganz wesentlich auf der zwar unliterarischen, aber nicht unreflektierten Einfachheit des Stils: Sie will das sprachliche Äquivalent einer demütigen, heiteren Spiritualität sein, der sich das der Realität innewohnende Wunderbare erschließt.

Das Selbstbildnis der Epoche: die Chroniken

Wie die allegorische und lehrhafte Literatur sind die Chroniken des Trecento ein für die bürgerliche Welt der Kommunen charakteristisches Genus. Vor dem Hintergrund der zunehmenden geistigen und gesellschaftlichen Destabilisierung verbindet sie mit einem Teil jener Literatur zum einen die Suche nach moralischen Orientierungen. Zum anderen antworten sie auf den wachsenden Bedarf an der Vermittlung einer Laienbildung, der sich, wie z.B. Fazio degli Ubertis *Dittamondo* zeigt, mehr und mehr auch auf historisch-faktisches Wissen richtet. Unter beiden Aspekten sind die Chroniken, wenngleich in ihren Details oft nicht verläßlich, Zeugnisse nicht nur des Selbstbewußtseins der Kommunen, sondern der ideologischen Tendenzen, der gesellschaftlichen Dynamik, der politischen Kräfte des Trecento insgesamt. Dabei spiegeln Verschiedenartigkeit und Wandlungen innerhalb der Gattung, z.B. von der moralisierenden Parteinahme (Compagni) zum informationsreichen Panorama (Giovanni Villani), zur Biographie (Filippo Villani) oder zur Familienchronik (Donato Velluti) den Wandel leitender Interessen der Epoche selbst.

*Ein engagierter
Augenzeuge*

Einer der herausragenden, auch den modernen Leser noch bewegenden Texte ist die drei Bücher umfassende *Cronica delle cose occorrenti ne' tempi suoi* (1310–12) des Dino Compagni. Der Florentiner Chronist war wie Dante ein Parteigänger der Weißen Guelfen; das Exil blieb ihm nach der Machtergreifung der Schwarzen Guelfen nur deshalb erspart, weil er bis dahin das Priorat bekleidet hatte. Aber die politischen Ereignisse bedeuteten eine Marginalisierung, gewissermaßen eine Verbannung aus dem politischen Wirken für ihn. Aus dieser Situation heraus schreibt er, möglicherweise in der gleichen Zeit, da Dante seine *Monarchia* verfaßt, die *Cronica.* Compagni berichtet von der politischen, sozialen und moralischen Lage seiner Zeit nicht in der Form einer historiographischen Dokumentation, sondern aus dem Blickwinkel des engagierten

Augenzeugen. Oft erzählt er aus der Ich-Perspektive oder durchsetzt die Berichte mit Reflexionen, mit moralischen Urteilen, ja auch mit heftigen Vorwürfen gegen seine Stadt. Die Bücher sind denn auch weniger wie eine Historiographie als wie ein literarisches Werk aufgebaut: Die zentralen Machtkämpfe der Jahre 1300–03 füllen das mittlere Buch, während das erste die Vorgeschichte der Parteienkämpfe zwischen Guelfen und Ghibellinen seit dem Jahr 1280 behandelt. Im letzten Buch wendet sich Compagni den exilierten Florentinern zu, die von Stadt zu Stadt, von Hof zu Hof ziehen, um Schutz zu suchen. Das gibt der *Cronica* Gelegenheit, auch Machtverhältnisse und Lebensbedingungen außerhalb von Florenz, z.B. an den norditalienischen Fürstenhöfen zu schildern. Der letzte Höhepunkt ist der Italienzug Heinrichs VII., dem Compagni bis zu der Krönung in Rom folgt. Das Buch gipfelt in der Hoffnung auf eine gerechte Bestrafung der für den Niedergang der Vaterstadt Verantwortlichen und die ordnende Macht des Kaisers. Compagnis Geschichtsbild ist durchaus teleologisch; es impliziert die göttliche Vorsehung, doch nicht im Sinne Dantes, sondern allein in ihrer innerweltlichen Wirkung für eine Wiederherstellung gerechter politischer und sozialer Zustände.

Völlig anders präsentiert sich die *Nuova Cronica* (entst. ca. 1322–1348) Giovanni Villanis. Zentriert Compagni sein auf wenige Jahre begrenztes Material um einen ideologisch-moralischen Mittelpunkt herum, so beabsichtigt der um rund eine Generation jüngere Villani eine möglichst unparteiische, betont chronologische Dokumentation der gesamten Florentiner Geschichte von ihren Ursprüngen bis zur Gegenwart. Die erste Hälfte (Buch 1–6) seines im Vergleich zu Compagni viel umfangreicheren Werks behandelt die Zeit vom Turmbau zu Babel bis zum Ende der italienischen Stauferherrschaft (1265), die zweite (Buch 7–12) widmet sich in oft minuziöser Beschreibung der Zeit bis 1348, dem Todesjahr des Verfassers. Gewiß lebt auch hier mittelalterliches Geschichtsverständnis weiter; dazu gehört der halb biblische, halb legendäre Ursprung der Stadt; dazu gehört auch die – allerdings eher implizite – Voraussetzung des Wirkens göttlicher Vorsehung. Dennoch muß man Villanis Leistung vor allem von ihrer »moderneren« Seite her sehen: von der Bemühung um eine möglichst vollständige Information anhand nüchtern geschilderter Daten, auch wenn dieser Ansatz gleichwohl von patriotischem Stolz auf die altehrwürdige Stadt getragen wird. Bezeichnend sind seine statistischen Kapitel zu Bevölkerung, Wirtschaft, Finanzwesen, Berufsständen und anderen demographischen Details. Aber Villani beschränkt sich nicht auf Florenz, sondern weitet den Blick auf andere Machtbereiche innerhalb und auch außerhalb Italiens aus. Ebensowenig beschränkt er sich auf die politischen Ereignisse, sondern bezieht Dinge von allgemeiner kultureller Tragweite ein: z.B. eine Biographie Dantes, die Heiligsprechung Thomas von Aquins, die Hinrichtung Cecco d'Ascolis oder die Fertigstellung des Florentiner Campanile. Die weite Perspektive soll die geschichtlichen Ereignisse aus dem Zusammenhang ihrer Ursachen und Wirkungen verstehbar machen. Somit kommt doch wieder ein didaktischer Zweck zum Tragen, der sich aber von dem Compagnis wesentlich unterscheidet. Aus der Beobachtung der vom menschlichen Handeln abhängigen Wechselhaftigkeit der Geschichte sollen künftige Politiker und Bürger zum Wohl ihres Gemeinwesens lernen.

Wenn Giovanni Villani gegenüber Compagni den Wechsel von einem strengen moralischen Ethos zu einem lebenspraktischen Interesse bedeutet, so markieren die Fortsetzungen der *Nuova Cronica* ihrerseits neue Veränderungen des geistig-kulturellen Klimas. Zunächst setzt Giovannis Bruder Matteo die Chronik um zehn Bücher bis zum Jahr 1363 fort. Auffällig ist der pessimistischere Ton, zweifellos eine Reaktion auf die durch wirtschaftliche Rückschläge

Geschichtliche Dokumentation

Heinrich VII. belagert Florenz; Illustration in einer Handschrift von Giovanni Villanis *Chronik*

Narrative Tendenzen

und die Pestepidemie geschwächte Lage der Stadt, die den zuversichtlichen Patriotismus Giovannis nicht mehr zuläßt. Dieser Charakterzug wird aber durch eine andere Tendenz kompensiert, einen im Vergleich zum schmucklosen Stil des Vorgängers stärkeren Formwillen. Matteo schreibt in einer Zeit, die als literarische Umbruchsituation empfunden werden konnte; unter anderem hatten wichtige Werke Petrarcas und Boccaccios schon eine breite Anerkennung gefunden. Mit seiner Tendenz, anstelle der additiv-reihenden Darstellung Giovanni Villanis einzelne Episoden eher im Stil einer Novelle zu gestalten, schafft Matteo keinen Einzelfall. Zwar ähneln viele der zahlreichen Chroniken, die auch an anderen Orten Italiens entstehen, dem Typ der *Nuova Cronica,* doch ist die formale Affinität von Chronik und novellistischer Prosa ein Merkmal gerade des späten Trecento. (Und nicht zufällig machen Novellisten wie Giovanni di Firenze oder Sacchetti ihrerseits reichen Gebrauch von der Chronik.) So neigt der anonyme Verfasser der *Vita di Cola di Rienzo* (ursprünglich Teil einer weitgehend verlorenen römischen Chronik, der *Historie romane fragmenta,* 1357–58) zu einer plastischen, markanten Schilderung des Volkstribuns, auch ohne für diesen Partei ergreifen zu wollen. Eine farbige, lebhafte bis dramatische Ausgestaltung zeigt auch ein Florentiner Bericht über den Aufstand der Wollschläger, der *Caso o Tumulto dei Ciompi dell'anno 1378.* Selbst in einer grundlegend anderen Variante der Gattung ist eine Liebe zum Erzählen über das bloße Dokumentieren von Ereignissen hinaus zu spüren, in der Familienchronik, wie sie exemplarisch in der *Cronica domestica* (1367–70) des Donato Velluti vorliegt. Hier geht – und auch das zeigt wohl einen Motivationswandel gegenüber der Chronik im früheren Sinn – die narrative Darstellung einher mit einer Konzentration der Perspektive; das politische Geschehen ist nur noch Hintergrund des familiären. Setzen Chronisten wie Compagni oder Giovanni

Villani eine wirkliche oder postulierte Identifikation von Bürger und Gemeinwesen voraus, so mag die *Cronica domestica* auf das wachsende Bewußtsein von
der Rolle großbürgerlicher Familien als Machtträgern hindeuten und damit auf
eine ideologische Veränderung, die letztlich den Übergang zur Signoria vorbereitet.

Das Ende der kommunalen Chronik wird zugleich auch vom erstarkenden
Humanismus bestimmt. Eine zweite, nur kurze Fortsetzung der Villani-Chronik um ein weiteres Jahr, d.h. bis zum Ende des Kriegs mit Pisa (1364) schreibt
Matteos Sohn Filippo. Er übernimmt das »Familienwerk« zwar mit Respekt,
kann sich aber mit dem Anspruch der Chronik offensichtlich nicht mehr identifizieren – als Zeitgenosse eines Humanismus, der mittlerweile auch öffentliches
Gewicht zu gewinnen beginnt. Filippo Villanis Distanz gegenüber der überkommenen Form des Genus ist umso bedeutsamer, als sein Name enger verknüpft
ist mit dem *Liber de origine civitatis Florentie et eiusdem famosis civibus*
(1. Fassung 1381–88). Die Darstellung des Gemeinwesens und des Bürgers
weicht einem humanistischen Kult des exemplarischen Individuums, wie er sich
in Boccaccios *Trattatello in laude di Dante* oder in den lateinischen biogra-
phisch-historischen Traktaten Petrarcas und Boccaccios manifestiert.

*Überwindung der
mittelalterlichen
Chronik*

Vom höfischen zum bürgerlichen Geschmack: Vers- und Prosaepik

Sieht man vom Werk der drei großen Autoren und auch vom beginnenden
Humanismus ab, so erscheint die außerordentlich umfangreiche epische Dichtung – in Versform wie in Prosa – als die Literaturgattung des Trecento, die sich
besonders augenfällig geschmacklichen Veränderungen öffnet. Lebt in Handlungen, Personen, Schauplätzen noch vordergründig eine höfisch-aristokratische
Welt weiter, so paßt sich die Form allmählich den Bedürfnissen eines bürgerlichen Publikums an, parallel zur geographischen Verlagerung des Schwerpunkts
epischen Dichtens vom Norden und von den Höfen zur Toskana. Zugleich
scheint man in den der eigenen Wirklichkeit oft fernen Erzählungen nicht nur
einen Kontrast zum moralischen Ernst vieler anderer Literaturbereiche zu
suchen, sondern auch eine Kompensation der gerade in den Städten schwieriger
werdenden politisch-wirtschaftlichen Lage. Der ausgesprochene »Hunger« nach
narrativen Stoffen und deren praktisch unbegrenztes Spektrum zeigen einen
neuen Status des Erzählens an sich, im Kontrast zur starken lyrischen Prägung
des Duecento. Nimmt man Beliebtheit und Verbreitung von Chronik und
Novelle hinzu, so möchte man fast von einer Epoche des Erzählens sprechen, in
der das narrative Œuvre eines Boccaccio eine Tendenz reflektiert weiterführt,
die in der epischen »Konsumliteratur« eher unbewußt wirkt. Das geradezu
explosionsartige Anwachsen dieser Literatur ist aber kein spontaner Vorgang; es
hat die Rezeption der altfranzösischen Epik in Norditalien zur Voraussetzung.
Wie schon im Duecento werden noch bis um die Mitte des 14. Jahrhunderts in
einer franko-italienischen Mischsprache die Stoffe des (um die Gestalten Karls
des Großen und Rolands kreisenden) karolingischen und des (von König Artus
und den Rittern seiner Tafelrunde erzählenden) bretonischen Zyklus rezipiert
und imitiert. Eines der bedeutendsten dieser Epen ist die wohl im frühen
Trecento von einem Paduaner verfaßte *Entrée d'Espagne,* die sich vornimmt, das
dem *Rolandslied* vorangehende Geschehen zu erzählen. Die Handlung der

*Eine Epoche des
Erzählens*

Aus einer Handschrift der
Entrée d'Espagne aus dem
14. Jahrhundert

Entrée wird in der *Prise de Pampelune* eines Nicolò da Verona fortgesetzt, der auch weitere franko-italienische Epen hinterlassen hat. Im Prinzip basieren diese Texte noch auf den sozialen und kulturellen Idealen der mittelalterlichen Epik, doch bereiten sie Veränderungen der Stoffgestaltung vor, die dann für die weitere Entwicklung der Gattung tragend werden. Sie liegen in der Neigung, Geschehen und Schauplätze nach Italien zu verlegen, und darüber hinaus in einer Vermischung des dominanten karolingischen Materials mit den romanesken Zügen der Artusepik. Roland wird vom christlichen Heros allmählich zum Abenteurer; das kriegerische Geschehen wird mehr und mehr mit Liebesepisoden verflochten; zudem werden die heroisch-feudalen Ideale oft durch ein ironisches Element gebrochen: die witzig-komische Gestalt des Hostos bzw. Hestous, den die italienische Epik bis hin zu Ariosto unter dem Namen Astolfo weiterführt.

Die »cantari« als populärste Form

Die traditionellen Stoffe werden aber erst in einer Form der Epik in Italien heimisch, die sich vorzugsweise in der Toskana entfaltet und die die Epoche selbst als »cantare« bezeichnet. Das charakteristische Metrum der »cantari« ist die Oktave, eine Strophe aus acht Elfsilbern, mit dreifachem Kreuzreim und abschließendem Paarreim. Der Umfang der Texte variiert stark, manchmal umfassen sie nur einen, manchmal 40 oder mehr Gesänge, die dann ihrerseits »cantari« heißen. Meistens ist die Entstehung der einzelnen Werke, die fast ausschließlich in Handschriften des 15. Jahrhunderts überliefert sind, nur grob einzugrenzen, der größte Teil stammt aus der zweiten Hälfte des Trecento. Auch die Namen der Verfasser sind – mit Ausnahme der »cantari« Antonio Puccis – in der Regel nicht bekannt. Obwohl die Anonymität der meisten dieser Epen auf einen geringen Kunst-oder Originalitätsanspruch hindeutet, handelt es sich doch bei ihren Verfassern um belesene Dichter, die recht genau zwischen dem überkommenen höfischen Ideal und dem Geschmack ihres Publikums zu vermitteln wissen, einer sicher gemischten, besonders die unterschiedlich gebildeten bürgerlichen Schichten umfassenden Zuhörer- bzw. Leserschaft. Während die langen »cantari« möglicherweise auch zur Lektüre bestimmt waren, dienten die kürzeren zweifellos dem mündlichen, musikbegleiteten Vortrag durch einen Bänkelsänger (»cantastorie«, »canterino«) auf öffentlichen Plätzen. Der Rezeptionsform entsprechen die Charakteristika aller »cantari«. Einer leicht faßlichen Darbietung der ereignisreichen Geschichten dienen das zügige Erzähltempo, eine plakative Gliederung der Texte, z.B. durch häufige anaphorische Elemente, durch Rückgriffe und Vorausdeutungen, der Verzicht auf sprachlichen Schmuck und eine relativ einfache Syntax, deren Spannungsbogen selten über zwei Verse hinausgeht. Die Protagonisten zeichnen sich in stereotyper Weise durch idealisierende Züge aus: Kraft, Mut, Abenteuerlust, edle Gesinnung in Liebe und Freundschaft; zugleich werden gern die märchenhaft-phantastischen Seiten des Geschehens hervorgekehrt.

Stoffliche Vielfalt

Gerade für die »cantari« gilt, daß praktisch kein erzählbarer Stoff ausgeschlossen bleibt. Von der Genese wie der literarhistorischen Nachwirkung der Gattung her steht die Ritterepik im Vordergrund. Das bedeutendste Beispiel stellt die *Spagna* dar, eine vermutlich im späten Trecento (vor 1380) entstandene Summe des karolingischen Zyklus. Die Beliebtheit der Kompilation zeigt das Vorliegen gleich mehrerer Versionen: neben der *Spagna maggiore* in 40 Gesängen (vielleicht einem Sostegno di Zanobi zuzuschreiben) stehen die etwas kürzere *Spagna minore,* eine dritte Versfassung und zwei Prosabearbeitungen, deren eine schlicht *Spagna in prosa,* deren andere *Li fatti di Spagna* genannt wird. Die Bedeutung dieses Epos liegt in seiner zentralen Vermittlerfunktion. Es verarbeitet außer dem *Rolandslied* die jüngeren franko-italienischen Werke; andererseits ist es, zusammen mit stoffverwandten »cantari« (wie dem *Rinaldo da Montalbano* und dem *Orlando,* beides vermutlich vom Ende des Jahrhunderts), der wichtigste Vorläufertext der späteren Renaissanceepik von Pulci über Boiardo bis Ariosto. – Geringere Nachwirkung hat der Artusstoff, er ist aber im 14. Jahrhundert nicht minder fruchtbar. Bald kommen auch »cantari« mit antiken bzw. pseudo-antiken und mythologischen, v.a. aus Ovids *Metamorphosen* entlehnten Stoffen hinzu. Gleich mehrere Bearbeitungen erfährt etwa die Geschichte von Pyramus und Thisbe. Von Anfang an sind die altfranzösischen »lais« mit ihren märchenartigen Zügen oder die komischen »fabliaux« beliebte Quellen; zu den wenigen schon vor der Jahrhundertmitte verfaßten Beispielen gehören der *Cantare di Florio e Biancifiore* (1320/30) und *La Donna del Vergiù* (ca. 1330), letztere eine Bearbeitung der französischen *Chastelaine de Vergi.* Selbst die Geschichtschronik, die Novellistik und biblisch-religiöse Erzählungen (das Leben Christi oder Mariens, Heiligenlegenden) dienen als Stoffrepertoire.

Aus der Masse der »canterini« ragt der Florentiner Antonio Pucci heraus; nicht nur als der wohl erfolgreichste und produktivste, sondern auch deshalb, weil in seiner Mischung aus künstlerischer Unbekümmertheit und konservativem Bürgerstolz der für die Gattung typische Publikumsgeschmack exemplarisch greifbar wird. Pucci hat sich zwar nicht auf das Genus des »cantare« beschränkt; von ihm stammen neben lyrischen Gedichten auch eine Bearbeitung der Villani-Chronik in 91, jeweils 100 Terzinen umfassenden Gesängen *(Centiloquio)* sowie ein kurzes, gleichfalls in Terzinen verfaßtes episches Gedicht über das zeitgenössische Florenz und seine Bevölkerung *(Le proprietà di Mercato Vecchio).* Doch gelten als sein Hauptwerk die »cantari«, von denen er vermutlich nicht wenige gedichtet hat, obwohl nur eine kleine Zahl ihm sicher zugeschrieben wird: der *Apollonio di Tiro,* der *Gismirante,* der *Brito di Brettagna,* die *Madonna Lionessa,* die *Reina d'Oriente* (alle sind zwischen 1350 und 88 zu datieren). Diesen fiktionalen Werken ist der *Cantare della guerra di Pisa* hinzuzufügen, mit dem sich Puccis ohnehin breites Stoffspektrum – es reicht von antiken über ritterepische bis zu novellistischen Vorlagen – um die zeitgenössische Chronik erweitert. Obwohl Puccis Texte sich in Anlage und Erzählweise nicht grundsätzlich von den anderen »cantari« unterscheiden, hat man ihnen doch immer wieder eine gewisse Lebendigkeit und Sensibilität des Stils bescheinigt, ja, sie gelegentlich in die Nähe der Epiker des Quattro- und Cinquecento rücken wollen.

Ob ein epischer Stoff in metrischer Form oder in Prosa gestaltet wird, bedeutet im Trecento keinen prinzipiellen Unterschied im Blick auf ästhetischen Anspruch, implizite Ideologie oder Publikumsgeschmack. Während jedoch die Versform der »cantari« auf die bevorzugte öffentliche Darbietung hinweist, sind die Prosaromane zweifellos eher zur Lektüre bestimmt. In der stofflichen Breite wie in der erzählerischen Struktur sind beide Varianten der Epik einander ähnlich. Daher können auch Versepen in Prosa bearbeitet und aus Prosaerzählungen »cantari« geformt werden. So entstehen schon im frühen 14. Jahrhundert Prosabearbeitungen der Artusepik; mehrfach wird der Tristanroman nacherzählt. Doch wie bei den metrischen Bearbeitungen der Karlsepik gilt auch hier ein besonderes Interesse der stofflichen Kompilation. Der Kunstanspruch der rasch fortschreitenden Erzählungen ist gering, wenn überhaupt intendiert. Denn Texte wie der *Tristano riccardiano* (um 1300) oder die gleichfalls anonyme *Tavola ritonda* (frühes 14. Jahrhundert), die den gesamten Artusstoff zusammenfaßt, machen keinen Hehl aus der fehlenden Originalität, wenn sie immer wieder herausstreichen, daß sie überlieferte Geschichten nacherzählen. Auch in der Prosa greift man daneben auf antike Stoffe, etwa die trojanischen und thebanischen zurück; und wiederum trifft man auf Werke mit kompilatori-

Prosa-Epik

schem Charakter wie die *Fiorita* (1325) eines Armannino da Bologna, die in recht anspruchsloser Gestalt und in einer Mischung aus Vers- und Prosapassagen die Geschichte der Menschheit bis zu Cäsar zusammenstellt. Ein ähnliches Ziel verfolgt der auf sieben Bücher angelegte, aber nur in zwei Teilen überlieferte *Fiore d'Italia* (Anfang des Jahrhunderts) des Guido da Pisa; er verarbeitet antike und spätere Quellen zu einer Darstellung der hebräischen, griechischen und römischen Geschichte. Im besonders erfolgreichen zweiten Buch (*I fatti di Enea*) gelingt es Guido, die Handlung des Vergilschen Epos in einer betont schlichten, aber durchsichtigen und stellenweise noch heute ansprechenden Erzählweise nachzuzeichnen.

Eine ebenfalls große Resonanz erreichten gegen Ende des Jahrhunderts die Romane Andrea da Barberinos. Auch ihn leitet bezeichnenderweise die Idee der möglichst vollständigen Behandlung eines zusammenhängenden, nämlich des karolingischen Stoffkreises. Die Intention tritt am klarsten in den *Reali di Francia* zutage, dem Werk, das neben dem *Guerrin meschino* wohl die stärkste Nachwirkung hatte. Anhand einer Verkettung zahlreicher Einzelgeschichten will der Autor eine Genealogie der französischen Könige bis zu Karl dem Großen und zugleich eine Art Einführung in die gesamte Materie der Karlsepik bieten. Auch Andrea da Barberinos Romane entwickeln keinen markanten Erzählstil, unterscheiden sich im Gegenteil von der meist zügig fortschreitenden Epik seiner Zeit durch eine gewisse Schwerfälligkeit. Doch setzen sie einige der geschmacklichen Tendenzen der Epoche konsequent fort; während die Liebesepisoden, das Abenteuerliche und Phantastische die Oberhand gewinnen, tritt die religiöse und heroisch-feudale Idealisierung der früheren epischen Welt weiter in den Hintergrund.

Frühhumanistische Literatur und Poetik

Antike als kulturelles und ethisches Ideal

Der Begriff des Humanismus als einer typischen Form des gelehrten Umgangs mit der Literatur ist eng mit dem 15. Jahrhundert verknüpft. Denn erst hier werden die Suche nach antiken Quellen, die Textkritik, die Rekonstitution des klassischen Latein, die Kanonisierung und Nachahmung von Musterautoren in einem von methodischer Reflexion begleiteten und auch öffentlich anerkannten Ausmaß betrieben. Das war zuvor die Sache einzelner Literaten. Dennoch reichen die geistigen und zum Teil auch die gesellschaftlichen Wurzeln der Bewegung ins frühe Trecento zurück. Allerdings zeigt der Humanismus in seinen Anfängen oft Ähnlichkeiten, ja Verflechtungen mit anderen, gleichzeitigen Literaturauffassungen. Ein übergeordneter Beweggrund liegt jedoch in der Entdeckung von Literatur, Geschichte und Menschenbild der Antike als einer kulturellen Alternative zu der im Mittelalter institutionalisierten Bildung und als einer moralischen Alternative zur höfischen wie zur bürgerlichen Ethik. Nicht selten ist darin auch die Hoffnung enthalten, über das antik-römische Vorbild zu einer neuen politischen Idealvorstellung zu gelangen. In jedem Fall sieht schon der frühe Humanismus jene kulturell-ethischen Ideen an die antiken Texte, deren Sprache und ästhetische Gestalt gebunden; diese müssen deshalb von der Assimilierung im Gefolge der christlichen Vorstellung ·der »translatio studii« gelöst und in ihrer Besonderheit wiedergewonnen werden. –

»Volgarizzamenti«

Daß der Frühhumanismus Kompromisse mit anderen Literaturkonzepten nicht ausschließt, zeigt die Rolle, die die »volgarizzamenti« gewinnen, d.h. Übersetzungen antik-lateinischer Werke in die Volkssprache. Ausgehend von der Überzeugung, daß die alten Texte ein spezifisches Erkenntnispotential besitzen, sollen sie nun als eigenständige Texte einer breiten Leserschicht verfügbar werden, demselben lateinunkundigen Laienpublikum, an das sich die lehrhaften Schriften in der Volkssprache wenden. Im wesentlichen handelt es sich bei den übersetzten Autoren um dieselben, die schon die vorangehende mittelalterliche Kultur bevorzugte. Neben Historiographen stehen Dichter im Vordergrund: Vergil (v.a. mit der *Aeneis)* und Ovid (mit den *Metamorphosen,* den *Heroides* sowie den erotologischen Traktaten). Doch will man eben ihr andersartiges Menschenbild herauskehren, das einen ethischen Gewinn in einer Zeit bedeuten kann, die durch die Schwächung überkommener Institutionen neuer Impulse bedarf. Darüber hinaus üben die »volgarizzamenti«, sofern sie sich um Wahrung der ursprünglichen Werkgestalt bemühen, einen nachhaltigen sprachlichen und ästhetischen Einfluß auf die volkssprachliche Literatur aus, indem sie diese ihrerseits über eine Annäherung an Formen des klassischen Latein nobilitieren.

Doch obwohl sich sogar ein Protagonist des beginnenden Humanismus wie Boccaccio an diesen Bemühungen beteiligt, und zwar mit Übersetzungen des Livius und des Valerius Maximus, sind die meisten der Frühhumanisten, die sich nachdrücklich für die neue Bewegung einsetzen, den Vulgarisierungstendenzen eher abgeneigt. Das zeigt das Beispiel Giovanni del Virgilios: Der Bologneser Grammatikprofessor, der selbst an antiken Vorbildern geschulte lateinische Dichtungen hinterlassen hat, stellt in einer Versepistel von 1319 oder 20 dem Dichter der *Commedia,* dessen moralisches Engagement er bewundert, die Dichterkrönung in Aussicht, falls Dante ein aktuell-politisches Ereignis in hohem Stil und im Latein der antiken Autoren behandle. Wiederum besteht ein enger Bezug zwischen der Orientierung an antiker Dichtung und Geschichte einerseits und politisch-ethischer Relevanz andererseits. Vor allem diese Verbindung motiviert auch den Paduaner Frühhumanistenkreis; ihn hatte wohl Giovanni del Virgilio als Vorbild vor Augen. So stellt Albertino Mussato, der bedeutendste Vertreter dieses Kreises, seine literarische Arbeit in den Dienst politischer Wirkung, nämlich der Verteidigung seiner Kommune gegen das Machtstreben der benachbarten Scaligeri, der Veroneser Signori. Unter diesem Vorzeichen schreibt er historiographische Werke, die die Lage Italiens während und nach dem Italienzug Heinrichs VII. behandeln *(Historia augusta de gestis Henrici VII Caesaris* und *De gestis Italicorum post mortem Henrici VII).* Anders als die im Blick auf Vorbilder eher unprätentiösen volkssprachlichen Chroniken gibt sich die Geschichtsschreibung des Humanisten wie eine antike Cäsarengeschichte und will dem Stil eines Livius folgen. Literarhistorisch ist diese Absicht ausschlaggebend, nicht das Problem, daß Mussato de facto hinter seinem Modell zurückbleibt. Dasselbe gilt für die gleichfalls politisch motivierte, erste neuzeitliche Tragödie, die er mit seiner *Ecerinis* (1314) schafft und für die er als erster moderner Autor zum Dichter gekrönt wird. Indem er ein Ereignis des 13. Jahrhunderts bearbeitet – die tyrannische Herrschaft der Brüder Ezzelino und Alberico da Romano über Padua und die Rache der Bürger an den Unterdrückern –, ruft er indirekt seine Zeitgenossen zur Verteidigung der republikanischen Freiheit auf. Nicht zufällig wählt er den Tragiker Seneca (den der frühe Humanismus oft noch vom Autor der philosophischen Schriften unterschied) als Vorbild; von ihm übernimmt er nicht nur Formprinzipien, die Einteilung in fünf Akte, Versmaß, Chor und Momente der stofflichen Verarbeitung. Die Nachahmung gilt mehr noch der Verbindung von Tragödie und moralischem Thema, die Mussato in Senecas Dramen vorgebildet sieht, auch wenn er der Handlung mit der Hereinnahme christlicher Gerechtigkeitshoffnung letztlich keine »antikisierende« Lösung gibt. Die Verknüpfung von literarischer Modell-

Humanisten in Norditalien

Die erste neuzeitliche Tragödie

Mussatos *Ecerinis* in einer
Handschrift des
15. Jahrhunderts

*Andere humanistische
Zentren*

*Vorbereitung des
Quattrocento-
Humanismus*

*Verteidigung der
Dichtung*

haftigkeit und moralischem Gehalt hatte Seneca zuvor schon für Lovato de'
Lovati interessant erscheinen lassen. Von Lovato, der als ein Initiator des Padua-
ner Humanistenkreises gelten kann, stammt unter anderem ein Kommentar zur
Metrik der Tragödien Senecas. – Was die von Frühhumanisten (auch andernorts) geförderten Genera angeht, bleibt eine Dichtung wie die *Ecerinis* lange ein
Einzelfall. Eine zweite Tragödie entsteht erst um 1390 mit der *Achilleis* Antonio
Loschis; die erste überlieferte lateinische Komödie ist Pier Paolo Vergerios
Paulus (ebenfalls 1390). Bei der Nachahmung antiker Dichtung bildet sich
noch keine klare Entwicklungsrichtung aus, kleinere Gattungen dominieren;
bei Mussato sind es z.B. Eklogen, Elegien, Priapea und Versepisteln; vieles hat
den Charakter des Versuchs. Dagegen gilt ein dezidierteres Interesse historiogra-
phisch-biographischen Stoffen. So verfaßt in Vicenza Ferreto de' Ferreti eine an
Sallust und Livius angelehnte Geschichte Italiens von 1250 bis 1318, die *Historia rerum in Italia gestarum*; und auch sein enkomiastisches *Carmen de origine
gentis Scaligere* widmet sich jüngerer Geschichte.

Das Beispiel zeigt, daß der Frühhumanismus in den Kommunen wohl auf
besonders günstige Bedingungen trifft, v.a. in den Universitätsstädten, aber
nicht an sie gebunden ist. Nicht nur Dante profitiert etwa vom Mäzenatentum
der Scaligeri, ebenso fördern sie in Verona zahlreiche Gelehrte bei deren
Studium antiker Literatur; neben Plinius gilt hier aus naheliegendem Grund der
Dichtung des Veronesers Catull eine besondere Vorliebe. Man hat zudem mit
Recht beobachtet, daß der Humanismus dort besonders früh Fuß faßt, wo eine
volkssprachliche Literatur, etwa im Vergleich zur hierin dominierenden Toskana, weniger entfaltet ist. Dennoch findet man auch im mittleren und südlichen Italien einzelne Gelehrte und Gelehrtenzirkel. So kann sich in Neapel
zumindest unter Robert d'Anjou, dem Förderer auch eines Petrarca, eine humanistische Bewegung entwickeln. Infolge der Wirtschaftsbeziehungen zwischen
Neapel und der Toskana sind es zum Teil Florentiner Humanisten wie Zanobi
da Strada oder Francesco Nelli, die hier eine Zeitlang wirken.

Insgesamt bleibt der Humanismus in der ersten Jahrhunderthälfte eine Bewegung von lokaler oder regionaler Bedeutung. Während der typische Humanist
dieser Zeit politisch oder als Lehrer an seine Stadt gebunden ist, wird es Petrarca
sein, der durch die relative Freiheit von solcher Bindung und zahlreiche Reisen
Kontakte herstellt, die die bis dahin partikularen Impulse gewissermaßen bün-
deln. Doch wird erst der auf Petrarca und Boccaccio folgenden Generation die
Rolle zufallen, den Humanismus von seinem zuvor exklusiven, doch eher an
Einzelgestalten gebundenen Charakter zu befreien. Wiederum wird Padua eines
der einflußreichsten Zentren des Humanismus sein, nicht zuletzt eben durch
die Wirkung Petrarcas, der hier einen Teil der letzten Lebensphase verbrachte.
Aus dem Kreis um einen seiner Freunde, Giovanni di Conversino, werden
bedeutende Philologen und Literaten wie Sicco Polenton, Pier Paolo Vergerio,
Gasparino Barzizza, Guarino Veronese oder Vittorino da Feltre hervorgehen,
die den frühen Quattrocento-Humanismus wesentlich mitgestalten. Der »schul-
bildenden« Wirkung eines Giovanni di Conversino ist in Florenz die Tätigkeit
eines anderen Vertrauten Petrarcas und Boccaccios zu vergleichen: Coluccio
Salutatis, der Lehrer so bedeutender Philologen wie Leonardo Bruni und
Poggio Bracciolini sein wird und darüber hinaus als Kanzler der Arnostadt dem
Humanismus eine breite öffentliche Geltung verschafft. Mit ihm beginnt der
sogenannte »Bürgerhumanismus«, der bis zur Machtübernahme der Medici die
florentinische Kultur des Quattrocento prägen wird.

Besondere Aufmerksamkeit verdient die Poetik des frühen Humanismus, die
sich in der Hauptsache als eine Verteidigung der Dichtung darstellt. Obwohl
man dieses Thema unter wechselnden Vorzeichen bis ins 16. Jahrhundert

hinein diskutiert, hat es im Trecento einen herausragenden Stellenwert, geht doch die langfristige Durchsetzung einer humanistischen Konzeption der Literatur ganz wesentlich auf die beharrlichen Bemühungen um deren theoretische Legitimierung zurück. Wie der Frühhumanismus allgemein als eine zunächst punktuelle Bewegung auftritt, so stehen auch die poetologischen Äußerungen meistens im Zusammenhang mit besonderen Anlässen und manifestieren sich dementsprechend in persönlichen Debatten, in Briefwechseln und polemischen Schriften. Wieder ist es Mussato, der sich in drei seiner Versepisteln (I, VII, XVIII) als erster vehement für eine Aufwertung antiker Autoren und der an ihnen geschulten Dichtung einsetzt. Sein Anliegen ist weniger die Verteidigung eigener Werke (sowohl die *Ecerinis* als auch seine *Priapeia* waren der Kritik ausgesetzt), und auch nur in zweiter Linie geht es um die moralische Unbedenklichkeit antiker Literatur. Vielmehr will er der ernsthaften Auseinandersetzung mit der Dichtung einen Platz neben den anerkannten akademischen Disziplinen verschaffen. Dem vor allem aus scholastisch-theologischer Richtung herrührenden Zweifel an einer Dichtung, die wegen ihrer fiktional-verhüllenden Darstellungsweise den Wahrheitsgehalt fragwürdig macht, hält Mussato das Argument einer »theologischen Poetik« entgegen: Ohne die vollständige Offenbarung durch die Heilige Schrift einzuschränken, beansprucht er eine göttliche Inspiration auch vor und außerhalb der Bibel.

Mussato

Bei Petrarca kehren Mussatos Standpunkte wieder, aber mit nicht unwesentlichen Veränderungen. So verankert er Allegorese und theologische Poetik weniger metaphysisch als in der Form der Dichtung selbst. In einem Brief an seinen Bruder Gherardo (*Familiares* X,4) verficht er die Ansicht, daß er, wenn er in seiner bukolischen Dichtung bildhaft-allegorisch rede, sprachlich prinzipiell nicht anders verfahre als biblische und theologische Texte. Darüber hinaus erscheinen die Argumente des Vorgängers, entsprechend dem gesteigerten dichterischen Bewußtsein, in einer anderen Perspektive. Petrarca verteidigt mit der Dichtung vor allem seine persönliche Berufung und seine eigenen Werke: so in der Kapitolsrede, im *Secretum* und in mehreren Vers- und Prosabriefen. Eine Ausnahme stellen die *Invective contra medicum quendam* dar, die zwar auch durch einen persönlichen Streit ausgelöst werden, in denen Petrarca aber die wahrheitsvermittelnde Funktion von Dichter und Dichtung, obgleich unsystematisch, so doch unter einem allgemeineren Blickwinkel zu erörtern vermag. – Hier liegt ein wesentlicher Anstoß für Boccaccio; auch er verteidigt zunächst einen einzelnen Dichter und dessen Werk: im *Trattatello in laude di Dante,* dessen Gesichtspunkte in gereifter Form im Kommentar zur *Commedia* wiederkehren. Seine eigentliche Leistung besteht aber darin, die poetologische Debatte in den beiden letzten Büchern der *Genealogia deorum gentilium* auf eine solidere Basis zu stellen. Boccaccio, der außer von Petrarca auch von dem neapolitanischen Humanisten Pietro Piccolo da Monteforte angeregt wurde, löst das Thema von punktuellen Anlässen und faßt die zuvor auftretenden Einzelargumente zusammen. Indem er die Auseinandersetzung mit dichtungsfeindlichen Positionen in eine systematische Erörterung der Dichtung einbettet – ihres altehrwürdigen Ursprungs, ihres Wesens, ihrer Verbreitung, ihres hohen ethischen Nutzens usw. –, bereitet er den Boden für eine gegliederte Poetik vor. Diesen Neuansatz wird Salutati weiterentwickeln, und bezeichnenderweise verteidigt auch er die Literatur nicht nur in mehreren Briefen, sondern vor allem im Kontext eines mythographischen Traktats, seines *De laboribus Herculis.* Doch tritt mit ihm die Debatte in eine zweite Phase ein; hier wie im Quattrocento wird es nicht mehr nur um die Konkurrenz zwischen Dichtung und Wissenschaften gehen, sondern um die Integration der Poetik in die anderen Disziplinen, die »studia humanitatis«.

Petrarca

Boccaccio und Salutati

Francesco Petrarca

Der erste moderne
Mensch – der erste
»Literat«

Das Schlagwort von Petrarca als dem »ersten modernen Menschen«, das auf den französischen Schriftsteller und Historiker Ernest Renan zurückgeht, hat auch aus heutiger Sicht noch seine Berechtigung. Francesco Petrarca ist der erste Autor, der humanistische Ideen, ihre Voraussetzungen und Folgerungen in einem umfassenden Sinn entwickelt und sich beharrlich für sie einsetzt. Dazu gehört die Hochschätzung der Antike als eines menschlich-ethischen und sprachlich-literarischen Ideals, aber ebenso bereits die Erkenntnis, daß der Weg dorthin primär über die Philologie führt, über eine Reform der lateinischen Sprachpraxis, über Textfunde und Textstudien. Er ist zugleich der erste, der eine so verstandene literarische Arbeit zum Mittelpunkt seiner Existenz macht; Petrarca ist der erste »Literat« der Neuzeit. Durch diese Ausschließlichkeit seiner Haltung erfährt er aber auch in einer zuvor nicht gekannten Schärfe die Ambivalenz, die aus der Bemühung entsteht, antikisches Ideal und christliches Daseinsverständnis miteinander zu verbinden. Zu einem großen Teil ist sein Schreiben ein Ringen um den subjektiven Ausdruck dieser persönlichen Erfahrung. Zu Recht gelten deshalb seine Briefe, das *Secretum* und der *Canzoniere* als seine Hauptwerke. Während Dante im *Convivio* das Reden von sich selbst noch rechtfertigen mußte, wird bei Petrarca oft die Ich-Darstellung zum Angelpunkt des Schreibens. Das ist nirgendwo als eitle Selbstbespiegelung zu verstehen, vielmehr steht die Subjektivität stellvertretend für eine menschliche Wirklichkeitserfahrung, die aber einen individuell-authentischen Charakter bewahren soll. Wenngleich das Bewußtsein einer Unversöhnlichkeit der beiden Kulturen sowohl in den lateinischen als auch in den volkssprachlichen Werken zu finden ist, spiegelt es sich doch auch wider in der tiefen Kluft zwischen den beiden Teilen seines Gesamtwerks, die Petrarca selbst nicht überbrückt, ja eher fördert. Diese Kluft bedingt ihrerseits zwei relativ selbständige Rezeptionsstränge: Wird der lateinische Petrarca den Humanisten des ausgehenden Tre- und sodann des Quattrocento zum mustergültigen Modell, so steht der italienische am Ursprung der neuzeitlichen europäischen Lyrik.

Ein unruhiger
Lebensweg

Die Sonderstellung Petrarcas gegenüber anderen Frühhumanisten und auch gegenüber Boccaccio resultiert nicht zuletzt aus seiner weit geringeren Einbindung in bestehende kulturelle und gesellschaftliche Strukturen Italiens. In Arezzo geboren, wächst der Sohn eines florentinischen Notars hauptsächlich in Carpentras bei Avignon auf, wo der Vater Arbeit bei der päpstlichen Kurie zu bekommen hoffte. Francescos unruhiger Lebensweg ist aber auch von der steten, gleichwohl immer wieder zwischen verschiedenen Lösungen schwankenden Suche nach einem äußeren und geistigen Standort des Literaten geprägt. Nach dem Abbruch eines widerwillig verfolgten Jurastudiums in Montpellier und Bologna nimmt er bewußt die Abhängigkeit von kirchlichen und weltlichen Fürsten in Kauf, um sich ganz auf das Studium der Literatur und das Schreiben konzentrieren zu können. Er steht in Diensten des Bischofs Giacomo Colonna, dann des Kardinals Giovanni Colonna; Robert d'Anjou ist sein Prüfer, bevor er in Rom zum »poeta laureatus« gekrönt wird (1341); er hält sich zweimal bei den Signori von Parma auf; später ist er Gast der Visconti in Mailand, der De Carrara in Padua, der Republik Venedig. Auch die niederen kirchlichen Weihen nimmt er vorwiegend deshalb an, um materiellen Sorgen enthoben zu sein. Doch immer wieder kehrt Petrarca auch in die selbstgewählte Einsamkeit zurück. Zwischen 1337 und 52 lebt er, weitab vom Betrieb der Kurie, mehrmals in Vaucluse, das er nur für öffentliche Missionen, für Studien-

und Forschungsreisen verläßt. Und auch die letzten Jahre (1370–74) verbringt er fern vom gesellschaftlichen und politischen Geschehen in Arquà bei Padua.

Die Aussicht auf schriftstellerischen Ruhm verband Petrarca insbesondere mit seiner lateinischen Dichtung, vor allem mit seiner *Africa,* einem Helden-epos in neun Büchern, das größtenteils zwischen 1338 und 1343 entstand. Der Versuch, die Literatur im direkten Rückgriff auf antike Muster zu erneuern – Mussato hatte das mit der Nachahmung der Seneca-Tragödien beabsichtigt –, zeigt sich hier in der Orientierung an Vergils *Aeneis.* Von ihr übernimmt die *Africa* nicht nur das Metrum, zahlreiche Formulierungen und Motive; auch viele Episoden sind in Analogie zum Vergilschen Modell strukturiert. Der Stoff geht hauptsächlich auf Livius zurück, in den ersten Büchern auch auf Ciceros *Somnium Scipionis.* Ausgehend vom Sieg des Scipio Africanus über Karthago im 2. Punischen Krieg als dem zentralen Geschehen behandelt das Epos durch Rückwendungen und Vorausdeutungen die gesamte römische Geschichte und stellt die politische und moralische »virtus« des antiken Rom als Vorbild für ein zu erneuerndes gegenwärtiges Italien heraus. Der lautstarke humanistische Anspruch, in dem politisches und poetisches Ideal miteinander verknüpft sind, brachte der *Africa* aber sowohl bei der Nachwelt als auch beim modernen Publi-kum wegen der oft allzu schematischen Orientierung am Modell mehr Kritik als Anerkennung ein. Wo das Epos sich von der Imitatio löst, erreicht es jedoch eine gewisse Originalität. Das gilt besonders dort, wo mit dem antik-heroischen Ethos eine christliche Weltsicht konkurriert, z.B. in Reflexionen des Erzählers über die Hinfälligkeit irdischer Werte, in einer zuweilen komplexen Psychologie der Hauptfiguren oder auch in der elegisch-melancholischen Gestaltung einiger Liebesepisoden. Dem Autor selbst war die Diskrepanz von Anspruch und Reali-sierung bewußt. Obwohl Petrarca 1341 den Dichterlorbeer für sein (damals erst begonnenes) Epos erhielt, überarbeitete und ergänzte er es bis zu seinem Tod immer wieder, aber ohne eine definitive Fassung zu erreichen und ohne sich zu einer Veröffentlichung entschließen zu können.

Eine Art kompensatorische bzw. komplementäre Rolle hat das *Bucolicum carmen* (1346–48/49), mit dem Petrarca den Vergil des »genus humile« auf-greift. Zwar setzt die durchgängige allegorische Verschlüsselung eine mittelalter-liche, auch von Dante im Briefwechsel mit Giovanni del Virgilio praktizierte Auffassung der Bukolik fort. Doch wird der Zusammenhang mit der humani-stisch motivierten Arbeit am Epos von der Zwölfzahl der Eklogen unterstrichen, die der (in der *Africa* nicht verwirklichten) formalen Gliederung der *Aeneis* entsprechen soll. Den impliziten hohen Anspruch spiegeln auch die Neigung zu einem elaborierten Stil und die Konzeption des Werks als eines geschlossenen, fast symmetrischen Ganzen, dessen Aufbau nur von der prologartigen, dich-tungsapologetischen ersten Ekloge durchbrochen wird. Während die eine Hälfte der Gedichte politisch-gesellschaftliche Zustände und Ereignisse behan-delt (2., 5.–8., 12. Ekloge), ist die andere persönlichen, dichtungsbezogenen oder biographischen Themen gewidmet: der Berufung zum Dichter (1., 3. und 4. Ekloge) bzw. der Pestepidemie von 1348, der auch Laura, Zentralgestalt nicht nur in Petrarcas italienischer Dichtung, zum Opfer fällt (9.–11. Ekloge). – Den lateinischen Dichtungen sind auch die *Epistole metrice* zuzuordnen. Leitet Petrarca mit den beiden genannten Werken, besonders mit der *Africa,* die Kanonisierung Vergils als des Musterautors epischer Renaissancedichtung ein, so haben die 66 Briefe in Hexametern, die Petrarca zwischen 1331 und 54 verfaßt, die Versepisteln des Horaz zum Modell, der gleichfalls (vor allem mit den *Carmina)* in der Folgezeit vorbildhaft werden sollte. Von den Prosabriefen unterscheiden die *Epistole metrice* außer Form und Sprache auch die allgemeine-ren, meistens nicht an punktuelle Anlässe anschließenden Themen. Sie enthal-

Das erste lateinische Heldenepos

Francesco Petrarca, Fresko von Andrea del Castagno, Florenz, Sant'Apollonia, um 1450

ten z.B. Erinnerungen an bedeutende vergangene Phasen oder Momente in Petrarcas Leben (etwa an die Dichterkrönung in II,1), Beschreibungen früherer Aufenthaltsorte, Klagen über die Zeitsituation und die politischen Entwicklungen oder auch die Verteidigung der Dichtung als kulturschöpferischer Kraft (III,26).

Historiographisch-biographische Traktate

Zwei weitere Schriften sind eng mit der *Africa* verknüpft, in diesem Fall mit der ethischen Intention: *De viris illustribus* (1338 ff.) und die *Rerum memorandarum libri* (1343 ff.), die wiederum Boccaccio mit *De casibus virorum illustrium* und *De claris mulieribus* nachahmen wird. Beide gelehrten Werke, die Petrarca trotz mehrfacher Überarbeitung nicht vollendet, widmen sich in einander ergänzender Weise ethischen Idealen der Antike, die einen vorbildhaften Wert im Rahmen eines erneuerten Menschenbildes bekommen. Das frühere Werk stellt 22 Biographien exemplarisch verstandener römischer Persönlichkeiten zusammen, denen Petrarca später einige biblische und mythologische hinzufügt. Das spätere ist dagegen nach geistig-ethischen Aspekten des Daseins gegliedert (otium, studium, memoria, intelligentia usw.), um diese an jeweils mehreren Beispielgestalten zu illustrieren. Obwohl das Vorgehen an die kompilatorische Tradition erinnert, ist Petrarcas Menschenbild gleichwohl gegenüber dem Mittelalter anders, d.h. innerweltlich akzentuiert; und auch sein Zugang zu den Quellen, die er unter philologischem Blickwinkel auf ihre Glaubwürdigkeit hin vergleicht, zeigt sein im Kern doch historisches Verhältnis zum Material.

Apologetik des Humanismus

Die poetischen, geistigen und moralischen Ideen des Humanismus, die Petrarca in den lateinischen Dichtungen und den beiden gelehrten Traktaten umsetzt, finden sich in ausdrücklicher Form, aber unterschiedlicher Gewichtung in drei apologetischen Schriften wieder. Die Kapitolsrede anläßlich der Dichterkrönung, die *Collatio laureationis,* war die erste bedeutende Gelegenheit, die Würde des Dichterberufs und den vom Lorbeer symbolisierten Rang der Dichtung im Zusammenhang und auf der Grundlage einer Fülle antiker Äußerungen (insbesondere Vergils und Ciceros) zu erörtern. Die im Ton eher akademische Abhandlung hatte jedoch kaum eine Nachwirkung; Petrarca selbst erwähnt sie nirgendwo, gedruckt wurde sie erst 1874. Von ganz anderem Zuschnitt sind die *Invective contra medicum quendam* (1352 ff.). Über den ursprünglichen Anlaß – die Polemik mit einem Arzt – geht die später auf vier Bücher erweiterte Streitschrift weit hinaus. Nach der im ersten Buch aus der Ausgangsthematik entwickelten Funktion des Dichters als eines Vermittlers von Wahrheit in verhüllender Form bringt das zweite, unter der Frage nach der für den Menschen wesentlichen Weisheit, einen Wettstreit der freien mit den mechanischen Künsten (zu denen die Medizin rechnete), das dritte und wichtigste sodann eine vehemente Verteidigung der Dichtung: ihres Standorts innerhalb der »artes liberales«, ihres theologischen Ursprungs, ihrer Verwandtschaft mit Ethik und Rhetorik. Das letzte schließlich behandelt die Einsamkeit als die dem Dichter zukommende Lebensform. Rund anderthalb Jahrzehnte später entsteht ein drittes »Manifest« als Antwort auf den Vorwurf mangelnder wissenschaftlicher Kompetenz, den man Petrarca entgegengehalten hatte: die Invektive *De sui ipsius et multorum ignorantia* (1367). Was im zeitgenössischen Verständnis Wissenschaft darstellte, der scholastische Aristotelismus, wird von Petrarcas Warte aus zum »Unwissen«. (Diese Polemik gegen einen philosophischen Formalismus werden die Humanistengenerationen nach Petrarca nicht minder heftig fortführen.) Und umgekehrt verteidigt Petrarca seine als Ignoranz angeprangerte Verehrung der heidnisch-antiken Autoren, ihrer Eloquenz und ihrer Moralphilosophie, die für ihn grundsätzlich dem christlichen Menschenbild nicht widersprechen.

Die durchgängig enge Beziehung von Dichtungsauffassung und ethischem

Allegorie des irdischen
Ruhms; Illustration aus
einer Handschrift von
Petrarcas *De viris
illustribus,* um 1380

Interesse erweist auch eine Gruppe von Schriften mit moralphilosophischer Grundthematik als eng mit den bisher erwähnten verwandt. Hier (wie auch in den Prosabrief-Sammlungen) tritt zugleich ein anderes Charakteristikum in den Vordergrund: die bekenntnishafte Selbstreflexion. Mit der idealisierend-apologetischen Haltung, in der Petrarca in den vorhin besprochenen Texten sein Ich ins Spiel bringt, konkurriert im *Secretum,* in den Briefen und auch im *Canzoniere* ein reflektierend-meditatives Ich, das von Schwanken, ja Skepsis gegenüber der Gültigkeit humanistischer Ideale geprägt ist. Das bedeutendste der moralphilosophischen Werke ist das sog. *Secretum* (1342/43), dessen Originaltitel *(De secreto conflictu curarum mearum)* diese Intention direkter als irgendeine andere Schrift anspricht. Wie bei den späteren Traktaten *De vita solitaria* und *De otio religioso* (beide 1346/47) sowie auch den die Ausdrucksform der alttestamentarischen Psalmen nachahmenden sieben *Psalmi penitentiales* (1348?) dient das Schreiben hier aus biographischer Sicht der Bewältigung einer geistig-moralischen Krise, zu der sowohl aufkommende Zweifel gegenüber der in der *Africa* realisierten und in der Dichterkrönung kulminierenden Antikeverehrung, als auch der Entschluß von Francescos Bruder, sich ins Mönchsleben zurückzuziehen, beitrugen, später zudem das Scheitern Cola di Rienzos, dessen politische Ziele Petrarca eine Zeitlang enthusiastisch verfolgt hatte. Dennoch liegt die eigentliche Bedeutung dieser Texte darin, daß sie aus der Sicht des Individuums von einer weit allgemeineren, nämlich der epochalen Erschütterung intellektueller und ethischer Überzeugungen sprechen. Für das *Secretum* gilt das in besonderem Maß, gerade weil es sich als eine intime Selbstreflexion gibt, in der der Autor seine vergangene innere Entwicklung offenbart. Das Werk stellt sich nicht nur damit in die Tradition der Bekenntnisliteratur, die sich von Augustinus' *Confessiones* herleitet; Augustinus selbst, einer der Lieblingsautoren Petrarcas, den ihm sein Freund Dionigi da Borgo San Sepolcro nahegebracht hatte, tritt hier als Gesprächspartner bzw. »Beichtvater« des Ich auf. Die private Grundhaltung wird überlagert von einer reflektierten formalen und stilisierten

*Moralphilosophische
Werke*

*Ein persönliches
Bekenntnis*

Gestaltung. Der die symbolische Dauer von drei Tagen umfassende Dialog des Ich mit dem Kirchenvater enthält eine zielgerichtete thematische Entwicklung: von allgemeineren zu besonderen Fragen der Existenz, vom Unglück zur Würde des Menschen. Dreht sich das Gespräch des ersten Tages vorwiegend um Petrarcas Unvermögen, durch den christlichen Heilsglauben die Furcht vor dem Tod zu überwinden, als Ursache seines Unglücks, so prüft Augustinus am zweiten Tag den Dichter nach dem Schema der sieben Hauptsünden, von denen neben dem hochmütigen Stolz auf Wissen und Beredsamkeit wiederum die Sünde der »acedia«, der Trägheit in den Vordergrund tritt. Der dritte Tag bringt eine weitere Konzentration, nun auf Petrarcas Liebe zu Laura und seine Liebe zum Ruhm. Aber während der Dichter zuvor den meisten Vorwürfen des Augustinus zustimmen kann, verteidigt er nun gegen ihn den dichterischen Ruhm als Zeichen des hohen Rangs von Dichtung und die irdische Leidenschaft als Zeichen einer »dignitas hominis«, die nicht im Widerspruch zur religiösen Bestimmung des Menschen stehe.

Das Ideal der Einsamkeit

Wegen ihrer komplementären Thematik und der fast gleichzeitigen Entstehung lassen sich *De vita solitaria* und *De otio religioso* geradezu als Diptychon lesen, sind aber vom Thema der selbstgewählten Einsamkeit (des Literaten bzw. des Mönchs) her auch mit anderen Schriften verflochten, z.B. dem vierten Buch der *Invective contra medicum* oder der ersten Ekloge, in der Petrarca das »otium« des Bruders Gherardo mit dem eigenen vergleicht, um seine literarische Berufung zu begründen. Auch *De otio religioso* bringt ein ausführliches Lob der asketisch-kontemplativen Existenz, doch hinter der gelehrten Fülle von Zitaten aus der antiken Literatur und aus Schriften der Kirchenväter vermag sich kaum ein origineller Standpunkt zu entwickeln. Weit kühner ist das säkulare Pendant über die »vita solitaria«, wird hier doch die freiwillige Einsamkeit zur Voraussetzung nicht nur der meditativen Selbstfindung des Individuums, in der es der unaufhaltsamen Flucht der Zeit entgeht, sondern zum Raum, in dem sich Kreativität, also auch literarisches Schaffen allererst entfalten kann. Petrarca marginalisiert damit den Literaten nicht, sondern entwirft ein Gegenbild zum zeitgenössisch üblichen Status des Dichters, der meist in die »vita activa« der Kommune oder der Signoria eingebunden war. Somit postuliert das Werk, gerade auch durch den Kontrast zu *De otio,* die dichterische Arbeit als Daseinsform, wie sie bislang der religiösen Existenz vorbehalten war.

Virtus versus Fortuna

In Petrarcas Kultivierung der Einsamkeit als eines Mittels gegen die Zersplitterung des Daseins spiegelt sich auch seine gedankliche Nähe zum moralphilosophischen Seneca. Ausdrücklich knüpft er an ihn in der letzten der traktatartigen Schriften an, *De remediis utriusque fortune* (definitive Version 1366). Dieses bei Zeitgenossen und Nachwelt bis zum 18. Jahrhundert außerordentlich beliebte Werk wird gern der christlichen Tradition des Trostbuchs zugeordnet, doch wird mit »fortuna« nur scheinbar ein mittelalterliches Thema aufgegriffen. Petrarca geht es nicht um das den Menschen von außen treffende Schicksal, sondern um die geistig-psychische Einstellung des Menschen selbst gegenüber eher alltäglichen Lebensaspekten. Wenn sich in diesem Ansatz das traditionelle Genus mit Senecas *De remediis fortuitorum* verbindet, so wird doch auch dieses dadurch übertroffen, daß Petrarca Heilmittel nicht nur gegen Unglück, sondern auch gegen ein Übermaß an Glück bereitstellt. Das Werk umfaßt zwei Bücher mit 122 bzw. 131 Dialogen, in denen die personifizierte Ratio (Vernunft) zum einen mit Spes (Hoffnung auf künftiges) und Gaudium (Freude über vergangenes Glück), zum anderen mit Dolor (Schmerz über vergangenes) und Timor (Furcht vor künftigem Unglück) redet. Ratio fällt die Aufgabe zu, sowohl zur Mäßigung gegenüber dem Glück zu mahnen als auch vor der Resignation gegenüber dem Unglück zu warnen. Hier tritt das humanistische Menschenbild am deutlichsten zutage, denn die eigentliche Gefahr, die dem Ich droht und gegen die Petrarca seinen Leser wappnen will, ist der Verlust an personaler Autonomie.

Wie die meisten dichterischen oder traktatartigen Werke Petrarcas von der Selbstreflexion durchzogen sind, so lassen sich auch die Prosabrief-Sammlungen, besonders *Familiares* und *Seniles,* als ein immenses Selbstporträt lesen. Aber sie liefern ein bewußt stilisiertes Bild der privaten und öffentlichen Existenz des Autors; auch in dieser Hinsicht hat Petrarcas Schreiben Modellcharakter für spätere Humanisten. Zwar sind fast alle der insgesamt über 500 *Epistole* Petrarcas »echte« Briefe; er selbst aber stellte sie in späteren Jahren für eine Veröffentlichung zusammen, ordnete, gliederte, überarbeitete sie mehrfach. Für die Endfassung ließ er allzu Spezielles weg und fügte dagegen allgemeinere Reflexionen oder Zitate antiker Autoren hinzu. Kurz: Petrarca entdeckt den Brief als Kunstgattung für die Neuzeit. Vielfältig wie die Anlässe und Themen der Briefe (aber durch Petrarcas Stilisierung ist dies nicht ungeordnete, sondern durchdachte, organische Vielfalt) sind ihre Adressaten, deren Spektrum von weltlichen und kirchlichen Persönlichkeiten über Beschützer und Gönner zu befreundeten Literaten reicht. Ein besonders intensiver Briefwechsel verband Petrarca von 1350 bis zu seinem Tod mit Boccaccio; der letzte, 1374 verfaßte Brief an ihn ist eines der persönlichsten Bekenntnisse zur Literatur und ihrem Wert, gleichsam ein dichterisches Testament (*Seniles* XVII,2).

Petrarca ermuntert Boccaccio zum Studium der Literatur; Miniatur von Jean Fouquet, 1458

Unter dem Titel *Rerum familiarum libri* faßt Petrarca in der definitiven Version von 1366 solche Briefe zusammen, deren Entstehung zwischen 1325 und 61 liegt. Die meist als *Familiares* (»Freundschaftsbriefe«) zitierte Sammlung umfaßt 350 auf 24 Bücher verteilte Briefe. Dabei hat das letzte mit dem Untertitel *Antiquis illustrioribus* eine interessante Sonderstellung; es enthält fingierte Briefe an antike Persönlichkeiten, zumeist Schriftsteller wie Cicero, Seneca, Homer. Trotzdem widerspricht die Fiktion nicht dem Titel der ganzen Sammlung, denn auch hier erörtert der Autor für ihn aktuelle Dinge mit seinen Adressaten. So redet er etwa mit Cicero über einen seiner zahlreichen bedeutenden Textfunde: 1345 hatte er in Verona Ciceros Briefe an Atticus und an Brutus entdeckt, die ihrerseits das Modell für Petrarcas *Familiares* werden sollten. Zudem prägt das 24. Buch ein für den Humanisten charakteristisches Verhältnis zum antiken Autor: das Bewußtsein geistiger Verwandtschaft, ja persönlicher Nähe. Wenn Petrarca mit Cicero oder Seneca über Widersprüche zwischen ihren Schriften und ihrer Lebenspraxis redet, reflektiert er zugleich indirekt über sich selbst. Auch hier wird das Schreiben, aber ebenso die Lektüre der antiken Autoren, zur Selbstdeutung. – Ab 1361 sind die 125 Briefe entstanden, die die 17 Bücher der *Seniles* (»Altersbriefe«) enthalten. Gleichwohl bildet die Sammlung mit den *Familiares* eine Einheit, die durch einen Einleitungsbrief (*Fam.* I,1) und einen Epilog mit dem Titel *Posteritati* (»an die Nachwelt«) unterstrichen wird. Dieser unvollendete Text sollte, als Abrundung der Sammlungen, ein verbindliches, stark apologetisch gefärbtes Selbstporträt liefern. Petrarca übergeht hier bezeichnenderweise sowohl seine persönliche Krise als auch sein volkssprachliches Werk. Dagegen betont er seine im engeren Sinn »humanistischen« Leistungen: so etwa seine Bedeutung als Erneuerer Vergils in der epischen und bukolischen Dichtung und als Nachahmer Ciceros in der Prosa. – 19 zwischen 1342 und 58 entstandene Briefe mit brisantem politischen Inhalt, vor allem mit scharfer Kritik an der päpstlichen Kurie, stellte Petrarca zu einem separaten Korpus zusammen. Um aber die aktuellen Anspielungen zu entschärfen und weder sich selbst noch den ursprünglichen Adressaten zu schaden, tilgte er alle zeitgenössischen Namen; daher der Titel des Buchs: *Liber sine nomine.*

Wenn die Briefe, mehr noch als andere Schriften des Autors, ein Ausloten der individuellen Erfahrung darstellen, gilt dies doch in besonderer Weise für einen

Dialog mit der Antike

Ein stilisiertes Selbstbildnis

Cicero als Lehrer der Rhetorik; Miniatur aus der Schule Pietro Lorenzettis, um 1340

Brief, der in der Rezeption geradezu die Bedeutung eines separaten Werks gewonnen hat: die berühmte Schilderung der Besteigung des Mont Ventoux, die Petrarca 1336 mit seinem Bruder unternommen haben will (*Fam.* IV,1). Der Brief ist immer wieder kontrovers interpretiert worden: als Zeugnis einer neuartigen, der mittelalterlichen Literatur fremden, nicht-symbolischen Landschaftserfahrung zum einen, als allegorisch-moralische Reflexion über die Bestimmung des Menschen zum anderen. Doch drückt der Text durch seine Struktur gerade diese ambivalente Deutbarkeit des Daseins aus, wenn er kontinuierlich zwischen Ereignisbericht bzw. Beschreibung und Selbstreflexion oszilliert. Weder vermögen die moralisierenden Passagen die Erlebnisse auszudeuten, noch werden jene von der äußeren Erfahrung verdrängt. Was Petrarca betroffen macht, ist die Unmöglichkeit, das zeitlich-räumliche Erleben, im Sinne etwa der *Commedia* Dantes, in der überräumlich-ewigen Bestimmung des Menschen aufgehoben zu sehen. Diese subjektive Einsicht in eine nicht reduzierbare Mehrschichtigkeit des Daseins macht die Schilderung zu Recht zu einem exemplarischen Text nicht nur innerhalb der Briefe, sondern ebenso hinsichtlich des übrigen Werks, auch der volkssprachlichen Dichtungen.

Neben dem umfangreichen und vielgestaltigen lateinischen Œuvre Petrarcas stehen nur zwei Dichtungen in italienischer Sprache, die aber bezeichnenderweise auch lateinische Titel tragen: die *Rerum vulgarium fragmenta* (der sog. *Canzoniere)* und die *Triumphi* (meistens als *Trionfi* zitiert). Beide Werke werden nicht nur im *Posteritati* übergangen, auch an anderen Stellen äußert sich Petrarca geringschätzend über seine italienischen Gedichte, die er als »nugae« oder »nugellae«, d.h. als bloße Possen hinstellt. Dem widerspricht nicht nur die Bewunderung, die schon die Zeitgenossen dem volkssprachlichen Dichter entgegenbrachten, sondern weit mehr die Unermüdlichkeit, mit der der Autor selbst sich dem *Canzoniere* widmet. Neun Redaktionen des Gesamtzyklus sind bekannt, deren erste Petrarca um 1338 und deren letzte er noch kurz vor seinem Tod vornahm. Die im wesentlichen auch für die Endfassung gültige umfassende Architektur geht auf die 40er Jahre zurück.

Der *Canzoniere* (im folgenden wird der geläufige Titel verwendet) umfaßt 366 Gedichte, das entspricht der Zahl der Tage eines Schaltjahrs. Verschiedene Metren der italienischen Lyriktradition werden aufgegriffen, doch leitet das Werk vor allem den Siegeszug des Sonetts in der neuzeitlichen europäischen Dichtung ein; es umfaßt 317 Sonette, 29 Kanzonen, 9 Sestinen, 7 Ballate und 4 Madrigale. Hinter diesen quantitativen Daten verbirgt sich aber eine höchst komplexe Struktur. Jedes einzelne Gedicht kann als selbständiger Text gelesen werden, als ein in sich geschlossenes Ganzes, doch hat es gleichzeitig einen genau begründeten, geradezu »systematischen« Ort im Kontext des Zyklus. Bereits das Einleitungssonett, das die Grundthematik alles Folgenden vorwegnehmen will, und die abschließende Kanzone, ein Gebet an die Jungfrau Maria, definieren durch ihre wechselseitige Verweisung den Zyklus als eine organische Einheit. Sie bestimmen ihn aber auch als eine Einheit, die durch eine unaufgehobene Spannung geprägt ist. Die schuldhafte Verstrickung, von der das Ich im ersten Sonett spricht und die auf die Darstellung eines »itinerarium mentis« als Thema der Sammlung vorauszudeuten scheint, ist (im Unterschied etwa zur *Commedia,* an die der Leser sich hier erinnert sehen kann) im Schlußgebet nicht minder heftig präsent; der innere »Krieg« widerstreitender Interessen wird auch hier zum Wesensmerkmal des Subjekts. – Die Einheit des Werks wird sodann durch seinen narrativen Hintergrund hergestellt. Der *Canzoniere* ist vor allem der Liebe des Ich zu einer Frau namens Laura gewidmet; Petrarca will ihr am 6. April, dem Karfreitag des Jahres 1327 in Avignon begegnet sein; sie stirbt, ohne daß sie jemals die Zuneigung des Dichters erwidert hätte, genau 21 Jahre

Canzoniere 123 in einer Handschrift des 15. Jahrhunderts

später an der Pest, gleichfalls an einem Karfreitag, dem 6. April 1348. Es ist jedoch unerheblich, wieviel von der Liebe zu Laura, von der Petrarca auch in anderen Werken (Briefen, *Secretum, Bucolicum carmen, Triumphi*) spricht, Wahrheit oder Fiktion ist. Über die Originalität des *Canzoniere* entscheidet die Absicht, die an sich konventionelle Liebessituation als eine authentische, persönlich erlebte erscheinen zu lassen. – Der innere Spannungsreichtum wird durch weitere Momente bestimmt: so durch die asymmetrische Gliederung des Zyklus in zwei komplementäre Teile »in vita« (1–263) und »in morte« (264–366). In beiden Teilen lassen sich darüber hinaus Sequenzen von Gedichten erkennen; durch motivische oder thematische Verkettung schließen sich einzelne Texte zu größeren Binnengefügen zusammen. Motive oder Themen kehren aber auch auf Abstand, gewissermaßen leitmotivisch wieder. So erinnert sich das Ich in den sogenannten Jahrestag-Gedichten (z.B. *Canz.* 61, 79, 118) immer wieder an die zum erstenmal im dritten Sonett evozierte Begegnung; die lineare Perspektive tritt in ein Spannungsverhältnis zu einer immanenten zyklischen Struktur. Jedes Gedicht ist somit wenigstens dreifach in das Ganze eingebunden, als Einzeltext, in seinem Verhältnis zum Gesamtzyklus und in seinen wiederum vielfältigen Bezügen zu anderen, benachbarten oder entfernten Gedichten.

Die Texte weisen aber auch über den Zyklus selbst hinaus, insbesondere auf Tradition und Kontext der provenzalischen und der italienischen Dichtung. So müssen der narrative Hintergrund, die Zweiteilung des Zyklus und die deutliche symbolische Aufladung als Replik auf die *Vita Nuova* bzw. die stilnovistische Lyrik gelesen werden. Vom Danteschen Modell übernimmt Petrarca jedoch kaum mehr als Grundmuster und generelle Thematik. Obwohl Laura auch zum Inbegriff unerreichbarer Tugend wird, geht doch die Darstellung der irdischen Gestalt nicht in einer geistigen Überhöhung der Liebe auf. Zwar beschreiben auch die Stilnovisten das Äußere der »donna gentile«: Augen, Stimme, Gang; bei Petrarca ist die Schönheit aber keine »objektive« Kraft mehr, die auf den Betrachter ausstrahlt, sondern ein ästhetisches Phänomen, das in der Wahrnehmung des Ich aufleuchtet. Diese veränderte Funktion der Beschreibung begegnet etwa dann, wenn das Ich (wie in der berühmten 126. Kanzone) Laura in eine mit ihr harmonierende Landschaft versetzt: Wahrnehmung der Naturschönheit und der geliebten Person konvergieren. Und wie weit Petrarca die Entrücktheit der stilnovistischen Konzeption, die er gleichwohl immer wieder evoziert, hinter sich läßt, zeigt sich besonders im zweiten Teil des Zyklus, wenn das Ich die verstorbene Laura, obwohl im Paradies, dennoch als eine gleichsam irdische Gestalt imaginiert (*Canz.* 348). In diesen Zusammenhang gehört auch die Funktion des Namens Laura, der im Kontrast zu Dantes Beatrice, der »Seligmachenden«, zu verstehen ist. Laura weckt eher heidnisch-mythologische Assoziationen, indem Petrarca sie als neue Daphne versteht, die sich ihm entzieht, wie die mythologische Nymphe dem Apollon, zugleich aber im Lorbeer, dem Zeichen des dichterischen Ruhms, sich selbst und den Dichter verewigt. Zahlreich sind die semantischen und phonetischen Wortspiele, die der Name auslöst, etwa mit »l'auro«, was das Gold der Haare Lauras meinen kann, mit »l'aura«, dem Windhauch, der auch für die Inspiration des Ich steht, oder mit »lauro«, dem Lorbeer, der als Dichtersymbol gleichfalls auf das Ich zurückweist.

In der Tat ist nicht Laura die Hauptfigur des Zyklus, sondern das lyrische Ich selbst. Die Liebesgeschichte ist das »Material«, durch das es sich zu analysieren und zu begreifen sucht. Der *Canzoniere* ist daher, wie andernorts angedeutet, den anderen auf eine Selbstreflexion abzielenden Werken, etwa dem *Secretum*, eng verwandt. Über weite Strecken ist auch Petrarcas Lyrik ein Selbstgespräch, wobei die Komplexität der Werkstruktur mit der Vielschichtigkeit der Selbster-

Die Geliebte als irdische Gestalt

Lyrik als Medium der Selbstreflexion

Triumph der Liebe;
illuminierte Handschrift
des 15. Jahrhunderts

Das allegorische Epos der
Triumphi

fahrung korrespondiert. Aber ebenso wie die Gestalt Lauras stellt sich das Ich nicht als aus dem realen Kontext herausgehobenes, abstrakt wahrnehmendes und reflektierendes Subjekt dar. Es bleibt in Raum und Zeit eingebunden, ja es bedarf dieser Einbindung, wenn es sich etwa, wie in *Canzoniere* 35 oder 129, in der Landschaft, im physischen Durchschreiten des Raums erfährt. Hierher rühren das intensive Sprachbewußtsein und die außerordentliche stilistische Wandlungsfähigkeit: Petrarcas Sprache hat den »süßen Stil« der Vorgänger ebenso assimiliert wie sie zu einer expressiven Dichte fähig ist – als Ausdruck der Dichte erfahrbarer Wirklichkeit. Und hierher beziehen auch bestimmte Stilcharakteristika ihre spezifische Funktion. Zwar hat die für den *Canzoniere* typische Bevorzugung antinomischer Motiv-, Satz- und Wortfügungen einen Ausgangspunkt im traditionellen Hintergrund der Liebessituation, zu der die als Feindschaft erlebte Zurückweisung durch die Geliebte gehört. Aber rhetorische Figuren wie Antithese, Oxymoron, Paradoxon, Chiasmus, Klimax, Parallelismus, Korrelation, d.h. solche Mittel, die die gedankliche Komplexität zur sprachlichen Form werden lassen, drücken die auch in der Lyrik vermittelte innere Ambivalenz, die wesensmäßige Vieldeutigkeit des Daseins aus.

Dem *Canzoniere* stehen die *Triumphi* von der zentralen Idee her sehr nahe: der Verarbeitung subjektiver Erfahrung vor dem Hintergrund der Liebe zu Laura. Aber ebensoviel trennt die beiden Werke voneinander, allem voran der Versuch, jene Erfahrung nicht in lyrischen Einzeltexten, sondern in einer großangelegten epischen Dichtung zu gestalten. Die *Triumphi* greifen, wie zuvor Boccaccios *Amorosa visione,* die von Dantes *Commedia* überragte Gattung des Lehrepos auf, übernehmen dessen allegorische Grundhaltung und dessen typisches Metrum, die Terzarima. Die in den 50er Jahren begonnene Dichtung hat wie viele von Petrarcas Werken weder eine definitive Gestalt noch den geplanten Umfang erreicht. Ihre sechs Bücher umfassen teilweise nur ein Kapitel, teilweise mehrere (bis zu vier), wobei deren Länge sich zwischen 121 und 193 Versen bewegt. Jedes Buch (die Überschriften sind im Original wiederum lateinisch) stellt, im Rahmen einer Traumvision, einen Triumphzug dar, in dem jeweils der Sieg einer allegorischen Gestalt über die Menschheit und über das ganze Sein gefeiert wird: Cupidos, d.h. der sinnlichen Liebe, der Keuschheit, des Todes, des Ruhms, der Zeit und der Ewigkeit. Obwohl der übergreifende Spannungsbogen einen Aufstieg von der irdischen Liebe zu deren Aufhebung in der göttlichen Ewigkeit umschreibt und damit an die Grundidee der *Commedia* erinnert, stellen sich die *Triumphi* doch geradezu in ein dialektisches Verhältnis zum dantesken Modell. Denn die lineare Bewegung wird von einer inneren Dynamik sich wechselseitig überhöhender Kontraste überlagert. Die allegorischen Mächte lösen einander von einem Buch zum anderen ab, sie stehen zugleich aber auch im Widerstreit untereinander. Trotz einer gewissen Rückkehr zur stilnovistischen Amortheologie ist das Werk typisch für den Petrarca, der Antikebegeisterung mit einem stoisch-philosophischen Menschenbild verbindet. Humanistisch sind vor allem die langen Aufzählungen historischer und literarischer Gestalten, die in den Triumphzügen am Betrachter vorüberziehen. Besonders in diesem Punkt ist das Epos zweifellos von Boccaccios *Amorosa visione* angeregt. Zum Petrarca der moralischen Reflexion führt dagegen die tiefere Thematik der *Triumphi* zurück: die (hier allegorisch verbildlichte) Darstellung innerer Widersprüche des Subjekts, des Gegensatzes zwischen irdischen Neigungen wie Liebe oder Dichterruhm und religiöser Bestimmung des Menschen.

Der Kontext des Canzoniere:
Tendenzen der Lyrik

Neben dem *Canzoniere* scheint die übrige Lyrik des Jahrhunderts zu verblassen. Zwar ist die Zahl lyrischer Autoren groß, doch bilden sich keine übergreifenden Strömungen oder Schulen unter ihnen; keiner von ihnen erreicht die Nachwirkung eines Petrarca. Dabei fehlt es nicht an Versuchen, die lyrischen Traditionen weiterzuentwickeln, teils aus dem Gefühl einer zunehmenden Unzulänglichkeit des Dolce stil novo heraus, teils aus der wachsenden Herausforderung durch den Laura-Dichter, der seinerseits von den Zeitgenossen manchen Impuls bekommen haben dürfte. Zunächst aber werden Formen und Themen der späten Duecento-Lyrik weiter gepflegt: politische Dichtung in der Nachfolge Guittone d'Arezzos oder als Antwort auf den politischen Anspruch der *Commedia,* sogenannte »burleske« oder »komisch-realistische« Gedichte im Stil Cecco Angiolieris, vor allem jedoch Liebeslyrik in der Art des Dolce stil novo. In Mittelitalien hängt das Fortbestehen dieser Traditionen nicht zuletzt von der noch relativ großen Bedeutung der Stadtrepubliken ab. Doch auch außerhalb der Toskana, besonders im Nordosten Italiens wirkt der Stilnovismo weiter, so in Venedig bei Giovanni Quirini oder in Ravenna bei Guido Novello da Polenta.

Weiterwirken lyrischer Traditionen

Man würde den meisten Dichtern des frühen Trecento jedoch nicht gerecht, wollte man sie als bloße Epigonen ansehen. In je eigener Weise wollen sie die gegebenen Modelle verändern, sei es durch die Konzentration auf ein bestimmtes Vorbild, etwa auf Dante, sei es durch die Kombination unterschiedlicher Stilvarianten und die Entwicklung neuartiger Sprachmodi, sei es durch eine Verbindung der Motivik des Stilnovismo mit formalen Anregungen Petrarcas. So ist Guido Novello, Dantes letzter Gastgeber, insbesondere um eine Steigerung der abstrakt-subtilen Sprachregister bemüht. Dagegen neigt der Florentiner Sennuccio del Bene, der mit Petrarca befreundet war, bereits zu einer vorsichtigen Psychologisierung des lyrischen Ich wie der besungenen Geliebten. Häufiger tendiert man aber, wie etwa Matteo Frescobaldi, zur rein formalen Variation: Die Kunstfertigkeit tritt mehr und mehr in den Vordergrund, weil der ideologische Kern des Dolce stil novo seine Überzeugungskraft einbüßt. Nicht selten ist das Ergebnis eine dunkle, schwierige Sprache wie bei dem Paduaner Matteo Correggiaio. Besonders charakteristisch ist Cino Rinuccini, der wohl späteste unter den Nachfolgern stilnovistischer Themen und Motive. Wenn er selbst Petrarca als Vorbild beansprucht, so wird er von ihm doch vorwiegend sprachlich-äußerlich angeregt. Immerhin gewinnen das Subjekt und die Geliebte bei ihm »irdischere« Züge; und auch der Ersatz der Amortheologie durch antikmythologische Elemente zeigt das Abrücken von der lyrischen Tradition unter dem Einfluß einer humanistischen Poetik.

Suche nach neuen Ausdrucksformen

Derartige Tendenzen verstärken sich bei einigen Dichtern, die in Norditalien im Dienst der quasi-feudalen Signori wirken. Mit ihnen wird nicht nur das Dichten zum Beruf; durch die Abhängigkeit von der Gunst des jeweiligen, mitunter wechselnden Fürsten verlieren die tradierten Themen auch jede ideologische Verbindlichkeit. Besonders gilt das für die politische Lyrik, die mehr oder weniger zur Panegyrik herabsinkt. Eine Konsequenz der äußeren Stellung ist gleichfalls die Heterogenität in poetischen Genera und Themen, wie man sie mit nur geringen Unterschieden bei Dichtern wie Antonio da Ferrara, dem Paduaner Francesco di Vannozzo oder dem aus Siena stammenden Simone Serdini antrifft. Vielfältig sind die Quellen, aus denen diese Autoren schöpfen; neben Dante und die Stilnovisten tritt auch hier nicht nur Petrarca, mit dem

Höfische Dichter

Musikanten und ihre
Instrumente; Miniatur
vom Hof der Anjou

mancher der höfischen Dichter befreundet war, sondern oft bereits die Antike, besonders in der Gestalt mythologischer Motivik. Vielfältig ist auch das stilistische Spektrum, das man zu meistern versucht und in dem neben volkstümlicher Einfachheit ebensogut die Suche nach Entlegenem, Neologismen, Latinismen und rhetorischem Aufwand begegnet. Als die vielleicht originellste Schöpfung geht aus diesen Kreisen die sogenannte »disperata« hervor, die zum erstenmal bei Antonio da Ferrara, dann auch bei Serdini und Fazio degli Uberti auftaucht: In Form einer Kanzone oder eines Serventese verwünscht der Dichter sein Leben und seine Umwelt, auf die er in pessimistischer Melancholie zurückblickt. Unter diesen Dichtern ist die herausragende Gestalt der aus der Toskana stammende, aber nach seiner Verbannung zum Wanderleben verurteilte Fazio degli Uberti. Trotz der unsteten Lebensumstände bleibt er in seiner politischen Lyrik der ghibellinischen Überzeugung treu. Doch auch in der Liebesdichtung kann er noch am ehesten neben dem *Canzoniere* bestehen. Der manieristischen Neigung der Zeitgenossen geht er durch eine elegante Musikalität des Stils aus dem Weg, die noch auf den heutigen Leser zu wirken vermag. Wenngleich er nicht die reflexive Verinnerlichung eines Petrarca erreicht, entwickelt er doch eine persönliche, bisweilen melancholisch getönte Sprache, in der das lyrische Ich wie auch die Geliebte menschliche Konkretheit in einer sie umgebenden, miniaturhaft gezeichneten Naturlandschaft gewinnen. – Zum Repertoire fast aller erwähnten Autoren gehört auch die komisch-realistische Dichtung. Während die meisten sie aber nur als eine von zahlreichen Spielarten des Dichtens pflegen, ist sie das charakteristische Genus des Florentiners Antonio Pucci; er begegnete schon als bedeutendster unter den »cantari«-Dichtern. Wie in seiner Epik beweist Pucci in der Lyrik eine außergewöhnliche Beweglichkeit und Vielseitigkeit. Die geduldige Beobachtung des Menschen in seinem alltäglichen Leben ist sein bevorzugtes Motiv. Aber auch satirischen Hieben gegen zeitgenössische Personen oder moralischer Reflexion dienen seine Gedichte. Wenn er dabei zu einer bewußt unprätentiösen Sprache greift und sich gelegentlich geradezu als improvisierend gibt, vermeidet er dennoch jede derbe Trivialität.

»Realistische« Dichtung – Antonio Pucci

Lyrik und Musik

Obwohl ein Phänomen eher der Musik- und Gesellschafts- als der Literaturgeschichte, verdient doch eine weitere Domäne der lyrischen Dichtung wenigstens gestreift zu werden: die »poesia per musica«. Ausgehend von Frankreich erlebt die profane Musik in der zweiten Jahrhunderthälfte als »ars nova« v.a. in Florenz eine hohe Blüte. Diese elegante, in aristokratischen Kreisen und im kultivierten Bürgertum gepflegte Kunst tendiert durch ihren polyphonen Stil zu einer engen Verflechtung von Musik und Wort und stellt daher hohe formale Ansprüche an die Texte. Zum Teil sind es bekannte Autoren, die die Musiker dieser Schule vertonen – z.B. Petrarca, Boccaccio, Rinuccini. Oft aber sind nur die Namen der Komponisten überliefert, während die eigens für eine Vertonung schreibenden Dichter mit wenigen Ausnahmen (z.B. Alesso di Guido Donati, Matteo Grifoni, Niccolò Soldanieri) anonym geblieben sind.

Giovanni Boccaccio

Erzähler und Humanist

Die Rezeption Giovanni Boccaccios verläuft wie die Petrarcas zweisträngig: Seine humanistischen Schriften und die volkssprachliche Dichtung gehen in der Renaissance meistens getrennte Wege. Während der Autor des *Decameron* zum Modell der italienischen Literaturprosa, ja zum »Vater« der europäischen Erzählliteratur (Branca) werden sollte, steht der Humanist zunächst im Schat-

Italienische Bankiers im
Ausland; Illustration des
14. Jahrhunderts

ten Petrarcas, nicht zuletzt aufgrund sprachlicher und poetologischer Vorbe-
halte. Boccaccio ist, eher als der Dichter der *Africa* und der *Rerum vulgarium
fragmenta,* um Kompromisse bemüht – zwischen noch lebendiger mittelalterlicher Überlieferung und aufkommenden frühneuzeitlichen Ideen, volkstümlichen und gelehrten Themen, volkssprachlicher und lateinischer Kultur. Auch
heute übersieht man hinter dem novellistischen Hauptwerk leicht die geradezu
programmatische Interessen-, Formen- und Themenvielfalt, die sein Gesamtwerk charakterisiert, die es aber zu erkennen gilt, will man Boccaccio als Seismo-
graphen der zerrissenen Epoche angemessen verstehen.

Wie Dante wird Boccaccio durch eine ambivalente geschichtliche Erfahrung
zum Exponenten seiner Zeit, die er aber völlig anders erlebt als der Autor der
Commedia. In Florenz oder im nahegelegenen Certaldo geboren, wächst er im
merkantilen Milieu der Arnostadt auf; dort bekommt er seine erste allgemeine
und auch kaufmännische Ausbildung. Als er 1327 mit dem Vater, der für die
Bank der Bardi arbeitet, nach Neapel geht, übt der Hof der Anjou mit seiner
kultivierten aristokratischen Gesellschaft die stärkste Anziehung auf ihn aus.
In der reichen Bibliothek lernt er die zeitgenössische französische Literatur
kennen; der zeitweilig in Neapel lehrende Cino da Pistoia vermittelt ihm den
Dolce stil novo; Dionigi da Borgo San Sepolcro, ein Freund Petrarcas, wie auch
der von Robert d'Anjou geförderte Kreis neapolitanischer Frühhumanisten bringen ihm Werk und Ideen des Laura-Dichters nahe. Nach dem Bankrott der
Bardi kehrt Boccaccio 1340/41 in das nunmehr krisengeschüttelte Florenz
zurück, das er in heftigstem Kontrast zum monarchischen Neapel erlebt.
Florenz ist möglicherweise gemeint, wenn im zweiten Kapitel der *Fiammetta*
eine Stadt geschildert wird als »erfüllt von lautem Gerede und kleingeistigem
Tun, nicht nur tausend Gesetzen unterworfen, sondern so vielen Meinungen,
wie sie Menschen zählt«. Neben Certaldo, wohin er sich zwischen 1360 und 65

*Zwischen höfischer und
kommunaler Kultur*

zurückzieht, wird die Arnostadt Boccaccios Wohnsitz bleiben. Von dort führen ihn nur die zahlreichen Studienreisen und die öffentlichen Missionen weg, die ihm die Kommune im Zuge seiner wachsenden Berühmtheit als Literat, vor allem als Autor des *Decameron* überträgt.

Volkssprachliche Lyrik

Um Boccaccios exemplarische Stellung in seiner Epoche, die aus diesen Erfahrungen resultiert, zu illustrieren, greift man gewöhnlich nicht an erster Stelle auf seine Lyrik, die *Rime,* zurück. Vor allem der Wert der Jugendgedichte wird meistens als der einer bloßen Kunstübung ohne individuelle Originalität eingeschätzt. Boccaccio selbst hat hierzu beigetragen: Nachdem er um 1333/34 erste Gedichte Petrarcas (mit dem ihn später engste Freundschaft verband und dem er ab 1350 mehrmals persönlich begegnete) kennengelernt hatte, will er seine eigene Produktion verbrannt haben. Das sollte man zwar nicht wörtlich nehmen, doch hat er seine Gedichte (126 gelten als authentisch) weder zu einer Sammlung zusammengefaßt noch ihre Verbreitung gefördert. Trotzdem zeigt auch die Lyrik die außergewöhnliche Fähigkeit des Autors, die literarische Kultur seiner Zeit sensibel zu beobachten und sich deren Themen, Motive, Formen und Sprachregister zu eigen zu machen, ja, die unterschiedlichen Modelle auf kunstvolle Weise miteinander zu kombinieren oder zu verschmelzen. In der frühen Lyrik nimmt er zuerst vor allem Motivik und Sprache der Stilnovisten auf; Anklänge an Cino da Pistoia, Cavalcanti, Dante, Dino Frescobaldi begegnen, im Laufe der Jahre zunehmend auch solche an Petrarca. Boccaccio meidet jedoch die spiritualisierende Überhöhung der Liebe, gestaltet dagegen die irdisch-diesseitige Erfahrungsfülle und -vielfalt eines sinnlich erlebten Daseins. Einige Gedichte greifen auf volkstümliche Motive zurück, andere auf Themen und Sprache der sogenannten »realistischen« Lyrik eines Cecco Angiolieri. Demgegenüber bekommt die Dichtung der späteren Jahre zunehmend einen moralisierenden Ton; hier nähert Boccaccio sich der religiösen oder auch der gnomischen Dichtung an, wie sie im Duecento und auch von Zeitgenossen

Lateinische Dichtung

gepflegt wurde. – Von Anfang an versucht sich Boccaccio auch in lateinischer Versdichtung, so in der ovidisch inspirierten *Elegia di Costanza*; aber erst mit der zunehmenden humanistischen Orientierung gibt er ihr den Vorzug. In Anlehnung an Dantes Briefwechsel mit Giovanni del Virgilio und an Petrarcas Eklogen (beides machte das Vergilsche Modell in Italien heimisch, beides war Boccaccio bekannt) entstehen von 1349 bis 67 die 16 Hexameter-Eklogen des *Buccolicum carmen.* Hinter den allegorischen Dialogen ihrer Hirtengestalten verbergen sich – wie ja auch bei Petrarca – ganz unterschiedliche inhaltliche Bezüge: politisch-zeitgeschichtliche zu Neapel, Florenz oder zur Kirche, dichtungstheoretische und - geschichtliche (wie im Lobgedicht auf Petrarca mit dem Titel *Phylostropus)* oder auch persönlich-biographische (wie im Meisterstück des Zyklus, der Ekloge *Olympia* auf den Tod der Tochter). Obwohl Boccaccio oft dem petrarkischen Vorbild einer verrätselnden, dunklen Sprechhaltung folgt, beginnt bei ihm dennoch die Hirtendichtung sich von der Allegorie zu lösen – eine wesentliche Voraussetzung für den Erfolg dieser Gattung bei Iacopo Sannazaro und anderen späteren Autoren der Renaissance.

»Experimentelles« Erzählen

Möglicherweise verstand Boccaccio die eklektische Imitation verschiedenartiger Modelle – von Ovid und Vergil zu den Lyrikern des späten Due- und des Trecento – bereits als neuartige, humanistisch gefärbte Intention. Neuartig ist aber, unabhängig von dieser Frage, ein anderes übergreifendes Stilmerkmal: die Tendenz seiner Lyrik zu einem prosaisch-erzählenden Duktus. Sie ist ein weiteres Merkmal dafür, daß die Gedichte mit dem Erzählwerk verwandt sind, aber auch dafür, daß Boccaccio das lyrische Schreiben dem narrativen unterordnet. In der Tat ist das Erzählen seine Domäne, sein eigentliches ästhetisches Experimentierfeld. Das gilt zunächst einmal von den Formen und Gattungen her.

Jedes der insgesamt zehn narrativen Werke, von der *Caccia di Diana* bis zum *Corbaccio,* greift jeweils auf eines oder auf mehrere alte oder zeitgenössische Erzählgenera zurück, um über Variation und Kombination neuartige Formen zu entwickeln. Hierdurch erhebt er einige Gattungen in den Rang der Kunstdichtung oder verwirklicht überhaupt ihre ersten italienischen Beispiele. Indem Boccaccio gerade von solchen Gattungen und Stoffen ausgeht, die beim gebildeten Publikum besonders beliebt waren, tritt umso deutlicher seine Absicht hervor, die kultivierte Unterhaltung durch eine ästhetisch anspruchsvollere Literatur mit zugleich ethisch bildender Funktion zu ersetzen. Dabei ist diese Aufgabe nicht mehr im mittelalterlichen Sinn der exemplarischen Belehrung zu verstehen, sondern als eine Steigerung des Problembewußtseins gegenüber der irdischen Existenz. Boccaccios sukzessives Erproben von Erzählformen dient der Frage, wie das Erzählen sinngebend funktionalisiert werden kann. Dieses »Experimentieren« unterstreicht auch die stofflich-thematische Konzentration. In allen Erzählwerken spielen Liebesgeschichten eine wesentliche Rolle. Wiederum kommt der Autor damit einer Vorliebe des höfisch-gebildeten, aber auch des bürgerlichen Publikums entgegen; zugleich kann er an die zentrale Bedeutung der Amor-Konzeption im Dolce stil novo anknüpfen. Ja, man kann Boccaccios thematische Konzentration geradezu als Replik auf das Welt- und Menschenbild von Dantes *Commedia* verstehen. Deren Schöpfung gipfelt in der Liebe als einer göttlich-universalen Kraft, in die alle Aspekte der menschlichen Liebe sinnvoll eingeordnet sind. Boccaccio will die Liebe gewissermaßen als universale Instanz innerhalb des irdischen Daseins zurückgewinnen. Er konkretisiert und individualisiert sie; aber es geht ihm auch darum, sie als Phänomen in ihrer ganzen Spannweite zu beobachten und zu analysieren. Von Werk zu Werk erscheint sie in wechselnden Gestalten: in heidnischem und christlichem Kontext, in naiver Natürlichkeit und geistiger Sublimierung, als animalischer Impuls und als zivilisatorische Kraft. Erzähltechnisch erlaubt diese Konzentration zweierlei: die zunehmend differenzierte Analyse der Protagonisten, vor allem ihrer Innensphäre, und die Darstellung ihrer allmählichen – gelingenden oder scheiternden – moralischen Entwicklung. Denn als exemplarische Leidenschaft ist die Liebe bei Boccaccio auch ein Phänomen, dessen Bewältigung dem Individuum aufgegeben ist; der Umgang mit ihm bedeutet gesteigerte Selbsterfahrung. Amor ist – wie es in der *Comedia delle Ninfe fiorentine* heißt – Lehrer und Maßstab schlechthin einer rechten Lebenshaltung, eines »ben vivere umano«. Die Vielgestaltigkeit der Erzählstrukturen korrespondiert also mit der Vieldeutigkeit der Liebesthematik; beides kann in seinem wechselseitigen Zusammenhang als Paradigma der Auseinandersetzung des Menschen mit dem komplexen Dasein verstanden werden. Allerdings läßt sich keine ganz kontinuierliche Entfaltung dieser Tendenzen zeigen, da die meisten Werke, vor allem die in Neapel, also bis etwa 1341 entstandenen, nicht genau zu datieren sind. Außerdem entwickelt sich das erzählerische Werk nicht linear; jeder Text ist in gewissem Maß ein Neuansatz. Im folgenden werden die Werke daher nicht nach ihrer chronologischen Abfolge (die ohnehin umstritten ist) besprochen, sondern nach dem jeweiligen formalen Rahmen (Terzinen-/Oktavendichtung, Vers/Prosa) zusammengefaßt.

Liebe als paradigmatisches Thema

Als frühestes Werk gilt die *Caccia di Diana* (1334 oder wenig später). In 18 Terzinengesängen, die jeweils 58 Verse umfassen (nur der dritte enthält 61 Verse), beobachtet der Erzähler eine Jagd, die die Göttin Diana mit ihrem Gefolge unternimmt. Gerade weil die Dichtung noch den Eindruck eines nicht ganz gelingenden Versuchs macht, zeigt sie die charakteristische Bemühung, unterschiedliche ästhetische Muster zu kombinieren; höfische, stilnovistische und humanistische Elemente wetteifern miteinander. Boccaccio huldigt dem

Ein synkretistischer Versuch: Caccia di Diana

Giovanni Boccaccio,
Fresko von Andrea del
Castagno, Florenz,
Sant'Apollonia, um 1450

*Vom mittelalterlichen
zum humanistischen
Ethos:* Amorosa visione

aristokratischen Publikum, wenn er als Dianas Gefolge 33 Damen der neapolitanischen Hofgesellschaft auftreten läßt. Er imitiert zugleich Dante, der im 6. Kapitel der *Vita Nuova* von einem uns nicht überlieferten Serventese berichtet, in dem er 60 florentinische Frauen besinge. Das Genus der »caccia« bietet sowohl formalen als auch stofflichen Spielraum; die Reimanordnung war grundsätzlich frei, der Inhalt deskriptiver Art, nicht unbedingt auf Jagdszenen beschränkt. So kann der Autor es mit bukolischen Motiven und zugleich mit Elementen der allegorisch-lehrhaften Dichtung kombinieren, als deren Merkmal die Terzinen längst galten: Diana und ihr Gefolge verkörpern Tugendideale; die gejagten Tiere sind Allegorien von Lastern und Schwächen. Doch am Ende der Jagd kündigen die Nymphen der Diana ihre Treue auf und opfern der Venus; die erlegten Tiere nehmen, in Umkehrung mythologischer Verwandlungen, die Gestalt junger Männer an. Anders als später in Petrarcas *Triumphi* wird der Sieg der Keuschheit von dem der Liebe abgelöst. Trotz der zahlreichen stilnovistischen Reminiszenzen behält aber die Liebe irdische Züge, und gerade zum Schluß hin entfaltet die deskriptive Erzählhaltung ein deutliches Gegengewicht gegenüber der Allegorie.

Auf Gattungsmerkmale der allegorisch-lehrhaften Dichtung greift Boccaccio in zwei weiteren Werken zurück. In der *Comedia delle Ninfe fiorentine* (ca. 1341/42), die man seit dem 16. Jahrhundert meistens als *Ninfale d'Ameto* zitiert, treten sie wiederum mit bukolischem Stoff und Personal zusammen. Im Schatten eines Lorbeerbaums erzählen sieben Nymphen dem Protagonisten Ameto ihre Liebesgeschichten. Bemerkenswert ist das Werk nicht nur von der Form her: Prosapassagen wechseln mit Terzinenpassagen ab – diesem Muster wird Iacopo Sannazaro in seiner *Arcadia* (1504) folgen (vgl. S. 107 ff.). Auch die Erzählstruktur kann eine gewisse Originalität beanspruchen, wenn hier der höfische Usus des Reihumerzählens (zum erstenmal wird er im *Filocolo* aufgegriffen), der wie später im *Decameron* in eine Rahmengeschichte eingebettet ist, in eine mythologisch-bukolische Welt übertragen wird. Und schließlich konkurriert auch hier die Allegorie mit einem nicht-symbolischen Erzählen. Obwohl die Nymphen die sieben Kardinaltugenden und ihre Geliebten die ethisch vervollkommnende Wirkung der Liebe verkörpern, verweilt der Erzähler mit Vorliebe bei sinnlich-deskriptiven Momenten der Geschichte. Mehr noch als in der *Caccia* überschreitet Boccaccios Darstellungskunst den bloßen Zweck, eine fiktionale Hülle für einen spirituellen Sinn zu liefern.

In der *Amorosa visione* begegnet das Genus der allegorischen Vision in der vergleichsweise reinsten Form; am klarsten tritt aber auch eine heidnisch-weltliche Perspektive in Widerspruch zu einer christlich-spirituellen. Das um 1342 entstandene Werk (eine zweite Fassung stammt aus der Zeit zwischen 1355 und 60) schildert in 50 Terzinengesängen zu je 88 Versen (nur der 44. Gesang umfaßt 85 Verse) den Traum des Erzählers von einer Wanderung, die er unter der Führung einer »donna gentile« (der Verkörperung der Virtus oder auch der himmlischen Liebe) durch ein Schloß und dessen Garten unternimmt. Die unübersehbaren Anknüpfungen an Struktur und Motivik der allegorischen Visionsliteratur – etwa des *Roman de la Rose,* aber auch der *Commedia* – lenken den Blick auf die beabsichtigten Unterschiede, vor allem hinsichtlich einer neuen Funktion des lehrhaften Moments. Als der Erzähler z.B. im dritten Gesang vor die Wahl gestellt wird, das Schloß durch eine breite oder schmale Pforte zu betreten, entscheidet er sich für die erste, denn es sei keine Sünde, Dinge der Welt zu wissen und daraufhin das Unrechte zu lassen und das Gute zu bewahren. Diesem Grundsatz entsprechen die Visionen. Die Säle des Schlosses schmücken Wandgemälde mit Gestalten von der Antike bis zum Trecento, gruppiert nach verschiedenen Bereichen von Wissen und Geschichte: Gestalten, die die freien Künste, Philosophie, Dichtung, weltlichen Ruhm, Reichtum, irdische Liebe und schließlich das Wirken Fortunas repräsentieren. In langen, manchmal mehrere Gesänge umfassenden Katalogen reiht der Erzähler historische und literarische Personen und ihre Geschichten auf; dabei tritt deren moralische Bedeutung oft weit in den Hintergrund. Boccaccio will den Leser nicht durch ein ethisch vorstrukturiertes Universum führen, sondern durch Vermittlung eines breiten Wissens das selbstbewußte moralische Urteil an ihn selbst delegieren. Auch läßt er das rein Ereignishafte der historischen Gestalten und Geschichten hervortreten, um diese als Gegenstände poetischer Verarbeitung wiederzugewinnen. (Ähnlich verbindet Petrarca in seinen von der *Amorosa visione* angeregten *Triumphi* die allegorische Vision mit humanistischer Wissensvermittlung.) Der Kontrast zur Tradition des Genus wird auch in den Schlußgesängen deutlich. Im Garten des Schlosses wird der Erzähler von einem kunstvoll gearbeiteten, die Arten der Liebe darstellenden Brunnen angezogen, jedoch weniger von dessen symbolischer Bedeutung als von der sinnlich faßbaren Gestaltung. Bezeichnend ist schließlich, daß die himmlische Führerin ihre Rolle an die irdische Geliebte abtritt, die der Erzähler bei einem Fest zu Ehren Amors im Schloßgarten wiederfindet.

Auch der im engeren Sinn epischen Dichtung wendet sich Boccaccio bereits früh zu, erstmals wohl im *Filostrato* (zwischen 1335 u. 38), der von Stoff und Gattung her den mittelalterlichen Antikeroman weiterentwickelt. Das Werk gliedert sich, nach einem Prosa-Proömium, in neun Teile mit insgesamt 713 Oktaven. Indem Boccaccio diese für die volkstümlichen Epen der »cantari« typische Strophe in die Kunstdichtung einführt, legt er das charakteristische Metrum der späteren Epik (Boiardo, Ariosto, Tasso) fest. Der *Filostrato,* dessen Stoff vor allem durch Shakespeares *Troilus and Cressida* berühmt werden sollte, stellt die Liebe Troiolos, des Sohns des Trojaners Priamos, zur griechischen Gefangenen Criseida (eigtl. Briseis) dar, die Trennung der beiden, nachdem Criseida ihrem Vater zurückgegeben wird, Troiolos Verzweiflung über die Untreue der Geliebten und seinen Tod in der Schlacht. Boccaccio stützt sich vornehmlich auf den *Roman de Troie* des Benoît de Sainte-Maure (ca. 1160) und eine lateinische Version des Guido delle Colonne (1287), ist aber insofern ganz eigenständig, als er eine Episode seiner Vorlagen zur elegischen Geschichte ausweitet. Den trojanischen Krieg braucht er als bloßen Hintergrund, sein Interesse gilt der behutsamen Zeichnung der Protagonisten, der Entstehung ihrer Liebe und dem Trennungsschmerz. Die erstaunliche Eindringlichkeit der psychologischen Darstellung hat sogar zu der Vermutung angeregt, das Werk müsse einer erfahreneren Schaffensphase zuzuordnen sein (Muscetta). Vergleichsweise entwickelt ist auch die Bewußtheit, mit der das Erzählen funktionalisiert wird: Den gräzisierenden Titel – er soll »den von der Liebe Besiegten« bedeuten – bezieht Boccaccio sowohl auf den Helden wie auf den Erzähler, der im Erzählen seine eigene Liebestrauer bewältigen will. Zweifellos ist daher die Kernszene des Werks in jener Episode des fünften Teils zu sehen, in der der einsame Troiolo seinerseits zum elegischen Dichter wird.

Wie der *Filostrato* ist auch der *Teseida delle nozze d'Emilia* der höfischen Epik verpflichtet, etwa dem *Roman de Thèbes* (um 1155/65). Doch schafft Boccaccio mit diesem in den letzten neapolitanischen Jahren begonnenen und in Florenz abgeschlossenen Werk das Modell des antikisierenden Epos in italienischer Sprache. (Das neulateinische Pendant ist Petrarcas *Africa*.) Bereits die Gliederung in 12 Bücher mit insgesamt 1238 Oktaven verweist auf antike Vorbilder: Vergils *Aeneis,* Lukans *Pharsalia* und vor allem Statius' *Thebais.* Den gelehrten Anspruch unterstreicht auch ein Sprach- und Sachkommentar, den Boccaccio dem Werk nachträglich beigibt. Trotzdem ist der *Teseida* keineswegs ein Helden-

Psychologisierung des Helden: Filostrato

In der Nachfolge antiker Epik: Teseida

Die Hochzeit Emilias und
Palemones; Miniatur aus
einer französischen
Übersetzung des *Teseida,*
um 1460/70

Die Hochzeit Emilias und Palemones; Miniatur aus einer französischen Übersetzung des *Teseida,* um 1460/70

*Die »cantari« als
Modell:* Ninfale
fiesolano

epos im klassischen Sinn. Ähnlich wie im *Filostrato* liefert der kriegerische Stoff
den bloßen Rahmen – der Krieg des Theseus gegen die Amazonen, sodann sein
Kampf gegen Theben; aus der ersten Schlacht bringt der Titelheld Emilia, aus
der zweiten Arcita und Palemone als Gefangene mit. Doch nicht Theseus ist
Protagonist; das Epos behandelt vielmehr das lange, von Mars und Venus unterstützte Werben und Streiten der beiden Thebaner um die Amazone, das mit
dem Tod des Rivalen und der Heirat Palemones und Emilias endet. Nicht ihre
kämpferischen Tugenden adeln die Hauptfiguren, Motor des Geschehens ist,
ähnlich wie im noch zu besprechenden *Filocolo,* die Liebe als die das Handeln
der Menschen und ihr Zusammenleben ordnende Kraft, die sich hier wie in
jenem Prosaroman folgerichtig in der Ehe erfüllt.

In scharfem Kontrast zum *Teseida,* aber auch zur zeitlich noch näheren *Fiammetta,* steht der nur 473 Oktaven umfassende *Ninfale fiesolano* (1344/46).
Nicht hoher, sondern betont einfacher Stil, nicht dramatisch verwickelte, mehr-
strängige, sondern transparente, lineare Handlungsführung kennzeichnen die
Geschichte des Hirten Africo und der Nymphe Mensola, die in die gleichnami-
gen, bei Fiesole fließenden Flüßchen verwandelt werden: Mensola, weil sie
durch ihre Verbindung mit Africo die Treue zu Diana bricht, Africo durch den
Selbstmord, den er aus Verzweiflung über die Trennung von der Geliebten
begeht. Indem das Epos in die Gründung Fiesoles und die von Florenz mündet,
stellt es aber die Liebesbeziehung der Protagonisten letztlich nicht als Verfeh-
lung, sondern als Ursprung einer Zivilisation dar. Wiederum wirken gleich
mehrere literarische Modelle zusammen; etwa Bukolik und mythologische
Verwandlungssage in Stoff und Motiven oder die Ursprungslegende im Schluß
des Epos. Zwar verbirgt der Text, anders als der *Teseida* seinen durchaus gelehrten Hintergrund; aber der durchgängige volkstümliche Ton, der die »cantari«
imitiert, wird hier gleichwohl zum stilistischen Programm, hinter dem ein

Erzähler zu erkennen ist, der seine Erzählweise stets auch aus komisch-ironischer Distanz beobachten kann.

Die kontinuierliche Entwicklung der Erzählweise als verfeinerter stilistischer Kunst und als kalkuliertes Handhaben rhetorischer Register ist ein charakteristisches Element in allen narrativen Werken. Schon z.B. die *Caccia di Diana* verwendet zwar ein bekanntes Metrum, das von Dantes *Commedia,* spannt aber syntaktische und rhythmische Bögen viel weiter und nähert (eine Parallele zu Boccaccios Lyrik) den Stil der Versepik oft der Prosa an. Die nicht-metrischen Erzählwerke gehen wesentlich weiter in diese Richtung. *Filocolo, Fiammetta* und zahlreiche Passagen des *Decameron* muten heute oft sprachlich schwerfällig, ja gekünstelt an, doch verdanken sie ihre sprachliche Komplexität dem Bemühen des Autors um ein betont literarisches Italienisch, das mit der Ausdrucksfähigkeit lateinischer Prosa wetteifern kann.

Bürger des Trecento; Ambrogio Lorenzetti, »Allegorie der Guten Regierung«, Siena, Palazzo Pubblico, 1337–40

Dies ist eins der hervorstechenden Merkmale bereits des *Filocolo* (ca. 1336–39), umso mehr, als Boccaccio einen besonders beliebten Stoff gestaltet, den man, modern gesprochen, zur »Konsumliteratur« der gebildeten Schichten zählen kann. Seine Vorlage ist der altfranzösische Roman von *Floire et Blanche-flor* (ursprüngliche Fassung ca. 1160; die italienische Cantare-Version des frühen Trecento ist nicht Boccaccios Quelle), die Geschichte zweier als Kinder getrennter Liebender – im *Filocolo* heißen sie Florio und Biancifiore –, die viele Irrfahrten und bedrohliche Gefahren überstehen müssen, bis sie zueinander gelangen und heiraten können. Boccaccio ist, was die ästhetische Struktur betrifft, auf Ausschmückung bedacht; indem die Handlung durch Einfügen zahlreicher Episoden verwickelter und reicher an Wechselfällen wird, kombiniert Boccaccio den Liebes- mit dem Abenteuerroman. Der Erzähler verfolgt aber nicht nur ein formalästhetisches Interesse. Schon in den prologartigen ersten beiden Kapiteln erklärt er die Deutung seiner eigenen (Liebes-)Situation durch die erfundene Geschichte als seine Erzählabsicht; das findet eine konsequente Fortsetzung darin, daß die abenteuerliche Irrfahrt Florios mit dessen moralischer Reifung einhergeht. In diesen Rahmen der Deutung des Lebens durch Literatur gehört auch das berühmte vierte Buch mit den »questioni d'amore«: Unter dem Vorsitz einer »Königin« erörtert ein Kreis aristokratischer Personen (darunter der Protagonist, der sich hier »Filocolo« nennt – der symbolische Name soll »Liebesmühe« bedeuten) anhand von Geschichten einzelne Kasus, die um das Thema der Liebe kreisen. Diese Struktur des Reihumerzählens und -diskutierens macht das Buch, neben dem *Ameto,* zum Vorläufer des *Decameron;* Boccaccio selbst unterstreicht diese Beziehung, wenn er zwei der *Filocolo*-Geschichten in das novellistische Werk übernimmt (*Decameron* X,4 und 5).

Deutung der Existenz durch das Erzählen – unter dieses Motto ließe sich auch die *Elegia di Madonna Fiammetta* (ca. 1343/44) stellen. Dennoch ist sie schon von der Handlungsstruktur her kaum mit dem ersten Prosaroman vergleichbar. Das Äußerlich-Ereignishafte des eine Vorrede und neun Kapitel umfassenden Werks ist auf das Minimum reduziert, das zur Schilderung der inneren Erfahrung der Protagonistin und Ich-Erzählerin notwendig ist. Die bereits verheiratete Fiammetta verliebt sich in Panfilo (beide sind bürgerliche, keine aristokratische Figuren mehr), der bald eine Reise antreten muß, von der er trotz seines Treueversprechens innerhalb des Romangeschehens nicht zurückkehrt. So wird der Erzählvorgang zu einer langen Selbsterkundung Fiammettas, die entweder von äußeren Impulsen wie etwa trügerischen Nachrichten über Panfilos Schicksal oder durch innere Regungen wie den Wechsel von Hoffnung und Eifersucht, Zuversicht und Resignation ausgelöst wird. Die differenzierte Analyse der inneren Affekte gibt Boccaccio die Gelegenheit, alle hierzu verfügbaren Register der rhetorischen Kunst zu ziehen, ohne jedoch in einen manierier-

Fiammetta: *Erzählen als Selbsterkundung*

ten Stil zu geraten. Zugleich bietet er seine ganze humanistische Gelehrsamkeit auf. Das übergreifende Modell des Romans (in das aber weitere verschachtelt sind) liefern Ovids elegische Briefe mythologischer Frauen an die ihnen fernen Männer oder Geliebten, die *Heroides*. Aber Boccaccio läßt immer wieder, besonders intensiv im vorletzten Kapitel, die Erzählerin selbst nach literarischen, vor allem antiken Vorbildern ihrer Situation suchen. Wenn diese Tendenz oft als die erzählte Fiktion störendes Moment kritisiert wird, dann übersieht man, daß hierdurch erneut die Literatur zum Medium der Erfahrung werden will. Dazu gehört auch die offene Anlage der Handlung: Bieten sich zur Erklärung von Panfilos Fernbleiben gleich mehrere Möglichkeiten, so bleibt auch der Fortgang der Ereignisse am Schluß der Geschichte für die Erzählerin wie für den Leser ungewiß. Fiammettas Schicksal spiegelt die unsichere existentielle Situation, die der Mensch des Trecento angesichts der ideologischen und realen Umwälzungen empfunden haben mag.

Corbaccio: *satirische Parodie als rhetorisches Spiel*

Aus dem Rahmen scheint der *Corbaccio* (ca. 1365) zu fallen, wahrscheinlich das einzige nach dem *Decameron* verfaßte Erzählwerk. Der rätselhafte Titel wird mit dem spanischen »corbacho« = ›Peitsche‹ oder mit dem Raben (»corvo«) als Vorzeichen des Unglücks in Zusammenhang gebracht; beides paßt zum vordergründigen Charakter des Werks als einer Schmähschrift gegen die Frauen. Man deutet den *Corbaccio* oft biographisch: als Distanzierung des mittlerweile vorwiegend humanistisch arbeitenden Boccaccio von den vorangehenden Erzählwerken oder auch im Blick auf eine zunehmende religiös-moralistische Orientierung des Autors, der seit 1360 als Kleriker wirken durfte und eine Zeitlang gar die Absicht hatte, ins Kloster zu gehen. Solche Deutungen sind aber weder zwingend noch ganz überzeugend; allzu deutlich knüpft der *Corbaccio* an Verfahren der früheren Erzähltexte an. Gleich zu Beginn gibt er sich als Parodie allegorischer Visionen, speziell der *Commedia*, wenn etwa ein an Dantes Vergil erinnernder »Geist« den Erzähler aus einem einsamen und dunklen Tal, dem »Labyrinth der Liebe«, herausführt, in dem dieser sich verirrt hatte. Nicht ohne Ironie ist der Kontrast, den der Geist in seiner Schmährede zwischen den habgierigen, herrschsüchtigen, wollüstigen Frauen und der Jungfrau Maria zum einen, zur Unschuld der Musen zum anderen herstellt. Schließlich zeigt die sprachliche Form, daß Boccaccio das Werk auch wieder als ein rhetorisch-stilistisches Kunststück aufbaut, als wolle er hier im Rahmen eines abgeschlossenen Einzeltextes eine Variante der Erzählweise verwirklichen – die satirisch-karikierende –, die er zuvor allenfalls im *Decameron* erprobt hatte.

Anfang des *Decameron* in einer Handschrift des 14. Jahrhunderts

Das *Decameron*, unbestreitbar Boccaccios Hauptwerk in italienischer Sprache, ist bereits bei den Zeitgenossen ebenso beliebt wie umstritten, und sehr bald schon beginnt man es formal wie thematisch nachzuahmen; es wird nicht nur in Italien, sondern in der gesamten europäischen Literatur zum Modell der zyklisch strukturierten Novellensammlung. Trotz seiner herausragenden Stellung verbinden es aber zahlreiche Fäden mit dem übrigen Erzählwerk Boccaccios. Erste Novellen entstehen um 1335, also gleichzeitig mit den frühesten narrativen Versuchen des Autors. Die Konzeption der übergreifenden Architektur und die endgültige Ausarbeitung des Werks setzen allerdings das Erlebnis der Pestepidemie von 1348 voraus; 1351 oder 53 wird das *Decameron* abgeschlossen. Der gräzisierende Titel (aus »deka« = 10, »hemerai« = Tage) ist dem *Hexaëmeron* Basileios des Großen (Mitte des 4. Jahrhunderts) bzw. dem des Ambrosius (nach 388) nachgebildet; dort meint er das »Sechstagewerk« der Weltschöpfung. Die Hunderzahl der Novellen schließt außerdem nicht nur an die Sammlung der *Ciento novelle antike* (Ende des 12. Jahrhundert, auch als *Novellino* zitiert) an, sondern verweist sicher auch auf die 100 Gesänge von Dantes *Commedia*. Boccaccio signalisiert bereits vom Titel her, daß sein Buch um das Leben in der irdischen Schöpfung kreist und zugleich um das Erzählen selbst als schöpferische Leistung des Autors wie seiner fiktiven Figuren, die er uns in der sogenannten »Rahmenhandlung« vorstellt (sie beginnt mit der Einleitung zum 1. Tag): Während der Pestepidemie treffen in der Kirche Santa Maria Novella in Florenz, vom Zufall gelenkt, aber allesamt durch familiäre oder freundschaftliche Beziehungen miteinander verbunden, sieben junge Frauen und drei junge Männer zusammen. Sie entstammen durchweg einem gutsituierten Bürgertum, aber ihre Namen (Pampinea, Fiammetta, Filomena, Emilia, Lauretta, Neifile, Elissa; Panfilo, Filostrato, Dioneo), die Boccaccio größtenteils aus seinen vorangehenden Werken übernimmt, weisen sie von vornherein auch als Figuren einer literarischen Welt aus. Man beschließt, sich zusammen mit einer kleinen Dienerschaft auf einen nahegelegenen Landsitz zurückzuziehen. Zehn der insgesamt 14 Tage ihres Aufenthalts (die Freitage und Samstage sind der religiösen Besinnung vorbehalten) verbringt die »brigata« mit Musik, Tanz, Spielen, vorwiegend aber mit dem Reihumerzählen von je zehn Geschichten unter dem Vorsitz eines »Königs« oder einer »Königin«, die sich die Gruppe aus ihren Reihen wählt. Mit Ausnahme von zwei Tagen (dem ersten und dem neunten) stehen die Novellen eines Tages unter einem gemeinsamen Thema. Jeder Erzählzyklus schließt mit einer Ballade, die wiederum stets von einer anderen der Personen angestimmt wird.

Die Rahmenhandlung

Holzschnitt aus der *Decameron*-Ausgabe Venedig 1492, Johannes und Gregorius de' Gregoriis

Der Kontrast zwischen dieser idealisiert-kultivierten Atmosphäre der »brigata« (beinahe ein »irdisches Paradies«) und der vorangehenden düsteren Pestschilderung (fast eine »irdische Hölle«) sowie der allgemeine Kontrast zwischen der Diesseitigkeit des *Decameron* und der jenseitsorientierten *Commedia* ist oft als Ausdruck eines neuartigen Lebensgefühls der frühen Neuzeit verstanden worden. Aber viele der Themen, die gern mit dem Namen Boccaccios assoziiert werden – Sinnenfreude, Satire auf das asketische Leben, Kritik am bigotten Klerus – sind gerade keine Merkmale der beginnenden Renaissance, sondern typische Stoffe mittelalterlicher Schwankliteratur. Mit gewissem Recht hat die Forschung auch die mittelalterlichen Elemente des *Decameron* herausgestellt. Man hat etwa auf die durchdachte Komposition als einer geradezu »gotischen« Architektur (Branca) hingewiesen. Emblematisch ist die moralische Spannung zwischen der ersten Novelle mit ihrer größtmöglichen Anhäufung von Lastern und Sünden in der Gestalt des Ser Cepparello und der letzten, die in der Figur der Griselda eine geradezu übermenschliche Tugend darstellt. Auch innerhalb dieser übergreifenden Spannung sind Kontrast und Mischung von Gegensätzen ein wesentliches Strukturprinzip. Ohne Zweifel kreisen viele Novellen um einige zentrale Komplexe: den Eros, die Intelligenz des Subjekts, die merkantile Welt; trotzdem vertritt Boccaccio nirgendwo eine eindimensionale Perspektive. Widersprüche werden bewußt gesetzt und nicht in irgendeiner dominanten Ideologie aufgehoben. Tugendhaftes und lasterhaftes Leben, tragisches und komisches Geschehen, hohe und niedrige Gegenstände, Spaß und bissige Zeitkritik, aristokratisches, bürgerliches und volkstümliches Personal wechseln in dichter Mischung einander ab. Dieser stofflich-motivischen Vielfalt entspricht das breite Spektrum an Erzählstilen: Boccaccio verwendet (auch hierin faßt das *Decameron* Tendenzen der vorangehenden Werke zusammen) alle ihm verfügbaren stilistischen Register von einer einfachen, alltagsnahen, jedoch niemals derben Sprache bis hin zu stilistisch und syntaktisch komplexen Ausdrucksformen. Das *Decameron* ist ein Durchspielen von Erzählweisen wie Lebenshaltungen; es provoziert Antworten, gibt sie aber nicht vor. Seine formal-thematische Mischung ist nicht einfach Ausdruck von Lebensfülle, sondern die paradigmatische Auseinandersetzung mit einer zeitgenössischen Wirklichkeit, zu deren Merkmalen Interessenvielfalt, -konkurrenz und -konflikt gehören.

Mittelalterliche Elemente

Spiegelung einer vielschichtigen Wirklichkeit

Decameron *und*
Tradition der
Kurzerzählung

Mischung und Umformung zu neuen Strukturen bzw. Funktionen bestimmen, wiederum wie bei vorangehenden Erzählwerken, auch das Verhältnis des *Decameron* zu Quellen und Vorbildern. Anregungen für die Einbettung der Erzählungen in eine Rahmenfiktion mag Boccaccio etwa aus den *Metamorphosen* des Apuleius oder, näherliegend, aus einer der mittellateinischen und altfranzösischen Fassungen des weitverbreiteten *Buchs der sieben weisen Meister*, z.B. dem *Dolopathos* (um 1200) des Johannes de Alta Silva bezogen haben. Das Reihumerzählen hat sein unmittelbares Vorbild im höfischen »Joc partit«, einem um 1200 entstandenen Brauch, gesellschaftliche Themen, vor allem zur Liebeskasuistik, anhand von Beispielfällen zu erörtern. Boccaccio selbst literarisiert dieses »Gesellschaftsspiel« schon im 4. Buch des *Filocolo* und in der *Comedia delle Ninfe fiorentine*. Vielfältige Quellen lassen sich für einzelne Novellen nachweisen: über schriftliche oder mündliche Überlieferung gehen Boccaccios Geschichten auf arabisch-orientalische Erzählungen (wie das genannte *Buch der sieben Weisen)* zurück, in geringerer Zahl auf Antikes, hauptsächlich auf mittelalterliche narrative, religiöse und Chronik-Literatur in lateinischer, französischer, provenzalischer oder italienischer Sprache. Weit wichtiger als die Identifikation einzelner Novellen mit möglichen Vorlagen ist aber die damit verknüpfte Gattungsfrage. Boccaccio faßt unter dem Begriff »Novelle« eine Vielzahl erzählender Kurzformen zusammen, die in der zeitgenössischen Literatur jeweils ihre spezifische Funktion besaßen; das religiös-moralische Exemplum, die Anekdote aus Trobadorvita oder Chronik, den märchenartigen Lai, das derb-komische Fabliau usw. Das Weiterleben dieser Formen in den Boccaccio-Novellen führt nun zu einer Mehrdeutigkeit der Gattung, die zugleich eine Multifunktionalität ist: Die einzelne Geschichte mag sich als lehrhaft geben, bietet aber möglicherweise keine wirkliche Lösung des behandelten Problems. Sie mag sich als bloß witziger Schwank geben und erweist sich tatsächlich als psychologische Analyse ihrer Figuren. Sie stellt scheinbar ein typisches Verhalten dar, zeigt den Menschen aber als ambivalentes Wesen. Sie gibt sich als Beispiel göttlichen Wirkens und offenbart stattdessen die intelligente Selbstbehauptung des Einzelnen. Indem die vieldeutige Gattung dem Leser keine eindeutige Richtung des Verständnisses mehr zeigen kann, ist es diesem selbst oft anheimgestellt, sein Urteil gegenüber dem Gelesenen zu formulieren. Auch hier ist Boccaccio somit bemüht, Genera der zeitgenössischen Gebrauchs- und Unterhaltungsliteratur für eine anspruchsvollere Dichtung und eine anspruchsvollere Rezeption verfügbar zu machen.

Rückkehr der »brigata«
nach Florenz; Illustration
aus einer *Decameron*-
Handschrift des späten
14. Jahrhunderts

Die Neuerungen in der Erzählweise sind zum einen ein Gestaltungsproblem, zum anderen Ausdruck eines veränderten Menschenbildes. Schon die ersten Novellen stießen bei ihrer Veröffentlichung auf zum Teil heftige Kritik, auf die der Autor in der Einleitung zum 4. Tag reagiert. Hatte er noch in der Einleitung zum 1. Tag die herrschende Erwartung gegenüber der Novellistik, nämlich die Belehrung durch Unterhaltung artikuliert, so rückt er nun von der didaktischen Zielsetzung ab. Gegen den Vorwurf der Frivolität und der mangelnden Moral setzt er einen ästhetischen Anspruch seines Werks, der eine relative Freiheit von vorgegebenen Regeln voraussetze. Den Vorwurf einer schlechten Nachahmung seiner Vorbilder münzt er gar zu seinen Gunsten um: Nicht dem vorgegebenen Stoff, sondern der Gestaltung gelte sein Interesse. Ganz ähnlich wird er auch im Epilog, der »Conclusione dell'autore«, argumentieren: Der Eindruck vermeintlicher Immoralität vieler Novellen entstehe, weil er, der Autor, nicht einem lehrhaften Zweck, sondern der künstlerischen Notwendigkeit gefolgt sei.

Wie eng die immanente Poetik mit einem neuen Menschenbild verknüpft ist und wie sehr künstlerische Notwendigkeit die Suche nach angemessener Darstellung eines problematisierten Individuums bedeutet, ließe sich an vielen Beispielen zeigen. Besonders prägnant ist z.B. der Unterschied der Novelle von den drei Ringen (1. Tag, 3. Novelle) gegenüber ihrer Vorlage in den *Ciento novelle antike* (Nr. 73: »Come il Soldano, avendo bisogno di moneta, vuolle cogliere cagione a un giudeo«). Sowohl in der subtilen Motivierung seiner Protagonisten wie auch in der zugleich wahrscheinlicheren und stringenteren Handlungsführung läßt Boccaccio sein Vorbild weit hinter sich. Wie sehr er seine eigene Erzähltechnik von den früheren Werken bis zum *Decameron* verfeinert hat, kann ein Vergleich der 4. Novelle des 10. Tages mit ihrer »Vorstufe« im 4. Buch des *Filocolo* (dort ist es die 13. der »questioni d'amore«) belegen. Besonders aber die Rahmenerzählung dient dem Entwurf eines neuen Menschen- und Gesellschaftsbildes. Wenn die Pest als Emblem der gestörten Ordnung des menschlichen Lebens, als Symbol der als bedrohlich empfundenen Umwälzungen verstanden werden kann, so ist bezeichnend, daß die »brigata« als eine ideale Mikrogesellschaft nicht mit Extremen auf jene Situation reagiert: weder stürzt sie sich in Sinnenlust, noch sucht sie Rettung in der Askese. Schlüsselwörter ihrer Überlegungen, die zum Rückzug aufs Land führen, sind »ragione« (Vernunft) und »onestà« (Ehrbarkeit); sie sind Grundlage eines Zusammenlebens, in dem Strukturen der bürgerlichen und der feudalen Gesellschaft einander überlagern. Zugleich soll diese Utopie die Freiheit des Einzelnen garantieren; gegen die schicksalhafte Unordnung stellt die »brigata« eine selbstgewählte Ordnung, die sie ebenso freiwillig wieder außer Kraft setzt. Daß die zehn Erzähler vor dem Ende der Pest nach Florenz zurückkehren, wahrt die Freiheit ihrer Entscheidung. Signifikativ, daß dieser Entwurf einer alternativen Lebensform im Erzählen als einem Teil des sozialen Handelns kulminiert. Noch einmal bestätigt sich, was weiter oben anklang: Das Novellenerzählen bekommt die Funktion, Wirklichkeitsentwürfe zu erproben.

Boccaccio war, wie schon anläßlich der Lyrik bemerkt, vom Beginn seiner schriftstellerischen Tätigkeit an auch um die lateinische Literatur bemüht. Allerdings handelt es sich zunächst um einzelne Versuche, aus denen sich noch keine kontinuierliche und zielbewußte Arbeit ergibt. Neben der früher genannten *Elegia di Costanza* verfaßt er eine kurze Prosaparaphrase der ersten beiden Bücher von Ovids *Metamorphosen,* die *Allegoria mitologica.* Auch die »volgarizzamenti«, d.h. volkssprachlichen Übertragungen des Valerius Maximus und eines Teils von Livius' *Ab urbe condita* (ab 1338) gehören in diesen Rahmen. Erst die persönliche Begegnung mit Petrarca (1350) läßt ihn die humanistische Literaturvorstellung als einen spezifischen neuen Impuls erkennen, für den er sich mit

Ästhetik versus Belehrung

wachsender Kontinuität einsetzt, wenn auch weniger akribisch als der stets bewunderte »magister«, dem er schon um 1341/42 eine Biographie gewidmet hatte *(De vita et moribus domini Francisci Petracchi)*. Die zahlreichen Reisen, die er von Florenz aus unternimmt, gelten oft dem Aufspüren von Kodizes antiker Autoren; er holt – das ist für den Frühhumanismus bahnbrechend – Leonzio Pilato als Griechischlehrer an die Universität Florenz und läßt ihn zugleich in seinem Haus die homerischen Epen übersetzen. Später treffen bei ihm regelmäßig Intellektuelle zusammen, die wie etwa Coluccio Salutati zu den einflußreichsten Humanisten der folgenden Generation gehören sollten.

Biographische und wissensvermittelnde Traktate

Von Petrarca unterscheidet sich Boccaccio auch im thematischen Schwerpunkt seiner humanistischen Schriften. Während Petrarca im größten Teil des lateinischen Werks für die humanistischen Ideen und ihre neuartige Problematik streitet, konzentriert sich Boccaccio auf das Dichtungsverständnis der neuen Bewegung. Anhand der Entwicklung seiner Erzählwerke war schon zu sehen, daß für ihn dazu das Zurückdrängen des Primats der allegorischen und der exempelhaften Bedeutung der Literatur gehört, demgegenüber die faktischkonkreten Aspekte von Texten größeres Gewicht bekommen sollen: das Ereignishafte, das Historische und die Wissensgehalte. Aus einer entsprechenden Absicht heraus verfaßt er *De casibus virorum illustrium* (1356–60), mit dem er zugleich Petrarcas *De viris illustribus* nachahmt. Daß ihm diese Sammlung von chronologisch angeordneten Biographien berühmter Gestalten von Adam bis zu Zeitgenossen am Herzen lag, zeigt die Überarbeitung der neun Bücher noch im Jahre 1373. Das Buch hat gewiß eine moralisch belehrende Absicht, der Titel deutet sie an: Fortuna ist das Leitthema der Darstellungen. Boccaccio kommt außerdem einem anekdotischen Interesse entgegen, wie es sich in der Chronik-Literatur manifestiert. Übergeordnet ist aber der Zweck, historische Kenntnisse zusammenzustellen, die sich auf eine Vielzahl schriftlicher und mündlicher Quellen stützen. Komplementär ist *De claris mulieribus* angelegt, das Boccaccio 1361 nach dem Abschluß von *De casibus* beginnt und ebenfalls später revidiert: Es beginnt bei Eva und stellt mythologische, literarische und geschichtliche Frauengestalten von der Antike bis zur eigenen Epoche vor. Gleichzeitig mit den Biographien entsteht ein drittes wissensvermittelndes Werk. Wenngleich für ein neues Verständnis von Literatur die Kenntnisse über literarische und historische Persönlichkeiten als Gegenständen alter oder neu zu schaffender Dichtungen vordringliches Postulat war, fehlten dem zeitgenössischen Leser doch ebenso andere Hintergrundinformationen. Dem will das *De montibus, silvis, fontibus, lacubus, fluminibus, stagnis seu paludibus, et de nominibus maris liber* abhelfen, eine Art geographisches Lexikon, das Boccaccio ab 1355 zusammenstellt und das wie die genannten Schriften eine starke Resonanz bei der humanistischen Nachwelt hervorrief.

Die erste systematische Mythographie der Neuzeit

Alle drei Schriften werden aber sowohl in der Beliebtheit als auch in der Nachwirkung von einer anderen »Enzyklopädie« übertroffen, den 15 Büchern der *Genealogia deorum gentilium*, die der Autor 1350 oder einige Jahre früher auf Anregung des Königs von Zypern, Hugo IV. von Lusignan, beginnt und bis zu seinem Tod mehrfach erweitert und überarbeitet. Der Titel des Werks zeigt einen mehrfachen Zweck der *Genealogia:* Sie will zunächst ein vollständiges Verzeichnis aller bekannten, aber bis dahin z.T. nur verstreut überlieferten Gestalten der antiken Mythologie sein. Auch hierbei kommen Boccaccio die von Pilato vermittelten Griechischkenntnisse zugute; als erster geht er bis auf Homer-Texte zurück. Sodann beschreibt das Werk die Relationen zwischen den Gestalten, eben ihre »Genealogie«, und rekonstruiert die Götterwelt, die bis dahin eher ein Repertoire von Einzelgestalten und -geschichten war, als eine Ganzheit. Vor allem aber ist es der Versuch einer systematischen Mythendeutung. Zwar stellt es den Zeitgenossen und der Nachwelt die Göttererzählungen als dichterische Stoffe bereit, aber sie werden doch als Fiktionen im überlieferten Verständnis des Worts gesehen, als Erzählungen, die auch einen übertragenen Sinn vermitteln können. Gleichwohl löst sich Boccaccio von der tradierten Art der Mythendeutung. Zum einen hat er einen neuartigen philologischen Zugang, indem er alle ihm bekannten Quellen, Belegstellen und Fundorte offenlegt. Zum anderen hebt er sich in der Tragweite seiner Auslegung von der Tradition ab. Grundsätzlich bleibt er wohl bei einer allegorischen Interpretationsweise (zu der oft die euhemeristische Deutung hinzutritt, d.h. das Verständnis mythischer Gestalten als herausragender Menschen, die die Nachwelt zu Göttern erklärt hat). Aber anders als etwa die spätmittelalterliche Ovid-Auslegung, in der die spirituelle Belehrung durch die Mythen der *Metamorphosen* im Vordergrund steht, wie z.B. im *Ovide moralisé* des frühen 14. Jahrhunderts, zielt der moralische Sinn bei Boccaccio eher auf eine diesseitsbezogene Ethik ab. Zudem gewinnt die Möglichkeit eines historischen und eines naturphilosophischen Sinns der Mythen an Gewicht.

Ein weiterer Grund, der diese über die Renaissance hinaus einflußreiche Mythographie bedeutsam macht, ist die nachdrückliche Verteidigung der Dichtung, die Boccaccio in den beiden letzten Büchern unternimmt. Hier kehren Aspekte eines typisch frühhumanistischen Literaturverständnisses wieder, die Boccaccio auch in seiner volkssprachlichen Dante-Biographie vorträgt, dem *Trattatello in laude di Dante* (wie er es selbst später zitiert) bzw. des (so der ursprüngliche Titel) *De origine, vita, studiis et moribus viri clarissimi Dantis Aligerii florentini, poete illustris, et de operibus compositis ab eodem* (3 Fassungen: 1351/60/72). Der Humanist Leonardi Bruni wird in seiner eigenen *Vita di Dante* die Ungenauigkeit Boccaccios rügen und den *Trattatello* mit den fiktionalen Werken *Filocolo, Filostrato* und *Fiammetta* vergleichen. Er hat, was die Verläßlichkeit einiger biographischer Fakten angeht, nicht ganz unrecht, und in der Tat gehören hier wie auch in anderen humanistischen Schriften Boccaccios die narrativen Passagen zu den gelungensten. Dennoch zeigt der Traktat, abgesehen von seinem unbestreitbaren Wert als Zeugnis der Dante-Verehrung im Trecento, eine durchaus humanistische Haltung, wenn er Persönlichkeit und Werk Dantes aneinander bindet und den exemplarischen Rang des Dichters zum Anlaß nimmt, den grundsätzlichen, hohen Anspruch dichterischen Schreibens darzulegen. – Trotz der volkssprachlichen Form und der vulgarisierenden Absicht darf man auch die andere Dante-Schrift Boccaccios zu den humanistisch-gelehrten Werken rechnen: die *Esposizioni sopra la Comedia di Dante*, Skizzen zu 60 öffentlichen Vorlesungen, die der Autor auf Einladung der Kommune Ende 1373 und Anfang 1374 hielt, dann aber wohl aus Gesundheitsgründen abbrach. Wie in der *Genealogia* tritt uns hier der Philologe entgegen, der bemüht ist, die Quellen seiner Interpretation offenzulegen, der sich explizit mit seinen Vorgängern auseinandersetzt und unterschiedliche Deutungsmeinungen gegeneinander abwägt, der aber auch durchgängig seine breite Kenntnis antiker Literatur und Geschichte in die Erläuterungen einbringt. Und wie im *Trattatello* nutzt Boccaccio die Gelegenheit, an geeigneten Stellen (z.B. im einleitenden Accessus, in der Erläuterung der Erscheinung Vergils oder bei der Begegnung Dantes mit den antiken Dichtern im Limbus) seine neuartige Einschätzung der Dichtung in den Kommentar einzuflechten. So belegen diese Schriften noch einmal den spezifischen Standort Boccaccios in seiner Epoche: sein Engagement für den aufkommenden Humanismus, in dem jedoch auch eine aufgewertete volkssprachliche Literatur ihren Platz haben sollte.

Schriften über Dante

Die Genealogie der Götter; Zeichnung von Boccaccios Hand

Novellistik vor und nach dem Decameron

Stellenwert des
Decameron

Man wird die novellistische Prosa des Trecento nicht nur am *Decameron* messen
dürfen; allerdings ist es ein Faktum der Rezeptionsgeschichte, daß Boccaccios
Erzählkunst auf Autoren des 14. bis 16. Jahrhunderts in Italien, Frankreich,
Spanien und anderswo im Sinn eines Modells gewirkt hat. Besonders im weiteren Verlauf der Renaissance (für das Trecento gilt das weniger) wird diese
Vorbildlichkeit, im Zeichen des humanistischen Imitatio-Begriffs, durch ein
regelrechtes Bedürfnis nach einem anerkannten Maßstab gesteigert. Diese
Rezeptionslinie kulminiert in Italien in der Kodifizierung von Boccaccios Prosa
als einer italienischen, dem zuvor höherwertigen Latein ebenbürtigen Literatursprache in Pietro Bembos *Prose della volgar lingua* (1525). Trotzdem darf der
heutige Leser eines nicht übersehen: Das *Decameron* fördert zwar Tradition und
Popularität der Kurzerzählung entscheidend, vor allem dadurch, daß erst mit
ihm der Novellenzyklus zum organisch-ästhetischen Gefüge wird. Es ist aber
nicht der Auslöser dieser Tradition, sondern setzt sie seinerseits schon voraus.
Ihren Aufschwung gerade in einer Übergangsepoche verdankt die Gattung
einem zunächst noch doppelten gesellschaftlichen Standort: Ist sie vor allem für
ein aristokratisches, erlesenes Publikum Medium moralischer Kasuistik im
Gewand kultivierter Unterhaltung, so bezieht sie in der kommunalen Welt ihre
Beliebtheit zunehmend auch aus der Spiegelung und mehr oder weniger proble-
matisierenden Gestaltung der gegenwärtigen Lebensvielfalt. Erst in der zweiten
Jahrhunderthälfte wird ein gemischtes bürgerliches Publikum zum bevorzugten
Adressaten der Novellenkunst, die bezeichnenderweise im Trecento ein fast
ausschließlich toskanisches Phänomen ist.

Moralische und religiöse
Exempla

Wie die *Ciento novelle antike* gehören auch die Kurzerzählungen des frühen
14. Jahrhunderts meist noch in den Kontext einer Literatur, die höfische Ideale
in moralisierender Umdeutung in die bürgerliche Welt überträgt. So stellte Fran-

Boccaccio und Fortuna;
Miniatur von Jean
Fouquet, 1458

cesco da Barberino in seinen – verlorengegangenen – *Flores novellarum* moralische Exempla zusammen; offensichtlich richtete er sich dabei an dasselbe Publikum, für das er seine lehrhaften Schriften verfaßte, die *Documenti d'amore* und das *Del reggimento e costumi di donna*. In diesem Zusammenhang verdienen zumindest eine Erwähnung jene zahlreichen Novellen, die – in der Regel als Exempla – in Texte anderer Genera integriert sind, vorzugsweise wiederum in moralisch-didaktische Werke. Solche illustrativen Kurzerzählungen finden sich z.B. im erwähnten *Reggimento* oder in einer allegorischen Erläuterung des Schachspiels, dem *Ludus scacchorum moralizatus* (Anfang des 14. Jahrhunderts) eines Jacobus de Cessulis, das wahrscheinlich noch im Trecento ins Italienische übertragen wurde. Man findet sie ebenso in religiöser Erbauungsliteratur, wie in Lehrtraktaten Domenico Cavalcas oder in Iacopo Passavantis *Specchio di vera penitenza* (1354); deshalb stehen auch die *Fioretti di san Francesco* einem zeitgenössischen Verständnis der Novellistik nahe. Kurz: obwohl die *Ciento novelle antike* die Novelle im Grunde schon als eigenständiges Genus präsentieren, bleiben die Grenzen zu anderen Gattungen fließend – auch übrigens zur Chronik-Literatur, wie sich bei den Zyklen des späten Trecento zeigt.

Drei Boccaccio-Nachfolger

Wenn sich das *Decameron* etwa in der Mitte zwischen dieser Kurzprosa mit dem Prinzip der unterhaltenden Belehrung und einer rhetorisch und strukturell elaborierten Erzählkunst des Cinquecento lokalisieren läßt, entwickeln die drei Novellenwerke des Trecento nach Boccaccio (Sercambi, Giovanni di Firenze, Sacchetti) dennoch diese Position nicht konsequent bzw. linear weiter. Vielmehr beziehen sie sich auf das *Decameron* ebenso wie auf die für uns »ältere«, exempelhafte Tradition, die im übrigen auch über das 14. Jahrhundert hinaus, z.B. im *Novellino* (1476) des Masuccio Salernitano, gültig bleibt. Die Nachahmung Boccaccios zeigt sich in der Novellenstruktur dort, wo ein logischer Aufbau und eine straffe Handlungsführung die erzählerische Qualität bestimmen; der andere Traditionsstrang schlägt sich v.a. in der formalen Zuspitzung auf den Novellenschluß – eine witzige Pointe, einen didaktischen Effekt – hin nieder. – Das wird anhand von Giovanni Sercambi besonders deutlich. In seinem *Novelliere* (frühestens 1374, wahrscheinlich erst ca. 1399/1400 entstanden), der 155 Geschichten umfaßt, variiert er die Rahmenfiktion Boccaccios. Auch hier veranlaßt eine Pestepidemie eine Gruppe von »Männern, Frauen, Mönchen, Priestern und anderen«, ihre Stadt (Lucca) zu verlassen und durch weite Teile Italiens zu reisen. Währenddessen unterhält einer der Mitreisenden seine Weggefährten mit Erzählungen. Die Stoffe sind vielfarbig: chronikartig, anekdotisch, erotisch, den Fabliaux, der Epik, Legenden, Märchen, orientalischen Erzählungen entlehnt; auffällig viele sind aus dem *Decameron* übernommen. Diese Affinitäten heben nun zwei zentrale Unterschiede hervor: Sercambi ruft bewußt die Tradition der Kurzprosa auf; jede Novelle wird im Text als »exemplo« bezeichnet und trägt neben der typischen Inhaltsparaphrase eine Überschrift, die die exemplarische Absicht unterstreicht: »De sapiensia«, »De simplicitate«, »De malvagitate et malisia« heißen etwa die ersten drei Titel. Trotzdem ist Sercambi weit von einer Moralkasuistik entfernt; nicht um verfeinerte Sitten, sondern um Fragen einer pragmatischen Moral des Bürgers geht es ihm. Der andere Unterschied liegt in der Personenkonstellation. Anstelle der zehnköpfigen Runde Boccaccios erzählt hier nur ein Einzelner; darin mag sich eine gewisse Skepsis gegenüber dem an höfischen Usus erinnernden Prinzip des Reihumerzählens ausdrücken. Weil in Sercambis »brigata« alle Aufgaben arbeitsteilig organisiert werden, erhält der Erzähler den besonderen Auftrag, die Reisegesellschaft mit Geschichten zu unterhalten. Vielleicht darf man hier einen Reflex des Bewußtseins vom spezifischen Status des literarisch Schaffenden sehen, das sich mit dem Frühhumanismus und besonders mit Petrarca ankündigt.

Sercambi: pragmatische Moral

Der Pecorone:
*Bündelung beliebter
Stoffe*

Primär durch Merkmale der formalen Struktur stellt sich auch der *Pecorone* (1378?) in die Boccaccio-Nachfolge. Der Autor des Zyklus, der sich selbst nur als »ser Giovanni« apostrophiert, wurde jüngst als ein Giovanni di Firenze identifiziert, der sich andernorts auch Malizia Barattone nennt. Der *Pecorone* (»Schafskopf«), der seinen Titel aus einem dem Zyklus angehängten Sonett bezieht, übernimmt dreierlei von Boccaccio: die runde Zahl der Novellen (wenn man von den zusätzlichen Varianten einiger Geschichten absieht), die zeitliche Strukturierung des Rahmens, der 50 Novellen auf 25 Tage verteilt, und die Verknüpfung der Tage durch jeweils ein lyrisches Gedicht, eine Ballata. Die Rahmenfiktion reduziert gegenüber dem *Decameron* die Zahl der Erzähler, individualisiert also den Erzählvorgang, wenngleich nicht so extrem wie Sercambi: Auretto wird aus Liebe zu der Nonne Saturnina Mönch und hat als deren Beichtvater die Gelegenheit, sich mit der Geliebten zu treffen; dabei erzählt an 25 Abenden jeder je eine Geschichte. Dieser Rahmen wird oft als schlecht motiviert oder gar bizarr gewertet; liegt aber nicht ein origineller Versuch in dem Bemühen, die Erzählstruktur und -funktion dadurch komplex zu gestalten, daß der Rahmen selbst den Stoff zu einer Novelle abgäbe? Die 50 Geschichten des Zyklus bringen dagegen von der Materie her wenig Neues. Liebesgeschichten mischen sich mit tragischen Erzählungen, moralische Exempla mit erotischen Streichen. Nur zu einem geringen Teil enthält der *Pecorone* Originalschöpfungen; auch Sercambis vorrangiges Interesse liegt in der Bündelung besonders beliebter narrativer Stoffe. Mehr als die Hälfte der Novellen greift Episoden aus Giovanni Villanis Chronik auf – ein sicheres Indiz, daß hier wie bei Sercambi nicht modellhafte, sondern eine räumlich-zeitlich und gesellschaftlich dem Leser selbst noch nahestehende Realität gestaltet werden soll.

*Sacchetti: Reflex der
zeitgenössischen Welt*

Diese Intention, nicht ein idealmögliches, sondern faktisches Handeln und Reden darzustellen, tritt am klarsten bei Franco Sacchetti hervor. In seinen *Trecentonovelle* (1392–97) nennt er, neben Dante als ethischem Vorbild, ausdrücklich Boccaccio als poetisches Modell. Doch scheint er es schon in der Zahl der Geschichten eher auf ein überbietendes Wetteifern als auf Nachahmung abzusehen. Sein Werk ist allerdings fragmentarisch, mit nur 223 Novellen überliefert. Man vermißt bei diesem Anspruch sowohl einen Rahmen als auch eine innere Architektur. Die zumeist kurzen Geschichten werden durch die Erzählerrede (die gelegentlich auch Folgerungen zur praktischen Lebensklugheit zieht) und allenfalls thematisch-assoziativ miteinander verbunden. Unter den Themen dominieren der Streich und das schlagfertige Motto, moralistische Intentionen spielen eine Nebenrolle. Die Stoffe entnimmt Sacchetti nur zu einem kleinen Teil der Novellentradition; demgegenüber bevorzugt er als Quelle die Chronik, die – eventuell als selbst miterlebt ausgegebene – Anekdote und die mündliche Überlieferung. Bewußt verzichtet der Erzähler auf eine ausgefeilte Sprache und lehnt sein stilistisches Register an das eines mündlich-familiären Erzählens an. Stofflich wie stilistisch ist Sacchetti also auf Wirklichkeitsnähe bedacht – nicht im Sinn eines »Realismus«, sondern im Sinn einer Funktionalisierung des Erzählens als Bearbeitung der aktuellen sozialen und geschichtlichen Welt. In der Tat läßt sich Sacchettis Werk als aufschlußreiches Dokument des gesellschaftlichen Selbstverständnisses im späten Trecento lesen.

*Konvergenz der
Novellistik nach
Boccaccio*

– Bei aller Verschiedenheit der drei Zyklen untereinander und gegenüber Boccaccio zeigen sie doch eine signifikante Gemeinsamkeit. Offenbar haben alle drei Autoren wahrgenommen, daß ein Wesenszug des *Decameron* in dem dort postulierten besonderen Status des Erzählens liegt; Sercambi und der *Pecorone* werten das Erzählen auf, indem sie es zum konstitutiven Moment der Existenz erheben. Bei Sercambi bekommt es angesichts eines unterbrochenen normalen Lebensverlaufs eine spezifische Aufgabe in der Neuorganisation der

Städtische Marktszene;
Miniatur von 1328

Mikrogesellschaft der Reisenden zugewiesen. Im *Pecorone* wird das Erzählen zum Substitut einer Liebesbeziehung, zum einzig noch möglichen personalen Austausch zwischen den Liebenden. Sacchetti jedoch löst sich am deutlichsten vom Modell Boccaccios. An die Stelle einer Rahmenfiktion tritt bei ihm das Kontinuum des selbstbewußten Erzählers, das zum »Rahmen« im Sinne eines übergreifenden organischen Prinzips wird.

QUATTROCENTO

Geschichte Italiens im Quattrocento

Renaissance und
Humanismus

Die Epoche des Quattrocento verbindet sich im allgemeinen mit den Begriffen »Renaissance« und »Humanismus« und wird vielfach, nicht ganz zu Recht, mit ihnen sogar als deckungsgleich angesehen. Dabei meint »Renaissance« die Gesamtheit der kulturellen Einzelphänomene, »Humanismus« die literarisch-philologische Absicherung dieser Erneuerung aller Lebensbereiche durch das systematische Studium der Werke der Römer und Griechen. Es darf jedoch nicht vergessen werden, daß die Anfänge dieser Bewegung, der sog. Proto- oder Prähumanismus, bis ins 13. Jahrhundert zurückreichen; sie wurden allerdings nur von einer kleinen Gruppe von Gebildeten, hauptsächlich in Norditalien, getragen. Wahrscheinlich wäre der Humanismus eine Bestrebung unter vielen geblieben, hätte er sich nicht mit politischen wie religiösen Wiedergeburtsvorstellungen verbunden und wäre so nach Süden, vor allem in die Toskana, verpflanzt worden. Hier traf er auf eine wirtschaftlich florierende oligarchisch strukturierte Laienkultur, die sich viele seiner zentralen Ideen zu eigen machte: das Studium der Antike und ihrer Lebensformen (Kunst, Architektur, Politik, Geschichte, Literatur, Philosophie, Medizin usw.), denen Modellfunktion zugeschrieben wird; eine Hinwendung zu Individualismus und Kosmopolitismus; eine verstärkte Förderung von Ökonomie und Naturwissenschaften; und ganz generell eine unvoreingenommene Erforschung des umgebenden Mikro- und Makrokosmos.

Porträts typischer
Renaissancefürsten:
Porträt von Ercole I
d'Este, gewöhnlich
Sperandio da Mantova
zugeschrieben, und
Bronzebüste von
Ferdinando I d'Aragona
von Guido Mazzoni

Ohne die politische Krise des ausgehenden Mittelalters hätte sich aber die Sehnsucht nach politischer Wiedergeburt kaum auf alle Lebensbereiche ausgedehnt. Die Auswirkungen dieser Krise sind bekannt: die Schwächung des Kaisertums und die Infragestellung seiner universellen Ordnungsfunktion; die babylonische Gefangenschaft der Kirche, die zum Spielball fremder Mächte wird und wegen ihrer Korruption ihr moralisches Ansehen verspielt; die Entstehung der Signorien, die die plebiszitären oder schon demokratischen Kommunalordnungen durch die Gewaltherrschaft einzelner Potentaten ersetzen; demographische Einbrüche nach der großen Pest von 1348 mit wirtschaftlicher Stagnation und Produktivitätsrückgang im Gefolge; die Krise der Scholastik, die die Einheit von Wissen und Glauben grundsätzlich in Frage stellt.

Im Hintergrund: Allegorien von Reich und Kirche; im Vordergrund: Kaiser und Papst, Ausschnitt aus einem Fresco von Andrea di Bonaiuto in S. Maria Novella zu Florenz

Durch den Zusammenbruch der Stauferherrschaft entsteht in dem von größeren Mächten im 14. und 15. Jahrhundert relativ unbehelligten Mittel- und Oberitalien, die nominell immer noch zum Deutschen Reich gehören, ein Machtvakuum, in dem politische und ökonomische Energien heftig aufeinanderprallen. Gewalt und Anarchie sind an der Tagesordnung, und neue stabilere Strukturen können sich nur langsam herausbilden. Dante hat dies mit seinem berühmten Verdikt (*Purg.* VI,76–78) treffend formuliert:

> Ahi serva Italia, di dolore ostello,
> Nave senza nocchiero in gran tempeste,
> Non donna di provincie, ma bordello!

> (Italien, Sklavin, Ort des tiefen Schmerzes./ Schiff ohne Steuermann in großen Stürmen/ Nicht Herrin von Provinzen, Haus der Schande!)

Zweifellos, denn dies war das Nächstliegende, konnte eine Neubesinnung und Erneuerung nur aus dem Geist Roms erfolgen, als dessen Erben und Sachwalter sich die Italiener, vielfach in bewußter Opposition zu Deutschen, Franzosen und Spaniern, empfanden, zumal Imperium, Sacerdotium und Litterae bei ihnen zu Hause waren. Wer sich als Italiener um die Wiedererweckung Roms bemühte, konnte mit Fug und Recht von sich sagen, »mea res agitur!« Ein Zeichen setzte der römische Volkstribun Cola di Rienzo (1313–1354), der die Wahl eines Italieners zum Kaiser betrieb und Rom und Italien mit Hilfe des Volkes nach altrömischem Vorbild neu ordnen und sanieren wollte, wobei ihm jedoch die Stadtrömer auf Dauer die Gefolgschaft versagten. Als Symbol seiner eigenen Wiedergeburt nahm er im Namen des Heiligen Geists und der altrömischen Virtus ein Ritterbad in der angeblichen Taufwanne des »christlichen Imperators und Augustus« Konstantin. Cola hatte Livius und andere Historiker gelesen und ließ sich bei seinem Reformwerk von den Taten der römischen Imperatoren leiten. Man sieht also, daß das Studium der Antike hier schon politisches Handeln inspiriert und begleitet. Die Translationsvorstellungen (»translatio imperii«; »studii«) des Mittelalters, mit denen man die Fiktion eines Fortbestandes des Römerreichs und seiner Kultur gestützt hatte, wurden durch den Begriff der »declinatio imperii«, des Verfalls des Römerreichs, abgelöst; die Barbaren der Völkerwanderungszeit wurden dafür verantwortlich gemacht, und somit ist ein dreigliedriges historisches Periodisierungsschema – Antike, Mittelalter, Neuzeit – geschaffen, das bis heute die Grundlagen der Geschichtsschreibung bildet. Der Humanist Leonardo Bruni stellt erstmals den Zusammenhang zwischen der Entwicklung der italienischen Stadtstaaten des Hochmittelalters und den Anfängen der Renaissance her, für die er die politische Freiheit, wie er sie in der Toskana gewährleistet sieht, für ursächlich erklärt. Florenz als Zentrum der Studien, die diesen freiheitlichen Geist nährten, könne und müsse

Das finstere Mittelalter

Von Cola di Rienzo geprägte Münze, Vorder- und Rückseite

die gleiche führende Rolle beanspruchen wie einst Athen in Griechenland. Wie Bruni weiterhin richtig bemerkt, sei Francesco Petrarca der erste gewesen, der nicht nur den Primat des Lateins vor der Volkssprache, sondern auch die historische Individualität der Antike erkannt habe. Für Petrarca sei die Lektüre der Alten zum Zwiegespräch, die Beschäftigung mit den Werken Roms zur existentiellen Begegnung und zum neuen Daseinsvollzug geworden. Allerdings wird hier allzu leicht vergessen, daß Petrarca Cola di Rienzo persönlich kennengelernt und sich für seine politischen Erneuerungspläne begeistert hatte. Colas Ende im Volksaufstand ist bekannt; die politische Umgestaltung scheiterte am Widerstand der Partikularinteressen, aber die geistige Renovatio durch die »studia humanitatis«, die Verschränkung von »vita contemplativa« mit der »vita activa«, war fest in den Köpfen der geistigen Elite verankert. Da viele führende Humanisten als Kanzler, Sekretäre und Berater in den politischen Zentren Italiens wirkten, konnten sie ihre durch Lektüre gewonnenen Kenntnisse vom Bau des Staates und seinen Institutionen, vom autonomen Bild des Menschen oder dem Primat der literarischen Bildung vor anderen Erkenntnisquellen, in die Tat umsetzen.

Phasen des Humanismus

Nach einer ersten Vorbereitungsphase des Prähumanismus (preumanesimo) setzt etwa nach Petrarcas Tod (1374), der durchaus als Einschnitt empfunden wurde und eher zufällig mit der definitiven Rückkehr des Papsttums von Avignon nach Rom (1377) zusammenfällt, die Hauptphase des eigentlichen Humanismus ein. Er läßt sich in drei Abschnitte untergliedern und wird in den fünf »Hauptstädten« Ober- und Mittelitaliens (Mailand, Florenz, Venedig, Rom, Neapel), die aus dem Konkurs von Stauferreich und mittelalterlichem Papsttum hervorgegangen sind, im Lauf der Zeit zur herrschenden Ideologie. Bei allen Gemeinsamkeiten erfährt der Humanismus jedoch spezifische lokale Ausformungen, so daß man regionale Strömungen oder gar diverse Humanismen unterscheiden kann. In den genannten Zentren lassen sich Tendenzen zu »monarchischen« Regierungsformen beobachten, die, aus noch zu erklärenden Gründen, das Mäzenatentum begünstigen und damit eine wichtige Voraussetzung für die neue kulturelle Hochblüte schaffen: Mailand, politisch eine Tyrannis, entwickelt sich unter den Visconti (1385–1450) zu einem straff organisierten Zentralstaat, dessen Finanzen die Einnahmen des deutschen Königs um ein Vielfaches übersteigen. Der Mailänder Dom (1386), die Kartause von Pavia (seit 1396), Universität und Bibliothek von Pavia sind augenfällige Zeichen der Förderung und Blüte von Kunst und Wissenschaft. Venedig, eine Republik mit aristokratischem Stadtregiment und einer Senatsverfassung bewahrt die byzantinische Institution des Dogen (lat. Dux) über ein Jahrtausend bis zum Ende der staatlichen Selbständigkeit (1797). Dies garantiert Stabilität nach Innen; doch sind die Venezianer auch Meister der Außenpolitik und der Diplomatie. Sie beherrschen einen ansehnlichen Festlandsbesitz (Terra ferma) und unterhalten in Dalmatien, der Ägäis und der Levante schwer befestigte Flottenstützpunkte. Die politische Ordnung von Florenz beruht auf den 1295 endgültig festgelegten »Ordinamenti di giustizia«, die alle Zünfte am Stadtregiment beteiligen, doch wird die Macht des »popolo grasso«, der reichen Besitzbürger, immer mehr gestärkt. Angehörige der Familie Medici, die in der Papstfinanz aufgestiegen sind, setzen ihren Reichtum in politische Macht um und lenken seit 1434 unter formaler Wahrung der republikanischen Form unauffällig die Geschicke der Stadt. Mit ihnen wetteifern andere kapitalkräftige Familien wie die Pazzi, Strozzi und Rucellai, und alle entfalten eine großzügige Bautätigkeit, fördern Architektur, Skulptur und Malerei. Rom, im 14. Jahrhundert völlig heruntergekommen und nach der Rückkehr des Papsttums aus Avignon durch das Große Abendländische Schisma (1378–1415) in eine tiefe Autoritätskrise

Schematischer Plan von Mailand aus einer vatikanischen Handschrift der *Cosmographia* des Ptolemäus, Mitte des 15. Jahrhunderts

gestürzt, gesundet politisch und wirtschaftlich, gerät aber völlig in die Abhängigkeit von Papsttum und Kurie, die weltliche Macht ausüben. Dies hat im Laufe der Zeit eine starke Säkularisierung der Kirche zur Folge, die das Renaissance-Papsttum auf das Gewicht eines Territorialfürstentums reduziert. An der Kurie haben allerdings Florentiner in der Kanzlei und Finanzverwaltung das Sagen (Poggio Braccciolini, Leonardo Bruni, Antonio Loschi, Flavio Biondo, Leon Battista Alberti); Rom wird auf diese Weise kulturell zu einer Art Dependance von Florenz. In Neapel unterliegen nach zähem Ringen die Anjou (1381–1443) dem Haus Aragón, das mit König Ferdinand I., der 1443 vom Papst als Alfonso I. von Neapel-Sizilien belehnt wird, eine glänzende Hofhaltung entfaltet. Auch hier werden Künstler (Pisanello), Dichter (Antonio Beccadelli) und Gelehrte (Lorenzo Valla) besonders gefördert.

In die sich anschließende Phase des relativen Friedens und der Ruhe fällt die Blütezeit der eigentlichen neulateinischen Literatur. Im Frieden von Lodi (1454) gleichen diese fünf italienischen »Großmächte« ihre territorialen Interessen gegeneinander aus und schaffen die »Italia bilanciata«, ein Gleichgewichtssystem, welches dem Land bis zum Einmarsch Karls VIII. (1494) ein halbes Jahrhundert relativen Friedens und Wohlstandes beschert, die dann allerdings jäh zerstört werden. Das Land wird danach abermals für lange Zeit zum Objekt und Schauplatz fremder Interventionen. Die nun ausbrechenden Italienkriege zwischen Frankreich und dem Haus Habsburg dauern bis 1559.

Triumphzug Alfonsos von Aragón, Vatikanische Miniatur aus der Mitte des 15. Jahrhunderts

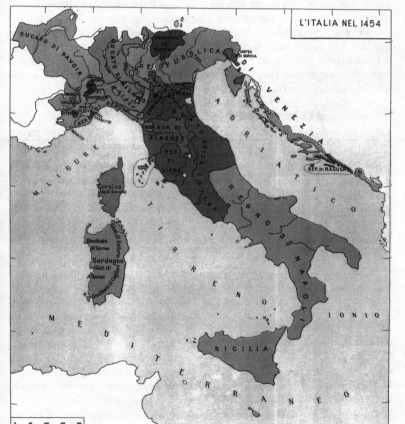

Die italienischen Mächte nach dem Frieden von Lodi (1454)

Totenmaske Lorenzos des
Prächtigen im Saal III des
Palazzo Medici

Savonarola schreibt in
seiner Zelle eine Predigt,
Holzschnitt aus einer
Ausgabe der *Prediche*
Venedig 1513

Die Zeit nach Lodi begründet Italiens kulturelle Führung in Europa, die noch bis tief ins 17. Jahrhundert hinein anhält. Florenz hat durch Petrarca und Boccaccio, die fast alle neulateinischen Gattungen gepflegt hatten und Dichter, Philologen, Moralphilosophen und Historiker in einem waren, einen Wissensvorsprung vor den anderen Zentren, und so verwundert es nicht, daß auch in der Folgezeit die Mehrheit der bedeutendsten Humanisten Florentiner sind. Aber die Stadt besitzt auch in Lorenzo de' Medici (il Magnifico), dem Enkel Cosimos und Sohn Pieros, einen Staatsmann, Mäzen und Dichter, der nicht nur ein Garant der politischen Ordnung seiner Vaterstadt, sondern ganz Italiens wird. So überstrahlt Florenz alle anderen Staatengebilde. Mit Lorenzos Tod 1492 treibt nicht nur die Arnostadt in den Abgrund: 1494 wird sein Sohn und Erbe Piero verjagt, der den Franzosen zu viele Konzessionen gemacht hat, auch die Medici-Bank geht infolge des Mißverhältnisses von Eigen-und Fremdkapital und der Verschiebung der Wertrelation des Silbers zugunsten des Goldes bankrott. Der fanatische Dominikanermönch Savonarola tritt das Erbe der Mediceerherrschaft an und will an ihre Stelle das Gottesreich auf Erden setzen. Den Nutzen dieses Zusammenbruchs haben wieder einmal Ausländer, zunächst die Franzosen.

Der Florentiner Humanismus ist aber vielleicht auch deshalb so wirkungsvoll geworden, weil seine politischen Wurzeln in die Zeit der Auseinandersetzung mit Giangaleazzo Sforza (1402) zurückreichen, als Florenz in letzter Minute durch den Einsatz aller Bewohner vor dem Untergang gerettet wird. Angesichts dieser Bedrohung entwickelte sich jener spezifisch florentinische »Bürgerhumanismus«, der sich aus antik-republikanischer Gesinnung speist und den Bürger zur aktiven Teilnahme an den Staatsgeschäften befähigen soll. Von dieser Synthese von Politik und Humanismus, die weitgehend auf Florenz und Venedig beschränkt bleibt, geht eine intensive Befassung mit dem Phänomen des Politischen aus und erklärt sich die entsprechend historisch-staatsphilosophische Ausrichtung des Humanismus mit den Themen der Würde des Menschen (dignitas hominis), der Freundschaft (de amicitia) und Pflichterfüllung (de officiis) sowie dem Dienst an der Gemeinschaft. Grundsätzlich ändert daran auch die Krise nichts, die mit der Aushöhlung der republikanischen Verfassung durch die Medici einsetzt, als die Freiheit verloren geht und die Ideale der antiken Polis verblassen.

Die Studia humanitatis

Professor und Studenten
im Hörsaal – »Cino da
Pistoia in cattedra«

Der Terminus »Humanismus« im engeren Sinn ist eine deutsche Prägung des 19. Jahrhunderts (Niethammer, Hagen, Voigt, Burckhardt). Er meint Geisteshaltung und Abschnitt der Geistesgeschichte zugleich, doch der Ausdruck »humanista«, eine Analogiebildung zu »canonista« und »jurista«, erscheint bereits gegen Ende des 15. Jahrhunderts und ersetzt den des »orator« bzw. »poeta«. »Humanista« bezeichnet denjenigen, der an Schulen und Universitäten die »studia humanitatis« lehrt, die einen präzisen Kreis von Studien umfassen: Grammatik, Rhetorik, Historie und Moralphilosophie. Diese Disziplinen sind offensichtlich aus den mittelalterlichen Septem Artes, besonders dem Trivium, hervorgegangen, aber es werden neue Schwerpunkte gelegt. Die Humanisten studieren die entsprechenden lateinischen und griechischen Texte, doch sie verfassen auch selbständige Schriften und verknüpfen alle vorgenannten Fächer miteinander. Ohne Gelehrsamkeit, d.h. das Studium der alten Autoren, sind

Blick auf Florenz;
Ausschnitt eines Gemäldes
von Jacopo del Sellaio

die Erziehungsziele, Beredsamkeit und Weisheit, nicht zu erreichen. Theologie, Jurisprudenz, Medizin, Metaphysik und Naturphilosophie mit Mathematik und Logik gehören nicht eigentlich zu den »studia humanitatis«, auch wenn diese Auswirkungen darauf haben. Als geistesgeschichtliches Phänomen beruht der Humanismus auf dem Gedanken der überzeitlichen Bedeutung der antiken Kultur für die Gegenwart, da, so lautet die Vorstellung, in der Antike alle wichtigen Gedanken bereits gedacht worden sind. Man kann sie nicht übertreffen, sondern muß sie nachahmen und zur Richtschnur erheben (Imitationsprinzip). Das berühmte Bienengleichnis verkörpert diesen Gedanken am besten: Wie die Biene den Pollen aus den Blüten saugt und ihn zu Honig veredelt, soll der Humanist die Werke der Alten ausbeuten und für die Gegenwart nutzbar machen. Anders als das mittelalterliche Bild von den Zwergen auf den Schultern der Riesen, das im Prinzip das Gleiche meint, wird hier im Vergleich mit dem Fleiß der Biene die eigene Aktivität und Originalität hochgehalten.

Das Imitationsprinzip

Um das antike Traditionsgut zu erfassen, bedarf es einer ausgedehnten philologischen Tätigkeit des Sammelns von Kodizes, des Edierens, Kommentierens, Übersetzens und Nachahmens. Nachdem zuerst die italienischen Kloster- und Dombibliotheken durchkämmt wurden, bieten die Reformkonzilien auf deutschem Boden (Konstanz, 1414–1418; Basel, 1431–1437–1439) die Gelegen-

*Die Jagd auf
Handschriften*

Bibliothek von S. Marco
in Florenz, Zentrum
humanistischer
Gelehrsamkeit im
Quattrocento

Moralistik

Autonomie der Antike

*Humanismus und
Scholastik*

heit, auch dort systematisch zu suchen und das Korpus der im Mittelalter bekannten Autoren um den ganzen Quintilian, acht Reden Ciceros, Lukrez, Tacitus, Ammianus Marcellinus, Valerius Flaccus u.a. zu erweitern. An der Auffindung der einzelnen Autoren nimmt die gesamte Gelehrtenrepublik lebhaften Anteil, zumal dem Erfolg oft systematische Forschungsexpeditionen in Klosterbibliotheken vorausgegangen sind.

Der Fall Konstantinopels (1453) führt verstärkt griechische Gelehrte nach Italien, die vielfach Handschriften in ihrem Gepäck mit sich führen. So rückt nun auch das Griechische ins Zentrum, wenngleich nicht vergessen werden darf, daß in den byzantinischen Besitzungen, in Venedig, Ravenna, Otranto und Sizilien, die Kenntnis dieser Sprache die Jahrhunderte überdauert hatte. Aber Homer, die attischen Tragiker oder die griechischen Lyriker werden jetzt dem Staub des Vergessens entrissen. Die Erfindung der Buchdruckerkunst wird um 1470 zu einer weiteren Wissensexplosion beitragen, wenn auch dadurch die Kodizes und die Handschriftenkultur nahezu bedeutungslos werden. Wenn ein Mönch bis dahin ein bis zwei Jahre benötigte, um einen Text einmal abzuschreiben, können jetzt ohne Mühe binnen kurzer Frist bis zu 2000 Kopien erstellt werden. Den Humanisten (Poggio Bracciolini; Niccolò Niccoli) verdanken wir die lateinische Druck- sowie die Kursivschrift, zunächst eine Schreibschrift, die die Buchdrucker (Antiqua) übernehmen. Sie ist eine Kombination aus den Großbuchstaben der antiken Inschriften und den Kleinbuchstaben der karolingischen Minuskel und löst die gotische Frakturschrift ab, die man die »littera moderna« nannte, weil sie jünger war. Die Humanisten verstehen sich selten als absolute Neuerer, sondern meist als Erneuerer. Wichtiges Anliegen der Humanisten ist die Wiederherstellung des klassisch-lateinischen Stils, denn die Scholastik wird nicht zuletzt wegen ihrer sprachlichen Barbarei abgelehnt. Ihre dialektisch-rationale Frömmigkeit ist den Humanisten gleichermaßen ebenfalls zuwider; sie stellen die Moralphilosophie ins Zentrum, d.h. die Kunst der Selbsterkenntnis, der Lebensgestaltung und der menschlichen Interaktion. Die Moralistik der Italiener, Spanier und Franzosen in Hochrenaissance und Barock, die im germanischen Raum kein Pendant kennt, kann hieran anknüpfen; Spekulation wird durch Lebenskunde und Pragmatik ersetzt.

Man kann generell feststellen, daß sich die Neuzeit durch die Hinwendung zur Wirklichkeit vom Mittelalter unterscheidet. Auch wird erstmalig die ästhetische Autonomie der antiken Literatur erkannt, wie das berühmte Herkules-Beispiel lehrt: Dante und andere Autoren verkleiden den antiken Herkules, der Keule und Löwenfell fortwirft, ein Schwert ergreift, eine Ritterrüstung oder gar eine Amtstoga anlegt; sie passen ihn also ihren Zwecken an, was im Extremfall der anagogischen Deutung zu einer Gleichsetzung von Herkules und Christus führt. Erst Coluccio Salutati gibt in seinem Traktat *De laboribus Herculis* dieser antiken Lieblingsgestalt ihre authentische Bedeutung zurück.

Der abendländische Renaissance-Humanismus wird häufig als ein Kampf gegen die Scholastik aufgefaßt. Ist letztere an die Kirche gebunden und damit rückwärts orientiert, lehrt die vielgestaltige heidnische Götterwelt, die nicht mehr ernst genommen wird, den Humanisten, sich vom Aberglauben zu emanzipieren und vorurteilsfrei in die Zukunft zu schauen. Dennoch ist das Verhältnis von Humanismus und Scholastik nicht so feindlich, wie es die Historiker des 19. Jahrhunderts aufgrund liberaler und laizistischer Anschauungen gerne wollten. Radikale Ablehnung des Christentums, Atheismus und Materialismus sind bei den Humanisten selten; die Autorität von Papst und Fürst stehen nicht in Frage. Auch in anderer Beziehung gibt es durchaus Ambivalenzen: Viele Humanisten haben trotz des Vorrangs des Lateins in Volgare geschrieben oder trotz ihrer Freiheitsreden brav ihre Mäzene umschmeichelt und verherrlicht. Da der Humanismus später vielfach vor dem Hintergrund der jeweiligen Weltanschauung seiner Betrachter gedeutet wird, unterscheidet man im wesentlichen vier Richtungen: Man sieht ihn 1. als primär geistesgeschichtliches Phänomen; 2. als eine integrale, alle Wissenschaften umfassende Richtung; 3. als ideologischen Ausdruck des sozialen Wandels an der Epochenschwelle zwischen Mittelalter und Neuzeit; 4. als überwiegend literarische und pädagogische Bewegung. Dies sind jedoch nur divergierende Akzentsetzungen, denn fast alle Kritiker sind sich darin einig, daß das dialogische Verhältnis zur Antike typisch für den Renaissance-Humanismus ist und gleichzeitig der mittelalterliche Feudalismus überwunden wird, was zur Dominanz des modernen Bürgertums und der dazu gehörigen kapitalistischen Produktionsweise führt. Daraus erklärt sich wiederum die Wichtigkeit der Rhetorik, denn die neue Gesellschaft baut auf zügiger Kommunikation auf. Eine beginnende Internationalisierung, Technisierung und Verrechtlichung aller Lebensbereiche erzwingen eine in die Breite reichende Laienbildung, in deren Zentrum die Redekunst steht. Der Mensch lernt die immer komplexer werdende Welt im Diskurs zu begreifen und zu gestalten.

Notar und Beamter beim Diktat

Wenn auch der Humanismus außerhalb Italiens andere Formen annimmt, sich mit nationalen und religiösen Tendenzen verbindet, so findet man seine Spuren in ganz Europa: Sie reichen von Spanien bis Schweden, von England bis Polen. Die Schüler übertreffen im 16. Jahrhundert oft sogar die italienischen Lehrmeister: Frankreich wird zum Zentrum der Griechischstudien, die Niederlande und England zur besten Pflegestätte der Latinistik: Guillaume Budé, Erasmus oder Thomas Morus betrachten sich, zu Recht übrigens, als den Italienern ebenbürtig, aber die Initialzündung ging nun einmal von Italien aus.

Klammert man den norditalienischen Protohumanismus des 13. Jahrhunderts aus unserer Betrachtung aus – er ist mit den Namen Geremia da Montagnone, Lovato Lovati, Albertino Mussato, Zambono di Andrea, Oliviero Forzetta u.a. verknüpft, weil seine philologischen Entdeckungen und Leistungen letztlich folgenlos blieben und eher bezeugen, daß etwas »in der Luft lag«, dann ruht der Quattrocento-Humanismus auf den Vorarbeiten der Trecentisten Petrarca, Boccaccio und Coluccio Salutati. Sie brachten beispielhaft in literarische Form, was in der ersten Hälfte des 15. Jahrhunderts die Geister bewegte, nämlich überwiegend moralphilosophische, pädagogische und historische Themen. Aber sie deuten bereits an, worum gegen Ende des Jahrhunderts die Literatur kreist: Gelegenheitslyrik, Liebesdichtung, Satire und Erzählung. Der Quattrocento-Humanismus ist nämlich in zwei divergierende Phasen geschieden, und diese fallen ziemlich genau mit den beiden Jahrhunderthälften zusammen.

Vorarbeiten

Petrarca, Boccaccio und Coluccio Salutati haben die »studia humanitatis« keinesfalls erfunden, aber sie haben dem Interesse an der Antike zum Durchbruch verholfen und bereits gültigen Ausdruck verliehen. Die lateinischen Werke Petrarcas, vor allem der moralphilosophische Traktat *De remediis utriusque fortunae,* der die Zufälligkeit und Hinfälligkeit des Glücks thematisiert, bzw. die *Rerum memorandarum libri IV,* eine Summe menschlicher Verhaltensmuster, dazu einige Briefbücher *(Familiarum rerum libri),* kennen eine nicht minder lebhafte Rezeption als die Laura-Lyrik des *Canzoniere* und sind bis ins 18. Jahrhundert immer wieder aufgelegt und übersetzt worden. Petrarca sprengt hier die engen Grenzen der Artes, die steril geworden sind, und dynamisiert den Bildungsbegriff: Recht erzogen und angeleitet, hat der Mensch im Prinzip unendliche Entwicklungsmöglichkeiten. Das Epos *Africa* und *De viris illustribus* liegen auf eben dieser Linie und öffnen die historische Dimension zur Heldengeschichte, einer Geschichte von Helden, die aufgrund ihrer persönlichen Virtus Großes vollbringen und wiederum die Selbstmächtigkeit des Individuums preisen. Die Geschichte hat ihren Ursprung und ihr Ziel nicht mehr in

Pädagogik und Moralphilosophie

Gott. Der einzelne kann durch eigene Leistung die blinde Fortuna bezwingen. Bei Petrarca gehen literarische, historische, politische und pädagogische Zielvorstellungen eine Synthese ein, die richtungsweisend für das Quattrocento wird.

Boccaccio

Boccaccio ist durch seine Fixierung auf Dante und seine *Commedia,* der er im *Decamerone* ein zahlensymbolisch durchdachtes inhaltlich vielgestaltiges Pendant entgegenstellen will, stärker auf die Volkssprache und mittelalterliches Ordodenken konzentriert als Petrarca. In Dante erblickt er den »ritorno delle muse sbandite d'Italia« (die Rückkehr der aus Italien vertriebenen Musen) nach der mittelalterlichen Finsternis und rechnet ihn, womit er in der Folgezeit – man denke nur an Jacob Burckhardt – nicht vereinzelt dasteht, bereits zur Neuzeit. Seine lateinischen Werke wie *De claris mulieribus,* 104 Biographien berühmter Frauen, und *De casibus virorum illustrium,* ähneln den biographischen Porträts Petrarcas zumindest in der Zielrichtung.

Coluccio Salutati

Der florentinische Staatsmann und Kanzler Salutati spricht ein gewichtiges Wort bei der Berufung des Byzantiners Manuel Chrysoloras (1397) als Griechischprofessor nach Florenz mit und sorgt somit für ein Jahrhundertereignis, denn, wie Leonardo Bruni rühmt, »seit 700 Jahren hat in Italien niemand mehr die griechische Literatur gekannt«. Salutatis eigene literarische Produktion – Briefe, politische Traktate, Mythendeutung, Wissenschaftsgeschichte – ist zwar weniger literarisch als die der Vorgenannten, mit ihrer philologischen Ausrichtung für ihre Epoche aber nicht minder richtungweisend. An diese Schriften schließen vor allem die florentinischen und römischen Humanisten an, und es sollen in diesem Zusammenhang für die Moralphilosophie nur Giannozzo Manetti *(De dignitate et excellentia hominis)* und Lorenzo Valla *(De libero arbitrio; De voluptate ac de vero bono),* für die Geschichtsschreibung Leonardo Bruni *(Historia florentina; Commentarius rerum suo tempore gestarum),* Flavio Biondo *(Historiarum ab inclinatione Romanorum decades),* Enea Silvio Piccolomini *(Historia bohemica; Historia Federici imperatoris; Commentarii rerum memorabilium)* und Matteo Palmieri *(De Temporibus; De Captivitate Pisarum),* für die Erziehung Vittorino da Feltre und Leon Battista Alberti genannt werden. Poggio Bracciolini *(Liber facetiarum)* und Antonio Beccadelli *(Hermaphroditus),* Verfasser einer Schwank- bzw. einer satirischen Gedichtsammlung, erstellen literarische Muster, die in der zweiten Jahrhunderthälfte aus noch zu erörternden Gründen zum Tragen kommen.

Der florentinische Staatskanzler Coluccio Salutati, Gemälde von C. Allori

Die literarischen Ziele

Wenn die erste Hälfte des Quattrocento den lateinischen Renaissance-Humanismus gefestigt hat, so ist dies nicht ohne Kämpfe vonstatten gegangen. In zahlreichen Diskussionen und Invektiven entstand vordergründig eine Einigung über drei Postulate der »studia humanitatis«, die zunächst auf eine Stabilisierung und Vereinheitlichung hinzuzielen scheinen: 1. Reinheit und Eleganz der lateinischen Sprache in Wort und Schrift sind höchstes Ziel jedes Humanisten. Für die Prosa gelten Cicero, für die gebundene Form Vergil als unübertreffbare Modelle. Die Volkssprache wird auf den alltäglichen und strikt privaten Bereich beschränkt. 2. Die Modellhaftigkeit dieser beiden Autoren darf nicht daran hindern, *alle* auffindbaren antiken Quellen und Texte zu suchen und zu erschließen, da nur so genügend Stoff für die inhaltliche Imitatio bereitgestellt werden kann. 3. Die Gegenwart hat einen geringeren Stellenwert als die Antike, die in Politik, Literatur, Geschichte, Kunst, Architektur, Wirtschaft, Philosophie usw. höchste Autorität für sich beanspruchen kann.

Schein und Wirklichkeit

Diese Vorstellungen sind allerdings nie kohärent als Lehrsystem formuliert worden, sondern lassen sich den Schriften der Bruni, Poggio, Niccoli, Valla, Filelfo, Guarino, Francesco Barbaro und wie sie alle heißen mögen, entnehmen. Divergierende Auffassungen bezüglich Einzelpositionen sind die Regel. Dieses Bemühen um Einheitlichkeit und Regelhaftigkeit ist stark rückwärts gewandt und vernachlässigt die Gegenwart. Diese wird von Kräften beherrscht, die die Humanisten häufig negieren: Der ökonomische Fortschritt diktiert bereits seine Gesetze; das Lateinische kann die Volkssprache nicht wirklich verdrängen. Die Analogien zwischen der Gegenwart und dem Athen des Perikles oder dem Rom des Augustus sind eher vage, denn Italien ist allenfalls kulturell eine Großmacht. Die Anrainerstaaten warten nur auf seine Schwäche, um ins Land einzufallen und es ihren Zwecken dienstbar zu machen. So bewegen sich die Intellektuellen in einer Scheinwelt, die viel labiler ist, als sie wahrhaben wollen. Sie überschätzen sich, denn sie verkennen, daß sie den Mächtigen als Staffage dienen und sich von der Masse des Volkes durch ihren philologischen Höhenflug entfernt haben.

Daß die Trecentisten bedeutende Dichter in der Volkssprache waren, ihre Sprache flexibler und für den Ausdruck moderner Gedanken viel geeigneter war als das Latein, konnte auf Dauer nicht unterdrückt werden. Und weiter galt: Wenn die Römer von den Griechen gelernt hatten, was ihrer Weltgeltung keinerlei Abbruch tat, dann konnten auch die Italiener ohne Minderwertigkeitskomplexe von den Römern und Griechen lernen und ihnen dennoch ebenbürtig sein oder werden. Eine Art früher Historismus, und, daraus resultierend, ein Fortschrittsglaube, brechen sich Bahn. Die »Querelle des Anciens et des Modernes«, die im 18. Jahrhundert in Frankreich zum Ende der späthumanistischen »Doctrine classique« führt, wirft ihre Schatten voraus. An der Vorherrschaft des monotheistischen Christentums im Vergleich zum heidnischen Polytheismus zu rütteln, wäre, auch für die sonst vor keinem geistigen Tabu zurückschreckenden Humanisten, Häresie gewesen, doch nur mit mühsamen Allegorien (»Plato…, Seneca…, Vergilius christianus«) ließ sich die heidnische Literatur überhaupt verteidigen und in einen prinzipiell christlichen Bildungskosmos integrieren. So schmiedeten die Humanisten, die die textphilologischen Methoden immer weiter verfeinerten und die Kenntnisse der antiken Welt immer stärker vertieften, letztendlich selber die Waffen, mit denen statt der Überzeitlichkeit der Antike gerade ihre Zeitlichkeit und Vergänglichkeit bewiesen wurden.

Das Ende des Humanismus

Porträt Platons von Pedro Berruguete, Herzogspalast Urbino

Die Humanisten und die neulateinische Literatur

Die Zahl der Humanisten war am Anfang klein, ihre soziale Position durch die Tätigkeit als Kanzler etwa von Florenz oder päpstlicher Sekretär an der Kurie gesichert. Doch im Lauf der Zeit wird der Humanismus eine Massenbewegung, was schwierige soziale Probleme schafft, die ihren Niederschlag in den Werken der Autoren finden. Die meisten dieser Humanisten entstammen jetzt den unteren und mittleren Gesellschaftsschichten (Kleinbürgertum, städtische Beamtenschaft, Bauern) und sind deshalb darauf angewiesen, ein Amt zu finden, das ihnen eine materielle Basis sichert und bei dem sie ihre Talente, eben die Kenntnis der Antike, verwerten können. Natürlich bieten sich die zahlreichen, meist kommunalen Schulen und Universitäten an, doch ist ihre Zahl nicht groß genug, als daß alle Humanisten dort hätten unterkommen können. Durch die politischen Veränderungen, die hier nicht in allen Einzelheiten verfolgt werden können, tut sich ihnen ein neues ungeheures Arbeitsfeld auf: die zahlreichen kleineren und größeren Staatsgebilde mit ihren Höfen. Im Lauf des 15. Jahrhunderts wird Italien von einer Großzahl von Monarchien oder monarchie-ähnlichen Gebilden beherrscht, auch wenn einige Stadtstaaten wie Venedig, Florenz oder Bologna nominell Republiken geblieben sind. Die fünf italienischen

Die Fürstenhöfe

Hofgesellschaft, zu Tische
sitzend, Miniatur von
Apollonio di Giovanni zu
einem Vergil-Kodex

Amedeo VIII. von
Savoyen als Gesetzgeber
im Kreis seiner Berater

Der Ruhmbegriff

»Großmächte« sind, wie bereits gesagt, de facto Monarchien, wobei der Kirchenstaat und Venedig als Wahlmonarchien angesehen werden können. Auch zweit-
rangige Staaten wie Ferrara unter den Este, Mantua unter den Gonzaga, Urbino
unter den Montefeltro, Perugia unter den Baglioni, Rimini unter den Malatesta
und selbst zwergenhafte Gebilde wie Camerino, Fermo, Piombino, Città di
Castello, die nur Punkte auf der Landkarte sind, werden Zentren von Fürstenhöfen. Ihre Herren sind meist durch Usurpation an die Macht gelangt, doch ist
vom mittelalterlichen Legitimitätsdenken noch so viel erhalten geblieben, daß
viele sich als Emporkömmlinge fühlen und, um diesen Makel zu tilgen, sich
bestätigen lassen wollen, daß ihre Familie bis in die ältesten Zeiten zurückreicht
und sie selber somit keine Parvenüs sind. Hier treten die Humanisten mit ihren
Epen und Biographien auf den Plan.

Eng damit verknüpft ist der Wunsch der Päpste und Staatsmänner, der
Kondottieri und Duodezfürsten, sich einen bleibenden Platz im Andenken der
Menschen zu erobern und ihren Namen für immer der Vergänglichkeit zu
entreißen, was nur dann möglich ist, wenn ein Dichter oder Historiograph ihre
Ruhmestaten besingt und verherrlicht. Die Fürstenhöfe bieten somit einer
Schar von Humanisten berufliche Möglichkeiten als Lehrer, Sekretär, Gesell-
schafter, Historiograph oder Dichter, schaffen aber auch ein Klima der Abhän-
gigkeit vom jeweiligen Mäzen, der die Bezahlung einstellt, wenn er mit dem
Gebotenen nicht zufrieden ist, weiterhin auch ein Klima der Rivalität zu den
Mitbewerbern, die den schwer erkämpften Platz streitig machen. Die Interde-
pendenz zwischen den Humanisten als Trägern, aber gleichzeitig auch als Rezipienten, und den Fürsten und Mächtigen als ausschließlichen Rezipienten der
neulateinischen Literatur setzt voraus, daß es noch keinen freien literarischen
Markt gibt, sondern das Mäzenatentum die Schriftstellerei motiviert. Das
Bewußtsein, den Ruhm, die Unsterblichkeit, aber auch das Vergessen auszutei-
len, ist bei den Poet-Philologen schon bald stark entwickelt und kultiviert auch
bei dem Mittelmäßigsten noch einen geistigen Hochmut, der andererseits die
stärkste psychologische Abwehr gegen die Abhängigkeit von der Herrenschicht
bildet. Die Humanisten erkennen die Gefahr, einerseits eine ressentimenter-
füllte Bohème, zum anderen ein konservatives, passives, liebedienerisches
Akademikertum zu werden. Ihr einziger Schutz besteht darin, das Abhängig-
keitsverhältnis umzukehren, dem nicht hoch oder willig genug remunerieren-
den Mäzen den Rücken zu kehren und sich einen neuen Herrn, ein neues Amt,
eine neue Lehrtätigkeit zu suchen, was oft geschieht, sich aber meist gegen die
Humanisten selber kehrt, da es Hunderte ihresgleichen gibt und der Marktwert

ihrer Zeilen als nicht sehr hoch veranschlagt werden darf. Die Abhängigkeit von einem Mäzen, der ein Herrscher, Privatmann, eine Stadt oder Universität sein kann, der gelobt werden will, der Tadel der Rivalen und Neider, die dem Dichter den Platz streitig machen, die häufigen Ortsveränderungen, die durch eine starke inneritalienische Fluktuation von Hof zu Hof, von Gönner zu Gönner, bedingt sind, bilden den »Sitz im Leben« der neulateinischen Literatur der zweiten Jahrhunderthälfte, oder, abstrakter ausgedrückt, Lob und Tadel, Willkommen und Abschied werden die Hauptthemen dieser Literatur sein. Angesichts dieser Situation ist man geneigt, von literarischer Inflation zu sprechen. Das Niveau der Anfangszeit sinkt, die Authentizität ist eingeschränkt, der Humanismus verkommt zum Massenphänomen. Auch darin kann ein Grund für seinen baldigen Untergang gesehen werden.

Welche Gattung man auch immer betrachtet, der Inhalt ist stets ähnlich und *Der Primat der Form* erstreckt sich auf wenige Lebensbereiche: den Mäzen, seine Familie und seine Freunde sowie die herausragenden Vorkommnisse ihres Lebens (Geburt, Heirat, Tod, Liebe, Krieg usw.), die Beschimpfung der Rivalen und Neider, bisweilen des ganzen Zeitalters, denen geistige und sittliche Korruption angelastet werden, das eigene Schicksal, die materielle Not, das Heimweh und den Schmerz beim Abschied, wobei sich natürlich viel Stereotypes findet. Man darf nicht vergessen, daß die Verfasser dieser Literatur einem kontinuierlichen »Leistungsdruck« unterworfen sind. Wird ihr Werk nicht goutiert, verschließt der Mäzen seinen Beutel. Es versteht sich von selber, daß für echte Empfindungen dabei wenig Platz bleibt. Wenn ein Dichter einmal nicht lobend, heischend oder spottend tätig ist, sucht er ein Ventil für seinen »Überdruck«; er verfremdet die Gattungen des Lobens und Tadelns ins Komische: die obszöne oder burleske Dichtung erfüllen diesen Zweck am besten.

Die hieraus resultierenden Kategorien des Enkomiastischen (Lob), Skopti- *Lob und Tadel* schen (Tadel) und Komischen (Spott) reichen aber noch nicht aus, die Vielfalt der von den Neulateinern gepflegten Gattungen zu erklären. Die Rhetorik hat auch in der Poesie Eingang gefunden und eine derartige Bedeutung gewonnen, daß der Stoff der Dichtung und Literatur immer unwichtiger wird. Die Form hat den absoluten Primat über den Inhalt errungen. Die Schriftsteller sind davon überzeugt, daß jeder Gegenstand der Veredelung durch die Eloquenz fähig ist, weil Schönheit allein in der »convenientia decens«, dem passenden Zusammenklang aller Redeteile untereinander, besteht. Da der Inhalt fast immer identisch oder stereotyp ist, besteht die Kunst darin, das gleiche Thema auf immer neue Weise auszudrücken; die von Quintilian in der *Institutio oratoria* I.9.2 apostrophierte »variatio« wird zur Pflicht.

Es ergibt sich demnach folgendes Gattungsgefüge, ohne daß wir hier einzelne *Das Gattungsgefüge* Werke nennen wollen: als enkomiastisches Prosagenus, das alle Lebensbereiche umfaßt, finden wir die (Auto)biographie, vielfach mit dem Titel »Vita« oder »Commentarii«; ihr entspricht in gebundener Rede das Versepos. Daneben gibt es für jede *einzelne* Gelegenheit Sonderformen: Im Bereich der Prosa vor allem Rede und Brief, die eng miteinander verwandt sind, wobei der Brief im allgemeinen kürzer ist und, wie in der Antike, weniger für private Mitteilungen gedacht ist, als daß er zum literarisch-rhetorischen Schaustück wird, z.T. aber auch Zeitungsfunktion übernimmt. Wie jede beliebige humanistische Sammlung von Reden oder Briefen belegen kann, sind die Hauptformen der »epistola« wie der »oratio« die »commendatitia« (Empfehlung), »adulatoria« (Schmeichelei), »gratulatoria« (Glückwunsch), »consolatoria« (Trost), »lugubris« (Trauer), [»invectiva« (Streit), »faceta« (Schwank)]. Daneben finden wir für spezifische, meist philosophische oder wissenschaftliche Fragestellungen Dialog und Traktat. Diese Texte sind selten spontan, sondern werden aus einem Anlaß geboren und

Der Sitz im Leben   veralten deshalb schnell. Als gebundenes Obergenus steht Brief/Rede das mit
Carmen oder unspezifisch mit Epigramm bezeichnete Gedicht unterschied-
licher Länge gegenüber, das Ode, Hymnus, Epicedion (Trauer- oder Trostge-
dicht), Epitaph, Epithalamion (Hochzeitsgedicht), Heroide (fingierte Liebesgedichte von Helden), Ekloge (Hirtenlied), Encomium (Lobgedicht), Titulus
(Wandinschrift, häufig bei Bildern), Tumulus (Grabinschrift), Elegie, Naenie
(Grabgedicht), Hodoeporicon (Reisegedicht), Propempticon (Reisesegen) usw.
umfaßt. Aus Brief/Rede sind die skoptischen Prosagattungen Invektive, Vitupe-
rium und Fabel abgeleitet, Verssatire, gebundene Fabel und skoptisches (»eigentliches«) Epigramm sind deren metrische Ausformungen. Alle enkomiastischen
Genera können in ihrem ursprünglichen Gewand verfremdet werden, doch gibt
es auch Sonderformen (Prosa: Facetie, Novelle; gebundene Rede: Priapeum,
Rätsel, komische Elegie), die sich verselbständigt haben. Das Theater als Schauplatz von Haupt- und Staatsaktionen in mythologischem Kleid in Form der
Wechselrede ließe sich zwar in dieses, im übrigen nach allen Seiten offene
System einordnen, hat aber in dem uns interessierenden Zeitraum bezeichnenderweise noch keine wirkliche Rolle gespielt und kommt über Lesedramen
selten hinaus.

Florenz und die Volkssprache

Das Volk erwacht   Der lateinische Renaissance-Humanismus hat, trotz seiner relativen Episoden-
haftigkeit, Europa auf Dauer geprägt, denn ohne ihn gäbe es wohl kaum jene
»découverte de l'homme et du monde«, die Entdeckung des Menschen und der
ihn umgebenden Welt, des Mikro- wie des Makrokosmos, von der der französische Historiker Jules Michelet später (1855) sprechen wird. Literarisch betrachtet ist diese Richtung, wie gezeigt, eher unergiebig, und so ist es kaum verwunderlich, daß der Humanismus schon bald seinen Zenith überschritten hat. Die
Gründe für das Wiedererwachen einer kräftig blühenden Literatur in Volgare
sind dennoch nicht ohne weiteres evident: Nach dem Fall von Konstantinopel
(1453) strömen nämlich Tausende von Griechen nach Westen, unter ihnen
viele Gelehrte, die Handschriften mitbringen, und es sieht so aus, als ob die
»studia humanitatis« durch diese Neuorientierung einen weiteren Aufschwung
nehmen würden. Am Ende des Jahrhunderts wird selbst das Hebräische in den
Kanon der wichtigen Bezugssprachen aufgenommen, um die Schriften der
Kabbala und der Rabbiner zu studieren. Aber auf Dauer läßt sich der Wunsch
nach Dichtung und Unterhaltung in einem literaturbewußten Volk, in dem
sogar die Bauern ihre Klassiker lesen, nicht unterdrücken! Es kommt zu einem
Pendelschlag in die andere Richtung: Vitalität ersetzt Sterilität. In der zweiten
Hälfte des Quattrocento gewinnt das volkstümliche Element, die »letteratura
popolareggiante«, in gattungsmäßig wie thematisch höchst unterschiedlicher
Form an Boden: Sagenhafte Riesen, plumpe Bauern und verträumte Hirten
werden die Protagonisten von Ritterepen, Pastoraldramen, Bänkelsang und
Burleske. Feste und Feiern wie Turnier, Karnevalsumzüge oder Maiparaden
liefern die Vorwände. Diese Dichtung will sich thematisch befreien, sie drängt
in die Weite und erschließt sich das Chthonische, Erdverbundene, Natürliche,
Ungestüme, Pulsierende und Wuchernde, doch sie zwingt es in die überkommenen Formen des Endecasillabo, der Ottava rima, des Sonetts oder der Terzine.
Vielleicht ist dies ein Zeichen einer unter der Oberfläche brodelnden Unruhe,
die sich schon bald in dem Wunsch nach Erneuerung und Reform Bahn

Musikanten und
Wurstverkäuferin,
anonymer florentinischer
Kupferstich um 1460–70

brechen wird. Man kann darin aber auch Flucht aus der Realität sehen, in der die ökonomischen und politischen Probleme immer drückender werden. Hirtendichtung zumal ist stets ein Zeichen von Evasion und Eskapismus. Giovanni Gioviano Pontano wird dies später in *De sermone* (1509) theoretisch untermauern, wo kunstvolles Reden, Schreiben und Lesen ganz allgemein als Ausgleich gegen politische Widrigkeiten gefeiert werden:

> Da nun die Franzosen Italien durchstreifen (vagantibus), um nicht zu sagen, das Land verwüsten (vastantibus), und hier französische, dort spanische Truppen das Neapolitanische Königreich besetzen, wenden wir unseren Geist und Sinn von diesen großen Schmerzen, die uns zu Recht quälen, ab, was vielleicht verwunderlich erscheinen mag. Doch wir verwenden sie darauf, die Tugenden und Laster zu beschreiben, die der Rede innewohnen. Dabei meine ich nicht feierliche Ansprachen und Dichtungen, sondern jene Redeformen, die den Geist entspannen sowie jene, die Facetien genannt werden, die also die Erziehung und Bildung und den häuslichen Umgang der Menschen untereinander betreffen, nicht nur des Nutzens wegen, sondern weil sie uns erfreuen und für die Mühen und Beschwernisse entschädigen (2).

Luigi Pulci

Aber auch Luigi Pulci ließe sich zitieren, der im *Morgante* schreibt, daß die unschuldige Natur ein besserer Lehrmeister ist als die Gesellschaft mit ihrem Gezänk und ihrer üblen Nachrede:

> La mia accademia un tempo o mia ginnasia
> E' stata volentier ne' miei boschetti,
> E possi ben veder l'Affrica e l'Asia;
> Vengon le ninfe con lor canestretti,
> E portanmi o narciso o colocasia,
> E cosí fuggo mille uman dispetti;
> Sí ch'io non torno a' vostri ariopaghi,
> Gente pur sempre di mal dicer vaghi (XXV,117).

(Meine Akademie und Ausbildungsstätte war eine Zeitlang vorzugsweise in meinen Wäldern, Denn man kann auch dort Afrika und Asien wohl schauen; Die Nymphen kommen mit ihren Körbchen, Sie bringen mir Narzissen oder Kolokasien (Wasserbohnen), Und so entgehe ich tausend menschlichen Geringschätzungen. Deshalb kehre ich nicht zu euren Versammlungen zurück, Ihr Menschen, die ihr immer nur üble Nachrede führen wollt.)

Luigi Pulci, Il Morgante

Der Zauber der Ritterepen

»Morgante und Margutte haben ein Gasthaus geplündert und in Brand gesteckt«, florentinischer Holzschnitt, um 1500

Im Jahr 1478 erschienen in Venedig 23 Gesänge des heroisch-komischen Ritterepos' von Luigi Pulci, womit eine neue literarische Tradition begründet wird, in die sich später Boiardo, Folengo, Ariosto, Tassoni, Tasso u.a. einreihen werden und die einer der originellsten und typischsten Beiträge Italiens zur Weltliteratur bildet: Bei allen Unterschieden zwischen den einzelnen Epen ist ihnen allen eine parodistische komisch-burleske Grundeinstellung gemein, ein bänkelsängerischer Tonfall, der das Erhabene mit dem Gemeinen, humanistische Gelehrsamkeit und Bildungsoptimismus mit mittelalterlicher Abenteuerlust und stereotyper Märchenhaftigkeit zu verbinden weiß. Dadurch schlägt er Gebildete wie Ungebildete gleichermaßen in seinen Bann. Vielleicht liegt hier das Geheimnis, daß Literatur in Italien in breiteren Schichten verwurzelt ist als anderswo.

Zwar ist die erste Ausgabe des *Morgante* verloren, und ebenso die 1480 erschienene, die nur den berühmten 18. Gesang, die Begegnung zwischen Morgante und Margutte, enthielt (sog. *Morgante piccolo*), doch hieß sie noch nicht *Morgante,* sondern *I fatti di Carlo Magno.* So liefert die mittelalterliche Karlssage, wie sie insbesondere in der altfranzösischen *Chanson de Roland* überliefert ist, den Stoff für das erste bedeutende Ritterepos Italiens. Im Zentrum des Geschehens steht die über 1000 Seiten füllende Verräter- oder Empörergeste um Gano (= Ganelon), dem ein greiser und schwacher Kaiser Karl Glauben schenkt, weshalb erst Orlando (=Roland), und dann auch noch sein bester Freund Rinaldo den Hof verlassen und auf Abenteuer ziehen.

Der Hof der Medici

Anfang des *Morgante,*
venezianischer Druck von
Manfrino Bono di
Monferrato, 1507

Das französische Erbe

Man muß sich fragen, wie die Faszination für diesen Sagenstoff entstehen kann, denn es handelt sich nicht um einen genuin italienischen Sagenkreis: Pulci kam 1461 noch unter Cosimo il vecchio mit den Medici in Berührung und blieb bis zu seinem Lebensende in ihrem Dunstkreis, auch wenn er sich eine gewisse geistige und materielle Unabhängigkeit bewahren konnte und später wegen Streit mit Matteo Franco und Marsilio Ficino dem Palast in der Via Larga ganz den Rücken kehrte. Er erhielt, wenn wir dem umständlichen Titel der frühesten erhaltenen Ausgabe von 1481 glauben dürfen, von Lucrezia Tornabuoni, der Mutter Lorenzo de' Medicis, den Auftrag zur Abfassung: »Questo libro tracta di Carlo Magno traducto di latine scripture antiche degne di auctorita & messo in rima da Luigi de Pulci Ciptadino Fiorentino. Ad petitione della nobilissima donna mona Lucretia di Piero di Cosimo de Medici Et dallo original proprio di mano di decto auctore ritracto & gittato in forma in firenze apresso Sancto Iacopo di Ripoli. Et poi che cosi si contenta il uolgo che sia appellato Morgante deriuato da un certo gigante famoso che in molte cose interuiene in esso Per non opugnare a tanti Concedesi che cosi sia il suo titolo. Cioè el Famoso MORGANTE«.

Dieser »Vorspann« ist sicherlich auch als Herrscherlob gemeint, ist »captatio benevolentiae« im herkömmlichen Sinn, aber ihm lassen sich wichtige Hinweise entnehmen: Pulci ist nur in Teilen ein origineller Dichter. Er benutzt bis zum 23. Gesang eine anonyme handschriftliche Quelle, den unvollendeten *Orlando* (Ms. Mediceo Palatino 78), der bereits in Ottava rima oder Stanzen (Schema: ababⱥbcc) verfaßt ist, was die Form vieler zukünftiger Epen sein wird. – Die letzten fünf Gesänge, die die definitive Fassung von 1483 auf insgesamt 28 Gesänge erweitern, gehen auf eine *Spagna in rima* des 14. Jahrhunderts zurück und sollten *La Rotta di Rencivalle* heißen, denn sie bedichten den bekannten Untergang Rolands mit der Nachhut des kaiserlichen Heers in den Pyrenäen. Pulci nennt jedoch eine lateinische Quelle und meint die *Vita Caroli* des florentinischen Humanisten Donato Acciaiuoli, die sich in die plutarchische Vitennachahmung einreiht. Karl ist zwar ein französischer Held, aber Pulci kann ihn (I,4,4) »mio Carlo imperador« nennen, weil er das Abendland christianisiert hat (I,5–6) und einige florentinische Familien vorgeblich französischer Abstammung sind. Als christlicher Ritter soll Karl der Stadt Florenz, die sich der Monarchie annähert, als Modell dienen:

> Ma il mondo cieco e ignorante non prezza
> le sue virtù, com'io vorrei vedere.
> Et tu, Fiorenzia, della sua grandezza
> possiedi e sempre potrai possedere:
> ogni costume ed ogni gentilezza,
> che si potessi acquistare o avere
> col senno, col tesoro, e colla lancia,
> dal nobil sangue è venuto di Francia.

> (Aber die blinde und unwissende Welt schätzt seine Tugenden nicht so sehr, wie ich möchte. Und du, Florenz, besitzest jetzt und kannst auch in Zukunft etwas von seiner Größe besitzen: alle Lebensart und aller Adel, die man mit Verstand, Vermögen und Waffen erwerben und bekommen kann, sind uns aus dem edlen Blut Frankreichs gekommen.)

Schon unter Cosimo orientierte sich aber auch die florentinische Politik an Frankreich, und der Einmarsch Karls VIII. 1494 ist hier eine eher ungewollte Folgewirkung, die die Medici hinwegfegt.

Andere Elemente kommen hinzu: Karl der Große ist immer noch lebendig und populär; mit seinem Namen verbinden sich Sagen und Abenteuer aus ganz Europa. Ihre Anfänge nimmt die Ritterepik, die für Italien Modellcharakter hat und in den höfischen Roman übergeht, in Frankreich. Die humanistische Imitatio kennt übrigens zunächst keine nationalen Grenzen, der Begriff des Plagiats ist ihr fremd. Ohne Mühe lassen sich aber auch neue Gestalten zu Karl hinzuerfinden wie Morgante und Margutte, die Pulcis Phantasie entsprungen sind. Morgante ist ein Riese, der erst bezwungen und getauft und sodann von Orlando als Schildknappe angenommen wird. Pulci führt vor Folengo und Rabelais eine volkstümliche Riesengestalt in die Literatur ein, so daß ein neues Heldenpaar entsteht, das nicht mehr antinomisch Mut und Klugheit polarisiert wie Roland und Oliver im eigentlichen Karlszyklus, sondern zwei Stände und zwei Weltsichten. Beide im Verein können jedoch Dinge bewirken, die einer allein nicht tun kann, denn wo Orlando seine Ritterehre im Weg steht, kennt Morgante keine Schranken, und wo er allzu ungestüm ist, greift Orlando bremsend ein. Diese Paarbildung hat sich als ausgemacht fruchtbar erwiesen und kennt viele bedeutende literarische Nachahmer. Pulci hat den Versuch, dem nur körperlich riesigen Morgante in Margutte einen noch volkstümlicheren Widerpart an die Seite zu stellen, der durch rasche Intelligenz besticht und sozusagen

Volkstümliche Riesen

Turnierszene, Luigi Pulci, *Giostra di Lorenzo*, um 1500

Titelseite des *Morgante*,
Florenz, Pacini, 1500

eine Art Panurge »ante litteram« ist, nicht zu Ende geführt, wohl um die Handlung nicht durch ein weiteres Paar noch mehr zu zersplittern. Er läßt ihn nach
einigen Streichen vor Lachen platzen (XIX,148–150). Aber wer könnte Margut-
tes berühmtes Credo vergessen, das Hedonismus und Skeptizismus verbindet
und auf *Jacques le Fataliste* und die französische Aufklärung vorausweist? Die
Textprobe, die mit der Mehrfachbedeutung der Wörter spielt und auch vor
Blasphemie nicht zurückscheut, ist bezeichnend:

> Rispose allor Margutte: – A dirtel tosto,
> io non credo più al nero ch'a l'azzurro,
> ma nel cappone, o lesso o vuogli arrosto;
> e credo alcuna volta anco el burro,
> nella cervogia, e quando io n'ho, nel mosto,
> e molto più nell'aspro (herb; Silbermünze) che il mangurro;
> ma sopra tutto nel buon vino ho fede,
> e credo che sia salvo chi gli crede… (XVIII,115).

> (Da antwortete Margutte: »Um es dir rasch zu sagen, ich glaube
> genauso wenig an Schwarz wie an Weiß (= Blau), sondern an
> Kapaune, gesotten oder gebraten; und manchmal glaube ich an
> die Butter, ans Bier, und wenn ich habe, an den Most, und zwar
> mehr an den herben als der Batzen an den Heller; besonderes
> Zutrauen habe ich zum Wein, denn ich glaube, daß der gerettet
> wird, der an ihn glaubt…)

Die Ironie des Erzählers   Der Reichtum der Episoden, die sich akkumulieren und agglutinieren und zu
wahren Kaskaden auftürmen, ist nicht nacherzählbar, da im übrigen beliebig zu
vermehren: Liebesintrigen wechseln mit Kampfschilderungen. Die Gegner
Orlandos, Rinaldos und Ulivieris sind nicht nur die mohammedanischen
Heiden, was ein Reflex der wiedererwachenden Türkengefahr ist, die die Christenheit 1464 unter Führung Pius' II. in einem neuen Kreuzzug bekämpfen
wollte, den der Tod des Papstes in Ancona verhinderte, sondern Riesen, Zauberer, Monstren und exotische Tiere. Sie wirken, als ob sie den Romanen der
Table ronde des keltischen Sagenkreises (matière de Bretagne) entsprungen
wären. Wie in einem Novellenzyklus scheinen die Ereignisse kein Ende zu
nehmen und wenig kohärent zu sein, bis der Tod Orlando endlich in Roncis-
valle (XXVII) ereilt. Doch der Autor hält sich immer noch eine Tür offen, denn
in XXVIII,29 will Rinaldo, der überlebt hat, wie Odysseus die Welt durchstrei-
fen. Als früher »Serienheld« könnte damit ein neues Epos beginnen. Auch bliebe
noch das Leben der Gönnerin Lucrezia Tornabuoni zu schreiben (XXVIII,
132), doch, so bemerkt der Dichter ironisch zu sich selber, sie habe nur das
Leben Karls des Großen hören wollen, und das sei vollbracht. Mit dem Riesen-
wuchs Morgantes, der auf seinen Textkörper abgefärbt habe, entschuldigt sich
der Erzähler Pulci für seinen Gigantismus. Hier, am Ende des Werks, wie schon
am Anfang und fast am Ende eines jeden Gesangs, zeigt sich, daß das erzählende
Ich alle Fäden durchaus in der Hand hält und wie ein Marionettenspieler zieht.
Kein anderes Werk der Epoche erreicht diesen Grad der Autoreferentialität!

Ein »gutmütiges« Epos   Realitätsgehalt und Eigendynamik des Texts sind gering, die Ritterwelt wird
an keinem Punkt wirklich ernst genommen; auch tauchen die Selbstironie des
»Cantastorie« wie die Ironie gegenüber dem märchenhaften Geschehen und den
daran beteiligten Personen das Epos in ein mildes Licht. Pulci bleibt stets gut-
mütig und unerregt. Er will weder das Rittertum noch die Kirche verhöhnen,
sondern erzählen und unterhalten und dabei vielleicht die Ideologie seiner
Gönnerfamilie zum Tragen kommen lassen. Doch gleichzeitig will er auch dem

Volk zu seinem Recht verhelfen, wofür bereits die oft derb-bodenständige und dialektal eingefärbte Sprechweise kennzeichnend ist. Eine pastorale Lebensweise schwebt ihm vor, die selbstgenügsam und unaggressiv ist, wie wir bereits früher hörten. Und mögen die Feinde reihenweise abgeschlachtet werden, das verspritzte Blut vermag wie in einem Hollywood-Western nicht zu beeindrukken oder zu erschrecken. Denn schon bald tritt ein Sättigungseffekt ein, der keine Betroffenheit aufkommen läßt, zumal der Leser weiß, daß Pulcis Tränen nicht echt sind (XXVIII,102). Lachen und Weinen folgen übergangslos aufeinander und sind nicht auf sich selber bezogen. Ein Wechsel von Spottlust, Pathos, Heldenverehrung und Banalität versetzen den Leser in ein exotisches Grandguignol, das ihn zwar ständig in Atem hält, aber nie bis auf die Fundamente erschüttert. Diese Kennzeichen haben wohl verhindert, daß man dem *Morgante* seinen gebührenden Platz in der italienischen Literatur zuweist, denn, dies sei festgehalten, Epentechnik und Erzählerwille stempeln ihn zu einem der modernsten und innovativsten Werke seines Jahrhunderts.

Matteo Maria Boiardo, L'Orlando Innamorato

Die zweite bedeutende Bearbeitung der französischen Rolandssage ist der *Orlando Innamorato* des Grafen Matteo Maria Boiardo, der in einer ersten Fassung 1483 in Modena bei Pietro Giovanni da San Lorenzo mit Unterstützung des estensischen Herrscherhauses herauskam, in dessen Dienst Boiardo stand. So flicht er in Buch II,21 mit der Liebesgeschichte von Rugiero und Bradamante, den vermeintlichen Ahnherren der Familie Este, eine Gründersage ein, um seinen Gönnern den gebührenden Dank abzustatten. Ariosto wird diese Tradition fortsetzen, die auf die Humanisten zurückgeht und den Renaissance-Epen neben ihrem Unterhaltungswert eine spezifisch dynastische Legitimations- und Stabilisierungsfunktion zuweist.

Dynastische Aspekte

Matteo Maria Boiardo

Die erste vollständige Fassung des *Orlando Innamorato* datiert von 1506 (Venedig); der Einfall der Franzosen im Jahr 1494 wurde von dem Dichter in seiner ganzen Tragweite begriffen, bedeutete er doch das Ende der neuaufgelegten Ritterwelt mit ihren neo-höfischen Idealen von Heldentum und Galanterie, so daß er die Feder aus der Hand legte, ohne wie Pulci Roland nach Rencesvals zu führen und dort sterben zu lassen. So ist die letzte Stanze des Epos auch die berühmteste geworden, und sie spricht, sozusagen ein Abgesang auf das ganze Jahrhundert, von Resignation und Ermüdung:

> Mentre che io canto, o Iddio ridentore,
> Vedo la Italia tutta a fiama e foco
> Per questi Galli, che con gran valore
> Vengon per disertar non so che loco; –
> Però vi lascio in questo vano amore
> De Fiordespina ardente a poco a poco;
> Un'altra fiata, se mi fia concesso,
> Racontarovi il tutto per espresso.

> (Während ich dichte, mein Gott und Erlöser,/ Sehe ich Italien ganz in Feuer und Brand/ Durch die Franzosen (Gallier), die mit großer Tapferkeit Alle möglichen Plätze verwüsten; –/ Doch ich verlasse euch bei der vergeblichen Liebe/ Von Fiordespina, die sich langsam verzehrt;/ Ein andermal, wenn mir das gestattet wird,/ Werde ich euch alles haarklein erzählen.)

Der siegreiche Liebesgott

Das Epos verdankt Pulci stofflich mehr, als gemeinhin erwähnt wird, aber es ist viel geschlossener und harmonischer als der Vorläufer. Boiardo schafft mit einfachen Mitteln eine überzeugende Struktur, die 69 Gesänge (Buch I zu 29, II zu 31, III zu 9 Canti) hindurch hält und immer wieder neue Abenteuer generiert: Als Karl der Große an Pfingsten seine Paladine in Paris versammelt, tritt unerwartet die heidnische Prinzessin Angelica, von ihrem Bruder Argelia begleitet, in die illustre Runde und setzt sich als Turnierpreis aus. Als Argelias Zauberlanze verwechselt und er getötet wird, entflieht sie mit Hilfe des Zauberbuchs von Malagigi, worauf eine wilde Verfolgungsjagd beginnt, da nicht nur die Vettern Orlando und Ranaldo in dieses »engelsgleiche Wesen« verliebt sind, sondern fast die Hälfte der Paladine. Die stets erfolglose »Quête« der Prinzessin gebiert eine erste epische Dynamik, treibt die Handlung voran; eine weitere entsteht daraus, daß die Protagonisten aneinander vorbeilieben, da sie aus zwei Zauberquellen im Ardennerwald, der der Liebe und der des Hasses, trinken: Orlando schmachtet nach Angelica, die ihn verabscheut und Ranaldo begehrt, der sie wiederum haßt. Letztlich darf der Titelheld Orlando nicht zum Erfolg kommen, da er mit Alda (Aude) verheiratet ist und seine Kraft eigentlich für ritterliche Aufgaben aufsparen müßte. Aber die Karlspaladine sind keine christlichen Ritter mehr, sondern suchen Befriedigung ihrer individuellen Wünsche. Säkularisierung und Privatisierung bestimmen das Geschehen: Bereits in I,1 erfährt der Leser, daß Orlando und alle anderen dem siegreichen Amor unterworfen sind, der ihm und ihnen den Verstand raubt. Es ist der alte vergilianische Topos vom »omnia vincit Amor« (*Ecl.* 10,69). Der Liebesgott ist mit seinem Gefolge – Eifersucht, Haß, Wahn, Verzweiflung, und wie sie alle sonst noch heißen, omnipräsent. Da er den Menschen verzaubert, ihn blind und realitätsfern macht, ist es ganz natürlich, daß die Märchenwelt mit Zauberern, Feen, Riesen, Ungeheuern, verwunschenen Schlössern, vertauschten Waffen usw., die im bretonischen Arthusroman vorgeprägt ist, auch hier wieder den Schauplatz der Abenteuer abgibt.

Torheit und Wahn

Wer am glänzenden Hof der Este mit seinen Turnieren und Festlichkeiten lebte und dort zur Elite gehörte, mochte die Welt überhaupt als verzaubertes Traumland empfinden! Bis zum Einmarsch Karls VIII. deutete auch alles auf Glück und Harmonie. In Florenz entwickelte Marsilio Ficino, wie wir noch hören werden, gleichzeitig die auf Platon gestützte neuplatonische Amordoktrin, die besagt, daß Eros den Menschen veredelt und erhöht. Der Verfasser identifiziert sich jedoch nicht mit dieser Wertordnung: Er durchbricht sie durch liebevolle Ironie, etwa wenn die orientalische Angelica (I,2,11) den siegreichen Ferragù nicht deshalb zum Ehemann will, weil er dunkelhaarig ist, »chè lei voleva ad ogni modo un biondo«. Letztendlich sitzen die Helden Halluzinationen auf, Wahn und Narrentum, Lieblingsthemen der Renaissance, klingen immer wieder an. Aber die »pazzia« ist auch kreativ, denn wenn viele Phäno-mene allein der Imagination entspringen, feiert Boiardo bei aller Skepsis das selbstmächtige Individuum. Die Folgegenerationen nahmen Anstoß an dieser Mischung aus Ernst und Scherz, aus Pathos und Burleske, und erkannten auch der norditalienischen Koiné noch nicht den ihr gebührenden Rang zu. Fran-cesco Berni erstellte eine purgierte Fassung, die erst im 19. Jahrhundert von Antonio Panizzi restituiert wurde, was dann zu einer späten und verdienten Boiardo-Renaissance führte.

Iacopo Sannazaro, Arcadia

Im März des Jahres 1504 erschien »Impressa per Maestro Sigismundo Mayr con somma et assidua diligenza di Pietro Sommonzio« in Neapel die definitive und vollständige Ausgabe der »Arcadia del Sannazaro, tutta fornita e tratta emenda-tissima dal suo originale«. Das Werk war allerdings bereits zwanzig Jahre früher, zwischen 1481 und 1486, in Angriff genommen worden. Allein sechzehn italie-nische Ausgaben verzeichnet das 16. Jahrhundert. Die *Arcadia* wurde eines der erfolgreichsten Bücher der modernen Literaturgeschichte. Sie fand berühmte Nachahmer im eigenen Land [Torquato Tasso, *Aminta* (1573); Giovanni Batti-sta Guarini, *Il pastor fido* (1590)], in Spanien [Miguel de Cervantes, *La Galatea* (1585); Lope Félix de Vega Carpio, *Arcadia* (1598); Jorge de Montemayor, *Diana* (1646)], Frankreich [Honoré d'Urfé, *L'Astrée* (1607–27)], England [Philip Sidney, *Arcadia* (1590–93)] und anderswo. Der Erfolg dieses Schäfer-romans, der die literarische Landschaft Europas veränderte und einen immer wieder nachgeahmter Prototyp verkörpert, ist nicht leicht zu erklären, denn es gab mit Boccaccios *Ameto* (ersch. 1478) bereits ein namhaftes italienisches Vorbild, das alle wesentlichen Elemente der Schäferdichtung enthält, ohne doch in gleichem Maße modellbildend gewirkt zu haben: Die Form des Prosime-trums, die an den lateinischen Vorbildern geschulte und geformte Volkssprache, die neuplatonische Liebesauffassung, die in der Läuterung des Hirten und Jägers Ameto durch die Liebe zu der Nymphe Lia kulminiert, den autobiogra-phischen Hintergrund sowie die bukolische Landschaft, die hier allerdings noch bei Florenz angesiedelt ist. Was bei Boccaccio fehlt, ist allein die arkadische Landschaft, jener verklärte Ort im Innern der Peloponnes, wo sich dichtende Hirten im Bund mit den Musen im Singen und Musizieren üben und ganz ohne Zwang und Not ihren Sehnsüchten leben.

Sannazaro trifft mit dieser Konstellation in mehrfacher Hinsicht den Zeit-geschmack: Er ist unter dem Namen Actius Sincerus Mitglied der pontaniani-schen Akademie Neapels, die neben ästhetischen und sprachpflegerischen Zielen eine stark gesellschaftliche Aufgabe wahrnimmt: Gleichgesinnte eifern dichtend um die Wette, bewerten sich gegenseitig und spornen sich dadurch immer wieder an. Die Hirtenwelt ersetzt offensichtlich die untergegangene Ritterwelt mit ihren phantastischen Abenteuern. Der immerwährende Müßig-gang der meist adeligen Akademiker erhält so wieder einen neuen Sinn. Das Hirtenleben bedeutet aber auch Abkehr von der Zivilisation, ist ein erstes »Zurück zur Natur«. Die Schafe und Rinder, von deren mühseliger Aufzucht und Pflege wir so gut wie nie etwas erfahren, liefern problemlos den notwendi-gen Lebensunterhalt wie von selbst. Die Landschaft, ein gigantischer Locus amoenus, kennt keine Witterungsunbilden, sondern ist die jeweils adäquate Kulisse der Seelenzustände der Hirten und Hirtinnen.

Iacopo Sannazaro, Porträt Raffaels in der *Scuola d'Atene*

Elemente der Pastoraldichtung

Bukolische Landschaft, Ausschnitt aus Giovanni Bellinis »Trasfigurazione«, Neapel, Museo Nazionale

Rollenspiel und Maske   Die Rolle des Hirten ist dem Ich-Erzähler jedoch auch Maske. Sie erlaubt neben der gefilterten Präsentation der autobiographischen Erfahrung zugleich eine – schwer angreifbare – politisch tendenziöse Stellungnahme zu den Übelständen der Welt. Sannazaro läßt 12 Prosastücke, die die Rahmenerzählung enthalten, mit 12 Gedichten abwechseln, in denen insgesamt vierzehn Hirten, eine Hirtin, der Dichter und drei Freunde (Selvaggio, Ergasto, Montano, Uranio, Galicio, Logisto, Ilpino, Fronimo, Serrano, Opico, Sincero, Eugenio, Comico, Eleuco, Ofelia) in abwechselnden Formen und variierenden Metren (Ekloge, Kanzone, Doppelsestine, Sestine, Threnodie; Terzine sdrucciole, Terzine, Endecasillabi con rime al mezzo, Settenari) ihre Liebe besingen. Ihre Wechselgesänge haben etwas Opernhaftes und entsprechen sicherlich dem Zeitgeist, da diese Gattung durch Angelo Polizianos pastorale *Favola* oder *Festa di Orfeo* fast gleichzeitig (vermutlich 1480) geschaffen und aufgeführt wird. Da alle wichtigen Gedanken und Motti Vorbilder in der klassischen Literatur haben (Vergil, Ovid, Hesiod, Theokrit, Homer und die Elegiker sind die Modelle), kommen auch die humanistisch gesonnenen Altertumsverehrer reichlich auf ihre Kosten. Die bukolische Dichtung erlebt gegen Ende des Jahrhunderts in allen ihren Ausprägungen einen immensen Aufschwung. Aber letztlich erneuert Sannazaro in der Prosa Boccaccio und in der Lyrik Petrarca und greift mit der unterirdischen Rückkehr Sinceros aus Arkadien nach Neapel auf Dantes Jenseitsreise zurück. Insofern enthält die *Arcadia* auch ein umfassendes literarisches Erneuerungsprogramm.

Die Form des Prosimetrums   Das wichtigste Modell dieses Prosimetrums ist zweifelsohne Dantes *Vita Nuova*, zumal das dichterische Ich mit acht Jahren, d.h. ein Jahr früher als Dante selber, von der Liebe zur Nymphe Phyllis (Fillide) ergriffen worden sein will, und ebenfalls einen autobiographischen Liebesroman »erfindet«. Die 24 »Kapitel« der *Arcadia* liefern als Strukturzahlen 2 und 3, die sich zahlensymbolisch mannigfach variieren lassen ($1 \times 2 \times 3 \times 4$ oder 3×8). Sincero-Sannazaros »Geschichte« wird erst in Prosa VII eingeführt, was dem Werk einen konzentrischen Aufbau verleiht, zumal ein Proemio und ein Congedo, letzterer ein Lob der »Sampogna«, der Hirtenflöte, des Symbols der bukolischen Dichtung, das Werk abrunden. Viele bukolische Werke kennen einen »medias-in-res«-Beginn, der der Spannungssteigerung dient und das Schicksal des Protagonisten besonders hervorhebt.

Akademiedebatten   Wenn man immer wieder betont, die *Arcadia* sei handlungsarm, so stimmt dies nur bedingt. »Handlung« im herkömmlichen Sinn ist allerdings kein Ziel der bukolischen Dichtung, die den traumähnlichen Status quo des arkadischen Lebens nicht prinzipiell verändern will, und dies gilt auch für den Schwebezustand der unerfüllten Liebe, die notwendige Voraussetzung der Dichtung ist. Wie das Ende des Schäferromans zeigt, birgt der Ortswechsel mit dem Wiedereintauchen in den Alltag nur unliebsame Überraschungen. Zunächst fällt auf, daß Sannazaro »Prosa« und »Poesie« geschickt dadurch verschränkt, daß die Prosapassagen nicht nur die Vorgeschichte für die jeweiligen lyrischen Ergüsse der Hirten liefern, sondern in der nachfolgenden Prosa auch bewertet wird, wer am besten vorgetragen hat, wobei die regelmäßig konstatierte Gleichwertigkeit zur Lex carminis, zum Gesetz des Dichtens, gehört. Dies simuliert wieder die Akademiedebatten der Pontanianer, bei denen über vorgegebene ästhetische und moralphilosophische Fragestellungen kunstvoll diskutiert wurde, ähnelt aber auch deutlich den Unterhaltungen der Damen und Herren des *Decamerone*.

Die Dynamik des Werks   Inhaltlich werden die einzelnen Abschnitte durch den Wandel der Tageszeiten, sodann durch das Treiben der Hirten und ihren Ortswechsel gegliedert, die das Fest der Hirtengöttin Pales (III), das Grab des Hirten Androgeo (IV), die Höhle Pans (X) oder das Grab Massilias, der seherisch begabten Mutter Ergastos (XI), besuchen. Hinzu treten ihre melancholischen Liebesgeschichten, die des Autors höchst persönlichen Liebesroman facettieren und aufsplittern, aber dadurch besonders plastisch präludieren und kommentieren. Die einzelnen Episoden dienen letztlich als Rahmen und Spiegel von Sincero-Sannazaros eigener Geschichte, die Carino aus ihm herauslockt: Sincero stammt aus bedeutender lombardischer Adelsfamilie, die in Neapel ansässig ist. Er verliebt sich bereits als Achtjähriger unglücklich, da seine Liebe nicht erwidert wird, will sich das Leben nehmen, verläßt dann Neapel, um sich vor Schmerz nach Arkadien zurückzuziehen, wo er traurig seine Tage beschließen will (VII).

Seine »Geschichte« wird erst wieder in Prosa XII aufgenommen: Von einer Nymphe geleitet, kehrt der Dichter in die Heimat zurück, wo die Akademiemitglieder Barcinio (= Benedetto Gareth, gen. Cariteo) und Summonte (= Pietro S.) ihm in einer Ekloge den Tod der geliebten Fillide schonend beibringen. Sannazaro, der sich selber »coltissimo giovane«, nicht »rustico pastore«, einen hochgebildeten Jüngling, keinen groben Bauern, nennt, vermeidet in der *Arcadia* allegorische Überhöhung wie natürlichen Realismus des Schäfer- und Hirtenlebens. Sein Ziel ist sprachliche Eleganz, raffinierte Komposition, klangliche Harmonie und Formschönheit. Jeder Ausdruck hat sein Vorbild, wie wir hörten, in der antiken Literatur oder bei den »tre corone fiorentine«, und dieser sprachliche Eklektizismus, dessen Neuheit in der beständigen Absicherung durch das Bewährte besteht, hat nicht nur zur Stärkung des modernen Schriftitalienischen beigetragen, sondern dem Werk zugleich seinen Nachruhm gesichert. Er beruht nicht nur auf gedanklichem Neuerertum und sprachlich-technischem Raffinement, sondern auch auf der glaubhaften Einbeziehung des dichterischen Ichs in den Text, der somit in der Dante-Nachfolge zum überzeitlichen »document humain« wird.

Nachleben

Lorenzo de' Medici und die florentinische Kultur

Fast genau ein Jahrhundert vor Don Carlo Gesualdo, dem Fürsten von Venosa und begnadeten Madrigalisten, gibt es bereits einen anderen italienischen Staatsmann von Rang, der zugleich ein anerkannter Künstler ist: Lorenzo de' Medici. Als er nach dem Tod seines Vaters Piero di Cosimo 1469 die Macht in Florenz übernimmt, ist der Einundzwanzigjährige von so bedeutenden humanistischen Lehrern wie Giovanni Argiropulo, Cristoforo Landino und Marsilio Ficino unterrichtet und vorbereitet worden. Argiropulo darf als der Initiator der griechischen Philologie in Italien gelten und wurde durch seine Übersetzung zahlreicher Schriften des Aristoteles berühmt. Landino verfaßte u.a. einen Kommentar zur *Divina Commedia* und trug damit zur Überwindung des humanistischen Vorurteils bei, Dante sei ein »poeta da ciabattini e da fornai« (»ein Dichter für Schuhflicker und Bäcker«) (Niccolò Niccoli). Seine philosophischen *Disputationes Camaldulenses* beschreiben einen viertägigen Aufenthalt von Lorenzo und Giuliano de' Medici, Leon Battista Alberti, Marsilio Ficino und Cristoforo Landino selber wie auch anderen Humanisten im Kloster Camaldoli, wo auf Spaziergängen und in Diskussionen versucht wird, die Antike mit Mittelalter und Moderne zu versöhnen. Marsilio Ficino hatte 1463 von Cosimo de' Medici den Auftrag erhalten, Platons Gesamtwerk ins Lateinische zu übersetzen. Diese gigantische Arbeit war um 1477 beendet. Bereits früher (1459) nannte er sein Haus in Careggi nach dem großen Vorbild »Academia Platonica«, und ab November 1474 fand hier am vermutlichen Todestag des Philosophen eine jähr-

Staatsmann, Mäzen und Dichter

Lorenzo il Magnifico auf einer Niccolò Fiorentino zugeschriebenen Medaille, um 1490

liche Erinnerungsfeier statt. Der Arzt Ficino, der sich 1473 zum Priester weihen ließ, deutete Plato christlich, denn in seinem Kommentar zum *Gastmahl (In convivium Platonis sive de amore)* entwickelt Ficino systematisch die neuplatonische Eroslehre, die die Basis aller späteren Liebeslyrik werden sollte. Er liefert hier sozusagen die philosophische Fundierung der spirituellen Liebeslyrik zusammen mit einer wohldurchdachten Begrifflichkeit nach, denn die Sache hatte es spätestens seit der »Scuola siciliana« und Petrarcas *Canzoniere* gegeben: Die Seele stammt von der Gottheit ab, und es ist ihre Bestimmung, wieder mit ihr vereinigt zu werden, wenn sie sich vom Körperlichen lösen kann. Ihre Sehnsucht gilt dem Ewigen und Schönen, die ein Abglanz des Göttlichen sind. Der nicht leiblich begehrende Eros ist die treibende Kraft, die diesen Aufschwung der Seele zu Gott am ehesten bewirkt.

Dichtung als Entspannung

Lorenzo de' Medici hat ein relativ umfangreiches und vor allem vielgestaltiges Œuvre hinterlassen, das in drei Teile zerfällt: Scherzdichtung, Liebesdichtung und religiöse Dichtung. Die beiden letzten Sammlungen, die sich über seine gesamte Schaffenszeit verteilen und deswegen keinesfalls einheitlich sind, spiegeln ebenfalls den Wunsch, das Vorbild der Alten, den Ovid der *Metamorphosen* vor allem, dann aber auch Petrarca, Boccaccio *(Ninfale fiesolano)*, und gegen Ende Cavalcanti und die Stilnovisten miteinander zu verschmelzen. Durch die Vielzahl der Themen wie die Variabilität der Formen entsteht jedoch oft der Eindruck des Rhetorisch-Gekünstelten, Exerzitienhaften und Eklektizistischen. Man merkt, daß hier jemand dichtet, um sich zu üben und um sich gleichzeitig auch von ernsten Geschäften zu entspannen.

Das Goldene Zeitalter

Bereits Machiavelli hat erkannt, daß Lorenzo ein goldenes Zeitalter in Florenz verkörperte, das sich mit dem perikleischen Athen und dem augustäischen Rom messen konnte.

> Posate le armi di Italia, le quali per il senno e autorità sua si erano ferme, volse l'animo a fare grande sé e la sua città … Tenne ancora, in questi tempi pacifici, sempre la patria sua in festa; dove spesso giostre e rappresentazioni di fatti e trionfi antichi si vedevano; e il fine suo era tenere la città abbondante, unito il popolo e la nobilità onorata

Lorenzo il Magnifico und die Hl. Drei Könige, Fresco von Bertozzo Gozzola im Palazzo Medici-Riccardo zu Florenz

(Nachdem in Italien die Waffen niedergelegt worden waren, die dank seinem Verstand und seiner Autorität zur Ruhe kamen, wandte er seinen Sinn darauf, seine Stadt groß zu machen (...) In diesen friedlichen Zeiten bewahrte er seine Heimat in einer immerwährenden Festtagsstimmung. Man sah dort häufig Turniere und Aufführungen antiker Ereignisse und Triumphe. Sein Ziel war es, daß die Stadt in Überfluß lebte, das Volk einig und der Adel angesehen seien).

Ein solcher Mann mußte einfach selber zur Feder greifen, und es gelang ihm neben Konventionellem durchaus auch überraschend Eigenständiges. Greifen wir aus der Liebesdichtung die *Ambra* heraus, ein idyllisches Kurzepos in 48 Oktaven. Lorenzo erzählt vom Ursprung seines am Flüßchen Ombrone gelegenen Landguts Ambra di Poggio a Caiano, das heute nur noch einen blassen Abglanz einstiger Pracht bewahrt. Die Nymphe Ambra flieht vor den Nachstellungen des in sie verliebten Flußgottes Ombrone und wird von Diana gerettet, indem sie sie zu Stein (= Bernstein) werden läßt und dem Hirten Lauro, das ist Lorenzo selber, überantwortet, der sie hinfort keusch beschützt. Der Flußgott sieht sein unziemliches Ungestüm ein, will sich selber verwandeln und dadurch, daß er zufriert, Ambra angleichen, aber beständig in ihrer Nähe sein. Lorenzo erweist sich als ein Meister der Naturschilderungen, wertet die Natur auf, die nicht mehr nur Kulisse ist, sondern Eigenwert gewinnt. Er macht sich, indem er sich selber ganz selbstverständlich erhöht, zur Hauptinstanz des Kurzepos', ist ein Herrscher der Gegenwart, aber genauso ein Hirt eines bukolischen Traumlandes. Autobiographie und Mythologie werden verschränkt, gehen unmerklich untrennbar ineinander über. Das Spiel mit dem eigenen Namen stellt in Analogie zur Lauradichtung eine Verbindung zu Petrarcas *Canzoniere* her.

Zu vierzig seiner Liebessonette hat Lorenzo einen Selbstkommentar verfaßt, der ihn ebenfalls als Meister dichtungstheoretischer und sprachprogrammatischer Diskussionen zeigt. Vorbilder sind die *Vita Nuova* und das *Convivio,* aber der Inhalt ist deutlich neuplatonisch. Dazu paßt es, wenn Lorenzo auf den Spuren Petrarcas das Sonett verteidigt, wo Dante die Kanzone in den Vordergrund rückte. Seine Liebesauffassung enthält dennoch keine Überraschungen: Amor schärft seine Waffen und setzt sie ein. Das Bild der Geliebten dringt durch die Augen ins Herz des Geliebten und bewirkt dort einen schmerzlichen Veränderungsprozeß: Tränen, Seufzer und quälende Pein sind die Folgen, die sich zu Selbsthaß und Haß auf die Geliebte steigern. Lorenzo hält seine neuplatonische Argumentation jedoch nicht bis zum Ende durch, denn er erkennt durchaus den Anteil der Sinne mit ihren Wahnvorstellungen, die der göttlichen Abbildtheorie zuwider laufen. Neohöfische Elemente treten hinzu, denn die Herrin ist auch eine geistsprühende Gesellschafterin, die selber leiden kann und dann Tränen vergießt. Derartiges wäre bei Petrarca noch undenkbar gewesen.

Besonders originell, in seiner Zielrichtung aber lange höchst umstritten, ist die *Nencia da Barberino,* ein komisch-satirisches Meisterwerk. Einige Kritiker haben es Bernardo Giambullari zuschreiben wollen, doch steht Lorenzos Verfasserschaft inzwischen außer Zweifel. Mehrere zu unterschiedlichen Zeiten entdeckte oder bekannte Fassungen stiften zusätzlich Verwirrung. Am wichtigsten sind die »Vulgata« mit 50 Oktaven bzw. die Fassung Volpi (1907 entdeckt) mit nur 20 Oktaven. Das Werkchen enthält in Ich-Form die glühenden Liebesschwüre eines Bauern Vallera, der eine junge Bäurin Nencia (= Vincenza) aus dem Ort Barberino liebt. Der Witz besteht darin, daß sich Erhabenes mit Niedrigem, Echtes mit Unechtem, Gelehrtes mit Volkstümlichem abwechseln. Manches klingt nach Vergil, kein Bauer würde es sagen, doch wird dies sofort durch durchaus echt klingende Stilbrüche (vor allem die wiederholte Renaturali-

Theorie und Praxis

Anfang der
Originalhandschrift der
Nencia da Barberino

sierung zahlreicher Metaphern) konterkariert, die Einfalt des Bauern dadurch um so klarer parodiert und verhöhnt: Nencias Nasenlöcher sehen aus, als ob sie mit dem Drillbohrer gedrillt worden wären. Ihre Zähne sind so »weiß« wie die eines Pferdes; ihr Gesicht ist glatt und glänzend wie eine Schmalzblase, und ihre detailliert aufgeführte bäuerliche Garderobe ist, wie sich das für eine Ländlerin gehört, unmodern.

Volksgeist

Man hat einige Zeit lang geglaubt, Lorenzo habe, lange vor den Romantikern, auf den Spuren des Volksgeistes »echte« Volkslyrik gesammelt, den Bauern sozusagen aufs Maul geschaut, das Ergebnis dieses Sammelfleißes bearbeitet und dann ediert. Aber spätestens, wenn Vallera mit seiner Nencia das Tier mit den zwei Rücken machen will (Volpi Oktave 16), der Text deutlich obszön wird, wird die künstlerische Absicht erkennbar. Das Volk ist in seinen wahren Liedern niemals obszön.

Spiel und Fest

Vergleichbare Aufmerksamkeit für das Volk wie in der *Nencia* spricht aus dem *Simposio ovvero I Beoni* (1473–74) bzw. der *Caccia col falcone* (auch: *Uccellagione di starne;* ca. 1478), denn beide Werke zeigen typische Florentiner Bürger, die sogar namentlich benannt werden, beim Zechen und der Starenjagd, typischen Vergnügungen des kleinen Mannes. Sie reden miteinander, mal geistreich, mal tolpatschig, und dementsprechend verhalten sie sich auch. Es hat sicherlich Lorenzos Popularität gesteigert, wenn er seine einfachen Untertanen auf diese Weise verewigt, und dies dürfte wiederum der Konsolidierung seiner Herrschaft zugute gekommen sein. Berühmter, wenngleich vor dem Hintergrund einer traditionellen Bildungsauffassung, sind seine *Canzoni a ballo* und die *Canti carnascialeschi,* die, zumindest was die Schärfe der Beobachtung und den Naturalismus angeht, mit den anderen »testi giocosi« keinen Vergleich aushalten. Sie variieren mehrheitlich das Carpe diem-Motiv und feiern den Genuß, um angesichts von Alter und Tod die grausame Zeit zu nutzen und dadurch zu bannen. Im Jahr 1478 war Lorenzos geliebter jüngerer Bruder Giuliano in der Kirche Santa Maria del Fiore mit Wissen und Billigung Papst Sixtus' IV. von den Pazzi-Verschwörern erstochen worden. Trotz aller gegenteiligen Beschwörungen und diplomatischen Erfolge hatte Lorenzos optimistisches Lebensgefühl einen Riß bekommen. Zwar hatte schon die jugendlichen *Altercazione,* eine Meditation, die in der pastoralen Idylle von Careggi auf dem Monte Giovi angesiedelt ist und das Höchste Gut wie auch den Aufstieg der Seele zu Gott thematisiert, Lorenzos obsessionelles Lieblingsthema von der Flüchtigkeit des Lebens und der Notwendigkeit der Weltflucht vor dem Hintergrund Dantes und Ficinos theologisch-philosophisch überhöht. Erst die *Laudi* (um 1486) und die kurz vor dem Tod geschriebene (Sacra) *rappresentazione di San Giovanni e Paolo* bezeugen Lorenzos spirituelle Religiosität und seinen Hang zu asketischem Weltverzicht. Allerdings ist der literarische Wert dieser religiösen Dichtungen eher gering, denn ihnen fehlt nicht nur die unerbittliche Wucht eines Jacopone da Todi, sondern sie sind vielfach Wiederaufnahmen früherer Texte unter anderen Vorzeichen. So ist es bezeichnend, wenn die erste Lauda »Quanto è grande la bellezza/ di te, Vergin santa e pia!« die berühmte *Canzona di Ballo* »Quant'è bella giovinezza« dadurch aufhebt, daß sie den hedonistischen Lobpreis der Jugend in Marienlob umkehrt. Ähnliches gilt für andere Lauden.

Il Burchiello. Zeichnung von Antonio del Pollaiolo in einer Handschrift der *Rime*

Die *Sacre rappresentazioni* sind aus den volkstümlichen Lauden hervorgegangen und werden von Laienschauspielern, die in Bruderschaften organisiert sind, sog. »Confraternite«, aus Anlaß der hohen Feste des Kirchenjahrs (Karfreitag, Himmelfahrt, Fronleichnam) aufgeführt. Lorenzos Stück ist ein schon fast barockes Märtyrerdrama und hat Costanza, eine Tochter Kaiser Konstantins, die von der Lepra geheilt wird, bzw. die kaiserlichen Hauptleute Giovanni und Paolo zu Protagonisten. Sie bekehren schließlich den Apostaten Giuliano, der

dann den (apokryphen) Schlußsatz spricht: »O Cristo Galileo, tu hai pur vinto«
(Galiläer, du hast doch gesiegt!). Auch diese eher schlichte *Sacra rappresenta-
zione* ist ein Zeichen von Lorenzos Verbundenheit mit dem Volk und seiner
Frömmigkeit. Zugleich erinnert die Namensgleichheit des Apostaten an seinen
Bruder und setzt ihm so ein literarisches Denkmal.

Lorenzos Werk ist, trotz manifester Schwächen, Wiederholungen und Inko-
härenzen das vielgestaltigste und facettenhafteste seines Jahrhunderts, das angeblich (Benedetto Croce) »ein Jahrhundert ohne Poesie« war. Aber in ihm spiegeln
sich alle dichterischen Tendenzen, angefangen von den schon surrealistisch
anmutenden Wortspielen und Verdrehungen eines Domenico di Giovanni gen.
il Burchiello, für den die Dichtung »mit dem Rasiermesser kämpft« (»La Poesia
combatte col Rasoio«), was bei einem Barbier nicht verwundert, bis hin zu
Lorenzos gelehrtem Freund Angelo Poliziano, der gleichermaßen griechisch,
lateinisch und italienisch dichtete. Das Volgare seiner *Stanze* galt den Zeitgenossen »splendidior vitro«, (»glänzender als Glas«), aber wenn diese Dichtungen
heute vielleicht in Vergessenheit geraten sind, so hat er sich mit der *Festa* bzw.
Favola di Orfeo, dem ersten weltlichen Drama der Neuzeit, in die Geschichte
eingeschrieben: Er beendete es in nur zwei Tagen, verband musikalische, komödienhafte und tragische Elemente in einem und wies so der *Sacra rappresentazione* den Weg zum modernen Theater.

Orpheus betört durch sein
Spiel die Tiere, *Favola di
Orfeo,* Florenz, Antonio
Tubini, Lorenzo
Veneziano und Andrea
Ghirlandi, um 1500

Die Epochenschwelle zur Neuzeit:
politische Ohnmacht und geistige Stärke

Das Quattrocento steht im Zeichen der Wiederbelebung der Antike, allerdings
auch ihrer kritischen Hinterfragung. Wenn auch die schöne Literatur erst im
letzten Viertel wieder in leuchtenden Farben erstrahlt, haben italienische Maler,
Bildhauer und Architekten (Masaccio, Brunelleschi, Fra Angelico, Ghiberti,
Donatello, Filippo Lippi u.a.) den kunstgeschichtlichen Rang Italiens unterstrichen, sind die lateinisch schreibenden Humanisten durch ihre moralphilosophischen, historischen und philologischen Arbeiten zu Lehrmeistern des übrigen
Europa geworden und haben Juristen, Naturwissenschaftler und Kaufleute
durch die programmatische Betonung von Beobachtung, Erfahrung und Praxis-
bezogenheit das Bild der mittelalterlichen Welt verändert. Überall machen sich
neue Denkansätze bemerkbar, die vom traditionellen Buchwissen des Mittelalters abrücken und praktische Nutzanwendungen haben. Insbesondere im

Im Zeichen der Empirie

Seidenherstellung: Kauf
des Rohmaterials, Färben,
Spulen

Bereich der Kartographie (Portolankarten), der Ingenieurwissenschaften (Hydraulik), der Industrieproduktion (Weberei, Glas- und Papierherstellung) und der Handelsorganisation (internationales Filialsystem) tut sich Italien hervor und führt das Land, vor allem in der zweiten Jahrhunderthälfte, zur Blüte. Ist ihm auch politische Einheit verwehrt, können durch geschickte Diplomatie Konfliktfälle ausgeschaltet werden, was ein halbes Jahrhundert Frieden garantiert. Florenz ist, vielleicht dank seiner florierenden Wolltuchindustrie (die Jahresproduktion liegt im 15. Jahrhundert bei 10–20000 Tuchen), seines ertragreichen Fernhandels und seiner modernen Bankenorganisation, auf allen Gebieten führend, sowohl in Kunst und Wissenschaft wie auch in Handel und Gewerbe. Beide Bereiche konditionieren sich wohl.

Erste Laienkultur   Der Humanismus ist erstmals eine Laienkultur, die die Vita contemplativa mit der Vita activa verbindet, denn führende Humanisten sind im Dienst der Kommune tätig, vor allem in Florenz. Ihre Briefe, Reden und Traktate sind nicht nur gelehrt, sondern vermitteln auch lebenspraktische, z.B. volkswirtschaftliche und staatsrechtliche Bezüge. Ethische, pädagogische, historische und staatsrechtliche Quellen werden nicht nur studiert und kommentiert, sondern für die Bewältigung ganz konkreter Aufgaben nutzbar gemacht. Zwar ist der Primat der Antike unbestritten, aber das Verhältnis von Altem und Gegenwärtigem ist doch reziprok, denn das Erkenntnisinteresse ist modern. Neu ist die Begegnung mit dem Griechischen, die vor allem durch den Exodus griechischer Gelehrter nach dem Fall von Konstantinopel ermöglicht wird. Homer, Aristoteles und Platon werden erstmals im Original zugänglich, was Rhetorik, Metaphysik und Ethik auf ein neues Fundament stellt. Neben dem starken Praxisbezug ist dies sicherlich der wesentlichste Unterschied zum Mittelalter, das ansonsten nicht minder auf die lateinische Kultur der Antike fixiert war.

Latein und Volkssprache   Coluccio Salutati hatte das humanistische Erbe sozusagen aus Petrarcas Händen übernommen und dadurch eine kulturelle Kontinuität begründet, wie es sie vorher ebenfalls nicht gegeben hatte. Zwar schien das nationalsprachliche Erbe zunächst erschöpft, so als ob der Humanismus die besten Kräfte an sich bände, aber auf Dauer konnte das Latein sich als universelles Ausdrucks- und Literaturidiom nicht durchsetzen. Dies hätte das des Lateins unkundige Volk marginalisiert und von der Partizipation an der Kultur grundsätzlich ausgeschlossen, was im Zeichen einer sich abzeichnenden Säkularisierung und Demokratisierung auf Dauer zuviel Zündstoff barg. Aber die volkssprachliche Literatur bot angesichts fehlender nationaler Einigung eine Identifikationsmöglichkeit, die Italien auch in Zeiten der Fremdherrschaft als Kulturnation überleben ließ. Florenz hatte mit den Trecentisten Dante, Petrarca und Boccaccio die bedeutendsten Dichter Italiens hervorgebracht und konnte somit zu Recht die kulturelle Führung beanspruchen. Die wichtigsten Impulse für die Studia humanitatis gingen von hier aus, aber Lorenzo de' Medici und sein Kreis brachen am Ende des Quattrocento die Vorherrschaft des Lateins wieder und vermittelten der volkssprachlichen Literatur erneut wesentliche Impulse. So ist es auch nur gerecht, wenn das Toskanische später die Questione della lingua für sich entscheidet.

Das Ende einer Zivilisation   Wenn die Späteren wie Voltaire das Florenz der Mediceer als das dritte goldene Zeitalter nach Athen und Rom verherrlichen, so entspricht dieses positive Bild nur oberflächlich der Wahrheit. Italien ist zwar im Quattrocento die führende Kulturnation, aber zugleich das politisch zerrissenste Land des Kontinents, ein dauernder Krisenherd, der immer wieder fremde Großmächte zu Intervention und Einmischung herausfordert. Nur so lange die größten Mächte des Landes einig sind, hat dieses labile Gleichgewicht Bestand. Als die Bündnisse wechseln, gewinnen Frankreich und Spanien-Habsburg die Oberhand,

Ausschnitt aus Sandro
Botticellis »Der Frühling«,
um 1478

und die Reformation wird das Ihre tun, um Italien noch weiter zu schwächen:
Politisch wird Italien, dessen Vielstaatigkeit erhalten bleibt, bis zum 19. Jahrhundert in der europäischen Politik nur eine nachgeordnete Rolle spielen, aber
dies kann nicht verhüllen, daß es im Zeichen des Humanismus in kurzer Zeit
und gedrängter Form eine solche Fülle geistiger Impulse ausgeteilt hat, wie dies
nur selten einem kleinen Volk beschieden gewesen ist. Nie wieder tut sich eine
gleich große Kluft zwischen politischer Ohnmacht und intellektueller Stärke auf.

CINQUECENTO

Geschichte Italiens im 16. Jahrhundert

Politisch ist die Apenninenhalbinsel im 16. Jahrhundert durch ein ganzes Bündel von tiefgreifenden Veränderungen geprägt, die teilweise miteinander zusammenhängen wie z.B. der Konflikt der Großmächte Spanien und Frankreich um die Herrschaft über das Königreich Neapel und die Umstrukturierung der politischen Organisation. Auch die Entfaltung weltlicher Macht ist den Päpsten im frühen Cinquecento nur deshalb möglich, weil sie die Tragweite der Reformbewegungen in Nordeuropa verkennen. Die Reformation und die damit einhergehende innere Krise der katholischen Kirche wird durch das Konzil von Trient (1545–1563) mit einer Gegenreformation beantwortet, die eine Klerikalisierung des geistigen Lebens auf der Apenninenhalbinsel zur Folge hat und die Laienkultur der Renaissance verdrängt. Sobald man jedoch versucht, die Verlagerung des kulturellen Schwergewichts nach Venedig und die Schwankungen der Bedeutung von Florenz zu erklären, helfen soziologische Argumente wenig. Die Lagunenstadt stärkt ihr kulturelles Gewicht, obwohl sie politisch und wirtschaftlich Mißerfolge, wie z.B. 1509 nach dem Sieg des französischen Königs Ludwig XII. in der Schlacht von Agnadello, den Verzicht auf territoriale Expansion einstecken muß. Der Seehandel wird durch die Entdek-

Karte des Golf von Venedig nach 1540

kung Amerikas (1492) verändert und durch das Vordringen der Türken im Mittelmeer beeinträchtigt, obwohl die Venezianer diese 1571 in der Seeschlacht von Lepanto zusammen mit den Österreichern besiegen. Trotz dieser wirtschaftlichen Rückschläge entwickelt sich Venedig zum Zentrum der italienischen Buchproduktion.

Venedig behält im 16. Jahrhundert seine alte städtische Verfassung und widersetzt sich mit Erfolg den Klerikalisierungsbestrebungen, so daß es zunächst zum Zufluchtsort der Laienkultur, im 17. Jahrhundert sogar zum Nährboden für libertines Denken wird, während in den übrigen Regionen die literarische Welt allmählich auf die gesellschaftlichen Grundlagen des Humanismus der Renaissance verzichten muß. War bis zum Ende des 15. Jahrhunderts die von einer gesellschaftlichen Elite regierte Stadt das vorherrschende Modell für das politische und geistige Leben, so setzt sich nun die regionale Gliederung mit einem Alleinherrscher an der Spitze und straff organisierter Verwaltung durch. Typisches Beispiel hierfür ist Florenz, wohin die entmachteten Medici 1512 zurückkehren und von wo aus sie 1555 das Gebiet von Siena besetzen. Die Medici verwandeln den florentinischen in einen toskanischen Staat und erhalten 1569 vom Kaiser den Titel eines Großherzogs der Toskana. Der Fürst tritt somit an die Stelle der städtischen Oligarchie und verändert mit dem politischen auch das geistige Leben. Die Höfe von Mailand, Ferrara, Mantua, Modena oder Urbino haben zwar politisch weniger Gewicht als die von Florenz, Neapel oder Rom, doch besitzen sie kulturell ein Übergewicht gegenüber den Städten und bestimmen Leben und Arbeit der Literaturschaffenden.

Gegensatz von Venedig und Florenz

Der Anstoß für diese Veränderungen kommt von außen. Die politische Ordnung Italiens im Quattrocento bricht zusammen, als 1494 der französische König Karl VIII. mit seinen Truppen einfällt, um die Ansprüche seines Herrscherhauses auf das Königreich Neapel durchzusetzen. Er erringt zunächst Siege, erleidet aber schließlich einen Mißerfolg. Der Florentiner Historiker Francesco Guicciardini sieht in seiner *Storia d'Italia* (1536–1540) hierin eine Zerstörung des staatlichen Gleichgewichts, das im Einvernehmen zwischen der städtischen Oligarchie und der geistigen Elite bis ins Jahr 1490 bestanden habe. Der durch diesen Strukturwandel bedingten allgemeinen Verunsicherung verdanken wir die Theorie politischer Macht des Florentiners Niccolò Machiavelli, dessen radikale Trennung zwischen politischen und moralischen Gesetzmäßigkeiten aus heutiger Sicht als Beginn der politischen Wissenschaften verstanden, aber noch bis ins 18. Jahrhundert leidenschaftlich zurückgewiesen wird.

Einfall Karls VIII. verändert politische Ordnung

Die spanische Vorherrschaft wird durch den Frieden von Barcelona (1529) und die neue politische Ordnung durch den Frieden von Cateau-Cambrésis (1559) besiegelt. Karl V. trifft 1530 in Bologna mit Papst Clemens VII. zusammen und läßt sich von ihm zum Kaiser krönen. Künstler und Intellektuelle strömen nach Bologna, wo sich die älteste europäische Universität befindet, deren Lektor für Griechisch und Latein, Romolo Amaseo, in programmatischen Reden vor Kaiser, Papst und ihrem Gefolge zur politischen Lage *(De pace* und *Pro pacata Italia)* und zur kulturellen Situation *(De latinae linguae usu retinendo)* Stellung bezieht. Wenn ein Rhetorikprofessor vor einer solchen Zuhörerschaft als Festredner den Dialog zwischen Kaiser und Papst fördern soll, dann wird nochmals die alte humanistische Vorstellung von der Macht des Wortes beschworen. Die Verwaltung des Redneramtes müssen die Laien wenige Jahrzehnte später an den Klerus abtreten, der sich im Zuge der Gegenreformation das Monopol über die öffentliche Rede zu sichern sucht. Die Realisierung der vom Trienter Konzil beschlossenen Predigtreform und die starke Expansion des 1540 gegründeten Jesuitenordens, der in seinen zahlreichen, pädagogisch und intellektuell hochrangigen Kollegien mit den alten profanen Bildungsinstitutio-

Giorgio Vasari, Clemens VII. und Karl V. um 1560

nen konkurrieren kann, verdeutlichen diese Seite der Klerikalisierung des geistigen Lebens in Italien.

Amaseos Plädoyer für die Beibehaltung des Latein als Universalsprache ist nur ein Grabgesang auf die humanistischen Ideale des Quattrocento, weswegen neuerdings der Literaturhistoriker Carlo Ossola das Cinquecento als »Herbst der Renaissance« betitelt hat. Die Verabsolutierung des Klassizismus der Humanisten hat solche Werturteile begünstigt. Auch die geläufigere Etikettierung als Epoche des Manierismus wertet das 16. Jahrhundert gegenüber der Renaissance ab, deren Ideale unbestreitbar in eine Krise geraten sind, deren Zerfall aber keineswegs zum obersten Maßstab für die Beurteilung des Cinquecento erhoben werden darf.

Problematik des
Manierismusbegriffs

Der Begriff des Manierismus ist ebenso wie der des Barocks, mit dem er manchmal gleichgesetzt und von dem er aber meistens unterschieden wird, mit einer leichten Sinnverschiebung von der Kunst- in die Literaturgeschichte übernommen worden. Divergenzen ergeben sich dabei bereits in der Chronologie. Die Literarhistoriker grenzen den Manierismus gewöhnlich auf die Jahre 1540–1550 bis gegen Ende des 16. Jahrhunderts ein, weswegen die italienische Forschung häufig vom »secondo Cinquecento« spricht. Die Kunsthistoriker lassen den Manierismus im Jahrzehnt von 1520–1530 beginnen, setzen ihn mit der rein äußerlichen Abwandlung großer Vorbilder gleich und bringen ihn mit den späteren Kunstakademien, z.B. der 1562 gegründeten Florentiner Accademia del Disegno, in Beziehung. Sie verweisen auf die Anlehnung der Künstler an Theorien, die der Streit über den Vorrang der Malerei vor der Skulptur und der Architektur, der 1564 bei der Bestattung Michelangelos ausbricht, schlaglichtartig beleuchtet. Dabei übergehen sie analoge Vorgänge in der literarischen Welt, wo z.B. Tasso seine Ependichtung gezielt nach poetologischen Leitideen schafft, aus denen die Struktur des Erzählens hervorgeht. Diese Methode des an theoretischen Programmen orientierten Dichtens verweist über die Grenzen des Manierismus-Modells hinaus auf eine Historisierung ästhetischer Konzepte und damit auf ein Literaturverständnis, das seit dem 19. Jahrhundert als modern bezeichnet wird.

Man spricht auch von Angst-Manierismus, weil aus der Krise der humanisti-

Platz des Kapitols in Rom,
nach einem Stich von
Etienne Duperac
nach Originalplänen
Michelangelos, 1569

schen Ideale im Cinquecento innere Spannungen oder Widersprüche, Unsicherheit, ja Pessimismus entstanden sei, kann aber wegen der erstaunlichen Gleichzeitigkeit von Höhepunkten und Mißerfolgen keine schlüssige literatursoziologische Begründung hierfür liefern: die Zäsur in den frühen neunziger Jahren des Quattrocento ist z.B. für die politische Geschichte der Anfang eines Niedergangs, in der Kunst jedoch der Wendepunkt zur Hochrenaissance. Während also in der Politik die negative Bilanz überwiegt, herrscht im kulturellen Sektor ein Überfluß an überragenden Begabungen und großen Werken, da von Mailand und Venedig über Rom bis nach Neapel in den vielen regionalen Zentren Literatur, Wissenschaft und Kunst erblühen. Die politischen Wechselfälle bringen Umschichtungen im kulturellen Leben, für einzelne Dichter und Künstler Ortsveränderungen, ja sogar Krisen, aufs Ganze gesehen jedoch kein Nachlassen der Produktivität. In der Literatur geht aus dem im Niedergang begriffenen lateinischen ein neuer vulgärsprachlicher Humanismus hervor, dessen Theorien die ästhetische und rhetorische Diskussion in ganz Europa befruchten und dessen Sprachkonzept bis zur politischen Einigung Italiens im 19. Jahrhundert das einheitsstiftende Prinzip der in viele Einzelstaaten zersplitterten Apenninenhalbinsel liefern wird.

Welche Zäsur zwischen dem 15. und dem 16. Jahrhundert liegt, ist am Beispiel von Florenz zu erkennen. 1492 stirbt Lorenzo il Magnifico aus dem Geschlecht der Medici, der in seiner Person politische Macht und dichterische Begabung vereint, als Stadtherr von Florenz die Wissenschaften und Künste gefördert und den Ruhm dieser Stadt als Zentrum der Renaissance gefestigt hat. Als im November 1494 sein Sohn aus der Stadt vertrieben und der Dominikanermönch Savonarola in politische Führungspositionen hineingezogen wird, beginnt der Abstieg dieser Metropole des Renaissancehumanismus. Ihr erwächst unter Papst Julius II. (1503–1513), der mehr an politischen und militärischen als an religiösen Unternehmungen interessiert und auf eine Ausweitung und Festigung des Kirchenstaates aus ist, in Rom eine mächtige Konkurrenz. Unter seinem Pontifikat beginnt dort eine rege Bautätigkeit, die zusammen mit Großaufträgen an Maler und Bildhauer zur Verherrlichung von Kirche und Papsttum beitragen soll: Bramante errichtet im Vatikanischen Palast den Damaskushof und den Belvederetrakt sowie den Templetto im Hof von San Pietro in Montorio (1504), das Vorbild für alle Zentralkuppelkirchen. Er bereitet den Neubau des Petersdoms vor, an dem Michelangelo und Raffael ebenfalls als Architekten mitwirken. Die beiden Künstler malen monumentale Fresken: Raffael die Stanzen im Vatikanpalast, Michelangelo die Decke der Sixtinischen Kapelle. Michelangelo ist mit den Skulpturen für das geplante Grabmal des Papstes beschäftigt und überwirft sich mit Julius II., als dieser den Künstler nicht bezahlen und lieber sein Geld für den Bau des Petersdomes verwenden will. Dieses Zerwürfnis ist bereits von den Zeitgenossen als Signal für das neue Selbstbewußtsein der Künstler verstanden worden, die sich aus den mittelalterlichen Malerzünften abgesondert haben und nun ihre Tätigkeit nicht mehr als Handwerk unter die »artes mechanicae«, sondern als geistige Schöpfung unter die »artes liberales« wie z.B. die Dichtung, die Philosophie oder die Rhetorik eingeordnet wissen wollen.

Das Selbstverständnis von Julius II. und der ganzen damaligen römischen Kultur zeigt sich bei der Entdeckung der antiken Laokoon-Gruppe am 14. Januar 1506 in einem Weinberg bei San Pietro in Vincoli. Der Papst sichert sich dieses durch literarische Zeugnisse berühmte Werk, läßt es durch eine Dichtung des Humanisten Iacopo Sadoleto verherrlichen und plaziert es im Antikegarten zwischen Apollon und Venus. Hinter dieser Aufstellung verbirgt sich ein Konzept der Kontinuität zwischen Antike und Christentum, das auch in den

Aufstieg Roms zur Kulturmetropole

Gemälde des Savonarola von Fra Bartolomeo

Entdeckung der Laokoon-Gruppe

Laokoon-Gruppe

Sacco di Roma

Graffito auf »Triumph des Altarsakraments«, Raffael-Stanzen im Vatikan

Bildprogrammen der Raffael-Stanzen zutage tritt. Nach Vergils *Aeneis,* dem damals allen Gebildeten vertrauten lateinischen Epos, ist Apollon der Schicksalsdeuter, der das Goldene Zeitalter ankündigt, das nun im Pontifikat von Julius angebrochen sein soll. Die Nachbarschaft zu Venus, die der erste römische Kaiser Caesar als Stammutter seines Geschlechts verehrte, signalisiert den päpstlichen Anspruch, als Nachfolger der römischen Kaiser die vorbildliche heidnische in der römischen christlichen Kultur zu vollenden.

Das Selbstverständnis von Julius II. begünstigt das Latein und schlägt sich in der Verachtung der römischen Humanisten für die Gelehrten aus Nordeuropa nieder, denen gegenüber sie sich als die alleinigen Sachwalter der lateinischen Sprache fühlen. Papst Leo X. (1513–1521) beruft nach seiner Wahl die für ihren lateinischen Stil berühmten Humanisten Iacopo Sadoleto und Pietro Bembo zu Sekretären für seine Rundschreiben, die *Breve,* und gibt den Auftrag, die Hymnen des Breviers, des allgemeinen Gebetbuchs für Priester und Ordensleute, stilistisch zu überarbeiten. Dieser Papst, der wesentlich mehr literarisch interessiert ist als sein Vorgänger, ermutigt den neapolitanischen Dichter Iacopo Sannazaro, sein Epos über die Geburt Christi *De partu Virginis* (1526) zu vollenden, und den neulateinischen Dichter Marco Girolamo Vida, ein Epos über das Leben Christi *Christiados libri sex* (1535) in Angriff zu nehmen, damit solche Werke das Prestige der heidnischen römischen durch eine christliche lateinische Literatur überwinden helfen. Selbst wenn dieses Projekt gescheitert und angesichts des bereits unumkehrbaren Prozesses der Umwandlung des lateinischen in einen italienischen Humanismus utopisch ist, macht es verständlich, warum die römische Kurie bis ins 17. Jahrhundert hinein der Zersplitterung Europas in regionale, reformierte Kirchen und nationalsprachliche Literaturen die Universalität der humanistischen Kultur und ihrer neulateinischen Literatur entgegenstemmen wollte.

Papst Leo X., der aus dem Geschlecht der Medici stammt, vereinigt die florentinische mit der römischen Kultur, schaltet damit die Konkurrenz der beiden Metropolen aus, stärkt aber Rom auf Kosten von Florenz. Die Überheblichkeit der Antikeverehrer in Rom erregt den Zorn des bedeutendsten nordeuropäischen Humanisten, Erasmus von Rotterdam, der die Cicero-Nachahmung der Südeuropäer als sachlich unangemessen und den Antikekult von Julius II. als dem Geist des Christentums widersprechend befehdet. Seine Polemik trifft sich mit den Angriffen der Reformatoren gegen die römische Kirche. Das ungeheure Prestige Roms zerbricht 1527 bei der Eroberung und Plünderung, dem Sacco di Roma, durch deutsche und spanische Landsknechte im Dienste von Kaiser Karl V., weil die Vorstellung, die ewige Stadt sei gegen solche Übergriffe durch die göttliche Vorsehung geschützt, von der konkreten Erfahrung Lügen gestraft wird. Die reichen Bücher- und Kunstsammlungen fallen mit den vielen andern Reichtümern Roms den plündernden Landsknechten in die Hände und die dorthin von überall her zusammengekommenen Künstler, Gelehrten und Dichter zerstreuen sich in alle Winde. Die von diesem Ereignis ausgelöste tiefe Erschütterung gilt bei den Kunsthistorikern als Beginn des Manierismus.

Als Michelangelo 1534 wieder nach Rom geholt wird, um die Chorwand der Sixtinischen Kapelle zu bemalen, bildet seine düstere Darstellung des »Jüngsten Gerichts«, des Urteils Gottes über die Welt am Ende der Zeiten, einen Kontrast zum optimistischeren Deckenfresko seiner Frühzeit. Die gleichzeitig anhebende Polemik gegen seine Anhäufung nackter Leiber auf diesem Wandbild in einem Kirchenraum ist ein Vorspiel der Maßregelung der Künste, die das Konzil von Trient 1563 gegen das allzu Heidnische und Profane in der Kunst der Renaissance beschließt. Die Angriffe der Reformatoren machten eine Besinnung auf die spezifisch christlichen Motive notwendig, seitdem sich Anfang der vierziger

Michelangelo, Ausschnitt
aus Deckenfresko in der
Sixtinischen Kapelle in
Rom

Jahre eine Spaltung der Christenheit abzeichnete. Die Römische Kirche betont
zwar weiterhin die Kontinuität zur Antike, sie muß aber angesichts der inneren
Auflösungstendenzen eine Sicherung ihres Gedankenguts durch eine Abgrenzung gegen alles Fremde vornehmen. Die Kontroverstheologie und die historische Forschung entwickeln sich als flankierende Maßnahmen zu den einsetzenden Religionskriegen und Missionierungskampagnen. Sie fördern ein historisches Bewußtsein, das die Antike in eine größere Distanz rückt und ebenfalls
einen Bestandteil der bereits erwähnten Krise der Renaissanceideale bildet.

Das Krisenbewußtsein gehört zum kulturellen Selbstverständnis des Cinquecento, in dem die Erfahrung eines Umbruchs zukunftsweisende dichtungstheoretische Lösungen und bis heute lebendig gebliebene Werke hervorbrachte. Erstmals wieder seit dem Trecento bringt die Apenninenhalbinsel Dichtungen hervor, die für das übrige Europa Vorbildcharakter besitzen. Nie mehr in ihrer
späterer Geschichte wird sie so hohes literarisches Ansehen genießen. Was nach
außen gilt, trifft in noch höherem Maße im Innern zu. Konnte man bisher nur
von regionalen Literaturen sprechen, deren Vertreter sich um ein einheitliches,
die politische und sprachliche Zersplitterung überwindendes Konzept der italienischen Literatur bemühten, so stellt der Wechsel vom lateinischen zum vulgärsprachlichen Humanismus im Cinquecento die Weichen für eine universale
sprachliche und literarische Kultur. Mit dieser konnten sich die einzelnen regionalen Literaturen der Apenninenhalbinsel wenigstens grundsätzlich abfinden
und als Beitrag zu einer künftigen Kultur eines noch zu schaffenden Italiens
identifizieren, dessen kulturelle Voraussetzungen im Cinquecento geschaffen
werden.

*Statt regionaler
italienische Literatur*

Der Wandel vom Stadtregiment zum Fürstenstaat als Ausgangspunkt der politischen Theorie und der Geschichtsschreibung des Cinquecento

Die politische Krise der neunziger Jahre des 15. Jahrhunderts hat die Biographie
des Florentiners Niccolò Machiavelli nachhaltig geprägt und ihn zu staatstheoretischen und historischen Werken angeregt, die, als sie nach seinem Tod erscheinen, sehr schnell von den konkreten Zeitumständen ihres Entstehens gelöst und

*Politische Grundlagen
von Machiavellis
Schaffen*

Pier Soderini

als systematische Beschreibung einer von allen moralischen Bindungen absehen-
den Form der Machtausübung verstanden werden. Durch die Art der Rezeption
seines Denkens ist Machiavelli zum Erfinder der vom europäischen Absolutismus vertretenen Vorstellung der Staatsräson, derzufolge dem staatlichen Interesse jedes andere unterzuordnen ist, und schließlich zum Theoretiker aller Herrschaft geworden, die den Gesichtspunkt der staatlichen oder persönlichen
Macht zum obersten Prinzip des Handelns erhebt. Das aus dieser Auslegung
hervorgegangene Klischee vom Machiavellismus muß als historisches Faktum
hingenommen, aus literarhistorischer Sicht jedoch durch eine Deutung von
Machiavellis Schriften als Zeugnisse für grundlegende politische und ideologische Veränderungen in Florenz, ja in ganz Italien im frühen 16. Jahrhundert
ergänzt werden.

Machiavelli wird von den Oligarchen, die nach der Hinrichtung von Girolamo Savonarola die Macht in Florenz übernommen haben, 1498 zum Sekretär
der zweiten Kanzlei ernannt. Aus dieser Aktivität gehen seine ersten, teilweise
lateinisch geschriebenen Schriften hervor. Als 1502 Pier Soderini zum Leiter
der Regierungsgeschäfte erhoben und mit einem alten Titel aus der republikanischen Tradition des Stadtstaats, des Gonfaloniere, versehen wird, stellt sich
Machiavelli in den bald ausbrechenden Machtkämpfen mit den Oligarchen an
die Seite von Soderini. 1504 wird er zur Zielscheibe von deren Angriffen, als er
für die Einrichtung einer Bürgermiliz eintritt, um Florenz aus der Abhängigkeit
von Söldnerheeren zu befreien, Soderini aber in dieser Angelegenheit einen
Rückzieher machen muß, weil die Oligarchen befürchten, dies sei der erste
Schritt einer Umwandlung seines principato civile, einer Art republikanischer
Präsidentschaft, in eine Monarchie. Um sein politisches Projekt der Bürgermiliz
zu propagieren, veröffentlicht Machiavelli 1506 sein erstes *Decennale,* eine 550
Verse umfassende, wie Dantes *Divina Commedia* in Terzinen geschriebene Dichtung, die er dem Volk von Florenz widmet. Es handelt sich um eine Art Rechen-
schaftsbericht in Form eines Epos über politische Ereignisse der vorausgegange-
nen zehn Jahre. Wie in seinen späteren Hauptwerken geht Machiavelli hier von
einer konkreten Situation aus und verknüpft seine Darstellung historischer
Ereignisse mit grundsätzlichen Erwägungen. 1521 faßt er seine Erkenntnisse
über militärische Probleme in den sieben Büchern von *L'arte della guerra* zusammen, Dialogen, in denen er die Veränderungen der Kriegsführung durch die
Verwendung der Feuerwaffen erörtert. Dieses militärtechnische Buch schreibt
er als Privatmann, denn 1512 gelingt es den Medici, Soderini während der
spanischen Belagerung von Florenz zu stürzen. Machiavelli verliert seinen
Posten, muß sich auf seinen kleinen Landbesitz zurückziehen und in theoretischen Reflexionen einen Ersatz für seine praktische politische Arbeit finden.

Während seiner Tätigkeit als Sekretär entwirft Machiavelli eine Reihe von
Werken, die dann später in seine Schriften eingegangen sind. Wie seine großen
Vorgänger Leonardo Bruni oder Poggio Bracciolini macht er Aufzeichnungen
über das Stück Zeitgeschichte, das er aus eigener Erfahrung kennt, und läßt sie
in die acht 1525 vollendeten Bücher der *Istorie fiorentine* eingehen. Ein geplan-
tes *Libro delle repubbliche* integriert er in seine beiden Hauptwerke, *Il Principe*
und *Discorsi sopra la prima deca di Tito Livio.* Wenn in den beiden Büchern vielfach von der »repubblica« die Rede ist, so denkt Machiavelli an Stadtstaaten wie
Florenz. Er stellt im ersteren Werk mehr die Perspektive des neuen Fürstenstaa-
tes, im letzteren mehr die des alten Stadtregiments in den Vordergrund.

Wie das meiste von Machiavelli ist auch *Il Principe* erst postum, nämlich
1532 gleichzeitig in Florenz und Rom jeweils in einem andern Sammelband erschienen. Das Werk ist zwischen Juli und Dezember 1513 entstanden.
Während die ältere Forschung den Standpunkt vertrat, *Il Principe* sei danach bis

*Florenz als Stadtstaat bei
Machiavelli*

Niccolò Machiavelli

zur Publikation nicht mehr verändert worden, werden neuerdings dessen innere
Widersprüche auf verschiedene Überarbeitungen zurückgeführt, die Machiavelli bis zu seinem Tod vorgenommen haben könnte, um sich auf die jeweilige
politische Lage einzustellen. Diese These, die nicht ohne Widerspruch geblieben ist, vertieft die Bezüge von Machiavellis Denken zur Zeitgeschichte und
macht die Paradoxie plausibel, daß ein Anhänger Soderinis sich von einer Umwandlung der republikanischen in eine monarchische Herrschaft die Rettung
für Florenz erhofft, weil er in der unumschränkten Macht eines Einzelnen das
einzige Heilmittel gegen die inneren Zwistigkeiten in seiner Heimatstadt sieht.
Dieser Deutung zufolge ist *Il Principe,* negativ gesehen, ein Zeugnis für das
Scheitern der republikanischen Ideale des italienischen Humanismus und, positiv betrachtet, ein Appell an Lorenzo de' Medici, Italien mit Gewalt von der
Fremdherrschaft zu befreien. Das Schlußkapitel bringt die Erwartungen
Machiavellis zum Ausdruck, die 1519 durch Lorenzos Tod endgültig zunichte
gemacht werden.

　　Während die eben skizzierte Bedeutungsebene von *Il Principe* Machiavellis
Reaktion auf den politischen Umbruch zwischen Quattro- und Cinquecento
zum Ausdruck bringt, ist die außerordentliche Wirkung des Buches auf eine
Vernachlässigung des konkreten historischen Ausgangspunkts der Gedankengänge zurückzuführen. Für diese Art der Rezeption war entscheidend, daß
Machiavelli eine Gegenposition zu den Fürstenspiegeln bezieht, in denen seit
dem Mittelalter die Prinzipien der Politik unter ethischen Gesichtspunkten
abgehandelt werden. Von dieser Textsorte übernimmt er noch – polemisch –
die Kapitelüberschriften, die lateinisch sind, während der Text italienisch ist.
Während die Fürstenspiegel mit dem Gegensatz von Tugend und Laster arbeiten, stellt sich Machiavelli auf die Ebene der Politik, wo allein Erfolg oder Mißerfolg zählen. Dadurch arbeitet seine Argumentation die Gesetzmäßigkeiten politischen Handelns heraus, das sich als eigene Sphäre jenseits der moralischen
Kategorien darstellt. In dieser Perspektive erscheint *Il Principe* als Traktat, der in
25 Kapiteln lakonisch knapp und vorurteilslos distanziert zentrale Fragen der
Fürstenherrschaft behandelt. Das Werk, das Lorenzo de' Medici gewidmet ist,
ruft in einem Schlußkapitel die Medici zur Einigung Italiens auf.

Rezeptionsgeschichte des
Principe

　　Besondere Aufmerksamkeit erweckten die Partien über neu erworbene Für-
stentümer, die mit Waffengewalt, durch glückliche Umstände (»fortuna«) oder
durch »virtù« erlangt werden. Machiavelli löst die »virtù« von den moralischen
Grundlagen des Tugendbegriffs und macht sie zu einem ethisch wertfreien Grad-
messer für Leistungsfähigkeit und Durchsetzungsvermögen. Die Zeitläufe,
deren Unberechenbarkeit mit dem Begriff der »fortuna« ausgedrückt wird,
begünstigen oder behindern die »virtù«. Machiavelli bindet somit politisches
Handeln an die Tatkraft, macht deren Erfolgschancen jedoch von Unwägbarkei-
ten abhängig, die der Historiker nachträglich erhellen, der Politiker jedoch
nicht vorhersehen kann.

fortuna und virtù

　　Wenn einer zum Ziel kommen will, darf er auch vor dem Gebrauch moralisch verderblicher Mittel nicht zurückschrecken. Während die Fürstenspiegel
die Normen darlegen, nach denen sich politisches Handeln richten sollte, breitet Machiavelli eine Theorie der Macht aus und geht den praktischen Nutzen
guter Institutionen wie z.B. der Religion und verwerflicher Handlungen wie
z.B. den Bruch von Abmachungen oder politischen Mord rein funktional in
ihrer Bedeutung für das Erwerben oder Bewahren von Macht an, der alle ethischen Ideale untergeordnet werden. Der als gewissenlos bekannte Cesare Borgia
(1475–1507), natürlicher Sohn von Papst Alexander VI., ist in seinen Augen
ein vorzüglicher Machtpolitiker. Borgia hat zunächst eine kirchliche Karriere
gemacht, sich aber 1499 mit der Schwester des Königs Johann von Navarra

Cesare Borgia

vermählt, um die Würde eines Herzogs von Valence zu erwerben. Zusammen mit seinem Vater hat er Rom systematisch von all denen entleert, die der Macht des Papstes in irgendeiner Weise im Wege standen. Er ließ kirchliche Würdenträger auch deshalb umbringen, damit der Papst von deren Nachfolgern Gelder für die Wiederbesetzung erpressen konnte. Obwohl die Theologen dieses Vorgehen als Simonie verurteilen, lobt es Machiavelli und sieht darin eine Chance für die Abschaffung des Kirchenstaates, in dem er das schlimmste Hindernis für die Einigung Italiens sieht.

Wie die Fürstenspiegel verwendet Machiavelli ständig Beispiele zur Illustration seiner Vorstellungen. Die humanistische Rhetorik setzt solche exempla zur Ausschmückung der Rede ein, während Machiavelli sie als historische Beweismomente in der Regel zu Bestandteilen des Gedankengangs reduziert, um der Argumentation den Charakter wissenschaftlicher Strenge zu verleihen. Innerhalb einer Aufzählung bildet ihre kühle Sachlichkeit einen Kontrast zur Ungeheuerlichkeit des behandelten Themas. Hierin liegt die stilistische Faszination des Buches.

Exempla als historische Beweismomente

Il Principe zeigt innerhalb der Geschichte der humanistischen Bewegung eine Wende zur Praxis an. Die Bedeutung dieses Vorgangs erläutert Machiavelli in seinen *Discorsi sopra la prima deca di Tito Livio,* den ab 1515 teilweise parallel zum *Principe* entstandenen staatstheoretischen Überlegungen, die an die Deutung der Geschichte Roms durch den lateinischen Historiker Titus Livius anschließen. Die Textsorte des »discorso« verlangt in der humanistischen Rhetorik ebensowenig nach einer Systematik wie heute das literarische Genre des Essays. Sie ist in der damaligen Moralphilosophie verbreitet, zu der die politische Theorie noch bis ins 18. Jahrhundert gehören wird. Im Vorwort der *Discorsi* legt Machiavelli seine Konzeption von Humanismus dar, wenn er von der Wertschätzung für antike Statuen spricht, die für teures Geld erworben würden, um als Dekoration eines Hauses oder zur Nachahmung durch Künstler zu dienen. Dieselbe – heute würde man sagen ästhetisierende – Rezeption macht er den Humanisten zum Vorwurf, die sich von den römischen Geschichtswerken zum Schreiben inspirieren lassen und deren Kunst bewundern, anstatt die von ihnen erzählten hervorragenden Leistungen (»virtuosissime operazioni«) nachzuahmen. Diese Kritik richtet sich gegen das Ideal der »theoria«, das zur Zeit der Renaissance nicht Theorie im heutigen Sinne des Wortes, sondern eine geistige Betätigung meint und eine Distanz zur Geschäftigkeit des Alltags einschließt. Dem Umgang mit Büchern, der neue Bücher hervorbringt, setzt Machiavelli die Umsetzung des Wissens in Taten entgegen und bezweifelt gleichzeitig, daß die *theoria* die höchste Form von Praxis ist. Er wendet sich damit vom Ideal des beschaulichen Menschen im Renaissancehumanismus ab und dem praktisch handelnden Menschen zu. Damit leitet er die für die Spätrenaissance kennzeichnende Wendung von einem auf die Sprache konzentrierten zu einem politisch-historischen Humanismus ein. Dessen Vertreter entwickeln das Ideal des homo politicus, des sein Wissen in die staatliche Verwaltung einbringenden Juristen, und verachten die auf bloße Vermittlung von Wissen bedachten, sich in geistigen Erörterungen erschöpfenden Gelehrten, die sie Pedanten nennen und der Lächerlichkeit preisgeben.

Domenico Ghirlandaio, Straßenszene in Florenz

Aufwertung der römischen Republik

Nicht nur den Rhetorikern, die in Livius das Vorbild für den Stil historischer Werke sehen, sondern auch dem Kult der Päpste und ihrer Humanisten für die römische Kaiserzeit erteilt Machiavelli mit seinem Interesse für die Römische Republik eine Absage. Er wählt aus Livius die Passagen über die Kämpfe zwischen Senat und Volk aus und wendet sie auf die politische Lage der italienischen Stadtstaaten an. Innere Spannungen können nach seiner Meinung für eine Republik fruchtbar sein, wenn durch deren Bewältigung Bewegung in die politische Szene kommt. Dieses Konzept enthält eine polemische Spitze gegen Venedig, das, sobald sich Florenz in ein Fürstentum verwandelt hat, von Kardinal Gaspare Contarini in dem zwischen 1523 und 1531 geschriebenen *De magistratibus et republica Venetorum* und noch später von Paolo Paruta in seinen *Dialoghi della vita civile* (1579) zum mythischen Ideal eines oligarchisch regierten italienischen Stadtstaates erhoben wird, dessen staatliche Institutionen innere Zwiste von vornherein vermeiden. Machiavellis *Discorsi,* die aus den Spannungen im Alten Rom Lehren für die Verhältnisse in Florenz ableiten und das Austragen von Konflikten zum Prinzip lebendiger Republiken machen wollen, konnten sich gegen diese Verklärung der Verhältnisse in Venedig nicht durchsetzen.

Francesco Guicciardini, der durch seine Herkunft wie in seiner Karriere als Diplomat höher gestellt ist als sein Freund Machiavelli, kritisiert in seinen um 1528 entstandenen, unvollendeten *Considerazioni sopra i Discorsi del Machiavelli* dessen Glauben an die überzeitliche Gültigkeit des römischen Staatsmodells, um durch ein höher entwickeltes historisches Bewußtsein dessen politische Analyse der gegenwärtigen Lage Italiens zu vervollkommnen. Auch er ist ein praxisorientierter Humanist, der die überkommenen literarischen Genera und rhetorischen Muster in Geschichtswerken, Reden und Dialogen zur Deutung der politischen Vorgänge auf der Apenninenhalbinsel an der Wende vom Quattro- zum Cinquecento nutzt. Da ihn sein aristokratischer Stolz davor bewahrt, als Literat Ruhm erwerben zu wollen, und er seine diplomatischen Erfahrungen für die Nachwelt zu Papier bringt, veröffentlicht er sein umfangreiches Oeuvre zu Lebzeiten nicht und hat nur insoweit literarischen Ehrgeiz, als er seine Gedanken in die angemessene sprachliche Form bringen will.

Guicciardini fühlt sich für die Katastrophe des Sacco di Roma von 1527 mitverantwortlich und analysiert noch im selben Jahr deren grundlegende Bedeutung in drei Reden. Während er in der *Oratio accusatoria* und in der *Oratio defensoria* die Gründe für seine Schuld bzw. Unschuld wie in einer Gerichtsrede darlegt, zeigt er in der unvollendeten *Oratio consolatoria* scho-

Francesco Guicciardini

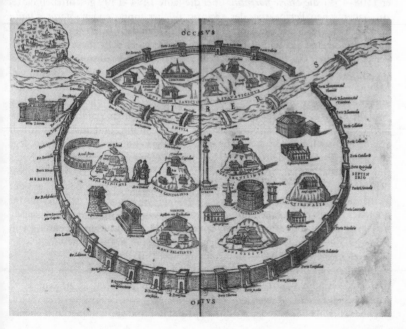

Fabio Calvo, Plan von Rom, 1527

Francesco Guicciardini

Aus der Geschichte von Florenz wird eine Geschichte Italiens

Folgen des Sacco di Roma für das Selbstverständnis der Italiener

nungslos offen den Umbruch, den dieses Ereignis in seinem Selbstverständnis bewirkt hat. Literarische Vorbilder sind dabei Petrarcas Auseinandersetzung mit dem eigenen Ich im *Secretum* sowie die antiken römischen Philosophen Seneca und Boethius. Die *Oratio consolatoria* ist eine politische Autobiographie, in der ein Staatsmann den Konflikt zwischen Kaiser und Papst als Zeitenwende wie als persönliches Schicksal begreifen und der Nachwelt klar machen will, wie durch ihn die politischen und kulturellen Ideale der Renaissancehumanisten in eine Krise geraten sind.

Alle Schriften Guicciardinis sind konkreten Situationen seiner Karriere oder persönlicher Erfahrung zu verdanken. Daß die Mischung von persönlichen und allgemeinen Erwägungen nie ins Triviale absinkt, ist seiner Fähigkeit zur geistigen Durchdringung und literarischen Darstellung von komplexen Zusammenhängen zu verdanken. Ein Beispiel möge dies verdeutlichen: In den *Ricordi,* einer zwischen 1512 und 1530 in fünf verschiedenen Fassungen entstandenen Sammlung von Gedanken zu politischen Fragen, bekennt er sich offen zu Luther, in dessen Reformwerk er eine Verwandtschaft mit der Theologie Savonarolas sieht, die sein Vater geschätzt hatte. Er ist jedoch kein Lutheraner, sondern religiös eher indifferent und vor allem zutiefst antiklerikal. Obwohl er die weltliche Macht geistlicher Würdenträger haßt, gibt er unumwunden zu, daß er, der unter den Medici-Päpsten den Gipfel seiner Karriere erreicht hat, von Berufs wegen die weltliche Macht der Päpste stärken mußte. Wer solche Spannungen nicht bloß aus Heuchelei oder Opportunismus aushält und gleichzeitig davon überzeugt ist, nicht nur aus persönlichem Ehrgeiz, sondern auch aus dem Bedürfnis nach einer Lösung der drängenden politischen Aufgaben Staatsmann geworden zu sein, der kann wahrnehmen, daß die florentinische Kultur durch die fast zwanzigjährige Herrschaft der Medici-Päpste (1513–1534) entprovinzialisiert worden ist und daß nach dem Sacco di Roma die politischen Verhältnisse in ganz Italien anders geworden sind.

Das Fazit aus dieser Beurteilung der Lage zieht Guicciardini, als er in den letzten Jahren seines Lebens den Schritt von der florentinischen Perspektive, in der er 1508–1511 die *Storie fiorentine* über die Jahre 1494–1509 geschrieben hatte, zur italienischen Perspektive der zwanzig Bücher umfassenden *Storia d'Italia* überwechselt, in der er die Jahre 1492–1534 behandelt. In einem mit Latinismen durchsetzten Stil und mit komplexen Satzperioden schreibt er die Annalen der italienischen Geschichte, die er selbst miterlebt und teilweise direkt mitgestaltet hat. Er setzt beim Einfall des französischen Heeres auf der Apenninenhalbinsel als historischem Wendepunkt an, entwirft sodann ein Idealbild der von Stadtregimenten geprägten Epoche des Quattrocento und geht anschließend die Ereignisse Jahr für Jahr durch. Er benutzt die alten Verfahren der humanistischen Geschichtsschreibung: Bericht, Beschreibung (besonders ausführlich von Schlachten), Rede und Porträt. Um seine Vorstellungen auszudrücken, legt er z.B. im elften Buch dem vor dem Ende seiner Herrschaft stehenden Pier Soderini eine Rede in den Mund, in der dieser unumwunden erklärt, die vertriebenen Medici würden die Herrschaftsstruktur in Florenz ändern, sobald sie aus der Verbannung an die Macht zurückkehren. Während solche Darstellungsmuster noch der klassischen antiken Historiographie verpflichtet sind, weist Guicciardinis Umgang mit Dokumenten und seine kritische Sichtung und Deutung von Fakten in die Zukunft. Deshalb ist seine *Storia d'Italia* zu den frühesten Beispielen moderner Geschichtsschreibung gezählt worden.

Von den vielen übrigen Geschichtswerken des Cinquecento seien nur noch die den Zeitraum von 1494–1547 behandelnden, zwischen 1550 und 1552 veröffentlichten *Historiarum sui temporis libri XLV* von Paolo Giovio erwähnt, der ebenfalls im Dienste der Medici-Päpste stand und im Cinquecento ebenso geschätzt wie umstritten ist. Die Nachwelt hat Giovios Ausweitung des Blick-winkels über Italien, ja Europa hinaus und seine Berücksichtigung geographi-scher Gesichtspunkte beachtet. Bemerkenswert ist auch Giovios Begründung des fragmentarischen Charakters seiner Geschichte: das Manuskript des 5.–10. Buchs sei beim Sacco di Roma verloren gegangen und das 14.–24. Buch, das vom Tod Papst Leos X. bis einschließlich zur Plünderung Roms gehen sollte, aus Trauer über die Katastrophe der Eroberung und Plünderung Roms nicht geschrieben worden. Diese Geste der Verweigerung ist weniger in der Perspek-tive der kirchlichen Karriere Giovios als innerhalb der humanistischen Vorstel-lungswelt zu interpretieren, die durch den Sacco di Roma erschüttert wurde. Sie muß einerseits mit der Schrift *De litteratorum infelicitate libri duo* (1529) von Pierio Valeriano, einer empörten Abrechnung mit den Greueln, die die plün-dernden und mordenden Landsknechte unter den römischen Humanisten ange-richtet hatten, und andererseits mit der Polemik des Erasmus von Rotterdam gegen die römischen Humanisten in Verbindung gebracht werden.

Titelblatt zu Pierio Valeriano *Castigationes et varietates virgilianae lectionis,* 1529

Giovio klagt, daß der Sieg der kaiserlichen Landsknechte das heroische Menschenbild der italienischen Humanisten Lügen straft und die fremden Staa-ten die Italiener zu verachten beginnen, weil sie nicht den gleichen Mut wie ihre römischen Vorfahren gezeigt hätten. Erasmus hatte in der Tat 1520 in seinen *Adagia* boshaft bei der Aufzählung seltener Phänomene neben einem ehrlichen Kaufmann und einem frommen Soldaten auch einen tapferen Italiener genannt. Dieser Stich trifft die Italiener nach dem Sacco di Roma tief und reizt Pietro Corsi, der 1528 in Paris eine lateinische, apologetisch gehaltene Beschreibung des Sacco veröffentlicht hatte, zu einer *Defensio pro Italia ad Erasmum Roterada-mum* (1535). Anstatt der Bitte des mit ihm befreundeten römischen Humani-sten Iacopo Sadoleto nachzukommen, für die Opfer des Sacco di Roma Partei zu ergreifen, veröffentlicht Erasmus 1528 seinen *Ciceronianus,* ein vernichten-des Pamphlet gegen die römischen Ciceronianer. Vordergründig geht es in dem Werk um rhetorische Konzepte, eigentlicher Streitpunkt ist jedoch die Synthese zwischen heidnischer Antike und christlichem Glauben, die der Kultur der Renaissancepäpste als Grundlage diente und nun von dem prestigereichsten Humanisten des Nordens als unchristlich und geschmacklos abgeurteilt wird.

Der *Ciceronianus* zieht einen klaren Trennungsstrich zwischen antiker und christlicher Rhetorik und entlarvt die Vereinnahmung des alten Rom durch die Humanisten im Umkreis der Päpste als falsche Synthese, die im geistigen Leben zu lächerlicher Sterilität und in der Kirche zu einer gefährlichen Verweltlichung führe. Deshalb müssen diese Dialoge von Erasmus zusammen mit den politi-schen und historischen Schriften von Machiavelli und Guicciardini als Grabge-sang der Ideale des italienischen Humanismus des 15. Jahrhunderts und als Auftakt einer neuen Ära verstanden werden, in der auf eine Epoche des Strebens nach einer Synthese zwischen divergierenden Welten wie Antike und Neuzeit deren Unterschiede stärker ins Bewußtsein treten. Die Hoffnung auf eine Wiedergeburt der untergegangenen Zeiten weicht einem Streben nach Abgren-zung, das im religiösen Bereich mit Reformation und Gegenreformation die Ausformung christlicher Konfessionen, in der politischen Theorie erste Ansätze zu einer Trennung von profaner und sakraler Sphäre und in der Literatur eine Auseinandersetzung mit den Eigengesetzlichkeiten der literarischen Fiktion nach sich zieht.

Paolo Giovio

Ariostos Orlando furioso: *die neue literarische Form des »romanzo« und die Probleme einer aristokratischen Literatur in Volgare*

Panegyrische Epen

Tizian, Ludovico Ariosto

Der Übergang vom Stadtregiment zum Fürstentum bildet den historischen Hintergrund für Ludovico Ariostos Schaffen, in dem viele Besonderheiten der Literatur des Cinquecento in den Blick rücken. Das Latein der Humanisten des Quattrocento verliert im literarischen Leben seine Vorrangstellung an das Volgare, das die Sprache der Literatur für die gesellschaftliche, meistens höfische Elite wird, während die neulateinischen Dichtungen vorwiegend in gelehrten bzw. klerikalen Kreisen rezipiert werden. Ariost hat diese Wende in seiner Laufbahn exemplarisch vollzogen. Nachdem er sich in den Jahren 1494–1503 mit lateinischen Gedichten erste Sporen verdient und einige Jahre wahrscheinlich in beiden Sprachen gedichtet hat, probiert er in den frühesten seiner postum veröffentlichten *Rime* die gängigen Muster platonisierender und petrarkistischer Liebessprache durch und fängt ein Ritterepos *Obizzeide* an, dessen Held Obizzo d'Este gewesen wäre. Dieser bald aufgegebene Versuch unterscheidet sich durch das Volgare von den Epen über die Mäzene der Dichter des Quattrocento, die noch in lateinischer Sprache geschrieben waren wie z.B. das unveröffentlichte, sich an Vergils *Aeneis* anlehnende *De gestis Francisci Sfortiae* des aus Piacenza stammenden Humanisten Antonio Cornazzano oder das nur als Fragment überlieferte panegyrische Epos auf Borso d'Este *Borsias* des in Ferrara wirkenden Tito Vespasiano Strozzi, dessen Sohn Ercole mit Ariost befreundet war. Sprachlich folgt der *Orlando furioso* dem Vorbild der drei Florentiner Dante, Petrarca und Boccaccio, das Ariost der regionalen Variante des Volgare in Ferrara vorzieht, obwohl diese Stadt und ihr Hof ansonsten Gravitationszentrum seines Lebens und Arbeitens sind. Damit trägt er zur Vereinigung der regionalen Literaturen auf der Apenninenhalbinsel in einer umfassenden italienischen Literatur bei, was ein weiteres Kennzeichen des literarischen Lebens im Cinquecento ist.

Werkgeschichte des Orlando Furioso

Titelblatt der Ausgabe von 1530

Von 1505 an arbeitet Ariost bis kurz vor seinem Tod am *Orlando furioso*, der erstmals 1516, dann 1521 und 1532 in jeweils überarbeiteter Fassung herauskommt. Die ersten beiden Ausgaben enthalten 40, die dritte durch das Einfügen neuer Episoden 46 Gesänge. Von den für die dritte Fassung gedichteten Teilen bleibt ein zusammenhängender Komplex von fünf Gesängen übrig, die sich durch ihren größeren Ernst und durch die Betonung religiöser und allegorischer Elemente vom restlichen Text abheben und heute als eigenes Werk mit dem Titel *Cinque Canti* veröffentlicht werden. Von Fassung zu Fassung merzt Ariost dialektale bzw. regionale Varianten und Latinismen aus und feilt gleichzeitig metrische und phonostilistische Einzelheiten aus, damit seine Elfsilber möglichst auf der vorletzten Silbe »endecasillabo piano« betont, an die Prosa erinnernde Enjambements vermieden und die achtzeiligen Strophen »ottava rima« ausgewogen sind. Ariosts Metrik besitzt für die zeitgenössischen Poetologen Modellcharakter.

Da sich das literarische Leben des 16. Jahrhunderts von der Stadt zum Hof verlagert, muß sich auch Ariost auf den Hof einstellen, doch hat er das Glück, daß in Ferrara beide Sphären mehr füreinander offen sind als beispielsweise in Florenz, Neapel oder Rom. Seine zwischen 1517 und 1525 entstandenen *Satiren* behandeln den Konflikt zwischen der Existenz eines unabhängigen, in der Stadt lebenden Humanisten und den Erfordernissen eines Amtes bei Hof. Er macht sich das Satirenmodell des römischen Dichters Horaz zueigen, um in der *ersten Satire* seine für einen Gefolgsmann unerhörte Weigerung, seinem Mäzen, dem Kardinal Ippolito d'Este, nach Ungarn zu folgen, durch die Thematisierung seines Ichs zu rechtfertigen. Er spielt dort seinen Dichterberuf gegen sein Hofamt aus, das, wie er in der *dritten Satire* schreibt, sein unzureichendes Familienvermögen aufbessert, und beruft sich auf seine Pflichten als Oberhaupt einer großen Familie, für die er seit dem Tod seines Vaters im Jahre 1500 sorgen muß. In der *vierten Satire* schiebt er umgekehrt den Hofdienst vor, um seine mangelnde literarische Produktivität zu entschuldigen. Damit nutzt er die Form der Satire, deren Konventionen sich für die Darstellung von Subjektivität anbieten, muß aber sein Ich nach den Erfordernissen des Genres negativ zeichnen und auf seine Schwächen abheben. Francesco Sansovino nimmt Ariosts *Satiren* 1560 in seine Sammlung vorbildlicher Werke dieses Genres auf; auch einige Poetologen erwähnen sie als Modelle für reguläre Satiren, doch haben in der Dichtungstheorie die antiken Satiriker zu viel Gewicht, als daß dieser Teil seines poetischen Oeuvres dasselbe Ansehen wie der *Orlando furioso* erringen könnte.

Dichter und Mäzen bilden eine der Grundkonstellationen des literarischen Lebens im Cinquecento. Der Hof wird Bezugspunkt für das Schaffen, weil dort die Leser weilen, die genügend literarische Kenntnisse besitzen, um die vielen versteckten und offenen Anspielungen der Dichtung zu erkennen. Ariost setzt eine gewisse Vertrautheit mit klassisch lateinischer, neulateinischer und neuerer vulgärsprachlicher Literatur voraus, ohne die der Hintersinn seines *Orlando furioso* nicht erkannt werden kann. Alte Adelsgeschlechter wie die Familie d'Este lesen aus Tradition noch Ritterliteratur, die sie in ihrer Bibliothek haben, während sich die neu an die Macht gekommenen condottieri mit Humanisten umgeben, die Bibliotheken mit lateinischer Literatur anlegen. Kleine Fürstenhöfe wie Ferrara erlangen im Cinquecento ein vergleichbares Profil wie Florenz oder Venedig, die angestammten Zentren der Renaissancekultur.

Bedeutung des Hofes

Die in Ferrara regierende Familie d'Este ist primärer Adressat des *Orlando furioso*; Ariost gibt seine Dichtung als eine Verherrlichung der Ahnen seiner Mäzene aus, will seine Huldigung jedoch nicht bloß als eine Pflichtübung verstanden wissen, mit der er seine finanzielle und gesellschaftliche Schuld gegenüber seinem adligen Herrn abgilt. Er schreibt vielmehr ein unterhaltsames Werk, das die Enkomiastik in die literarische Fiktion integriert und so die für Herrscherlob charakteristische Hyperbolik für witzige Erfindungen ausnutzt. Die 22.–29. Octaven des 35. Gesangs thematisieren die Diskrepanz zwischen historischer Wahrheit und literarischer Fiktion durch den Mund des Evangelisten Johannes. Während frühere Interpreten diese Stelle für eine Ironisierung der panegyrischen Dichtung hielten, wertet sie die neueste Forschung als Beweis dafür, daß auch die Enkomiastik der dichterischen Phantasie überlassen wird, die den Mäzen und seine Familie nach eigenem Gutdünken in die fiktionale Ebene hineinholen und ohne Rücksicht auf historische Wahrheit bedichten darf, wie z.B. im 36. Gesang, wo Astyanax, der Sohn des Trojanischen Helden Hektor, des in Vergils *Aeneis* verherrlichten Gründers von Rom, zum Stammvater des Hauses Este erhoben wird. Die zeitgenössischen Leser haben daran keinen Anstoß genommen.

Herrscherlob und dichterische Freiheit

Wenn Ariost das Zwiespältige des Herrscherlobs und der diesem Zweck dienenden phantastischen Genealogien bewußt macht, bedient er sich desselben Verfahrens wie beim Umgang mit dem klassisch antiken Epos und der mittelalterlichen Ritterdichtung: er mischt verschiedene literarische Gattungskonventionen, rückt von der Dichtungskonzeption ab, die mit Fiktion Wahrheit vortäuschen möchte, und erhebt den bloßen Schein zur Legitimationsgrundlage von Literatur. Hierin unterscheidet er sich grundlegend von der

Gattungsmischung

Gianfrancesco Pico della
Mirandola

*Irrationales
Dichtungskonzept
von Ariost*

Ariost und Boiardo

Nicolò d'Aristotile di
Ferrara gen. Zoppino,
Illustration zu *Orlando
Furioso,* Venedig 1530

damaligen Philosophie, beispielsweise seines Freundes Gianfrancesco Pico della
Mirandola, der in *De imaginatione* (1501) die Phantasie dem rationalen
Erkenntnisprozeß des Intellekts unterordnet. Durch die Betonung der Eigenständigkeit des bloß erfundenen schönen Scheins von Dichtung problematisiert
Ariost die Verwendung der Allegorie im spätmittelalterlichen Roman und die
neuplatonische Ästhetik, die auf der Einheit des Schönen und des Wahren
aufbauen.

Der ganze *Orlando furioso* ist von Episoden durchzogen, in denen sich die
äußere Erscheinung als Trugbild herausstellt. Das Unzuverlässige der sichtbaren
Gestalt belegt beispielsweise der Zauberer Atlante, dessen imposantes Auftreten
nichts als Blendwerk eines alten Mannes ist, der seinen Zögling Ruggiero von
seinem gefährlichen historischen Auftrag fernhalten möchte. Die Zauberin
Alcina ist nur noch eine häßliche Alte, sobald ihre Magie gebrochen und das
Lügenhafte ihrer Herrschaft durchschaut ist. Dieser Gedanke legt eine moralische Deutung der Alcina-Episode nahe, die in der Tat im Cinquecento mit der
Methode allegorischer Textauslegung praktiziert worden ist. Ein solches allegori-
sches Lektüremuster, das aus dem *Orlando furioso* christlich-religiöse oder auch
profan-ethische Sinnschichten herausarbeitet, ist in jener Zeit sehr verbreitet,
dient aber letztlich nur zur Rückführung problematischer Seiten des Werkes in
vertrautere literarästhetische Konventionen.

Das Dichtungskonzept des *Orlando furioso* gibt den Poetologen des Cinquecento in vielfacher Hinsicht Anlaß zur Irritation. Eine Hauptschwierigkeit
bildet – damals wie heute – die Identifizierung der literarischen Bezugssysteme
und die Bestimmung der Art ihrer Verwendung. Selbst von humanistischen
Vorstellungen geprägt, greift Ariost die vulgärsprachliche Tradition der Ritterdichtung auf und mischt sie mit Elementen des antiken Epos. Dabei durchbricht er die poetologischen Grundsätze beider Gattungen und schafft etwas
Neues, was von den einen als »romanzo«, von den andern als abgewandelte
Form des Epos (»poema eroico«) bezeichnet wird. Eng verbunden mit der
Gattungszuweisung ist die Frage, ob der Wahnsinn Rolands überhaupt eine der
hohen Gattung angemessene, bedeutsame Handlung oder bloß eine Verletzung
der »decorum«-Regel, d.h. des Grundsatzes einer Entsprechung von Dargestell-
tem und Ausdruck ist. Man überlegte damals, ob die komisch-freizügigen Stellen zu bestimmten Genera wie z.B. zur burlesken Lyrik gehören, diskutierte
über die Vernachlässigung der Ritterpflicht für private Liebesangelegenheiten
durch die Helden des Werkes und über die kriegerischen Frauen (»donne guer-
riere«), die wie z.B. Bradamante, die Rollenverteilung zwischen Mann und Frau
durchbrechen, oder über die Handlungsvielfalt und die Vernachlässigung des
Bezugs zur Geschichte, der damals von der Epik verlangt wird.

Obwohl viele der eben genannten Streitpunkte erst in der zweiten Jahrhunderthälfte in den Vordergrund treten, als im Zuge der Aristoteles-Rezeption die
Dichtungstheorie in ein festes Regelsystem gefaßt werden sollte, erwachsen sie
aus der Struktur des *Orlando furioso,* die unterschiedlichen, ja gegensätzlichen
Lektüren Vorschub leistet. Sie hängen außerdem damit zusammen, daß Ariost
sein Werk als Fortsetzung des unvollendet gebliebenen *Orlando Innamorato*
(1483, ²1506) von Matteo Maria Boiardo ausgibt (vgl. S. 105 ff), von dem er
den Kampf zwischen dem sarazenischen Heer von Agramante und dem christlichen von Karl dem Großen sowie die meisten Gestalten übernimmt. Über ihn
bezieht sich Ariost auf Luigi Pulcis heroisch-komisches Ritterepos *Il Morgante*
(1478) (vgl. S. 102 ff) und die von diesem parodierten italienischen Adaptationen und französischen Prosafassungen der mittelalterlichen Versepen über Karl
den Großen. Wie bei Pulci und Boiardo widerstrebt die Titelgestalt des *Orlando
furioso* ihrer von der Tradition der Karlsepik vorgesehenen Bestimmung als

christlicher Held, weil er sich aus rein persönlichen, sogar mit bloßem Zufall motivierten Gründen in die schöne Angelica verliebt. Ariost führt aber nicht nur die parodistische Tendenz seiner Vorlagen etwa durch Überbietung fort – sein Roland wird aus Liebeskummer wahnsinnig, fällt also von der Höhe des idealen Helden in primitive Gewalttätigkeit zurück –, sondern verwandelt die Auflösung der ritterlichen Welt in eine komische Verselbständigung einzelner epischer Situationen oder individueller Eigenarten der Gestalten. Die Einheit des epischen Kosmos zerbricht und aus ihrer Fragmentarisierung entsteht eine Vielfalt von Erzählsträngen und Episoden, deren kunstvolle Verknüpfung durch den Autor dem Leser das Fiktive der Geschichte bewußt macht und doch in der fiktionalen Brechung ein differenzierteres Bild des Wirklichen vermittelt, als es der feste Rahmen der mittelalterlichen Epik darzustellen erlaubte.

Gustave Doré, Zeichnung zu Rolands Wahnsinn, 1881

   Die aus der Kreuzzugsepik stammende Thematik des Kriegs gegen die Heiden wird im *Orlando furioso* durch die Liebeshändel der Ritter verfremdet und rückt schon zu Beginn in den Hintergrund, als der verliebte Roland seinen Cousin Rinaldo zum Nebenbuhler hat. Karl der Große will aber die Rivalität zwischen den beiden Helden dadurch für sich nutzen, daß er die umworbene Angelica den beiden Helden wegnimmt und erst später wieder dem geben will, der bei der entscheidenden Schlacht am besten kämpft. Die erste Komplikation entsteht, weil Angelica aus dem Lager von Karls Heer flieht und die beiden Helden, ihre Ritterpflichten vergessend, hinter ihr herjagen. Eine komische Verwicklung ergibt sich, weil ausgerechnet jetzt, wo Rinaldo Angelica verfolgen will, sein Pferd durchgegangen ist. Es entsteht Situationskomik, da der sarazenische Ritter Ferraù, der ebenfalls in Angelica verliebt ist, gerade seinen Helm aus einem Fluß zu fischen versucht, als Angelica angeritten kommt und ihn um seinen Schutz gegen den sie verfolgenden Rinaldo bittet. Der sich hieran anschließende Kampf zwischen einem heidnischen und einem christlichen Ritter verkehrt das ritterliche Tugendsystem in sein Gegenteil, weil einerseits die religiöse Motivation eines solchen Kampfes in der Kreuzzugsepik durch die Eifersucht der beiden Konkurrenten im Werben um eine Frau zerstört wird und andererseits das Schema des höfischen Romans, wo ein Ritter sich in den Dienst einer Frau stellt, durch die erneute Flucht Angelicas während des Zweikampfs der Rivalen lächerlich gemacht wird. Solche komischen Verwicklungen durch-

Guiseppe Gozzini, »Alcina zieht Fische ans Land«

4 Episoden zu Orlandos
Wahnsinn, Titelblatt zu
Orlando Furioso, Venedig
1526

Gerolamo Porro,
Schiffbruch von Ruggiero,
Venedig 1584

ziehen das ganze Werk. Sie erfassen selbst das bei Ariost reich vorhandene Wunderbare, wenn z.B. im vierten Gesang Bradamante ihren Geliebten verliert, als Ruggiero nichtsahnend das Flügelpferd besteigt und dieses mit dem völlig verblüfften Helden in die Lüfte entschwebt.

Es ist schier unmöglich, die Handlung des *Orlando furioso* nachzuerzählen, ohne durch eine falsche Harmonisierung der charakteristischen Erzählweise .Ariosts Gewalt anzutun. Daher entbrennt schon im Cinquecento eine heftige Debatte über die Frage, ob es eine Haupthandlung gibt, von der die übrigen Handlungsstränge abhängen. Diese These vertreten in der zweiten Jahrhunderthälfte jene Dichtungstheoretiker, die Ariostos Werk im Einklang mit den aus der neu entdeckten *Poetik* des Aristoteles abgeleiteten Regeln als Epos verstehen wollen. Für sie ist der Krieg Karls des Großen mit den Heiden unter Führung von König Marsilia und Agramante die Haupthandlung, die sich in drei Phasen abspielt: zunächst belagern die Sarazenen Paris, dann schlagen die Christen zurück und besiegen die Heiden unter Agramante bei Arles, schließlich verwüstet ein christliches Heer Afrika, weshalb die Sarazenen übers Meer dorthin wollen, aber in einer Seeschlacht geschlagen werden. Nachdem Roland Agramante im Zweikampf getötet hat, ist der Krieg zu Ende. Der Handlungsstrang des Krieges mit den Heiden, der das Thema der Kreuzzugsepik aufnimmt, ist aber nur lose mit der Geschichte der Liebe Rolands zu Angelica, den Abenteuern von Angelicas Flucht, und ihrer Liebe und Vereinigung mit dem Knappen Medoro verbunden, durch deren Entdeckung Roland im 23. Gesang den Verstand verliert. Astolfo fliegt im 34.–35. Gesang auf den Mond, um Rolands Verstand zu holen und ihn dann dem Wahnsinnigen zurückzubringen, damit es zum Zweikampf mit Agramante und zum endgültigen Sieg der Christen kommen kann. Dieser zweite Handlungsstrang gibt dem ganzen Werk seinen Titel. Dabei befremdete die Poetologen, daß der Titel nur einen geringen Teil der Thematik des *Orlando furioso* ankündigt und die zweite Stanze Rolands Wahnsinn mit dem Wort »matto« bezeichnet, das als Stilbruch innerhalb der hohen epischen Stillage empfunden wird. Ein dritter Handlungsstrang, die Fabel des Paares Ruggiero und Bradamante, zieht sich vom zweiten bis zum letzten Gesang hindurch und hängt mit den beiden bereits genannten nur ganz partiell zusammen, ist aber für das Buch von zentraler Bedeutung, denn vom Übertritt Ruggieros zum Christentum und von seiner Vereinigung mit Bradamante leitet sich die Genealogie der Familie d'Este und damit die für Mäzen wie Autor gleichermaßen unverzichtbare enkomiastische Aussage des *Orlando furioso* ab. Nimmt man noch die andern Paare, Helden oder eingeschobenen Geschichten hinzu, dann läßt sich der *Orlando furioso* als Verflechtung vieler zeitlich parallel laufender und voneinander unabhängiger, kunstvoll miteinander verwobener Handlungen verstehen, deren Vielfalt die neue Form des »romanzo« kennzeichnet.

Wie Ariost mit der Erzähltechnik der mittelalterlichen Literatur spielt, zeigt seine Übernahme der Zuhöreranrede aus der öffentlich vorgetragenen Epik, obwohl sein Werk für die Lektüre bestimmt ist. Der Erzähler greift beispielsweise ein, um zwei Erzählstränge durch die ausdrückliche Bemerkung miteinander zu verknüpfen, er wolle zur Abwechslung nun eine andere Handlung weiterführen. Von Boiardo und Pulci übernimmt Ariost den spielerischen Umgang mit der mittelalterlichen Literatur und dem Trivialromanzo, den die ältere Forschung mit dem Interpretationsmuster der Quellenforschung, die neuere mit dem der Intertextualität zu fassen sucht. Während die Quellenforschung sich mit der Erkenntnis zufrieden gab, daß Ariost mittelalterliche Vers- und Prosaepen, höfische Romane und Ritterdichtungen der Spielleute parodistisch verarbeitet hat, möchte die Intertextualitätsforschung die Art der Verarbeitung genauer bestimmen, um Ariosts Auflösung vorhandener Traditionen des Erzählens, die Rolle der Komik, seine Subjektivierung der Erzählperspektive und seine Verschiebung des Interesses auf das Fiktionale als solches zu erklären.

Als erfolgreichstes literarisches Werk des Cinquecento ist der *Orlando furioso* gleichzeitig das Zentrum von Ariosts Œuvre und Kristallisationspunkt einer bis zum Jahrhundertende anhaltenden Debatte, bei der es vordergründig um die dieser Dichtung zugrundeliegende Poetik, letztlich jedoch um Sinn und Zweck des literarischen Schaffens überhaupt geht. Das Gewicht dieses Buches und der über es geführten Diskussion ist so groß, daß die restlichen Bereiche von Ariostos literarischer Produktion in den Hintergrund treten, obwohl er einen entscheidenden Beitrag zur Herausbildung einer vulgärsprachlichen Komödie geleistet hat.

Jean Moreau le jeune, Illustration zu *Orlando Furioso*, 1773

Pietro Bembos Anpassung des humanistischen Modell-Konzepts an die Erfordernisse einer überregionalen literarischen Kultur in Volgare

In der letzten Fassung des *Orlando furioso* von 1532 würdigt Ariost Pietro Bembo als ein Vorbild für das Volgare und denkt dabei sicher zunächst an dessen 1530 veröffentlichte Sammlung der *Rime*, durch die Petrarca zum Modell lyrischen Dichtens erhoben und Bembos Wiederaufnahme von Petrarca zum Muster für die Aneigung dieses Lyrikers durch den Petrarkismus wird. Wenn man in den dreißiger Jahren des Cinquecento den auf der ganzen Apenninenhalbinsel verbreiteten Petrarkismus nur schwerlich vom Bembismus unterscheiden kann, dann ist damit zwar schon viel über die Stellung Bembos im literarischen Leben des 16. Jahrhunderts, aber noch nichts über sein diesen Erfolg ermöglichendes Dichtungs- und Sprachkonzept gesagt. Durch sein humanistisches Programm einer Erhebung des Volgare zur Literatursprache will Bembo die Aufsplitterung der Apenninenhalbinsel in viele Kleinstaaten ausgleichen, damit der politische Partikularismus durch den hohen ästhetischen Rang einer sprachlich einheitlichen Literatur überwunden wird. Ariosts Huldigung an Bembo braucht diesen letzteren Aspekt nicht ausdrücklich zu thematisieren, weil er die Sprache des *Orlando furioso* von Fassung zu Fassung dem Vorbild von Dante, Petrarca und Boccaccio anpaßt und deshalb die beste Bestätigung dafür liefert, daß Bembos kühne Sprachenpolitik wenigstens im Prinzip richtig ist.

Es besteht eine eigentümliche Spannung zwischen der zeitlichen Abfolge von Bembos Publikationen und der Selbstauslegung des Autors in seinen Werken. 1505 erscheinen in Venedig *Gli Asolani*, Dialoge über die Liebe, deren Titel vom Schloß Asolo abgeleitet ist, in dem sie lokalisiert sind. Die ebenfalls in Dialogform gehaltenen *Prose della volgar lingua* kommen erst 1525 in derselben Stadt heraus. Doch gibt sie ihr Autor als Gespräche aus dem Jahre 1502 aus, die er 1515–1516 in Rom schriftlich fixiert habe, und stilisiert damit die Suche nach dem literaturfähigen Volgare – dies ist das Thema der *Prose* – zur Grundlage seines ganzen vulgärsprachlichen Schaffens. Seine Werksgeschichte möchte Bembo folglich nicht als Weg von der Liebeslehre zur Liebesdichtung, sondern als Realisierung eines Sprachprojekts verstanden wissen, das er in den *Prose della volgar lingua* entwickelt hat. Diese Selbststilisierung charakterisiert seine historische Bedeutung vorzüglich, muß jedoch mit der Werksgeschichte in Einklang

Volgare als Literatursprache

Tizian, Pietro Bembo

Seite aus der Ausgabe
eines griechischen Textes
verlegt von Aldo Manuzio,
1495

Vorwort von Aldo
Manuzio zu Petrarca,
Cose Volgari, 1501

gebracht werden, um seinen Einfluß auf das literarische Leben des 16. Jahrhunderts verständlich werden zu lassen.

Die rückwirkende Festsetzung der Dialoge über die Vulgärsprache als Ursprung des italienischsprachigen Œuvres verweist paradoxerweise auf Bembos Verwurzelung im lateinischsprachigen Humanismus, dessen Bindung des Literaturbegriffs an das Konzept einer Nachahmung von Modellautoren seine Suche nach einer überregionalen Sprache für die italienische Literatur inspiriert hat. Diese Funktion des lateinischen Renaissancehumanismus ist angesichts der Herkunft und der Berufslaufbahn Bembos leicht einzusehen. Bembos Vater Bernardo ist ein angesehener Humanist und persönlich mit Marsilio Ficino, Lorenzo il Magnifico und Angelo Poliziano, also mit einigen der erlauchtesten Renaissancehumanisten, bekannt. Er vermittelt seinem Sohn eine solide lateinische Bildung und schickt ihn 1492–1494 nach Messina zu Costantino Lascaris, dem angesehensten Gräzisten der Zeit. Dort lernt Pietro Bembo griechische Literatur kennen und gehört dann in Venedig zu dem sich mit griechischen Texten beschäftigenden Kreis um den Humanisten Aldo Manuzio, der 1495 seine Tätigkeit als Verleger mit der Veröffentlichung von Lascaris griechischer Grammatik beginnt und 1505 Bembos *Asolani* herausbringt. Manuzio fügt seinen Editionen griechischer und lateinischer Klassiker Ausgaben italienischer Werke hinzu: 1499 beginnt er mit *Hypnerotomachia Poliphili*, ein anonym erschienener, heute Francesco Colonna zugeschriebener allegorischer Liebesroman, fährt 1500 mit den *Lettere* der Heiligen Katharina von Siena fort und druckt 1501 Petrarcas *Canzoniere* mit dem Titel *Le cose vulgari* und 1502 Dantes *Divina Commedia* mit dem Titel *Terze rime*. Bei der Erstellung der Petrarca- und der Dante-Ausgabe hat ihm Bembo geholfen. Während Bartolomeo da Valdezocco und Martino di Siebeneichen, die 1472 in Padua erstmals den *Canzoniere* druckten, Petrarcas Autograph philologisch getreu transkribierten, greift Bembo in die Textgestalt ein und korrigiert die Sprache seines Autors, um Abweichungen von Petrarcas üblicher literarischer Ausdrucksweise auszumerzen. Dabei bedient er sich bereits des Verfahrens, das seine Beschäftigung mit der Vulgärsprache und sein Dichten in ihr leiten wird: er zerlegt den *Canzoniere* in die Bestandteile, die gemäß der dritten Phase der rhetorischen Ausarbeitung eines Textes, der »elocutio«, als sprachliche Bausteine universal gebraucht werden können. Als Grammatiker ist Bembo immer zugleich Rhetoriker und Dichter. Deshalb betrachtet er die einzelnen Gedichte wie Realisierungen eines ihnen zugrundeliegenden Modells des Dichtens, das Petrarca exemplarisch verwirklicht hat und das er sich durch Nachahmung anverwandeln und in seinen eigenen Dichtungen erneut vergegenwärtigen will.

Wenn Manuzios Publikationsreihe griechischer und lateinischer Texte um Dichter in Volgare erweitert wird, steigt vulgärsprachliche Dichtung in den literarischen Rang von Klassikern auf. Petrarca profitiert davon mehr als Dante, weil der *Canzoniere* nicht nur rezeptions-, sondern auch produktionsästhetisch ins humanistische Modell literarischen Schaffens eingepaßt, zum überzeitlich gültigen Vorbild erklärt und zur Nachahmung empfohlen werden kann. Wenn Bembo nach 1505 Petrarca immer expliziter vor Dante stellt, wertet er die Lyrik gegenüber dem Epos auf, das in der damaligen Gattungshierarchie ansonsten höher eingestuft ist, und trifft damit eine Grundsatzentscheidung, die wegweisend für das Cinquecento ist: er stellt die Dichter ins Spannungsfeld von subjektiver Selbstaussage und objektiver Strukturierung der Aussageweise durch literarische Vorbilder wie den *Canzoniere* und macht gleichzeitig das Wetteifern mit vorgegebenen literarischen Mustern zu einer Anverwandlung der literarischen Sprache, die über die Grenzen der Kleinstaaten hinweg den Zusammenhalt der italienischen Kultur und deren überregionale Bedeutung garantiert.

Wieviel dieses Sprach- und Dichtungsverständnis dem humanistischen Modell-Konzept verdankt, zeigt *De imitatione* (1513), ein lateinischer Brief an Giovan Francesco Pico della Mirandola, in dem Bembo, der gerade von Papst Leo X. zum Sekretär ernannt worden ist, gegen die Rückführung des Schönheitsbegriffs auf die individuelle Veranlagung »ingenium« polemisiert. Die Menschen befolgen nach Picos Meinung die Vorschriften der Rhetorik nicht, weil jeder sich so verhält, wie es Cicero vom Maler Zeuxis berichtet: als dieser ein Bild von Helena malen sollte, übernahm er von fünf sehr schönen Frauen jeweils das, was nach seiner Überzeugung Helena als allerschönste Frau in sich vereinigen mußte. Diesem Eklektizismus, der letztlich Stil zu etwas Individuellem macht, setzt Bembo die Schulung des Urteils an einem Vorbild entgegen, dessen Anverwandlung durch Nachahmung objektiver Maßstab für alle schöpferische Annäherung an das Schöne sein muß. Nur wer sich an einem vollendeten Modell orientiert, kann der Gefahr individueller oder modischer Geschmacksverirrung entgehen. Da Bembo in *De imitatione* die humanistische Gelehrtenwelt anspricht, verlangt er die Nachahmung von Cicero in der Prosa und von Vergil in der Dichtung. Analoges hatte schon gegen Ende des Quattrocento Paolo Cortesi in einer berühmten Polemik gegen Angelo Poliziano gesagt. Bembo setzt jedoch neue Akzente, wenn er vom geschriebenen, nicht vom gesprochenen Wort ausgeht, so daß sich die Aufmerksamkeit von Ciceros Reden auf dessen Briefe verschiebt. Das Interesse für Cicero als Briefschreiber war bei den für die päpstliche Kanzlei tätigen Humanisten seit Lorenzo Valla groß und selbst Petrarca teilte es, obwohl er in seinen lateinischen Schriften Eklektiker war. Bembo argumentiert jedoch nicht nur als päpstlicher Sekretär, sondern berücksichtigt die Tatsache, daß durch den Buchdruck das Lesen von Texten Vorrang gegenüber dem gesprochenen oder vorgetragenen Wort erhält. Seine Mitwirkung bei den frühen Veröffentlichungen vulgärsprachlicher Texte durch den immer bedeutender werdenden venezianischen Buchdruck erhält in diesem Zusammenhang eine emblematische Bedeutung. Wie im lateinischen Rhetorikunterricht und im humanistischen Geistesleben das Schreiben mehr Gewicht als das Reden bekommt, so möchte Bembo die Diskussion über das Volgare auf die Ebene der Schriftlichkeit verlagern und das literarische und kulturelle Leben auf eine einzige, durch vorbildliche Autoren auf einen hohen Rang gehobene Literatursprache festlegen. Dabei bietet sich zumindest für sein eigenes Schaffen die Übertragung des Zweierschemas von Vergil und Cicero auf Petrarca und Boccaccio an. Bembos Dialoge halten sich an die Sprache von Boccaccio, während seine Gedichte Petrarcas *Canzoniere* aufnehmen, der damals meistens zusammen mit den *Trionfi* herauskam.

Raffael, Dichtergruppe mit Sappho, 1511

Es ist am Anfang des 16. Jahrhunderts nicht selbstverständlich, daß der bereits für seinen lateinischen Stil bekannte Humanist Bembo in Volgare zu schreiben anfängt, und noch weniger, daß er als Venezianer in *Gli Asolani* die Sprache Boccaccios und Petrarcas benutzt (und in diesen Dialogen noch stärker als später auf Dante zurückgreift). Eine einleuchtende Erklärung dafür, wie er diese Sprache gelernt hat, gibt es bis heute nicht. Jedenfalls muß er sie aus Büchern durch Lektüre und nicht primär durch Umgang mit Muttersprachlern erworben haben. Neu ist weiterhin, daß er in diesen drei Dialogen über die Liebe Gedanken des Florentiner Neuplatonismus aus den von Männern dominierten gelehrten Zirkeln in die mondäne aristokratische Lebenswelt übersetzt und Frauen an den Gesprächen beteiligt. Der Wechsel von Adressatenkreis und Sprache ist zukunftsweisend, weil die im Grenzbereich von Philosophie und Literatur angesiedelte Liebeslehre der gesellschaftlichen Elite durch eine ihr gemäße Sprache Zugang zu einer sie angehenden Theorie vermittelt. Diese Zielsetzung, nicht die Inhalte machen die Besonderheit der *Asolani* aus, die mit

Bembo, *Asolani,* Ausgabe von Aldo Manuzio, 1505

ihrer Mischung von Poesie und Prosa über die Form des Prosimetrums in
Iacopo Sannazaros *Arcadia* (1504) hinaus auf Boccaccios *Decameron* verweisen
Die Typisierung der drei männlichen und der drei weiblichen Dialogpartner
die Verwendung von Satzperioden, die Verteidigung gegen den Tadel, Frauen
mit der Liebesthematik zu konfrontieren, und vieles andere mehr steht in Bezug
zu Boccaccio. Die Dichtungen hingegen verraten eine Bevorzugung Petrarcas –
allerdings fehlt dessen Lieblingsform, das Sonett, vollkommen – gegenüber
andern ebenfalls vorkommenden lyrischen Ausdrucksregistern vom Dolce stil
novo über Dante bis zu den Dichtern des Quattrocento, mit denen Bembo am
wenigsten gemein haben will.

Liebeslehre

Der Gedankengang der *Asolani* folgt drei Schritten: im ersten Dialog redet
der Melancholiker Perottino gegen die Liebe, im zweiten verteidigt sie Gis
mondo als Ursprung aller Freuden und im dritten vermittelt Lavinello zwischen
den beiden Extremen durch die Unterscheidung zwischen sinnlicher und geisti
ger Liebe, deren höchste Stufe die Liebe zum Schönen ist. Dieses traditionelle
Aufstiegsschema wird dadurch bemerkenswert, daß sich von Perottinos Anklage
Querverbindungen zum gleichzeitig entstandenen *Orlando furioso* ergeben, wo
es gleich im zweiten Vers ebenfalls heißt, Roland sei durch Liebe verrückt gewor
den. Gismondos Lobpreis der Schönheit des weiblichen Körpers hat bei Ariost
in der Beschreibung von Alcina, Angelica oder Olimpia eine Parallele. Diese
Wahlverwandtschaft offenbart gemeinsame literarische Wurzeln beider Auto
ren, die eine ähnliche Leserschicht im Auge haben. Diese literarischen Hinter
gründe verdeutlicht Mario Equicolas *Libro de natura de Amore* (1525), das im
ersten Buch die mittelalterliche und italienische Literatur von den Trobadors bis
zur Gegenwart enzyklopädisch verzeichnet. Equicola versteht sich im Gegensatz
zu Bembo als Philosoph, ist jedoch noch immer stark literarisch orientiert im
Vergleich zu Leone Ebreos *Dialoghi d'amore* (1535), dem einflußreichsten Werk
des 16. Jahrhunderts über das Thema. Diese von einem nicht genau identifizier
baren toskanischen Literaten aus dem Hebräischen oder Lateinischen übersetz
ten Dialoge breiten ohne literarischen Anspruch eine Liebesphilosophie aus,
während der Dialog *Dell'infinità di amore* (1547) der Hetäre Tullia d'Aragona
die literarischen Vorstellungen des Petrarkismus zum Ausgangspunkt von
Gesprächen über die Möglichkeit nimmt, Erotik in der besseren Gesellschaft als
kulturelles Phänomen zu verstehen. Ins Dirnenmilieu wechselt Pietro Aretino
über mit seiner komisch-parodistischen Umkehrung der Liebestraktate ins litera
rische Muster der Hetärengespräche des griechischen Schriftstellers Lukian: das
heute unter dem Titel *Ragionamenti* verbreitete zweiteilige Werk, dessen erster
Teil 1534 als *Ragionamento della Nanna e della Antonia* und dessen zweiter Teil
1536 als *Dialogo [...] nel quale la Nanna [...] insegna a la Pippa sua figliuola*
herauskam, verletzt bei der Thematisierung des Sexuellen bewußt die Scham
schwelle, nutzt die Verfahren der Schwankerzählung, der Novellistik, des
Porträts und der Burleskdichtung, um das unideale Gegenstück zur Verklärung
der Liebe in den Liebesdichtungen und -traktaten zu liefern. Aretinos provoka
torische Darstellung des Liebeslebens aus der Dirnenperspektive ist genauso
eine literarische Stilisierung der Wirklichkeit wie die Liebestraktate, auch wenn
die niedere Stillage und die gewählten literarischen Genera einen stärkeren
Eindruck von Wirklichkeitsnähe vermitteln. Mit Bembo haben alle diese Werke
insofern etwas zu tun, als die von Equicola und Leone Ebreo zuerst in der
Wissenschaftssprache Latein konzipierten philosophischen Dialoge sicher nicht
unabhängig von den *Asolani* in Volgare umgesetzt wurden; die Bücher von
Aretino und Tullia d'Aragona belegen die lang anhaltende Beliebtheit von
Thematik und Textsorte der *Asolani* in der gesellschaftlichen Elite.

Tizian, Pietro Aretino um
1545

*Entprovinzialisierung
des Florentinischen*

Wie repräsentativ Bembos Leben und Werk für das 16. Jahrhundert ist,

erkennt man an den *Prose della volgar lingua* (1525), die eine Entprovinzialisierung der Florentiner Literatursprache gerade zu dem Zeitpunkt vorschlagen, wo
mit dem Medici-Papst Leo X. das Zentrum des Humanismus von Florenz nach
Rom verlagert wird. Bembo präsentiert die beiden ersten bereits fertigen Bücher
dieser Dialoge dem Papst, als dieser ihn 1513 zum Sekretär ernennt. Der dritte
Dialog mit vielen literarischen Beispielen ist erst 1525 fertig, als Giulio de'
Medici, dem das Werk gewidmet ist, vom Kardinal zum Papst Clemens VII.
geworden war. Ein Cousin von Giulio fungiert als Gesprächspartner im Haus
von Bembos Bruder Carlo, der in Venedig wohnt und Sprachrohr des Autors
ist. Nimmt man noch hinzu, daß die Niederschrift der beiden ersten Dialoge in
Urbino erfolgt, wo Bembo zusammen mit Baldassare Castiglione am Hof zu
Gast war, dann wird einem die gesellschaftliche Grundlage seines Sprachpro-
gramms bewußt. Bembo ist wie Castiglione ein Intellektueller, der in Urbino
nicht bleiben will und die Mobilität für eine Karriere im päpstlichen Dienst
nutzt. Er läßt sich von seinem Lebensstil als Laie nicht abbringen und verleug-
net seine Beziehungen zu Frauen und seine unehelichen Kinder nicht, als er
zum Kardinal erhoben wird. Das überregionale Volgare ermöglicht die Mobilität der praxisorientierten Humanisten und deren Verbindung mit der gesellschaftlichen Elite, weil die Höfe ihre eigene kulturelle Identität neben den lateinischsprachigen kirchlichen und wissenschaftlichen Institutionen zu entwik-
keln beginnen. In Anlehnung an Ciceros Rhetorik entwirft Bembo eine ideale
Vereinigung von hohem formalem und sprachlichem Anspruch der Literatur,
wie er in Petrarca und Boccaccio verwirklicht ist, und hohem gesellschaftlichem
Ethos der höfischen Welt, die für den Sprachgebrauch Maßstäbe setzt und die
Sprache der großen Florentiner zu ihrer eigenen macht. Das Latein hingegen
soll den gelehrten Institutionen wie Universität oder Akademie und der Kirche
als Sondersprache erhalten bleiben. Durch diese weitreichende gesellschaftliche
und politische Perspektive unterscheiden sich Bembos *Prose della volgar lingua*
grundsätzlich von Giovanni Francesco Fortunios *Regole grammaticali della
volgar lingua* (1516), der ersten gedruckten Grammatik des Italienischen, die
auf der Sprache von Dante, Petrarca und Boccaccio aufbaut.

Danese Cattaneo, Pietro
Bembo, Padua

Bembos *Prose della volgar lingua* sind das vulgärsprachliche Gegenstück zu
Lorenzo Vallas *Elegantiae* (1449), dem grammatikalischen und rhetorischen
Grundbuch für lateinischen Stil. Der Klang von Wörtern und Wendungen, die
Eleganz des Ausdrucks und das richtige Verhältnis von Form und Inhalt sind
Wertkriterien, mit denen die Errungenschaften der literarischen Sprache gemessen und deren Schriftlichkeit dem gegenwärtig gesprochenen Florentinischen
vorgezogen wird. Im zweiten Buch (Kapitel 9) bemängelt Bembo, daß Dante
nur die Würde (»la gravità«) und Cino da Pistoia, ein Dichter des Dolce stil
novo, nur die Anmut (»la piacevolezza«) im Auge hatten, während Petrarca
beides miteinander zu vereinbaren wußte. Er fügt zu Klang und Metrik noch
die Abwechslung (»la variazione«) hinzu, die auf die Angemessenheit der Stilmittel (»il decoro degli stili«) achten muß, damit die Kunsthaftigkeit der Dichtung
den Leser überzeugt. Alle diese Qualitäten vereinigen die Prosa Boccaccios und
die Poesie Petrarcas in sich, weshalb sie nach Meinung von Bembo objektive
Maßstäbe für die künftige Literatur in Volgare setzen.

Handbuch für guten Stil

Bembos Sprachtheorie wird von Sperone Speroni in seinem zwischen 1535
und 1540 entstandenen *Dialogo delle lingue* relativiert. Speroni läßt Bembo
zusammen mit einem Humanisten, der die Vulgärsprache für ein herunterge-
kommenes Latein hält und die Rückkehr zur Sprache der Römer fordert, sowie
mit einem Höfling diskutieren, der den modernen Sprachgebrauch der Höfe
zur Norm erheben will. Er läßt dann durch einen Schüler des 1525 verstorbenen Philosophen Pietro Pomponazzi ein Gespräch mit seinem Lehrer wiederge-

Sperone Speroni

ben, das den drei Sondersprachen: von Wissenschaft, Literatur und Konversation eine sprachphilosophische Deutung der Sprache als Ausdrucksmittel entgegensetzt. Speroni bereitet mit dieser subtilen Kritik an Bembo sein eigenes Plädoyer für eine italienische Sprache in seinem zwischen 1585 und 1588 entstandenen *Dialogo della Istoria* vor. Claudio Tolomei unterscheidet in *Il Cesano, dialogo de M. C. T. nel quale da più dotti huomini si disputa del nome, col quale di dee ragionevolmente chiamar la volgar lingua* (1555) im Gegensatz zu Bembo zwischen gesprochener und geschriebener Sprache, unterstützt aber ebenso wie Benedetto Varchi in seinem zwischen 1560 und 1565 entstandenen *Ercolano, dialogo nel quale si ragiona generalmente delle lingue e in particolare della fiorentina e della toscana* Bembos Sprachkonzept.

Sprachtheorie und Dichtungspraxis

Als 1530 Bembos *Rime,* deren einzelne Gedichte früher schon als Manuskripte zirkulierten, veröffentlicht werden, erkennt die literarische Welt sogleich, daß hier mehr als nur eine punktuelle Anverwandlung Petrarcas vorliegt, wie sie zuvor beispielsweise Boiardo in seinen in den siebziger Jahren des Quattrocento entstandenen *Amorum libri* praktiziert hatte, wo die Anlehnung an Petrarca nur das zweite der drei Bücher prägt. Bembo macht sich Sprache, Thematik, Form, Stil und Bau des *Canzoniere* zueigen und läßt ein Modell so perfekt zu neuem Leben entstehen, daß die Trennungslinie zwischen Urbild und Abbild schwer auszumachen ist. Iacopo Sannazaros Freunde müssen sofort erkannt haben, daß Bembo eine neue Art von Petrarca-Rezeption einleitet, denn sie veröffentlichen noch im selben Jahr in Neapel Sannazaros *Rime,* deren zweiter Teil ebenfalls eine Neuschöpfung des *Canzoniere* darstellt. Während die Zeitgenossen Bembos Dichtung bewunderten, tat sich die Nachwelt bis in die jüngste Vergangenheit schwer mit dieser Art von Poesie. In der Tat muß die literarische Wertung, in der die Originalität auf der obersten Skala der Kriterien rangiert, Bembos Bemühen, seine eigene Aussage möglichst durch Petrarcas Vorstellungen und Sprache zu artikulieren, als virtuose Verwirklichung des in den *Prose della volgar lingua* umrissenen Programms deuten und den Bembismus der dreißiger Jahre zum Erfolg eines Sprachlehrers degradieren, der aus Mangel an eigenen Ideen den andern die Handhabung der literarischen Sprache beibringen konnte. Diese Meinung ist durch die neuere Intertextualitätsforschung als Fehlurteil entlarvt und die Geringschätzung Bembos als Epigone revidiert worden.

Eingangssonett der Rime

Liest man beispielsweise das Eingangssonett der *Rime* als bewußte Wiederaufnahme des Eingangssonetts von Petrarcas *Canzoniere,* dann fallen programmatische Unterschiede stärker ins Auge als die von der Forschung als unoriginell abgewerteten Gemeinsamkeiten. Bembo lehnt sich wieder an die Exordialtopik der Epik an, deren Musenanruf Petrarca bewußt weggelassen hatte, und setzt sogar wie Vergil in der *Aeneis* die Ankündigung des Themas vor den Musenanruf. Von Petrarca übernimmt Bembo zwar die Thematik der Liebespein, geht sie aber nicht wie dieser abschätzig aus der Retrospektive, sondern als einen Gegenstand an, der durch die Dichtung verewigt wird. Er erhebt somit die Leiden zu einem Exempel, an dem sich nachfolgende Generationen von Liebenden ein Beispiel nehmen sollen. Die für Petrarca so charakteristische Brechung der profanen Liebes- durch die religiöse Reuethematik und die eigentümliche Mischung aus Diesseitigkeit und metaphysischer Nostalgie ist bei Bembo bewußt aufgegeben.

Bembo, Manuskript zu den *Rime*

Bembos *Rime* ziehen aus Petrarcas *Canzoniere* die formalen und sprachlichen Bestandteile heraus, mit denen eine diesseitig orientierte gesellschaftliche Elite ihre Sensibilität artikulieren kann. Sie zeigen in der Stilisierung der Laura-Liebe ein Ritual auf, das einer ihre Sitten verfeinernden kleinen Schicht als profanes Ethos und als literarische Konvention zur Thematisierung ihres Selbstverständnisses durch die Dichtung dienen kann. Man muß deshalb Bembos Poesie einerseits aus ihren Bezügen auf andere Dichtung und andererseits aus ihrer Nähe zum neuen Ideal des Hofmannes verstehen, das Baldassare Castiglione und die Anstandstraktate jener Zeit entworfen haben.

Urbanes Ethos als höfischer Gesprächsstoff in den Hoftraktaten und die Anstandsliteratur des Cinquecento

Der Humanismus versteht sich als erzieherische Bewegung. Ihre pädagogischen Schwerpunkte im 16. Jahrhundert steckt Erasmus von Rotterdam mit zwei sehr erfolgreichen Werken, einem Fürstenspiegel *Institutio principis christiani* (1515) und einem Anstandsbuch *De civilitate morum puerilium* (1530), ab. Die italienischen Hoftraktate und Anstandsbücher derselben Zeit, in denen der vulgärsprachliche Humanismus die politischen und ideologischen Veränderungen mit der Ausarbeitung neuer Leitbilder beantwortet, gehören noch heute zum Kanon der Literatur. Sie übernehmen die literarische Form des Dialogs aus der neulateinischen in die vulgärsprachliche Literatur und erörtern neben sprachlichen und ästhetischen Problemen besonders die Verhaltensnormen der Elite.

> *Humanismus als pädagogische Bewegung*

Baldassare Castiglione aktualisiert in *Il libro del Cortegiano* (1528) das in der mittelalterlichen Literatur verbreitete Muster der Diskussion über Liebesfragen durch dessen Verbindung mit Tugendkatalogen der humanistischen Moraltraktate und rhetorischen Vorschriften für die gesellige Unterhaltung und für die angemessene Selbstdarstellung in der höfischen Welt. Er läßt einen auserlesenen Kreis von Humanisten und Aristokraten über die Brauchbarkeit dieser Konzepte für die Bildungsgesellschaft diskutieren, die durch das Zusammengehen der gesellschaftlichen Elite mit jenen Humanisten zustande gekommen ist, die vom Latein zum Volgare übergewechselt haben und ihre Kenntnisse für die Bewältigung der Aufgaben in Staat und Gesellschaft zur Verfügung stellen.

IL LIBRO DEL CORTEGIANO
DEL CONTE BALDESAR
CASTIGLIONE.

Hassi nel priuilegio, & nella gratia ottenuta dalla illustrissima Signoria che in quella, ne in niun altra Citta del suo dominio si possa imprimere, ne altroue impresso uendere quello libro del Cortegiano per x. anni sotto le pene in esso contenute.

Raphael, Baldassare Castiglione

Titelblatt der Erstausgabe von 1528

Castigliones Werdegang   Aus einer Adelsfamilie stammend, macht Castiglione eine Laufbahn durch, die ihn an die Höfe von Mailand, Mantua, Urbino, Rom und Madrid führt und repräsentativ für den Wandel des Humanisten zum Praktiker wie für die mangelnde wirtschaftliche und gesellschaftliche Absicherung des Intellektuellen im höfischen Milieu ist. Anfang und Ende seines Werdegangs sind durch die beiden großen Katastrophen für Italien abgesteckt. Der Einfall der Franzosen ist Anlaß, daß ihn sein erster Dienstherr Francesco Gonzaga 1503 nach Mailand als Sekretär mitnimmt, wo er den französischen König Ludwig XII. trifft, und sein letzter Dienstherr, Papst Clemens VII., macht ihn dafür verantwortlich, daß er als Nuntius bei Karl V. die Plünderung Roms nicht verhindern konnte. Wie persönlich er sich von den politischen Ereignissen betroffen fühlt, zeigt sein Verteidigungsbrief an Clemens VII. und seine Replik auf den 1529 veröffentlichten *Diálogo de las cosas ocurridas en Roma,* in dem der spanische Berater Karls V., Alfonso de Valdés, den Sacco di Roma als gerechte Strafe Gottes für die verweltlichten Päpste und die Römische Kirche hingestellt hat. Valdés ist Anhänger von Erasmus von Rotterdam, dessen Verhöhnung der römischen Ciceronianer auch Castiglione treffen mußte, selbst wenn sein Stilideal Erasmus näher steht als den von diesem verlachten Humanisten.

Entstehungsgeschichte des   Der *Cortegiano* ist in drei Etappen entstanden: zwischen 1513 und 1516
Cortegiano   wird ein drei Bücher umfassendes Manuskript fertig, das die in den Dialogen vorkommenden Personen und einige Freunde begutachten und korrigieren sollen. Zwischen 1518 und 1521 schreibt Castiglione eine neue Fassung, die das Verhältnis von Hofmann und Fürst in einem neu hinzugekommenen vierten Buch behandelt, in das noch ein Teil der Gespräche über die Liebe aus dem dritten Buch eingeht. Seit 1524 reduziert er für die Druckfassung die Bezüge auf die italienischen Fürstenhöfe zugunsten einer europäischen Perspektive und fügt panegyrische Texte auf das spanische Herrscherhaus ein. Das politische Geschick der Apenninenhalbinsel, laufbahnbedingte Interessen und das Ringen um eine innere Geschlossenheit des Gedankengangs bestimmen die Überarbeitung des *Cortegiano,* der durch seinen Praxisbezug Niccolò Machiavellis *Principe* näher steht als Pietro Bembos Sprach- und Stilidealen. Die klassische Komponente des Buches wird jedoch schon sehr früh bei der Rezeption in den Vordergrund gerückt. Das gilt beispielsweise auch für die erste deutsche Übersetzung von Laurentz Kratzer (1565), die Castigliones Vorstellungen über die höfische Elite in ein universales Programm zur Formung der Persönlichkeit umdeutet. Was das Buch durch eine solche Lektüre an Allgemeinverbindlichkeit gewinnt, das verliert es auf der andern Seite wieder durch die Vernachlässigung seiner vielfältigen Aussageweisen.

Zwei rhetorische Register   Eine grundlegende Spannung zwischen zwei rhetorischen Registern darf man nicht übergehen, ohne die literarische Struktur zu verkennen. *Il libro del Cortegiano* enthält eine Rahmenerzählung, in der die Dialoge auf das Jahr 1506 datiert und am Hof von Urbino angesiedelt werden. Dieser Rahmen soll in der Intention des Autors einer andern Aussageebene zugerechnet werden als die in ihn eingebetteten Dialoge. Das zeigt der Übergang von der idealisierenden Abbildung eines tatsächlichen Hofes zu den Gesprächen, die Castiglione als Spiel (»gioco«) bezeichnet. Federigo Fregoso beanwortet an jener Nahtstelle die Aufforderung, seinen Beitrag zum Gesprächsspiel zu leisten, zunächst mit einem Lob auf den Kreis der Gesprächsteilnehmer und gibt dem Enkomium des Rahmens dann eine neue Wendung, wenn er vorschlägt, diese unübertreffliche höfische Elite solle sich in ihrer Abendunterhaltung einen vollendeten Höfling ausmalen (»formar con parole un perfetto cortegiano« I, 12). Castiglione bildet hier Ciceros Formel, er wolle sich einen vollkommenen Redner ausdenken, bewußt nach, um die in seinem Buch vorkommende Selbstthematisierung der Bildungsgesellschaft bei Hof inhaltlich zur fiktionalen Ausmalung eines vollendeten Höflings, formal aber deren literarische Stilisierung in Abendunterhaltungen zum Vorbild für höfische Gesprächskultur zu erheben. Der Rahmen gewährleistet, daß der Leser den Gedanken und der Sprache der Gesprächsteilnehmer Vorbildlichkeit zutrauen kann, die Gespräche hingegen beanspruchen nicht, die tatsächlichen Verhältnisse bei Hof abzubilden. Da die Dialoge nur idealtypische Züge von Personen oder Situationen auf die höfische Welt projizieren, ranken sie sich um das rhetorische Gerüst einer Beispielsammlung für gute oder schlechte Eigenschaften. Ihre Themen werden 1541 in der Ausgabe des Venezianischen Druckers Giovanni Gabriele Giolito de' Ferrari, die ihnen zugrundeliegenden *Exempla* 1562 in der Ausgabe von Lodovico Dolce in umfangreichen Registern aufgeschlüsselt. Obwohl von den 270 *Exempla* nur 66 allgemeinverbindliche Bedeutung haben, wird Castigliones Werk wie eine Enzyklopädie literarischer Topik oder praktischer Anweisungen für die höfische Welt rezipiert.

Lodovico Dolce, 1561

Alle vier Bücher des *Cortegiano* kreisen jeweils um einen thematischen Schwerpunkt: das erste um die äußeren und inneren Qualitäten des Hofmannes, das zweite um Situationen und Möglichkeiten zum Geltendmachen dieser Qualitäten im allgemeinen und die witzige Unterhaltung im besonderen, das dritte um die Frau am Hof (»la donna di palazzo«), das vierte um das Verhältnis von Höfling und Fürst. In jedem Buch läßt Castiglione dem Kreis die Möglichkeit, bei einem bestimmten Aspekt länger zu verweilen: im ersten bei der Problematik des Volgare (»la questione della lingua«), im zweiten beim Novellenerzählen, im dritten bei der Aufzählung von Beispielen weiblicher Größe und im vierten bei der neuplatonischen Liebesphilosophie, die Bembo in einer Rede gegen Ende der Gespräche als Erklärungsmodell für die Bestimmung des Verhältnisses von Mann und Frau sowie von Fürst und Hofmann verwendet. Formal handelt es sich bei den zuletzt genannten Partien nicht um Exkurse, weil sich alle diese Bestandteile zwanglos aus der Gesprächssituation ergeben und in diese wiederum einmünden. Das zeigt beispielsweise die Sprachdiskussion im ersten Buch.

Die Verquickung von sprachlichem Vorbild für das Sprechen bei Hof und Gespräch über höfische Existenz mündet dort in eine Debatte über das Volgare als Sprache der besseren Gesellschaft, findet sich doch nicht nur in der von Castiglione in Urbino versammelten Abendgesellschaft, sondern an allen italienischen Höfen die gesellschaftliche und die geistige Elite aus den verschiedensten Regionen der Apenninenhalbinsel zusammen. Die Mobilität der Intellektuellen, von der Castiglione selbst profitiert, setzt eine gemeinsame Sprache voraus, die nur das Volgare sein kann, wenn sich die Humanisten auf die Ebene der Leute von Welt und der Frauen begeben wollen. Die Literatursprache der großen Autoren des Trecento, die Bembo in den *Prose della volgar lingua* zur Richtschnur erhebt, ist in diesem Kontext zweifach ungeeignet: ihre Schriftlichkeit widersetzt sich der bei Hof geforderten Mündlichkeit und ihre ästhetische oder räumliche Distanz wirkt im Munde von Sprechern aus verschiedenen Regionen der Apenninenhalbinsel unnatürlich und im Vergleich zur gegenwärtigen Lebenswelt archaisch. Die Qualität des Volgare, die Bembo allein aus der Ranghöhe der vulgärsprachlichen Literatur ableitet, sieht Castiglione im Sprachgebrauch des Hofes begründet, sofern die dort versammelte Elite ihre unterschiedliche Herkunft zu einer Bereicherung der Expressivität der Sprache und ihre privilegierte Stellung zur Pflege einer angemessenen sprachlichen Kultur nutzt. Diese Sprachtheorie bringt Castiglione den Ruf ein, die höfische Sprache als Modell erfunden und in die Sprachdiskussion eingebracht zu haben.

Der Hof kann nur in dem Maße den Sprachgebrauch bestimmen, wie der

Sprache bei Hof

Giacomo Franco, Ball, aus: *Habiti d'Huomini et Donne Venetiane,* Venedig 1610

Maser, Fresko aus der
Villa Volpi. Diese Szene
aus dem Alltagsleben ist
Teil eines Wandgemäldes.

Hofmann selbst ungekünstelt redet. In dieser Forderung kommt die Sprachenfrage mit den allgemeinen Verhaltensregeln zur Deckung, bei denen wiederum das Affektierte (»l'affettazione«) bekämpft wird. Wie die Rede im Temperament, so ist die äußere Erscheinung und das Verhalten in den Anlagen des Menschen grundgelegt. Castiglione preist die Anmut (»la grazia«) als höchste Vollendung des Natürlichen und löst dabei die Spannung zwischen Natur und Kultur in der Paradoxie auf, daß Kunst in ihrer vollendetsten Form über sich selbst hinauswächst, ihre eigene Künstlichkeit überwindet und so den Anschein des Natürlichen weckt. Diesen Gedanken spielt er auf verschiedenen Ebenen durch: bei ganz alltäglichen Dingen wie dem Schminken, wo die Frauen sich keine Maske überziehen, sondern ihre natürlichen Reize verstärken sollen (I, 40), oder in der Theorie der Künste, wo er die Malerei wegen ihrer raffinierteren Darstellungstechnik über die Bildhauerei stellt (I, 51). Vor allem aber gewinnt er aus ihm eine seiner zukunftsweisenden Leitideen, die er in den Begriff der »sprezzatura« (I, 26) faßt, einer Wortschöpfung, die einen der zentralsten Werte höfischen Selbstverständnisses ausdrückt. Es handelt sich um eine Vorstellung, die das aristokratische Desinteresse an geistiger Arbeit und die Verachtung für alle nicht mit dem Kriegsdienst – der spezifischen Rolle des Adels in der damaligen Gesellschaft – verbundene körperliche Anstrengung mit der humanistischen Geringschätzung für das Unkultivierte vereint und die zur Äußerlichkeit tendierende Eleganz des Weltmannes in ein umfassende Bildung einschließendes Konzept der Urbanität überführt. Deshalb geht das erste Buch des *Cortegiano* alle praktischen und geistigen Betätigungen durch, die beim Hofmann erwünscht sein können, und prüft ihre Brauchbarkeit für eine urbane höfische Lebensform. Oberstes Wertungskriterium ist dabei die Schnittstelle von Natur und Kultur, wo der selbst auferlegte oder anerzogene Zwang wieder die Freiheit einer zu sich selbst gekommenen, vollkommenen Natur zurückerhält.

Die Heiterkeit und Eleganz des Hofmannes ist seinem Bemühen zu verdanken, sich von der guten Seite zu zeigen und seine Fähigkeiten ins rechte Licht zu rücken (II, 8). Das Taktgefühl (»la discrezione« II, 13) hilft besser als alle Regeln, um das jeweils den Umständen Angemessene zu tun. Castiglione möchte im Hofmann jenes gemeinschaftsbildende Prinzip voll entfaltet sehen, das er in der Definition des Menschen als eines zum Lachen fähigen Wesens (»un animal risibile« II, 45) verankert hat. Deshalb läuft die ganze Diskussion des zweiten Buches auf eine Rhetorik der Konversation hinaus, die ihrerseits in einer Witzlehre gipfelt. Seine Theorie der Scherzrede und seine Beispiele werden von den Poetologen des Cinquecento in einem Zug mit den kanonischen Texten der griechischen und lateinischen Literatur zu diesem Thema zitiert.

Tizian, Francesco Maria
della Rovere, Herzog von
Urbino und seine Frau
Eleonora Gonzaga

Wo Urbanität und Anmut die Atmosphäre bei Hof bestimmen, kann sich weiblicher Charme entfalten. Wenn Castiglione im dritten Buch misogyne Tendenzen, die von den Kirchenvätern über die mittelalterliche und neulateinische Literatur bis zu seiner Zeit weitergegeben wurden, durch eine Fülle von Beispielen weiblicher Größe bekämpft, legt er das italienische Hofmodell auf die Anwesenheit von Frauen in der höfischen Welt fest und schafft damit ein Vorbild, das im 17. Jahrhundert vom französischen Absolutismus übernommen wird. Die Traktate über die Frau greifen im Cinquecento immer wieder Gedanken aus dem *Cortegiano* auf, selbst wenn sie sich gar nicht mit dem Hof beschäftigen.

Im vierten Buch richtet Castiglione zunächst die ganze bisherige Diskussion über die Qualitäten des Hofmannes auf das politische Ziel der Fürstenbelehrung aus und greift dann die Topik der Fürstenspiegel in der Perspektive eines

Zueinanders von Herrscher und Hofmann auf, der schließlich in der Rolle eines Philosophen erscheint, so daß Hofmann und Lehrmeister (»cortegiano o institutor del principe« IV, 48) zur Deckung zu kommen scheinen. Diese Synthese von Fürstenspiegel und Hoftraktat hinterfragt nun Castiglione durch die Einbeziehung der neuplatonischen Lehre der Einheit des Schönen und des Guten in der geistigen Liebe. Er läßt Bembo mit seiner Eros-Lehre die Meinung widerlegen, daß nur ein alter Hofmann die geforderten Qualitäten besitzt. Bembos Rede liefert die ethisch-ästhetische Rechtfertigung für die Anwesenheit der Frau bei Hof und für das ansprechende Äußere des Hofmannes. Durch den Kunstgriff, den sich beim Sprechen ereifernden Bembo im Einklang mit dem Neuplatonismus außer sich (»fuor di sé« IV, 71) geraten zu lassen, bestätigt Castiglione am Schluß des *Cortegiano* nochmals die Unterscheidung vom Anfang des Buches zwischen einer hyperbolischen Porträtierung einer tatsächlichen Wirklichkeit und der fiktionalen Ausmalung eines erstrebenswerten Leitbildes, wie es die Abendgesellschaft am Hof von Urbino in ihren vier Unterhaltungen über den Hofmann entwirft. Castiglione verbindet die Genera des Hoftraktats, des Fürstenspiegels und des Lehrgesprächs zu einer Form des Dialogs, der formales Vorbild für die höfische Gesprächsliteratur wird, dessen Ausgewogenheit zwischen hohem ethischem Anspruch an die privilegierte höfische Sphäre und distanzierter Skepsis gegenüber der Realisierbarkeit der von ihm umrissenen Ideale jedoch von den vielen Anstandsbüchern, die in der Folge seine Gedanken aufgreifen, nicht mehr nachvollzogen werden kann.

Alessandro Piccolomini, *Dialogo de la bella creanza de le donne,* 1540

Wie die Geschichte der Drucke und Übersetzungen des *Cortegiano* eine Tendenz zur Auflösung seiner künstlerischen Synthese in enzyklopädisch verfügbare Verhaltensregeln und *Exempla* belegt, so driften auch in der weiteren Entwicklung der Hof- und Anstandstraktate politische, moralische und pragmatisch-lebenspraktische Perspektiven auseinander. Kennzeichnend für diese Entwicklung sind zwei Bücher von Alessandro Piccolomini: sein früher witzig-satirischer Dialog *La Raffaella* (1539), wo die alte Kupplerin Raffaella die junge unglücklich verheiratete Margarita unverfroren frech über Verhaltensregeln und Standespflichten der Frau sowie über die Möglichkeit, diese zu umgehen, unterrichtet, und sein gelehrter moralphilosophischer Traktat *De la institutione di tutta la vita del'huomo nato nobile, e in città libera* (1542), der 1560 in überarbeiteter Form unter dem Titel *Della institutione morale* herauskommt und auf Moralvorlesungen in Siena an der Accademia degli Infiammati zurückgeht. Piccolominis Wechsel von der komödienhaften unterhaltenden Belehrung in *La Raffaella* zu systematischer moralisierender Unterweisung über Standespflichten, Fragen der Bildung, Sprachprobleme, Literatur, aber auch über die Vermehrung des Familienvermögens durch eine klug eingegangene Ehe oder über die Haushaltsführung wird vielleicht etwas voreilig von der Literaturgeschichtsschreibung auf den Einfluß des Konzils von Trient zurückgeführt, den andere mit mehr Wahrscheinlichkeit bei Giovanni Della Casa herausstellen, dessen Anstandsbuch *Galateo ovvero de' costumi, trattato nel quale, sotto la persona d'un vecchio idiota ammaestrante un suo giovanetto, si ragiona de' modi che si debbono o tenere o schifare nella comune conversazione* (1558) den Traktat von Piccolomini in den Hintergrund gedrängt hat. Der im Titel vorkommende Begriff der »costumi« entspricht dem, was die heutige Soziologie mit Habitus, also mit der Summe der Eigenschaften meint, die einen Menschen in seinem Erscheinungsbild, seinen Interessen und seinem Gehabe bestimmen. Wenn also Della Casa das Schmatzen kritisiert, so nicht bloß deshalb, weil dies beim Essen stört, sondern weil diese Äußerlichkeit Rückschlüsse auf das ungehobelte Wesen des Menschen zuläßt. Dieser Zusammenhang wird durch den zweiten Schlüsselbegriff des Titels, die »conversazione«, angesprochen, der nicht nur das Miteinan-

Anstandsliteratur

Giovanni Della Casa

Titelblatt zur Ausgabe
Leiden 1650

Entprovinzialisierung
der italienischen
Anstandsliteratur

derreden, sondern das soziale Moment des Miteinanderumgehens meint. Gute Sitten und gepflegte Sprache sind nach Della Casa dazu da, Gemeinschaft zu bilden und damit letztlich die Menschen miteinander in einem Staat zu vereinen. Erziehung dient dabei zur sozialen Integration.

Während Castiglione Natur und Kultur durch den platonischen Eros zum Schönen miteinander versöhnt, will Della Casa mit Aristoteles die Natur durch Belehrung kultivieren. Erziehung ist für ihn unabhängig von Standesgrenzen. Deshalb läßt er einen älteren Privatmann, der aus der Lebenspraxis spricht, einen jungen Menschen auf das Leben in der staatlichen Gemeinschaft vorbereiten. Della Casa will dem Einzelnen gute Gewohnheiten beibringen, die es ihm ermöglichen, sich den andern anzupassen und zusammen mit ihnen eine harmonische Gesellschaftsordnung zu bilden. Der *Galateo* faßt das gesamte gesellschaftliche Leben in Regeln, die alle Bereiche bis hin zum Religiösen als Ordnungsgefüge erweisen. Moralische Gesetze und urbane Gefälligkeit werden in ein umfassendes Erziehungsprogramm integriert, das dem einzelnen den Weg zur persönlichen Selbstverwirklichung im Zusammenleben mit den andern weist. Dieses Konzept hat großen Einfluß auf die Zivilisierung der Sitten in Europa gehabt.

Hat Della Casa im *Galateo* den Begriff der »conversazione« bereits ganz allgemein als Umgang mit Menschen verstehen können, so fügt Stefano Guazzo bereits dem Titel seines Anstandsbuches *Civil conversatione* (1574) ein Adjektiv hinzu, das die gesellschaftliche gegenüber der sprachlichen Komponente aufwertet. Dieses »civile« ist polemisch gegen die Ideologie des lateinischen Humanismus gerichtet, der sich ins Schweigen seiner Studierstuben zurückzog und in der Einsamkeit der Beschäftigung mit geistigen Dingen (»theoria«) nachging, wohingegen Guazzo den Dialog mit den andern in der Öffentlichkeit anpreist. Der latente Übergang von der Theorie zur Praxis bei Castiglione wird hier zum expliziten Programm erhoben und eine klare Trennungslinie zum Humanismus des Quattrocento gezogen. Guazzo lehnt aber nicht nur die Bevorzugung der Stadt durch die Kultur des Quattrocento, sondern auch die Privilegierung der höfischen Bildungsgesellschaft durch Castiglione ab. »Civile« ist für ihn ein Ausdruck für das Urbane und die Zivilisierung ein anthropologisches Konzept, das als geistiger Habitus (»qualità dell'animo«) das Leben in Gemeinschaft anständig, angenehm und gut (»honesta, lodevole et virtuosa«) macht. Diesem Universalismus, in dessen Namen Guazzo durch seine Gegenüberstellung der italienischen Verhältnisse mit denen in Paris und Madrid die Entprovinzialisierung der italienischen Anstandsliteratur vorantreibt, steht seine Polemik gegen den Protestantismus entgegen, mit der konfessionelle Gesichtspunkte in die Anstandslehre einziehen. Allgemeinverständlichkeit und Ablehnung alles Spezialistentums kennzeichnen das Werk und geben seinem Streben nach Verallgemeinerung zugleich eine Wendung ins leicht Faßliche. Rhetorisches Muster hierfür ist der lakonische Sentenzenstil, dessen Vorbild für Guazzo der griechische Philosoph Plutarch ist. Dieser Stil leistet einerseits der Rezeption durch die Theoretiker des Absolutismus wie Justus Lipsius, andererseits der Verwendung von Sprichwörtern Vorschub. Im dritten Buch erhebt Guazzo den Familienvater (»padre di famiglia«) zur Symbolfigur der Organisation von Staats-und Hauswesen und schlägt damit eine Brücke von der Anstandslehre zur politische und ökonomische Fragen behandelnden Hausväterliteratur.

Die Herausbildung von Konzepten, Formen und Poetiken des Theaters

Die Hof- und Anstandstrakte haben vieles mit dem Theater gemein: Das dialogische Prinzip, das rhetorische Verfahren der Prosopopoia, das eine Person dadurch verlebendigt, daß sie zum Sprechen gebracht wird, sowie die Verwendung von Exempla für außergewöhnliche oder alltägliche Handlungen sind gemeinsame literarische Muster; sodann die Schaffung eines Rahmens für die Gespräche, der im *Cortegiano* nicht nur dekorativer Hintergrund, sondern Garant eines wechselseitigen Bezugs zwischen Fiktion und Wirklichkeit ist; und schließlich die kunstvolle Verknüpfung der Interventionen einzelner Gesprächspartner. Zu diesen strukturellen Analogien kommen im Falle von Castiglione noch historische Bezugspunkte: am 6. Februar 1513 ist er in Urbino während des Karnevals Spielleiter für die Aufführung von Bernardo Dovizi da Bibbienas Komödie *La Calandria* (es kommt auch *La Calandra* vor).

Auch wenn neuerdings die verbreitete Meinung, daß Castiglione für das Stück einen Prolog geschrieben hat, mit starken Argumenten angezweifelt wird, bleibt diese Inszenierung ein Fixpunkt für das Theater des Cinquecento. Die Aufführung findet im Thronsaal des herzoglichen Palastes statt, der den Kriterien der Architekturtheoretiker für einen auf menschliches Maß zugeschnittenen Raum entspricht, in den die Stadt als Lebensraum projiziert wird. Politische Bedeutung erhält sie durch die Ausschmückung des Saales mit den berühmten den Trojanischen Krieg darstellenden Wandteppichen, die Cesare Borgia bei der Eroberung Urbinos im Auftrag von Papst Alexander VI. erbeutet hatte und 1504 dem Herzog bei dessen Rückkehr an die Macht zurückerstatten mußte. Eine lateinische Inschrift erinnert an dieses denkwürdige Geschehen; eine

Hof und Stadt als
Rahmen des Theaters

Baldassare Peruzzi,
Bühnenbild

weitere verkündet, daß die Aufführung zur Freude des Volkes veranstaltet wird. Diese Symbolik des Saales und seiner Dekoration ist nicht als Bühnenbild für die Komödie, sondern als Rahmen gedacht, in den das Theaterspiel eingefügt wird. Zwischen den Akten der *Calandria* werden vier Intermedien gespielt, die kaum mit dem Stück zusammenhängen, aber weitere Möglichkeiten der Prachtentfaltung bieten. Text und Aufführung weisen also über sich hinaus auf die Verherrlichung des Herzogs von Urbino und des von ihm regierten Gemeinwesens. Diese Verankerung in der Panegyrik ist der Theaterveranstaltung mit Castigliones *Cortegiano* gemeinsam. Durch sie wird das Theater auf dieselbe Ebene gerückt wie Huldigungsreden und -dichtungen, Turniere und Umzüge aller Art. Diese kulturelle Erscheinung des Cinquecento kann daher nicht automatisch mit dem landläufigen Theaterverständnis der Literaturgeschichten identifiziert werden, das man problematisieren muß, um die Herausbildung eines Theaterkonzepts als Pionierleistung Italiens im 16. Jahrhunderts verständlich machen zu können.

Begriff des Theaters

Was Theater alles sein kann, ist seit den Avantgardebewegungen in der ersten Hälfte unseres Jahrhunderts nicht leicht zu sagen. Daß Theater aber eine bestimmte Institution mit entsprechenden Gebäuden und den dazu gehörenden Künstlern, technischen Einrichtungen und sozialen Funktionen ist, meinen wir immer noch mit Sicherheit sagen zu können. Ebenso halten wir im Prinzip daran fest, daß das Theater seine eigenen literarischen Formen hat, selbst wenn die Palette der für Aufführungen benutzten Texte erheblich größer geworden ist. Deshalb hat bis in die jüngste Vergangenheit die Literaturgeschichtsschreibung die verschiedenen mit dem Theater in Verbindung stehenden literarischen Texte zu einer Entwicklung von ersten zögernden Versuchen, sich von den antiken oder neulateinischen Stücken zu befreien, bis hin zu einem ausdifferenzierten Theater in Volgare zusammengeordnet. Schon Paolo Giovio führte im *Dialogus de viris litteris illustribus* (1527) den Niveauverlust der Aufführung lateinischer Stücke in Rom auf die wachsende Beliebtheit des vulgärsprachlichen Theaters bei denen zurück, die wie die Frauen kein Latein konnten. Man sollte sich jedoch vor einer bloßen Entgegensetzung des lateinischen und des vulgärsprachlichen Theaters hüten, weil letzteres nicht nur stetiger literarischer Bezugspunkt bleibt, sondern auch die Idee eines Theaters in Volgare aus denselben ideologischen und institutionellen Wurzeln wie die Aufführung lateinischer Stücke hervorgeht.

Das Neue des Theaters in Volgare

Literatur- und Theatergeschichten setzen gern den Beginn des italienischen Theaters auf den 5. März 1508 fest, wo die Komödie *La Cassaria* von Ludovico Ariosto, dem Dichter des *Orlando furioso*, in Ferrara aufgeführt wurde. Von einer Geburtsstunde kann allerdings nur bedingt die Rede sein. Die vulgärsprachlichen Theatertexte des Cinquecento und deren Aufführungen schreiben sich in ein Bemühen um das Wiedergewinnen einer antiken Festkultur ein, das bereits im Quattrocento zum szenischen Vortrag der antiken Dramentexte ermutigt hat. In Ferrara finanzieren die dort regierenden d'Este solche Aufführungen zu politischen Propagandazwecken. 1499 werden für drei lateinische Stücke 133 Schauspieler und für die Intermedien 144 Mitwirkende neu eingekleidet. Damit wollen sie dem ihre Herrschaft bedrohenden Papst im benachbarten Kirchenstaat und den umliegenden Herrschern die Solidität ihrer Macht und die Blüte ihres Staates demonstrieren. Ariost hat von diesem Theaterleben profitiert und bei Aufführungen mitgewirkt. Vermutlich wußte er, daß in Florenz Bruderschaften, die auf Schauspielkunst spezialisiert waren, eine vulgärsprachliche Komödie *L'amicizia* (1502) des dortigen Dichters Iacopo Nardi gespielt hatten. Die 1503 in Ferrara aufgeführte Komödie *Formicone* eines uns näher nicht bekannten Publio Filippo Mantovano kann ihm auch nicht unbekannt

Ferrara, Palazzo dei Diamanti

geblieben sein. Wie diese Vorgänger hat Ariost mit der Nachbildung antiker Texte angefangen und Themen, Motive und Dramenstruktur der römischen Komödiendichter Plautus oder Terenz in der Vulgärsprache nachgebildet. Diese Verbindung zur Antike ist damals niemandem entgangen, auch wenn der Prolog zu *La Cassaria* das Neue gegenüber den griechischen und römischen Komödien herausstellt. Mag für heutige Interpreten in Ariosts dritter Komödie *La Lena* (1528) die etwaige Abbildung gewisser Bevölkerungsgruppen aus Ferrara vorrangig sein, so haben die Zuschauer der damaligen Zeit doch eher in der Titelgestalt die traditionelle Komödienfigur der Kupplerin wahrgenommen, zumal für sie die vulgärsprachlichen Stücke ein Ersatz für lateinische Dramen waren, die sie am Jahrhundertanfang noch üblicherweise beim Karneval oder andern festlichen Anläßen geboten bekamen. Die literarhistorische Terminologie nennt den durch Ariost verwirklichten Komödientyp »commedia erudita«, weil er antike Vorlagen aufgreift.

Theater, aus der Terenz-Ausgabe, Venedig 1497

Die Parallele zwischen lateinischem und vulgärsprachlichem Theater wird noch offenkundiger, wenn man sich bewußt macht, daß im Cinquecento unter Theater nicht ein für szenische Aufführungen reserviertes Gebäude oder ein Teil davon, sondern ein Ort für Feste aller Art und noch genauer gesagt der Ort innerhalb des idealen architektonischen Entwurfs einer Stadt verstanden wird, wo bei festlichen Anlässen eine Selbstdarstellung des Gemeinwesens erfolgen kann. Plätze, Innenhöfe und Säle werden für die jeweiligen Feste mit dem Nötigen ausgestattet. Die Kommentatoren erörtern in den lateinischen Ausgaben des römischen Architekturtheoretikers Vitruv zunächst in lateinischer Sprache und seit Daniele Barbaros Übersetzung *I dieci libri dell'architettura di Vitruvio tradutti e commentati* (1567) auf Italienisch, wie sie in ihren Konzepten für Städtebau ein Gebäude unterbringen können, das analog zu den alten römischen Theatern ein Zentrum des sich in Festen artikulierenden Gemeinschaftslebens ist. Die ganze literarische Theaterkultur des frühen Cinquecento baut auf diesen Überlegungen der Architekturtheoretiker auf. Um dem städtebaulichen Ideal zu entsprechen und einen wechselseitigen Verweis von Bühne und Stadt zu garantieren, wird bei den Bühnenbildern im 16. Jahrhundert die perspektivisch angelegte gemalte Stadtarchitektur als Dekor verwendet, die gleichzeitig von den Malern als Pendant zu den Spekulationen der Architekten ins Bild gebannt wird. Girolamo Genga schafft solche Bühnenbilder für die bereits erwähnte Aufführung von *La Calandria* 1513 in Urbino, ebenso Baldassare Peruzzi 1514 für die Aufführungen der Komödie in Rom, wo gleichzeitig zwei lateinische Komödien gespielt wurden. Der Architekturtheoretiker Sebastiano Serlio, der 1514 zu Peruzzi nach Rom gekommen war und sich anschließend mit den Vorstellungen von Vitruv *(Regole generali di architettura* 1537), mit der Beschreibung der antiken Bauten in Rom *(Terzo libro, nel quale si figurano e si descrivono le antiquità di Roma* 1540) und Problemen der Perspektive *(Il primo e il secondo libro d'architettura* 1545) beschäftigt hat, skizziert im zweiten Band des zuletzt genannten Werkes eine Typologie der Bühne mit perspektivisch angelegten Bühnenbauten, auf deren Unterscheidung von drei Typen von Bühnenbildern, für Tragödie, Komödie und das mit der Pastorale gleichgesetzte Satyrnspiel, die Kulissenentwürfe noch bis ins 17. Jahrhundert zurückgreifen. Serlios einflußreiche Traktate tragen ebenfalls zur Verbreitung des italienischen Typs von Theaterbau mit Guckkastenbühne bei.

Architektur- und Theatertheorie

Das frühe vulgärsprachige Theater wird zunächst primär an den Höfen, später auch in Patrizierhäusern gespielt. Es spricht im Prinzip dieselben Kreise an wie das lateinische humanistische Theater, das die lateinischsprachige Elite bereits im Quattrocento der gesellschaftlichen Elite als eine der Möglichkeiten zur Projektion ihres eigenen Selbstverständnisses in anerkannte literarische

Titelblatt der *dieci libri dell'architettura*, Ausgabe Venedig 1556

Sebastiano Serlio,
Bühnenbild für Tragödie,
Venedig 1619

Vorstellungsmuster aufgezwungen hatte. Der vulgärsprachliche Humanismus sieht im Theater in Volgare die Chance, die Teile von Festlichkeiten, in denen Rezitationen mit szenischer Darstellung geboten wurden, für die Zuschauer, die nicht aus der geistigen Elite stammen, attraktiver zu machen. So erklärt sich die Paradoxie, daß das vulgärsprachliche Theater einerseits dem humanistischen Bestreben nach einer Neubelebung der Alten Welt zu verdanken, andererseits gleichwohl eine Konkurrenz zum lateinischen Theater ist.

La Calandria

Ein Epigramm auf die römische Vorstellung von 1514 rühmt die Überlegenheit der *Calandria* über die antiken Stücke, die gleichzeitig mit dieser Komödie gespielt wurden. Ein solcher Vergleich hebt zwar innerhalb der klassisch humanistischen Literaturästhetik auf den Wettstreit mit dem Vorbild ab, der das Pendant zur Forderung nach Nachahmung ist, bedeutet aber im Falle der *Calandria* doch eine Akzentverschiebung, weil Bernardo Dovizi da Bibbiena Boccaccios *Decameron* neben den *Menaechmi* von Plautus zum intertextuellen Bezugspunkt wählt und damit eine eigene italienische Tradition konstituiert. Der Prolog unterstreicht das Neuartige der Verwendung von Prosa und Vulgärsprache, die er als von »Gott und der Natur« gegebene Sprache bezeichnet. Da der Autor damit rechnet, daß seine Zuschauer die Verweise auf Boccaccio sofort erkennen, rechtfertigt er lediglich seine Verarbeitung von Plautus. Wenn er den *Decameron* in Ermangelung eines Theaters in Volgare auf eine Ebene mit den klassisch antiken Komödien stellt, entdeckt er das Theatralische der witzigen Streiche (beffa) in den Novellen für die italienische Bühne und bestätigt im voraus das Programm von Pietro Bembos damals in Urbino entstehenden *Prose della volgar lingua* (1525), wo Boccaccio zum Modell für die vulgärsprachliche Prosa erhoben wird.

Titelblatt zu Bernardo
Dovizi da Bibbiena, *La
Calandria*, Siena 1521

Machiavelli schafft mit seiner wahrscheinlich beim Karneval von 1518 aufgeführten Komödie *La Mandragola* ein weiteres modellbildendes Stück. Der strikte logische Aufbau der Dialoge, bei denen jede Aussage aus der andern hervorgeht, die Handlungsstruktur und eine Verschiebung von der Typisierung zur Individualisierung der Figuren sind von andern Dramatikern sofort aufgegriffen worden. Die Weiterverarbeitung der *Mandragola* durch die Florentiner Dramatiker Giovanni Maria Cecchi und Anton Francesco Grazzini, genannt Il Lasca, ist dabei nur in die Motivgeschichte einzureihen, während Lascas Wiederaufnahme der Schwanktradition eine weitere Ausdifferenzierung der Form anzeigt. Details können für spätere Dramatiker wichtig werden, wie z.B. die in II, 2 von *Mandragola* vorkommende Vermengung von Latein und Volgare, aus der Francesco Belo ein ganzes Sprachregister macht, wenn er die Hauptgestalt von *El Pedante* (1529) eine Mischung aus Latein und Volgare sprechen läßt. In Siena, wo zwei konkurrierende Akademien aus verschiedenen Bevölkerungsgruppen hervorgehen und ihr entsprechendes Repertoire schaffen, treibt die Accademia degli Intronati, zu der sich um 1525 die Elite zusammengeschlossen hat, in der 1531 im Kollektiv geschriebenen Komödie *Gl'Ingannati,* in der der Spanier Giglio nur Spanisch spricht, die Sprachmischung noch weiter. Die Rezeption von *Gl'Ingannati* –außer Shakespeare haben diese Komödie mindestens sieben weitere italienische Stücke bis hin zu *La Fantesca* (1592) des Neapolitaners Giambattista Della Porta zum Modell genommen – wie von *La Calandria* und *La Mandragola* steckt die Gattungskonventionen der italienischen Komödie ab. Diese werden selbst von Außenseitern wie Pietro Aretino durch ein bewußtes Ignorieren der Vorbilder und durch das Spielen mit andern literarischen Mustern, wie z.B. dem der Liebeslyrik bestätigt.

Titelblatt zu *Fasti* der Accademia degli Intronati, Siena 1669

Viele Interpreten bezeichnen die Darstellung der römischen Halbwelt in Aretinos 1525 in einer ersten und 1534 in einer zweiten Fassung vollendeten *Cortegiana* als Realismus. Da aber die Darstellung alltäglicher Wirklichkeitsbereiche ein Gattungsmerkmal der Komödie ist, sind von der anonym überlieferten, um 1536 in venezianischem Dialekt geschriebenen Komödie *La Veniexiana* bis hin zu Giordano Brunos *Il Candelaio* (1582) immer wieder solche Züge von Realismus anzutreffen, die jedoch stark literarisiert und stilisiert sind. Aretino, der mit seinen Spottversen in Rom seinen Ruf als Geißel der Fürsten begründet hat, ist zwar auch als Dramatiker ein Satiriker, der die Komik zur Anklage benutzt. Sobald man ihn aber mit den vier zwischen 1547 und 1566 veröffentlichten, venezianisch geschriebene Briefe enthaltenden Bänden Scherzreden Andrea Calmos vergleicht, erkennt man das Literarische und Stilisiert-Konventionelle vieler vermeintlich realistischer Züge in seinen Komödien.

Die Komödie des Cinquecento ist selbst dort noch raffiniertes literarisches Theater, wo sie sich die Schwanktradition des Volkstheaters anverwandelt. Angelo Beolco, der den Typ des tölpelhaften, den Dialekt von Padua sprechenden Ruzante geschaffen hat und dann selbst als Ruzante in die Literaturgeschichte eingegangen ist, ist deshalb von den Interpreten lange Zeit für einen Volksschauspieler gehalten geworden, obwohl er seine Stücke für den Patrizier von Padua Alvise Cornaro geschrieben und gespielt hat und selbst ein literarisch versierter Intellektueller gewesen sein muß. Seine 1517–1518 entstandene Komödie *Pastoral* vermischt volkstümliche Schwank- und literarische Schäferdichtung und die italienische Sprache mit den Dialekten von Padua und Bergamo. Die beiden Dialoge *Parlamento di Ruzante che l'era vegnú de campo* und *Bilora* (um 1551) zeigen eine innerhalb der Komödie des Cinquecento nicht gewohnte Direktheit der Sozialkritik. Sie sind eine Anklage der reichen Leute, die das Leben der Armen zerstören. Ruzante betreibt Schauspielerei nicht als Brotberuf, denn er arbeitet als Verwalter der Güter von Cornaro. Darin unterscheidet er sich von den Berufsschauspielern der Commedia dell'arte, mit denen ihn ansonsten noch die Tatsache verbindet, daß er Dramatiker und Schauspieler in einer Person ist.

Ruzante

H. Aldegrever, »Der
Selbstmord von
Sofonisba«, 1553

Die erste vulgärsprachliche Tragödie in fünf Akten und in Terzinen wird
1499 in Ferrara aufgeführt, so daß die Anfänge dieser Gattung mit demselben
Hof wie die der Komödie in Volgare verbunden sind. Antonio Cammelli,
Pistoia genannt, gab ihr zunächst den Titel *Filostrato e Panfila,* der auf die
Herkunft der tragisch endenden Liebesgeschichte aus *Decameron* IV, 1 verweist.
1508 postum veröffentlicht, ist sie *Demetrio Re di Tebe* betitelt. Aus der Römischen Geschichte von Titus Livius und aus Petrarcas Epos *Africa* nimmt Gale-
otto del Caretto 1502 die Titelheldin seiner *Sofonisba,* doch ist nicht seine Tragödie, sondern die 1524 von Giangiorgio Trissino veröffentlichte *Sofonisba* in der
Literatur- und Theatergeschichte zu Berühmtheit gelangt. August Wilhelm
Schlegel, dessen einseitige, oft die historischen Zusammenhänge völlig verken-
nenden Urteile in den *Vorlesungen über dramatische Kunst und Literatur* (1809)
bis heute in Deutschland akzeptiert werden, hat Trissinos Stück als »Merkwür-
digkeit« abgetan, während es in und außerhalb Italiens im 16. und 17. Jahrhundert als Musterbeispiel für eine vulgärsprachliche Nachbildung der antiken
Tragödienform rezipiert und nachgeahmt worden ist, obwohl Trissinos Sprachkunst, die Torquato Tasso in den Randglossen zu seinem Exemplar der Tragödie
hart kritisiert, eher dürftig ist. Anstatt wie August Wilhelm Schlegel mit ästhetischen Qualitätskriterien zu werten, muß man an Friedrich Schlegels Unterscheidung in *Über das Studium der Griechischen Poesie* (1795–1797) zwischen antiker
»Naturpoesie« und »moderner Poesie« anknüpfen, die »künstlichen Ursprungs«
ist, weil sie auf literaturästhetischen Konzepten aufbaut. In dieser Perspektive
markiert die *Sofonisba* eine epochale Wende im Tragödienverständnis der
Neuzeit, weil Trissino erstmals die Dramaturgie aus der *Poetik* des Aristoteles
zur Leitidee seiner dichterischen Erfindung erhebt und gleichsam eine praktische Anwendung von vorgängig vorhandenen Regeln erprobt.

Trissino hat in Florenz und Rom persönlichen Kontakt zu Alessandro Pazzi
de' Medici, der 1536 die *Poetik* von Aristoteles in lateinischer Übersetzung
herausbringt, Tragödien von Sophokles in Volgare übertragen und selbst Tragödien geschrieben hat. Er weißt sich mit ihm und Giovanni Rucellai im Bestreben einig, durch Tragödiendichtungen dem Florentinischen einen überregionalen Rang als Literatursprache zu sichern, die er aber im Gegensatz zu Pietro
Bembo mit Dantes von ihm 1529 in Übersetzung veröffentlichten *De vulgari
eloquentia* als die in ganz Italien gesprochene, stilistisch hochrangige Sprache
(»volgare illustre«) definiert. In seiner ebenfalls 1529 veröffentlichten Schrift *La
Poetica* behandelt er Metrik und Verslehre analog zu Dantes Schrift, die literarischen Gattungen in *Della Poetica la quinta e sesta divisione* (1562) aber in Anlehnung an Aristoteles, womit er nicht nur eine nachträgliche poetologische Rechtfertigung seiner Tragödie liefert, sondern auch eine epochemachende Wendung
zu der Dramaturgie vollzieht, die fortan den Aufstieg der Tragödie in der Hierarchie der literarischen Gattungen begünstigen wird.

Giovanni Rucellai, 1764

Die Tragödie muß sich im Cinquecento erst einen Platz in der poetologischen Diskussion erobern, nimmt aber seit den späten vierziger Jahren, als die
aristotelische *Poetik* intensiv studiert und kommentiert wird, breiteren Raum
ein als das Epos, das bis dahin im Vordergrund des Interesses stand. Die Bestimmung der Katharsis-Lehre, durch die das Erregen von Furcht und Mitleid beim
Zuschauer erklärt werden soll, ist der wichtigste Schwerpunkt der Debatte.
Weiterhin kreist sie um die Bestimmung der Charaktere der handelnden Personen und die Einheit von Zeit, Ort und Handlung. Die Geschichte der italienischen Tragödie des Cinquecento ist von Versuchen bestimmt, die Praxis des
Schreibens an poetologische Konzepte zu binden, die meistens nachträglich
formuliert werden. Alle wichtigen Tragödien von Trissinos *Sofonisba* bis zu
Torquato Tassos *Il Re Torrismondo* (1587) gehen auf dramaturgische Leitideen

zurück. Pietro Aretinos einzige Tragödie *La Orazia* (1546), die manche Interpreten für die beste des ganzen Cinquecento halten, macht das Volk zu einer »dramatis persona«, soll aber für kein bestimmtes dramaturgisches Konzept, sondern für die Fähigkeit des Autors Zeugnis ablegen, ein Werk hoher Gattung zu schreiben. Aus analogen Erwägungen schreibt Tasso seine Tragödie, um neben dem Epos noch das zweite hoch angesehene Genre realisiert zu haben. Selbst eine schwer einzuordnende Randfigur wie Vincenzo Giusti ist über das Manierismuskonzept literarhistorisch aufgewertet worden. Solche Theorielastigkeit, die für die Komödie nicht zutrifft, könnte einer der Gründe sein, warum die Gattung bis heute von der Literaturgeschichtsschreibung kritisch, meistens sogar, wenn auch mit ganz unterschiedlichen Begründungen, negativ bewertet wird. Trissino läßt die Einteilung in Akte weg, um dem griechischen Tragödienmodell zu entsprechen, von dem er auch den Chor übernimmt. Was die Struktur betrifft, werden die Dialoge von vielen Botenberichten unterbrochen; inhaltlich korrigiert Trissino seine Vorlagen Petrarca und Livius durch den griechischen Historiker Appianus, um der Sphäre der Macht die Liebe als Gegengewicht entgegenstellen zu können. Giambattista Giraldi Cinzio folgt mit seiner 1541 in Ferrara aufgeführten Tragödie *Orbecche,* die wie die meisten seiner späteren Stücke ein Thema aus seiner Novellensammlung *Degli Hecatommithi* (1565) dramatisiert, dem lateinischen Vorbild Senecas. In einem Brief an Giulio Ponzio Ponzani, der 1554 unter dem Titel *Discorso ovvero lettera intorno al comporre delle commedie e delle tragedie* publiziert wird, erläutert er seine Dramaturgie: die Tragödien sollen wie die Komödien Prologe haben, in fünf Akten und mit einer Wendung vom Guten zum Schlechten oder vom Glück zum Unglück versehen sein; ihre Gestalten sind Mischcharaktere, die wie Ödipus bei Sophokles unfreiwillig schuldig werden und eine klare, einfache Sprache sprechen; der Chor hat wie bei Seneca die Handlung zu kommentieren; der Sieg des Guten über das Böse dient zur Belehrung des Zuschauers. Giraldi identifiziert die Staatsraison mit dem Guten und schafft damit das Modell, an dem sich die politischen Tragödien von Luigi Grotos *Hadriana* (1578) bis zu Pomponio Torellis *Merope* (1589) und *Tancredi* (1598) orientieren. Sperone Speroni entscheidet sich in seiner *Canace,* deren Aufführung 1542 durch den Tod Ruzzantes verhindert wurde, für das griechische Tragödienmodell. Im Gegensatz zur Tradition von Trissino bis Giraldi benutzt er statt des Elfsilbers den Fünf- und Siebensilber und bezieht den Stoff aus dem Mythos. Er wird zum Vorbild des Jesuitentheaters und der geistlichen Schauspiele, weil er die Mischcharaktere durch gute und schlechte Gestalten ersetzt. Um die Darstellung des Bösen in Speronis Tragödie ist eine Polemik entstanden, in deren Zentrum letztlich die Katharsis-Lehre von Aristoteles steht.

Luigi Groto, 1610

Die Dramaturgien erwachsen im Cinquecento aus der Beschäftigung mit Dichtungstheorie. Nur wenige Autoren stoßen wie Giraldi in seinem *Discorso* zur Aufführungstechnik vor. Die Unterscheidung des geschriebenen vom aufgeführten Text zwingt ihn zu Bemerkungen über die Schauspielkunst, die er wie die Poetologen als Bemühen um eine Illusion von Wirklichkeit durch Auftreten, Stimme, Diktion, Gestik und Kleidung der Schauspieler deutet. Leone de' Sommi hingegen, ein Jude, der für die Turiner Accademia degli Invaghiti heute großteils verlorene Stücke geschrieben hat, erörtert in seinen *Quattro dialoghi in materia di rappresentazioni sceniche* (1556) als Theaterpraktiker die Erfordernisse einer Aufführung bis hin zu Fragen der Beleuchtungstechnik. Wenn er das Theater als Spiel auf der Bühne und den Schauspieler zugleich als Autor ansieht, nimmt er einen Standpunkt ein, der vom späten 16. Jahrhundert an die Theaterauffassung der Berufsschauspieler kennzeichnet und in den Literatur- und Theatergeschichten unter dem Stichwort der Commedia dell'arte behandelt wird.

Theorie der Aufführungstechnik

Ruffoni, Bühne des Teatro
Olimpico in Vicenza

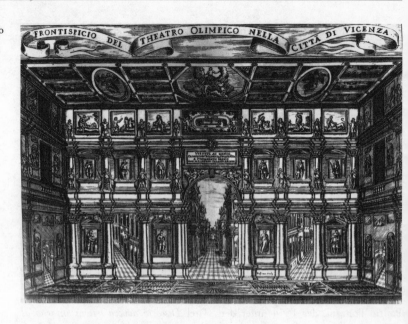

*Teatro Olimpico von
Vicenza*

Der zweite Praktiker, Angelo Ingegneri, hat seine Erfahrung bei der Inszenierung des von Orsatto Giustinian ins Italienische übersetzten *Ödipus* von Sophokles zur Eröffnung des Teatro Olimpico in Vicenza am 3. März 1585 in seinem *Discorso della poesia rappresentativa e del modo di rappresentare le favole sceniche* (1598) dargelegt. Der Bau dieses Theaters ist 1580 von der dortigen Accademia Olimpica bei der Stadt beantragt worden, um anstelle eines für den jeweiligen Anlaß hergerichteten Saales einen Theaterbau aus Stein nach dem Vorbild der antiken Architektur zu haben. Andrea di Pietro della Gondola, genannt Palladio, Akademiemitglied, erfolgreicher Architekt und Verfasser der *Quattro libri dell'Architettura* (1570), hat dort eine Synthese zwischen Vitruvs Theorie römischer Freilichttheater und perspektivisch angelegter Idealarchitektur auf der Bühne als Wiederbelebung der Architektur des Klassischen Altertums realisieren wollen. Vincenzo Scamozzi hat nach Palladios Tod das Projekt vollendet und eine Bühne mit bleibenden Kulissen gebaut, die drei Durchgänge mit perspektivischem Blick besitzt: in der Mitte eine »Porta regia«, aus der der König kommt, und seitlich zwei »Hospitalia«, aus denen die übrigen Spieler hervortreten. Die Vorderbühne, das »Proscenium«, ist ein geschlossener Raum, dessen Seitenteile, die »Periaktien«, ebenfalls perspektivisch gebaut und durch eine gewölbte Decke abgeschlossen sind. Die Idealarchitektur nimmt Ansichten von Vicenza auf, womit erneut das Zueinander von Bühne und Stadt dokumentiert ist. Die Decke ist wie der Zuschauerraum oval, um den Himmel und eine Entsprechung von Makrokosmos der Welt und Mikrokosmos des Theaters anzudeuten. Dieses Theater ist stilbildend geworden, nur die Bühnendekoration wird in den nachfolgenden Bauten durch wechselnde Kulissen ersetzt.

Anfänge der Pastorale

Die Wechselwirkung von Dichtungstheorie und Praxis des Schreibens kennzeichnet auch die Geschichte des Schäferspiels im 16. Jahrhundert. Die Anfänge dieser Form weisen über Urbino, wo Baldassare Castiglione seine Ekloge *Tirsi* (1506) als Dialog zwischen drei Hirten inszeniert hat, auf die literarische Kultur Neapels, von wo durch die *Arcadia* (1504) von Iacopo Sannazaro eine erste Welle der Begeisterung für die Schäferdichtung ausgegangen ist. Sannazaros sprachliche und thematische Klischees greifen Marc' Antonio Epicuro in seinem Schäferspiel *La Cecaria* (1525) und Luigi Tansillo in seiner Ekloge *I due pellegrini* (1527) auf, wobei die unterschiedlichen Genera wie schon bei Castiglione die fließenden Übergänge von der Lyrik zum Drama veranschaulichen. Epicuro verleiht seinem ersten Stück durch eine Straffung der Handlung größere Dramatik und gibt seinem zweiten Stück *La Mirzia* um 1528 die Form einer Tragikomödie, die für das dramatische Genre der Pastorale – allerdings nicht mehr in Neapel, sondern in Ferrara – bestimmend wird. Giambattista Giraldi Cinzio führt dort 1545 seine *Egle* auf, ein in Arkadien situiertes Satyrnspiel mit Nymphen und Satyrn, und definiert 1554 in der *Lettera ovvero Discorso sopra il comporre le satire atte alle scene* dieses neue Drama als Mischform aus Ernstem und Heiterem. Das Lachen müsse mit Erschaudern verbunden werden, damit die Liebesthematik wie in der Tragödie belehrend wirkt. Agostino Beccaris *Il Sacrificio* (1555) legt das Schema der dramatischen Hirtenfabel fest: ein Hirte oder eine Nymphe werden jeweils heiß geliebt, verschmähen aber – mehr aus Unkenntnis als aus Eigensinn – diese Liebe, bis sie durch eine Folge von schlimmen Ereignissen zu einem Sinneswandel kommen und ein gutes Ende eintritt. Dieses Muster variieren die Pastoralen bis zu Torquato Tassos *Aminta* (1573) und Battista Guarinis *Il pastor fido* (1590, [2]1602), die dieser dramatischen Form zu ihrem europäischen Erfolg verhelfen.

Illustration zu *Aminta*, Ausgabe von 1753

Tassos Aminta

Tassos 1573 auf der isoletta di Belvedere sul Po von der Schauspielertruppe der Gelosi aufgeführte »Favola boscareccia« *Aminta* konfrontiert unschuldige Einfalt mit sinnlichem Raffinement. Die spröde Nymphe Silvia versteht als unerfahrenes Naturkind noch nichts von Liebe und bietet damit ihrem schüchternen Verehrer Aminta viele Anlässe zu elegischer Liebesklage. Silvia hat in Dafne, Aminta in Tirsi jeweils Berater zur Seite, die aus kultureller Sicht die Optik der Naturkinder korrigieren. Deren subtile Ironie wird in einem Monolog zu Beginn des zweiten Akts durch die derb komische Kontrastfigur eines Satyrn in vergröberter Form wiederaufgenommen. Der Satyr stellt Amintas hoch entwickeltem Gefühlsleben, das sich in einer dem Madrigal verwandten Sprache artikuliert, eine archaisch unzivilisierte Naturhaftigkeit entgegen, die sich mit ebensolchen sprachlichen Mitteln über die zivilisatorische Verfeinerung lustig macht, ihrerseits selbst aber wieder ins Unrecht gesetzt wird. Wenn Tasso in II, 2 mit einem Zitat aus Vergils erster *Ekloge* dem Herzog von Ferrara als seinem Mäzen dankt, gibt er den pastoralen Klischees eine enkomiastische Wendung, weil er die heile Welt des Goldenen Zeitalters, in der die Hirten leben, nicht wie Sannazaro in das zwar literarisch bekannte, aber in einem utopischen Nirgendwo angesiedelte Arkadien, sondern in die Umgebung von Ferrara verlegt. Gleichzeitig wendet er diese Vorstellung antithetisch auf die höfische Welt an, wenn der Chor am Ende des ersten Aktes die heile Natur des goldenen Zeitalters negativ durch die Befreiung von den Zwängen des Ehrbegriffs und positiv durch die Maxime: Erlaubt ist, was gefällt (»S'ei piace, ei lice«) charakterisiert. Intertextuelle Verweise auf die lateinischen Dichter Tibull und Catull erinnern an den literarischen Charakter dieses Naturverständnisses, durch den die Schäferdichtung zum Freiraum für das Ausleben einer von zivilisatorischen Zwängen freien Phantasiewelt wird.

Battista Guarini

Guarinis *Pastor fido* korrigiert Tassos *Aminta*: er ist wieder in Arkadien und sogar in einem Arkadien mit strengen Gesetzen situiert, durch die ein *Aminta* völlig abgehender dramatischer Konflikt entsteht, dessen Lösung die Handlung strukturiert. Mit diesem Kunstgriff verwandelt sich die Pastorale aus einer rezitierten Poesie in ein echtes Drama. Guarini leistet damit der Wendung anderer Dramenstoffe ins Pastorale im Theater des 17. Jahrhunderts Vorschub. Während er formal über Tasso hinausgeht, nimmt er ihn inhaltlich zurück. Der Prolog legt die Arkadier auf eine gemäßigte Freiheit (»libertà moderata«) fest.

Der Chor am Ende des vierten Aktes nimmt bis in die Reimworte hinein den vom Ende des ersten Aktes der *Aminta* auf, um das Goldene Zeitalter zu einer Epoche zu stilisieren, wo die kritische Vernunft noch nicht das Licht des Überirdischen verdunkelt hat. Aus Tassos Kritik des Ehrbegriffs wird ein Angriff auf Titelsucht und Verstellung bei Hof, aus dem Geliebten wird der Ehemann und aus der goldenen Freiheit wird durch eine Umkehrung des zitierten Satzes von Tasso in: Gefallen soll, was erlaubt ist (»Piacia, se lice«) ein Moralbegriff, den die Interpreten als Kennzeichen für die Literatur der Gegenreformation ansehen.

Guarini bemüht sich, die Pastorale mit der aristotelischen Dramaturgie zu vereinbaren, provoziert aber gerade deshalb die Kritik, die im Namen von Vorstellungen aus der *Poetik* des Aristoteles vorgetragen wird. Sein Hauptgegner ist Giason De Nores, mit dem er zwischen 1587 und 1599 Pamphlete austauschte, die ihn zu einer Präzisierung seiner Dramaturgie der Pastorale als Tragikomödie zwingen. Seine Position faßt er im *Compendio della poesia tragicomica* (1603) zusammen.

Italien hat im Cinquecento sein Theaterverständnis an das übrige Europa weitergegeben und durch die dramatische Literatur wie durch deren theoretische und aufführungspraktische Grundlagen sein Ansehen als führende Kultur gestärkt. Der Einfluß einzelner Werke und Konzepte hat bis ins 17. Jahrhundert angedauert.

Möglichkeiten der Anverwandlung von Petrarcas Poesie und der Einfluß der lateinischen Dichtung auf die Lyrik des Cinquecento

Spiel mit Bezugstexten

Die Pastorale zeigt im Bereich des Theaters zwei Tendenzen, die auch für die italienische Lyrik des Cinquecento gelten: die starke Verbreitung der Liebesthematik und die Verarbeitung vorgegebener Materialien in einer Art binnenliterarischem Dialog mit andern Werken, bei dem die eigene Aussage über vorgegebene formale und thematische Muster vermittelt wird. Dieser Dichtung mangelnde Eigenständigkeit vorwerfen, heißt die positive Bedeutung des Klisches in ihr im Namen des romantischen Konzepts der Erlebnisdichtung verkennen. Wer die zahllosen Zyklen mit Liebesgedichten biographisch erklärt, bleibt beim Nebensächlichen hängen, zumal die Lyriker des Cinquecento eigenes Erleben nur insoweit vermitteln können und wollen, wie es in der Variation der thematischen bzw. sprachlichen Vorgaben und der intertextuellen Rückbindung an die Modellautoren Platz findet. Der Reiz dieser Poesie liegt denn auch im Spielen mit Bezugstexten, im offenen oder versteckten Zitieren und Verändern von Vorbildern, im Zerlegen und Zusammensetzen fremder Dichtung, um dem Neuen einen Anschein des bereits Bekannten zu geben.

Petrarkismus

Die vulgärsprachlichen Lyriker des Cinquecento dichten mit Blick auf Petrarca, ihr Schaffen läßt sich jedoch nicht hinreichend mit dem vagen literarhistorischen Begriff des Petrarkismus beschreiben, mit dem in seiner weitesten Bedeutung alle die Werke und Autoren, die irgendwie Petrarca nachahmen, und in seiner engsten nur die sich an Petrarca orientierende Lyrik gemeint ist. In beiden Fällen charakterisiert die Kategorie jedoch auch nicht-petrarkistische Werke und trifft ebenso auf Poesie des Quattrocento zu, obwohl definitionsgemäß der Petrarkismus eine Modeerscheinung des 16. Jahrhundert sein soll.

Matteo Maria Boiardo bezieht sich beispielsweise in seinen drei *Amorum libri* betitelten Büchern, deren je 50 Sonette und zehn Gedichte in andern Versmaßen auf die siebziger Jahre zurückgehen, aber erst 1499 veröffentlicht werden, nur im zweiten Buch auf Petrarca, in den restlichen auf andere vulgärsprachliche und lateinische Dichter. Sein Gedichtzyklus mischt im Formalen und Thematischen die lateinische mit der vulgärsprachlichen Tradition und siedelt Petrarca zwischen Ovids Erotik und der neuplatonischen Liebesphilosophie Marsilio Ficinos an. Ovid und Ficino bleiben neben Petrarca für die Poesie des 16. Jahrhunderts Bezugspunkte.

Tizian, Benedetto Varchi

Die neuplatonische Liebesphilosophie regt ebenso zu Liebeslyrik an wie Petrarca. Benedetto Varchi hat den ersten Teil von *De' sonetti di M. Benedetto Varchi* (1555) als Sonettzyklus angelegt, der – ganz im Gegensatz zum dort intertextuell vergegenwärtigten Einleitungssonett Bembos – mit einer Erklärung über die Vereinbarkeit der Gottesliebe mit der menschlichen Liebe beginnt. Diese Thematik wird bis zum Schluß durchgehalten, so daß eine innerlich zusammenhängende, durchkomponierte Sammlung, jedoch kein petrarkistischer »canzoniere«, vorliegt. Daran erkennt man, daß das Sonett zwar durch die Poesie Petrarcas zur typischen Form der sich auf ihn beziehenden Liebeslyrik des Cinquecento geworden, für sich allein genommen jedoch kein hinreichendes Kriterium für Petrarkismus ist.

Die im frühen Cinquecento veröffentlichten Gedichtsammlungen werden von der Literaturgeschichtsschreibung noch demselben Dichtungsverständnis wie die Lyrik des Quattrocento zugeordnet. Für die *Opere* des Serafino de' Ciminelli, genannt l'Aquilano, ist dies insofern richtig, als sie erst postum 1502 publiziert werden. Serafinos Freundschaft zu den niederländischen Komponisten Wilhelm Guarnier und Josquin Desprès und seine eigenen Kompositionen weisen seine »Strambotti«, eine im späten 15. Jahrhundert sehr beliebte, für die Vertonung bestimmte Dichtungsform, als Hofdichtung aus. Seine Verbindungen zu den Konzeptisten, die Petrarca mit der klassisch antiken und neulateinischen Dichtung vermischen, und die vielen von Auflage zu Auflage in seine *Opere* neu eingefügten Gedichte, die zum Teil mit Sicherheit nicht von ihm stammen, belegen die Aktualität dieses Dichters im Cinquecento und das Nebeneinander verschiedener Traditionsstränge in diesem Jahrhundert.

Frühe Lyrik des Cinquecento

Die frühen Gedichtsammlungen sind von der Literaturgeschichte lange in den Schatten Bembos gestellt worden, als ob sie nur auf die Eigenart von Bembos Petrarca-Verarbeitung vorausweisen würden. In Wirklichkeit helfen sie auch, die Verbindungen zwischen der Dichtung des Cinque- und des Seicento zu erklären. Das gilt besonders für den Petrarkismus in Neapel. Der dort dichtende Katalane Benedetto Gareth, Cariteo genannt, schreibt 1506 einen Zyklus von Liebesgedichten auf eine gewisse Luna mit einem Anhang von Strambotti und zwei Kanzonen. Das Werk kommt 1509 erweitert um andere Dichtungen und im Liebeszyklus umgearbeitet unter dem Titel *Endimione* heraus. Wenn dabei die an höfischen humanistischen Mustern orientierte Lobesdichtung gegenüber der Petrarca-Nachahmung mengenmäßig an Gewicht gewinnt, so wertet Cariteo Petrarca gleichwohl auf, da er ihn genauso wie die antiken Dichter als Modell seines Schaffens beibehält, während die neulateinische humanistische Liebesdichtung ihn ignoriert. Diese Gleichwertigkeit der humanistischen und der vulgärsprachlichen Modelle zeigt sich bei andern Dichtern im Hin- und Herwechseln von Latein zu Volgare, das z.B. Panfilo Sassos Sonette *(Opera* 1501) oder seine *Strambotti* (1506) und Antonio Tebaldeos Hofdichtungen *(Opere* 1498) und seine Liebeslyrik *(Rime d'amore* 1500) kennzeichnet.

Humanistische und vulgärsprachliche Modelle

Während Iacopo Sannazaro als Verfasser der *Arcadia* eine unumstrittene Vorreiterrolle für die Schäferliteratur zukommt, wird seine Bedeutung für den

Giovanni Pontano

Petrarkismus von den Literarhistorikern unterschätzt. Die frühe humanistisch-konzeptistische Petrarca-Nachahmung wird in der drei Monate nach seinem Tod unter dem Titel *Sonetti e canzoni* veröffentlichten Sammlung seiner Dichtungen (1530) greifbar, die kurz darauf in Rom nach Bembos Sprachkonzept umgearbeitet und veröffentlicht wird. Damit erhält zwar Bembos venezianisch-römisches Modell des Petrarkismus ein Übergewicht über das neapolitanische Modell Sannazaros, das jedoch bei den neapolitanischen Petrarkisten im Hintergrund weiterwirkt und von diesen zu Giovanbattista Marino und zur Argutia-Bewegung des Seicento übergeht.

In Neapel lassen sich die Querverbindungen zwischen vulgärsprachlicher und neulateinischer Dichtungstradition besser als im übrigen Italien erkennen. Bernardino Rota dichtet auf seine tote Frau einen petrarkistischen Sonettzyklus, der 1560 mit einem Kommentar von Scipione Ammirato herauskommt. Seine Umdeutung von Petrarcas Liebe zu Laura auf die eheliche Liebe bedeutet bei einem Mitglied der neapolitanischen Accademia Pontaniana eine Vermischung des *Canzoniere* mit Giovanni Pontanos Elegien in den drei Büchern von *De Amore coniugali* aus dem späten Quattrocento. Diese Kontamination leistet der Entwicklung zur Barocklyrik Vorschub. Da nämlich Pontano Hochzeitsgedichte und Poesie nach Art der römischen Liebesdichter geschrieben hat, ist die Erotisierung des Petrarkismus in Marinos Hochzeitsgedichten *Epithalami* (1615) nicht biographisch, sondern poetologisch als ein Beweis dafür zu interpretieren, daß die Lyrik der Argutia-Bewegung Petrarca mit der antiken und neulateinischen Tradition verbunden hat.

In den dreißiger Jahren des Cinquecento herrscht noch die umgekehrte Tendenz vor, da Bembo und die Bembisten damals lateinische und vulgärsprachliche Tradition säuberlich voneinander zu trennen suchten. Darüber empört sich Antonio Brocardo, ein ansonsten unbedeutender Verfasser von nicht einmal 50 Gedichten, die im Band *Rime del Brocardo e d'altri autori* (1538) herauskamen. Er war zunächst Anhänger und ist seit 1531 Gegner von Bembo, wobei ihm diese Kehrtwendung vernichtende Spottsonette von Pietro Aretino einbringt. Man könnte diese ganze Episode übergehen, wenn nicht Sperone Speroni in seinem *Dialogo della retorica* (1542) Brocardo die Meinung zuschriebe, die vulgärsprachliche Dichtung sei aus den Texten zu Gesang und Tanz der provenzalischen und sizilianischen Lyrik hervorgegangen und dürfe daher nicht der klassisch antiken Poesie gleichgestellt werden, wie dies Bembo vorschlägt. Speroni widerlegt Brocardos Kritik, weil der Petrarkismus, wie Bembo und er ihn verstehen, die vulgärsprachliche Tradition gegen die lateinische des Humanismus durchsetzen will. Doch erhält der Petrarkismus nicht nur in Neapel, sondern auch im übrigen Italien immer wieder aus dem Dialog mit der lateinischen und neulateinischen Literatur neue Impulse.

Der Petrarkismus ist in den dreißiger Jahren ein Bembismus, seitdem Bembo in den *Prose della volgar lingua* (1525) Sprach- und Dichtungstheorie miteinander kombiniert und in den *Rime* (1530), einem sorgfältig durchkomponierten Gedichtwerk, gezeigt hat, wie Petrarcas *Canzoniere* mit seiner Unterscheidung zwischen erzählendem und erlebendem Ich des Liebenden zu neuen Varianten der genüßlich akzeptierten Liebespein ausgestaltet werden kann. Besonders stark verbreitet sich durch Bembo das Petrarcasche Muster der Mehrgliedrigkeit, durch die wie im ersten Vers des Eingangssonetts seiner *Rime* »Piansi e cantai lo strazio e l'aspra guerra« ein Gedanke variiert und in mehrere Ausdrücke aufgespalten wird.

Die Dichterinnen des Cinquecento greifen Bembos Programm gekonnt auf. Gaspara Stampas Einleitungssonett zu ihren postum veröffentlichten *Rime* (1554) variiert Petrarcas Einleitungssonett und überbietet Bembos Verfahren:

Tizian, Gaspara Stampa

»Voi qu'ascoltate in queste meste rime, / in questi mesti, in questi oscuri accenti«. Wie Petrarca seinen *Canzoniere* versteht auch sie ihren Gedichtzyklus als Summe ihres dichterischen Lebenswerkes. Die Vokabel »rime« im Titel ihrer Sammlung sagt nichts über deren Eigenart: die Verquickung freudiger mit schmerzlichen Empfindungen von sinnlicher Liebe (»amore lascivo«) und die Verwandlung selbst schmerzlicher Erfahrungen in Freude. Wenn die Lyrikerin dieses Grundschema mit denen anderer Petrarkisten gemeinsam hat, so unterscheidet sie sich von ihnen durch die direkte, auf stilistische und rhetorische Raffinessen weitgehend verzichtende Unmittelbarkeit der Aussage. Das Einfache der Gedankenführung und des sprachlichen Ausdrucks entsteht aus dem bewußten Verzicht auf das Auftrumpfen mit sprachkünstlerischer Fertigkeit, die bei ihren männlichen Kollegen ein Relikt aus deren neulateinischer rhetorisch-poetischer Schulung ist. Nicht ein naives Wörtlichnehmen dessen, was bei

Veronica Franco, 1576

andern als Manier durchschaut ist, kennzeichnet ihre Poesie, sondern die Unbefangenheit gegenüber den humanistischen Stilübungen. Liebesdichtung mag für sie wie für andere Dichterinnen: Veronica Gambara, Veronica Franco und Tullia d'Aragona, die Edelkurtisanen waren, zur Selbstinszenierung gedient haben. Die Poesie dieser Dichterinnen sagt aber mehr über den kulturellen Anspruch, den sie als emanzipierte Frauen erhoben haben, als über irgendwelche bildungsmäßigen Defizite aus, die man bei ihnen bemerken wollte. Mag die Gefangenschaft und Ermordung Isabella di Morras durch ihre Familie an der melancholischen Grundstimmung ihrer Dichtung schuld sein, so zeigen die der gleichen Gefühlslage verpflichteten Gedichte der aristokratisch unabhängigen Vittoria Colonna das Konventionelle solchen Leidens, dessen dichterische Gestaltung durch vorgegebene literarische Klischees nahegelegt wurde.

Bembos petrarkistisches Dichtungskonzept stellte der damaligen Elite Möglichkeiten zur Kommunikation durch Literatur bereit. Die petrarkistische Mode ermutigt von den dreißiger Jahren an die elitären Zirkel zum Schreiben von Sonetten, die dann in Gedichtsammlungen veröffentlicht werden. Schlüpfte man nach der Veröffentlichung von Sannazaros *Arcadia* in die Rolle des Schäfers, um miteinander zu korrespondieren, so nimmt man nun die Pose des Liebenden und an Liebe Leidenden an. Die Akademien, die im Quattrocento stärker philosophisch orientiert waren, werden nun zu Sprachakademien, in denen Dichtung als Gesellschaftsspiel betrieben wird.

Literarische Kommunikation

Das in den Akademien gepflegte Schreiben von Dichtung als Gesellschaftsspiel hat eine Parallele in der Impresistik, der Kunst, Embleme für Wappen zu entwerfen. Deren Verbindung zum Petrarkismus wird in Scipione Ammiratos Betitelung seines Dialogs *Il Rota ovvero dell'Imprese* (1562) nach dem Lyriker Bernardino Rota sichtbar. Diese Verwandtschaft der Gattung kommt auch im Parallelismus von Waffen und Liebe in Paolo Giovios *Dialogo dell'imprese d'arme e d'amore* (1556), der ersten und wichtigsten Poetik des Genres, zum Ausdruck. Der Titel *Ragionamento sopra i motti e i disegni d'arme e d'amore che comunemente chiamano imprese,* unter dem dieses Werk ebenfalls verbreitet ist, bringt die Nähe der Impresistik zur Liebeslyrik noch pointierter zum Ausdruck. Die Imprese bauen auf der Emblematik auf, die gelehrten Ursprungs ist, wie Andrea Alciato (oder Alciati) erkennen läßt, der den Begriff in seinem *Emblematum liber* (1531) geprägt und die dreiteilige Form des Emblems mit Motto (»inscriptio«), Bild (»pictura«) und Epigramm (»subscriptio«) festgelegt hat. Die in der besseren Gesellschaft beliebten Imprese fördern den ingeniösen Umgang mit der petrarkistischen Metaphorik und tragen zur Öffnung der vulgärsprachlichen Liebeslyrik für die neulateinische Epigrammatik bei. Diese beiden Elemente werden von der Dichtung der Argutia-Bewegung im Seicento systematisch entfaltet werden.

Emblematik

Andrea Alciato

Illustration zu Tansillos
Gedichten, Venedig 1543

Die Suche nach epigrammatischer Prägnanz bereitet die Poesie des Seicento vor. Sie tritt in den Madrigalen, neben dem Sonett die wichtigste lyrische Form des Jahrhunderts, zutage, besonders beim neapolitanischen Dichter Luigi Tansillo und noch stärker bei Luigi Groto, dessen *Rime* (1577) auch außerhalb der Apenninenhalbinsel große Beachtung fanden. Groto läßt seine parataktisch gebauten Gedichte in Pointen münden. Ihr Witz kommt oft durch eine Naturalisierung der Metapher zustande, so wenn z.B. das Feuer der Liebe wörtlich genommen wird und reale Gegenstände entzündet. Was bei Groto oft gekünstelt erscheint, verwandelt Battista Guarini in elegante Ingeniosität und unbeschwerte Leichtigkeit. Guarinis 1598 erschienene Sammlung der *Rime* gibt nur ein ungenügendes Bild von der Verbreitung seiner Dichtung, die durch Vertonungen erfolgte; denn dieser Dichter zählte zusammen mit Torquato Tasso zu den beliebtesten Lieferanten von Texten für die Madrigalisten.

Tasso, der von der Literaturgeschichtsschreibung weithin fälschlicherweise in die Vorgeschichte des Barock eingeordnet wird, widersetzt sich hingegen in seiner Lyrik der Tendenz, die Gedichte in einer scharfsinnigen Pointe gipfeln zu lassen. Er schreibt melische Madrigale wie der Florentiner Giovan Battista Strozzi der Ältere, dessen Gedichte erst 1593 postum in Auswahl erschienen, aber viel früher entstanden sind. Zusammen mit den großteils unveröffentlichten Madrigalen von Giovan Battista Strozzi dem Jüngeren zählen seine Madrigale zu den wichtigsten Leistungen auf diesem Gebiet. Kennzeichen dieser Art des Madrigals ist die Verschiebung des Akzents von der Inhaltsebene der rhetorischen Figuren in die Ausdrucksebene, deren Klangqualitäten systematisch genutzt werden. Statt syntaktischen Symmetrien und Parallelismen verwendet Tasso unregelmäßig verteilte anaphorische Wiederholungen und löst die Gedankenfiguren des epigrammatischen Madrigals in ein Gewebe lose assoziierter Klangfiguren auf. In seinem Dialog *La Cavaletta overo della Poesia toscana* (1587) rückt er den Klangcharakter der Lyrik ins Zentrum der »elocutio«, der dritten Verarbeitungsphase des Textes. Der Wohlklang und die Musikalität der Sprache erscheinen ihm als Kernpunkt aller Dichtung. Einige der Gedichte für Laura Peperara aus der Mitte der sechziger Jahre und einige der 36 im Jahre 1592 für den Komponisten Carlo Gesualdo di Venosa gedichteten Madrigale gehören zu den subtilsten Klangmalereien des Cinquecento. Auf diese melische Lyrik greifen im Seicento Fulvio Testi und Ottavio Rinuccini in ihren Oden und Kanzonen zurück. Rinuccini erinnert sich ebenfalls in seinen Opernlibretti an sie.

Tassos Gedichte kamen von den sechziger Jahren an zunächst in Gemeinschaftspublikationen, von 1585 an auch als eigenständig veröffentlichte Auswahlausgaben heraus. Der Wunsch des bereits seinen nahen Tod ahnenden Dichters nach einer auf mehrere Bände veranschlagten Neuausgabe seiner Lyrik konnte von ihm nur teilweise verwirklicht werden: 1591 erscheint in Mantua der erste Teil der *Rime* mit vom Autor selbst ausgewählten und zusammengestellten Liebesgedichten, doch schon der zweite, 1593 in Brescia verlegte Teil der *Rime* mit höfischer Lobesdichtung auf Frauen entspricht nicht mehr voll den Absichten Tassos, der sich bis zu seinem Tod vergeblich um eine Realisierung seines Editionsprojekts bemühte. Erst neuerdings hat die Forschung die Langlebigkeit des Petrarkismus anhand dieses Publikationsvorhabens nachweisen können, weil Tasso im ersten Teil seiner *Rime* unter die 180 Gedichte nur soviele Stücke aufnimmt, wie ein petrarkistischer Canzoniere absorbieren kann, ohne die typischen Merkmale einer solchen Sammlung zu verlieren. Weitere 350 Liebesgedichte, die andern Traditionssträngen angehören, hat er nicht in diesen Band aufgenommen, um zu verhindern, daß die petrarkistische Tradition ins Marginale absinkt.

Titelblatt zur Ausgabe
Venedig 1722

Wie Tasso sind auch Giovanni Della Casa und Michelangelo Buonarroti nicht in den allgemeinen Trend zu pointiert scharfsinniger Dichtung einzuordnen und deshalb von der Forschung höchst widersprüchlich bewertet worden. Um 1546 wollte Michelangelo einige seiner Gedichte veröffentlichen. Nachdem sie sein Urenkel 1623 sprachlich und inhaltlich verändert publiziert hat, kommt erst im 19. Jahrhundert eine kritische Ausgabe heraus, durch die Michelangelos Texte unverfälscht zugänglich werden. Die Forschung bringt diese Gedichte biographisch mit Michelangelos Beziehungen zu einem jungen Freund, Tommaso de' Cavalieri, seiner Verehrung für Vittoria Colonna sowie einer biographisch nicht faßbaren unzugänglichen Schönen und poetologisch mit seiner Verehrung für Dante in Verbindung, durch die Michelangelo innerhalb des damaligen Petrarkismus zum Außenseiter wird. Wichtiger ist jedoch seine introvertierte Vernachlässigung der angesprochenen Adressaten und seine religiöse Überhöhung des Diesseitigen zugunsten des Jenseitigen. Michelangelos vielfach fragmentarisch gebliebene Sonette und Madrigale verzichten wie die diskursiven Madrigale des frühen Cinquecento auf Anschaulichkeit und brechen die syntaktisch lineare Gedankenführung durch Anakoluthe, Einschiebungen und Trennung syntaktisch zusammengehöriger Glieder auf. Man wird sie deshalb stilgeschichtlich in der Spätphase jener Tendenz zur Erschwerung des lyrischen Stils einordnen müssen, die bei Giovanni Della Casa ihre letzte Ausprägung erhält, aber innerhalb der Cinquecentolyrik sonst nicht weitergeführt worden ist.

Giuliano Bugiardini,
Michelangelo

Della Casas *Rime* zählen zu den besten Leistungen der damaligen Poesie. Die Sammmlung besteht aus zwei Teilen: zunächst stehen Liebe und dichterischer Ruhm im Zentrum, nach der Kanzone »Errai gran tempo« tritt das reale Ich des Autors mit seinem Verlangen nach der Kardinalswürde und seiner Schelte des Sittenverfalls in den Mittelpunkt. Die Wendung der petrarkistischen Liebesthematik ins Religiöse wird von einem Teil der Interpreten mit dem in der Gegenreformation aufbrechenden Zwiespalt zwischen diesseitiger und jenseitiger Welt erklärt, der nach dem aristotelischen Konzept der Dichtung als Nachahmung dargestellt würde. Durch eine Dramatisierung werden die seelischen Konflikte des lyrischen Ichs so gesteigert, daß die Lyrik in die Nähe der Tragödie rückt. Die Heroisierung läßt sich stilgeschichtlich jedoch genauso mit der Radikalisierung von Bembos Projekt zur Anhebung des lyrischen Dichtens innerhalb der Hierarchie der Gattungen und Stile erklären. Della Casa wetteifert als Humanist, dessen erfolgreiche Karriere durch die Verleihung der Kardinalswürde gekrönt wird, wie als petrarkistischer Dichter mit Bembo. Sein Selbstverständnis artikuliert er in Huldigungssonetten, die er mit Bembo und dem neapolitanischen Petrarkisten Bernardino Rota ausgetauscht hat. Die syntaktisch-rhetorische Komplexität von Della Casas Gedichten und die Akzentuierung der Rolle des lyrischen Ichs sind Verfahren der Aufwertung von Liebeslyrik, wie bereits Torquato Tasso in seiner *Lezione sopra il sonetto 'Questa vita mortal' di Monsignor Della Casa* (1582) festgestellt hat. Für die stilgeschichtliche Deutung spricht die Kontinuität vom ersten zum zweiten Teil der *Rime,* wo sich Della Casa von seinem zurückliegenden Leben oder den Irrwegen seiner Zeitgenossen moralisch absetzt. Er bringt dort zwar Elemente der Satire, die auf diese Art von Anklage spezialisiert ist, ins Sonett ein, schafft aber gleichzeitig eine Distanz zwischen der Höhe des sprachlichen Ausdrucks, der nie wie in der Satire mit komischen oder niederen Elementen arbeitet, und der Herabsetzung des lyrischen Ichs. Der massive Einsatz von Enjambements ist ebenfalls ein Mittel zur Erschwerung des Stils, durch die Della Casa den Gegenpol zur Tendenz des Petrarkismus bildet, die Schwierigkeit des sprachlichen Ausdrucks durch eine Pointe ins Spielerische geistreicher Unterhaltung zurückzunehmen.

*Della Casas
Radikalisierung
von Bembos
Sprachprogramm*

Titelblatt der Ausgabe
Florenz 1579

Burleskdichtung

Im frühen Cinqecento gibt es drei Möglichkeiten zu dichten: nach der Art Petrarcas Sonette und Kanzonen, später auch Madrigale zu verfassen oder gegen die Petrarca-Nachahmer Capitoli und Sonetti caudati in Vulgärsprache oder Epigramme, Elegien und Epithalamien in Latein zu schreiben. Während die neulateinischen Epigramme und erotischen Liebesgedichte den Petrarkismus langsam von innen her in die barocke Lyrik der Argutia-Bewegung umgestalten, bleiben die burlesken Capitoli und Sonetti caudati folgenlos und entfalten eine dritte Möglichkeit des Dichtens, die Anton Francesco Grazzini, genannt Il Lasca, in seiner Anthologie *Il primo libro dell'opere burlesche del Berni e d'altri autori* (1548) auf den Antipetrarkismus festlegt. Wie im Trecento die Burleskdichtung die Gegenposition zum Dolce stil novo einnimmt, so wird sie im Cinquecento nach Meinung von Lodovico Dolce, der als Petrarca-Herausgeber (1557), Verfasser petrarkistischer Lyrik *(Il sogno di Parnaso* 1532) und einer Bembos Spuren folgenden italienischen Grammatik (1550) den Petrarkismus bestens kannte, zum Ausdrucksmuster, mit dem das, was man in petrarkistischer Manier nicht sagen kann, in die Dichtung eingeht. Wie Dolce haben Della Casa, Francesco Coppetta Beccuti und Luigi Tansillo in beiden Manieren gedichtet. Nur Niccolò Franco, dessen Dialog *Il Petrarchista* (1539) bis heute von den Literaturgeschichten zitiert wird, hat ein unruhiges Dasein am Rande der Gesellschaft gefristet. Francesco Berni, das unumstrittene Haupt dieser Richtung, stand im Dienste hoher kirchlicher Würdenträger. Er konnte ungestraft die Vergeistigung der Liebe ins Derb-Obszöne verkehren und statt des erlesen-abstrakten ein niedrig-konkretes Vokabular benutzen. Den edlen Empfindungen der petrarkistischen Poesie setzt er eine komische Verdinglichung und Bembos Anhebung der Lyrik durch Annäherung an die Epik eine anti-epische Herabsetzung durch groteske Verzerrung entgegen. Wie die Petrarkisten die Dichtung des verehrten Meisters kommentieren, so schreibt Berni einen Selbstkommentar im *Commento al capitolo della primiera* (1526). Annibale Caro, ein

Annibale Caro

für seine Vergil-Übersetzung (1581) bekannter Humanist, greift Bernis Verfahren in seinem Kommentar des *Capitolo dei fichi* von Francesco Maria Molza mit dem Titel *Commento di ser Agresto da Ficaruolo sopra la prima Ficata di padre Siceo. Nasea o vero diceria de' nasi* (1539) auf. Was die intertextuellen Bezüge und überhaupt den Kunstcharakter der Dichtung betrifft, könnte man von einem Petrarkismus mit umgekehrten Vorzeichen sprechen, denn Berni und seine Nachahmer spielen genauso virtuos wie die Petrarkisten mit vorgegebenem literarischem Material, variieren ebenso wie diese die traditionellen Muster, um ihre eigenen Vorstellungen thematisieren und wie etwas schon bekanntes Fremdes präsentieren zu können. Sie unterscheiden sich jedoch grundlegend von den Petrarkisten dadurch, daß sie die Möglichkeiten der burlesken Dichtung zu direkter Aggression einsetzen: Berni gegen Papst Hadrian VI., den die römischen Dichter- und Intellektuellenkreise wegen seiner Sittenstrenge und Sparsamkeit haßten, aber auch gegen Pietro Aretino, gegen den Niccolò Franco u.a. seine Gedichtsammlung *Priapea* (1541) richtet. Annibale Caro streitet sich mit Lodovico Castelvetro, der seine Lobesdichtung kritisiert hatte (1553–1559).

Als Berni sich im Jahre 1517 gegen Hadrian VI. ereiferte, entschuldigt er sich, daß er die Burleskdichtung dem Pasquino, jenem hellenistischen Torso, zugesteckt hat, der am Palazzo Orsini in Rom steht und die »Pasquinate« genannten Zettel mit Schmähungen bekam. Die Burleskdichtung ist sonst nicht mit den »Pasquinate« identisch. Die in der Regel anonymen »Pasquinate« richten sich vielfach gegen Päpste: die Pontifikate von Hadrian VI., Leo X. und Clemens VII. sind Höhepunkte dieses Genres. Mit dieser Gattung, die Pietro Aretino um 1517 ebenfalls pflegt, hat Bernis Burleskdichtung ebensowenig zu tun wie mit den Karnevalsgesängen, die seit dem späten Trecento Maskierten in den Mund gelegt werden. Diese Gesänge haben während der Zeit der Florentiner Republik (1494–1512) eine neue Konjunktur, wo beispielsweise auch Machiavelli welche dichtet. Anton Francesco Grazzini, genannt Il Lasca, sammelt sie in *Trionfi, carri, mascherate o canti carnascialeschi* (1559), um die Gattung poetologisch festzulegen. Beide Genera verfolgen eine zielgerichtete Satire, während die Burleske um des Witzes willen geschrieben ist.

Die antipetrarkistische Lyrik ist am ehesten noch der epischen makkaronischen Dichtung verwandt, die am Ende des Quattrocento durch Werke wie das unvollendete Epos *Macaronea* des Paduaner Humanisten Tifi Odasi erfunden wurde und in Teofilo Folengos unter dem Psdeudonym Merlin Cocai veröffentlichtem Epos *Baldus* (1517, zweite Fassung 1521, dritte Fassung 1535–1540, letzte Fassung postum 1552) seine vollendetste Form erreichte. Diese Dichtung bedient sich einer Mischsprache, deren Grammatik und Syntax Latein, deren Wortschatz aber ein mit dialektalen Elementen durchsetztes Volgare ist. Sie ist eine gelehrte Schöpfung und setzt nicht nur die Beherrschung der verballhornten Sprachen, sondern auch eine Vertrautheit mit der antiken und vulgärsprachlichen Epik voraus, durch deren Kenntnis erst die komische Verarbeitung und hintersinnige Verwandlung der literarischen Vorlagen erschlossen wird. Folengos makkaronische Dichtungen haben über Italien hinaus beispielsweise auf den französischen Humanisten Rabelais großen Einfluß gehabt.

Pasquino, 1500

Die Dichtungstheorie des Cinquecento und deren Bedeutung für das Schaffen von Torquato Tasso

Alle Dichtung ist während des Cinquecento von poetologischen Vorgaben einer sich immer mehr ausdifferenzierenden Regelpoetik geprägt. Während für die petrarkistische und antipetrarkistische Poesie literarische Texte erst nachträglich literaturtheoretisch aufbereitet werden, geht in der dramatischen und epischen Dichtung manchmal die Theoriediskussion den Werken voraus. Dies gilt besonders für die Tragödie, die erst durch die Aristoteles-Rezeption aus dem Schatten der Epik heraustritt. Wie die Humanisten des Quattrocento orientiert sich noch im frühen Cinquecento Marco Girolamo Vida in seinen *Poeticorum libri tres* (1527) an der *Poetik* des römischen Dichters Horaz und konzentriert sich auf die Epik. Eine Hinwendung zu Aristoteles ist bereits bei Girolamo Fracastoro im Dialog *Naugerius, sive de poetica* (um 1533) zu erkennen, wo die neuplatonische Ästhetik mit der Rhetorik von Aristoteles und Cicero durch eine Definition der Dichtung als Sprachkunst in Einklang gebracht werden soll. Die Deutung von Dichtung ist nach Fracastoros Ansicht demselben Prinzip wie deren Schaffung durch den Dichter zu verdanken: der Interpret muß sich vom Schönen ergreifen lassen. Diesem neuplatonischen Verständnis der Hermeneutik, die von der Einheit von Dichtung und Wissenschaft ausgeht, setzen die Aristoteliker eine rationale Dichtungstheorie entgegen, die klar zwischen Dichtung und Poetik, Kunst und Wissenschaft trennt.

Frühe Poetiken des Cinquecento

Girolamo Fracastoro

Die Poetik des Aristoteles

Nachdem die Humanisten im Kampf gegen die Scholastik Aristoteles gegen Platon ausgetauscht hatten, erlebt Aristoteles im Cinquecento eine erneute Aufwertung. Pietro Pomponazzi verficht mit Berufung auf ihn die Eigenständigkeit der rational argumentierenden Philosophie gegenüber der religiösen Offenbarung. Zu seinen Schülern zählen zwei führende Literaturtheoretiker: Sperone

Unterrichtsstunde, Stich aus Cristoforo Landino, *Formulario di lettere e di orationi volgari,* 1492

Speroni und Lodovico Castelvetro. Obwohl die Literaturtheoretiker von der Philosophie beeinflußt sind, kommt der entscheidende Impuls von der Entdeckung eines bisher nicht beachteten Werkkorpus des griechischen Philosophen. Während Aristoteles im Mittelalter als Philosoph rezipiert wurde, ist das unvollständig überlieferte Manuskript seiner Vorlesung über *Poetik* bis ins 15. Jahrhundert unbeachtet geblieben, wo es neu entdeckt und zusammen mit seiner *Rhetorik* studiert wurde. 1498 veröffentlicht Lorenzo Valla eine lateinische Übersetzung des griechischen Textes, doch erst Alessandro Pazzi de' Medici verhilft 1536 dem Werk zum Durchbruch, obwohl dessen lateinische Übersetzung von den Gelehrten heftig kritisiert wird. Zentrale poetologische Fragen wie die Angemessenheit von Ausdruck und Inhalt, das Erzeugen von Glaubwürdigkeit, die Handlungsstruktur und die Charakterbehandlung werden von den vierziger Jahren an mit Berufung auf Aristoteles erörtert, dessen Dichtungstheorie bewußt oder unbewußt mit der von Horaz vermengt wird.

Francesco Robortello, der die Serie der *Poetik*-Kommentare einleitet, veröffentlicht bezeichnenderweise 1548 *In librum Aristotelis De Arte Poetica explicationes* zusammen mit einer *Paraphrasis in librum Horatii qui vulgo De Arte Poetica ad Pisones inscribitur.* Heiß umstrittene Vorstellungen wie z.B. das Erzeugen von Wahrscheinlichkeit durch literarische Fiktion sind aus dem Streben nach Harmonisierung der beiden *Poetiken* hervorgegangen. Die Gelehrten kommentieren die *Poetik* in Lehrveranstaltungen, bevor sie ihre lateinischen, später auch italienischen Kommentarwerke herausgeben. Deshalb spiegelt die Publikationsgeschichte den Verlauf der Rezeption nur ungenau, denn Robortellos Kommentar gehen öffentliche Vorlesungen von Bartolomeo Lombardi und Vincenzo Maggi voraus, die in deren Kommentare (1550) eingehen. Der erste italienisch geschriebene Kommentar, Lodovico Castelvetros *Poetica d'Aristotele vulgarizzata et sposta,* kommt zwar erst 1570 in Wien heraus, weil der Gelehrte – wohl zu recht, wie neuere Forschungen beweisen, – der Übersetzung und Verbreitung von Werken des mit Martin Luther befreundeten deutschen Humanisten Philipp Melanchthon bezichtigt wurde. Seine Beschäftigung mit Aristoteles muß aber schon in den vierziger Jahren eingesetzt haben, da neuerdings die Aristoteles-Rezeption in Giambattista Giraldi Cinzios *Discorso intorno al comporre dei romanzi,* der 1554 gleichzeitig mit der Schrift *I romanzi* von dessen Schüler Giovan Battista Nicolucci, genannt Il Pigna, erschien, auf die Vermittlung Castelvetros zurückgeführt wird. Neben den Universitäten dienten die Akademien als Plattform für die Beschäftigung mit Aristoteles. Persönliche Gespräche und Briefe waren ebenso wichtig wie die vielen veröffentlichten Aristoteles-Paraphrasen und Poetiken.

Der *Poetik* des Aristoteles, die Ausgangspunkt für eine wissenschaftliche Beschäftigung mit Literatur ist, wird von den einzelnen Theoretikern ein ganz unterschiedlicher Stellenwert zugewiesen. Robortello versteht das Werk als eine in sich schlüssige Beschreibung von Literatur, deren Lücken er durch ein Ergänzen der fehlenden Teile gemäß den Prinzipien des Aristoteles und durch ein Nachtragen der späteren Entwicklung der Literatur schließen möchte. Lombardi, Maggi und Castelvetro hingegen verzichten auf eine Texterklärung und werten das Fragmentarische der Dichtungslehre von Aristoteles als eine Schwäche, die sie durch ihre eigene Literaturtheorie überwinden möchten. Julius Caesar Scaliger rühmt sich in einem seinen *Poetices libri septem* (1561) vorangestellten Brief an seinen Sohn Sylvius, die umfassendste Dichtungslehre vorzulegen, da er im Gegensatz zu Aristoteles und anderen Poetiken des Cinquecento nicht nur alle literarischen Genera, sondern auch die Geschichte der Literatur seit der Antike in sein Werk eingearbeitet hätte. Scaligers noch im 17. Jahrhundert auch im übrigen Europa viel gelesenes Werk läßt ermessen, daß die lite-

POETICA
D'ARISTOTELE
VVLGARIZZATA,
ET SPOSTA
Per Lodovico Castelvetro.

Stampata in Vienna d'Austria, per Gaspar Stainhofer, l'anno del Signore M. D. LXX.

Titelblatt der Erstausgabe, Wien 1570

raturtheoretischen Spekulationen in der zweiten Hälfte des Cinquecento weniger der Freude am Reglementieren von Dichtung als dem Bedürfnis nach einer Klärung ihres Aussagewertes und ihrer Aussageweise entsprungen sind.

Scaliger, der von Beruf Arzt und Botaniker ist, setzt sich 1557 mit der Schrift *De subtilitate* (1550) auseinander, in der sein Kollege Gerolamo Cardano eine rationalistische Sprach- und Erkenntnistheorie entwickelt hatte, die die Rhetorik für unnütz und das Vergnügen an literarischer Fiktion für ein Zeichen von Dummheit erklärt. Er teilt zwar Cardanos rationalistische Einstellung, möchte aber mit Cicero die Sprache als getreues Abbild der erkannten Dinge erklären. Die Literatur sei als bloßer Schein reicher als die Natur, deren Grenzen der menschliche Geist durch seine Erfindungen überwinden müsse. Während die Dichtungstheorie des Quattrocento mit Platon den unermeßlichen Reichtum der Natur als Begründung dafür anführte, daß der Dichter durch Inspiration über sich hinauswächst, um in Dichtung höhere Einsichten, nämlich Weisheit, vermitteln zu können, wird nun die menschliche Phantasie als Ursprung der Poesie angesetzt, über deren Regelhaftigkeit der Intellekt als Kontrollinstanz zu wachen hat. Die humanistische Idee des gelehrten Dichters verändert sich dadurch vollkommen: seine Gelehrsamkeit wird nun als Kenntnis von Dichtungstheorie definiert, die ihn zu angemessenen sprachlichen und formalen Lösungen befähigt, während sie von der neuplatonischen Dichtungslehre des Quattrocento als Sachwissen verstanden war, zu dem die dichterische Inspiration Zugang verschafft. Poetik ist, so Bernardino Partenio in *Della imitatione poetica* (1560), eine Wissenschaft von der Literatur (»scienza delle lettere«), deren Theorie auf einer andern Ebene angesiedelt ist als die Dichtkunst. Francesco Patrizi kritisiert in der unvollendet gebliebenen Schrift *Della poetica* (1586) den Mangel an begrifflicher Genauigkeit der aristotelischen *Poetik* und begründet den wissenschaftlichen Anspruch der Dichtungslehre mit der für den Leser nachvollziehbaren logisch gebauten Argumentation, der Kenntnis der Literaturgeschichte und der eindeutigen Definition der verwendeten Begriffe. Der Mimesis-Begriff, den die Aristoteliker im Anschluß an die *Poetik* zum Wesensmerkmal von Dichtung erheben, hält nach seiner Ansicht einer historischen Überprüfung der Literatur nicht stand, weil die antiken Kosmogonien, die Orakel und die mythologischen Dichtungen mit dieser Kategorie nicht zu fassen sind. Patrizi ordnet das Wunderbare (»mirabile«) über das Wahrscheinliche (»verisimile«), das die Poetiken der Aristoteliker zusammen mit dem Mimesisbegriff in den Vordergrund gerückt haben. Die Dichtung unterscheide sich von den übrigen Aussageformen allein durch den Vers, so daß der Dichter ein Erzeuger von Wunderbarem in Versform (»facitore del mirabile in verso«) genannt werden könne. Diese Weiterentwicklung des neuplatonischen Dichtungsverständnisses macht Patrizi für Ariostos *Orlando furioso* empfänglich, den er gegen Tassos Kritik verteidigt.

Die Verwissenschaftlichung der Dichtungslehre geht von der Beschäftigung mit Aristoteles aus, löst sich aber alsbald von dessen *Poetik,* deren Aussagen historisierend relativiert werden. Der Aristotelismus der Poetologen nimmt letztlich den Empirismus der Wende vom 15. zum 16. Jahrhundert auf, der Leonardo da Vinci in einem seiner philosophischen Fragmente die Warnung vor jenen Wissenschaften eingibt, die bloße Spekulation ohne Erfahrungswissen sind. Leonardo schwebte ein umfassendes Konzept der Künste auf wissenschaftlicher Grundlage vor, zu dem seine postum zu einem *Trattato della pittura* (1651) zusammengefügten Fragmente, seine naturwissenschaftlichen und anatomischen Studien Vorarbeiten darstellen. Die Poetologen der zweiten Jahrhunderthälfte suchen im Anschluß an die aristotelische *Poetik* nach Möglichkeiten, um der Fiktion mit Hilfe rhetorischer Kategorien den Anschein des Wirklichen

Titelblatt der Erstausgabe, 1560

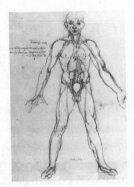

Leonardo da Vinci, Anatomiestudie, um 1494

und der erfundenen Aussage die Fähigkeit zu verleihen, wie etwas Reales und Wahres zu überzeugen. Die viel beschworenen drei klassischen Einheiten (Raum, Zeit und Handlung) haben sich aus dieser Suche nach Evidenz herauskristallisiert.

Historisierung des Dichtungsverständnisses

Castelvetro, der konsequenteste Theoretiker dieser Regel von den drei Einheiten in der Tragödie, ist ein entschiedener Gegner des platonischen Dichterkonzepts der Humanisten. Nach seiner Meinung ist Dichtung zur Unterhaltung des ungebildeten Volkes da, das ohne dichtungstheoretische Kenntnisse in der Literatur die ihm bekannte Wirklichkeit wiedererkennen möchte. Der Dichter muß die Gestalten so reden und handeln lassen, daß sie wahrscheinlich wirken und in ihnen die Gewohnheiten und Veranlagungen der Menschen sichtbar werden. Die Dichtung weckt also Vergnügen, indem sie den Schein historischer Wirklichkeit erzeugt. Mit der Bestimmung des Verhältnisses von Sein und Schein reagieren die Poetologen auf literarische Neuerungen. Ariost hat die platonische Vorstellung vom gelehrten Dichter durch die positive Bedeutung des bloßen Scheins literarischer Fiktion in Frage gestellt. Sein *Orlando furioso* wurde den Aristotelikern zu einer steten Herausforderung, weil sich dessen Poetik nur schwer in ihre Theorientwürfe einfügen ließ. Giraldi und Pigna erklären die Neuerungen Ariostos zu Merkmalen der Form des »romanzo«, die an ihrer Gattungs-und Stilmischung zu erkennen sei. Antonio Minturno wendet daraufhin gegen die beiden in einem Exkurs seines Dialogs *L'arte poetica* (1564) ein, daß die »romanzi« in den Poetiken von Aristoteles und Horaz nicht vorgesehen waren und Ariost gegen deren Regeln nur um der Publikumswirksamkeit willen verstoßen habe. Torquato Tasso gibt in seinem 1592–1593 entstandenen Dialog *Il Minturno ovvero de la bellezza* zu, daß die Episodenvielfalt bei Ariost Gefallen weckt. Er möchte jedoch diesen Abwechslungsreichtum mit einer strengeren Komposition der Fabel verbunden wissen. Deshalb historisiert er in

Plan von Rom aus Trissino
La Italia liberata da Gothi,
1547

seinen um 1564 vollendeten, 1597 veröffentlichten *Discorsi dell'arte poetica* den Gattungsbegriff. Die literarästhetischen Regeln sind nach Tasso in allen die Gewohnheiten (»usanza«) betreffenden Dingen wie Waffentechnik, Zeremonien, religiösen und gesellschaftlichen Bräuchen historisch wandelbar, während sie in den die Natur der Menschen und Verhältnisse (»costumi«) betreffenden Dingen unveränderlich sind. Wenn die Königstochter Nausikaa in Homers *Odyssee* mit ihren Mägden Wäsche wasche, dann dürfe man nicht wie Gian Giorgio Trissino in seinem Epos *La Italia liberata da Gothi* (1547–1548) aus falscher Verehrung für die Antike solche für die jetzige Zeit schockierenden Gewohnheiten übernehmen. Trissino, dessen erste vier Bücher der *Poetica* (1529) Dantes mittelalterlichem Dichtungsverständnis, deren fünfter und sechster Teil (1562) Aristoteles verpflichtet sind, verkörpert den Humanisten, der Dichtung für lehrbar hielt und seine Literaturtheorie durch Musterwerke illustrieren wollte. Sein gelehrtes Interesse an Dichtung bildet mit der schematischen Anwendung eines Regelwerkes den Gegenpol zu Tassos Bemühen, eine auf der Höhe der zeitgenössischen Literaturtheorie befindliche, die Überlegungen der Poetologen durch sprachkünstlerisches Können einholende Dichtung zu beantworten. Weder die Reproduktion des Epos der Antike durch die Anwendung der von den Poetologen aus ihm abgeleiteten Regeln, noch Ariostos ironische Auflösung des Epischen in der neuen Form des »romanzo«, sondern die Entdeckung neuer Möglichkeiten für ein künftiges Epos ist das Ziel von Tassos *Discorsi del poema eroico*.

Tasso ist Aristoteliker. Er hat seine Dichtungslehre in den *Discorsi dell'arte poetica*, die 1587 ohne seine Einwilligung veröffentlicht wurden, überarbeitet und 1594 unter dem Titel *Discorsi del poema eroico* veröffentlicht. War bei Aristoteles das Epos mit Blick auf die Tragödie beschrieben worden, so integriert Tasso das Lyrische, um eine breitere affektive Skala, nämlich neben dem Furchterregenden auch das Anmutige, für diese literarische Form zur Verfügung zu haben. Da die Lyrik amimetisch ist, bestimmt er sie durch eine eigene Stilkategorie: sie ist Poesie im mittleren Stil, bei der ein Ich in seinem eigenen Namen redet und inhaltlich Unwichtiges (»materie oziose«) sprachlich ausgefeilt (»fiorito«) vorträgt. Was der Lyrik im Vergleich zum hohen Stil an Kraft (»forza«) und Eindringlichkeit (»evidenzia«) abgeht, das gleicht sie durch Liebreiz (»diletto«) und Intensität der Empfindung (»ove si scopre l'affettazione«) aus, mit der sie Anmutiges (»cose graziose«) wie Liebschaften, ansprechende Wälder und Gärten oder ähnliche Dinge vergegenwärtigt. Diese damals neue Lyrikkonzeption, die später von der Argutia-Bewegung aufgegriffen werden wird, gibt der *Gerusalemme liberata* eine affektive Dimension, deretwegen manche Literaturhistoriker dieses Epos als barock bezeichnen. Der bilderreiche, melodische Stil unterscheidet nach Tasso in der Tat das moderne vom antiken Epos, mit dem *La Gerusalemme liberata* jedoch die Einbindung der einzelnen Episode in einem umfassenden Rahmen gemeinsam hat. Tassos Epos vereint das Vielfältige, das im *Orlando furioso* in lauter lose miteinander verwobene Einzelschicksale zerfiel, zu einem umfassenden Ganzen, dessen Komplexität durch die dichterische Phantasie in eine einzige Geschichte integriert wird. Alle Teile müssen zueinander stimmen und glaubhaft miteinander verknüpft sein.

Die affektive Steigerung des Stils lenkt den Leser vom Lektüreakt ab, um ihm die Fiktion wie etwas Wirkliches zu vergegenwärtigen. Die Erzählung wird wahrscheinlich (»verisimile«), wenn sie historische Fakten aufgreift. Die irrationalen Bestandteile des Epos lassen sich auf die rationale Ebene zurückführen, wenn man wie Tasso das Wunderbare innerhalb des christlichen Weltbildes als eine Beglaubigung des Geschehens durch Gott deutet. Während Tasso in seiner *Apologia della Gerusalemme liberata* (1585) die Handlungsvielfalt im Epos

Titelblatt der Ausgabe von 1590

L'Amadigi (1560) seines Vaters Bernardo mit dem Argument rechtfertigt, die gegenüber der Antike weiter entwickelte Universalgeschichte erfordere eine komplexere Erzählweise, nimmt er in den *Discorsi dell'arte poetica* im Hinblick auf sein eigenes Werk die christliche Welt für sich in Anspruch, um das Wunderbare mit dem Wahrscheinlichen zu versöhnen. Sein christliches Epos könne außergewöhnliche Erscheinungen getrost mit dem Eingreifen Gottes, seiner Engel oder von Dämonen erklären, ohne unwahrscheinlich zu wirken, weil seine Leser von Jugend an mit dem Wunderglauben vertraut gemacht worden seien. Die Helden müssen deshalb positive Gestalten sein, die im Dienste einer hohen Aufgabe stehen. Was in Vergils *Aeneis,* deren Anfang Tasso in den Eingangsversen seines Epos nachbildet, die Gründung Roms, das ist für Tasso die Befreiung Jerusalems durch Gottfried von Bouillon. Diese Darstellung der Kreuzzugsthematik paßte vorzüglich ins Programm der Gegenreformation, als deren literarisches Hauptwerk *La Gerusalemme liberata* seit seinem Erscheinen immer wieder bezeichnet wird.

Das Werk ist 1575 abgeschlossen und erscheint 1581. Es kreist um den ersten Kreuzzug (1096–1099) und besteht aus 20 Gesängen. Es sollte ursprünglich nach Gottfried von Bouillon benannt werden, der seine ganze Kraft und Intelligenz dafür einsetzt, daß die Heilige Stadt Jerusalem für die Christen zurückerobert wird. Gottfried verfolgt dieses Ziel, doch hat Tasso die Geschichte dieser Eroberung nur zum einigenden Band der Handlung gemacht, weil nicht nur das Eingreifen von überirdischen Mächten und Naturgewalten, sondern auch andere Faktoren für eine Ausweitung des Geschehens sorgen. Tassos Epos geht nämlich über seine Dichtungstheorie hinaus, wenn er die Verwirklichung des epischen Projekts auch durch die Subjektivität der christlichen Helden bestimmt sein läßt. Sie gehen wie die Ritter im *Orlando furioso* ihren eigenen Liebesaffären nach und streiten sich, werden aber anders als bei Ariost trotz ihrer Irrungen ins allgemeine epische Projekt eingebunden. Deshalb treten neben Gottfried von Bouillon die Helden Tancredi und Rinaldo in den Vordergrund.

Epische Ordnung

Rinaldo, der jüngste unter den christlichen Helden, ist aus Abenteuerlust zu Gottfrieds Heer gestoßen und tut sich schwer mit der Disziplin des Heeres.

Nicolas Poussin, »Rinaldo und Armida«

Schon von seinem Äußeren her gehört er zwei völlig verschiedenen Heldenty-
pen an: er zieht die Aufmerksamkeit auf sich wie ein Liebesgott und ist ein
leidenschaftlicher Kämpfer wie ein Kriegsgott. Darum verliert er nicht nur aus
Wut über den Tod des christlichen Heerführers Dudone völlig die Beherrschung, sondern wird auch zum Opfer der heidnischen Zauberin Armida,
indem sie durch ihn Zwietracht unter die Christen bringt und ihn so zum Verlassen des christlichen Heeres zwingt. Tancredi, das pathetische Pendant zu
Rinaldo, wird von den Interpreten als Melancholiker gedeutet. Er verliert seine
Identität als christlicher Ritter dadurch, daß er zur heidnischen Kriegerin
Clorinda in Liebe entbrennt. Tasso hätte diese an Ariost erinnernde Fabel in die
epische Ordnung eingliedern können, indem er das Duell zwischen Tancredi
und Clorinda im zwölften Gesang, bei dem Tancredi zu spät erkennt, daß der
von ihm überwundene heidnische Krieger seine Geliebte Clorinda ist, als Rückkehr zur Sendung als christlicher Held gestaltet hätte. Er zieht es aber vor, zwar
die sterbende Heidin von ihrem Besieger die Taufe und damit das Heil erlangen
zu lassen, diesen selbst aber in eine noch tiefere Identitätskrise zu stürzen. Die
affektive Ausgestaltung dieser tragischen Szene, die ihm wichtiger als die rasche
Rückkehr zur epischen Normalität ist, soll beim Leser subjektive Betroffenheit
auslösen, damit dieser selbst die Wahrheit der erzählten Geschichte nachvollziehen kann.

    Tasso setzt wie Ariost das Liebesmotiv in mehrfacher Spiegelung ein: im zwei-   *Liebesthematik*
ten Gesang begleitet der Heide Olindo die von ihm geliebte Christin Sofronia
in den Tod auf dem Scheiterhaufen, dessen Flammen Tasso als Naturalisierung
der Liebesmetaphorik besingt. Sofronias religiös motivierte heroische Standhaf-
tigkeit im Angesicht des Todes wird durch Olindos heldenhafte Selbstaufopfe-
rung aus Liebe beantwortet. Während ihr Verhalten in die Welt des Epos
gehört, verweist seine Tat auf die Vorstellungen des »romanzo«. Wenn Olindos
Motive des Handelns die Affektivität des Lesers ansprechen, so zeigt sich, wie
Tasso gerade das, was den Reiz des *Orlando furioso* ausmachte, für die Steigerung der episch korrekteren Gestalt Sofronias ausnutzt.

    Wie Clorinda Tancredis Liebe, so ignoriert Tancredi Erminias Liebe. Ob-
wohl Erminia durch Tancredi ihren Vater und ihr Reich verloren hat, verfolgt
sie seine Kämpfe mit größter Anteilnahme von den Mauern Jerusalems aus und
will dem schwer verletzten christlichen Helden im siebten Gesang mit ihren
magischen Heilkünsten in der Rüstung der Amazone Clorinda zu Hilfe eilen.
Die sich daraus ergebenden Episoden und Verwicklungen ziehen sich bis zum
19. Gesang hin, wo Erminia wieder rechtzeitig nach Jerusalem zurückkehrt, um
dem vom Sieg über den Heiden Argante völlig erschöpften Tancredi zu helfen.
Tasso nutzt diesen Handlungsfaden z.B., um im achten Gesang eine pastorale
Episode in sein Epos einzubauen, die in der Liebesszene zwischen Rinaldo und
der Zauberin Armida ihr Gegenstück hat. Armida schadet den Christen mit
ihren Zauberkünsten, verzaubert dann im 14. Gesang Rinaldo und verfällt
schließlich selbst der Schönheit dieses Helden. Sie löst ihn aus der geschichtlichen Sendung, die Thema des Epos ist, und möchte mit ihm in einem zeitlosen
Liebesglück leben, wie es zum »romanzo« passen würde. Sie wird aber im 16.
Gesang um dieses Glück gebracht, als zwei christliche Ritter einen Augenblick
ihrer Abwesenheit nutzen, um Rinaldo durch den Anblick ihrer Waffen seine
Identität als christlicher Krieger zurückzugeben. Mit dieser Peripetie überführt
Tasso die ziellose in eine zielgerichtete Handlung und läßt die Auflösungsten-
denz, die der Fabel von Ariostos *Orlando furioso* ihre besondere Struktur gab,
wieder in die Bahnen seines christlichen Epos münden. Die Gleichzeitigkeit
von Liebes- und Heldenthematik, die Ausweitung des Epos in die angrenzen-
den Gattungen von Tragödie und Lyrik, das stetige Pendeln von der einen zur

Bernardo Castello,
Illustration zu *La
Gerusalemme liberata*,
1590

Filippo Pistrucci,
Illustration zu *La
Gerusalemme liberata*,
1820

*Rezeption von Tassos
Epos*

andern Aussageform macht die Besonderheit von Tassos *Gerusalemme liberata* aus.

Die Veröffentlichung des Epos im Jahre 1581 löste eine heftige Kontroverse aus, besonders nachdem Camillo Pellegrino im Dialog *Il Carrafa o vero della epica poesia* (1584) Tassos Epos über den *Orlando furioso* gestellt hatte, weil in ihm die Regeln von Aristoteles eingehalten seien. Die Florentiner Accademia della Crusca ergreift daraufhin für Ariost Partei mit der *Difesa dell'Orlando furioso* (1584) von Leonardo Salviati. Tasso reagiert bereits 1585 mit einer *Apologia in difesa della Gerusalemme liberata*, die weitere Stellungnahmen für Ariost oder für ihn provoziert. Aus diesem Streit zieht der angegriffene Dichter die Folgerung, er müsse sein Epos umgestalten, um seine Absicht deutlicher zu machen. *La Gerusalemme conquistata* (1593) ist in Anlehnung an Homers *Ilias* auf 24 Gesänge erweitert. Personennamen sind geändert: Erminia wird zu Nicea, Rinaldo zu Riccardo und erhält wie Homers Achilleus einen Ruperto als Begleiter. Die ganze Episode von Olindo und Sofronia wird gestrichen. Auch die Sympathie von Christen für Heiden fällt weg. Die Handlung sollte dadurch geschichtsträchtiger und die Wahrheit des historischen Geschehens gegenüber dem bloßen Schein der literarischen Erfindung betont werden. Es geht dabei nicht nur um religiöse Propaganda, sondern um ein literarisches Konzept. Das zeigen die stilistischen Korrekturen, bei denen die Dichtung als Sondersprache von der Alltagssprache weiter abgerückt wird. Das belegen vor allem die *Discorsi del poema eroico*, in denen Tasso für die Dichtung einen Erkenntniswert beansprucht, der ihr sowohl von Ariost durch die Aufwertung des Scheins als Grundlage literarischer Fiktion, als auch von der rationalistischen Naturwissenschaft abgesprochen wird, die sich in Galileis kritischen Bemerkungen zu Tasso fassen läßt.

Tasso möchte die anschauliche Wahrheit der Literatur gegen den abstrakten Wahrheitsbegriff der Naturwissenschaft retten. Doch hat sich seine Revision seines Epos als Fehlschlag erwiesen, weil *La Gerusalemme conquistata* schon bald wieder durch *La Gerusalemme liberata* verdrängt wurde. Aus seinem Dichtungskonzept haben barocke Lyriker und Epiker wie Giovanbattista Marino nur die Bestimmung der Lyrik als Poesie im mittleren, blumenreichen Stil beibehalten, während sie seinen wissenschaftlichen Anspruch, Wahrheit zu übermitteln, fallen ließen. So hat sich in der französischen Klassik das Klischee vom Wortgeklingel Tassos entwickeln können, das den wahren Absichten dieses Dichters völlig zuwider läuft. Die Problematik des Dichtens für die Höfe ist hingegen im 17. Jahrhundert weniger debattiert worden, obwohl Tasso, der in verschiedenen Dialogen die neue Hofkultur verteidigt, ja verherrlicht hat, deren negative Seiten bis zur Zerrüttung seiner seelischen Gesundheit am eigenen Leib erfahren hat. Erst als im 18. Jahrhundert die Literaturschaffenden sich vom gesellschaftlichen Modell der Auftragsdichtung zu lösen beginnen, wird Tassos psychische Erkrankung, deretwegen er 1577 erstmals interniert und 1579–1586 in Sant'Anna eingesperrt wird, als tragischer Konflikt zwischen dem Zwang, als Hofdichter eine Scheinwelt zu verherrlichen, und der Notwendigkeit interpretiert, seine eigene Subjektivität durch das Schaffen von Dichtung zu verwirklichen. Von Jean-Jacques Rousseau über Goethe bis zu Baudelaire wird Tasso zum exemplarischen Fall für die Problematik der schöpferischen Freiheit des Dichters erhoben.

Die Vielfalt des Wirklichen als Gegenstand der Prosa des Cinquecento

Die Hinwendung zur Komplexität des Wirklichen, die ein Merkmal der Epen von Ariost und Tasso ist, kennzeichnet auch die Prosa, besonders die Novelle des Cinquecento. Boccaccios *Decameron* bildet weiterhin das unumstrittene literarische Modell der Novellistik. Boccaccio wird formal wie sprachlich als Vorbild angesehen, das es nachzuahmen gilt. Nachdem Bembo ihn zur Richtschnur für gute literarische Prosa erhoben hat, richtet sich das ganze Prosaschrifttum nach ihm, sei es durch gezielte Nachahmung oder durch bewußte Ablehnung seiner Sprache.

Boccaccios Decameron *als Modell*

Unumstritten ist sein Einfluß auch auf die literarische Gattung der Novelle. Francesco Sansovino veröffentlicht eine äußerst erfolgreiche Anthologie *Cento novelle de' più nobili scrittori della lingua volgare* (1561), die er in neuen aufeinanderfolgenden Auflagen immer erweitert, und in der er einen Kanon für die Novelle von Boccaccio bis ins Cinquecento erstellt. Francesco Boncianis *Lezione sopra il comporre delle novelle,* die einzige Poetik des Genres, ist ein Vortrag vor der Florentiner Accademia degli Alterati, wurde aber nicht publiziert. Bonciani meint, das Genre mit den Kategorien der *Poetik* des Aristoteles erklären zu müssen. Seine gelehrten Ausführungen verdecken die Tatsache, daß die Gesprächstheorie die wahre Grundlage für die erneute Blüte der Novellistik im Cinquecento abgibt. Baldassare Castiglione skizziert im zweiten Buch von *Il libro del Cortegiano* den geselligen Rahmen, in dem das Geschichtenerzählen zu einer der vorzüglichen Erscheinungen geistreicher Unterhaltung wird. Diese Vereinnahmung der Novellistik für die aristokratische Konversation bei Hof verleiht den witzigen Geschichten ein Übergewicht gegenüber den tragischen und löst die »beffa«, den spitzbübischen Streich, aus ihrer Verankerung in der Volkskultur. Angesichts dieses gesellschaftlichen Stellenwerts des Erzählens, für das Castiglione im zweiten Buch des *Cortegiano* nicht nur die Theorie, sondern auch einige Beispiele liefert, ist es einsichtig, daß die eigentlichen Novellensammlungen nur einen Teil der Novellistik des Cinquecento darstellen.

Theorie der Novelle im Cinquecento

Neben dem Hof pflegen im frühen Cinquecento auch die Akademien das witzige Erzählen. Aus Siena stammen zwei literarische Zeugnisse für diese Art von Unterhaltung: Girolamo Bargagli beschreibt in seinem *Dialogo de' giuochi che nelle vegghie sanesi si usano di fare* (1572), der in den Jahren 1559–1560 situiert und wahrscheinlich vor 1564 geschrieben worden ist, nostalgisch die Aktivitäten einer Sprachakademie in der ersten Jahrhunderthälfte. Das Dichten, das Entwerfen von Impresen und das witzige Erzählen gehören für ihn zu den vortrefflichsten Betätigungen einer solchen Institution. Sein Bruder Scipione Bargagli hat 1587 die ebenfalls aus den sechziger Jahren stammenden *Trattenimenti (dove da vaghe donne e da giovani uomini rappresentati sono onesti e dilettevoli giuochi, narrate novelle e cantate alcune amorose canzonette)* veröffentlicht, die eine Literarisierung des Gesellschaftslebens in den Sprachakademien sind.

Sprachakademien

Agnolo Firenzuola zeigt, wie die aristokratische und akademische Welt Boccaccios Novellenkonzeption verändert haben. Er betitelt seine Sammlung von 8 Novellen und einer Rahmengeschichte *Ragionamenti* (1552), weicht aber weniger durch die Betonung der Gesprächsstituation als durch die Ausfüllung des vom *Decameron* vorgegebenen Modells von Boccaccio ab. Er wollte ursprünglich 36 Novellen schreiben, die von den drei Erzählern und drei Erzählerinnen an sechs Tagen hätten vorgetragen werden sollen. Er glaubt, damit Boccaccio nachzuahmen, verwandelt jedoch die Rahmengeschichte in ein Lehr-

Agnolo Firenzuola

Leonardo da Vinci,
Ausschnitt aus dem
»Abendmahl«

gespräch über die Liebe, mit dem er die nachfolgenden Novellen nicht zu einer Einheit verschmelzen kann. Die Verwandtschaft zu Traktaten wie Bembos *Asolani* wird durch die ländliche Szenerie eines aristokratischen Landsitzes unterstrichen. Eine solche Öffnung zu einem andern literarischen Genus beleuchtet schlaglichtartig die grundlegenden Veränderungen, die die Novellistik des Cinquecento gegenüber dem *Decameron* bedeutet: die vielen Novellensammlungen mit Rahmen und verteilten Erzählerrollen erinnern zwar an Boccaccio, unterscheiden sich aber durch die Loslösung von der bürgerlichen Ideologie, durch ein anderes Konzept des Realitätsbezugs und in der Zielsetzung von ihm.

Das Neuartige der Novellistik des Cinquecento läßt sich am besten bei Matteo Bandello zeigen, der in seinen *Novelle* (drei Teile 1553–1554, der vierte postum 1574 erschienen) auf die Rahmenhandlung verzichtet, die er durch Widmungsbriefe, die jeder Novelle vorangestellt sind, ersetzt. Die daraus entstehende Zersplitterung der Realität wird häufig mit Ariostos *Orlando furioso* verglichen. Informationslücken des Autors, die durch hilflos erscheinende Kommentare des Erzählers unterstrichen werden, machen die Übermacht des Tatsächlichen und die Grenzen der literarischen Wirklichkeitsdarstellung bewußt. Zur literarischen Fiktion der 214 Novellen gehört häufig die Behauptung, der Erzähler habe das Geschehen selbst miterlebt, z.B. wie Leonardo da Vinci, der Mailand durchquert habe, um den letzten Pinselstrich an seinem berühmten »Abendmahl« zu machen (I, 58). Auch Anekdotisches wie z.B. die Begegnung von Machiavelli mit Giovanni dalle Bande Nere (I, 40) wird in das Novellenerzählen eingebaut. Der Eindruck von Realismus, den Bandellos Novellen hervorrufen, rührt jedoch paradoxerweise von einer analogen Verwendung des Wunderbaren wie in Tassos *Gerusalemme liberata* her, weil Bandello das Alltägliche als etwas Außergewöhnliches darstellt, das den Anschein erwecken soll, etwas Historisches zu sein. Diese Tendenz wird noch durch die vielen Geschichten verstärkt, in denen eine Schwankerzählung unvermittelt in eine furchtbare Katastrophe mündet. Solch eine unvorhersehbare Wendung soll die irrationale Eigengesetzlichkeit des Lebens herauskehren, die nicht in die vorgegebenen Muster der literarischen Fiktion gepreßt werden kann.

Andere Novellisten des Cinquecento verfolgen mit andern Mitteln ähnliche Zielsetzungen wie Bandello. Giovan Francesco Straparola nimmt in die 75 Novellen seiner *Piacevoli notti* (1550–1553) viele Märchenmotive auf, weswegen er als Vorläufer oder gar als Erfinder der Gattung des Kunstmärchens bezeichnet wird. Er behält den Rahmen nach dem Muster Boccaccios bei: Edelleute sind während 13 Nächten des Karnevals in Venedig an einem kleinen aristokratischen Hof versammelt und erzählen sich Geschichten, die jeweils mit einem Rätsel enden. Straparola konnte viele der von ihm behandelten Motive aus den lateinischen *Novellae* (1520) des Neapolitaners Girolamo Morlini entnehmen, die ihrerseits antike Stoffe, besonders aus dem *Goldenen Esel* von Apuleius aufgreifen. Das Märchenhafte und Ungewöhnliche in Straparolas Novellen widerstrebt zwar dem Realismus, der sich seit dem *Decameron* als

Illustrationen zu Giovan
Francesco Straparolas *Le
piacevoli notti,* 1599

Gattungsmerkmal der Novellistik durchgesetzt hat, gleicht aber das Realitäts-
defizit dadurch wieder aus, daß es dem Leser das Zwiespältige der Wirklichkeit
ins Bewußtsein rückt und ihn verunsichert. Straparolas Literarisierung der erzählenden Gestalten und der von ihnen vergegenwärtigten Welt entzieht nämlich
dem mimetischen Anspruch realistischen Erzählens seine Grundlagen und lenkt
dafür die Aufmerksamkeit auf die vom realistischen Erzählen vernachlässigten
Aspekte des Wirklichen. Was Straparola durch das Märchenhafte zustande
bringt, das möchte Anton Francesco Grazzini, Il Lasca genannt, in seiner erst
1756 veröffentlichten, unvollendeten Sammlung *Le Cene* mit 22 Novellen
durch das Erzählen von Schwänken, obszönen oder grausamen Geschichten

erreichen: eine pointierte Herausarbeitung von Details bis ins Sprachliche
hinein, wo Grazzini in bewußtem Gegenzug zu Bembos Normierung des Italienischen gemäß dem Muster von Boccaccios Prosa die damalige gesprochene
Sprache seiner Heimat Florenz einsetzt. Treffender als in seinen Komödien
bezieht er in seinen Novellen wie in seiner Burleskdichtung die Gegenposition
zur Idealisierung des Wirklichen durch die hohen literarischen Genera und
wendet seine Aufmerksamkeit dem Gewöhnlichen und Individuellen zu, das
den Regeln der klassisch humanistischen Ästhetik zum Opfer fiel und von der
Literatur übergangen wurde.

     In der zweiten Jahrhunderthälfte hält sich Giambattista Giraldi Cinzio in *Gli
Hecatommithi* (1565) mehr als alle anderen Novellisten an Boccaccio: ein furcht-
bares Ereignis gibt Anlaß zum Verlassen der Stadt Rom, je fünf Männer und
Frauen finden sich zusammen und tragen an zehn Tagen ihre Geschichten vor,
deren Thema für die meisten Tage festgelegt ist. Giraldi verwendet auch die
verschiedenen Novellentypen Boccaccios, doch wendet er in den 112 Novellen   Giambattista Giraldi
seiner Sammlung den *Decameron* ins Moralisch-Erbauliche. Ausgangspunkt im   Cinzio
Rahmen ist die Eroberung und Plünderung Roms durch die Landsknechte, vor
denen die Erzähler und Erzählerinnen fliehen. Der Sacco di Roma von 1527 ist
für Giraldi eine Folge der »verderblichen Häresie Luthers« (»pestifera eresia di
Lutero«) und die Beschreibung der Greueltaten der Landsknechte dient als
Hintergrund für die Unterweisung durch belehrende Geschichten, deren ethische Grundlagen er überdies in den drei in die Sammlung eingefügten *Dialoghi
della vita civile* ausführlich darlegt. Giraldis Novellen sind wie seine Tragödien,
deren Stoffe er auch in der Novellensammlung behandelt, Seneca verpflichtet
und weisen auf die Barockromane voraus.

     Die wenigen Romane des Cinquecento lassen ältere Romanmodelle wieder-   *Roman des Cinquecento*
aufleben. Dies gilt besonders für das einzige damals wirklich erfolgreiche Werk:
Il libro del Peregrino (1508) von Iacopo Caviceo, der Sannazaros *Arcadia* nachahmt. Ansonsten bleibt der Prosaroman im Schatten des »romanzo«, des durch
Ariostos *Orlando furioso* verkörperten Versepos. Die heute unter dem Titel
Capricci del Bottaio (1546) und *La Circe* (1549) verbreiteten Dialoge des autodi-
daktischen Schusters Giovan Battista Gelli, der auch durch seine Vorlesungen
über Dante und seine Beiträge zu den Auseinandersetzungen über das Volgare
bekannt ist, gehen ebenfalls nicht über die Wirklichkeitsdarstellung der Novelli-

stik hinaus. Sie verdanken ihr Ansehen mehr der mangelnden Rechtgläubigkeit
ihrer moralistischen Menschenbeschreibung als ihrer literarischen Technik. Viel
folgenreicher waren hingegen die Werke zweier Künstler, die sich gleichsam nur
nebenbei schriftstellerisch betätigt haben: Einmal, *Le Vite de' più eccellenti archi-
tetti, pittori, et scultori italiani, da Cimabue insino a' tempi nostri: descritte in
lingua toscana, da Giorgio Vasari pittore aretino. Con una sua utile et necessaria
introduzione a le arti loro* (1550), dann die sicher auch durch Vasaris Künstlerbiographien angeregte, 1558–1566 geschriebene *Vita* des Goldschmieds und   Giorgio Vasari, die
Bildhauers Benvenuto Cellini, die in Deutschland bis heute in Goethes Überset-   Uffizien in Florenz

Titelblatt zur Erstausgabe
von 1550

zung gelesen wird. Bei beiden Autoren spielt die Anekdote eine große Rolle, weswegen man sie häufig mit der Novellistik in Verbindung bringt.

Biographien sind bei den Humanisten eine beliebte Textsorte. Von Petrarca und Boccaccio bis zu Vasaris Zeit werden biographische Lobreden zu Sammlungen zusammengefaßt, in denen der Leser wie in einer Ahnengalerie Repräsentanten bestimmter Ideale oder politischer Institutionen finden kann, die den jeweiligen Verfassern wichtig erscheinen. In der zweiten erweiterten Fassung der *Vite* (1568) legt Vasari in einer autobiographischen Skizze Paolo Giovio das Geständnis in den Mund, er hätte die lateinisch geschriebenen *Elogia* (1546–1551) auf bedeutende Feldherren und Gelehrte gern noch um eine Sammlung von Künstlerbiographien ergänzt, fühle sich aber nicht kompetent dazu. Da ein solches Unterfangen Kenntnisse der stilistischen und technischen Eigenheiten (»maniere«) der Künstler verlange, müsse Vasari 'als versierter Künstler ein solches Werk schreiben. Dieses in die Form einer Anekdote gekleidete Programm der *Vite* konnte Vasari dadurch verwirklichen, daß er vom Prinzip der bloßen Aneinanderreihung von Porträts in den humanistischen Biographie-Sammlungen abweicht und in den einzelnen Künstlerviten den historischen Vorgang der »Wiedergeburt« (»rinascita«) der antiken Kunst studiert. Die erste Auflage von 1550 schloß mit der Biographie Michelangelos, da im Schaffen dieses Künstlers dieser historische Prozeß zu seiner Vollendung gelangt sei. Die zweite Auflage von 1568 läßt dieses Konzept nicht mehr ganz so deutlich hervortreten, weil nach Michelangelo weitere Biographien für die Zeit 1550–1567 angefügt werden. Jeder Künstler wird innerhalb seiner Zeit gemäß seinem Beitrag zur Vervollkommnung der Künste beurteilt, wobei vorausgesetzt ist, daß jede Innovation von der nachfolgenden Generation durch andere Erfindungen verbessert wird. Diesen Vorgang kann nur, so meint Vasari, ein Künstler adäquat beurteilen, weil er mit dem Bewußtsein des in seiner Zeit erreichten Standes der Künste in einem Gesamtplan, der vom Trecento bis zur Gegenwart reicht, seinen Kollegen den ihnen zukommenden Platz zuweisen kann. Obwohl Vasari den Fortschritt zum Wertmaßstab erhebt und das Frühere mit dem Unvollkommeneren gleichsetzt, kann er vergangener Kunst insoweit gerecht werden, als er die Individualität der verschiedenen Künstler durch treffende Anekdoten charakterisiert und ihren künstlerischen Impuls als Lösung technischer oder gestalterischer Probleme durch die Anverwandlung des bereits Erreichten und die Abwandlung des bisher Bestehenden darstellt. Er berücksichtigt damit eine Situation des Wettbewerbs, die er im Falle von Raffael im Plagiat versinnbildlicht, das dieser von ihm nicht geschätzte Maler an Michelangelo begangen habe. Konkurrenzdenken hindert Filippo Brunelleschi beim Architektenwettbewerb für die Kuppel des Domes in Florenz daran, seine Pläne offenzulegen; es gibt Vasari die Gelegenheit, die technische Problematik dieses Bauwerks durch eine ingeniöse Geschichte zu veranschaulichen. Solche Übergänge ins Anekdotische machen nicht nur die *Vite* zu einer unterhaltsamen Lektüre, sondern sind genauso wissenschaftliche Aussagemuster wie die Werkbeschreibungen und -kataloge, denen die heutige Kunstwissenschaft ihre Aufmerksamkeit widmet.

Cellinis Selbstverständnis in La Vita

Der Wettstreit mit Konkurrenten ist eines der stets wiederkehrenden Themen von Cellinis Autobiographie und Anlaß für ihn, seine unvergleichliche Einmaligkeit unablässig zu betonen. Von Vasaris *Vite* unterscheidet sich Cellinis *Vita* durch die Verwendung der Ich-Erzählung, die nicht nur mit dem literarischen Genre autobiographischer Schreibweise, sondern ebenso mit dem Selbstverständnis der Künstlers zu erklären ist, der sie verfaßt hat. Damit ist zunächst die exzentrische Selbstgefälligkeit gemeint, mit der Cellini seine künstlerischen Erfolge wie seine Morde, sein Prahlen mit den geleisteten Heldentaten bei der Verteidigung Roms gegen die angreifenden Landsknechte wie sein entwaffnen-

Filippo Brunelleschi,
Kuppel des Florentiner
Domes

des Eingeständnis von Schwächen und Niederlagen zum Ausdruck bringt. Sein unbestreitbares Geltungsbedürfnis muß aber ebenso mit dem Selbstverständnis des damaligen Künstlers erklärt werden, das Vasari in der Michelangelo-Biographie, besonders am Streit Michelangelos mit Papst Julius II. und am Streit der Künstler untereinander bei der Gestaltung von Michelangelos Leichenzug illustriert, und das Cellini in den Partien über sein Verhältnis zum französischen König Franz I. thematisiert. Franz I. ist für ihn der richtige Mäzen, weil er Cellinis Gaben zu schätzen weiß und ihn wie einen Freund behandelt. Der Künstler hat gegenüber den Großen dieser Welt genügend Selbstbewußtsein, um sich ihnen ebenbürtig zu wissen. Deshalb schreibt Cellini auch wie ein Standesherr seine eigene Autobiographie, oder genauer gesagt, er diktiert sie großteils seinem Gehilfen Michele di Goro Vestri, weil ja auch die Herren Geschichte machen und das Schreiben von Geschichte den Literaten überlassen, die dafür da sind. Es ist nicht sicher, ob der eigentümliche, schwer lesbare Stil der *Vita* durch das Diktieren oder gar durch einen Mangel an schriftstellerischer Übung, wie andere meinen, zustande gekommen ist. Es besteht jedenfalls ein erstaunliches Ungleichgewicht zwischen den verschiedenen Partien des Werkes. Die Darstellung von Cellinis Flucht aus dem Gefängnis in Castel Sant'Angelo oder des Entstehens seiner Perseus-Skulptur haben vielleicht gerade deshalb einen so direkten Zugriff zum Wirklichen erreicht, weil ihr Autor als Außenseiter der literarischen Szene sich über die Regelpoetik hinwegsetzen konnte. Im 18. Jahrhundert hat Giuseppe Baretti gerade diese Abweichung von der klassisch humanistischen Literarästhetik zum Vorzug von Cellinis *Vita* erhoben.

Vasaris Konzept der Wiedergeburt der Künste ist zu einem Begriff für die ganze Epoche ausgeweitet worden. Cellinis *Vita* wird von Jacob Burckhardt in seiner *Kultur der Renaissance in Italien* (1860) mit dem »Eindruck der gewaltig energischen, völlig durchgebildeten Natur« assoziiert und als »Vorbild des modernen Menschen« bezeichnet. Der französische Romancier Stendhal will in den Novellen derselben Epoche jene Energie entdecken, die auch seine Zeitgenossen im 19. Jahrhundert zu einem Renaissance-Kult begeisterten. Solche Geschichtskonstruktionen sagen sicher ebensoviel über deren Erfinder wie über die angesprochene historische Wirklichkeit aus. Die Prosa des Cinquecento ist uneinheitlicher, aber auch reicher, als es solche globalen Entwürfe wahrhaben wollen.

Benvenuto Cellini,
»Perseus«, 1545–1554

SEICENTO

Die politische und kulturelle Umorientierung Italiens im 17. Jahrhundert

Das 17. Jahrhundert stellt sich ganz unterschiedlich dar, je nachdem aus welcher Perspektive man es beurteilt. Die Kunsthistoriker beachten die Blüte des Barock, die Theologen den Erfolg der Gegenreformation, doch schon die Rhetoriker schwanken zwischen dem Ciceronianismus im Rom Urbans VIII. und den Vertretern der Argutia-Bewegung (vgl. S. 181 ff). Die italienische Literaturgeschichtsschreibung schließlich zögert, ob sie mit Francesco De Sanctis die neue Wissenschaft von Galilei oder mit Benedetto Croce die neue Dichtung von Marino zum Epochenkennzeichen erheben soll. Erschwerend kommt hinzu, daß Croce zwar das Seicento mit der Barockliteratur identifiziert, aber den Barock zutiefst verabscheut.

Die Kultur der Gegenreformation ist mit dem Makel spektakulärer Fehlurteile behaftet: im Jahre 1600 endet in Rom der ehemalige Dominikaner Giordano Bruno wegen seiner des Pantheismus verdächtigten Naturphilosophie auf dem Scheiterhaufen. Bruno ist seit dem 19. Jahrhundert eine Symbolfigur des geeinten Italien, das am Ort seiner Exekution ein Denkmal errichtete, um gegen den alten Kirchenstaat zu protestieren. Sein Ordensbruder Tommaso Campanella wird meistens mit ihm assoziiert, obwohl seine Verfolgung und Kerkerhaft weniger seiner mangelnden Orthodoxie als vielmehr seinem politischen Konflikt mit den spanischen Herrschern im Königreich Neapel zuzuschreiben ist. Galilei ist das prominenteste Opfer der Auseinandersetzungen mit den Anhängern des kopernikanischen Weltbildes. Seine zweimalige Verurteilung durch das Heilige Offizium (1616, 1633) hat die naturwissenschaftliche Forschung auf der Apenninenhalbinsel nachhaltig beeinträchtigt und die Gegenreformation bis heute diskreditiert.

Politisch gerät Italien im 17. Jahrhundert an die Peripherie Europas. Seit dem Frieden von Cateau-Cambrésis (1559) hat die spanisch-österreichische Dynastie die französische Krone aus Italien verdrängt und mit dem Königreich Neapel und dem Herzogtum Mailand die wichtigsten Gebiete südlich und nördlich des Kirchenstaates in den Griff bekommen. Monarchistische Prinzipien mit absolutistischen Zügen gewinnen die Oberhand über die republikanischen Tendenzen, die früher die oberitalienischen Stadtstaaten charakterisierten. Venedig

Giordano Bruno

Politische Lage

Die Pest in Rom 1637

zehrt noch von seinem Ruf als freisinnige Enklave, verliert aber im Laufe des Jahrhunderts seine politische Kraft, weil ihm der Orienthandel durch die Verschiebung der Machtverhältnisse im Mittelmeer entrissen wird und die Wohlhabenden ihr Kapital lieber in Güter auf dem Festland als in den riskanten Seehandel investieren.

Niedergang

Durch Epidemien stagniert in den dreißiger und fünfziger Jahren die Bevölkerungsentwicklung; Alessandro Manzoni schildert in den *Promessi Sposi* (1840) die Pest in Mailand von 1630. Die staatliche Verwaltung behindert die Kommunikation zwischen den einzelnen Staaten auf der Halbinsel, so daß schon eine Reise von Rom nach Neapel beschwerlich ist. Die innere Sicherheit ist so wenig garantiert, daß Carlo de' Dottori in seinen *Confessioni* (1695) berichtet, er habe in Padua tagsüber nie ohne Pistole, nachts nie ohne Karabiner auf die Straße gehen können.

Die Konflikte auf der Halbinsel interessieren das restliche Europa nur in den Fällen, wo konfessionelle oder ideologische Interessen berührt werden. Europäische Dimensionen erreicht bezeichnenderweise 1606–1607 die Auseinandersetzung der Republik Venedig mit dem Papst über die Zuständigkeit ihrer staatlichen Gerichte für Straftaten von Klerikern. Paolo Sarpi verteidigt seit 1606 als Staatstheologe die Interessen der Republik. Er kritisiert nach der Beilegung des Konflikts in seiner 1619 in London erschienenen *Istoria del concilio tridentino* das gegenreformatorische Papsttum.

Titelblatt der einbändigen Erstausgabe, 1612

Italien verliert im Seicento langsam das kulturelle Prestige, das es für den lateinischsprachigen Humanismus in der Nachfolge des Alten Rom besaß. Es muß nun seinen Platz unter den heraufkommenden nationalsprachlichen Kulturen finden. Die Aktivitäten der Accademia della Crusca in Florenz, besonders die Veröffentlichung des *Vocabolario degli Accademici della Crusca* (1612, veränderte Auflagen 1623, 1691), sichern längerfristig die sprachliche Basis für die nationalsprachliche Kultur, auch wenn diese Bedeutung des Unternehmens zunächst in der Polemik über die Sprachnormierung der Crusca untergeht.

Dieses Wörterbuch will gemäß dem Programm von Leonardo Salviati, der die Sprache (»la lingua«) von ihrer rhetorischen und literarischen Ausschmückung (»lo stile«) unterscheidet, die Norm für das Italienische aus den drei großen Florentinern Dante, Petrarca, Boccaccio und den Autoren des Cinquecento ableiten, die wie Pietro Bembo, Ludovico Ariosto, Giovanni Della Casa und einige andere die literarische Sprache des Trecento übernommen haben. Sein an der Vergangenheit orientierter Sprachpurismus, der sofort von Paolo Beni im Dialog *L'Anticrusca ovvero il paragone dell'italiana lingua nel quale si mostra chiaramente che l'antica sia incolta e rozza, e la moderna regolata e gentile* (1612) im Namen des Fortschrittsglaubens bekämpft wird, bildet die Voraussetzung für die sprachliche Anpassung der Kultur an die Bedürfnisse eines modernen Nationalstaates. Wirtschaftliche Faktoren können daher nicht allein für diesen Umstrukturierungsprozeß verantwortlich gemacht werden, denn die Blüte des Barock zu Jahrhundertbeginn fällt mit einer Wirtschaftskrise zusammen. Die Gründung der Ambrosiana in Mailand 1602 durch Kardinal Federico Borromeo, der sie 1609 als erste öffentliche Bibliothek und Gemäldesammlung eröffnete, kann sicher nicht die Verurteilung Galileis aufwiegen, zeugt aber von der kulturellen Kraft der Gegenreformation, die Glanzstücke des italienischen Barock hervorgebracht hat. Die Barockliteratur wird jenseits der Alpen zunächst begeistert aufgenommen – Marino wird 1615 am französischen Hof triumphal empfangen und die deutsche rezipiert die italienische Literatur mit großer Zustimmung – doch setzten bald in Frankreich Gegenbewegungen ein. Die Französische Akademie, die sich an der Crusca orientieren und in ihren Anfängen ebenfalls heftig befehdet wird, kann ihre kulturpolitische Aufgabe

Gian Lorenzo Bernini, Karikatur von Kardinal Nini. Bernini betrachtet Karikaturen als witzige Argutia und setzt sie in seinen Deckengemälden und Skulpturen vielfach ein.

Gian Lorenzo Bernini,
»Santa Maria della
Vittoria«, Capella
Cornaro, Rom

unangefochtener erfüllen, weil sie im König einen mächtigen Beschützer hat.
Der Sonnenkönig rückt Paris ins Zentrum der europäischen Kultur und macht
Italien seinen Rang als legitimen Erben der klassischen Antike streitig, das nun
die kulturelle Hegemonie an Frankreich verliert, an dem sich im späten 17. Jahrhundert die ersten Vertreter der römischen Akademie der Arcadia und danach
die italienischen Aufklärer orientieren.

Konfessionelle
Auseinandersetzungen

    Glaubensfragen und Religionskriege prägen das Seicento. Konfessionelle
Gesichtspunkte bestimmen die katholische Geschichtsschreibung, die in den
lateinischen Veröffentlichungen von Cesare Baronio zur Frühzeit des Christentums sowie in der Replik von Pietro Sforza Pallavicino auf Paolo Sarpis
Geschichte des Konzils von Trient oder Daniello Bartolis monumentaler
Geschichte des Jesuitenordens gipfeln. Auch die profane Historiographie muß
nach einem neuen Modell suchen und findet es in Tacitus, der – so Scipione

Ammirato – in einer Monarchie geschrieben hat und somit den damaligen Verhältnissen in Italien angemessener erscheint als Livius, den Machiavelli und Guicciardini im Cinquecento zum Vorbild erwählt haben.

So gewinnt die italienische Variante des europäischen Tacitismus durch die Verbindung von Historiographie mit politischer Theorie und Rhetorik ihr eigenes Profil und prägt die Staatstheorie und die Moralistik. Virgilio Malvezzi liefert in seinen *Discorsi sopra Cornelio Tacito* (1622) die theoretische Grundlage für den Sentenzenstil seiner historischen und fiktionalen Werke, die von den spanischen und französischen Moralisten rezipiert werden. Er stützt den spanischen Absolutismus, während sich Traiano Boccalini auf Tacitus bezieht, um in *Pietra del paragone politico* (1614/5), dem damals erfolgreichsten nonkonformistischen italienischen Buch, gegen den spanischen Absolutismus zu polemisieren. Torquato Accetto beruft sich zwar nur im 5. Kapitel von *Della dissimulatione onesta* (1641) auf Tacitus, verteidigt aber im Geiste des Tacitismus die Verstellung, die notwendig sei, um sich bei Hof unangreifbar zu machen. Die Kunst der Verstellung ist Bestandteil der Fähigkeit zur Selbstinszenierung und bildet doch einen Gegenpol zur Tendenz der Barockkultur, selbst noch die komplexesten geistigen Konzepte ins Visuelle zu übersetzen.

Die Dialektik zwischen Zurschaustellen und Verbergen ist als ein Grundzug des barocken Seicento bezeichnet worden. Sie steht in Spannung zum Bedürfnis nach einer klaren Ordnung, das sich gleichzeitig im Attizismus der römischen Jesuiten, im Klassizismus von Kunst und Literatur und im Rationalismus der Naturwissenschaften kundtut. Alle diese Tendenzen gehen von der Erfahrung aus, daß die feste Ordnung des Kosmos der Renaissance durch die Ausweitung der Erkenntnisse zerbrochen ist und nun durch neue Denkgebäude ersetzt werden muß. Die Hypothesen der Astronomen und die Spekulationen über das Verhältnis von Mikrokosmos und Makrokosmos, das Erkenntnisethos des Naturwissenschaftlers und das Streben nach Innovation in barocker Dichtung, der Rationalismus und der Klassizismus können somit als unterschiedliche Versuche verstanden werden, durch Konstrukte des menschlichen Geistes der Welt wieder Form zu geben.

Das Seicento ist eine Zeit der Widersprüche. Gegensätzliches besteht nebeneinander, führt zu Konflikten und zeitigt Lösungen, die in dieser Form nur damals möglich waren.

Paolo Sarpi, Titelblatt der in London 1619 unter dem Pseudonym Pietro Soave veröffentlichten Erstausgabe der *Historia del Concilio Tridentino*

Verstellung und Selbstinszenierung

Die Kultur der Gegenreformation

Das literarische Leben des Seicento hat die Folgen des Konzils von Trient (1545–1563), wo die katholische Kirche sich gegen die Reformation abgegrenzt und ihre eigene Erneuerung eingeleitet hat, stark zu spüren bekommen. Anders als in Frankreich werden die Konzilsdekrete von den italienischen Staaten ohne Widerstand ratifiziert und mit Hilfe des Jesuitenordens gezielt in die Praxis umgesetzt. Damit werden viele Freiheiten der Renaissance annulliert. Da die Reformatoren und die Humanisten des Nordens, besonders Erasmus von Rotterdam, dem päpstlichen Rom die Allianz von heidnischer Antike mit christlichem Glauben vorwarfen, muß nun zwischen beiden eine deutliche Trennungslinie gezogen, das allzu Pagane aus Kunst und Literatur verbannt, sowie die Schaffung religiöser Literatur forciert und das Theaterleben radikal beschnitten werden. Die ganze geistige und literarische Welt sollte letztlich gleichgeschaltet werden.

Zensur

Eine der einschneidenden Maßnahmen hierfür ist die Bücherzensur durch den *Index librorum prohibitorum,* den Papst Paul IV. 1539 erstmals veröffentlicht und Pius IV. 1564 endgültig fixiert. Inhaltlich variiert der *Index* von Staat zu Staat. Es wird nicht nur die Lektüre reformatorischer Schriften unter Strafe gestellt, sondern auch teilweise längst bekannte literarische Fiktion zensiert oder unterdrückt. Das ganze Schaffen von Machiavelli kommt auf den *Index*; aus Boccaccios *Decameron* werden anstößige Stellen entfernt. Leonardo Salviati, einer der Gründer der Accademia della Crusca, ihr Theoretiker und Verfasser einer Studie über die Sprache des *Decameron,* war sich nicht zu schade, um diese Verstümmelung vorzunehmen. Deswegen läßt ihn Traiano Boccalini in seinen *Ragguagli di Parnaso,* einer Essaysammlung in Form allegorischer Erzählungen, als »öffentlich bekannten Mörder« verurteilen. Analoge Zielsetzungen wie der

*Sichtung des
Wissenswerten*

Index verfolgen Auswahlbibliographien, die eine Variante der damals sich etablierenden Textsorte der Bibliothek, der Anweisung zur Konstituierung einer umfassenden Sammlung des in Buchform vorliegenden Wissens, sind. Die *Bibliotheca selecta* (1593, veränderte Fassung 1603) des Jesuiten Antonio Possevino hat offiziösen Charakter. Sie ist eine Handreichung des Wissenswerten in konfessionellen Auseinandersetzungen für Kleriker (Bd. I). Das 4. Buch beschäftigt sich mit der Erziehung von Fürstenkindern. Die Laien erhalten (Bd. II) einen Lektürekanon zur Philosophie, Jurisprudenz, Medizin, Mathematik, zu der Musik, Astrologie, Architektur, Kosmographie und Geographie zählen, Geschichte, Literatur und Malerei. Diese Auswahl bezweckt die Abwehr unorthodoxer Gedanken und dient als flankierende Maßnahme für die Erziehung in den Jesuitenkollegien, für die 1599 endgültig eine Studienordnung *(Ratio atque institutio studiorum)* erlassen wird. Sie hat darüber hinaus zur Überwindung der humanistischen Gelehrsamkeit und zur Historisierung des Denkens beigetragen. War der philologische Humanismus vom Gedanken ausgegangen, man könne durch Textkritik und durch die Anhäufung von Wissen über die heidnische und christliche Antike zur Wahrheit durchstoßen, so nimmt Possevino eine radikale Reduzierung der Kenntnisse auf das Wissenswerte vor, das für Kontroverstheologen, Fürsten, Verwaltungsbeamte usw. von Nutzen ist. Er nähert sich hierin den Selektionsprinzipien der Hofliteratur des Cinquecento, funktionalisiert sie allerdings für die verschiedensten Bedürfnisse der Praxis. In der ersten Auflage seiner *Bibliotheca selecta* erhebt er die Historie zum Ordnungsprinzip, gibt aber in der zweiten Auflage den Plan auf, die Scheidung zwischen Wahrem und Falschem bzw. Wesentlichem und Unwesentlichem aus dessen historischer Bedeutung abzuleiten. Die Kontroverstheologen und die Exegeten verfolgen jedoch seinen Ansatz weiter und ebnen damit den Weg für die Religions- und Bibelkritik der Aufklärung.

Gian Lorenzo Bernini,
Karikatur eines
Soldatenführers von
Papst Urban VIII.

Predigtlehre

Possevino spricht sich in seinem Kapitel über die Rhetorik für Cicero aus. Er sieht im Erhabenen der Heiligen Schrift die höchste Vollendung aller Beredsamkeit. Damit liegt er auf der Linie des Konzils von Trient, das eine Erneuerung der Predigt gefordert und eine neue Blüte der Rhetorik nach sich gezogen hat. Unter den Predigern des Seicento ist nur der Jesuit Paolo Segneri in den Kanon der Literatur und ins Wörterbuch der Accademia della Crusca eingegangen. Doch liefert die Diskussion über die Kanzelberedsamkeit viele intertextuelle Bezüge zur Literatur des Seicento. Die Schlüsselfigur für die Erneuerung der Kanzelberedsamkeit ist der Erzbischof Carlo Borromeo. Er richtet selbst an die Priester seiner Diözese Mailand ein Rundschreiben über die Reform der Predigt, in dem er in Anlehnung an den Kirchenvater Augustinus und in Konkurrenz zu Erasmus, der bereits Christus als den vollendeten Redner gedeutet hat, auf das Gotteswort verweist, dessen Kraft die Homiletik zur Geltung bringen und nicht durch rhetorische Feuerwerke verfälschen soll. Aus diesem

Apotheose von Ignatius von Loyola und Franz Xaver. Das Römische Kolleg veranstaltete aus Anlaß der Heiligsprechung des Gründers des Jesuitenordens 1622 eine Theateraufführung, deren Höhepunkt dieser Stich festhält.

Programm sind zwei Arten von Predigtlehren hervorgegangen: die eine zählt auf die Wirkung des christlichen Erhabenen, die andere reichert die entscheidenden Aussagen mit analogen Gedanken und Ausdrücken an, um sie dem Zuhörer anschaulicher werden zu lassen. Die letztere Tendenz ist beim Franziskaner Francesco Panigarola besonders ausgeprägt, der nach zeitgenössischen Zeugnissen mit seinen sprachlich eingängigeren Predigten in Mailand mehr Gefallen gefunden hat als der weniger gefällige Erzbischof. Panigarola erläutert seinen Predigtstil in zwei italienisch geschriebenen Traktaten. Giovanni Botero ist einer der Theoretiker der strengen, ›borromeischen‹ Rhetorik des christlichen Erhabenen. Er hat sich auch verschiedentlich zur politischen Theorie geäußert. Sein Buch über die Staatsräson entwickelt die politischen Implikationen dieses Rednerideals, das den Prediger als Verwalter des Gotteswortes und den Bischof als Kirchenführer zum Repräsentanten einer Reform erhebt, die letztlich im Papst als Bischof von Rom und als Lehrer der Christenheit konvergieren sollte. Papst Urban VIII. will dieses Konzept realisieren, wird aber selbst von den katholischen Mächten daran gehindert.

Urban VIII., dessen Pontifikat die höchste Blüte des Barock in Rom bringt, hat bei der Nachwelt einen schlechten Ruf. Er hat neben der Verurteilung Galileis die Einschmelzung der Bronzebalken in der Vorhalle des Pantheons für den Guß von Kanonen und von Säulen für das Kuppelziborium über dem Petrusgrab in der Peterskirche zu verantworten. Dies trug ihm den Ruf eines rückständigen Barbaren ein. Doch hat er bei den Jesuiten eine solide Schulung erhalten, ist selbst Dichter und fördert neben den Künsten die Literatur und die Wissenschaft. Während seines Pontifikats genießt Rom unter den Dichtern, Gelehrten und Künstlern ein ähnliches Ansehen wie zur Zeit Leos X. Die Kultur der Gegenreformation schien damals auf allen Gebieten den Vergleich mit der Renaissance auszuhalten. Die Grundlagen dieser Kultur reichen ins Cinquecento zurück. Filippo Neri hat nach 1575 in Santa Maria in Vallicella zur Förderung der Volksfrömmigkeit Andachtsübungen durch mehrstimmige Lauden attraktiver gestalten wollen. Daraus entwickeln sich dialogisierende Formen von Gesang, aus denen die Gattung des Oratoriums hervorgeht. Die *Rappresen-*

Giovanni Botero

Blüte des Barock in Rom

tazione di Anima e di Corpo (1600), in der Agostino Manni seinen *Dialogo di anima e corpo* (1577) für den Komponisten Emilio de' Cavalieri dramatisiert hat, stellt den Kampf verschiedener Kräfte in der menschlichen Seele, eine Psychomachie, dar und soll durch die Synthese von Wort, Musik und visuellem Eindruck noch größere Wirkung als die Predigt erzielen. Wie später das Oratorium reduziert die *Rappresentazione* die Dramaturgie der Renaissance auf das Gerüst der mittelalterlichen Form der Sacra Rappresentazione. Die Jesuiten hingegen suchen der *Poetik* des Aristoteles einen neuen Sinn zu geben, um sie für die Darstellung christlicher Stoffe gebrauchen zu können. Bernardino Stefonio hat für das Römische Kolleg die neulateinischen Tragödien *Crispus* (1597) und *Flavia* (1600) geschrieben, die sein Mitbruder Tarquinio Galluzzi in einer Verteidigungsschrift zur wahren aristotelischen Tragödie erklärt. Statt Mischcharakteren sollen auf der Bühne wie in den Geschichten von Heiligen und Märtyrern Gute und Schlechte einander gegenübergestellt werden. Damit ist die poetologische Voraussetzung für die Form der christlichen Tragödie im Schultheater der Jesuiten wie in den Nationalliteraturen geschaffen. In Rom verliert das Theater der Jesuiten bald an Glanz gegenüber den geistlichen Opern der Barberini, deren Librettist Giulio Rospigliosi, der spätere Papst Clemens IX., Stefonios Dramaturgie verpflichtet ist. Die Aufführung von *Sant'Alessio* (1632) begründete den Ruhm dieses Theaters; die Oper *Chi soffre speri* (1637) verwendet erstmals Dienergestalten aus der Commedia dell'arte und gilt als eines der Modelle für die Opera buffa.

Tommaso Campanella

Vielleicht erkannte Urban VIII. in Tommaso Campanella verwandte Züge, denn er protegiert eine Zeitlang den mehrfach wegen Häresie angeklagten Dominikaner. Obwohl er über dessen Eintreten für Galilei und über die Veröffentlichung seiner Studien zur Astrologie erbost ist, läßt er ihn 1634 nach Paris entkommen, als Campanella durch spanischen Druck erneut eingekerkert werden soll. Campanellas Schaffen reiht sich in die Dichtungs- und Kulturkonzeption der Gegenreformation ein, auch wenn der Autor wegen mangelnder Orthodoxie verfolgt wird. Es nährt sich aus traditionellen Vorstellungen des Mittelalters und der Renaissance, greift den Gedanken einer grundlegenden Reform des Christentums auf, dessen Harmonie mit der Natur es unablässig propagiert, will den katholischen Standpunkt gegen die reformatorischen Neuerer verteidigen und besitzt doch Analogien mit dem religiös indifferenten Rationalismus. Altes und Neues bestehen in ihm nebeneinander, ja führen zu kühnen

Tommaso Campanella

Synthesen. Als junger Mönch begeistert sich Campanella für Bernardino Telesio, der sich von der Naturphilosophie der Aristoteliker lossagte und eine empirische Beschäftigung mit der Natur forderte. Dadurch wird Campanella offen für die neue Naturwissenschaft und schließt Freundschaft mit Galilei, für den er sich 1616 mit einer Verteidigungsschrift engagiert. Er läßt sich jedoch ebenfalls durch Giambattista della Porta in die Astrologie einführen und glaubt wie dieser an die Vereinbarkeit des alten magischen und des neuen rationalistischen Weltbildes. Seine politischen Aktivitäten sind vom Glauben an ein tausendjähriges Friedensreich inspiriert, das aus der Offenheit der vor kurzem entdeckten Neuen Welt für das Christentum und durch die Überwindung der gegenwärtigen Verfallserscheinungen in Staat und Kirche entstehen soll. In einer *Rhetorik* und zwei *Poetiken* erarbeitet Campanella die Grundlagen für die Einbeziehung der Sprachkunst in sein ideologisches Konzept. Er greift dort Platons Kritik am mimetischen Literaturverständnis auf und setzt ihm eine ›wahre‹ Dichtung entgegen, deren Vorbild Christus mit seinen Gleichnisreden ist. Im Gotteswort der Bibel wird Unsagbares durch rhetorische Technik aussagbar. So soll auch Dichtung ein Mittel zur Erkenntnis und ein gesellschaftliches Instrument der Befreiung sein. Dantes *Divina Commedia* nennt Campanella als Vorbild, wäh-

Titelblatt der Ausgabe
Frankfurt, 1622

rend er Tasso als zu fiktional und Marino als zu virtuos ablehnt. Seine philosophischen Gedichte und seine Staatsallegorie *La Città del Sole* verwirklichen sein Literaturprogramm.

Die Sonnenstadt trägt den Untertitel »poetischer Dialog« (»dialogo poetico«), weil der utopische Entwurf im Bericht eines Genovesen vorgetragen und durch einen Hospitaliter wertend kommentiert wird. Campanella schließt an die Aufzeichnungen über die erste Weltumsegelung durch Magellan von Antonio Pigafetta (1525) an, die an den Großmeister des Hospitaliterordens gerichtet waren. Pigafettas Zusammenfassung aller bekannten Welterkundungen bildet die Voraussetzung für den Bericht des Genovesen über die Sonnenstadt, die eine ideale Gesellschaft nach den Regeln der gottgewollten Schöpfungsordnung ist, viele Mißstände im christlichen Europa erkennbar macht, aber noch der christlichen Offenbarung bedürfte, um rundweg vollkommen zu sein. Die Solarier haben mit ihrer Vernunft die höchsten Erkenntnisse erreicht, zu denen der Mensch ohne die göttliche Offenbarung gelangen kann. Der Hospitaliter nennt sie deshalb »arguti«. Diesen Scharfsinn benötigt auch der Leser, um nicht bei der literarischen Einkleidung stehen zu bleiben, sondern die Bedeutung seines staatstheoretischen Entwurfs zu verstehen. Campanella versteht demnach die Argutia philosophisch und liefert damit einen Schlüssel zur Deutung der Argutia-Bewegung.

Titelblatt der ersten lateinischen Ausgabe Frankfurt, 1623

Die Barockdichtung als die »neue Literatur« der Argutia-Bewegung

Im Seicento wird das Innovationsprinzip systematisch zu einem Kriterium der literarischen Wertung erhoben. Die Autoren werden nicht müde, neue Facetten des vorhandenen Bestands an literarischen Formen und Ausdrucksmöglichkeiten zu entdecken und das Neuartige ihrer Werke zu betonen. Die Leser lassen sich für Texte begeistern, die sie mit Überraschendem oder Ungewohntem konfrontieren. Was für die Produzierenden ihr Einfallsreichtum, das ist für die Rezipierenden ihr Scharfsinn. Beides heißt in der Terminologie der Zeit Argutia.

Eine Reihe von Publikationen der dreißiger Jahre des Seicento zeigen, daß die Argutia zur Leitidee einer jungen Generation wird, die ihre rhetorischen Kenntnisse dazu nutzt, Schulübungen wie das Lob antiker Gestalten in eine Demonstration ihrer Begabung umzufunktionieren. Wie typisch dieses Vorgehen für die Epoche ist, sei nur an zwei Beispielen gezeigt: Die 14 epideiktischen Reden in *I Furori della gioventù* (1629) von Giovanni Battista Manzini, die den Untertitel »Rhetorische Übungen« tragen, stammen von einem Autor, der im Vorwort zu seinem Roman *Il Cretideo* (1637) den italienischen Barockroman durch die Überbietungstopik vom Epos bzw. der Historiographie absetzt und dessen formale Besonderheiten auf die Entfaltung rhetorischer Verfahren wie Beschreibung, Porträt, Erzeugen von Erstaunen oder von Evidenz zurückführt. Seine Poetik gipfelt im Lob, diese Gattung sei die »schwierigste, [...] erstaunlichste und hervorragendste Leistung der Phantasie« (»la più difficile [...] la più stupenda e gloriosa macchina che fabbrichi l'ingegno«). Gian Francesco Loredano, Gründer der Accademia degli Incogniti, die eine wichtige Plattform des Libertinismus in Venedig ist, und späterer Biograph Marinos, folgt 1632 mit *De gli scherzi geniali,* einer Darstellung der verschiedenen Affekte anhand von großen antiken Helden wie z.B. der wütende Achilleus oder die traurige

Ideal der jungen Generation

Gabriello Chiabrera,
Titelkupfer zur Ausgabe
der *Canzoni* von 1586

Literarischer Barock

Alessandro Tassoni

Alessandro Tassoni

Helena. In beiden Fällen wird die freie Entfaltung der eigenen Ingeniosität einer strengen Zügelung der Sprache gemäß den von der Schule festgelegten Regeln des Angemessenen entgegengesetzt.

Das Innovationsprinzip allein kann auch eine klassizistische Dichtung begünstigen. Gabriello Chiabrera hat die italienische Verskunst und Diktion erneuert. Unter dem Einfluß der Pléiade, besonders des französischen Dichters Ronsard, und in Auseinandersetzung mit der griechischen Dichtung, die er in lateinischer Übersetzung studierte, bildet er Formen der antiken in der italienischen Metrik nach und rechtfertigt diese Neuerungen in seinen Dialogen. Seine Beschäftigung mit der griechischen Poesie trägt zu einem Wandel des Verhältnisses von Musik und Dichtung bei. Der Kreis in Florenz, der die Oper geschaffen hat, ist persönlich mit ihm verbunden. Seine melischen Dichtungen, in denen klangliche Qualitäten der Worte der pointierten Aussage vorgezogen werden, bieten sich zur Vertonung an und bilden ein Gegengewicht zur Argutia-Bewegung. Ihr Klassizismus hilft Dichtern wie Fulvio Testi, Alternativen zur konzeptistischen Poesie Giovanbattista Marinos und seiner Anhänger zu verwirklichen und dadurch deren Überwindung durch die Arcadia-Bewegung vorzubereiten.

Die Argutia-Bewegung prägt die italienische Barockliteratur und viele Bereiche der Kultur des Seicento. Was die Literaturgeschichten heute landläufig als literarischen Barock bezeichnen, heißt damals einfach »neue Literatur«. Waren die Humanisten des Cinquecento bestrebt, die Nachahmung antiker Vorbilder an eine hierarchische Ordnung von literarischen Formen und ihrer thematischen wie sprachlichen Materialien zu binden, so werden nun umgekehrt alte Formen mit neuen Inhalten gefüllt oder durch andere Ausdrucksmittel umgestaltet. Diese Tendenz läßt sich exemplarisch an Alessandro Tassoni ablesen. Er hält es für besser, frei mit der Tradition zu experimentieren als sie immer wieder nachzuahmen. In seinem heroisch-komischen Epos *La secchia rapita* (1622–1630) mischt er verschiedene Gattungstraditionen. Zur Tradition des Epos gehört die Thematik eines Krieges zwischen Bologna und Modena mit Exordium, Schlachtbeschreibungen und Ausweitung des Schauplatzes bis in die Götterwelt. Zu ihr paßt jedoch weder der nichtige Anlaß des Streits über einen Eimer, noch die Verherrlichung von Antihelden wie Culagna, der die schöne Renoppia gerade deshalb erhält, weil er ein Feigling »Philosoph, Dichter und Scheinheiliger« ist. Mag dieser Zug noch als burleske Umkehrung der epischen Stilisierung des Helden erscheinen und durch die Einordnung in die Epentravestie in ein Paradigma der Regelpoetik passen, so ist seine Verwendung des Dialekts von Bologna, Modena, Brescia und Ferrara dem Innovationsstreben zu verdanken. Die hohe Stillage einzelner Strophen kontrastiert mit der Wendung ins Burleske am Ende der Oktave. Tassoni spottet über Konventionen des Epos, um ihnen neues Leben zu geben. Bezeichnenderweise geht in *La secchia rapita* das Komisch-Witzige aus dem Ingeniösen hervor, dessen höchste Ausformung für die Barockliteratur das Wunderbare darstellt. Der rasche Umschlag vom Hohen zum Lächerlichen und die Rückverwandlung des Komischen ins Wunderbare offenbart deshalb nicht nur die Grenzen der traditionellen epischen Stilhöhe, sondern auch die Möglichkeiten der dichterischen Erfindungsgabe. Die Kombination von Materialien aus unterschiedlichen Gattungen ist ein Kennzeichen der ›neuen‹ Literatur. Wenn Tassoni selbst sein Werk als »unangebrachte Grille« (»capriccio sproposito«) bezeichnet, so spielt er das Programmatische seiner Verhöhnung der großen Ependichter herunter, das seine Schriften zur Dichtungstheorie behandeln.

Bereits in der zweiten Hälfte des Cinquecento zeichnet sich in der Debatte über das Schaffen von Tasso, Ariosto und Guarini die Ablösung der Regelpoetik ab. Aber erst um die Jahrhundertwende nennt Tassoni die Dichtung eine verbesserungsfähige Technik des Schreibens, die Zeitströmungen unterliegt und von der Persönlichkeit des Schreibenden abhängt. In seinen *Considerazioni sopra le Rime del Petrarca* (1609) historisiert er Petrarca und den Petrarkismus, wenn er die Stilisierung der Liebe im *Canzoniere* als mehr oder weniger geglückte concetti interpretiert, ein Ausdruck, der in der Terminologie jener Zeit sowohl die Inhalts- wie die Ausdrucksseite eines Begriffes, einer Vorstellung und besonders eines Bildes meint. Während Bembo und die Petrarkisten die sprachlichen und ideologischen Muster des *Canzoniere* zum nicht zu übertreffenden Vorbild erheben, das lediglich variiert werden kann, möchte Tassoni mit Petrarcas Ingenium wetteifern und dessen concetti durch treffendere Einfälle verbessern. Im *Paragone degli ingegni antichi e moderni* (1620) relativiert er sogar die Antike. Die Relativierung der Alten Welt wird im Laufe des Seicento Italien um seine kulturelle Sonderstellung bringen, sobald die römische Welt, die der abendländische Humanismus für zeitlos hielt, zur historischen Vorstufe der italienischen und diese zu einer der vielen nationalen Kulturen degradiert wird.

Illustration zum 1. Gesang von *La secchia rapita*, Modena 1744

Die Verächter der Barockliteratur bemängeln deren Respektlosigkeit gegenüber der Antike. Im Seicento gehen die Literaturschaffenden mit dem klassischen Erbe freier um als in den beiden vorhergehenden Jahrhunderten. Doch ist diese Ungezwungenheit in ihrem Selbstverständnis keine Abwendung von der Antike, sondern nur eine Konsequenz ihrer Überordnung der schöpferischen Phantasie über die Regelpoetik. Sie leisten gleichwohl der Liquidierung der humanistischen Literaturästhetik Vorschub, weil sie die Werke der Alten als Schmuck benutzen, mit dem sie ihre eigenen Fähigkeiten unter Beweis stellen. Der Dichter notiert, so schreibt 1620 Giovanbattista Marino an seinen Dichterkollegen und Verehrer Claudio Achillini, bei seinen Lektüren die guten Einfälle seiner Vorgänger und wählt je nach Temperament (»umore«) das aus, was in sein Konzept paßt. Seine Kreativität (»ingenium«) und sein Scharfsinn (»argutia«) haben Vorrang vor seinem Suchen nach einer Übereinstimmung mit der Norm (»iudicium«). Der persönliche Geschmack (»gusto«), nicht die Übereinkunft über das, was angemessen ist (»decorum«), entscheidet letztlich über ästhetische Fragen. Wo das Abwechslungsbedürfnis (»variatio«) ernst genommen und deshalb die Dichtung thematisch, formal und sprachlich so frei gestaltet wird, daß sie den Leser überrascht, erzeugen raffinierte Vertextungsverfahren Vergnügen, sei es daß sie als bloßes Spiel oder als Mittel zur Erkenntnis verstanden werden.

Freiheit der Phantasie

Erstaunen (»meraviglia«) erzeugt man, so schreibt der wichtige Theoretiker der Argutia-Bewegung Emanuele Tesauro im *Cannocchiale Aristotelico* (1655), wenn zur gewöhnlichen Aussage, die nach den Regeln der Grammatik entsteht, eine zusätzliche ingeniöse Bedeutung hinzukommt, die der Rhetorik zu verdanken ist. Die Metapher ist nach seiner Meinung ein Instrument, um die Facetten der Dinge auszukosten und immer neue Beziehungen zwischen ihnen aufzudecken. Diese Vorstellung hat die Literaturgeschichtsschreibung vielleicht etwas zu einseitig als Programm zur Herstellung von Barockdichtung interpretiert. Die rhetorischen Figuren von Alliteration, Paronomasie, Antithese, Periphrase, Hyperbel, Oxymoron, sowie pointierte Kürze aber auch alle Arten von Erweiterung sind für diese Interpreten beliebte Mittel ingeniösen Schreibens, das überdies mit geistreichem Witz (»facezia«) sprachliche Virtuosität zur Schau stellt, um Gefallen zu erwecken. Diese Deutung übersieht den wissenschaftlichen Anspruch der Argutia-Bewegung, die bildhafte Sprache prinzipiell als Weg zur Erkenntnis versteht, selbst wenn ihre Vertreter das ingeniöse Reden und Schreiben oft zum Selbstzweck erheben. Das geschriebene Wort (»litterae«) besitzt damals noch den Status der Wissenschaftlichkeit, denn das Buch der Natur, das für einen Naturwissenschaftler wie Galilei in mathematischen Formeln verfaßt

Titelkupfer zu Emanuele Tesauros *Cannocchiale Aristotelico*, Turin 1670

ist, versteht die Argutia-Bewegung noch als unerschöpfliches Arsenal von
Symbolen, die sich in der sprachlichen Ausdrucksfülle niederschlagen und
deren Bedeutung mittels sprachlicher Kombinatorik erschlossen werden kann.

Symbolik und
Hieroglyphik

Das Erfahrungswissen erobert sich erst langsam das Prestige des Buchwissens.
Das ingeniöse Schreiben kann im 17. Jahrhundert durchaus noch mit dem experimentellen Forschen konkurrieren. Durch bildliche Schau will die Sprachkunst
ebenso wissenschaftliche Erkenntnisse erzielen wie die Naturwissenschaft durch
rationales Denken. Rhetorische Kunstfertigkeit, ja sogar bloßer Schein steigern
die Aussagekraft der erklärungsbedürftigen Wirklichkeit im bedeutungsreichen
Bild. Wo die Sprache an ihre Grenzen kommt, gleicht der Reichtum an Bildern
deren Armut aus. Der Zusammenbruch des geschlossenen Kosmos der Renaissance wird im Seicento durch ein Vertrauen auf die Macht des Wortes kompensiert, das sich mit Kombinatorik das Labyrinth der Welt und ihre Symbolik
erschließt. Die Emblembücher, die seit dem Cinquecento durch die Verbindung von Wort und Bild diese Symbole behandeln, erfreuen sich als eigenes literarisches Genre weiterhin großer Beliebtheit, verkommen aber im Laufe des
Seicento zu Repertorien für die Bildprogramme. Dafür wird die Hieroglyphik
ein Kristallisationspunkt für historische Forschungen wie für philosophische
oder theologische, rhetorische oder literarische, aber auch alchimistische und
astrologische Überlegungen, bei denen die Grenze zwischen ernsthafter wissenschaftlicher Arbeit und bloßer Spekulation fließend ist. Die historische tritt
gegenüber andern Perspektiven in den Vordergrund. Deshalb kann die Beschäftigung mit den Hieroglyphen die endgültige Liquidierung des symbolischen
Weltbildes durch die Aufklärung überdauern und in die historischen Wissenschaften wie in die Naturphilosophie der Romantiker münden. Da sich der
Makrokosmos der Welt im Mikrokosmos des Menschen spiegelt, sieht sich die
Argutia-Bewegung ermutigt, das offene Universum durch die Kraft des menschlichen Geistes zu durchdringen. Tesauro spannt folgerichtig im *Cannocchiale*
Aristotelico den Bogen von der Schöpfungstheologie zur Wortartistik und erhebt
das treffende Wort zum Inbegriff der ganzen Kultur, die das prunkvolle Fest

Andrea Sacchi, »Triumph
der Weisheit«,
Rom, Palazzo Barberini,
1629–1633

und die konzise Inschrift auf einem Denkmal, die heitere Geselligkeit einer geist-
reichen Unterhaltung und den religiösen Ernst einer auf concetti aufbauenden
Predigt, das ingeniöse Experimentieren mit literarischen Mustern und das
scharfsinnige Denken in bildhaften Analogien im universalen Logos vereint.
Sein Traktat macht verständlich, warum im Seicento alle Ästhetik letztlich in
Rhetorik mündet.

Giovanbattista Marino

Tesauro hat sein *Cannocchiale Aristotelico* schon viel früher konzipiert als
veröffentlicht und in den die Literatur betreffenden Teilen auf die Dichtung
Marinos bezogen, dem er nachträglich eine literaturtheoretische Basis liefert.
Marino hat das Innovationsprinzip, die Mißachtung des Gattungssystems, das
Versteckspiel mit intertextuellen Bezügen (»rubar ben celato«), die Metaphorisierung der Dichtungssprache und deren Anreicherung durch unübliches Wortmaterial, die Erfindung von concetti und deren Einbindung in den Text so
perfekt verwirklicht, daß er zum Idol der nach ihm benannten Marinisten in
Italien, aber auch der deutschen Barockliteratur wurde und zusammen mit der
spanischen Literatur die europäische Barockdichtung am nachhaltigsten beeinflußt hat. Zwischen der spanischen und der italienischen, den beiden führenden
Literaturen der ersten Hälfte des 17. Jahrhunderts, gibt es wiederum ein ständiges Geben und Nehmen. Marino verdankt beispielsweise der Dichtung des
Dramatikers Lope Félix de Vega Carpio einiges, während dieser ihn umgekehrt
über Torquato Tasso stellt. Der Dichter Luis de Góngora y Argote greift Verse
von ihm auf. Marino hat in der literarischen Welt grenzenlose Bewunderung
wie scharfe Ablehnung gefunden. Selbst aus bescheidenen Verhältnissen stammend hat er sich die Gunst der Großen gewinnen können. 1615 empfängt ihn
Marie de' Medici in Paris fürstlich, Ludwig XIII. fördert ihn großzügig. Bei
seiner Rückkehr nach Italien sonnt er sich in seinem Ruhm, besonders dort, wo
er aus nicht immer ganz ersichtlichen Gründen im Gefängnis saß. An seinem
Schaffen scheiden sich bis heute die Geister, wenn es um die literarische
Wertung des Barock geht.

Giovanbattista Marino

Was sich in der Praxis des Schreibens und in der literarästhetischen Diskussion des späten Cinquecento an Neuerungen abzeichnete, greift Marino begie-
rig auf und entwickelt es auf seine Art weiter. In seiner Heimat Neapel lernt er
die Muster des Petrarkismus kennen und beginnt in der Nachfolge Tassos zu
dichten. Im Dialog *Del concetto poetico* (1598) macht ihn der Lyriker und Dichtungstheoretiker Camillo Pellegrino zum Interpreten von Petrarca, Bembo und
Della Casa und zum Wortführer einer Alessandro Tassoni vorwegnehmenden
konzeptistischen Lektüre ihrer Sonette, deren Motivstruktur er als ein Geflecht
von concetti, d.h. von pointierten, sinnreichen Aussagen deutet. Die ca. 400
Sonette im 1. Teil seiner Gedichtsammlung *La Lira* (1602–1614) bilden eine
Art Enzyklopädie der Themen und Schauplätze von Dichtung: Liebes- und
Trauersonette sowie heroische, moralische, geistliche, panegyrische, bukolische
und maritime Sonette und Gelegenheitsdichtungen. Sie bewegen sich auf pointierte concetti zu und glätten die konzeptistische Struktur der aufgegriffenen
Motive. Die Kanzonen und Madrigale des 2. Teils nehmen die Entmaterialisie-
rung des Petrarkismus zurück. Deswegen wird ihre Sinnlichkeit bis heute im
Namen von Petrarcas Vergeistigung der Liebe als obszön verurteilt.

Marinos Lyrik

Will man Marino zum Erotomanen stempeln, dann darf man seine Dichtung
nicht ins Biographische ummünzen, sondern muß sie in der Perspektive von
Tassonis oben erwähnter Petrarca-Kritik als virtuoses intertextuelles Spiel verste-
hen. Die erotische Zweideutigkeit seiner Madrigale ist ebenso wie ihre witzige
Parodierung von bekannten Madrigalisten wie Luigi Groto oder Battista
Guarini ein ingeniöser Scherz (»facezia«). Die Erotisierung der Liebe ist in *La
Lira* genauso ein Verfahren wie die Selbstironie.

Titelblatt zur Ausgabe
Venedig 1621

Sprachvirtuosität

Um die Möglichkeiten der Pointierung auszuschöpfen, integriert Marino die antike und neulateinische Epigrammatik in die enkomiastischen Madrigale von *La Galeria* (1619), eine Sammlung von Bilder und Porträts beschreibenden Gedichten. Dieses Werk erreichte im Seicento 16 Auflagen und wurde danach überhaupt nicht mehr verstanden. Alle Gedichte der *Galeria* erhalten durch ein zentrales concetto ihre Struktur. Soweit sie sich mit bildender Kunst befassen, tritt die künstlerische Technik in den Hintergrund. Es handelt sich nicht um ein imaginäres Museum, sondern um Lektüreerfahrungen, deren Wirklichkeits-strukturierung und Vertextungsverfahren das Medium bilden, in dem Marino selbst die Kunst und die Welt erfährt bzw. Vorstellungen in Sprache übersetzt. Die gekonnte Handhabung der Sprache erhält bei Marino einen solchen Eigen-wert, daß er sogar in die Rolle des Predigers schlüpft und in seinen *Dicerie sacre* (1614) Predigten zu literarischen Produkten macht, mit denen der Virtuose des Wortes den Kanzelrednern Modelle anbieten will. Sein Ansinnen stieß bei den Zeitgenossen, z.B. bei den Jesuiten des Römischen Kollegs, auf Widerstand und bei der Nachwelt auf völliges Unverständnis. Auszüge aus den *Dicerie sacre* sind jedoch in viele Lehrbücher für Prediger eingegangen.

Der Dichter ist ein Wortartist, der alle Register vom hohen bis zum burlesken Stil parat hat. Marino benutzt den letzteren in Briefen, um sein Elend im Gefängnis oder die Mühe seiner Reise nach Frankreich zu schildern. Darin folgt er der poetischen Regel, die die Darstellung des Alltäglichen an die komische Verzerrung in niederer Stillage bindet. Auch Literatengezänk wird mit burles-ken Gedichten, seit dem 16. Jahrhundert besonders mit Scherz-Grabinschrif-ten, ausgetragen, in denen sich die Verherrlichung eines großen Toten in hoher Stillage zur Schmähung eines unliebsamen Lebenden in niederer Stillage ver-kehrt. Da in dieser Form alles möglichst konzis ausgedrückt werden muß, dient sie den Dichtern des Seicento zur Demonstration ihrer Ingeniosität. Gian Fran-cesco Loredanos Gedichtsammlung *Il Cimiterio. Epitafii giocosi* (1635) hat die Form auf vier Verse fixiert und exemplarisch gestaltet. Marino benutzt 1608–9 in Turin bei seinem Zwist mit Gaspare Murtola, dem Sekretär des Herzogs von Savoyen, nicht die Scherz-Grabinschrift, sondern das Sonett. Dabei will er einer-seits einen unliebsamen Konkurrenten ausschalten, andererseits aber eine ana-loge, jedoch von der seinen ganz verschiedene Dichtungskonzeption ridikülisie-ren. Poetik wird also in burleskem Stil abgehandelt. Die Schmähgedichte der beiden Gegner kommen 1619 in einem Band gesammelt heraus, aus dem der Titel *Murtoleide* stammt, der seither für diese Gedichte benutzt wird. Der Satiri-ker Traiano Boccalini hält solchen Literatenzwist für ein unterhaltsames Spiel und verurteilt Murtola in den *Ragguagli di Parnaso,* weil er seinen Rivalen auf offener Straße zu ermorden versuchte, anstatt den Gepflogenheiten des literari-schen Lebens zu entsprechen, wo nur mit spitzer Feder gefochten wird. Diese tragische Wendung des Geschehens trat 1609 ein, als Murtola vom Herzog aus dem Dienst entlassen wird. Der Streit um Dichtungskonzepte ist ein Kampf um Anteile am literarischen Markt. Die Publikumsinstanz gewinnt nämlich im Seicento an Gewicht. So rechtfertigt Marino 1624 in einem Brief an den Dich-ter Girolamo Preti seine Mißachtung der Regelpoetik damit, daß seine Dichtun-gen gelesen werden, wohingegen die Werke seiner Kritiker, die den Vorschriften der Poetologen entsprechen, auf den Regalen der Buchhändler verstauben würden. Doch geht es ihm nicht nur um Geld, sondern auch um die künftige Rolle der Dichtung.

Gian Francesco Loredano, Porträt aus *Le Glorie degli Incogniti* (1647), eine von Loredano oder G.B. Fusconi herausgebrachte Buchveröffentlichung über die Aktivitäten dieser Akademie

Streit mit Gaspare Murtola

Reaktion auf Naturwissenschaften

Murtola hat in seinem Epos *La creazione del mondo* (1608) dasselbe Thema wie Tasso in *Le Sette Giornate del Mondo creato* (1607) behandelt, das ein Mani-fest gegen Galilei und das neue naturwissenschaftliche Weltbild war. Marino vertritt die Gegenposition und plant bereits damals sein Epos *Adone,* das dieses

Thema völlig anders angeht. Wie seine Vorgänger faßt er die Welt als große metaphorische Dichtung und das Epos als Übersetzung der Struktur des Kosmos auf. Die facettenreiche Darstellung verschiedener Möglichkeiten der Welterfassung ist seine Antwort auf das neue Weltbild der Naturwissenschaften und die Ausweitung des Kosmos durch die Entdeckungsreisen. Doch will er den Schöpfungsbericht aus der Bibel nicht nachdichten, sondern in intertextuellem Spiel mit den spätantiken Epikern Claudian und Nonnos ins Mythologische übersetzen. Um das Epos als Schöpfungsmythos, den Mythos jedoch als sinnreiches, erfundenes Bild zu gestalten, stellt er jede Aussage an einer andern Stelle durch ihr Gegenteil oder durch eine andere Vorstellung in Frage, so daß die Erfindungen des schöpferischen Ingeniums in den Vordergrund treten. Die Übermittlung von Wissen, die damals aus den Epen wissenschaftliche Enzyklopädien machte, funktioniert Marino zu einem Bauprinzip des Textes um. Die Struktur des Epos liefert somit den Schlüssel für die Deutung der Aussage. Diese Anlage des Werkes, durch die Marino unserer zeitgenössischen Erzählliteratur näher steht als den Epen des Cinquecento, hat bis in die jüngste Zeit Irritation hervorgerufen. Obwohl sich Marino nirgendwo über die Mathematisierung der Naturwissenschaften ausläßt, muß seine Poetik mit ihr in Verbindung gebracht werden, sieht er doch die Chance der Dichtung darin, Ideen in Bilder zu übersetzen, um abstrakten Vorstellungen Anschaulichkeit zu verleihen. Vom neuen Weltbild ist er auch insofern beeinflußt, als er eine mechanische Vorstellung von Zeit in die Dichtung einführt. Während in den bisherigen Epen die Logik der Handlung den zeitlichen Rahmen bedingt, isoliert Marino in *Adone* aus einem Jahr willkürlich 22 Tage zur Darstellung des Geschehens.

Noch tiefer greift er in die Regelpoetik ein, wenn er der Mythologie die Funktion zuweist, die Aristoteles und dessen Kommentatoren des Cinquecento der Historie zugeschrieben hatten. Dieser Unterschied ist am besten an seiner Wahl des antiken Modells für sein Epos abzulesen; statt Vergils *Aeneis* werden Ovids *Metamorphosen* und damit statt der Geschichte der Mythos zum Vorbild. Da

Seite aus der Ausgabe von 1618

Mythologisches statt historisches Erzählen

Zwei Illustrationen zu *Adone* von 1678

auch das Bauprinzip der *Metamorphosen* in *Adone* eingeht, werden viele Episoden hintereinander montiert und Erzählungen sowie Beschreibungen räumlich so angeordnet, daß das zeitliche Fortschreiten der Handlung im traditionellen Epos und damit die Rekonstruktion von Geschichte überflüßig wird, die dafür auf einer fiktionalen Ebene bewältigt wird. Die Fabel des Werkes stammt aus Ovid: Venus liebt Adonis, der später durch einen Eber umkommt und in eine Blume verwandelt wird. Die Verwandlung interessiert Marino nur soweit, wie sie zusammen mit andern Metamorphosen das Entstehen der Welt versinnbildet. Im Zentrum der Aufmerksamkeit steht die Gefühlsproblematik, die Marino in die Antithese von Freude und Leid faßt. In I,10 benützt er den Begriff »piacere«, der im Gegensatz zum deutschen Wort Freude auch auf das Wohlgefallen und die Lust verweist. Seine Formel, daß »übermäßige Freude mit Leid endet« (»smoderato piacer terminar in doglia«), zielt auf etwas Ganzheitliches, Körper und Geist, sexuelle Erotik und geistigen Eros Umfassendes ab. Sie signalisiert eine Wende vom heroischen zu einem hedonistischen Menschenbild, das den diesseitigen Genuß und die Freuden einer erfüllten Existenz höher einstuft als die Selbstverleugnung im Dienste hoher Ideale, die ansonsten das Heldenideal der Barockliteratur kennzeichnet. Die Liebesthematik erhält breiten Raum und verändert ihrerseits die Struktur des *Adone* dadurch, daß sie vorwiegend in den Zwiegesprächen zwischen den Gestalten ausgedrückt wird. Dadurch wirkt der Text ausgesprochen lyrisch. Der gegen Marino kritisch eingestellte Dichter Tommaso Stigliani wertet deswegen *Adone* als lose Aneinanderreihung von Madrigalen (»poema di madrigali«) ab und prägt damit ein Klischee, das sich bis heute in der Literaturgeschichtsschreibung gehalten hat. Marino

Intertextuelle Verweise in Adone

deformiert und parodiert die Formen, Genera und Werke, die er in *Adone* integriert. Eine oft kritisierte Episode erhält dadurch ihre Struktur: die Beschreibung der Hochzeitsnacht im 8. Gesang, die auf die Form des Hochzeitsgedichts zurückgreift, der Marino anderweitig einen ganzen Gedichtband *Epithalami* (1615) gewidmet hat. So erklärt sich die Abfolge in der Beschreibung: Zimmer, Brautgemach, physische Schönheit der Partner, Nacht, Liebesakt, dem nur eine Oktave (95) gewidmet ist, und Zusammenleben des Paares. Die Liebesnacht von Venus und Adonis bildet den Abschluß der Einführung in die sinnliche Erkenntnis im 6.–8. Gesang, die mit der Einführung in die geistige Erkenntnis im 9.–11. Gesang eine Einheit bildet. Die ausgesprochen zurückhaltende Darstellung des Liebesakts der beiden Protagonisten im Ehegemach wird von einer derb-komischen Szene zwischen einem Satyrn und einer Nymphe im Bad und von einer libertinen Verbindung in einer Höhle umrahmt. Diese literarischen Modelle aus der Pastorale werden vergegenwärtigt, um dem Leser bewußt zu machen, daß nicht die physische Realität des Sexuellen, sondern die Literatur den Ausgangs- und Bezugspunkt des *Adone* abgibt. Deshalb kann dieses Epos nur auf dem Hintergrund seiner intertextuellen Verweise verstanden werden.

Adone erschien 1623 in Paris mit einem französischen Vorwort des damals noch unbekannten Literaten und späteren Theoretikers der französischen Klassik Jean Chapelain. Das Buch ist mit eleganten Lettern, in Großformat (nicht in Duodez mit kleinen Lettern wie Bände mit Dichtung), auf kostbarem Papier und mit vielen Vignetten gedruckt und auf dem Titelblatt Ludwig XIII. gewidmet. Marino hat es somit geschafft, seine Dichtung wie ein offizielles Lobgedicht der französischen Krone herauszubringen und doch eigenständiger italienischer Literat zu bleiben. Er spielt mit rein literarischen Mitteln das aufstrebende Frankreich gegen die Italien dominierende Großmacht Spanien und die kleinen italienischen Herrscher aus, indem er die angesehenste literarische Gattung aus einer Helden- in eine Liebesdichtung verwandelt, um die politische Ohnmacht Italiens durch eine Demonstration der Möglichkeiten italienischer Dichtung zu

Titelblatt der Erstausgabe Paris, 1623

kompensieren, als deren Kennzeichen noch im 18. Jahrhundert häufig petrarkistische Sonette bezeichnet werden.

Marino hält *Adone* für sein wichtigstes Werk, weil die Epik in der Hierarchie der Gattungen am meisten gilt und er in ihr vorführt, was ingeniöses Dichten leisten kann. Da er hier die Möglichkeiten wie die Grenzen dieses Poesiekonzepts vorführt, ist auch die heftige Debatte über dieses Werk zur Anklage oder Apologie der italienischen Barockdichtung geworden. Der Dichter hat im 14. Gesang übermütig die Fabel von Tommaso Stiglianis Epos *Il Mondo nuovo*, dessen erste 20 Gesänge 1617 herauskamen, nach dem Muster des hellenistischen Romans *Aithiopika* des griechischen Schriftstellers Heliodor ergänzt und Stigliani damit unter Zwang gesetzt, eine der Regelpoetik entsprechende, bessere Lösung zu finden. Dieser rächte sich in *Dello occhiale* (1627) mit einer scharfsinnigen, destruktiv parodistischen Analyse des *Adone,* dem er einen Mangel an Einheit, überzogene Metaphorik und die Verletzung der Regeln guten Geschmacks vorwirft. Bezugspunkt seiner literarischen Wertung ist die Dichtung des späten Cinquecento. Die Einwände gegen Marino wiegen für die Nachwelt stärker als die Argumente seiner Apologeten, die Niccolò Villani das entscheidende Stichwort zu einer kritisch distanzierten Beurteilung des *Adone* lieferten. Hatten die Befürworter auf den Publikumserfolg des Werkes verwiesen, so dreht Villani den Spieß um. Obwohl er grundsätzlich das Konzept der ›neuen‹ Dichtung für richtig hält, konstatiert er, daß die üppig wuchernde Metaphorik den Leser kalt läßt und keinesfalls die Wirkung erzielt, die ein zurückhaltenderer Einsatz dieses Stilmittels hervorbringen würde. Diese Beobachtung bestätigt sich bis heute, wo trotz vieler Analogien zu Verfahren modernen Dichtens und postmoderner Vertextungstechniken Marinos Dichtung eigentümlich fremd bleibt.

Streit um Adone

Die poetologische Diskussion wie die Praxis des Dichtens zielt in der zweiten Jahrhunderthälfte immer mehr auf die Rückkehr zu einer weniger gekünstelten Ausdrucksweise, die mit den Kategorien der Klarheit und des Natürlichen oder auch mit der alten Regel des Angemessenen beschrieben wird. Besser als bei einem der Marinisten kann man diese Entwicklung an Benedetto Menzini ablesen. Horaz ist sein Vorbild wie für den Poetologen der französischen Klassik Boileau, dessen *Art poétique* (1674) er mit einer umfangreicheren *Arte poetica* (1688) beantwortet. Wie für Boileau ist auch für ihn die ingeniöse Barockdichtung eine Geschmacksverirrung, doch im Gegensatz zu seinem französischen Vorbild zieht er sich ganz auf die traditionelle Regelpoetik zurück, deren Vorschriften er systematisch in seiner Dichtung abhandelt. Wenn er die zügellose Freiheit der Barockdichtung mit akademischer Strenge eindämmen möchte, wird er zwar zum Lehrer der Arcadia-Bewegung, handelt sich aber den Vorwurf ein, deren Hang zu akademischer Dichtung Vorschub geleistet zu haben. Die rhetorische und literaturtheoretische Diskussion hat schon in der ersten Jahrhunderthälfte nach Mitteln gesucht, um Exzesse der Argutia-Bewegung einzudämmen. Matteo Peregrini will in *Delle acutezze* (1639) durch eine Verbesserung der Regeln ingeniösen Schreibens dessen Wirkung garantieren. Sforza Pallavicino vertieft in seinen Dialogen *Del bene* (1644) die Frage nach der Kommunikationsstruktur von Dichtung. Sie ist jenseits aller Unterscheidung zwischen Wahr und Falsch angesiedelt und deshalb von einer Akzeptanz abhängig, die vom Geschmack diktiert wird. Damit erhält die Dichtung einen eigenen Status, der im 18. Jahrhundert der neuen Disziplin der Ästhetik zugerechnet wird.

Zurück zur Regelpoetik

Die neue Wissenschaftskonzeption Galileis als literarisches Phänomen

Galilei ist im öffentlichen Bewußtsein eine Symbolgestalt für den Kampf vorurteilsfreier exaktwissenschaftlicher Forschung gegen die Verankerung des Wissens im Glauben. Seine Verteidigung des kopernikanischen Weltbilds hat zu seiner zweimaligen Verurteilung durch das Heilige Offizium in den Jahren 1616 und 1633 geführt, weil die gegenreformatorische Kirche ebensowenig wie die reformierten Kirchen mit dem heliozentrischen Weltbild etwas anfangen konnte. Der Konflikt zwischen Wissenschaft und Glauben ist nur die spektakulärste Seite eines kulturellen Umbruchs, dessen literarische Dimension die italienische Literaturgeschichtsschreibung für so wichtig hält, daß sie seit De Sanctis immer wieder zögert, ob sie das Seicento unter den Oberbegriff der neuen, barocken Literatur oder der neuen Wissenschaft stellen soll. Diese Alternative trifft die damalige Problemstellung, insofern sich mit Galilei ein die alten Modelle des Denkens und Schreibens ignorierender Sprach- und Literaturbegriff etabliert. Andererseits stellt vieles für uns heute typisch Barocke wie z.B. die Metaphorisierung der Dichtungssprache und die Verwendung der Metaphorik zur Erkundung des Wirklichen den kühnen, für uns Nachgeborene aber anachronistisch anmutenden Versuch dar, die Herausforderung des neuen experimentellen Denkens mit den Verfahren des alten Buchwissens zu bewältigen. Deshalb sollte man sich davor hüten, vor lauter Fixierung auf die Gegensätze Gemeinsamkeiten zu übersehen. Das neue Denken hat auf seiten der Literatur sein Pendant im ungezwungenen Umgang mit der Tradition, der vielen Interpreten skandalös erscheint. Die Barockliteratur hat auf seiten der Naturwissenschaften ihr Pendant im ehrgeizigen Projekt, eine eigene Ausdrucksweise jenseits des intertextuellen Bezugssystems zu errichten, das die Schriften des literarischen Kanons abgeben, aus denen das gespeicherte Wissen mit rhetorischen Methoden erschlossen wird. Das Innovationsprinzip ist also den beiden Seiten gemeinsam. Sie stehen in einem Konkurrenzkampf, weil die zu den artes liberales gehörenden Disziplinen in ihrem Selbstverständnis Wissenschaften waren, die aus den artes mechanicae hervorgehenden Wissenschaften ihnen aber den Status der Wissenschaftlichkeit aberkennen. Die neuen Wissenschaften haben in der Langzeitperspektive die Barockliteratur besiegt, weil Galileis Schriften modellbildend wirken, während die Einfälle der Argutia-Bewegung der antibarocken Reaktion zum Opfer fallen und zu Geschmacksverirrungen verteufelt werden. Die Wahlverwandtschaft zwischen barocker und moderner Literatur, die Neubesinnung auf die alte Rhetorik und die Skepsis gegenüber dem Absolutheitsanspruch der Naturwissenschaften legen heute Zweifel an der Alternative zwischen der positiven Bewertung der neuen Wissenschaft und der Infragestellung der alten Denkweisen nahe. Wenn neben den Gegensätzen auch die Gemeinsamkeiten beachtet werden, entpuppen sich beide Strömungen als unterschiedliche Ausformungen eines gemeinsamen Strebens nach wissenschaftlicher Erkenntnis.

Das Seicento ist eine Blütezeit der Wissenschaften. Damals werden die Grundlagen für die Entfaltung der Exaktwissenschaften gelegt, als sich das, was wir heute als Naturwissenschaft und Technik, in der Terminologie der Zeit artes mechanicae nennen, von der Unterordnung unter die artes liberales befreit, deren Primat noch für Petrarca selbstverständlich war. Es geht um ein auf Erfahrung und Anschauung beruhendes Wissenschaftskonzept, das Erkenntnisse unabhängig von dem durch göttliche Offenbarung oder menschliche Weisheit

Konkurrenz zweier Wissenschaftsmodelle

Aristoteles, Ptolemäus und Kopernikus, Titelkupfer mit den wichtigsten Autoritäten für die Astronomie von Stefano della Bella zur Ausgabe des *Dialogo* von Galilei, 1632

erworbenen und in anerkannten Schriften niedergelegten Wissensschatz der direkten Beschäftigung mit den Dingen dieser Welt verdankt. Für die Sprach- und Literaturgeschichte wird dieser Vorgang dadurch von Bedeutung, daß eine Terminologie für die Bezeichnung der Sachen und Sachverhalte sowie ein Stil und Textsorten für deren Darstellung gefunden werden müssen. Da damals Latein die Wissenschaftssprache ist, klafft zwischen der Welt der Praktiker, die dem Handwerkerstand zugerechnet werden, und den Gelehrten bereits im Sprachlichen eine Kluft, die seit dem Cinquecento zunächst durch die Überset- zer und Kommentatoren von technischen Basistexten wie z.B. durch Daniele Barbaros *I dieci libri dell'architettura di Vitruvio tradutti e commentati* (1556) geringer wird. Von der Architekturtheorie gehen wichtige sprachliche und wissenschaftliche Impulse aus, weil deren militärische Nutzung im Festungsbau und in der Waffentechnik zur Zusammenarbeit der Theoretiker mit den Prakti- kern zwingt. Galilei verweist gern auf seinen Umgang mit den Fachleuten im Arsenal und veröffentlicht zwei kleine Schriften über Fragen militärischer Tech- nik.

Die Forschungen der Architekten und Ingenieure entwickeln gegen Ende des Cinquecento eine Eigendynamik, die wiederum der literarischen Welt zugute kommt. Neben dem Theater hat die Kunstprosa davon am meisten profitiert, da Galilei radikal das Italienische zur Darstellung seiner astronomischen und naturwissenschaftlichen Theorien benutzt und sich nicht bereitfindet, die Pole- mik gegen die lateinischen Schriften seiner Gegner in deren Wissenschaftsspra- che zu führen. Galilei hat in seiner Spätzeit konsequenter Italienisch publiziert als in seiner Frühzeit. Seine Forschungen zur hydrostatischen Waage gibt er auf Italienisch in *La bilancetta* (1586) bekannt. Seine mathematischen Lehrveran- staltungen beginnt er wie seine Kollegen 1589 in Pisa auf Latein mit der damals üblichen Kommentierung von antiken Texten, stellt aber bald Werke wie z.B. Euklid in den Mittelpunkt seines Unterrichts, die im Kanon der wissenschaftli- chen Literatur als marginal gelten. Sein Suchen nach einer angemessenen Ausdrucksweise verdeutlicht die 1589 begonnene Schrift *De motu*, deren dritte Fassung wie humanistische Schulschriften in Dialogform ist. Als er 1609 von der holländischen Erfindung des Fernrohrs Kenntnis erhält und mit seinem eige- nen, technisch konfortableren Instrument die vier Jupitermonde entdeckt, teilt er dies der internationalen Fachwelt 1610 in der Schrift *Sidereus nuncius* in hoch- rhetorisierter lateinischer Prosa mit. Zwei Vorträge vor der Florentiner Akade- mie über die Gestalt und die Größe von Dantes Inferno, seine Parteinahme für Ariosto, seine knappen, sehr kritischen *Considerazioni al Tasso* und sein unvoll- endetes, in zwei Fassungen vorliegendes Szenarium für eine Komödie zeigen seine Anteilnahme am literarischen Leben der Zeit. Doch erst in den Auseinan- dersetzungen über das heliozentrische Weltbild enthüllt sich das Programmati- sche seiner Ablehnung des Latein als Wissenschaftssprache und seines Ringens um eine italienische Wissenschaftsprosa. Galilei reagiert 1615 auf die Anzeige beim Heiligen Offizium in Rom mit einem italienischen Brief an die Mutter des Großherzogs, Christine von Lothringen. Nachdem sie im Dezember 1613 am Hof in Florenz bei einer Diskussion über das Verhältnis der Heiligen Schrift zur neuen Astromonie anwesend gewesen ist, legt er ihr nun die Vereinbarkeit des kopernikanischen mit dem christlichen Weltbild dar. Er benutzt fortan in seiner ganzen wissenschaftlichen Korrespondenz das Italienische, obwohl seine auslän- dischen Kollegen Latein besser verstanden hätten und vielfach seine Briefe erst ins Lateinische übersetzen lassen müssen. Abgesehen von einigen verstreuten Bemerkungen schweigt er sich über die Beweggründe für seinen Wechsel des Idioms aus und setzt in *Il Saggiatore* (1623) den langen lateinischen Zitaten aus der *Libra astronomica ac philosophica* (1619), die der Jesuit Orazio Grassi unter

Galileis Schwanken zwischen Latein und Italienisch

Titelblatt der Erstausgabe, 1610

Seite mit Illustrationen aus
der Erstausgabe, 1623

*Latein als
Wissenschaftssprache*

Wissenschaftliche Prosa

*Physik und Metaphysik
bei Giordano Bruno*

dem Pseudonym Lotario Sarsi gegen ihn veröffentlicht hat, seine italienischen
Repliken entgegen. Die Ablehnung der gegnerischen wissenschaftlichen Theorien verbindet sich so mit der Weigerung, sich auf deren Terminologie und
Wissenschaftsverständnis einzulassen. Dies war ein Akt von symbolischer
Bedeutung, dessen Tragweite auf dem Hintergrund des elitären Selbstverständnisses der Humanisten und des Vorrangs der artes liberales gegenüber den artes
mechanicae verstanden werden muß.

Nachdem sich im Cinquecento brillante lateinisch schreibende Stilisten wie
Bembo mit der vulgärsprachlichen gesellschaftlichen Elite verbündet haben,
gehört im 17. Jahrhundert zwar die Vorstellung, man könne in Italien die vulgärsprachliche durch eine lateinische Literatur ersetzen, endgültig der Vergangenheit an. Doch hielt Bembo weiterhin am Latein als Sondersprache der Universitäten und Gelehrten fest, während er der weltläufigen Oberschicht die Benut-
zung des literarischen Volgare statt der Dialekte empfahl. Deshalb bleibt das
Latein die Wissenschaftssprache der Italiener und die Koiné der internationalen
Gelehrtenrepublik, die eine hochrangige neulateinische Literatur hervorbringt.
Alles Schulische ist ebenfalls, meistens schon von den elementaren Regeln des
Lesens und Schreibens an, eine Einführung in die lateinischsprachige Bildung
und der Spracherwerb eine Initiation in die Vorstellungen der geistigen Elite,
mit deren Ausdrucksmitteln gleichzeitig deren Denk- und Schreibmuster ange-
eignet wird. Diese Tendenz nutzen die Jesuiten, die die besten Bildungseinrichtungen der Gegenreformation besitzen, um mit dem internationalen Latein den
Universalitätsanspruch der römischen Kirche zu stützen. Die vielfachen inneren
Gegensätze in der Gelehrtenrepublik verhindern die Gefahr der Uniformität
des geistigen Lebens, während die vielen Gemeinsamkeiten eine Tendenz zur
Exklusivität fördern und die Kluft zwischen den Wissenden und den Restlichen
vertiefen. Da das Latein den Handwerkern in der Regel nicht zur Verfügung
steht, können sie von den Quellen des Wissens ferngehalten werden. Die Vertreter der Gelehrtenrepublik halten die unkontrollierte Verbreitung von Wissen
im Einklang mit der Kirche für gefährlich. Die Sprache trennt die Theoriker
von den Praktikern. Der Umgang mit der Sprache ist der neuralgische Punkt, an
dem Galilei die überkommenen Verhältnisse auf den Kopf stellt. Sein Wechsel
von der internationalen Wissenschaftssprache Latein zum vernakulären Italienischen löste diese Problematik zwar nur bedingt, weil das Italienische keineswegs
mit der von den Dialekten geprägten Umgangssprache der Handwerker identisch ist. Er hat jedoch den Vorteil, Galileis Gedanken den Praktikern und der
gesellschaftlichen Elite zugänglicher zu machen und deren Formulierung von
den Implikationen zu befreien, die aller lateinischen Terminologie aus einer
reichen Wissenschaftstradition zugewachsen sind. Im 16. Jahrhundert ist das
Italienische im Bereich der Poesie und der literarischen Fiktion durch anerkannte Modellautoren geprägt, in der Sachprosa jedoch lediglich durch historische und ethische Werke wie z.B. die von Niccolò Machiavelli auf vergleich-
barem Niveau ausgebildet, die von den damaligen Theoretikern zur Literatur
gezählt werden. Ein vulgärsprachliches naturwissenschaftliches Schrifttum im
heutigen Sinne des Wortes gibt es noch nicht, weil die Erfahrungswissenschaften von der Naturphilosophie nicht getrennt und letztlich nur deren Seitentrieb
sind. Galilei konstituiert es gezielt durch Abgrenzung gegen die lateinisch
geschriebene philosophische Spekulation. Die Bedeutung dieses Vorgangs kann
ein Seitenblick auf Giordano Brunos Beschäftigung mit dem neuen Weltbild
bewußt machen.

Auch Bruno zählt zum Kanon der italienischen Literatur und wird seit De
Sanctis' *Literaturgeschichte* (1870–1871) zusammen mit Galilei genannt, von
dem er sich jedoch grundlegend unterscheidet. Sein Werk und seine Hinrich-

tung durch die römische Inquisition waren für die Zeitgenossen weit weniger symptomatisch als Galileis Schaffen und dessen Verurteilung durch die Inquisition. Sein Rang als Philosoph wurde den Italienern erst durch Ausländer, besonders durch den deutschen Idealismus bewußt gemacht. Die philosophische Forschung bringt das Zwiespältige an Brunos Denken auf die Formel, er halte die kopernikanische Theorie »einer neuen Metaphysik für bedürftig, während es ihr doch an einer neuen Physik gebrach« (Hans Blumenberg). Hierin liegt sein persönliches Dilemma wie seine literarhistorische Bedeutung, denn von diesem Ansatz her kann er die Revisionsbedürftigkeit überkommener philosophischer und theologischer wie sprachlicher und literarischer Positionen aufdecken. Sein Temperament als Polemiker und sein Hang zum Satiriker befähigen ihn zum Unterminieren verbreiteter Denk- und Aussagemuster. Seine kühnen Entwürfe sind für die Traditionalisten skandalös, weil das durch die Uminterpretation bekannter Vorstellungen aufleuchtende Neue in ihren Augen lediglich eine Verdrehung des Alten darstellt. Die Parteigänger der neuen Wissenschaften halten wiederum seine Behandlung des heliozentrischen Weltbilds als naturphilosophisches Problem für eine Neuauflage der alten Denk- und Ausdrucksformen. Bruno thematisiert diese Zusammenhänge im 4. Dialog von *La Cena delle Ceneri* (1584), wo ihm der Doktor Torquato zuruft, er solle endlich zur Sache kommen, und er lachend erwidert, daß seine philosophischen Gedanken zur Sache gehören. Wenn er seinen Gesprächspartner einen »Esel« nennt, dann offenbart sich die Unmöglichkeit des vermittelnden Dialogs und damit das Abseits, in das sich Bruno begibt, der auf beiden Seiten eine Befangenheit in den jeweiligen Wissenschaftkonzeptionen konstatiert und sich berufen fühlt, von einer höheren Warte aus eine Zusammenschau des Gegensätzlichen vorzuschlagen.

Bruno verspottet in seiner Komödie *Il Candelaio* (1582) die Akademien und ihre Rolle in der damaligen wissenschaftlichen Welt. Er siedelt sich außerhalb des italienischen Geisteslebens des 17. Jahrhunderts an, wenn er sich mit einer ironischen Parodie auf die übliche Titelei als »Mitglied in keiner Akademie, mit Namen der Lästige« vorstellt. Die Akademien hatten meistens im Sprachlich-Literarischen ihren Schwerpunkt wie z.B. die 1602 von Paolo Mancini gegründete römische Accademia degli Umoristi, der u.a. Guarini, Tassoni, Chiabrera und Marino angehören. Zwei der mächtigsten Adelsfamilien, die Barberini und die Colonna fördern diese Akademie. Papst Urban VIII. holt sich aus ihrer Mitte Giovanni Ciampoli für das wichtige Amt des Sekretärs der päpstlichen Rundschreiben (Breve), der ein Dichter, Naturwissenschaftler, Freund Galileis ist, diesen immer wieder vor Machenschaften in Rom warnt und nach der Verurteilung Galileis und der Entmachtung der Barberini ins Exil gehen muß. Wie Ciampoli in seiner Person so integriert diese Akademie als Institution alle wissenschaftlichen Disziplinen, solange die neuen Wissenschaften nicht rigoros gegen die artes liberales abgegrenzt werden. Die artes liberales und die Literatur im weitesten Sinne des Wortes bestimmen die Aktivitäten der meisten Akademien. Nur die römische Accademia dei Lincei, die Federico Cesi 1603 gegründet hat, wird seit 1609 durch das Prestige von Della Porta, Galilei und dessen Freund Filippo Salviati zu einem Zentrum der neuen Wissenschaften und bildet mit dieser Orientierung eine Ausnahme. Sie kann über Cesis Vermögen verfügen, um Galileis *Istoria e dimostrazioni intorno alle macchie solari e loro accidenti* (1613) und *Il Saggiatore* sowie naturwissenschaftliche Werke anderer Autoren zu publizieren. Obwohl ihr Eintreten für Galilei bei der Inquisition erfolglos war und sie den Tod ihres Gründers (1630) sowie die zweite Verurteilung Galileis (1632) nicht überstehen konnte, gab sie Galilei doch einen institutionellen Rückhalt. Ähnliches ließe sich von der venezianischen Accademia degli Inco-

Titelblatt der Erstausgabe, 1584

Rolle der Akademien

Wappen der Accademia degli Incogniti

Titelblatt der Erstausgabe
Paris, 1582

Der heroische Mensch

*Unterschied zwischen
Bruno und Galilei*

gniti sagen, die als Sprachakademie ein Sammelbecken des Libertinismus ist. Weil Bruno hingegen allein steht und nirgendwo hingehört, muß er ganz Europa auf der Suche nach Protektoren und Mäzenen durchqueren. Deshalb ist die Anekdote nicht ganz unwahrscheinlich, derzufolge seine Hinrichtung deswegen möglich wurde, weil er für die Venezianer lediglich ein Neapolitaner war, den sie ohne Zögern ausliefern konnten.

Wenn nach De Sanctis die Komödie *Il Candelaio* Klischees des Petrarkismus und des Aristotelismus verspottet, so offenbart sich Brunos Überzeugung, daß die Dichtung von der kopernikanischen Revolution ebensowenig wie die traditionelle Gelehrsamkeit unberührt bleiben kann, die er in der Satire *Spaccio della bestia trionfante* (1584) ins Visier nimmt. Die meisten seiner italienischen Schriften erscheinen während der Jahre 1583–1585, seiner englischen Periode. Er kommt mit seinem Protektor, dem französischen Gesandten Michel de Castelnau nach England und verläßt es bei dessen Abberufung, die mit der Veröffentlichung von *Cabala del cavallo Pegaseo con l'aggiunta dell'Asino Cillenio* und *De gl' Heroici furori* zusammenfällt. Durch den Rückgriff auf platonische Vorstellungen, auf Nikolaus von Kues und die Kombinatorik des katalanischen Frühscholastikers Ramon Llull möchte Bruno Dichten, Denken und Handeln aus einem einzigen Prinzip ableiten, vom dem sich die außergewöhnlichen Menschen erfassen lassen, um dadurch die ursprüngliche Welt des Wahren, Schönen und Guten der Allgemeinheit vermitteln zu können. Seine Literaturtheorie in *De gl' Heroici furori* leitet die Prinzipien von Dichtung, Philosophie und Wissenschaft aus der Schau der ursprünglichen Gestalt der Dinge ab. Dort erklärt er auch sein Selbstverständnis als einzigartiger Mensch, dem wie nur wenigen, die er als Heroen bezeichnet, die Zusammenschau des Vielfältigen der Wirklichkeit möglich ist, deren Zersplitterung durch die Ausdifferenzierung des Wissens in den sich gegeneinander abgrenzenden Wissenschaften zementiert wird.

Die Betonung des Heroischen wird Bruno als Arroganz und die Vorstellung von der ursprünglichen Einheit als Pantheismus zur Last gelegt, so daß er wegen Heterodoxie angeklagt und schließlich hingerichtet wird. Die italienische Literaturgeschichtsschreibung des Risorgimento hat vor lauter Begeisterung für das Freigeistige übersehen, daß Bruno das Auseinanderbrechen der Welt durch die Heraufkunft der neuen Wissenschaften mit dem Versuch einer Rückführung von Wissenschaft, Philosophie und Dichtung in eine höhere Form von Einheit beantwortet. Johann Georg Hamann hat ihn deshalb als Heilmittel gegen Kants *Kritik der reinen Vernunft* aus der Vergessenheit entreißen wollen, um gegen die Verselbständigung des Ästhetischen als eines eigenen Bereichs der Wirklichkeit die Einheit des Wahren und des Schönen zu betonen.

Die italienischen Bücher sind nur eine kurze Episode zwischen Brunos vorausgehenden und nachfolgenden lateinischen Schriften, mit denen er die etablierte wissenschaftliche Welt in ihrer Sprache und Terminologie mit ihren eigenen Methoden zum Umdenken bewegen will. Der Bruch mit der lateinischen Wissenschaftssprache bleibt daher eine Besonderheit Galileis. Wenn Galilei das Wissenschaftsverständnis der damaligen Gelehrten ablehnt und vollkommen leugnet, daß die alte Gelehrsamkeit ebenfalls einen Anspruch auf wissenschaftliche Gewißheit erheben kann, forciert er die Polarisierung der konkurrierenden Konzepte. Unter diesen Voraussetzungen gewinnt auch die Verwendung analoger literarischer Verfahren und gleicher Textsorten durch Bruno und Galilei eine ganz unterschiedliche Bedeutung. Die alte humanistische Form des Lehrgesprächs wird von beiden durch die Ironisierung traditioneller wissenschaftlicher Argumentations- und Darstellungstechniken verfremdet, doch benutzt Bruno dieses Verfahren lediglich zur Ridikülisierung seiner Gegner, wohingegen es Galilei zur Zurückweisung von deren Anspruch auf Wissenschaftlichkeit dient.

Bruno bleibt letztlich auch dann noch innerhalb des alten Systems, wenn er es von innen her sprengen möchte, während Galilei sich außerhalb stellt und es als Ganzes verwirft. Deshalb hat sich seit dem 18. Jahrhundert die Meinung durchgesetzt, Galilei bilde einen Neuanfang der italienischen Kunstprosa.

Der Aufklärer Pietro Verri hat in seiner Zeitschrift *Il Caffè* diesen Vorgang auf die griffige Formel gebracht, Galilei habe als erster das Joch der Rhetorik abgeschüttelt, das damals alle tyrannisierte. Galileis Wendung von den Worten zu den Sachen kennzeichnet in der Langzeitperspektive das ganze 17. Jahrhundert. Er hat Wissenschaft nicht gemäß dem alten rhetorischen Modell von den Worten, sondern von den Sachverhalten aus betrieben und deshalb in seinen Schriften die gesamte intertextuelle Absicherung von Aussagen beiseite gelassen. Doch ist es ein Trugschluß, wenn seit dem Risorgimento seine Zurückweisung der Rhetorik als Wissenschaft mit einem Verzicht auf Rhetorik als Kunst des Schreibens gleichgesetzt wird. Die Wissenschaftstheorie hat neuerdings Galileis Einsatz rhetorischer Argumentationstechniken herausgearbeitet. Seine literarhistorische Leistung beschränkt sich jedoch nicht auf den raffinierten Einsatz des Syllogismus, sondern ist eine Kunst des Darstellens komplexer Sachverhalte in einer Sprache, die sich an die Literatur anlehnt, alle literarischen Ambitionen aber der Erzeugung von Evidenz unterordnet. Von einem naturwissenschaftlichen, auf die reine Übermittlung von Sachinformationen bezogenen Stil im heutigen Sinne des Wortes kann man bei ihm nicht sprechen, weil er die Sachlichkeit als Problem der Kunst des Schreibens auffaßt. Die heute verbreitete mathematische Formalisierung des Gedankens bedarf in seinem Wissenschaftsverständnis einer ergänzenden sprachlichen Darstellung, weil seiner Meinung nach naturwissenschaftliche Erkenntnisse nicht von sich aus einsichtig sind, sondern sprachlich verständlich gemacht werden müssen. Die neue Art von elitärer Exklusivität, die die Fachsprache und die Reduzierung der Versprachlichung zugunsten einer Mathematisierung der Erkenntnisse in den Naturwissenschaften mit sich gebracht hat, liegt Galilei völlig fern, weil er ganz im Gegenteil die Fragen der neuen Wissenschaften durch seine Art der Darstellung in die breite Öffentlichkeit tragen und durch die Verwendung des Italienischen der Allgemeinheit zugänglich machen will. Der systematischen Darlegung seiner Gedanken nach Art eines Traktats zieht Galilei offenere Textsorten vor: *Il Saggiatore* ist laut Titel »in Form eines Briefes« an Virginio Cesarini, Mitglied der Accademia dei Lincei, Kammerherr des Papstes und angesehener Dichter und Gelehrter, geschrieben. Polemiken sind in der Gelehrtenrepublik üblich und Galileis Art der wissenschaftlichen Diskussion zeichnet sich höchstens durch seine stilistische Raffinesse und seinen Witz aus. Papst Urban VIII., dem das Buch gewidmet ist, soll über es gelacht haben, wobei sich die Forschung uneins darüber ist, ob der Papst, der damals noch Galilei protegierte und ihn erst später ein zweites Mal durch die Inquisition verurteilen ließ, aus Verständnislosigkeit für die unglaublichen Vorstellungen des Gelehrten oder aus Freude über dessen Sprachkunst gelacht hat. Der *Dialogo dei massimi sistemi* (1632) ist eine Unterhaltung zwischen zwei realen und einer fiktiven Gestalt. Galilei verewigt dort zwei seiner Freunde, den venezianischen Aristokraten Giovan Francesco Sagredo, in dessen Haus das Gespräch (»conversazione«) situiert ist, und der das Sprachrohr des Autors ist, während der Florentiner Filippo Salviati die Rolle des fragenden Mannes von Welt zu übernehmen hat. Simplicio spielt den undankbaren Part des ängstlichen Verteidigers der ptolemeisch-aristotelischen Naturphilosophie. Diese Konstellation hat noch in Charles Perraults *Parallèles des Anciens et des Modernes* (1688–1697) als Muster zur Konfrontation gegensätzlicher Standpunkte gedient, ohne daß der Franzose das Komödienhafte des *Dialogo* nachzubilden vermochte. Galileis gezielte Verfremdung des humanisti-

Illustration aus der Erstausgabe des *Dialogo* von Galilei, 1632

Das dialogische Prinzip bei Galilei

Titelblatt der Erstausgabe, 1632

Die Accademia del Cimento garantierte eine Zeitlang den Fortbestand der naturwissenschaftlichen Forschung nach Galileis Verurteilung.

schen Lehrgesprächs durch die Anverwandlung theatralischer Strukturelemente ist ein Mittel zur Literarisierung des wissenschaftlichen Diskurses und gleichzeitig ein rhetorisches Verfahren, um das Selbstverständnis des Gegners zu unterminieren. Während in den alten Wissenschaften das Lehrgespräch zur Vergegenwärtigung der vielen Facetten eines Gedankens dient und der bekämpften Position eine gewisse Berechtigung zugesteht, treibt in den neuen Wissenschaften die Diskussion zu dem Punkt, wo nur noch der Gegensatz zwischen Wahr und Falsch gilt, den Galilei für ein Merkmal dieses Wissenschaftsmodells hält.

Galilei hat einen Kreis von Schülern um sich geschart, die nach seiner endgültigen Verurteilung in seinem Exil in Arcetri Kontakt mit ihm hielten. Zu diesen Getreuen gehört Evangelista Torricelli, der nach Galileis Tod seine Stelle als Mathematiker und Philosoph des Mediceischen Hofs übernimmt und durch seine Forschungen über das Barometer bekannt ist. Galileis erster Biograph Vincenzo Viviani beschäftigt sich mit experimentalwissenschaftlichen Problemen, die weniger die Gefahr eines Konflikts mit der Kirche heraufbeschwören. Er ist Mitglied der von Leopoldo de' Medici 1657 gegründeten Florentiner Accademia del Cimento, die unter der Leitung von Lorenzo Magalotti bis zu ihrer Auflösung 1667 experimentelle Naturwissenschaft betreibt.

Galilei ist für die literarische Welt weniger durch seine astronomischen Theorien als durch die Entscheidung bedeutsam geworden, seine neuen Vorstellungen durch eine eigene Darstellungsform und Sprache auszudrücken. Eine analoge Ausdifferenzierung der vorhandenen Ausdrucksmittel kann man auf dem Gebiet des Theaters feststellen, wo Praktiker der Bühnenkunst jenseits der etablierten dramatischen Literatur Wege zur Realisierung von Schauspielen erkunden. Diese Art von Theater hat später den Namen Commedia dell'arte erhalten.

Die Commedia dell'arte

Die Commedia dell'arte ist ein facettenreiches Phänomen, das, seit es im Frankreich des 18. Jahrhunderts mit dem italienischen Theater schlechthin gleichgesetzt wurde, bis heute auf die Vorstellungsmuster festgelegt wird, die durch die bildende Kunst, am eindrucksvollsten durch Callot und Watteau, verbreitet wurden. Wie stark dieses Klischee vom Selbstverständnis der italienischen Schauspieler abweicht, mußte Luigi Riccoboni mit dem Künstlernamen Lelio schmerzlich erfahren, als er und seine Schauspielertruppe am 6. Mai 1716 in Paris wieder die »Comédie italienne« mit *L'inganno fortunato* eröffneten. Er konnte nicht die italienischen Tragödien auf die Bühne bringen, die er im Einklang mit der Theaterreform Scipione Maffeis für die wahre Dramatik seines Landes hielt, sondern mußte sich nach den Erwartungen des französischen Publikums richten und eine »Commedia dell'arte« aufführen. Dieses Klischee ist ein Mißverständnis. Der heutige Begriff der Commedia dell'arte im 18. Jahrhundert entstanden und hat für Goldoni, der ihn wahrscheinlich erstmals in *Il Teatro Comico* (1750) gemeinsprachlich benutzt, einen negativen Beigeschmack. Das Wort »arte« verweist auf die Berufsschauspieler, deren routinemäßige, also schlechte Aufführung eines Stücks er mit deren Fachwort »Commedia dell'arte« nennt. Aus diesem unpräzisen Gebrauch eines Fachbegriffs ist der Name hervorgegangen, der das komische Stegreifspiel von großteils maskierten Schauspielern bezeichnet. Dieser verbreitete Ausdruck wird hier verwendet, um ein Phänomen der italienischen Theatergeschichte des Cinque-

und Seicento, nicht jedoch um eine fest umrissene Art von Stegreifkomödie zu benennen. Die Gattungsbezeichnung orientiert sich an der französischen Vorstellung von der comédie italienne, trifft aber nur ganz ungenau auf die historischen Fakten zu, die hier beschrieben werden sollen.

Watteau, »Italienische Schauspieler«, 1720

Die Commedia dell'arte stand schon immer im Kreuzfeuer der Meinungen, so daß die meisten ihrer Bezeichnungen von jeher parteiisch waren. Die lexikalische Vielfalt erschließt die Problemkreise, innerhalb derer die Commedia dell'arte historisch zu deuten ist. Im Seicento spricht man von Dienerkomödie (»commedia degli Zanni«), die aus der Spaßmacherkomödie (»commedia buffonesca«) des frühen Cinquecento hervorgegangen ist. Die Feinde der Schauspieler betonten diese Herkunft aus dem Gaukler- und Vagantenmilieu, während die Vertreter der Commedia dell'arte im späten 16. und im 17. Jahrhundert auf die Unterschiede zwischen dem einfachen Spektakel auf dem Jahrmarkt und ihren Theateraufführungen abheben. Die komischen Figuren der Diener und der Alten in den Komödien tragen Masken, weswegen auch von Maskenkomödie (»commedia delle maschere«) gesprochen wird. Da aber den komischen maskierten immer ernste unmaskierte Figuren wie die Liebenden gegenüberstehen, die im Gegensatz zu den Ersteren nicht Dialekt sprechen und als ernste Rollen auch den niederen burlesk-komischen Stil vermeiden, ist diese Bezeichnung entweder übertragen oder kritisch gemeint. Die Gegner werten die

Szene aus einer Commedia dell'arte, Recueil Fossard

Szene aus einer Commedia
dell'arte, Recueil Fossard

Commedia dell'arte mit diesem Begriff ab und sprechen auch polemisch von
käuflichem Theater (»commedia mercenaria«), weil für die Aufführungen
Eintrittsgeld erhoben wird, mit dem die Schauspieltruppe ihren Lebensunterhalt bestreitet. Dies ist damals eine sehr umstrittene Neuerung. Die Herausbildung des Schauspielerberufs bedeutet den Anfang der modernen Unterhaltungs-
industrie und zieht neben ökonomisch-sozialen auch dramaturgisch-literarische
Konsequenzen nach sich. Die berufsmäßige Ausübung von Schauspielerei gibt
dem gesprochenen Wort im Theater ein größeres Gewicht, weil die Interpreten
sich auf ihre Rollen so spezialisieren, daß sie im Zusammenspiel mit ihren Part-
nern auf der Bühne einen Dialog entstehen lassen, für den sie vorher lediglich
den Handlungsablauf festgelegt haben. Daher spricht man auch von Improvisa-
tionstheater (»commedia all'improvviso«), dessen bekanntestes Genre die Komödie ist. Die Schauspieler spielen jedoch nach demselben Prinzip auch Tragödien
und Schäferstücke, wie man aus der bedeutendsten publizierten Sammlung von
Szenarien (»canovaccio«) *Il Teatro delle Favole Rappresentative* (1611) von Flaminio Scala ersieht.

*Selbstverständnis der
Schauspieler*

   Die Schauspieler selbst haben seit dem Ende des Cinquecento mit ihren
Veröffentlichungen ein Idealbild ihres Berufs umrissen, das Auskunft über ihr
Selbstverständnis gibt. Durch hyperbolische Überzeichnung oder apologetische
Stilisierung verdecken sie jedoch die Anleihen bei Pantomimen, Spaßmachern
und Bänkelsängern, weil sie ihren Berufsstand von diesen herumziehenden
armen Schluckern klar abgegrenzt wissen wollen. Sie sind keine Marktschreier
oder Quacksalber und treten auch nicht in deren Dienst auf. Die laut verkün-
dete Verachtung für dieses Gesindel und die entschiedene Ablehnung der derb
burlesken und obszön grotesken Komik ihres Spiels dient jedoch möglicherweise nicht nur der Verteidigung des eigenen Berufsethos, sondern auch der
Leugnung historischer Zusammenhänge. Die armseligen Dienergestalten (»Zanni«) stehen sicher am Ursprung der Commedia dell'arte, hinzu kommt bald die
Figur des Alten (»Pantalone«). Obwohl das Paar Alter/Diener eine ihrer Komponenten ist, bleibt es fraglich, ob das Stück, das Orlando di Lasso als Pantalone
1568 in München bei der Vermählung des bayerischen Erbprinzen mit Renata

Szene aus einer Commedia
dell'arte, Recueil Fossard.
Fossard, Musiker am Hofe
Ludwigs XIV., sammelte
Stiche mit Theatermotiven,
unter denen die Gestalten
der Commedia dell'arte
einen wichtigen Platz
einnehmen.

Heneruogt excudit

Pantalon despite de quelque menterie
Quil recoit de Zany secolere si fort

Que par grande furie il le veult mettre a mort
Mais Zany luy requiert en aulmone la Vie

von Lothringen aufführte und auf das die Narrentreppe auf Burg Trausnitz bei Landshut zurückgehen soll, eine Commedia dell'arte war.

Einige historische Fixpunkte konnte die Forschung jedoch festhalten. Der venezianische Spaßmacher (»buffone«) Zuan Polo Liompardi oder Leopardi trat Anfang des Cinquecento als Einlage zu Aufführungen antiker Komödien auf. Er half dem Prinzip der Mehrsprachigkeit bei Dienergestalten zum Durchbruch. Sein Sohn und Partner Hironimo oder Eronimo war ein virtuoser Nachahmer von Stimmen, sang, spielte und tanzte. Diese Rolle des Spaßmachers konnte für die humanistisch gebildeten Leute attraktiv werden, die sich in den vierziger Jahren wegen eines Überangebots an Studierten nirgendwo etablieren konnten und deshalb ihre Kenntnisse vermarkten mußten. Ein zweiter Traditionsstrang verweist auf venezianische Spaßmacher, die sich wie Francesco De' Nobili, Cherea genannt, auf die Rolle von Liebenden spezialisierten und Tragödien, Komödien und Schäferdichtungen in Vulgärsprache als Einlagen in antiken Stücken rezitierten. Cherea gilt als Erfinder des Stegreifspiels (»recitar all'improvviso«). Angelo Beolcos Schöpfung der Gestalt des Ruzante, seine Synthese des Bäuerlich-Derben mit dem Volksschauspieler (»giullare«) der Jahrmärkte und dem Spaßmacher bei Hof ist der dritte Traditionsstrang. Von Commedia dell'arte kann man jedoch erst sprechen, seit verschiedene Schauspieler sich unter der Leitung eines als Autor und Schauspieler fungierenden Kollegen (»capocomico«) zusammengetan haben und ihr Repertoire von eigenen Stücken in gemieteten Räumlichkeiten für alle anbieten, die zahlen können und wollen. Der bisher erste bekannte Notariatsvertrag einer Schauspielertruppe stammt von 1545.

Zu einer Schauspielertruppe gehören mindestens 6, meistens 8 Spezialisten für einzelne Rollen (»parti«). Es handelt sich immer um eine gerade Zahl, weil die Rollen paarweise verteilt sind: der alte, geizige, geile Magnifico und sein Zanni, der Liebende und seine Geliebte sowie deren Diener bzw. Dienerin. Die Rolle des Alten wird später in den Kaufmann Pantalone und den Dottore Graziano, die des Dieners in einen listenreichen ersten und den trotteligen zweiten Zanni geteilt. Um die acht Kernfiguren können andere wie z.B. der prahlende Soldat, die Kurtisane oder der König gruppiert werden. Die einzelnen Schauspieler sind auf Rollen spezialisiert, die oft in ihrem Künstlernamen zum Ausdruck kommt, doch scheint Tristano Martinelli darin eine Ausnahme zu sein, daß er nur die Rolle des Zanni Harlekin spielen wollte. Die Namen einzelner Figuren variieren stark, so daß es nicht möglich ist, die bekannten Gestalten Arlecchino oder Pulcinella als feste Bestandteile einer Commedia dell'arte anzusetzen. Pier Maria Cecchini, der durch die Rolle des 1. Dieners als Frittelino so berühmt wurde, daß ihn Kaiser Matthias 1614 in Wien in den Adelsstand erhob, unterscheidet in seinen *Frutti delle moderne Comedie ed avvisi a chi le recita* (1628) zwischen den Liebenden (»parti dell'innamorato«) und den komischen Personen (»parti ridicole«): Dottor Graziano, erstem und zweitem Diener, Pantalone, Capitano, den ernsten Rollen (»parti gravi«) wie z.B. König, den neapolitanischen Rollen und Pulcinella. Das Heterogene dieser Aufzählung spiegelt die Vielschichtigkeit der Commedia dell'arte wider, für die der Leiter einer Schauspielertruppe beispielsweise neapolitanische Kollegen verpflichten kann, um das Repertoire zu bereichern. Andrea Perrucci systematisiert in *Dell'arte rappresentativa premeditata ed all'improvviso* (1699) das Personal, weil er aus der Distanz eines Dramatikers schreibt, der von Beruf Jurist und aus Liebhaberei Theatermann ist. Aus historischem Interesse liefert er Informationen zu den einzelnen Typen wie z.B., daß die Figur des zweiten Dieners Pulcinella vom Schauspieler Silvio Fiorillo geschaffen wurde. Nach seiner Meinung besteht in der Spieltechnik kein Unterschied zwischen der Commedia dell'arte, die er

Anfänge der Commedia dell'arte

Pulcinella und Pantalone

Szene aus einer Commedia
dell'arte, Recueil Fossard

Il Capitan Cocodrillo.   Harlequin deguisé.   La Donna Lucia.

»commedia all'improvviso« nennt, und dem Liebhabertheater in den italienischen Akademien, das auf einem schriftlich vorliegenden Text aufbaut und
deshalb »commedia premeditata« heißt.

Frauen auf der Bühne

Ein weiteres Charakteristikum der Commedia dell'arte ist die Mitwirkung
von Frauen auf der Bühne. Die Schauspielerinnen waren eine der Attraktionen
der Commedia dell'arte. Sie besitzen einen solchen Grad von Bildung, daß ihre
Herkunft aus den elitären Kreisen der Akademien wahrscheinlich erscheint. Für
große Schauspieler des Cinquecento sind solche Querverbindungen leichter zu
etablieren als für ihre Kolleginnen. Der Schauspieler Adriano Valerini belegt
mit seinen petrarkistischen Gedichten die Verankerung dieses neuen Berufsstandes in der literarischen Kultur der Zeit. Er dokumentiert mit seiner Tragödie
Afrodite (1578) als erster die Doppelung von Dramatiker und Schauspieler in
der Commedia dell'arte. Seine rhetorische Schulung verrät er in seiner Leichen-
rede von 1570 auf die Schauspielerin Vincenza Armani, die Tommaso Garzoni
in *La Piazza universale* als »die hervorragendste Schauspielerin des Jahrhunderts« feiert. Wir wissen nicht, was diese Frau zum Sprung auf die Bühne bewogen hat. Valerini preist ihre Fähigkeit, »sich der Rhetorik der Zeit und den
Umständen angemessen« so zu bedienen, wie wenn sie auf ihre »Anlagen« (»le
doti di natura«) und nicht auf ihr erworbenes Wissen zurückgreifen würde. Sie
habe das Improvisieren »in den drei verschiedenen Stilen, dem komischen, tragischen und pastoralen« und die Körpersprache »wie ein neuer Proteus« beherrscht. Am Höhepunkt seines Enkomiums vergleicht er ihre Improvisation
mit dem künstlerischen Niveau der für ihr Theaterschaffen berühmten Accademia degli Intronati von Siena, deren schriftlich fixierte Dramen nicht besser als
die improvisierten Rezitationen der Armani gewesen seien.

*Polemik gegen
Berufsschauspieler*

Der hyperbolische Vergleich mit der Theaterpflege in den Akademien spricht
einen neuralgischen Punkt an, da die Akademien den Nährboden wie den
Gegenpol zur Commedia dell'arte bilden. Sie haben Theateraufführungen an
festliche Anlässe gebunden, wo das Spiel Nutzen, Freude und Belehrung zur

Stärkung des Gemeinwohls bringen soll. Damit führen sie das ursprüngliche Theaterverständnis des Cinquecento fort, wo die Architekturtheoretiker und die Veranstalter von Aufführungen unter Theater primär den Ort verstanden, an dem eine Gemeinschaft ihre Identität in einer szenischen Aktion sichtbar macht, und mit dem Begriff des Theaters nur sekundär die literarische Gattung meinten, deren Texte auf der Bühne rezitiert wurden (vgl. S. 147). Die Berufsschauspieler lassen diese politische Dimension gegenüber dem Unterhaltungswert in den Hintergrund treten und betrachten ihre Aufführungen als Angebot an den Zuschauer, sich vom Alltag frei zu machen. Wo sich die Kunst der Verstellung aus dem staatlichen Verband löst und zur reinen Unterhaltung verselbständigt, sehen sie eine Vorgaukelung des Nichts und erheben den Vorwurf der Unmoral. Der Berufsschauspieler Nicolò Barbieri beruft sich hingegen in seiner Verteidigungsschrift *La supplica* (1634) auf die Ausdifferenzierung der Theaterpraxis, die von der Bühnenerfahrung der Schauspieler profitiert. Die Apologeten der Commedia dell'arte führen einen Zweifrontenkrieg, gegen die Angriffe aus den Akademien und gegen die kirchliche Kritik am Theater, die sich im Verbot der Commedia dell'arte durch das Konzil von Trient niederschlug und deren Argumente Giovan Domenico Ottonelli in den 6 Bänden von *Della christiana moderatione del theatro* (1648–1652) zusammenfaßt. Die Berufsschauspieler müssen ständig mit Auftrittsverboten rechnen und sich durch Beweise ihrer moralischen Integrität und ihres künstlerischen Vermögens öffentliche Anerkennung verschaffen. Sie leiden im 16. und 17. Jahrhundert darunter, daß ihr Stand juristisch ungesichert und moralisch verfemt ist.

Titelblatt mit Porträt von Nicolò Barbieri, 1634

Die Vertreter der Akademien lassen sich durch den internationalen Ruf von Schauspielern und von deren Protektion durch Fürsten wenig beeindrucken. Sie setzen der Commedia dell'arte die Commedia ridicolosa entgegen, die nach Meinung ihres Theoretikers Basilio Locatelli, Mitglied der römischen Accademia degli Umoristi, im Gegensatz zu den Stücken der Berufsschauspieler »in Witzen und Handlungen Anstand (»decoro«) mit Urbanität« verbindet. Der Bildhauer und Architekt Gian Lorenzo Bernini spielt begeistert Commedie ridicolose. In der Commedia dell'arte wird die virtuose Beherrschung von Fähigkeiten vermarktet, die auch in den Akademien gepflegt werden. Die Rhetorik des Improvisierens, die sich im Klischee vom Stegreifspiel als Kennzeichen dieses Theaters festgesetzt hat, beruht bei den großen Schauspielern des Cinque- und Seicento auf der gleichen literarischen und rhetorischen Kultur wie in den Akademien. Perrucci verlangt deshalb für das Improvisationsspiel dieselben Kenntnisse von literarischen und rhetorischen Regeln wie für das Schreiben eines Dramas. Im Gegensatz zum Dramatiker sind die Schauspieler Virtuosen, die sich mit ihrem Wissen und ihrer Bühnenerfahrung in die Aufführung einbringen und im Zusammenspiel den vorher fixierten Handlungsrahmen gemeinsam ausfüllen. Die Stücke, die nach dieser Methode von den Schauspielertruppen erarbeitet werden, sind ihr spezifisches Repertoire, das sie schnell auf die Bedürfnisse der jeweiligen Spielorte oder Auftraggeber einrichten können, das aber immer abgewandelt werden muß, sobald ein Mitglied aus der Truppe ausscheidet oder aus irgendwelchen Gründen ausfällt. Sie sind keinesfalls der Intuition des Augenblicks überlassen, sondern als mündliche Literatur für die Zeit des Zusammenspiels eines Ensembles genauso fixiert wie die schriftliche Dramenliteratur. Jede Schauspielertruppe besitzt ihre Szenarien, die sie nicht preisgibt, weil sie das Repertoire ausmachen, von dem sie leben muß. Die Forschung hat diese Notwendigkeit übersehen und die Theaterkultur der Akademien mit der Commedia dell'arte verwechselt, weil von Locatelli in der römischen Bibliothek Casanatense zwei Manuskript gebliebene Bände mit Szenarien für Komödien überliefert sind. Das Berufsgeheimnis der Schauspieler

Commedia ridicolosa

Titelkupfer von Stefano della Bella zur Commedia ridicolosa *Li buffoni di Margherita Costa.* Die perspektivische Bühne mit bürgerlichen Häusern ist typisch für das Theater der Akademien.

Francesco Andreini

Die Familie Andreini

Isabella Andreini

und ihr ungesicherter sozialer Status verlangten eine andere Strategie des Publizierens. Da sie durch das Prinzip der Mündlichkeit und der Vermarktung einen Gegenpol zu den Akademien und religiösen Bruderschaften bilden, können sie leicht von der Mündlichkeit zur Schriftlichkeit überwechseln, müssen aber die Konkurrenten und Gegner auf deren eigenem Terrain treffen: sie formulieren Stücke ihres Repertoires aus, um ihre Beherrschung der Regeln des Schreibens zu beweisen.

Die meisten von Berufsschauspielern veröffentlichten Stücke sind Komödien, doch finden sich auch Tragödien, Pastoralen und geistliche Schauspiele. Weitere Publikationen gelten der Verteidigung und Darstellung ihres Berufes. Literarisch besonders reizvoll sind die Versuche, die Besonderheiten der mündlichen Literatur von der Bühne in die schriftliche Literatur einzubringen. Die Unterschiede zwischen den für die literarische Öffentlichkeit und den für das Schauspielermilieu bestimmten Texten kann man an *I Prologhi* (1621) von Domenico Bruni studieren, die sich in Ton und Form von einem unpublizierten zweiten Band für Schauspielerkollegen abheben. Der bemerkenswerteste Fall ist jedoch die groß angelegte Propagandakampagne von Flaminio Scala und Francesco Andreini zur Verherrlichung der Schauspielertruppe der Gelosi. Ihr verdanken wir Scalas *Teatro delle Favole Rappresentative,* die einzige Veröffentlichung von Szenarien durch einen Schauspieler, der seine Bühnenerfahrung schriftlich fixieren möchte. Francesco Andreini greift ein erfolgreiches literarisches Verfahren auf, um den Wechsel von der mündlichen zur schriftlichen Literatur zu legitimieren. Er benutzt die durch Dante und Petrarca geadelte Topik der Frauenverherrlichung, um das Andenken seiner Frau Isabella, einer u.a. von Tasso, Chiabrera und Marino bedichteten Schauspielerin, zu pflegen. Isabella Andreini kann sich in den beiden rivalisierenden Milieus behaupten: sie ist Mitglied der Accademia degli Intenti von Padua und hat in dieser Eigenschaft ein Schäferspiel *Mirtilla* (1588) und *Rime* (1601) veröffentlicht. In ihrer Glanznummer *La Pazzia d'Isabella,* die sie erstmals 1589 im Wettstreit mit Vittoria Piissimi als Zigeunerin aufführt, verblüfft sie durch ihre Mehrsprachigkeit, ihr Singen und ihre Nachahmung aller Schauspieler ihrer Truppe. Nach ihrem Tod brachte ihr Mann u.a. ihre *Lettere* (1607) heraus, die von den Schauspielern als Lehrbuch für die Darstellung der Liebenden, von den Briefstellern als Modell für Liebesbriefe verwendet werden. Francesco Andreini, der zunächst die Rolle eines Liebenden, dann die des prahlenden Soldaten Capitan Spavento da Vall'Inferna spielt, hat seine eigene Bühnenerfahrung in *Le Bravure del Capitan Spavento* (1607–1624) zusammengefaßt. Er wandelt dort Themen und Muster der humanistischen Gesprächsliteratur ab, um neue literarische Muster zur schriftlichen Fixierung der spezifischen Errungenschaften der Commedia dell'arte zu schaffen. Der älteste Sohn der beiden Andreinis Giovan Battista nutzt den Ruhm seiner Eltern zur Stärkung des Ansehens seines Berufsstandes. Er ist zuerst Mitglied der Gelosi und später Leiter der Truppe der Fedeli und tut sich durch sein Dramenschaffen hervor, von dem früher die Sacra Rappresentazione *Adamo* (1613) als Vorbild für Miltons *Paradise Lost* (1667), heute die neu entdeckte Bearbeitung des Don Juan-Themas in *Il Convitato di Pietra* (1651) beachtet werden.

Das italienische Theater des Seicento

Die Commedia dell'arte macht eine Polarität sichtbar: das italienische Theater erschöpft sich entweder im Bühnenspektakel oder es beschränkt sich auf Dramentexte, die meistens nur zur Lektüre bestimmt sind. Im Seicento entstehen eine Fülle von Tragödien, Komödien, Schäferspielen und geistlichen Schauspielen, zu denen noch die neue Form des dramma per musica, die Oper, hinzukommt. Aus dieser literarischen Produktion hat die italienische Literaturgeschichtsschreibung seit dem 18. Jahrhundert einen Kanon von Werken ausgewählt: Bonarellis Pastorale, Michelangelos Komödien, Carlo de' Dottoris und Federico della Valles Tragödien. Von diesen Werken hat eigentlich nur Guidubaldo Bonarellis 1605 in Ferrara aufgeführte Pastorale *Filli di Sciro* über Italien hinaus gewirkt. Die Thematik aus Tassos und Guarinis Schäferdichtungen wird dort in den ersten vier Akten durchgespielt, bis Celia, die Protagonistin des Stücks, im fünften Akt ihre Leidenschaft zu zwei gleichermaßen liebenswerten Hirten durch die eheliche Liebe überwindet. Damit wird die Pastorale in ideologischer wie in formaler Hinsicht zu einem geistlichen Schauspiel, das den Sieg religiöser Wertvorstellungen darstellt. Bonarelli selbst deutet sein Stück so in seiner *Difesa del doppio amore di Celia* (1606), wo er die Kritik an Celias Doppelliebe zurückweist. Die restliche Dramenliteratur bleibt für das damalige Europa im Schatten des Maschinen- und Musiktheaters.

Der Begriff des Maschinentheaters ist für uns mißverständlich, weil heute ein Theater normalerweise eine gewisse technische Ausstattung besitzt. Im 17. Jahrhundert war das nicht so, weswegen die Bühnentechnik noch als Faszinosum und das Funktionieren ihrer Maschinen als Wunderwerk gilt. Die technisch-wissenschaftliche Ratio kann noch menschlicher Ingeniosität zugeschrieben werden. In der *Pratica di fabricar scene e machine ne' teatri* (1637) von Niccolò Sabbatini sind die Bühnenmaschinen keine bloß äußerliche Zutat zum Spiel, sondern dessen Grundlage. Sabbatini ist einer der bedeutenden Theoretiker des europäischen Theaters, dessen Vorstellungen nicht allein, so schrieb 1942 der französische Theatermann Louis Jouvet, für das italienische Barocktheater bedeutsam sind. Die Italiener gelten im Seicento als Spezialisten für Maschinentheater. Der Spanier Lope de Vega klagt im Vorwort zu *La selva sin amor* (1629), daß die Bühnenausstattung von Cosimo Lotti mit ihrem visuellen Spektakel seinen Text zur Nebensache degradiert habe. Der italienische Typ des Barocktheaters ist in seinen Augen etwas Fremdes, dessen Gesetzmäßigkeiten er sich ungern unterwirft. In Frankreich treten diese Gegensätze noch krasser hervor. Das Maschinentheater verstärkt das Illusionsprinzip der Guckkastenbühne, die von den Architekturtheoretikern des Cinquecento auf der Grundlage antiker Bauten und von Prinzipien der Perspektive entwickelt wurde. Die Bühnentechnik setzt beim damals allgegenwärtigen literarischen Topos von der Illusion des Wirklichen an und nutzt die Erkenntnisse der angewandten Exaktwissenschaften, um bewußt Illusion zu erzeugen und mit der Verwunderung des Zuschauers zu spielen. Lichteffekte werden gezielt eingesetzt, um Stimmung zu manipulieren oder Tücher über die ganze Bühne gespannt, um mit Kurbeln Wellenbewegungen des Wassers zu suggerieren. Während auf der Simultanbühne der Wechsel eines Schauplatzes durch das Hinübergehen in die nächste Koje signalisiert wird, ermöglichen nun Flaschenzüge einen raschen Wechsel der Kulissen. Personen schweben vom Schnürboden herunter oder zu ihm hinauf, sie steigen aus dem Boden und verschwinden dort wieder. Die Götterwelt läßt sich so ins Schauspiel einbeziehen und die Sphäre der Überirdischen in ein immenses Bühnenspektakel verwandeln.

Solche Götterszenen werden bald zu einem festen Bestandteil der Oper, die rasch eine Symbiose mit dem Maschinentheater eingeht. Sie pervertieren den Totalitätsanspruch, mit dem diese Gattung im Cinquecento projektiert und im Seicento zunächst auch noch von der Gelehrtenrepublik aufgenommen wurde, sobald der Einsatz technischer Raffinessen zum Selbstzweck wird und dem

Maschinentheater

Theoretische Grundlagen der Oper

Bernardo Buontalenti,
Bühnenentwurf für
Götterszene der
Intermedien zur
Aufführung der Komödie
La Pellegrina bei der
Medici-Hochzeit 1589

Bernardo Buontalenti,
Bühnenentwurf für
Götterszene der
Intermedien zur
Aufführung der Komödie
La Pellegrina bei der
Medici-Hochzeit 1589

Libretto äußerlich bleibt, anstatt daß er sich notwendigerweise aus ihm ergibt. Die Wiederbelebung der antiken Tragödie, die sich 1576–1582 in Florenz die Camerata de' Bardi, ein um Giovanni Maria Bardi gruppierter, loser Kreis von Gelehrten, Musikern, Dichtern und Patriziern, vorgenommen hatte, sollte der verbalen durch die nonverbale Sprache zu mehr Wirkung verhelfen, wie sie für das Theater der Alten Welt bezeugt ist. Die Vertonung der Dramentexte steht dabei im Mittelpunkt einer Debatte, die sich in Traktaten zur Musiktheorie und Vorworten zu Notendrucken niederschlägt. Als besonders zukunftsträchtig erweist sich die Bestimmung des Verhältnisses von Musik und Wort durch Vincenzo Galilei, den wichtigsten Theoretiker der Camerata de' Bardi und Vater von Galileo Galilei, im *Dialogo della musica antica e della moderna* (1581), der die Rückkehr zur Einstimmigkeit der antiken Musik und die Berücksichtigung des Affektgehalts der Texte beim gesanglichen Vortrag verlangt, weil der Gesang die »sprachlich ausgedrückten menschlichen Vorstellungen« (»i concetti dell'animo espressi col mezzo delle parole«) vorträgt. Schon im Mittelalter gab es zwei Vorstellungen von der Wirkung der Musik: eine kosmologisch-ontologische, derzufolge die Musik die objektiven Zahlenverhältnisse der Weltenharmonie reproduziert, und eine rhetorische, deren Ziel es ist, die im Text enthaltenen Möglichkeiten zur Beeinflussung der Affekte zu nutzen. Während diese beiden Konzepte im Mittelalter komplementär waren, werden sie in der frühen Neuzeit zu Alternativen. Galilei glaubt die ethische Wirkung der antiken Musik neu zu beleben, wenn er die Eigengesetzlichkeit von Poesie und Prosa durch eine Symbiose von Rezitation und Gesang (»recitar cantando«) berücksichtigt, in der die Musik die Aussagekraft der Sprache steigert. Auf solcher Grundlage entsteht dann die Oper. Das melodramma, wie die frühe Oper meistens genannt wird, ist im Seicento ein prestigereiches literarisches Genre, das anfänglich fast alle großen Dichter praktizieren. Seine Regeln müssen sich erst allmählich herauskristallisieren. Die Verbindung von Wort und Musik ist kein hinreichendes Kriterium für die Gattung, denn schon seit den sechziger Jahren des Cinquecento existiert die Madrigalkomödie, die in der Terminologie der Zeit »divertimento musicale« heißt. Orazio Vecchi bezieht mit seiner »comedia harmonica« *L'Amfiparnaso* (1597) das Personal der Commedia dell'arte in den Madrigalstil ein. Adriano Banchieri verläßt in *Barca di Venetia per Padova* (1605–1623) teilweise das Prinzip der Mehrstimmigkeit, bleibt aber für die Geschichte der Oper marginal, weil er den Schritt von der Vokalpolyphonie zum akkordbegleiteten Sologesang nicht mit letzter Konsequenz vollzogen hat. Der Sologesang und die Nähe zur Tragödie setzen sich nämlich schnell als Gattungsmerkmale des dramma per musica durch und bleiben für viele Jahrzehnte in der Operntradition dominierend. Komische Gestalten und burleske Einlagen treten zwar immer wieder vereinzelt auf, doch wird erst im 18. Jahrhundert die »opera buffa« zu einem eigenen Genre, als sich das dramma per musica zur »opera seria« verfestigt hat.

Nachdem 1592 Jacopo Corsi die Protektion des nun Camerata fiorentina genannten Zirkels um Bardi übernommen hat, schreibt der Komponist Jacopo Peri zu *La favola di Dafne* (1594–5) des Dichters Ottavio Rinuccini, der ebenfalls zu diesem Kreis zählt, einen monodischen Gesang. Dieses erste dramma per musica wird 1597 im Haus von Corsi aufgeführt, der selbst die Musik der beiden letzten Szenen komponiert. Das Werk wird bis 1604 noch zweimal für weitere Aufführungen überarbeitet und 1608 von Marco da Gagliano neu vertont. Martin Opitz bringt 1627 eine deutsche Fassung heraus und Heinrich Schütz schreibt die Musik für diese erste deutsche Oper, die in Torgau aufgeführt wird. Obwohl die Oper die antike Tragödie neu beleben sollte, zeigt die Anlehnung an Ovid, der im Prolog von *La favola di Dafne* auftritt, daß das Wunderbare, wie es in den *Metamorphosen* dieses Dichters vorkommt, und die Liebesthematik für die Väter der Oper mehr im Vordergrund stehen als die Erregung von Furcht und Mitleid, wie sie das damals gängige Tragödienmodell der *Poetik* des Aristoteles vorsieht. Der Orpheus-Mythos, den die frühen Librettisten mehrfach behandeln, charakterisiert die Dramaturgie der Gattung, wobei das erste dramma per musica über dieses Sujet, Rinuccinis *Euridice* (1600) mit Musik von Peri und Giulio Caccini, einem weiteren Mitglied der Camerata, den Mythos korrigiert, um durch den guten Ausgang die Macht des Gesanges zu demonstrieren. Der thrakische Sänger Orpheus wird in der arkadischen Welt angesiedelt und die Personifikation der Tragödie, die im Prolog auftritt, verkündet das Programm, Furcht und Mitleid durch Liebe und Freude zu ersetzen. Wenn sich die Oper damit in eine pastorale Tragikomödie verwandelt, verliert das literarästhetische Problem der Unwahrscheinlichkeit, daß Bühnenfiguren singen statt zu sprechen, etwas an Gewicht, weil man sich mit dem Musiktheoretiker Giovanni Battista Doni darauf berufen kann, daß in der Urzeit Götter, Nymphen und Hirten ihre Poesie als Gesang vortrugen und daß dem Gesetz der pastoralen Stilisierung folgend die auf der Bühne auftretenden Hirten Edle sind, die sich auf die Ausübung der Künste verstehen. In literatursoziologischer Perspektive verrät eine solche Argumentation die Bindung an die Elite, die Opern neben Balletten, Turnieren, Schauspielen und Umzügen besonders zu festlichen Anlässen aufführen läßt. Die pastorale Welt verkommt auf der Opernbühne bald zur leeren Staffage. Die ideologische Basis für die Projektion der Opernästhetik in die pastorale Welt zerbricht schon im frühen Seicento. Der antike Mythos wird von der heroisch-komischen Epik zusammen mit der Regelpoetik verspottet und in die gegenreformatorische Kritik an den Sympathien des Renaissancehumanismus für die heidnische Götterwelt hineingezogen, wie sie in Ercole Cimilottis Pastorale *I falsi dei* (1614) und vor allem in Francesco Bracciolinis Epos *Lo schermo de gli Dei* (1618) zutage tritt. Wenn sich pastorale Klischees noch das ganze Jahrhundert hindurch auf der Opernbühne halten, dann erklärt sich das durch die früh einsetzende Fixierung von Gattungskonventionen.

Die Verhältnisse im frühen Seicento illustriert am besten das Opernschaffen von Claudio Monteverdi. Er entspricht mit *L'Orfeo* dem pastoralen Klischee. Sein Textdichter Alessandro Striggio nutzt den intertextuellen Bezug zu Rinucci-

Das Titelblatt eines Librettodrucks verzeichnet häufig den Anlaß, für den der Text geschrieben oder zu dem er aufgeführt worden ist.

Titelblatt des Partiturdrucks von 1609

Claudio Monteverdi
in der Tracht des
Markuskapellmeisters aus
Giovanni Grevenbroichs
Sammlung venezianischer
Trachten

*Die Barberini-Oper in
Rom*

Titelkupfer von Grimaldi
und Galestruzzi aus dem
Partiturdruck von *La vita
humana*, 1658. Im
Vordergrund sieht man
die Wasserspiele an der
Bühnenrampe des
Barberini-Theaters.

*Kommerzialisierung der
Oper in Venedig*

nis *Euridice* in einer Schlußapotheose zur Verherrlichung des Gesangs. Er entfernt sich jedoch von Rinuccinis Dramaturgie, wenn er das ganze Geschehen ins Dialogische verlegt und den Text so vereinfacht, daß das Wort erst durch die Musik zur vollen Wirkung gelangt. Der Komponist setzt dramatische Höhepunkte, indem er jeden Akt um ein musikalisches Kernstück zentriert. Dadurch daß der Librettist etwas von den sprachlichen Ausdrucksmöglichkeiten zugunsten der nonverbalen musikalischen Sprache zurücknimmt, konstituiert er eine eigene, auf die Musik bezogene und angewiesene literarische Gattung, das Libretto. Monteverdi, der die musikalischen Techniken besser als die Mitglieder der Florentiner Camerata kennt, die im Kompositorischen die Kenntnisse dilettierender Musiker und im Musiktheoretischen das Wissen von Gelehrten besaßen, verbindet die neue Form des Rezitativs mit älteren musikalischen Formen wie Arie, Strophenlied oder polyphonem Madrigal und setzt Ouvertüre bzw. Leitmotiv zur Konstitution dramatischer Einheit ein. Die Anreicherung der musikalischen Formensprache bei gleichzeitiger Bindung der Musik an den Dramentext verleiht Monteverdis *Orfeo* seine innere Geschlossenheit. Gleichzeitig läßt sie nachträglich Verbindungslinien zu den Intermedien hervortreten, die schon seit vielen Jahrzehnten bei Theateraufführungen als Einlagen zwischen die Akte und ohne Zusammenhang mit ihnen üblich und im Seicento auch bei Opernvorstellungen belegt sind. Einige Mitglieder der Camerata haben beispielsweise 1589 die Intermedien zur Aufführung von Girolamo Bargaglis Komödie *La Pellegrina* (1564) in Florenz bei der Hochzeit von Großherzog Ferdinand I. und Christine von Lothringen mit Dichtungen und Musik ausgestattet.

Im späten Cinque- und frühen Seicento sind Opern zu festlichen Anlässen von Akademien oder noch häufiger an den kleinen italienischen Höfen aufgeführt worden. Monteverdis *Orfeo* wird 1607 in der Accademia degli Invaghiti von Mantua und später am dortigen Hof der Gonzaga aufgeführt. Diese Aufführungsstätten werden in der Regel eigens für die jeweiligen Vorstellungen errichtet, sind auf der Bühne wie im Zuschauerraum eng und nur einer privilegierten Elite zugänglich. Das Theater der Barberini in Rom, das 1632 mit *Il Sant' Alessio* von Giulio Rospigliosi in der Vertonung durch Stefano Landi eröffnet wird, ist mit seinen 3000 Plätzen eine Ausnahme. 1656 geben die Barberini für den Empfang der zum Katholizismus übergetretenen schwedischen Exkönigin Christine bei Rospigliosi und dem Komponisten Marco Marazzoli die Oper *La vita humana* in Auftrag und lassen an der Bühnenrampe und auf der Bühne Wasserspiele installieren, deren Wasser mit 47,4 Litern Orangenblüten-Parfüm wohlriechend gemacht wird. Sie können auf Chor und Musiker der päpstlichen Kapelle zurückgreifen und brauchen nur noch Solisten und Tänzer zu engagieren, um die Aufführung geistlicher Opern in ein Spektakel zu verwandeln, von dem Kunde über ganz Europa ging. Als Kardinal Mazarin, der bei ihnen für Opernaufführungen zuständig war, diese kostspielige Theatergattung während seiner Amtszeit als Premierminister nach Frankreich importiert, wird ihm seine Verschwendung in Pamphleten vorgeworfen. Erst der Sonnenkönig, der von 1673 an die von Lully geschaffene tragedie en musique dem italienischen melodramma entgegensetzt, kann wieder regelmäßig über Chor, großes Orchester und Ballett verfügen. Zu diesem Zeitpunkt herrscht in Italien die venezianische Oper vor, die ohne Chor und mit geringerem Aufwand gespielt wird. Für diese Entwicklung des Genres sind vorwiegend äußere Umstände verantwortlich. 1637 ist im Teatro San Cassiano von Venedig die erste öffentliche Opernbühne auf kommerzieller Grundlage mit *Andromeda*, Text von Benedetto Ferrari und Musik von Francesco Manelli, mit großem Erfolg eröffnet worden. Waren bisher nur einige Privilegierte zu den Vorstellungen eingeladen worden, so kann nun jeder gegen Bezahlung nach eigenem Gutdünken Aufführungen miterleben. Die kommerziellen Bühnen müssen möglichst kostengünstig arbeiten, auch wenn sie einen Teil ihrer Kosten durch Mäzene finanzieren. Je nachdem wie üppig die Mäzene spenden, können Sänger, Intrumentalisten und Bühnenmaschinen eingesetzt und Proben abgehalten werden. Monteverdis späte 1641 im venezianischen Theater San Cassiano aufgeführte Oper *Il ritorno d'Ulisse in patria*, für die Giacomo Badoer, Mitglied des Rats der Stadt und der Accademia degli Incogniti, Homers *Odyssee* adaptiert hat, benötigt acht Chorsänger und Bühnentechnik für Götter- und Wasserszenen sowie für mehrfachen Kulissenwechsel. Es müssen also spendable Mäzene dem in den Anfangsjahren ohnehin noch einsatzfreudigen Theaterunternehmen geholfen haben.

Die Handlung von *Il ritorno d' Ulisse in patria* wirkt undramatisch, wenn man sie mit den Maßstäben des 19. Jahrhunderts beurteilt, ist jedoch ausgesprochen dramatisch, wenn man sie mit den frühesten Opern vergleicht. Der Madrigalstil aus *L'Orfeo* hat nun ausgedient. Dafür ist die Verbindung von Musik und Handlung weiter getrieben, denn auf der Bühne wird agiert und der Komponist schreibt in Didaskalien vor, daß z.B. in IV,1 die Sinfonia sanft sein soll, damit der auf dem Schiff der Phäaken schlafende Odysseus nicht aufwacht. Die Szene mit dem Selbstmord des Iro in III,1 ist durch die Kontrastierung von heroischem Stil und Gejammer eines den Hunger fürchtenden Vielfraß von umwerfender Komik. Giovan Francesco Busenello bringt in Monteverdis 1642 im Teatro Grimano von Venedig aufgeführter *L'incoronazione di Poppea* erstmals ein historisches Sujet auf die Opernbühne. Neros Verstoßung der Octavia und seine Liebe zu Poppea behandelt er dort, mit einer Spitze gegen die moralisierende geistliche Oper in Rom, als Problem der Staatsräson. Die Logik der Handlung verlangt nicht nach Götterszenen, doch werden einige wenige wohl deswegen eingebaut, weil es das Publikum und das Genre so wollen. Für einen Chor scheint kein Geld vorhanden gewesen zu sein, denn Monteverdi hat den Chor der Amoretten, den der Librettist vorgesehen und das neapolitanische Manuskript der Oper enthalten hat, in der venezianischen Fassung gestrichen. Aus dieser Reduzierung des szenischen Apparats zieht er Gewinn, weil er die wechselnden Stimmungslagen der Gestalten musikalisch ausleuchtet.

Giacomo Torelli, Stich mit Bühnenbild zum 1. Akt von *La finta pazza*, 1641

Die äußeren Zwänge des kommerziellen öffentlichen Opernbetriebs können nicht nur Librettisten und Komponisten, sondern auch die Bühnentechniker erfinderisch machen. Giacomo Torelli erfindet 1641 für die Eröffnung des Teatro Novissimo in Venedig zu *La finta pazza* von Giulio Strozzi mit Musik von Francesco Paolo Sacrati komplizierte Bühnenmaschinen und -bauten und läßt sie im voraus in Kupfer gestochen mit einer Beschreibung in einem Buch als Werbung für die Vorstellungen vertreiben. Als 1645 dasselbe Stück in Paris im Palais des Premierministers Richelieu gespielt wird, bedient er sich derselben Strategie, ersetzt lediglich die ins Bühnenbild integrierten Stadtansichten von Venedig durch solche von Paris, von denen die Franzosen begeistert waren. Doch schaden diese Zwänge auf die Dauer dem Opernbetrieb, weil Librettisten und Komponisten Vorlagen anfertigen, die dann rasch zu Aufführungszwecken miteinander verbunden werden, wenn nicht gar für einen Sänger ein Musikstück, das er parat hat, schnell neu vertextet wird. Die etwa fünfzehn Opernhäuser, die es gegen Jahrhundertende allein in Venedig gibt, brauchen ständig neue Stücke. Die Oper wird zur Gebrauchskunst. Vom beliebtesten venezianischen Librettisten Giovanni Faustini ist nicht einmal die Hälfte der Texte überliefert und selbst bei so großen Komponisten wie Monteverdi ist ein Teil der Opernmusik verloren. Von den 150 Opern Marco Antonio Cestis ist *Il pomo d'oro* als Glanzpunkt der Feiern in Wien zur Hochzeit Leopolds von Österreich mit Margarete von Spanien in die Handbücher eingegangen, den Librettisten des

Folgen der Kommerzialisierung

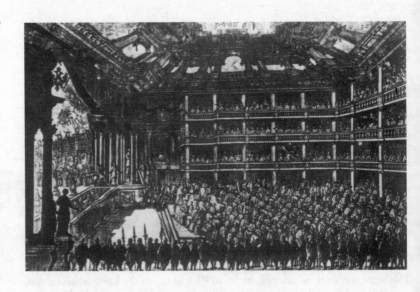

*Problematik der
dramatischen Literatur*

Federico della Valle

Werkes Francesco Sbarra erwähnt jedoch keine der neueren großen italienischen Literaturgeschichten. Die Libretti gelten genauso als Gebrauchskunst wie
die Musik. Partituren der Opern werden nur zu besonderen Anlässen oder aus
politischem Prestigedenken gedruckt wie z.B. im Frankreich des Sonnenkönigs,
wo die Oper durch die Politik eine institutionelle Unterstützung erfährt, die
dem italienischen Theater des Seicento schlechthin fehlt. Dieser Mangel schadet auch der übrigen dramatischen Literatur.

Angesichts der Vielfalt dramatischer Werke, der Spannweite ihrer Themen
und der Qualität einzelner Texte ist es erstaunlich, daß die italienische Tragödie
des Seicento völlig neben Shakespeare und den französischen Klassikern
Corneille und Racine verblaßt, ja daß nicht einmal die italienische Literaturgeschichtsschreibung auf den Gedanken kommt, die geistlichen Schauspiele
mit denen der Spanier zu vergleichen. Giacinto Andrea Cicognini, der wie sein
Vater Iacopo geistliche Schauspiele schreibt und bei den Zeitgenossen wegen
seiner umfangreichen Produktion aller Genera von Theater als größter Dramatiker des Jahrhunderts gilt, ließe sich leicht mit den spanischen Dramatikern des
Siglo de oro vergleichen, mit denen er sich intensiver als die andern Italiener
auseinandergesetzt hat. Das geistliche Schauspiel paßt nicht zur Ideologie der
Literaturgeschichtsschreibung des geeinten Italien und ist den deutschen
Romantikern wohl deswegen entgangen, weil im 18. Jahrhundert die Arcadia
und der Theaterreformer Scipione Maffei von der französischen Klassik die
Ablehnung christlicher Stoffe auf der Bühne übernommen haben. Maffei
nimmt Federico della Valle und Carlo de' Dottori in seinen Kanon der italienischen Tragödie auf und ihm folgen die Literaturgeschichten bis heute. Die
Ippanda (1614) von Giovan Battista Alberi ist ihnen entgangen, denn ihr Autor
lebte abseits der großen Kulturzentren in Crema und seine eindringliche Darstellung von Schuldkomplexen und politischen Intrigen wird von der breiteren literarischen Öffentlichkeit ignoriert. Della Valle hätte mit seiner *Reina di Scozia*
ein ähnliches Schicksal treffen können. Als kleiner Subalterner am Turiner Hof
dramatisiert er 1591 das tragische Ende von Maria Stuart (1587), das von der
katholischen Propaganda ausgeschlachtet wurde und in Turin durch die Anwesenheit des Grafen von Moretta, des ehemaligen Botschafters bei Maria Stuart,
besonders aktuell war. Della Valle widmet die erste Fassung der Gräfin von

Moretta, überarbeitet sie dann durch eine Akzentuierung der allgemeinen Bedeutung des Falles und fügt schließlich zwei weitere Stücke, *Judith* (1627) und *Esther* (1628), hinzu, um in einer Trilogie die drei großen Frauen als Sinnbilder für die Gottesmutter Maria zu deuten. Mit dieser katholischen Interpretation ist Della Valles frühe Dramatisierung ein Gegenpol zu Schillers *Maria Stuart,* die sich auf der Bühne durchgesetzt hat, während das italienische Stück mangels eines institutionalisierten Theaters ein Lesedrama wird. Die Tragödie *Aristodemo* (1654/7) von Carlo de' Dottori bleibt ebenfalls ein rein literarisches Ereignis. Sie stellt die heroische Bereitschaft Meropes, für ihr Land zu sterben, und die Entlarvung der moralischen Gefahren von Macht im politischen Ehrgeiz von Aristodemo primär unter Bezug auf Literatur dar. In Padua fehlen die staatlichen Voraussetzungen dafür, daß seine bemerkenswerten Analysen politische Aktualität erhalten. Beide Tragödiendichter halten sich an die Regel der damaligen Dramaturgie, derzufolge die Tragödie die literarische Form für die Darstellung politischer Fragen ist, wie sie im Leben von Fürsten und hochgestellten Aristokraten, den handelnden Personen in dieser Form, zwangsläufig auftreten müssen. Da aber weder die historischen Verhältnisse große politische Handlungen noch die Theaterorganisation die Nutzung der Bühne für die Behandlung staatlicher Fragen zulassen, haben ihre Tragödien wie das Schultheater der Jesuiten einen livresken Charakter. Die Produktions- und Rezeptionsbedingungen benachteiligen hierin das italienische gegenüber dem spanischen, englischen und französischen Theater der Zeit. Scipione Maffei nahm solche Stücke wegen ihrer Regelhaftigkeit in seinen Kanon des italienischen Theaters auf und vernachlässigte Werke, die wie *La peste del 1630* (1632) des Minoriten Benedetto Cinquanta die fünfaktige Struktur zugunsten einer losen Aneinanderreihung von Szenen aufgeben. Dieses große Fresko der von einer Pestepidemie erschütterten Gesellschaft entlehnt seine Darstellungstechnik weniger Boccaccios *Decameron* als der volkstümlichen Franziskanerpredigt. Seine Dramaturgie muß man wohl mit dem Modell des Dokumentartheaters vergleichen, auch wenn *La peste del 1630* das zweite der fünf geistlichen Schauspiele von Cinquanta ist. Sie steht in einem epochalen Zusammenhang mit den Komödien von Michelangelo Buonarroti dem Jüngeren, besonders mit seiner Komödie in 25 Akten *La Fiera* (1619), die einen imaginären Markt in einer frei erfundenen Stadt zu einer Parade verschiedener Gesellschaftsgruppen und pittoresker Situationen benutzt. Die Sprache dieses Stücks ist von den Sprachgeschichtlern als Fundgrube benutzt worden, um die literarische gegen die gesprochene Sprache und den Dialekt abzugrenzen. Sie liefert auch den Schlüssel zur Deutung eines spezifischen damaligen Theatertyps, der Dialektkomödie, für die Buonarroti Michelangelos des Jüngeren *La Tancia* (1611/2) ein exemplarisches Beispiel ist. Die Verwendung des florentinischen Dialekts in dieser Komödie ist von der Forschung fälschlicherweise mit einem Streben nach Volkstümlichkeit oder Realismus erklärt worden. Diese Vorstellungen passen jedoch schlecht zu einem Dramatiker, der wie Buonarroti im Dienste der Medici eine Art Hofdichter ist und als Mitglied der Accademia della Crusca für die Normierung der italienischen Literatursprache eintritt. Diese Tätigkeit in der Akademie begünstigt die Wahrnehmung von sprachlichen Besonderheiten und deren systematische Nutzung für die Literatur. So erklärt es sich, daß ausgerechnet in Florenz Komödien entstehen, die wie Buonarrotis *Fiera* mit unterschiedlichem Sprachmaterial spielen oder wie seine *Tancia* den Dialekt der Literatursprache entgegensetzen. Giovannandrea Moniglia rechtfertigt im Vorwort zum »dramma civile-rusticano« *Il potestà di Colognole,* einer Oper von Jacopo Melani, mit der 1657 in Florenz das Teatro degli Immobili eröffnet wird, die Verwendung des Dialekts mit der Charakterisierung der Personen (»costume«). Diese poetologische Legiti-

Titelkupfer zu Carlo de' Dottoris *Aristodemo,* Padua 1657

Dokumentartheater

Hochsprache und Dialekt

Giuliano Finelli, Büste von Michelangelo Buonarroti dem Jüngeren, 1630–1634

Carlo Maria Maggi, Stich
aus Ludovico Antonio
Muratoris Maggi-
Biographie, 1700

mierung holt nachträglich ein literarisches Experiment auf den Boden der Regelpoetik zurück, kann aber schwerlich die Rivalität zwischen Florenz und Siena erklären, wo die Accademia dei Rozzi Bauern mit dem dortigen Dialekt, besonders in den Stücken von Francesco Mariani, auf die Bühne bringt. Theater wie Dichtung in Dialekt sind für elitäre Zirkel wie die Akademien gedacht, in denen sich Kenner der Sprachnorm über deren Durchbrechung amüsieren. Dies ist offenkundig für das Theater in lombardischem Dialekt von Carlo Maria Maggi, der seine italienischen Stücke veröffentlicht hat, dessen späte Intermedien mit der von ihm erfundenen Figur des Meneghino jedoch erst nach seinem Tod herauskamen. Sein Dialekttheater, das am Karneval im Collegio dei Nobili gespielt wurde, wird erst dann für die literarische Öffentlichkeit wichtig, als im 18. Jahrhundert der literarische Regionalismus zu einem Identifikationsmuster von Literaten avancierte.

Die Epik des Seicento

In Italien hat das Epos bis ins 18. Jahrhundert den Siegeszug des Romans verhindert, der sich in allen andern Literaturen seit dem 17. Jahrhundert abzuzeichnen beginnt, aber durch die Fülle der zwischen 1624 und 1670 erscheinenden italienischen Barockromane auf der Apenninenhalbinsel nicht eingeleitet worden ist. Im Seicento messen sich die Dichter nicht nur an Tasso und Ariosto, sondern wählen diese Form für programmatische Aussagen, man denke nur an Marinos *Adone.* Viele Heldendichtungen zur Verherrlichung einzelner Dynastien oder gegenreformatorischer Ziele bilden eine weitere Facette, die heute nur noch historisches Interesse weckt.

Tassonis und Francesco Bracciolinis heroisch-komische Epen, die durch gezielte Durchbrechung der Regelpoetik der Gattung weitere Möglichkeiten erschließen, bilden den Auftakt einer ganzen Serie ähnlicher Werke. Mit analogen Mitteln arbeitet die Travestie, die systematisch Episode für Episode eines bekannten Epos aus der hohen in die niedere, burleske Stillage übersetzt und es dadurch ins Lächerliche zieht. Als erster hat Giovanni Francesco Negri 1628 *Travestie* eine Travestie veröffentlicht, die er als »Übersetzung« (»*Traduttione*«) ins Bolognesische deklariert. Er benutzt dabei für Tassos *Gerusalemme liberata* dasselbe Verfahren wie 1633 Giovan Battista Lalli für Vergils *Aeneis,* der sein Werk *L'Eneide travestita* betitelt und damit der Travestie ihren Namen gibt. Die Travestie ist schon wenige Jahre später in die übrigen europäischen Nationalliteraturen übernommen und zu einer beliebten Art der Rezeption bekannter Werke entwickelt worden.

Ferrante Pallavicino,
Porträt aus *Le Glorie degli
Incogniti,* 1647

Die Romanproduktion, die nicht ebenso umfangreich wie die Versepik ist, setzt mit Giovanni Francesco Biondis *L'Eromena* (1624) ein. Die zeitliche Nähe zu Marinos *Adone* (1623) hat schon dessen Gegner Stigliani als Wahlverwandtschaft gedeutet. Indem er Biondis heroisch-galanten Roman mit Marinos Conceptismus identifiziert, erkennt er zwei Hauptmerkmale des Genres: die Bedeutung der Liebesthematik und das Vertrauen auf die Fähigkeit der Phantasie, eine als Labyrinth erfahrene Welt durch ingeniöses Schreiben zu erkunden. Die geschlossene Struktur des Epos öffnet sich im Roman in eine Vielzahl von Episoden, Digressionen und Peripetien, in denen die Intrige durch das Erzählen überwuchert und die Geschichte durch aneinandergereihte Erzählungen, Gespräche und Beschreibungen konstituiert wird. Nach diesem Muster lassen sich neben den heroisch-galanten Romanen Erbauungsgeschichten (z.B. Anton

Giuseppe Maria Mitelli, »Der Verkäufer von Kriegsberichten«, 1688

Giulio Brignole Sale: *Maria Maddalena peccatrice e convertita*, 1636), antikirchliche Propaganda (z.B. die Pamphlete gegen Urban VIII. von Ferrante Pallavicino: *Il corriero svaligiato*, 1641 bzw. *Il divorzio celeste*, 1643), historische Romane (z.B. Virgilio Malvezzi: *Romolo*, 1629 bzw. *Tarquinio Superbo*, 1632) aber auch literatur- und sozialkritische Essays (z.B. Traiano Boccalini: *Ragguagli di Parnaso*, 1612–1613 und Francesco Fulvio Frugoni: *Il cane di Diogene*, 1687–1689) anfertigen. Fast alle Autoren stammen aus dem Raum zwischen Genua, Bologna und Venedig, während aus den traditionellen Kulturmetropolen Florenz und Rom kein Roman kommt. Die Verbreitung läßt Marktstrategien erkennen, denn die Drucke verändern die Texte fortwährend, wobei die Verleger ebenso oft eingegriffen haben wie die Verfasser selbst. Die Leserschaft stammt aus den literarisch interessierten wohlhabenden Kreisen von Adel und gehobenem Bürgertum. Außer durch ein paar Sätze in der Vorrede zu *Il Cretideo* (1637) von Giovanni Battista Manzini ist die Poetik dieses Romans nirgendwo umrissen worden.

Calloandro fedele (1652) von Giovanni Ambrogio Marini vereint am besten die Charakteristika dieses Genres in sich. 1640, 1641 und 1652/3 je unter einem andern Titel bzw. Autorennamen in jeweils verschiedener Fassung erschienen, steigert der Roman das Motiv der verwechselten Zwillinge in der Geschichte von Calloandro und Leonilda zur Paradoxie, daß Kinder verschiedener, überdies noch verfeindeter Fürsten gleichzeitig geboren werden, sich vollkommen gleichen und einander nach abenteuerlichen Verwicklungen schließlich heiraten. Marini erhebt das Irreal-Märchenhafte zum Programm, das noch bis ins 19. Jahrhundert als Evasionsliteratur von den Lesern akzeptiert, von der literarischen Welt jedoch immer dezidierter verworfen wird. Die negative Wertung dieses Romans ist heute revisionsbedürftig, denn die vielen Symmetrien, Oppositionen und Spiegelungen von Episoden im Text müssen im Lichte der neuesten Vertextungsverfahren als eine Form von Autoreferenzialität interpretiert werden. Das Prinzip, Vorstellungen durch endlose Reden der Gestalten oder durch Beschreibungen zu vergegenwärtigen, verweist den Text in eine uns

Heroisch-galanter Roman

Giulio Cesare Croce

fremd gewordene, vergangene rhetorische Kultur. Die meisten italienischen Barockromane sind heute nur noch in Anthologien zugänglich. Der Typ des listigen armen Teufels, den Giulio Cesare Croce in der Gestalt des Bertoldo inkarniert, scheint noch am ehesten dem heutigen Leser nahe zu bringen zu sein. Ferrante Pallavicino ist mehr durch seine nach dem Modell Aretinos konzipierte *Rettorica delle puttane* (1641) und seine Pamphlete gegen Urban VIII. als durch seine elf Romane über religiöse, antikisierende, mythologische und heroisch-galante Stoffe bekannt. Seine Kirchen- und Gesellschaftskritik ist eher ein Produkt des Zeitalters der Konfessionskriege als eine Vorwegnahme der Aufklärung.

Von den Novellen hat nur die neapolitanisch geschriebene Sammlung *Lo cunto de li cunti overo lo trattenemiento de' Peccerille de Gian Alesio Abbattutis* (1634–6) von Giovan Battista Basile mehrere neue Editionen erhalten. Es handelt sich um 50 an fünf Tagen erzählte Geschichten – daher der seit 1634 gebräuchliche Titel *Pentamerone* – großteils aus der Märchentradition, weswegen Basile mit den Gebrüdern Grimm, seine Sammlung mit den *Contes du temps passé* (1697) von Charles Perrault verglichen wird und als der wichtigste italienische Beitrag zum Kunstmärchen gilt. Benedetto Croce spricht vom »schönsten Buch des italienischen Barock«, während die jüngsten Interpreten von dem Titel der 50. Geschichte »Schluß des Erzählens der Erzählungen« (»Scompetura de lo cunto de li cunti«) ausgehend im *Pentamerone* ein Beispiel für autoreflexive Literatur sehen, d.h. von Literatur, die letztlich auf sich selbst zurückverweist. Der Rahmen hat die Funktion, das Erzählen von Geschichten zu legitimieren. Es wird eine Situation umrissen, in der sich die Phantasie frei entfalten und Anlaß für das Erzählen werden kann. Die Spannung erzeugende Frage, wie es weitergehen soll, und das Happy-End sind innerhalb des literarischen Paradigmas vorgesehen, so daß man auf den Gedanken kommen kann, daß das *Pentamerone* letztlich dazu geschrieben ist, Muster des Erzählens innerhalb eines vorgegebenen Rahmens virtuos auszufüllen. Was im Seicento als Entfaltung der Rhetorik des Erzählens gedacht sein konnte, wird so heute als Spiel mit den Möglichkeiten der literarischen Fiktion rezipiert. Deshalb erscheint vielen Basiles *Pentamerone* als ausgesprochen modern.

SETTECENTO

Zur politischen und gesellschaftlichen Situation Italiens im 18. Jahrhundert

Politische Gliederung Italiens

Italien ist im 18. Jahrhundert eine geographische, keine politische Größe. Nicht nur, daß das Land in eine Vielzahl kleinerer und größerer Einzelstaaten zerfällt. Hinzu kommt, daß weite Teile der Halbinsel bis zum Ende des spanischen Erbfolgekrieges (1714) unter spanischer Herrschaft stehen und im Anschluß daran dem habsburgisch-österreichischen Machtbereich zufallen. In Oberitalien – in Mailand und in der Lombardei – kann Österreich seine Macht bis zu den Revolutionskriegen am Ende des Jahrhunderts bewahren. Das gleiche gilt in Mittelitalien für die Toskana, die nach dem Aussterben der Medici im Jahr 1737 ebenfalls unter die Herrschaft der Habsburger gerät. Süditalien, das sich nach den Wirren des spanischen Erbfolgekrieges von Spanien gelöst hat und für zwei Jahrzehnte ebenfalls österreichisch-habsburgische Provinz geworden ist, ist zwar in den Jahren nach 1735 als Königreich Neapel-Sizilien unter der Herrschaft des Bourbonen Karl formell ein unabhängiger Staat, gerät aber wieder mehr und mehr unter spanischen Einfluß. Dies auch, weil Karl die Nachfolge der spanischen Bourbonen anstrebt. Im Jahre 1759 verläßt er Neapel, um als Karl III. König von Spanien zu werden. Aus der erneuten spanischen Vormundschaft löst sich Neapel-Sizilien erst mit der wachsenden Machtstellung, die die Habsburgerin Maria-Carolina als Gemahlin des Königs Ferdinand IV. in den Jahren nach 1768 gewinnt. Rom und Mittelitalien bis hinauf nach Ravenna – mit Ausnahme der habsburgischen Toskana – bleiben, wie schon viele Jahrhunderte lang, auch im 18. Jahrhundert Patrimonium Petri, d.h. der weltlichen

Aufgang zum Kapitol. »Den schönsten Anblick indessen von dem, was das alte Rom zeigt, gewähren die Denkmale, die diese Räuber der Welt zusammengeschleppt haben…« (Herder, 1788)

Macht des Papstes unterworfen. Italienische Staaten im engeren Sinne, also Staaten, deren Außen- und Innenpolitik nicht direkt oder indirekt von außeritalienischen Mächten bestimmt werden, sind im 18. Jahrhundert nur die Republik Venedig, die über die Provinz Veneto hinaus auch die dalmatinische Küste beherrscht, sowie die kleine Republik Genua und im Westen das Königreich Piemont-Savoyen, zu dessen Herrschaftsbereich auch die Insel Sardinien gehört. Im Machtkampf der europäischen Mächte spielt von den im eigentlichen Sinne italienischen Staaten allenfalls Piemont-Savoyen eine – allerdings nur bescheidene – Rolle. Die Republik Venedig und vor allem der Kirchenstaat nähern sich immer mehr dem Tiefpunkt ihres internationalen Ansehens. Auch in gesellschaftlicher und ökonomischer Hinsicht befinden sich beide Staaten im Niedergang. Die positive Kehrseite ihrer Dekadenz ist indes die für die damaligen Verhältnisse ungewöhnliche Liberalität, die in diesen Staaten herrscht. Rom und der vielgeschmähte Kirchenstaat seien – so berichtet z.B. der Archäologe und Kunsthistoriker Johann Joachim Winckelmann in seinen Briefen aus Rom – »ein Land, wo niemand befiehlt und niemand gehorcht«, »der einzige Ort in der Welt, wo man frei leben kann«. Und das Venedig des 18. Jahrhunderts gilt zwar nicht als ein Land politischer Liberalität, aber als ein Ort der Freiheit ganz besonderer Art: Venedig ist für die Zeitgenossen die Hauptstadt des Vergnügens und des Luxus. Von alldem findet sich im Königreich Piemont-Savoyen nichts. Die savoyenischen Herrscher richten ihren Blick eher auf Preußen und vor allem seine Armee. Das Heer wird nach preußischem Vorbild gedrillt – mit dem Erfolg, daß es genausowenig wie das preußische Heer den französischen Revolutionstruppen gewachsen ist. Preußisch-militärischer Geist bestimmt auch die Mentalität der piemontesischen Monarchen. Unter König Vittorio Amadeo III. (1773–1796) ist Savoyen (»la Prussia italiana«) ein Land, das sich von aufklärerischem Denken abzuschirmen sucht und seine bedeutenden Geister ins Exil drängt – sofern sie, wie z.B. Vittorio Alfieri, ihre intellektuelle Unabhängigkeit bewahren wollen und absolutistischen Herrschaftsformen skeptisch gegenüberstehen.

Anders als der Kirchenstaat, dessen Wirtschaft unproduktiv ist und dessen gesellschaftliches System keine Mobilität zuläßt, anders auch als die Republik Venedig mit ihrem mondänen Tourismus und der festgefügten Oligarchie ihrer Adelsklasse und anders schließlich auch als das konservative Königreich Piemont-Savoyen sind die habsburgischen Staaten in Ober- und Mittelitalien geradezu Musterbeispiele des Reformeifers und des ökonomischen Fortschritts, Länder, in denen sich aufgeklärtes Denken entfalten kann. Die lange Epoche des Friedens, die Italien seit dem Friedensvertrag von Aachen im Jahre 1748, der den österreichischen Erbfolgekrieg beendet, bis hin zu den Revolutionskriegen erlebt, nutzen diese Staaten zu einer gründlichen Modernisierung ihrer Institutionen, das heißt zu einer Reform, die in ihren Konsequenzen »den ersten großen Erfolg zur Wiedereingliederung Italiens in die europäische Entwicklungen bedeutet« (Rudolf Lill). Die Reformen, die in der Lombardei und der Toskana in der Epoche Maria Theresias und mehr noch in der Josephinischen Zeit in die Wege geleitet werden, zielen auf alle Bereiche des öffentlichen Lebens: auf Finanzen, Wirtschaft, Verwaltung und Unterrichtswesen, auf das Verhältnis von Staat und Kirche und nicht zuletzt auch auf die Rechtsprechung. Zu den wichtigsten Reformen, die in den Jahren von 1760 bis 1790 in der Lombardei durchgeführt werden, zählen die Erarbeitung eines Katasters, die Übernahme der indirekten Steuern und Monopole in staatliche Regie, die Errichtung einer Handelskammer, die Abschaffung der Binnenzölle, eine Verwaltungsreform zugunsten einer größeren Eigenständigkeit der Gemeinden. In der Kirchenpolitik zielen die Reformen auf eine Zurückdrängung der Macht-

Folterkammer zu Anfang
des 18. Jahrhunderts,
Gemälde von Alessandro
Magnasco

stellung des Klerus: Inquisition und kirchliche Zensur werden abgeschafft, statt
dessen wird eine – allerdings diskrete – staatliche Zensur eingeführt. Klöster
werden aufgelöst und deren Vermögen zur Neuorganisation des Schulwesens
verwendet. Noch stärkeren Reformeifer entwickelt die Toskana unter Großherzog Peter Leopold. Die spektakulärste Reform geschieht dabei im Bereich
der Justiz mit der Abschaffung der Todesstrafe und der Folter: Eine solche
Reform ist im Jahre 1786 in ganz Europa ohne Vorbild (Preußen hat im Jahre
1749 nur die Folter abgeschafft).

Man darf die Reformen in den habsburgischen Staaten Oberitaliens, wenngleich sie vom Ethos der Aufklärung mitgetragen werden, nicht als primär
menschenfreundliche Akte mißverstehen. Die Kehrseite der wirtschaftlichen
und politischen Reformen und der Prosperität, die sie mit sich bringen, nicht
minder aber auch die der antikirchlichen Politik, ist eine Ausweitung der Macht
des Staates und damit auch der Machtstellung der absolutistischen Regenten.
Wie wenig »aufgeklärte Reformpolitik« (Rudolf Lill) mit Volksnähe oder auch
nur mit wohlwollender Beurteilung der Untertanen zu tun hat, davon zeugt z.B.
das in jeder Weise despektierliche Urteil, das Großherzog Peter Leopold im
Jahre 1790 über seine toskanischen Untertanen abgibt, als er nach 25jähriger
Herrschaft die Toskana verläßt, um als Nachfolger seines Bruders Joseph Kaiser
in Wien zu werden. Die Bemerkungen des Großherzogs sind geradezu ein
Sammelwerk der negativen Gemeinplätze, die im Europa des 18. Jahrhunderts
über Italien zirkulieren.

Italienische Aufklärer

Unter der qualifizierten Minderheit, die die Politik der Reformen trägt, kommt
den italienischen Aufklärern besondere Bedeutung zu. Sie sind es, die in ihren
Schriften, häufig aber auch – ganz wie die spanischen Aufklärer – durch praktische Mitarbeit in staatlichen Institutionen Reformen anregen und fördern. Ideologischer Wegbereiter der antiklerikalen Politik ist Pietro Giannone mit seiner
Istoria civile del Regno di Napoli (1723). Giannone, der in seiner Untersuchung
den Hauptakzent auf das Verhältnis von Kirche und Staat setzt, wendet sich
gegen das politische Machtstreben der Kleriker und polemisiert gegen die

Pietro Giannone, Stich
von Baratti

Stich für die 3. Ausgabe
von Beccarias *Dei delitti e
delle pene,* Harlem, 1765

Anhäufung wirtschaftlicher Macht in Händen der Kirche, die angeblich vier Fünftel des gesamten Grundbesitzes des Königreichs Neapel-Sizilien in ihrem Besitz habe. Giannone muß seine strikt antiklerikale Haltung mit langjähriger Kerkerhaft bezahlen.

Im Bereich der Ökonomie richtet sich das Interesse der Aufklärer auf die Agrarreform, den Freihandel, das Verteilungssystem, die Werttheorie, die Gefahren des Protektionismus und vieles mehr. Zu nennen sind in diesem Kontext z.B. Antonio Genovesi mit seinen volkswirtschaftlichen Vorlesungen, den *Lezioni di commercio o sia d'economia civile* (1765), oder auch der Abbé Ferdinando Galiani mit seinem Traktat *Della moneta* (1751) und seinen *Dialogues sur le commerce des blés* (1770), in denen er angesichts der desolaten Versorgungslage in Neapel, die in den sechziger Jahren immer wieder zu Hungerrevolten führt, gegen eine schrankenlose Marktwirtschaft plädiert und sich für eine gemäßigte staatliche Lenkung der Wirtschaft einsetzt.

*Cesare Beccarias
Strafrechtsreform*

Den von der Rezeption her bedeutendsten Beitrag der italienischen Aufklärer nicht nur zur Politik der Reformen in Italien, sondern auch zum Denken der europäischen Aufklärung leistet Cesare Beccaria mit seiner rechtsphilosophischen und strafrechtlichen Abhandlung *Dei delitti e delle pene* (1764). Mit dieser Schrift erregt Beccaria größtes Aufsehen. Von den kirchlichen Behörden wird sie auf den Index der verbotenen Bücher gesetzt, die fortschrittlichen Österreicher stufen sie in die Rubrik der gefährlichen, nur Fachleuten zugänglich zu machenden Bücher ein, in Frankreich rühmt d'Alembert sie enthusiastisch, und Voltaire schreibt zur französischen Übersetzung, die bereits ein Jahr nach der italienischen Originalausgabe erscheint, den Kommentar. Der spanische Aufklärer Gaspar Melchor de Jovellanos schließlich macht sie zur ideologischen Grundlage seines Theaterstücks *El delinquente honrado* (1774). Am Ende des Jahrhunderts ist Beccarias Schrift in fast alle europäischen Sprachen übersetzt und liegt in einer Vielzahl von Ausgaben vor. Beccaria geht es nicht um die Beseitigung einzelner Mißstände, sondern um eine grundsätzliche Neugestaltung der gesamten Strafrechtspflege und um die Vereinheitlichung des Rechtswesens. So verwirft er schon aus pragmatischen Gründen die Todesstrafe als »unnütz und unnötig« und plädiert zudem für die generelle Abschaffung der Folter, die ihm als Relikt einer archaischen Gesetzgebung erscheint. Gerade diese beiden Forderungen sind es, die Beccaria den schärfsten Protest von konservativer Seite eintragen. Das eigentlich Revolutionäre an Beccarias Strafrechtskonzeption besteht jedoch in dem rational-utilitaristischen Denken, das ihr zugrundeliegt. Denn Beccaria löst das Strafrecht aus jedwedem metaphysischen und ethischen Bezug und macht den objektiven Schaden, den ein Verbrechen der Gesellschaft zufügt, zum alleinigen Maßstab der Beurteilung und Bestrafung. Die ehedem zentralen, religiös bestimmten Kategorien des Bösen (»malizia del cuore«) und der Sünde (»peccato«) werden zu unwichtigen Größen. Denn das Strafrecht solle nicht länger rechtsmetaphysischen Grundsätzen Geltung verschaffen, sondern lediglich die Gesellschaft vor Übergriffen und überzogenen Machtansprüchen des einzelnen schützen. Bei der Justizreform in der Toskana erfahren Beccarias Vorstellungen ihre erste Umsetzung in die Praxis.

Beccarias Traktat ist im Umkreis und möglicherweise auch unter Mitarbeit einer Gruppe junger Aufklärer entstanden, die die Brüder Pietro und Alessandro Verri in Mailand um sich scharen. Das Publikationsorgan dieser Gruppe, der auch Beccaria angehört, ist die Zeitschrift *Il Caffè,* die vom Juni 1764 an – gerade zwei Jahre lang – alle zehn Tage eine Nummer herausbringt. Die Zielsetzung der Zeitschrift ist eine typisch aufklärerisch-utilitaristische: »Illuminare la moltitudine«, einer möglichst breiten Leserschaft, die bewußt auch Frauen einschließen soll, das »Licht der Vernunft« aufstecken – so lautet das Programm

Redaktion der Zeitschrift
Il Caffè im Hause der
Gebrüder Verri

der jungen Journalisten, die allesamt den besseren Kreisen Mailands und der Lombardei entstammen. Nicht »ewige Wahrheiten« von absoluter Gültigkeit, sondern alle nur denkbaren »nützlichen Wahrheiten« aus den verschiedensten Lebensbereichen – »cose varie, cose disparatissime« – sollen dem Publikum vorgestellt werden, und dies in einer Sehweise, die rationalistischem und wissenschaftlichem Denken verpflichtet ist, und in einem Stil, der elegant und unterhaltsam sein und mitunter auch provozieren will. Entsprechend diesem Programm reichen die Themen, die *Il Caffè* behandelt, von historisch-literarischen Fragestellungen – so in Pietro Verris *Pensieri sullo spirito della letteratura d'Italia* – über naturwissenschaftliche, ökonomische und gesellschaftliche Probleme bis hin zu ganz konkreten Themen aus dem Bereich der Medizin (Pietro Verri publiziert z.B. einen Artikel über die Pockenimpfung).

Zeitschrift der oberitalienischen Aufklärer

Der Mailänder Pietro Verri ist der Prototyp des pragmatischen italienischen Aufklärers. In dem gleichen Jahr, in dem *Il Caffè* zu erscheinen beginnt, tritt er in die Dienste der habsburgischen Verwaltung in der Lombardei. Während der folgenden, mehr als zwanzigjährigen Tätigkeit in führender Position in der Verwaltung veröffentlicht er eine ganze Reihe wirtschaftstheoretischer Schriften. Die Funktion, die Verri als hoher habsburgischer Beamter innehat, bedeutet indes nicht, daß er die habsburgischen Reformen ohne Abstriche unterstützt. Ganz im Gegenteil: Im Jahre 1790, am Ende der josephinischen Epoche, verurteilt er in scharfer Form die überstürzten Reformen Josephs II. in Mailand und der Lombardei. Die komplette Zerschlagung der bisherigen Strukturen von Staat und Gesellschaft, die auf die Eigentümlichkeiten des Landes keinerlei Rücksicht genommen habe, habe letztlich mehr Schaden angerichtet als Nutzen gebracht. Die Auflösung der mittleren Behörden z.B. habe zu einer geradezu schrankenlosen Macht der kaiserlichen Bürokratie und vor allem des obersten Bevollmächtigten des Kaisers, des Ministro regio in Mailand, geführt, der in seinen Händen legislative, exekutive und judikative Gewalt vereine – ganz wie ein absoluter Fürst.

Verris Kritik der Reformpolitik

Die Zielsetzungen, die die Zeitschrift *Il Caffè* vertritt, verweisen auf das allge-

Francesco Algarotti

Markt auf der Piazza Verziere in Mailand, Gemälde von Alessandro Magnasco u.a. zwischen 1720 und 1730

Francesco Algarotti,
Radierung von Georg
Friedrich Schmidt

meine Aufklärungsprogramm der Popularisierung der Wissenschaften auf dem Wege einer unterhaltsamen Belehrung. Für den italienischen Bereich verbindet sich dieses Bemühen auch mit dem Namen Francesco Algarottis, der als reisender Aufklärer durch Europa zieht, lange Zeit am Hofe des preußischen Königs Friedrichs II. lebt und von diesem überaus geschätzt wird. »Donner à un traité de physique … l'agrément d'une pièce de théâtre« (»Einer Abhandlung über Physik den Reiz eines Theaterstücks geben«) – so lautet das Programm des vielseitigen Aufklärers Algarotti. In diesem Sinne veröffentlicht er im Jahre 1737 eine Bearbeitung der Newtonschen Lichtlehre in der literarischen Gattungsform des Salongesprächs, das heißt als in einen fiktionalen Rahmen eingefügte elegante Belehrung für ein vorwiegend weibliches Publikum, unter dem bezeichnenden Titel *Il Newtonianismo per le dame*. In einem rokokohaften Ambiente und in scheinbarer Leichtigkeit – das ist die Erzählanlage des Textes – entwickelt sich aus beiläufiger Konversation scheinbar unbeabsichtigt ein belehrendes Gespräch, in dem der neugierig interessierten Dame die Grundlagen der Newtonschen Optiklehre dargelegt werden. *Il Newtonianismo per le dame* wird im 18. Jahrhundert mehrfach neu aufgelegt. Die erweiterte und überarbeitete Fassung vom Jahre 1757 mit dem Titel *Dialoghi sopra l'ottica newtoniana* widmet Algarotti dem preußischen König. Das Lehrbuch der Optik für Damen gilt den Zeitgenossen als italienisches Pendant zu Fontenelles *Entretiens sur la pluralité des mondes* und den *Eléments de la philosophie de Newton* Voltaires, der auch seinerseits Algarottis Abhandlung durchaus schätzt.

Zur Geschichtswissenschaft und -philosophie

*Muratoris
Geschichtswerk*

Wenn auch die pragmatische Komponente – das konkrete Interesse an wirtschaftlichen, kirchenpolitischen, juristischen oder auch administrativen Problemen und die aktive Mitarbeit an deren Lösung – gern als ein besonderes Charakteristikum der italienischen Aufklärung herausgestellt wird, darf doch nicht außer acht gelassen werden, daß italienische Aufklärer im Bereich der historischen Wissenschaften Bedeutsames geleistet haben. Auch in Italien ist das 18. Jahrhundert das »Jahrhundert der Geschichte« (Fritz Schalk). Ludovico Antonio Muratori erarbeitet während seiner Tätigkeit als Leiter der herzoglichen Bibliothek der in Modena regierenden Este umfangreiche Quellensammlungen zur italienischen Geschichte: neben dem Corpus der *Rerum italicarum scriptores* (1725–51) die *Antiquitates italicae medii aevi* (1732), die als Gipfelwerk historischer Gelehrsamkeit des 18. Jahrhunderts gelten (Anders als die zeitgenössische französische Historiographie bezieht Muratori die Geschichte des Mittelalters mit in seine Forschungen ein). Die Hinwendung zu den Quellen, die Muratori propagiert und praktiziert, geschieht aus der aufklärerischen Einsicht heraus, daß ohne deren Kenntnis eine unvoreingenommene Sicht und Darstellung der Geschichte nicht möglich ist. Eine solche Methode bedeutet eine Anwendung des Rationalismus der Aufklärung auf die Historiographie. Bilden schon die Quellensammlungen in ihrer Gesamtheit eine Kulturgeschichte Italiens, so gilt dies noch mehr für die *Annali d'Italia* (1738–44). Diese Geschichte Italiens, die ursprünglich bis zum Jahre 1500 reichen sollte, führt Muratori in den folgenden Jahren bis in seine Gegenwart, bis hin zum Frieden von Aachen im Jahre 1748, fort. Seine Geschichtswerke sehen von jeder teleologischen und geschichtsphilosophischen Spekulation ab und zielen allein auf die Ermittlung und sachgemäße Darstellung der historischen Fakten. Muratori ist

Ludovico Antonio
Muratori

kein weltfremder Gelehrter, sondern greift – ganz italienischer Aufklärer – auch tagespolitische und gesellschaftliche Probleme seiner Zeit kritisch auf. So polemisiert er z.B. in seiner Schrift *Della regolata divozione dei Cristiani* (1747) gegen die übergroße Zahl kirchlicher Feiertage in Italien – sie umfassen zusammen fast ein Viertel des Jahres – und plädiert dafür, daß das Leben der Gesellschaft anstatt von den Vorgaben der Kleriker von ökonomischen Überlegungen bestimmt wird. In gleicher Weise wendet er sich, obwohl er selber Kleriker ist, gegen Obskurantismus und Aberglauben, so in der Schrift *De superstitione vitanda* (1740).

Giambattista Vico und die Entdeckung des historischen Denkens

Anders als Muratori, der in seiner Zeit als europäische Berühmtheit gilt, ist der Name Giambattista Vico den Zeitgenossen kaum ein Begriff. Während Muratoris Verdienste um die Geschichtswissenschaft mehr in der konsequenten Entwicklung einer modernen, auf exakter Quellenforschung basierenden Methodik bestehen, liegt Vicos Bedeutung in seinem Beitrag zur Theorie und Philosophie der Geschichte. Seine *Principi di una scienza nuova intorno alla natura delle nazioni,* deren erste Fassung im Jahre 1725 erscheint, haben ihm in der Nachwelt – seit dem späten 18. Jahrhundert – Ruhm und den Ruf eingetragen, die Geschichtsphilosophie begründet zu haben. Vicos Gedankenwelt unterscheidet sich von den gängigen aufklärerischen Konzepten dadurch, daß bei ihm das rationalistische und der Empirie verpflichtete Denken zugunsten eines historischen Denkens zurücktritt. Entgegen dem auf kritischer Analyse beruhenden Cartesianismus räumt Vico der schöpferischen Phantasie breiten Raum ein. Geschichte begreift er als Kultur- und Ideengeschichte und den Menschen als das Subjekt geschichtlichen Handelns, das als produktiver Geist allein die Geschichte schaffe, stellt er in den Mittelpunkt seiner Wissenschaftskonzeption. Da der Mensch nur das erkennen könne, was er selbst geschaffen hat, sei die Geschichte, nicht die Natur, das einzig wirklich geeignete Objekt wissenschaftlicher Erkenntnis. Geschichtliches Erkennen erreiche somit einen weit höheren Grad von Wahrheit und Gewißheit – Vico nennt diesen »certo« – als naturwissenschaftliche Analyse.

Denkmal Giambattista Vicos am Justizpalast in Rom

Von diesen Überlegungen ausgehend, entwickelt Vico den grundlegenden Gedanken, daß die Geschichte einem Gestaltwandel unterliege, der sich unaufhörlich und bei allen Völkern wiederhole und von der »göttlichen Vorsehung« determiniert sei. Dieser Vorgang manifestiere sich als ein triadischer Kreislauf wiederkehrender Phasen – die berühmten »corsi e ricorsi« Vicos. Er beginnt mit dem »Zeitalter der Götter« und führt über das der »Heroen« und »Barbaren« schließlich zu dem der »Menschen«. Die Hinführung zum »humanen Zeitalter« ist dabei für ihn gleichbedeutend mit einem Verlust der Phantasie als der schöpferischen Kraft, die Mythos und Poesie hervorbringe, andererseits aber auch mit einem Zugewinn an Vernunft und Abstraktionsvermögen. Das humane Zeitalter schlage indes mit Notwendigkeit in das der Barberei zurück. Einfacher ausgedrückt: Vicos Geschichtsbild basiert auf der Vorstellung einer unausweichlichen Abfolge von »Aufstieg, Fortschritt, Blüte, Verfall und Ende«, eines Wechsels von kultureller Hochblüte und primitiver Barbarei. Ein solches zyklisches Modell der Menschheitsgeschichte bedeutet zugleich eine Abkehr vom progres-

Frontispiz der *Principi di una scienza nuova* von Giambattista Vico, Neapel, 1744

siven Weltverständnis der Aufklärung, das von der Annahme der Perfektibilität des Menschen und der Welt ausgeht. Zudem setzt Vico mit seiner spekulativen Geschichtsphilosophie das von der rationalistischen Reflexion verdrängte metaphysische Denken wieder in seine Rechte ein.

Fiktionale Literatur im Settecento

Betrachtet man die italienische Literatur des Settecento aus einer aufklärerisch-progressiv oder aus einer literatursoziologisch orientierten Perspektive, so ist es durchaus legitim, sie im Kontext der Herausbildung und Realisierung bürgerlichen Selbstbewußtseins zu verstehen. Sachorientierte Texte der italienischen Aufklärer, aber auch fiktionale Texte – wie Goldonis Komödien, Parinis Gebrauchslyrik oder seine Satiren – legen eine solche Sichtweise nahe. Auch als entscheidende Phase auf dem Wege zu einem einheitlichen italienischen Nationalbewußtsein, als Vorstufe des Risorgimento, läßt sich, ganz im Sinne der Literaturgeschichtsschreibung des späten 19. Jahrhunderts, das italienische Settecento begreifen. Nicht von ungefähr hat man in diesem Zusammenhang Alfieri unter Bezugnahme auf seine Freiheitskonzeption und sein spätes Italienengagement zum »Vater des Vaterlandes« stilisiert. Schließlich läßt sich bei der Regionalisierungstendenz, der sich die neueste italienische Literarhistorie verschrieben hat und die angesichts der politischen und gesellschaftlichen Vielfalt, die das Italien des 18. Jahrhunderts kennzeichnet, durchaus ihre Berechtigung hat, die Geschichte der italienischen Literatur des Settecento auch als eine Literaturgeschichte der ›Stämme und Landschaften‹ sowie der gesellschaftlichen und literarischen Institutionen skizzieren.

Italienisches Theater

Librettisten und Dramatiker

Einweihung des Königlichen Theaters in Turin, Gemälde von Pietro Domenico Olivero, 1740

Die dramatische Literatur des Settecento zentriert sich um fünf große Gestalten: um Pietro Metastasio, den »poeta del melodramma« (Francesco De Sanctis), d.h. den Schöpfer des Musiktheaters im Gewand eines absolutistischen Huldigungs- und Unterhaltungstheaters und eines Theaters der intellektuellen Seelenanalyse geradezu Corneillescher und Racinescher Prägung, der in ganz Europa von den Zeitgenossen gefeiert wurde und um dessen Gunst sich zahllose Opernkomponisten bemühten; um Lorenzo Da Ponte, den Librettisten der Mozart-Opern *Le Nozze di Figaro, Don Giovanni* und *Così fan tutte*; um den piemontesischen Aristokraten Vittorio Alfieri, der in bewußtem Gegensatz zu Metastasios »melodramma« mit seinen Tragödien ein italienisches Nationaltheater, das weder Musik- noch Huldigungstheater sein sollte, begründen wollte; und schließlich um die beiden Venezianer Carlo Goldoni und Carlo Gozzi, die in zeitweiliger Rivalität miteinander ihr Theater schufen: Goldoni realistisch-bürgerliches Theater, Gozzi konservatives Märchen- und Zaubertheater.

Von den größeren und kleineren dramatischen Begabungen des Settecento sind, sieht man von dem Mozart-Librettisten Da Ponte ab, auf der heutigen Bühne nur noch die beiden Venezianer präsent. Alfieri scheiterte mit seinem ehrgeizigen Tragödienprojekt bereits an den theaterimmanenten Unzulänglichkeiten seiner Zeit – es fehlten z.B. Schauspieler, die seine Verse angemessen rezitieren konnten –, aber auch daran, daß es im italienischen 18. Jahrhundert – außer Scipione Maffeis *Merope* (1713) – im Sprechtheater eine ausgeprägte Tradition der Tragödie, an der er sich hätte orientieren können, nicht gab. Seinem ehrgeizigen Projekt standen überdies ungenügende rezeptionsästhetische Voraussetzungen entgegen, mangelte es doch in Italien, anders als in Frankreich, an einem homogenen Publikum, an das sich der Dramatiker hätte wenden können. Und inmitten des allgemeinen kulturellen Niedergangs – ein Italienklischee, das auch Alfieri gern zitiert – konnte er mit seinem anspruchsvollen Theater kaum auf Interesse bei seinen Zeitgenossen hoffen. In diesem Zusammenhang nennt Alfieri das Italien seiner Zeit einmal ein »totes Land, ein Land mit einer abgestorbenen Sprache und einem abgestorbenen Volk, in dem schöne Pferde mehr zählen als wohlgeformte Tragödien.« Metastasios Theater verliert mit den Opernreformen des mittleren und späten 18. Jahrhunderts, die sich vor allem mit den Namen des Komponisten Christoph Willibald Gluck und des Librettisten Ranieri de' Calzabigi verbinden, und mit dem Aufkommen des deutschen Singspiels an Bedeutung und büßt überdies im Gefolge der Französischen Revolution seine ideologischen und gesellschaftlichen Voraussetzungen ein.

Goldoni und Gozzi – Wirklichkeitstreue gegen Märchentheater

So konträr wie sich Goldoni und Gozzi zu ihrer Zeit als Dramatiker gegenüberstanden, so gegensätzlich verläuft auch ihre Rezeptionsgeschichte. Von den beiden Rivalen erscheint uns heute – trotz all der Verdienste, die Goldoni als dem Begründer eines bürgerlichen Theaters im Kontext der Aufklärungsideologie und des wachsenden bürgerlichen Selbstbewußtseins zukommen – der vielgeschmähte konservative Anti-Aufklärer Gozzi als der modernere Dramatiker. Hat er doch mit seinen »fiabe teatrali«, seinen Märchenspielen, offene und produktive Kunstwerke geschaffen, die immer wieder zu neuen Interpretationen herausfordern. So stellten etwa die deutschen Romantiker, im Gegensatz zu Gozzis Selbstverständnis, nicht seine anti-aufklärerische und damit Anti-Goldoni-Haltung in den Vordergrund, sondern die Freiheit der Imagination, aus der Gozzis Stücke leben. In diesem Kontext haben die Masken der »Commedia dell'arte«, die Goldoni und seine Anhänger und in ihrer Nachfolge eine auf aufklärerischen Fortschritt und Realismus fixierte Literaturkritik mit dem Vorwurf mangelnden Realitätsbezuges und reaktionärer Verstocktheit ablehnen, in Gozzis Theater der Imagination ihre besondere Funktion. »Dramatisierte Feenmärchen, in denen er aber neben dem wunderbaren versifizierten und ernsthaften Teile die sämtlichen Masken anbrachte und ihnen die freieste Entwicklung ließ. Es sind Stücke auf den Effekt, [...] von kecker Anlage« – so beschreibt August Wilhelm Schlegel in seinen *Vorlesungen über dramatische Kunst und Literatur* (1809–11) Gozzis Märchentheater. Auch in der Rezeption des 20. Jahrhunderts wird immer wieder die schöpferische Phantasie als Besonderheit des Gozzischen Theaters gerühmt. Nicht auf Widerspiegelung der Wirklichkeit seiner Zeit, wie sie Goldoni für seine Stücke in Anspruch nahm, sondern auf ein freies »Spiel der Imagination« zielten Gozzis Stücke, so heißt es bei Benedetto Croce.

Auch der Bühnenkunst hat Gozzi neue Wege gewiesen. Immer dann, wenn

Verhältnis Goldoni – Gozzi

Carlo Gozzi

die dramatische Kunst sich selber zum Gegenstand wurde, kam man gerne auf Gozzis sich selbst reflektierendes Theater zurück. So inszenierte z.B. der junge Giorgio Strehler beim Theater-Festival in Venedig im Jahre 1948 *Il corvo* als Meta-Theater, in dem den Masken die Funktion zukam, die märchenhaften Elemente, also die »fiaba« selber, zu ironisieren und spöttisch in Frage zu stellen. Mit dieser Betonung der Gozzis Theater immanenten Ironie konnte sich Strehler sowohl auf die deutschen Romantiker als auch auf die Gozzi-Mode im Rußland der zwanziger Jahre berufen. Gozzis »prosaische, meistens aus dem Stegreif spielende Masken bilden ganz von selbst die Ironie des poetischen Teils«, bemerkte in diesem Zusammenhang schon August Wilhelm Schlegel. Noch einen Schritt weiter geht die russische Gozzi-Rezeption, wenn sie Gozzis Stücke als Märchenspiel und Theater im Theater begreift, in denen neben der Commedia dell'arte-Tradition das Spielerische, das die Zuschauer Miteinbeziehende und nicht zuletzt das Komische inmitten des Melodramatischen betont werden.

Daß eine grundsätzlich anti-realistische Gattungsform wie die Oper eine besondere Affinität zu Gozzis »dramatisierten Feenmärchen« entwickelt, nimmt nicht wunder. So finden sich in der Opernliteratur des 20. Jahrhunderts mehrfach Beispiele für eine produktive Rezeption Gozzischer Märchenspiele – so z.B. Ferruccio Busonis (1917) und Giacomo Puccinis (1926) *Turandot*-Opern, die sich an Gozzis *Turandot* aus dem Jahre 1762 orientieren, oder Sergej Prokofiews *Liebe zu den drei Orangen* (1921) und Hans Werner Henzes *Il re cervo oder Die Irrfahrten der Wahrheit* (1956), die auf *L'amore delle tre melarance* (1761) bzw. *Il re cervo* (1762) verweisen.

Gozzi und Goldoni im Urteil Goethes

Als Goethe auf seiner Italienischen Reise im Oktober des Jahres 1786 Venedig besucht, findet er Gelegenheit, Aufführungen von Stücken Gozzis und Goldonis zu besuchen. Nach seinen Bemerkungen zu deren Theater lassen sich unschwer die Theaterkonzeptionen der beiden Rivalen beschreiben. Bei Gozzi akzentuiert Goethe vor allem – und damit nimmt er romantische und moderne Deutungen vorweg – die metatheatralische und die rezeptionsästhetische Komponente. Das heißt, er plädiert für Stücke, »durch welche der Zuschauer erinnert wird, daß das ganze theatralische Wesen nur ein Spiel sei, über das er, wenn es ihm ästhetisch, ja moralisch nutzen soll, erhoben stehen muß, ohne deshalb weniger Genuß daran zu finden«. Als Beispiel eines solchen Stückes rühmt Goethe Gozzis *Turandot,* das Märchenspiel von der chinesischen Prinzessin, die den Männern, die um sie werben, ein Rätsel vorlegt, diejenigen töten läßt, die das Rätsel nicht zu lösen wissen, und die erst von dem Prinzen Calaf überwunden und erlöst wird. Goethe beschreibt die Handlung als eine Mischung von Tragischem und Heiterem, die den klassischen Gattungskanon sprengt: »Hier ist das Abenteuerliche verschlungener menschlicher Schicksale der Grund, auf dem die Handlung vorgeht, umgestürzte Reiche, vertriebene Könige, irrende Prinzen, Sklavinnen, sonst Prinzessinnen [...] Zwischen all diese Zustände ist das Heitere, das Lustige, das Neckische ausgesäet, und eine so bunte Behandlung mit völliger Einheit bis zu Ende durchgeführt«.

In scharfem Kontrast zu diesen Märchen steht Goldonis realistisches Theater: »So eine Lust habe ich noch nie erlebt, als das Volk lautwerden ließ, sich und die Seinigen so natürlich darstellen zu sehen [...]. Die Handelnden sind lauter Seeleute, Einwohner von Chioggia, und ihre Weiber, Schwestern und Töchter. Das gewöhnliche Geschrei dieser Leute im Guten und Bösen, ihre Händel, Heftigkeit, Gutmütigkeit [...], alles ist gar brav nachgeahmt« – so beschreibt Goethe Rezeption, Handlung, Charaktere und poetologische Konzeption Goldonis anläßlich einer Aufführung von *Le baruffe chiozzotte* (1762), die er im Theater San Luca in Venedig besucht hat. Handlung und Charaktere

Carlo Goldoni

im späten Theater Goldonis entsprechen also den Vorstellungen, die das Publikum von sich selber und seiner Umwelt hat. Der alltäglichen Gebrauchssprache – dem Venezianischen als der Sprache des Volkes – wird ihr Recht auf der Bühne zugestanden. So verstandene Natürlichkeit und Wirklichkeitstreue ist nach Goldonis Selbstverständnis oberstes Gebot für den Dramatiker und Zeichen höchster künstlerischer Vollendung: »Questa è la grand'arte del comico poeta, di attaccarsi in tutto alla natura« (Sich in allem an die Natur zu halten, darin besteht die große Kunst des Dramatikers). Wenn sich Goldonis Komödien von ihrem Anspruch her an der Wirklichkeit der Zeit orientieren, dann schließt diese Wirklichkeit für ihn die des niedrigen Volkes mit ein. Sein Theater zielt auf ein Publikum, das aus allen Schichten kommt, nicht zuletzt auch aus den ärmeren Schichten: »Die Preise sind so niedrig, daß der Krämer, der Diener und der arme Fischer an diesen öffentlichen Lustbarkeiten teilnehmen können«, so heißt es in diesem Zusammenhang in Goldonis *Memoiren*, »und es war nicht mehr als gerecht, daß ich, um dieser Art von Leuten zu gefallen, die ebenso bezahlen wie die Adligen und die Reichen, auch Komödien schrieb, in denen sie ihre Sitten, ihre Fehler, und [...] auch ihre Tugenden wiedererkennen möchten.« Diese Art von Realismus und die Orientierung am angeblich vulgären Publikumsgeschmack fordern die konservative Kritik, vor allem die Carlo Gozzis, heraus. Für ihn ist Goldonis realistische Komödie nur eine plumpe und kunstlose Kopie der Natur und nicht eine Mimesis im aristotelischen Sinne, also eine von allen Zufälligkeiten gereinigte Nachahmung der Natur. Und Goldonis Vorliebe für das Venezianische tut er als Hang zur Dialektposse ab.

Le baruffe chiozzotte,
Buchillustration, 1774

Die Rauf- und Schreihändel von Chioggia repräsentieren, obwohl sie ein typisches Beispiel für Goldonis Orientierung an der zeitgenössischen Wirklichkeit sind, nur Teilaspekte seines Theaters. In der Vielzahl der Stücke, die er in den Jahren nach 1748 bis hin zu seiner Emigration nach Paris im Jahre 1762 als professioneller Theaterschriftsteller für die beiden venezianischen Bühnen Sant'Angelo und später San Luca schreibt, ist nicht wie in den späten *Schreihändeln* das einfache Volk, sondern primär ein bürgerliches Personal Träger der Handlung und der Ideologie, die bürgerliche Lebens- und Verhaltensmuster wie eheliche Treue, harmonisches Familienleben, Sparsamkeit und Aufrichtigkeit, berufliche Tüchtigkeit usw. propagiert und im Gegensatz dazu Aristokraten zu komischen Figuren degradiert. Komplementärerscheinung zu dieser Ridikülisierung Adliger ist die ernsthafte Darstellung bürgerlicher und kleinbürgerlicher Gestalten, eine gesellschaftliche und ästhetische Aufwertung des dritten Standes, die die traditionelle Ständeordnung relativiert und zugleich die Ständeklausel der klassischen Poetik außer Kraft setzt, die für das Volk nur eine komisch-burleske Darstellung zuließ. Typische Beispiele solch positiv gezeichneter Bürger bzw. lächerlich gemachter Aristokraten sind, in *La locandiera* (1753), die tüchtige Gastwirtin Mirandolina und ihr Kellner Fabrizio auf der einen, Mirandolinas adlige Verehrer – der Cavaliere di Ripafratta, der Conte d'Albafiorita und der Marchese di Forlipopoli – auf der anderen Seite. Alle drei sind verarmte und heruntergekommene Adlige – ihre Lächerlichkeit beginnt schon mit ihren grotesk klingenden Namen –, die sich allesamt vergeblich um die bürgerlich-tüchtige Mirandolina bemühen, die sich am Ende für den strebsamen Kellner Fabrizio entscheidet und damit für eine bürgerliche, ihr standesgemäße Existenz. Die *Locandiera* gilt als das repräsentative Stück der frühen fünfziger Jahre, in dem Goldoni in moralistischer Klarsicht die gesellschaftlichen Verhältnisse seiner Zeit analysiert und vor allem mit der Figur der Mirandolina statt einer bloßen Typenfigur einen individuellen Charakter auf die Bühne stellt. Die noch vorsichtig optimistische Weltsicht der Jahre 1748–51, wie sie sich vor allem in *La bottega del caffè* (1750) findet, tritt im Laufe der Zeit

Bürgerliches Theater

Aufführung einer
italienischen Komödie in
der Arena von 1772

Illustration von
Mantegazza zu *La
locandiera,* Mirandolina
und Ripafratta

Goldonis Theaterreform

zurück und wandelt sich in Goldonis venezianischer Spätphase zu einer sarkastischen Satire der venezianischen Gesellschaft. So verschiebt sich z.B. das Bild des venezianischen Kaufmanns, das er zunächst positiv gezeichnet hatte, immer stärker ins Ambivalente bis zu der eindeutig negativen, ja grotesken Darstellung im *Sior Todero brontolon* (1762).

Mit dem Namen Goldonis verbindet sich das Schlagwort von der Theaterreform. Gemeint sind damit nicht nur die Öffnung des Theaters hin zu einem breiteren Publikum und zur Thematik der Alltäglichkeit und des bürgerlichen Arbeitslebens, bzw. allgemein gesprochen »eine Nachahmung der Natur und eine Orientierung an den Geboten der Wahrscheinlichkeit«, sondern auch theaterimmanente Reformen wie z.B. die Unterweisung der Schauspieler in der Kunst des »natürlichen Rezitierens« (»recitate naturalmente«) oder auch die Beachtung der unterschiedlichen Größe der Theaterbauten bei der Auswahl der Stücke. Der Bruch mit der Tradition der Commedia dell'arte – d.h. der Verzicht auf die Kunst der Improvisation und damit die Festlegung des Textes sowie die Zurückdrängung des Maskenspiels – und der Übergang zur realistischen Charakterkomödie, die gemeinhin als bedeutendste Neuerung seiner Theaterreform gelten, vollziehen sich nicht plötzlich und mit unbedingter Radikalität. *Il servitore di due padroni* (1745), heute noch eines der am meisten gespielten und nicht zuletzt durch Giorgio Strehlers Inszenierung eines der berühmtesten Stücke Goldonis, ist eine turbulente Komödie, die noch ganz mit dem Personal und den Handlungsschemata der Commedia dell'arte konstruiert ist. Arlecchino in seiner Rolle als gewitzter Diener der als Mann verkleideten Beatrice und zugleich ihres Geliebten Florindo, zieht, ohne daß diese – das Typenpaar der »amorosi« der Commedia dell'arte – von seiner Doppelrolle wissen, hier die Fäden. Auch das übrige Personal der Stegreifkomödie, wie Pantalone, der pedantische Kaufmann, oder die schlaue und verführerische Zofe Smeraldina, fehlen nicht. Auch auf Maskenspiel und Textimprovisation der Commedia dell'arte, vor allem bei der Rolle des Arlecchino, der in der Uraufführung von dem berühmten Schauspieler Antonio Sacchi verkörpert wurde, verzichtet Goldoni in dieser frühen Komödie noch nicht. Erst in der Ausgabe der Komödien vom Jahre 1753 hat der *Diener zweier Herren* seine endgültige, das heißt vollständig fixierte Textgestalt gefunden, wobei der Text, so Goldoni im Vorwort, von »grobschlächtig-derben Scherzen und übersteigerten buffonesken Einlagen, die für Personen von Stand anstößig sein könnten«, gereinigt worden ist. Mit diesem Verzicht auf die Improvisation gewinnt die Komödie, auch dies eine Komponente der Goldonischen Theaterreform, einen von ihrer Realisierung auf der Bühne unabhängigen literarisch-künstlerischen Rang.

Goldoni ist sich der Neuerungen, die er im italienischen Theater eingeführt hat, durchaus bewußt. So bemerkt er in seinen *Memoiren,* als er auf seine Zeit als Bühnenschriftsteller in Venedig zurückblickt, wo er im Jahre 1734 mit *Belisar* debütierte: »Meine Helden waren Menschen, keine Halbgötter; ihren Leidenschaften eignete eine gewisse Hoheit, wie es ihrem Rang entsprach, aber sie offenbarten die menschliche Natur, wie wir sie kennen, und steigerten ihre Tugenden und Laster nicht ins Phantastische.« Letztliches Ziel aller Bemühungen um eine Reform des italienischen Theaters ist neben der Literarisierung der Komödie die Schaffung eines bürgerlichen Theaters, das sich als moralische Anstalt versteht und ein Publikum »nach und nach zur Vernunft zurückführen will, das an lächerliche Übertreibungen […] gewöhnt war.« So heißt es in den *Memoiren.* In diesem Sinne sieht Goldoni, folgt man dem Vorwort zur Erstausgabe seiner *Komödien* aus dem Jahre 1750, die vornehmste Aufgabe der Komödie darin, nicht nur dem Publikum zu gefallen, sondern zugleich erzieherisch auf es einzuwirken, d. h. Laster zu beheben und Tugenden zu lehren. Goldoni

Szene aus *Diener zweier
Herrn* für den 5. Band der
Pasquali-Ausgabe der
Komödien von Goldoni,
1763

Reform orientiert sich also am Horazischen Programm des »delectare aut prodesse« und darüber hinaus an der antiken sowie an der spanischen und französischen Komödie, an Terenz, Lope de Vega und vor allem an Molière, dessen »bescheidenen Schüler« er sich nennt. Goldonis hochfliegenden Plänen für eine Reform des italienischen Theaters und vor allem seinem Bemühen, das venezianische Bürgertum auf seine Seite zu ziehen, bleibt letztlich der Erfolg versagt. Es gehört zwar zu den Topoi der Forschung, sein Theater als Widerspiegelung der Lebensverhältnisse des venezianischen Bürgertums zu begreifen. Aber einer solchen Vorstellung, die sich an der idealisierenden Selbstdarstellung in den *Memoiren* orientiert, begegnet man heute mit einer gewissen Skepsis, trifft sie doch nur in Teilen den Sachverhalt. Wenn Goldoni im Jahre 1762 Venedig verläßt und nach Paris geht, dann bedeutet dies auch das Eingeständnis, daß das ambitionierte Reformprojekt sich in Venedig nicht realisieren ließ. Das bürgerliche Publikum hat zwar anfangs sein Theater inspiriert und geschätzt, aber im verkrusteten kulturellen Umfeld der Spätzeit der Republik Venedig ist Goldoni gezwungen, es »ohne und schließlich gegen die soziale Klasse zu verwirklichen, [...] an die er sich hauptsächlich zu wenden schien« (Bodo Guthmüller). Sein Vorhaben war damit, wegen des unzureichenden gesellschaftlichen Zuspruchs, zum Scheitern verurteilt. Die Kritik, die konservative Literaten wie Gozzi gegen Goldoni vorbrachten, fügt sich in diesen Kontext und bildet die literarische Entsprechung einer letztlich widrigen gesellschaftlichen Umgebung. Für sich allein hätten diese konservative Polemik und der Literatenstreit wohl kaum die Wirkung auf ihn gehabt, die man ihnen gewöhnlich zuschreibt, zumal Gozzi die revolutionäre Tragweite des Goldonischen Realismus und seiner Gesellschaftskritik wohl absichtsvoll polemisch überschätzt hat. Im Gegensatz zu Gozzis konservativen Befürchtungen konnte die Oligarchie des venezianischen Adels durch ein aufklärerisches Theater, das mit den Traditionen der Commedia dell'arte brach, dem Theater eine erzieherische Funktion zuwies, das Selbstbewußtsein des Bürgertums stärken wollte, das Volk zum Gegenstand theatralischer Darstellung machte und vor spöttischer Kritik am Adel nicht zurückschreckte, nicht ernstlich in Gefahr gebracht werden. Der professionelle Literat Goldoni sah sich selbst als Reformer des Theaters, nicht als politischen Revolutionär. Obwohl Goldoni im Italien seiner Zeit nicht den Erfolg fand, den er sich erhoffte, spricht die reiche Rezeption im deutschen 18. Jahrhundert für die Bedeutung seines Werkes in der damaligen Theaterkonzeption. Im deutschen

Goldoni inspiriert sich an der »Wirklichkeit« Venedigs.

Sprachraum erschienen mehr als zweihundert Übersetzungen und Bearbeitungen seiner Stücke, und durch reisende Theatergruppen wurde Goldoni darüber hinaus in weitesten Kreisen bekannt. Seine Komödien kamen den Bemühungen um eine Theaterreform auf den deutschen Bühnen entgegen, boten sie doch einem Theater, das sich von der Übermacht des französischen Einflusses und auch von der Tradition der Improvisation lösen wollte, beste Voraussetzungen. Hinzu kommt, daß Goldonis Reformen nicht radikal waren, sondern auch in den realistischen Stücken dem Burlesken immer noch Raum ließen und damit dem Unterhaltungsbedürfnis eines breiten Publikums entsprachen.

Gozzis' Märchen als Literatensatire und Metatheater

Sieht man Goldonis venezianisches Theater in dem Jahrzehnt von 1752 bis zu seiner Abreise nach Paris als ein aufklärerisch-realistisches Theater – und das ist auch heute noch die gängige Auffassung –, dann liegen in der Tat zwischen dieser Art Theater und Gozzis Märchentheater Welten. Das Märchentheater des Aristokraten Gozzi ist von seiner Intention her indes mehr als nur heiter-ironisches Spiel. Ähnlich wie die Erzählungen und Märchen, die im 18. Jahrhundert in Mode waren, haben seine »fiabe« nicht nur einen vordergründigen Sinn, sind nicht nur Fluchtorte der Phantasie, sondern nutzen, entsprechend der Struktur dieser Gattung, die Märchenhandlung als Maske für Kritik und Polemik. In diesem Sinne ist *L'amore delle tre melarance* – Gozzis erste »fiaba«, die sich an einer Erzählung aus Giovan Battista Basiles *Pentamerone*, einer Sammlung von Märchen aus dem Neapel des frühen 17. Jahrhunderts, orientiert – nur vordergründig ein dramatisiertes Märchen, das von der Melancholie des Prinzen Tartaglia und seiner Suche nach der Prinzessin Ninetta handelt. Der Prinz wird durch einen komischen Streich des Truffaldino, das ist der Arlecchino der Commedia dell'arte in bergamesker Verkleidung, von seiner Melancholie geheilt. Aber zugleich zwingt der Fluch der Fee Morgana den Prinzen dazu, sich auf die Suche nach der geliebten idealen Prinzessin zu machen. Er findet sie schließlich, doch wird sie ihm durch einen Zauber wieder genommen. Erst Truffaldino erlöst die Prinzessin durch eine ihm selber unbewußte Intervention vom Zauberbann, und der Hochzeit von Prinz und Prinzessin steht nichts mehr im Wege. Dieses »Kindermärchen« (»favola fanciullesca«), wie er selber sein Stück wertet, ist von

Charaktere der Commedia dell'arte

der Funktion und Zielsetzung her, folgt man Gozzi, eine »burleske Parodie« (»parodia buffonesca«) auf das realistische Theater Goldonis und auf das von Gozzi nicht minder abgelehnte Theater seines Zeitgenossen Carlo Chiari, in seinen Augen ein Konsumtheater, das den Prinzen mit scheinbar unheilbarer Melancholie infiziert habe. Mit anderen Worten: *L'amore delle tre melarance* ist eine literaturtheoretische Polemik im Gewande des Märchens, bei der sich Gozzi die gattungsimmanente Doppelrolle der traditionellen »fiaba« zunutze macht, Märchen und zugleich realitätsbezogene Satire und Kritik zu sein. Mit dieser »fiaba« verfolgt Gozzi ein dreifaches Ziel: ein persönliches, ein dramaturgisches und ein rezeptionsästhetisches. Die unliebsamen Rivalen Goldoni und Chiari sollen der Lächerlichkeit preisgegeben, die Commedia dell'arte durch den Nachweis rehabilitiert werden, daß deren Personen, hier der Arlecchino-Gestalt des Truffaldino, entscheidende dramaturgische Funktionen in einer melodramatischen Handlung zukommen können. Und schließlich soll gezeigt werden, daß ein konsequent anti-realistisches Theater das Publikum nicht minder anzuziehen vermag als ein realistisches. Wenn in Gozzis Märchentheater die Komik nicht nur auf die Konkurrenten, sondern auch auf die fiaba selber zielt und diese ironisch in Frage stellt, verbinden sich Literatensatire und impliziter poetologischer Diskurs. Polemik und Metatheater werden eins.

Alfieri als Tragödiendichter

Einen »italienischen Stürmer und Dränger« nennt Benedetto Croce Vittorio Alfieri und bezeichnet ihn als einen Autor, der am Anfang der modernen italienischen Literatur stehe und das ganze 19. Jahrhundert hindurch fortgewirkt habe, sei er doch ähnlich wie die deutschen Literaten des Sturm und Drang ein hochgradiger Individualist gewesen und habe in seiner Kunst und in seinem Leben kein anderes Ideal verfolgt als das der Freiheit. Könige und republikanische Demagogen, mit einem Wort: tyrannisch gesinnte politische Führer, habe er in gleicher Weise mit seinem Widerwillen verfolgt. Dieses positive, ja begeisterte Urteil über Alfieri erklärt sich unschwer aus Croces Liberalismus, aus dem »Risorgimento«-Gedanken des 19. Jahrhunderts, dem Croce noch verhaftet war, und damit verbunden aus dem Mythos von Alfieri als dem »padre della patria«, der – aus der Perspektive des 19. Jahrhunderts – mit seiner Freiheitsliebe und seinem Glauben an die unverlierbare Größe Italiens in der Epoche des Niedergangs und der Fremdherrschaft die Idee des Risorgimento vorbereitet hat. Inzwischen sieht auch die italienische Literaturwissenschaft Alfieri weit kritischer. Für sie liegen zwischen der deutschen Sturm- und Drang-Literatur und Alfieris Tragödien Welten, weil dieser kein modernes, von bürgerlichem Geist bestimmtes und in Prosa geschriebenes Theater verfaßt, sondern versucht habe, eine überlebte klassische Tragödienform wieder zum Leben zu erwecken. Das heißt, eine Tragödienform mit starrer Akteinteilung und unbedingter Orientierung am Gebot der drei Einheiten von Ort, Zeit und Handlung sowie mit hochstilisierter und bewußt ungeschmeidiger Verssprache und aristokratischem oder mythologischem Personal. Er habe also ein Theater zu schaffen versucht, das sich – anders als Goldonis Theater – der Kommunikation mit dem Publikum geradezu widersetze. Im Hinblick auf die Rezeptionsmöglichkeiten hat man sogar von einem »Antitheater« (Mario Baratto) gesprochen, das Alfieri mit seinen Tragödien anstrebe. In der Tat ist Alfieris Theater, auch wenn man es nur im italienischen Kontext seiner Zeit sieht, verglichen mit dem reali-

Rezeption

Gemälde Vittorio Alfieris, des wohl einzigen italienischen Autors, der am Geniekult des 18. Jahrhunderts teilhatte. Seine alt-römische Heldenpose zeigt die energische Stilisierung, welche die Heroenbilder der Autobiographie und der Tragödien prägt.

Saul von Vittorio Alfieri

Freiheitsdramatik

TRAGEDIE
DI
VITTORIO ALFIERI
DA ASTI.

Seconda edizione, riveduta dall' autore,
e accresciuta.

VOLUME PRIMO.
15
PARIGI,
DA' TORCHI DI DIDOT MAGGIORE,
E si trova presso Gio. Cl. Molini, libraio.
M. DCC LXXXVIII.

Die ersten zehn Tragödien
Alfieris erschienen 1783
bei Pazzini in Siena.

stischen Theater Goldonis oder dem Märchen- und Metatheater Gozzis wenig
innovativ und eher konservativ. Und der Ruhm des Dramatikers Alfieri ist in
gleicher Weise wie der Risorgimento-Gedanke heute nur noch eine historische
Reminiszenz. Wie sehr die moderne Literaturwissenschaft im Gegensatz zu
Croces Deutungen mit ihrer kritischen Distanz den Sachverhalt trifft, bezeugt
schon Goethe, der Alfieris biblische Tragödie *Saul* (durch Ludwig von Knebel)
ins Deutsche übersetzen und im Jahre 1811 in Weimar, allerdings ohne Erfolg,
hatte aufführen lassen. Er erkennt zwar Alfieris leidenschaftliches Pathos durchaus an, wirft ihm aber gleichzeitig mangelnde Imaginationskraft, übertriebene
formale Strenge und eine dramaturgisch nachteilige Reduzierung des Tragödien-
personals vor. All das lasse »den Zuschauer nicht froh werden« – mit anderen
Worten: Goethe begreift Alfieris Tragödien letztlich als ein publikumsfeind-
liches Antitheater.

Auch bei den deutschen Romantikern und im deutschen Theater allgemein
konnte sich Alfieris Tragödiendichtung nicht durchsetzen. Nicht nur, daß die
Risorgimento-Rezeption, die der Dramatiker in seinem Heimatland erfahren
hat, in Deutschland keine Parallele fand. Im harten Urteil August Wilhelm
Schlegels sind seine Trauerspiele nichts anderes als Spiegel einer »düsteren und
widerwärtigen« Welt. Seine Dichtung sei poesielos und unmusikalisch, seine
Sprache »abgedroschen und herbe«. Bei aller Skepsis, die er dem dramatischen
Werk entgegenbringt, kann sich Schlegel jedoch der politischen und moralischen Leidenschaftlichkeit, die den Menschen Alfieri auszeichne, nur schwer
entziehen: »Seine Begeisterung war mehr politisch und moralisch als poetisch,
und man muß seine Trauerspiele mehr wie Handlungen des Mannes als wie
Werke des Dichters loben«. Noch einen Schritt weiter geht Madame de Staël in
ihrem Urteil über den italienischen Dramatiker, wenn sie sein politisches Engagement (»but politique«) mit einer literarischen Zielsetzung für unvereinbar
erklärt. Wie Schiller für *Die Räuber* hätte auch Alfieri für seine Freiheitstragödien – zu nennen ist hier vor allem die Trilogie der *tragedie della libertà: La
Congiura de' Pazzi* (1777–89), *Virginia* (1777–83), *Timoleone* (1779–84) – als
Motto »in tyrannos« wählen können. Aber anders als Schiller, der sich, so in
Kabale und Liebe, an der zeitgenössischen Wirklichkeit orientierte, verzichtet
Alfieri auf ein mögliches zeitgeschichtliches Kolorit und fiktionalisiert stattdessen – in *La Congiura de' Pazzi* – eine Episode aus der Geschichte der Stadt
Florenz aus dem Jahre 1478, nämlich die Verschwörung der hochadligen Familie Pazzi gegen die Herrschaft der Medici, wie er sie in Niccolò Machiavellis *Istorie fiorentine* finden konnte. Oder er orientiert sich – in der Virginia-Tragödie –
an der von Livius überlieferten römischen Geschichte, d.h. er greift ein Thema
auf, das auch Lessing in *Emilia Galotti* gestaltet hat: Der Vater tötet seine Tochter, um sie vor der Gewalt des lüsternen Tyrannen zu bewahren. In *Timoleone*
schließlich dramatisiert Alfieri ein Kapitel aus den *Vitae* des griechischen Schriftstellers Plutarch, die Erzählung von Timoleon, der seinen eigenen Bruder tötet,
da dieser eine tyrannische Herrschaft in Korinth errichtet hat.

Alfieri folgt in seinen zweiundzwanzig Tragödien – für das biblische Drama
Saul und für die Inzesttragödie *Mirra* gilt dies nur mit Einschränkung – im
Grunde einem relativ einfachen, konstanten Schema: Dem hochstilisierten republikanischen Helden auf der einen Seite steht auf der anderen der nicht minder
hochstilisierte absolutistische Tyrann gegenüber, d. h. die beiden zentralen
dramatischen Figuren bedingen und steigern sich gegenseitig, sind Komple-
mentärgestalten. Das Nebenpersonal ist auf das unbedingte Minimum reduziert. Aus dramaturgischer Notwendigkeit: um den Konflikt auf die Spitze treiben zu können, wird nicht nur alles, was nicht von unmittelbarer Bedeutung ist,
beiseite gelassen, sondern auch dem Vertreter des Bösen ein Format zugestan-

den, das ihn als würdigen Gegenpart des Freiheitshelden erscheinen läßt. Der republikanische Held ist kein unreflektierter Attentäter, sondern kann durchaus als innerlich gebrochene Figur präsentiert werden. So gewinnt z.B. in *Timoleone,* einem Stück, dessen dramatisches Personal sich auf vier Personen beschränkt, der sterbende Tyrann die Größe, die Motive des Attentäters nicht nur zu billigen, sondern diesen sogar zum republikanischen Heroen zu stilisieren: »un uom più che mortale«. Timoleone selber, der im Tyrannen den eigenen Bruder getötet hat, kann sich seiner patriotischen Begeisterung nicht lange erfreuen (»la patria è salva«), fühlt er sich doch, kaum ist der Tyrann verschieden, bereits der Macht der Erinnyen ausgeliefert, die ihm jeden Lebensmut zu nehmen drohen. Komplizierter ist die dramatische Struktur im *Saul* (1782) und in der *Mirra* (1784–87). Im *Saul* – Alfieri entnimmt den Stoff zu seiner Tragödie dem ersten *Buch Samuel* – manifestiert sich das gängige Grundschema des Konflikts zwischen Tyrannis und Freiheitsstreben nicht in zwei konkreten Gegenspielern, sondern als ein existentielles und ein psychologisches Drama, das in die Figur des Protagonisten selbst verlagert wird. Saul figuriert gegenüber David als Tyrann, ist aber gleichzeitig, als Opfer der Ungnade und des Zornes seines Gottes, selber ein unfreier Mensch. Dieser Konflikt muß genauso wie der äußere Kampf zwischen Tyrannis und Freiheitsstreben mit dem Tod des Tyrannen enden, der mit seinem Selbstmord hier als Opfer und zugleich als Täter fungiert. Überlagert wird dieser Konflikt von einem weiteren, von dem ambivalenten Verhältnis Sauls zu David, den er zwar einerseits tyrannisch verfolgt, andererseits aber auch für sich gewinnen will. Dieser doppelte Konflikt wird symbolisiert im Motiv des Wahnsinns, der Saul verfolgt.

In der *Mirra* – sie gilt gemeinhin als Gipfel und Endpunkt der dramatischen Kunst Alfieris und als eine Tragödie der Liebesleidenschaft von geradezu Racinescher Gewalt – wird das dramatische Grundschema: Tyrannis contra Freiheit mehr noch als im *Saul* sublimiert. Wie in dem biblischen Drama wird der dramatische Konflikt, der sich aus dem Inzestmotiv ergibt, als innerer Konflikt der Protagonistin zwischen Schuldbewußtsein und Leidenschaft gestaltet. In der *Mirra* manifestiert sich das Alfierische Leitthema der Tyrannis als Leidenschaft, die das Individuum schicksalhaft bestimmt und aus der es sich erst durch den Tod befreien kann. Die *Mirra*-Tragödie ist als ein analytisches Drama angelegt, in dem die dramatische Spannung aus der allmählichen Aufdeckung und dem immer erneuten Versuch der Verdeckung der Ausgangssituation erwächst – nämlich Mirras inzestuöser Leidenschaft für ihren Vater Cirino –, bis diese Passion sich schließlich im Schlußdialog mit dem Vater nicht länger verbergen läßt und ihre Aufdeckung zur Katastrophe führt. Anders als Racines Phèdre, die in ihrer inzestuösen Leidenschaft für ihren Stiefsohn Hippolyte schuldig wird – aus verschmähter Liebe verleumdet sie ihn und verursacht damit seinen gewaltsamen Tod –, bleibt Alfieris Mirra in ihrem Handeln unschuldig, doch muß auch für sie der dramatische Konflikt – getreu dem Alfierischen Grundschema – mit Notwendigkeit in den Tod führen.

Obwohl Alfieri keine zeitgenössische Wirklichkeit fiktionalisiert – was von der italienischen Literaturkritik gern mit einer bewußten Realitätsflucht gleichgesetzt wird –, trägt er mit seinen Widmungen dafür Sorge, daß seine Freiheitstragödien vom Zuschauer als Exempla verstanden und in einen zeitgenössischen Kontext transferiert werden können. So widmet er das Drama *Timoleone* dem korsischen Nationalhelden Pasquale Paoli, der in den fünfziger und sechziger Jahren gegen die Herrschaft der Republik Genua über Korsika kämpfte. Noch deutlicher werden Alfieris Aktualisierungstendenz und zugleich seine Freiheitskonzeption in den Widmungen von *Bruto primo* und *Bruto secondo* (1786–87). Wenn er *Bruto primo* dem General Washington, »dem wohlaufgeklärten und

Dramaturgisches Grundschema

Aus dem zweiten Akt von *Bruto secondo,* Cassio, Cicerone und Cimbro

freiheitlich gesinnten Manne« (»al chiarissimo e libero uomo«), dem »Befreier Amerikas, dessen Name allein am Anfang der Tragödie vom Befreier Roms stehen kann«, widmet oder wenn er *Bruto secondo* dem »italienischen Volke der Zukunft«, den »großmütigen und freien Italienern« (»generosi e liberi italiani«) zueignet und in der 1777–87 entstandenen Schrift *Della tirannide* als Tyrannis jede Regierungsform bezeichnet, in der der Souverän keiner gesetzlichen Bindung unterliegt und in der exekutive und legislative Staatsgewalt nicht getrennt sind, dann scheint über Alfieris politischen Standort kein Zweifel möglich. Sein Freiheitsbegriff meint offensichtlich eine am Ideal Plutarchs und an der Staatstheorie des französischen Aufklärers Montesquieu orientierte Freiheit des Individuums, die als »civil libertà« eine politische Komponente mit einschließt und der ein revolutionäres und ein nationales Bewußtsein nicht fernzustehen scheinen. Der Aristokrat Alfieri indes ist trotz seines Freiheitspathos' weit davon entfernt, ein politischer Revolutionär zu sein. An seinem Verhalten gegenüber der französischen Revolution wird die Problematik seiner Freiheitskonzeption deutlich. Hatte er die Revolution zunächst in der Ode *Parigi sbastigliato* 1789 euphorisch gefeiert, so erscheint sie ihm schon ein Jahr später, so heißt es in seiner *Vita,* als »Verrat an der Idee der Freiheit«. In den bürgerlichen Revolutionären sieht er nichts anderes als »Verrückte und unheilbar Kranke«. Alfieris Freiheitsideal ist also durchaus ambivalent: Es ist ein individualistisches und letztlich utopisches, ein fiktionalisiertes Ideal, das nicht nur durch die Flucht in eine heroische historische oder mythische Vergangenheit, sondern auch gerade wegen des dramatischen Pathos', mit dem es vorgebracht wird, mit der historischen Wirklichkeit der eigenen Zeit nichts zu tun hat. Anders ausgedrückt: Vor der politischen Realisierung seines Ideals und insbesondere vor deren Konsequenzen, wie sie ihm die französische Revolution, die er in Paris miterlebt, unmittelbar vor Augen führt, schreckt der Aristokrat Alfieri zurück; sein Freiheitskonzept ist lediglich ein ästhetisch-heroischer Republikanismus: »la mia repubblica non è la loro« (meine Republik ist nicht die ihre) – so distanziert er sich von der republikanischen Freiheit, wie sie die französische Revolution propagierte. Defizite in Alfieris Freiheitsideal hat schon Goethe auf den Begriff gebracht, wenn er in einer gleichsam psychoanalytischen Bemerkung dessen Freiheitsstreben als literarische Kompensation eines »stockaristokratischen« Naturells deutet: Alfieri »haßte die Tyrannen, weil er in sich selbst eine Tyrannenader fühlte.«

Problematik des Freiheitsbegriffs

Pietro Metastasio – das Melodrama als absolutistisches Huldigungstheater und Drama der Seelenanalyse

Pietro Metastasio

Metastasios Muse ist »eine liebeschmachtende [!] Nymphe«. Eine »gewisse schmelzende Weichlichkeit in den Gefühlen und in ihrem Ausdruck hat den Metastasio zum Lieblinge seiner Zeitgenossen gemacht« – so bewertet August Wilhelm Schlegel in seinen *Vorlesungen über dramatische Kunst und Literatur* den Hofdichter Karls VI. und Maria Theresias. Doch trifft er mit seiner Etikettierung Metastasios als Dichter der Liebe und der Gefühle nur einen Teilbereich seines Theaters. Nicht minder einseitig ist die Bewertung, ja die Verurteilung, die Metastasio bei Alfieri erfährt, der – ganz auf die Huldigungsfunktion dieses Theaters fixiert – in ihm nur einen »servilen Höfling« sieht, der »die Musen an die Macht der Despoten verkauft« hat. Mit seiner Bewertung Metastasios als

›Liebling seiner Zeitgenossen‹ trifft Schlegel indes den Sachverhalt. Der Ruhm des kaiserlichen Hofpoeten ist in der Tat im 18. Jahrhundert so groß, daß ihn der Literaturkritiker Giuseppe Baretti 1763 – nicht ohne polemische Absicht – über Dante, Petrarca, Boccaccio und Ariosto stellt, habe doch keiner von diesen in seinem jeweiligen Bereich so vollkommene Werke geschaffen wie er in dem einen.

Das hohe Ansehen, das Metastasio im 18. Jahrhundert genießt, erklärt sich unschwer mit Hilfe literatursoziologischer, rezeptions- und produktionsästhetischer Kategorien. In literatursoziologischer Hinsicht ausschlaggebend ist zunächst das überaus große Interesse, das das Publikum dem Musiktheater allgemein und damit auch dem literarischen Musiktheater Metastasios entgegenbrachte. Überdies entsprechen seine Melodramen dem Selbstverständnis des aufgeklärten Absolutismus – vor allem mit ihrer Darstellung des Konflikts zwischen Vernunft und Leidenschaft, des Schwankens zwischen staatlicher oder ethischer Verpflichtung auf der einen und persönlichem Liebesglück auf der anderen Seite sowie mit ihrer Präsentation eines aufgeklärten und gütigen Herrschers, der Konflikte zu lösen weiß und seinen Untertanen auch durch Gesittung und vorbildliches Verhalten weit überlegen ist. Metastasios Musiktheater erfüllt also in geradezu idealer Weise im aufgeklärten Absolutismus zugleich Abbild- und Vorbildfunktion und war zudem Bestandteil der Festkultur am absolutistischen Hofe. In diesem Kontext der Herrscherhuldigung versteht es sich auch, daß die Melodramen nicht in der Katastrophe und im Scheitern der Protagonisten gipfeln, sondern auf eine positive Lösung des dramatischen Konflikts aus sind. In *Il Re pastore* z.B., einem pastoralen Melodrama, das 1751 von Mitgliedern der Hofgesellschaft in den Gärten der kaiserlichen Residenz von Schönbrunn uraufgeführt wurde und das dank der späteren Vertonung durch Mozart auf der heutigen Opernbühne noch präsent ist, wird der Typus des gütigen und klugen Herrschers in der Person Alexanders des Großen exemplifiziert – einem im übrigen gern verwendeten Beispiel absolutistischer Herrschertugenden. Alexander befreit dort nicht nur die Stadt Sidon vom Tyrannen und setzt den rechtmäßigen Thronfolger, der unerkannt und ohne um seine Königswürde zu wissen, als Hirte gelebt hat, in sein Herrscheramt ein, sondern befreit auch die Liebenden aus allen Verwirrungen und Irrungen der Liebe und führt sie als Paare zusammen. Nur konsequent ist es, wenn diese in der Schlußszene gemeinsam das Lob des ›großen und gerechten Herrschers‹ singen: »Oh grande, Oh giusto!«. Mit seiner Idealisierung des absolutistischen Monarchen, seinem Hang zum sentenzenhaften Moralisieren und seiner Präferenz für eine Darstellung der Liebe, in der sich – häufig in einem pastoralen Szenarium – intellektuelle Seelenanalyse und rokokohafte Galanterie miteinander verbinden, entsprach das Metastasio-Theater offensichtlich dem Erwartungshorizont des höfischen Publikums, das sich in diesem Musiktheater bzw. in der »opera seria« allgemein gleichsam selber feiern wollte und konnte. Zu den literatursoziologischen und rezeptionsästhetischen Voraussetzungen treten eine ganze Reihe produktionsästhetischer Gründe hinzu, die zum Erfolg der Stücke beitrugen. Metastasio hat in seiner frühen Jugend bei Gian Vincenzo Gravina, dem hochangesehenen Theoretiker der Römischen Akademie der Arcadia, seine literarische Ausbildung erfahren und war auf diese Weise mit dem damals modernsten literaturtheoretischen Programm vertraut geworden, das einen überzogenen Barockmanierismus zugunsten eines stärkeren Rationalismus verwarf, sich an klassischen literarischen Vorbildern orientierte und der Literatur eine moralische Funktion zuwies. Er wurde zudem sehr früh – unter der Ägide Gravinas und Gregorio Calopreses – mit cartesianischem Denken, vor allem mit Descartes' *Traité des passions de l'âme*, bekannt. Der Intellektualismus, den er bei Descartes

Letzte Seite eines Briefes mit Unterschrift von Metastasio an Carlo Broschi, genannt Farinelli

Melodramen – Abbild des aufgeklärten Absolutismus

Neapolitanische Oper

Stich von Giuliano
Zuliani für *Didone
abbandonata*

finden konnte, d. h. die Lust am Zergliedern seelischer Vorgänge und der intellektuelle Genuß, der aus der Freude an der Fiktionalisierung des Realen
erwächst, wurden ebenso Konstanten in seinem Werk wie die Grundvorstellun-
gen und Materialien aus der Arcadia. Nicht minder entscheidend für seine
Entwicklung zum Literaten des Musiktheaters ist das Jahrzehnt von 1719 bis
1730, das Metastasio vor seiner Berufung nach Wien als kaiserlicher Hofpoet in
Neapel verbrachte. Hier entstanden im Kontakt mit Komponisten und Sängern
der dortigen Oper, vor allem mit dem Komponisten Niccolò Porpora, von dem
er seine musikalische Ausbildung erhält, und der Sängerin Marianna Benti
Bulgarelli, die ersten Texte für das Musiktheater, darunter die Serenade *Gli Orti
Esperidi* (1721) und das Melodrama *Didone abbandonata* (1724). Nicht ohne
Ironie ist es, daß Metastasio seine Erfolge in einer Gattung erzielte, die von
seinem Lehrer Gian Vincenzo Gravina und von anderen Theoretikern der Arcadia wie Ludovico Antonio Muratori und Giovan Mario Crescimbeni aus poetologischen Gründen strikt abgelehnt worden war. Im Musiktheater der Zeit, so
heißt es bei Muratori in *Della perfetta poesia italiana* (1706), werde die Poesie
der Musik untergeordnet und damit die traditionelle Rollenverteilung von Literatur und Musik umgekehrt.

Zu den bedeutsamsten unter den sechsundzwanzig Stücken, die Metastasio
für das Musiktheater schrieb, zählen neben der frühen *Didone abbandonata* vor
allem die in Wien zum Geburtstag der Kaiserin Elisabeth aufgeführte *L'Olimpiade* (1733), die im 18. Jahrhundert über fünfzigmal – u.a. von Antonio
Vivaldi, Giovanni Battista Pergolesi, Johann Christian Bach und Domenico
Cimarosa – vertont wurde, sowie die ebenfalls häufig – u.a. von Christoph
Willibald Gluck und Wolfgang Amadeus Mozart – vertonte *La clemenza di Tito*
(1734). *L'Olimpiade* gilt der Kritik gemeinhin als Höhepunkt der Kunst Metastasios, als ein Melodrama, in dem sich all die Elemente, die sein Werk konstitu-
ieren, in geradezu idealer Weise miteinander verbinden. Und nicht zuletzt sind
es die Kunst der Konfiguration, mit der die Personen paarweise zueinander und
gegeneinander gestellt werden, die geometrische Struktur der Rezitative mit
ihrem Spiel der Antithesen und Parallelismen oder auch die symmetrische Struktur der Arien, die gemeinhin an *L'Olimpiade* gerühmt werden.

Lorenzo Da Ponte – ›postmodernes‹ Libretto als heiter-ironisches Spiel mit modischen Diskursen

Ganz anderer Art sind die Libretti, die Lorenzo Da Ponte geschaffen hat. Zwar bekleidet auch er – in den achtziger Jahren – das Amt des kaiserlichen Hofpoeten, aber anders als sein großer Vorgänger Metastasio schreibt er kein absolutistisches Huldigungstheater, auch keine ernsthafte Seelenanalyse in Gestalt der »opera seria«, sondern, so in *Le Nozze di Figaro* (1786), wo er an die bekannte Komödie *Le mariage de Figaro* (1784) des französischen Dramatikers Beaumarchais anknüpft, ein Theater, das den Machtverhältnissen des Ancien Régime distanziert gegenübersteht und sich an der »opera buffa« orientiert.

Lorenzo Da Ponte, Stich von Michele Pebenino

Das vielleicht interessanteste, aber auch umstrittenste Libretto, das Da Ponte neben *Le Nozze di Figaro* und *Don Giovanni* (1787) für Mozart geschrieben hat, ist das »dramma giocoso« *Così fan tutte ossia la Scuola degli Amanti* (1789/90). *Così fan tutte* – besonders im 19. Jahrhundert gern realistisch als frivol-amoralisches Spiel mit weiblicher Liebe und Treue verstanden – gilt heute als postmoderner Text. In diesem Sinne wird das Libretto nicht primär als Experiment und Spiel mit Liebe und Treue, sondern als Spiel mit Texten, die von Experimenten mit Liebe und Treue handeln, begriffen und im Verweisungszusammenhang mit Ovids *Metamorphosen*, Ariosts *Orlando furioso*, Cervantes Novelle *El Curioso Impertinente* und nicht zuletzt mit den Komödien Marivaux' – vor allem mit *La Dispute* – gesehen. Bei Da Ponte hat sich der für das menschliche Zusammenleben scheinbar so relevante Disput um Liebe und Treue – der in *El Curioso Impertinente* noch ernsthaft und mit tragischem Ausgang dargestellt worden war und der sich schon bei Marivaux zum aufklärerischen Gesellschaftsspiel gewandelt hatte, in dem sich die müßiggängerische Neugierde einer Hofgesellschaft gefiel – nunmehr zur Kaffeehauswette, zum Maskenspiel und zum Spiel mit literarischen Versatzstücken verkürzt, die – gleichsam mit einem Augenzwinkern zum Publikum hin – ironisch-spöttisch fragmentarisch zitiert werden. *Così fan tutte* ist indes nicht nur ein Spiel mit gängigen Mythen der Liebesliteratur, sondern darüber hinaus – wir befinden uns zeitlich am Ende der Epoche der Aufklärung – auch ein Spiel mit der modischen Aufklärungsideologie, vor allem mit der Vorstellung von der Manipulierbarkeit des Menschen als »homme machine«. Und nicht zuletzt ist *Così fan tutte* auch eine banalisierende Replik auf den Traum der Aufklärer, durch Erfahrung und Experiment – kurz: durch Aufklärung – den Menschen »aus seiner selbstverschuldeten Unmündigkeit« befreien zu können.

Da Pontes ironisch-parodistisches Spiel mit den Inconstantia-Topoi und der Aufklärungs-ideologie

Die Arcadia – poetologische Konzeption und Beispiele arkadischer Lyrik

»Am Anfang war die Arcadia«. Dies ist die erste Assoziation, die sich gemeinhin im Zusammenhang mit der italienischen Lyrik des Settecento einstellt. Arcadia ist im primär-konkreten Sinne die Bezeichnung für einen Zusammenschluß von Literaten, die im Jahre 1690 in Rom eine Akademie gleichen Namens gründen und die in rascher Folge Nachahmer in ganz Italien finden bzw. Außenstellen (»colonie«) in vielen italienischen Städten errichten. Im mehr allgemeinen

Arcadia als antibarocke Bewegung

und literarhistorischen Sinne ist Arcadia die Sammelbezeichnung für eine literarische Schule und zugleich für eine übergreifende kulturelle Bewegung, die in der ersten Hälfte des 18. Jahrhunderts richtungweisend ist und vor allem im Bereich der Lyrik mit ihrem poetologischen Programm Maßstäbe setzt. Die Arcadia versteht sich – und so wird sie, wenn auch mit gewissen Einschränkungen, auch noch von der modernen Literaturkritik gesehen – als Reaktion gegen die Barockliteratur, die das gesamte 17. Jahrhundert beherrscht hat. Sie wendet sich gegen den Kult des barocken Konzeptismus mit seiner Suche nach immer neuen und immer überraschenderen Pointen und gegen den maßlosen, der Sache nicht angemessenen Gebrauch der Metaphorik, der Periphrase und all der übrigen Tropen und Figuren, für den die Literaten des Barockzeitalters eine besondere Vorliebe hatten. Mit anderen Worten: Die Arcadia wendet sich ganz allgemein gegen einen ihrer Ansicht nach überzogenen Manierismus, der das klassische poetologische Gebot der Angemessenheit von Sache und Ausdrucksweise außer acht gelassen und sich in artifiziellen Sprachspielen verloren hat. Gegen die Barockliteratur setzt die Arcadia nicht nur eine Rückbesinnung auf die klassische Antike sowie die italienische Literatur des Trecento und des Cinquecento (Im Cinquecento war im Anschluß an Iacopo Sannazaros *Arcadia* (1504) die bukolische Literatur, also eine Kostümierung der Literatur zur Hirtenidylle, Mode geworden). Sie erstrebt darüber hinaus – entsprechend dem westeuropäischen aufklärerischen Denken der Zeit und in Analogie zum Programm der Académie française und der »doctrine classique« in Frankreich – eine Literatur, die dem Rationalismus verpflichtet ist und der gesellschaftliche Zielsetzungen nicht fremd sein sollen. Die Poesie soll den Regeln der Vernunft unterworfen sein, die Einfachheit, Natürlichkeit und Klarheit auch im Bereich der Fiktionen fordern. Rationalismus und Natürlichkeit gegen barocke Unnatur und maßlosen und sinnentleerten Gebrauch der poetischen Stilmittel sowie Orientierung an den kanonisierten Themen und Gattungsformen der antiken Literatur und der klassischen italienischen Muster – mit dieser Formel läßt sich das literaturtheoretische Programm der Arcadia schlagwortartig charakterisieren. Die

Gian Vincenzo Gravina, Zeichnung von Pier Leone Ghezzi

Frontispiz der *Arcadia* von Giovan Mario Crescimbeni, Rom, 1711

Gebote der Einfachheit, Natürlichkeit und Klarheit gelten selbstverständlich auch für den Gebrauch der arkadischen Materialien, wie sie die reiche Tradition der antiken und der italienischen Bukolik anbietet. Diese sind in natürlicher, maßvoller und der Sache angemessener Weise zu verwenden und zu präsentieren. Auf dieses Gebot verpflichtet Gian Vincenzo Gravina, einer der vierzehn Begründer der römischen Akademie, die Arcadia-Literaten in seinen *Leggi d'Arcadia.*

Im Zusammenhang mit den literarischen bzw. mit den allgemein kulturellen und kulturpolitischen Bestrebungen der Arcadia erscheinen eine ganze Reihe literaturtheoretischer und literaturhistorischer Abhandlungen. Zu nennen sind neben der apologetischen Schrift *Istoria della volgar poesia* (1698) Giovan Mario Crescimbenis, des langjährigen »Custode generale« der römischen Akademie, Ludovico Antonio Muratoris *Della perfetta poesia italiana* (1706) und vor allem die poetologischen Abhandlungen Gian Vincenzo Gravinas *Discorso delle antiche favole* (1696) und *Della ragion poetica* (1708). Beide Texte zählen zu den einflußreichsten Publikationen der Arcadia. In ihnen manifestiert sich das Bemühen, eine Wissenschaft von der Poesie und im weiteren Sinne eine ästhetische Theorie zu begründen, in der die Kunst als Inkarnation des Universalen begriffen und der Phantasie ein bedeutsamer Stellenwert zugewiesen wird, ohne auf die Kriterien der Rationalität zu verzichten. Bei ihrem Bemühen, die italienische Lyrik zu erneuern, besinnen sich die Literaten der frühen Arcadia auf Petrarca. Dies bedeutet indes weniger eine Neuauflage der vergangenen Mode des Petrarkismus als eine Rückkehr zu den großen Vorbildern und zu den Ursprüngen der italienischen Lyrik, zu Petrarca und darüberhinaus zum »amor gentile« des Dolce stil novo. Typisches Beispiel einer Lyrik, die Petrarcas *Canzoniere* mit seiner kodifizierten Liebessituation und seiner nicht minder kodifizierten Liebessprache für sich zu nutzen weiß und die sich zugleich am Dolce stil novo vor allem Dantescher Prägung zu orientieren sucht, ist das Werk des Bolo-gneser Literaten und Naturwissenschaftlers Eustachio Manfredi. Seine im Jahre 1713 erstmals publizierten *Rime* umfassen – dies ist eine implizite Huldigung an Dante und Petrarca – Kanzonen und vor allem Sonette. Paradebeispiel für Manfredis Versuch einer Aneignung der großen Vorbilder ist neben der Augen-kanzone »Donna, ne gli occhi vostri« das Sonett »Vergini, che pensose a lenti passi«. Beide Texte sind als Montage aus Dante- und vor allem aus Petrarca-Zitaten angelegt. Zentrales Thema in der Liebeslyrik Manfredis ist ganz in Petrarca- und Dante-Manier eine schmerzvolle Laura- und eine verehrungsvolle Beatrice-Liebe. Entsprechend diesen Schemata ist Manfredis Donna für den Liebenden unerreichbar. Unerreichbar allerdings, weil sie sich durch ihren Eintritt ins Kloster im ganz konkreten Sinne der Liebe verschlossen hat. Wenn Manfredi das in der Spiritualliebe vorgegebene Thema des Todes und das mit diesem verbundene der Entrückung der Geliebten in himmlische Sphären durch das konkrete Kloster-Motiv (die »monacazione«) ersetzt, dann gerät ihm die Petrarca- und Dante-Imitatio und der Versuch, mit den großen Vorbildern zu wett-eifern, eher zur banalisierenden Replik oder vielleicht auch schon zur Vorweg-nahme eines romantischen Topos.

Anders als Manfredi orientiert sich sein Zeitgenosse Paolo Rolli primär an der antiken Literatur. Zu den Texten, die er für seine Werke nutzt, zählen neben den *Oden* des Horaz und den *Eklogen* Vergils vor allem die *Anacreontea,* die bekannte Sammlung griechischer Kleinlyrik im Stile des Anakreon, sowie die *Carmina* Catulls und Tibulls *Elegien.* Im Stil des Tibull schreibt Manfredi in seiner Frühzeit (1711–1715) zwölf Elegien in Terzinenform, und 1717 – jetzt in der Manier des Catull – Terzinen, die er entsprechend dem verwendeten Metrum *Endecasillabi* nennt. Nicht nur in der lyrischen Form – seit dem

Giovan Mario Crescimbeni, Zeichnung von Pier Leone Ghezzi

Rückgriff auf Dante und Petrarca

Frontispiz der *Rime* von Eustachio Manfredi, Bologna, 1748

Paolo Rolli, Zeichnung
von Pier Leone Ghezzi

Carlo Innocenzo Frugoni

*Versi sciolti di tre eccellenti
moderni autori,* nach dem
poetologischen Grundsatz
»ut pictura poesis«
schreibt die allegorische
Figur der Dichtung ihre
Verse auf das Spiegelbild
der Malerei.

15. Jahrhundert war die Terzine das gängige volkssprachliche Äquivalent zum Distichon der antiken Literatur –, sondern auch in der Thematik seiner Liebesgedichte folgt Rolli den lateinischen Elegikern. Deren gängige Topoi verbindet er mit anakreontischen Materialien und transformiert dies alles zur arkadisch-rokokohaften Liebeständelei, d. h. zum Spiel und eleganten Scherzen mit den Materialien, die die lateinische und anakreontische Tradition anbieten: Lobpreis der Geliebten und ihrer körperlichen Vorzüge, Klage über verweigerte Gunst, Evokation des mythologischen Personals der Liebesgottheiten Venus und Amor, Anrufung des Westwindes Zephyros in seiner Funktion als Liebesbote, Präsentation einer amourös-bukolischen Landschaft mit Wiesen, Blumen, schattigem Hain usw. (Vgl. z.B.: »Gioite, o Grazie, scherzate, Amori«). Der Ruhm des Lyrikers Rolli beruht indes weniger auf seiner antikisierenden als vielmehr auf seiner melischen, das heißt liedhaften Dichtung: auf den Kanzonetten und den *Ode di argomenti amorevoli,* die von ihm selbst wie auch von Georg Friedrich Händel und Domenico Scarlatti vertont wurden. Die Ode »Solitario bosco ombroso« wurde noch im Hause des jungen Goethe in Frankfurt häufig gesungen. In *Dichtung und Wahrheit* erzählt Goethe, daß er sie auswendig wußte, noch ehe er sie verstand. Die weite Verbreitung dieser Ode erklärt sich wohl daher, daß Rolli hier eine seelische Gestimmtheit erzeugt, die aus der Verbindung von Rokokohaft-Galantem mit melancholischer Liebessehnsucht und Naturanrufung in Petrarca-Manier erwächst. Den Typus des Arcadia-Lyrikers schlechthin nennt Benedetto Croce den Genueser Carlo Innocenzo Frugoni. Frugoni, der viele Jahrzehnte als offizieller und hochgeschätzter Hofliterat im Herzogtum Parma am Hofe der Farnese und später der Bourbonen arbeitet, versteht sich auf eine Vielzahl von lyrischen Registern, Argumenten und Gattungsformen und weiß diese mit gespielter Unbeschwertheit zu präsentieren, wobei er sich selber in der Pose des simplen Verseschmiedes gefällt (»Verseggiattore e nulla più: non poeta«). Der sich so bescheiden gebende Frugoni hat indes eine ganze Schule begründet: den sogenannten Frugonianismus. Nicht nur das Publikum, auch zeitgenössische Literaten schätzen ihn als »behenden, lebendigen und überaus produktiven« Autor. Nicht von ungefähr publiziert Saverio Bettinelli im Jahre 1758 in seiner Anthologie mit dem mehr als programmatischen Titel *Versi sciolti di tre eccellenti moderni autori* neben eigenen und Texten von Algarotti auch Gedichte von Frugoni. Bettinellis Urteil ist nicht repräsentativ für die Zeit. In seiner Literaturkritik vertritt er eine extrem anti-traditionelle Position und wendet sich in den *Lettere Virgiliane,* der Einleitung zu seiner Anthologie, scharf gegen Dante, Petrarca, Ariosto und Tasso. Aber immerhin gilt Frugoni in seiner Zeit so viel, daß seine Texte im Literatenstreit mit polemischer Absicht gegen die Werke der kanonisierten Autoren der italienischen Literatur gestellt werden können. Frugoni – auch hierin liegt ein Grund für seinen literarischen Erfolg – macht die Vorliebe der Arcadier für antikisierendes Dichten zu seiner eigenen und paßt sich geschickt den Bedürfnissen der Hofgesellschaft nach Galanterie und Fürstenhuldigung an. Mit derselben Gewandtheit, mit der er als neuer Pindar (»Pindaro novo«) Preissonette auf biblische, karthagische und römische Heroen verfaßt, schreibt er auch Liebeslyrik in anakreontischer Manier und wählt als Adressaten für seine Texte hochgestellte Damen und Herren vom Hofe. Wohl zurecht spricht die italienische Literaturkritik in diesem Zusammenhang von Salonliteratur (»letteratura per società«). In der Vielzahl seiner lyrischen Texte – die postume Gesamtausgabe der *Opere poetiche* (1779) umfaßt zehn Bände – kommt der anakreontischen Lyrik, darunter vor allem den beiden Kanzonetten »Navigazione di Amore« (1723) und »Ritorno dalla Navigazione d'Amore« (1729), besonderer Rang zu. Beide Texte gelten gemeinhin als Gipfelwerke seines poetischen Schaffens. Die »Naviga-

zione di Amore« wird häufig als Versuch einer Literarisierung der berühmten
Watteau-Bilder »L'embarquement pour Cythère« und »L'île enchantée« gedeutet und als Symbolisierung der erotischen Erfahrung im Motiv der Seereise hin
zur »isola felice« der Liebe verstanden. Amor selber, so die lyrische Situation der
Kanzonette, lädt den Dichter zur Fahrt auf seinem Schiffe ein. Dieser willigt
gern in die Überfahrt ein, doch läßt ihn Amor auf der Insel der Liebe zurück.
Damit hat er – so die maliziöse, typisch anakreontische Pointe der Kanzonette –
zwar die Liebe gewonnen, doch die Freiheit verloren.

»L'embarquement pour
Cythère«, Gemälde von
Antoine Watteau

   Mag der Lyrik Frugonis als Salonliteratur noch eine gewisse gesellschaftliche
Funktion zukommen und mag sie damit, wenn auch in recht oberflächlicher
Art und Weise, der pragmatischen Zielsetzung der Arcadia entsprechen, so gilt
dies für die *Amori* (1765) des Ludovico Savioli Fontana – zumindest im Selbstverständnis des Autors – kaum noch. Savioli weist im Vorwort ausdrücklich
jede utilitaristische Zielsetzung von sich und bekennt sich zur Freude und zum
Spiel als einzigen Beweggründen seines lyrischen Schaffens. Bei den *Amori*
handelt es sich um eine Sammlung von vierundzwanzig Kanzonetten, die im
Jahre 1765 erscheinen (Die ersten zwölf hat Savioli bereits im Jahre 1758 veröffentlicht). Wenngleich das Werk nicht als eine fortlaufende Geschichte angelegt
ist, bezeichnet man die Kanzonetten gern als einen »romanzetto galante« (Mario
Fubini). In der Tat lassen sich die *Amori* als Liebesroman oder – genauer – als
eine Sammlung galanter Episoden aus der Rokokozeit begreifen. Es mag durchaus sein, daß Savioli sich für seine Lyrik von Liebesszenen auf Darstellungen hat
anregen lassen, die bei den Ausgrabungen in Herculaneum entdeckt worden
waren. Erste Reproduktionen dieser antiken Liebesszenen werden in der Entstehungszeit seiner Texte veröffentlicht. Aber mehr noch sind es die Schemata der
lateinischen Elegiker – schon der Titel *Amori* ist eine Huldigung an Ovids
Amores – und eine Fülle mythologischer Materialien, auf die Savioli in seinen
Texten zurückgreift und die er zu einer »erotisch-mondänen Liturgie« (Savoca)
transformiert. Gleich die erste Kanzonette »A Venere« ist eine Huldigung an die
Göttin der Liebe. Doch wird Venus nicht namentlich genannt, sondern – ganz
wie es dem Göttlichen gebührt – mit ihren Eigenschaften und Funktionen in
mythologischen Periphrasen apostrophiert und gefeiert. Savioli hat eine besondere Vorliebe für entlegenes mythologisches Material, so daß schon den zeitgenössischen Ausgaben der *Amori* ein mythologisches Lexikon beigefügt werden
mußte. Auch in seinen lyrischen Formen sucht er das Entlegene und Originelle:
Quartette aus Siebensilbern mit alternierenden proparoxytonischen und paroxy-
tonischen Versen, wobei nur die letzteren sich reimen. Der Verfasser der *Amori*
ist für die italienische Literaturkritik der Begründer eines Neoklassizismus, bei
dem die Sprache der Arcadia sich vom Pastoralen und Petrarkesken gelöst hat
und mit dem der mythologische und allgemein antikisierende Diskurs der
frühen Arcadia aus einem rein dekorativen zum eigentlichen poetischen Diskurs
geworden ist.

Saviolis Amori

   In der zweiten Hälfte des Jahrhunderts verliert die Arcadia immer mehr an
Einfluß, und es mehren sich die Attacken, die gegen sie vorgebracht werden. So
wendet sich z.B. Giuseppe Baretti in seiner kurzlebigen – wegen ihrer scharfen
Polemik schnell verbotenen – Zeitschrift *La Frusta letteraria di Aristarco Scanna-*
bue (1763–1765) scharf gegen die Arcadier und wirft ihren lyrischen Produktionen Banalität und Oberflächlichkeit vor. Giambattista Felice Zappi, einer der
Begründer der römischen Arcadia, dessen lyrisches Werk – ein Großteil erschien
schon im ersten Band der Anthologie *Rime degli Arcadi* (1716) – von den Zeitgenossen, später auch von Giacomo Leopardi und dann wieder von Benedetto
Croce geschätzt wurde, gilt Baretti als Prototyp einer affektierten und kraftlosen
Poesie, eines, wie er es polemisch nennt, »eunuchenhaften Reimens« (»suo

Marmorstatuette des Eros

eunuco rimare«). Auch die literaturtheoretischen Schriften der Arcadia finden vor Barettis polemisch-scharfem Urteil keine Gnade, fehle es den Theoretikern der Akademie doch an Phantasie, Intellekt und Urteilskraft. Die Polemiken, die Baretti oder – im 19. Jahrhundert – der Literarhistoriker Luigi Settembrini gegen die Arcadier geführt haben, trugen sicherlich mit dazu bei, daß die arkadische Dichtung lange Zeit als Symbol lyrischen Unvermögens galt, als »simbolo della mancanza di poesia« – so faßt Croce bei seinem Bemühen, die Arcadia zumindest teilweise zu rehabilitieren, die für ihn zu negative Rezeption, die sie bisher erfahren habe, zusammen. In ihrer Spätzeit öffnet sich die Arcadia dem neuen präromantischen und neoklassizistischen Literaturverständnis, und die primär antibarocke und rationalistische Ausgangsposition tritt zurück. In diesem Zusammenhang spricht die italienische Literaturkritik zu Recht von einer präromantischen und von einer klassizistischen Arcadia und sieht in den anakreontischen Texten Iacopo Vittorellis diese beiden Stömungen vereinigt. Mit den *Anacreontiche ad Irene* (1784) des von den Zeitgenossen gefeierten, heute aber trotz der Musikalität, die seine Verse auszeichnet, eher als Epigone bewerteten Vittorelli findet die Lyrik der Arcadia ihren Abschluß. Wie sehr dieser Dichter noch im 19. Jahrhundert geschätzt wird, bezeugt Giuseppe Verdis Vertonung von »Guarda che bianca luna!/ Guarda che notte azzurra«, einem Text, der in scheinbarer Leichtigkeit anakreontische Liebeständelei und romantische Klischees wie Mond, Nacht und Schlagen der Nachtigall miteinander verbindet.

Höhepunkte der Lyrik des Settecento

Pietro Metastasio

Pietro Metastasio und Giuseppe Parini sind – so die einhellige Auffassung der italienischen Kritik – gleichsam die idealen Pole, denen sich nahezu die gesamte Lyrik des Settecento zuordnen läßt. Das gilt in gleicher Weise für die arkadische wie für die aufklärerische Lyrik. Der gefeierte Librettist und Hofdichter am kaiserlichen Hof in Wien und der norditalienische Aufklärer sind es, die Geschmack und lyrischen Stil ihres Jahrhunderts bestimmen und auch heute noch zum Kanon der großen Autoren des 18. Jahrhunderts zählen. Von Metastasio können die Lyriker seiner Zeit eine zugleich musikalische und durchrationalisiert-cartesianische Poesie rezipieren. Von Parini eine Lyrik, der zwar die klassischen Vorbilder nicht fremd sind, die sich jedoch aus dem traditionellen Bereich der Liebesthematik und der Seelenanalyse löst und sich der zeitgenössischen Realität bis hin zur Alltagsthematik öffnet. Als unumstrittene Gipfelwerke der Lyrik Metastasios – sieht man einmal von der Vielzahl der lyrischen Einlagen (Arien, Kanzonen) in seinen Melodramen, ab – gelten das im Zusammenhang mit der Oper *L'Olimpiade* entstandene Sonett »Sogni e favole io fingo«, die Kanzonette »La Libertà« sowie die Kanzonette »La Partenza« aus dem Jahre 1746. Das genannte Sonett nimmt von seiner Thematik her eine eigentümliche Zwischenstellung zwischen Barock und Moderne ein. Von seiner Anlage her ist es eine religiöse Meditation über die barocken Themen der Vermischung von Leben und Traum sowie der Scheinhaftigkeit allen Seins, und zugleich ist es eine profane Reflexion über das moderne Thema der Verbindung von Kunst und Leben. Gefaßt wird dies alles in eine antithetische Begrifflichkeit und eine durchrhythmisierte Sprache und gipfelt in der Pointierung, die dem klassischen Sonett eigentümlich ist. Ähnlich durchstrukturiert ist die Kanzonette »La Libertà« – der räsonierende Monolog (»Nel ragionar di me«) eines Liebenden, der sich aus den Zwängen einer unglücklichen Liebe gelöst und seine »Freiheit« wiedergefunden hat. Für die dieser Kanzonette immanente Musikalität spricht, daß Metastasio selber und drei seiner Zeitgenossen sie vertont haben.

Eine ganz andere lyrische Welt präsentiert Giuseppe Parini, und an ganz anderen Kriterien orientiert sich die Wertschätzung, die sein Werk auch in der heutigen Kritik erfährt. Im 18. Jahrhundert wird in ganz Europa auch die Lyrik in den Dienst der Aufklärungspropaganda gestellt. Doch die aufklärerische Gebrauchspoesie, die sich für Italien vor allem mit dem Namen Giuseppe Parini verbindet, kann mitunter eine hochstilisierte Lyrik sein. Im lyrischen Korpus des Settecento findet sich eine Vielzahl von Texten, die mit ihren aufklärerisch-pragmatischen Themen – sie reichen von der Strafrechtsreform über pädagogische, medizinische und ökologische Fragestellungen bis hin zur Problematik der päpstlichen Sängerkastraten – dem heutigen Leser von vornherein unlyrisch erscheinen müssen und deren künstlerische Anlage sich ihm erst in der Analyse erschließt. So wird man Parinis Ode über die Luftverschmutzung (»La salubrità dell'aria«) auf den ersten Blick eher mit Ökologie-Poesie als mit hoher Lyrik assoziieren. Doch ein solches Urteil wird der Komplexität des Textes und seiner künstlerischen Anlage kaum gerecht. Wenn Parini in hoher und mittlerer Stilhöhe – ganz wie sie die klassische Poetik für den Pindarschen bzw. den Horazschen Odentypus verlangt – ein Thema der niedrigen Alltäglichkeit, nämlich das Problem der Sauberkeit der Luft, gestaltet, so ist dies aus der Perspektive der klassischen Poetik ein Stilbruch, genauer: ein Verstoß gegen das Gebot des »aptum«, das verlangt, daß die jeweilige Stilhöhe der dargestellten Sache angemessen sei. Doch wenn er in dieser Ode die Idylle des Landlebens, die »vita rustica«, mit den konventionellen Elementen des »locus amoenus« wie »sanfte Berge, unschuldig-schönes Klima, glückliche Menschen« usw. (»colli ameni, bel clima innocente, beata gente«) feiert und diese »der stolzen Stadt mit ihrem Luxus, ihrem Geiz, ihrem fehlenden Gemeinsinn« gegenüberstellt, dann entfernt sich Parini trotz der für eine Ode untypischen, weil unpassenden niedrigen Alltagsthematik nicht so stark vom klassischen Horazschen Odentypus, wie es zunächst erscheinen mag. Denn der Stilbruch wird durch einen impliziten Bezug auf Horaz gemildert, verweist doch die kontrastive Anlage des vielstrophigen Gedichts mit ihrer Gegenüberstellung von städtischer Verderbnis und ländlicher Idylle auf den in der Odenliteratur so viele Male nachgestalteten Topos des »Beatus ille qui procul negotiis« »Glücklich, wer fern den Geschäften« und stellt sich damit offensichtlich bewußt in die Horaz-Tradition.

Neu bei Parini ist indes neben der Tendenz zum bewußten Stilbruch die lyrische Haltung: das aufklärerisch-pädagogische Engagement, mit der die tradierten thematisch-motivischen und formalen Versatzstücke präsentiert werden. Diese neue lyrische Haltung hebt die Ode aus dem rein intertextuellen Zusammenhang heraus und macht sie zum Zeugnis eines modernen gesellschaftlichen Bewußtseins, das sich um die Mitte des 18. Jahrhunderts noch in einer konventionellen Gattungsform zu artikulieren vermag. Mit seiner Entscheidung, ein Thema der niedrigen Alltäglichkeit im hohen und mittleren Stil zu präsentieren, verleiht Parini diesem nicht nur eine ungewöhnliche Feierlichkeit. Zudem sind die Wahl eines solchen Themas und seine Gestaltung in Form und Stil der Ode Zeichen eines neuen literarischen Selbstbewußtseins und gleichbedeutend mit einem Angriff auf die klassischen Regeln der Gattungshierarchie, die hohen und mittleren Stil hohen und mittleren Themen vorbehalten. Noch ein weiterer poetologischer Aspekt wird an Parinis Behandlung der niedrigen Alltäglichkeit offenbar. Die Ode ist von der Art der Präsentation des Themas her zugleich eine Satire – mit ernsthafter Intention – auf das großstädtische Treiben. Wenn Parini ernsthafte Satire und hohen und mittleren Stil miteinander verbindet, dann

Giuseppe Parini

Satire und Ode

greift er ein zweites Mal das Regelwerk der klassischen Poetik an, die der Satire den niedrigen Stil zuweist, und erreicht die »Nobilitierung der Satire« (Schulz-Buschhaus).

Noch deutlicher manifestieren sich der Bruch mit der Gattungstradition und die poetologische Aufwertung der Satire in der Ode »La musica«, in der die Problematik der päpstlichen Sängerkastraten thematisiert wird. Unmittelbarer Anlaß hierzu ist angeblich ein von Parini selber angeregter Artikel in der *Gazzetta di Milano* vom 16. August 1769, dem zufolge Papst Clemens XVI. die Kastration von Knaben mit dem Ziel, Sopranstimmen zu gewinnen, verboten und stattdessen Frauen den Zugang zur Kirchenmusik gestattet habe. Entgegen der gängigen Lesererwartung wird bei Parini der Kastrat nicht Gegenstand des Spottes und der burlesken Satire. Das Kastratentum wird vielmehr in einen gesellschaftlichen und moralisierenden Kontext gestellt, die Kastration als Verstoß gegen die Würde des Menschen, ja gegen das Naturrecht, und letztlich als Akt gewertet, der einem zivilisierten Lande unwürdig sei. Das aufklärerische lyrische Pathos, das moralistische Interesse sowie die moralisierende Kritik an den Verhaltensweisen der Zeitgenossen richten sich bei Parini indes nicht nur auf offensichtliche gesellschaftliche Fehlentwicklungen, sondern – so in der Ode »Sul vestire alla ghigliottina (A Silvia)« – auch auf eher triviale Gegenstände wie die Exzesse weiblicher Mode in der jakobinischen Epoche. Frauen von Stand pflegen sich »à la victime« zu kleiden, das heißt, sie tragen ein rotes Band um den Hals – ein frivoler Hinweis auf die kaum vergangene Mode der öffentlichen Guillotinierungen. Im durchweg hohen, das heißt feierlichen Stil, unter Berufung auf eine Vielzahl mythologischer Exempla beklagt ein lyrisches Ich über 120 Verse hinweg in Quartetten aus kreuzweise angeordneten Acht- und Siebensilbern den Verfall der Sitten bei den einst so sittenstrengen »donne latine«, vor dem sich die vom Laster noch Unberührten, vor allem die angesprochene unschuldig-naive Silvia (»mia Silvia ingenua«), nur durch Flucht bewahren könnten. Auch wenn man diese Art der Lyrik als Aufklärungspropaganda sieht und ihr gemäß ihrem Anspruch eine gesellschaftliche und pädagogische Funktion ohne weiteres zubilligt, klingen die Texte in ihrer Ernsthaftigkeit und Humorlosigkeit oft merkwürdig hohl. Der hohe und mittlere Stil – also das feierlich-lyrische Ansprechen, das Heranziehen des mythologischen Apparates, die vornehme Periphrase –, mit dem hier Gesellschaftskritik vorgetragen wird, schaffen ein Pathos und mit diesem verbunden häufig eine unfreiwillige Komik, die aus der Perspektive des heutigen Rezipienten die ernsthafte Intention der Satire ins Gegenteil verkehren. Denn die Präsentation von niedriger Alltagsthematik, die ernsthaft-satirische Darstellung sittenlosen Treibens im Prunk des hohen und mittleren Stils bedeuten eben nicht nur die ästhetische Aufwertung eines gering geschätzten Gegenstandes, sondern auch die unmittelbare Konfrontation von Feierlichkeit und Alltäglichkeit, und damit wird ein Kontrast geschaffen, der entgegen den Absichten des Produzenten durchaus Komik erzeugen kann.

Parini ist ein zu vielseitiger Literat, als daß er sich auf einen einzigen Bereich festlegen ließe, und so ist seine aufklärerische Gebrauchspoesie, die »poesia didascalica« und die »poesia satirica«, nur ein Bereich seines Werks. Abgesehen davon sind Texte wie die Ode über die Luftverschmutzung trotz des an ihr von der Kritik so gerne gerühmten bürgerlichen Engagements für ihn möglicherweise nur literarisches Spiel mit einem vorgegebenen Thema. Denn »La salubrità dell'aria« entstand im Zusammenhang mit einem der damals üblichen literarischen Wettbewerbe der Accademia dei Trasformati, die 1759 »die Luft« (»l'aria«) als Thema ausgeschrieben hatte. Parini weiß mit allen lyrischen Registern, einer Vielzahl von Themen und Motiven sowie mit einer Fülle von lyri-

Frontispiz der ersten Ausgabe der *Odi*, 1791 bei Marelli in Mailand erschienen

schen Formen wie Oden, Sonetten, Kanzonen, Madrigalen und Langgedichten in reimlosen Elfsilbern zu arbeiten und zu spielen. Benedetto Croce nennt ihn einen in jeder Weise kompetenten Lyriker (»competissimo poeta«), der sich auf die belehrend-moralisierende und die satirische Poesie nicht weniger verstehe als auf die erotische und galante. Zu den großen lyrischen Texten aus der Spätzeit zählen die Ode »La caduta« (1785) und die drei sogenannten galanten Oden: »Il pericolo« (1787), »Il dono (1790), »Il messaggio (1793). In »La caduta« steigert sich das Belehrend-Moralisierende zum explizit Staatsbürgerlich-Sozialen. Der altgewordene Dichter stürzt – dies ist die lyrische Situation der Ode – im winterlichen Schmutz der Großstadt zu Boden, und im Dialog mit einem »buon cittadino«, der ihm wieder aufhilft, wird nicht nur die Situation des Poeten inmitten der Gesellschaft erörtert, sondern auch das Ideal des verdienten Staatsbürgers, der im Alter Anspruch auf Hilfe und Unterstützung habe, sich jedoch angesichts des Unverständnisses seiner hartherzigen Mitbürger (»duri mortali«) zurückzieht und »Schirm und Schild« darin findet, daß er sich selber treu bleibt. »La caduta« wird – über eine mögliche biographische Interpretation hinaus – gern sozialgeschichtlich gedeutet. In diesem Sinne wäre »der Fall« des Dichters analog zum allmählichen Verfall der lombardischen Gesellschaft unter der Herrschaft Josephs II. zu verstehen. Ein ganz anderer Parini manifestiert sich in den galanten Oden der folgenden Jahre. »Il dono« z.B. ist von der lyrischen Situation her ein galanter Dank an eine adlige Dame, die Parini ein Exemplar der Pariser Ausgabe von Alfieris Tragödien geschenkt hatte. Im gängigen arcadischen Stil verbindet sich hier Galanterie gegenüber der »liebenswürdigen Dame« (»amabil donatrice«) mit mythologischem und antikisierendem Diskurs auf höchster Stilebene. So wird gleich im ersten Vers Alfieri in feierlicher geographischer Periphrase – mit Verweis auf die antiken Ureinwohner Savoyens – als »kühnstolzer Allobroger« (»fero Allobrogo«) vorgestellt, den Melpomene, die Muse der Tragödie, als einzigen unter den Geistern Italiens mit dem schrecklichen Dolch des Tyrannenhasses gewappnet hat. Und den Schrekken, den die Lektüre der Alfieri-Tragödien dem Leser bereiten wird, lindert allein die Erinnerung an das »Bild der schönen Dame« (»dolce immagine«) und ihren trostspendenden »ambrosischen Atem« (»spirando ambrosia«). So verbinden sich »höchste Lust und Schrecken aufs innigste miteinander«.

Epische Literatur im Settecento

Anders als das französische 18. Jahrhundert hat das italienische Settecento keine Romanliteratur von europäischem Rang hervorgebracht. Dementsprechend interessiert sich die italienische Literaturgeschichtsschreibung für den Roman des 18. Jahrhunderts nur sehr am Rande. Gemeinhin beschränkt man sich darauf, kaum ein halbes Dutzend mehr oder weniger großer Namen zu nennen, darunter immer wieder Pietro Chiari und Alessandro Verri. Pietro Chiari hat zwar in den fünfziger Jahren eine Vielzahl handlungsreicher Romane (»romanzi d'azione«) verfaßt, darunter im Kontext der Exotismus-Mode des 18. Jahrhunderts die fiktiven Memoiren des *L'uomo dell' altro mondo* (1760). Aber ihm haftet der Ruf an, weder ein Romancier noch ein Komödienschreiber ersten Ranges zu sein, sondern eher den Konsumliteraten zuzugehören. In Alessandro Verris *Le notti romane al sepolcro de' Scipioni* (verfaßt in den Jahren 1780–90, erschienen 1792–1804), einem der größten literarischen Erfolge des Jahrhunderts, ist an die Stelle des konventionellen Handlungsromans eine Verbindung

Pietro Chiari

Frontispiz der
venezianischen Ausgabe
des *Mattino*

von archäologischem Roman, visionärem Szenario und geschichtlicher Reflexion getreten. Der Erzähler – so die epische Ausgangssituation – steigt in das Grab der Scipionen hinab und begegnet dort – gemäß der Erzählsituation der *Divina Commedia* – den illustren Geistern der römischen Antike. Dieser Kunstgriff ermöglicht es, römische Geschichte und Gedankenwelt durch die »Zeugen der Vergangenheit« in einer Vielzahl von »colloquii« wieder präsent zu machen und im Gespräch mit den Geistern der Vergangenheit auch nachrömische Geschichte aus der fiktiven Sicht der Alten darzustellen. Die *Notti romane* sind indes mehr als nur archäologischer Roman und Visionsliteratur oder geschichtsphilosophische Reflexion. In den zentralen Motiven – wie der Nacht, dem Ruinenschauer, der genußvollen Trauer (»dolce tristezza«) angesichts der mächtigen Ruinen vergangener Größe – kündigt sich bereits das neue romantische Zeitalter an.

Bedeutsamer als die Romanliteratur ist indes die Epenliteratur. Mit ihrer ›Arbeit am Epos‹ nehmen die italienischen Literaten die Tradition des Cinquecento wieder auf, aber dies auf eine ganz besondere Art und Weise. Wie es der »literarischen Evolution« entspricht, nach der der reflektierende und bewußt schaffende Literat die Schemata einer versteinerten Tradition nicht mehr naiv nachspricht, sondern sie in der Form der Parodie und der Burleske wiederaufnimmt und sich anverwandelt, verfahren die Epiker des Settecento. Niccolò Forteguerri z.B. verzerrt in seinem unter den Zeitgenossen recht bekannten *Ricciardetto* (1716–27) die Waffentaten und Liebesabenteuer, wie sie die Helden Ariosts vollbringen, ins Burleske – weit über die schon bei Ariost vorhandene parodistische Komponente hinaus. Noch einen Schritt weiter geht Giancarlo Passeroni, der sich in seinem *Cicerone* (1755–74) nicht nur explizit gegen Ariost und die großen Themen der Ritterepik wendet, sondern diese auch durch das Thema nützlicher, wissenschaftlicher Tätigkeit ersetzt haben will. Der epische Held, den Passeroni preist, verzehrt sich nicht im Waffen- und Liebesdienst, sondern nutzt Tag und Nacht in gleicher Weise für das Studium: »Unser Held, der Tag und Nacht studiert«.

Giuseppe Parinis Il Giorno

Gipfelwerk der Epenliteratur des Settecento ist Giuseppe Parinis *Il Giorno*, ein vier Teile umfassendes Poem mit über 3.700 Versen in reimlosen Elfsilbern (»versi sciolti«). Die ersten drei Teile – »Il Mattino«, »Il Mezzogiorno«, »Il Vespro« – erscheinen in den Jahren 1763–66, der letzte Teil – »La Notte« – wird erst postum in der Werkausgabe von 1801 veröffentlicht. Auf der einfachsten Ebene ist *Il Giorno* ein Lehrepos, in dem – das ist die epische Situation des Textes – ein Hauslehrer (»Precettor«) einen »giovin signore«, einen jungen Adligen, über die für einen Herrn seines Standes obligatorische mondäne Lebensweise, den »amabil rito«, unterrichtet, auf daß dieser der Langeweile und des Überdrusses, die ihm sein müßiggängerisches Leben bereiten, Herr werde. Die primäre Aufgabe, der sich der junge Herr in seinem Gesellschaftsleben zu unterziehen hat – so lautet eine der Grundlehren, die der »Precettor« seinem Zögling vermittelt –, ist die des »cicisbeo«, des offiziellen Begleiters einer verheirateten Dame, der den Ehemann bei einer Vielzahl von Gelegenheiten zu ersetzen und sich der Dame mit genau definierten Pflichten und Rechten zur Verfügung zu stellen hat. Von der Erzählhaltung her wendet sich der Hauslehrer unmittelbar an den jungen Herrn. Das Besondere an *Il Giorno* liegt darin, daß die Belehrung zwar scheinbar in ernsthafter Absicht geschieht, in Wirklichkeit jedoch die didaktische Situation zum Anlaß impliziter Adelssatire wird. Gleich zu Beginn werden in der Apostrophe des Helden mitsamt seiner Vorgeschichte und in der Zielsetzung der Lehre satirische Erzählhaltung und satirische Intention deutlich. Nicht nur, daß der müßiggängerische Herr im hohen Stil des Epos vorgestellt wird, das heißt mit den Stilmitteln der mythologischen Periphrase, des

»Dichiarazione d'amore«,
Gemälde von Pietro
Longhi

Hyberbatons, einer ausgesuchten Metaphorik und einer archaischen Diktion; seine Kavalierstour, bei der er »in frommer Gesinnung die heiligen Altäre der Venus und des Merkur besucht hat«, wird zudem als große Unternehmung und heroische Handlung gefeiert, von der der junge Herr seine Narben davongetragen hat. Mit anderen Worten: Die Satire verwandelt und banalisiert die traditionellen Erzählschemata der Ritterepik – den Auszug des höfischen Ritters und seine Liebes- und Waffentaten – zu Fahrten in Bordelle und Spielsalons. Und wie der höfische Ritter nach vollbrachter Tat der wohlverdienten Ruhe pflegt, so ist auch für den jungen Herrn, noch ehe die Belehrung beginnt, die Stunde der Ruhe gekommen: »Ora è tempo di posa«. Das Neue an Parinis *Il Giorno* ist nun weniger die auf einzelne Mißstände (wie z.B. den »cicisbeismo«) gerichtete Adelssatire – eine solche findet sich auch häufig bei Goldoni, so z.B. in *Il cavaliere e la dama* (1749) – als vielmehr die umfassende und durchgängige Haltung der Satire, mit der die aristokratische Welt attackiert und einer grundsätzlichen impliziten Kritik unterzogen wird. So heißt es einmal pointiert von dem jungen Herrn und implizit damit auch vom gesamten Adel, »er sei zu nichts nutze und benutze alle« (»da tutti servito, a nullo serve«). Zur Satire tritt die Parodie. In Parinis Lehrepos wird der hohe Stil, wie ihn die klassische Poetik verlangt, nicht nur bewahrt, sondern aufs höchste gesteigert und gewinnt so durch die Technik der Übertreibung eine parodistische Komponente. *Il Giorno* ist in mehrfacher Weise eine Parodie: auf das Epos aufgrund der Unangemessenheit von Sache und Stilhöhe, auf den hohen Stil aufgrund des exzessiven Gebrauchs seiner Stilmittel in einem diesem nicht angemessenen Kontext und schließlich auf die aufklärerisch-didaktische Attitüde des Lehrepos'. Denn was der »Precettor« dem jungen Herrn vermittelt, ist gerade eine Verhaltensweise, die aufgeklärtem Denken und aufklärerischen Verhaltensmustern zuwiderläuft und durch die Art der Darstellung implizit als widersinnig gekennzeichnet wird. Was *Il Giorno* indes von einer konventionellen Parodie unterscheidet, ist das Zurücktreten des Burlesken zugunsten der scharfen Satire.

Autobiographische Literatur

Das Settecento kennt eine Vielzahl autobiographischer und memorialistischer Texte; angefangen bei Giambattista Vicos *Vita scritta da se medesimo* (1725–31), über Pietro Giannones *Vita scritta [...] da lui medesimo* (1736/37) und Carlo Gozzis *Memorie inutili* (1780–98) bis hin zu den in französischer Sprache verfaßten *Memoiren* Carlo Goldonis und Giacomo Girolamo Casanovas. All diese Texte, so bedeutsam sie auch als zeitgeschichtliche Dokumente sowie als Zeugnisse der neuzeitlichen Selbstfindung des Individuums sein mögen, überragt die *Vita* Alfieris, der der heutigen Literaturwissenschaft als »bedeutendster Autobiograph seines Jahrhunderts« (Alberto Asor Rosa) gilt.

Im Jahre 1790, und zwar in Paris, beginnt Vittorio Alfieri, der sich als Dramatiker schon einen Namen gemacht hat, mit der Niederschrift seiner *Vita*. Nicht von ungefähr wählt der damals kaum über Vierzigjährige diesen Zeitpunkt und diesen Ort für einen Rückblick auf sein bisheriges Leben. Der piemontesische Aristokrat ist sich angesichts der revolutionären Ereignisse, deren unmittelbarer Zeuge er ist, offensichtlich bewußt geworden, daß er einem Stand angehört und in einem Gesellschaftssystem aufgewachsen ist, die beide zum Untergang verurteilt sind. Mit seiner *Vita,* d. h. auf dem Wege der Literarisierung, sucht er diese vergehende Epoche und Gesellschaft dem Gedächtnis der Nachwelt zu bewah-

Alfieris Vita

ren. Sich selber stilisiert er dabei zu einer Person, die zwar nach Herkunft und Ausbildung dieser vergehenden Epoche angehört, die aber aufgrund ihres intellektuellen Formats und ihrer Geisteshaltung dieses Zeitalter längst überwunden hat und Ideale der französischen Revolution – wie den Freiheitsgedanken und die entschiedene Ablehnung absolutistischer Machtstrukturen – nicht nur längst in Tragödien und Traktaten propagiert, sondern auch gelebt hat. Aus diesem Selbstverständnis heraus kann sich Alfieri den Akteuren der französischen Revolution weit überlegen fühlen, haben sie doch in seiner Sicht das Ideal der Freiheit, wie er es vertritt, pervertiert. Nur konsequent ist es dann auch, wenn Alfieri den Ausbruch der französischen Revolution zwar begrüßt, ihren radikalen Fortgang und ihre Exzesse aber entschieden verurteilt. Der Aristokrat Alfieri, wie er sich dem Leser in den ersten drei Teilen der *Vita* präsentiert, versteht sich nicht als Parteigänger des Ancien Régime. Gerade als Angehöriger des Adels nimmt er für sich das Recht in Anspruch, sich frei von Mißgunst und Minderwertigkeitsgefühl – diese Motive unterstellt er der bürgerlichen Adelskritik – von seinem Stande zu distanzieren und dessen »Mißstände, Laster und Lächerlichkeiten« aufzudecken (I,1). Der Erzähler Alfieri trägt darüber hinaus von Anfang an dafür Sorge, sich als Ausnahmefigur innerhalb des Adels zu stilisieren. Mißstände, die mit zur französischen Revolution beigetragen haben, will er bereits im Ancien Régime erkannt und für sich selber die Konsequenzen daraus gezogen haben. Dies auch im ganz konkreten Sinne: Im Jahre 1778 gibt Alfieri seine Güter auf und emigriert offiziell aus seinem Heimatland, dem stockkonservativen Königreich Piemont-Savoyen, das er schon vorher immer wieder zu ausgedehnten Reisen durch Italien und ganz Europa verlassen hatte. Von diesen Reisen erzählt der dritte Teil der *Vita*. Wenn Alfieri sich dem Leser als Liberaler und Einzelgänger im Ancien Régime präsentieren will, dann ist es nur konsequent, daß das Thema der Freiheit, das schon seine Tragödien bestimmt hat, auch Leitthema der *Vita* ist und dort in einer Vielzahl von Einzelepisoden exemplifiziert wird. In diesem Zusammenhang erklärt sich die negative Darstellung, die vor allem Rußland – die Russen erscheinen ihm als »Barbaren, die sich als Europäer maskiert haben« – und nicht zuletzt auch Preußen erfahren. Dem jungen Alfieri, der in den Jahren 1769/70 Preußen und Berlin besucht, erscheinen die Staaten des »gran Federico« als »ein einziges großes Polizeirevier« (»un solo corpo di guardia«), und das ganze Land, jene »allgegenwärtige preußische Kaserne«, ist ihm zuwider. Für den König, den »despota prussiano«, empfindet er »keine Bewunderung, und keine Ehrfurcht, sondern nur ein Gefühl von Wut und Haß«, und er schätzt sich glücklich, »nicht als sein Untertane geboren zu sein«. Alfieris Widerwillen richtet sich nicht nur gegen jede Form despotischer Herrschaft, sondern auch gegen die Menschen, die sich widerspruchslos als Untertanen mißbrauchen und »unter dem Deckmantel einer verlogenen Menschenwürde von ihren Tyrannen als wilde Tiere mißhandeln lassen«, wie z.B. die preußischen und russischen Soldaten, die auf dem Schlachtfeld von Zohrendorf im Siebenjährigen Krieg umgekommen sind.

Im vierten Teil der Vita, der im Sommer des Jahres 1803 – wenige Monate vor dem Tod Alfieris – entstand, verliert sich die liberale Haltung. Unter dem Eindruck der Revolutionskriege und der Besetzung Italiens durch französische Truppen hat sich der ehemals Liberale zum konservativ und national gesinnten Aristokraten gewandelt. Aus dieser Gesinnung heraus begrüßt er die Reaktion des Jahres 1799, den kurzfristigen Sieg der alten Mächte über die französischen Revolutionstruppen, als »Sieg der Verteidiger der Ordnung und des Eigentums«. Die Freiheitsthematik – wie sehr Alfieri ihrer auch zur Rechtfertigung seiner Existenz als liberaler Einzelgänger inmitten konservativer Machtstrukturen und nicht minder zur Rechtfertigung seiner sich immer mehr steigernden

Stilisierung zur Ausnahmefigur

Gesinnungswandel unter dem Einfluß der Revolutionskriege

anti-französischen und vor allem anti-bonapartistischen Gesinnung bedarf – ist indes nicht das entscheidende Element, das die *Vita* konstituiert. Denn diese ist nicht primär eine politische und gesellschaftliche Autobiographie, sondern die Autobiographie eines Künstlers, der Versuch Alfieris, sich vor der Nachwelt zum Literaten und Humanisten und vor allem zum Tragödiendichter, zum »autor tragico«, zu stilisieren und seine Selbstdarstellung nach dem Schema: das Werden eines Künstlers anzulegen. Bestandteil dieses Grundschemas ist es, daß dieses Ziel im Kampf gegen vielerlei Widerstände erreicht werden muß, auf daß die so erkämpfte Künstlerexistenz vor der Nachwelt umso strahlender erscheine. In seinem Falle sind die Widerstände gesellschaftlicher und ganz allgemein kultureller Art. Nicht nur, daß einem Angehörigen des Hochadels, der als Offizier oder Diplomat seinem Monarchen zu dienen hat, in den Augen der konservativen Gesellschaft die freischwebende Existenz eines Intellektuellen und Literaten nicht zukommt. Dem jungen Alfieri fehlt es darüber hinaus, so heißt es in der *Vita,* an einer adäquaten sprachlichen und literarischen Ausbildung, und er muß sich diese – nicht zuletzt auch die toskanische Literatursprache – erst mühsam als Autodidakt erarbeiten. Die Tendenz der Stilisierung zum Literaten und »autor tragico« läßt sich von Beginn an verfolgen. Wenn in der *Vita* schon das Kind – und erst recht der junge Mann – in ungewöhnlichem Maße an Melancholie leiden, mag das zwar eine Analogie im realen Leben Alfieris haben. Aber mehr noch entspricht die Häufigkeit des Melancholie-Themas mit ihren Konnotationen wie der Vorliebe für die Einsamkeit, der ständigen Unruhe und der genußvollen Trauer, die sich bis hin zum Suizidversuch steigert, dem Schema vom Werden eines Dichters. Denn gemäß dem pseudo-aristotelischen Topos ist Genie nur auf der Basis einer melancholischen Grundstimmung möglich. Das gleiche gilt traditionell für eine anti-absolutistische Gesinnung, sucht doch der Melancholiker die Einsamkeit und nicht die Gesellschaft am Hofe.

Stilisierung zum Tragiker

Stilisierung zum Dichter bedeutet auch Literarisierung des Lebens. Diese manifestiert sich nicht nur im Leitthema der Melancholie, im Thema der Freiheit oder in den Topoi der affektierten Bescheidenheit und der Unzivilisiertheit, in die Alfieri seine angebliche Unwissenheit und sein mangelndes Interesse für ein Leben am Hofe faßt, sondern auch in der erzähltechnischen Anlage. Vordergründig und formal folgt die *Vita* den Strukturprinzipien der Gattungsform Autobiographie, die die Rekonstruktion des eigenen Lebens und den retrospektiven Blick auf die eigene Bewußtseinsbildung sowie die Durchformung der Lebensdarstellung zu einer kohärenten und von einer bestimmten Zielsetzung geprägten Geschichte verlangen. Doch im Spiel mit den Gattungen löst sich der Erzähler Alfieri immer wieder von deren traditionellen Grenzen und verwendet Erzählmuster und -situationen anderer epischer Formen. Das beginnt schon bei der Darstellung der Eltern, die sich am »exemplum« orientiert und dieses mit einem latenten Verweis auf ein Mythologem verbindet: Bis ins hohe Alter hinein sind die Eltern ein vorbildliches Ehepaar, von allen geliebt und respektiert – Philemon und Baucis in Piemont in den Kostümen des 18. Jahrhunderts. Wenn die Mutter sich als Wohltäterin im Dienst an den Armen verzehrt, liegt der Verweis auf ein Erzählmuster aus dem Bereich der Legende auf der Hand: Sankt Elisabeth in Piemont. Bei dieser Vorliebe für traditionelle Erzählmuster, die die Anlage der *Vita* mitbestimmt, ist es nur konsequent, daß die turbulente Liebesgeschichte, die dem Erzähler in London widerfährt, nach dem Muster einer novellistischen Dreiecksgeschichte (der leidenschaftliche Liebhaber, die schöne Geliebte, der betrogene Ehemann) angelegt ist. Der Literat Alfieri sucht das Modell der konventionellen Dreiecksgeschichte noch zu übertrumpfen und diesem eine unerwartete Wendung zu geben: Der Liebhaber ist genauso wie der

Literarisierung des Lebens

Ehemann der Betrogene, denn die Geliebte hat noch einen weiteren Liebhaber, einen unstandesgemäßen: den Stallknecht des Ehemanns. Der Ehemann will auch nicht, wie es der Zwang der Gattung gebietet, den Liebhaber töten, sondern sich, gemäß den Konventionen des vorbildlichen England, von seiner Gattin scheiden lassen. In diesem intertextuellen Kontext nimmt es nicht wunder, daß der Liebhaber in seiner »pazzia« sich gleichsam wie ein »Orlando furioso« gebärdet und daß seine Liebeskrankheit mit den Topoi der ovidischen Liebespathologie geschildert wird. Doch Alfieri spielt nicht nur mit epischen Erzählmustern. Auch auf die lyrischen Klischees des Dolce stil novo und des Petrarkismus greift er wiederholt zurück. So wird z.B. die erste, noch unerreichbare Geliebte mit den Topoi der petrarkischen Laura beschrieben, und die Dame, der in Florenz all seine Liebe gilt, erscheint ihm bei der ersten Begegnung gleichsam als Dantes Beatrice: »una gentilissima e bella signora«, die jedermann aufs höchste gefallen muß und deren Schönheit und Ausstrahlung sich niemand entziehen kann. In der historischen Wirklichkeit entspricht dieser Dame die Contessa Luisa d'Albany, die langjährige Geliebte Alfieris, deren Namen er, gemäß den petrarkischen Konventionen, nur ein einziges Mal nennt und ansonsten in feierlicher Periphrase umschreibt.

Der Stil der *Vita* ist, folgt man Alfieris Selbstdeutung in der Einleitung, durchweg ein niedriger. Knapp, aber wirkungsvoll und immer wieder mit moralistischer Attitüde skizziert der Erzähler den Hintergrund des Geschehens: Länder, Städte und Menschen, das Ambiente und die Sitten. Das schnelle Fortschreiten im Text zieht Alfieri dem epischen Verweilen vor. Seine Darstellung der Dinge und Menschen, aber auch seiner selbst, ist von Ernüchterung, Skepsis und Ironie geprägt. Sein Vorbild ist dabei die beobachtende und analysierende Menschendarstellung, wie er sie bei Montaigne findet. In dessen »sublimen Essays« sucht er immer wieder Trost für seine genußvoll erlittene Melancholie, seine »malinconia riflessiva e dolcissima«. »Alfieri hat«, so heißt es in einer gern zitierten Passage aus Friedrich Nietzsches *Fröhlicher Wissenschaft*, »sehr viel gelogen, als er den erstaunten Zeitgenossen seine Lebensgeschichte erzählte«. Diese Bemerkung trifft durchaus den Sachverhalt: Die *Vita* ist kein Abbild der Wirklichkeit des Settecento und des Aristokraten Alfieri, sondern die Literarisierung eines Lebens und einer Zeit.

Antirevolutionäre Literatur: *Alfieris* Il Misogallo *und Vincenzo Montis* Bassvilliana

Illustration zu *Il Misogallo*

Alfieris Widerwillen gegen die Auswüchse der französischen Revolution und in ihrem Gefolge gegen Frankreich allgemein steht im Zusammenhang mit seiner immer mehr wachsenden Sympathie für Italien. Im Jahre 1792 flieht er vor den Exzessen der Revolution, gleichsam im letzten Augenblick, aus Paris zurück nach Italien, um in Florenz ein Literaten- und Gelehrtendasein zu führen. In der Epoche des Jakobinismus und der Revolutionskriege, so vor allem in seiner 1793–98 entstandenen Streitschrift *Il Misogallo* (Der Franzosenhasser), einem Konglomerat aus Texten unterschiedlichster Gattungsformen (Sonetten, Epigrammen, Prosatexten), steigert sich seine kritische Einstellung, seine Abneigung, gegenüber Frankreich bis hin zu einem undifferenzierten Haß auf alles Französische, ja selbst auf die französische Sprache: »la brutissima lingua di un brutissimo popolo« *(Misogallo)*. Damit hat die distanzierte Haltung, die er von

Alfieri und Luisa Stolberg
d'Albany, Gemälde von
F. Fabre

Anfang an gegenüber der französischen Kultur eingenommen haben will –
obgleich er seine ersten Texte noch in französischer Sprache verfaßte –, ihren
Höhepunkt erreicht. Für die Freiheitsthematik bedeutet das: aus dem anti-abso-
lutistischen und liberalen Literaten Alfieri, der, um seine Unabhängigkeit zu
bewahren, auch persönliche Opfer nicht scheute, ist ein konservativer und national gesinnter Aristokrat geworden.

Der *Misogallo* ist indes nicht nur ein anti-französisches Pamphlet, sondern
auch eine implizite Apologie Italiens. Denn nicht von ungefähr ist diese Schrift
»dem Italien der Vergangenheit, der Gegenwart und der Zukunft« (»alla passata,
presente, e futura Italia«) gewidmet, einem Italien, das – so hieß es schon im
vorletzten Kapitel des Traktats *Del principe e delle lettere* (1778–86), das unter
gezielter Anspielung auf das letzte Kapitel von Niccolò Macchiavellis *Principe*
als »Aufruf, Italien von den Barbaren zu befreien« (»Esortazione a liberar la Italia
dai barbari«) überschrieben ist –, »von heißblütigen und wilden Geistern nur so
überquelle, denen es nur an Mitteln und Wegen fehle, große Taten zu vollbringen«. Angesichts eines solchen Italien-Engagements nimmt es nicht wunder,
daß Alfieri in der Zeit des Risorgimento zum »padre della patria« stilisiert
werden konnte und eine kritische Analyse seines literarischen Werkes in jener
Zeit einem Vaterlandsverrat gleichgekommen wäre.

Zur antifranzösischen und antirevolutionären Literatur zählt auch Vincenzo
Montis unter den Zeitgenossen sehr erfolgreiche *Bassvilliana – In morte di Ugo
Bassville seguita in Roma il dì XIV. gennaio 1793*, eine Terzinendichtung in vier
Gesängen, die 1793/94 in Rom verfaßt wurde. Monti gilt gemeinhin als der
Typus des opportunistischen Intellektuellen und Literaten, der sich jedwedem
politischen System anzupassen weiß und in päpstlichen, republikanischen, reaktionären und napoleonischen Diensten gleichermaßen erfolgreich ist. In der
Bassvilliana, einer Jenseitsdichtung, nutzt Monti – er befindet sich hier noch in
seiner päpstlichen und antifranzösischen Phase – das Dantesche Jenseitsschema
für tagespolitische und antirevolutionäre Polemik. Ein Engel führt die Seele des
in Rom ermordeten französischen Jakobiners Bassville nach Paris, und dort
werden diesem – natürlich zur Abschreckung des Publikums – die höllischen

Zeitgenössischer Stich
der gewalttätigen
Demonstrationen in Rom,
bei denen Nicolas-Jean-
Hugou de Bassville
ermordet wurde
(13.1.1793)

Greuel der Revolution mit der Hinrichtung König Ludwigs XVI. vorgeführt. Die aufklärerischen »philosophes« als Vorbereiter der Revolution figurieren dabei als Gespenster. Die Seele des Monarchen steigt auf zum Himmel. Die *Bassvilliana* bleibt allerdings ein Fragment: Die in der ursprünglichen Konzeption vorgesehene gerechte Bestrafung Frankreichs durch eine militärische Niederlage muß sich Monti aufgrund der neuen politischen Entwicklung versagen. In der historischen Wirklichkeit behalten die französischen Revolutionstruppen im Kampf gegen die antirepublikanische Koalition der europäischen Monarchien die Oberhand. Und damit unterliegt auch die antirevolutionäre Fiktion der revolutionären Wirklichkeit, der sich Monti in der neuen Rolle des Republikaners schnell anpaßt.

OTTOCENTO

Die Politik beerbt die Literatur

Die italienische Literatur des 19. Jahrhunderts muß in engem Zusammenhang mit dem Prozeß der nationalen Einigung betrachtet werden: Ihr fiel in einer Zeit der politischen und gesellschaftlichen Umwälzung die Aufgabe zu, moralische Instanz und Orientierungspunkt zu sein. Wie in der Renaissance verknüpfte sich in der historischen Entwicklung dieses Jahrhunderts die politische und soziale Problematik mit den Anliegen der Literatur. In ähnlicher Weise empfinden die Zeitgenossen die Zeit zwischen 1815 und 1870 als eine Art Wiedergeburt der italienischen Nation und nennen sie deshalb »Risorgimento« (Wiedererstehung). Während eines Zeitraums von über sechs Jahrhunderten hatte zwar eine italienische Literatur, aber weder eine italienische Nation noch ein Land mit einem beherrschenden Kulturzentrum wie etwa Frankreich, Spanien oder England existiert. Bis zum Risorgimento war die Einheit Italiens nur literarisch und kulturell, ab 1860 wurde sie politisch. Diesem Datum vorausgegangen waren Bestrebungen, die auf die Rückgewinnung der einstmals führenden kulturellen Rolle Italiens in Europa und auf die politische Unabhängigkeit zielten. Sie setzten am Anfang des Jahrhunderts ein, als – dank Napoleon – ein, wenn auch ephemeres italienisches Königreich entstand. Nach der Einigung wurde angesichts der erdrückenden Probleme, die der neue Staat zu

»Italia und Germania«, Gemälde (1811–28) von Friedrich Overbeck: madonnenhaft in sich ruhend Italia, offensiv sehnsüchtig Germania

lösen hatte, sowie der Diskrepanz zwischen den Träumen des früh entstandenen Mythos »Risorgimento« und den engen Grenzen des tatsächlich Möglichen die neue Nation freilich auch als eine schwere Bürde empfunden.

Charakteristisch ist bis zum heutigen Tag ein Faktor, der die italienische von anderen europäischen Literaturen unterscheidet: eine ungelöste Spannung zwischen dem Drang zur Einheit und einer starken Tendenz zum Regionalismus. Die Dialektik zwischen Zentrum und Peripherie durchzieht die Dichtung des 19. Jahrhunderts und strukturiert sie. Als entscheidend erweist sich dabei das Problem, eine gemeinsame Sprache zu schaffen, denn die Italiener waren noch in der Mitte des vorigen Jahrhunderts ein »Volk von Literaten und Analphabeten« (Alberto Asor Rosa); nur eine schmale Elite war imstande, die Hochsprache zu verstehen und zu sprechen. Um die Veränderung zu begreifen, welche die italienische Kultur und insbesondere die Literatur des Ottocento ergriff, ist es nützlich, einige historische Fakten in Erinnerung zu rufen. Italien, das 1815 – nach dem berühmten Wort von Metternich – nur ein »geographischer Begriff« war, wuchs in wenigen Jahrzehnten aus einer Vielzahl von Kleinstaaten zu einer Nation zusammen. In der zweiten Hälfte des 18. Jahrhunderts war die Halbinsel in zehn grössere Territorien gegliedert. Nach dem Sieg von Marengo rief Napoleon die »Repubblica Cisalpina« ins Leben, die 1805 in das »Regno d'Italia« umgewandelt wurde. Bis 1814 wurde dessen Herrschaftsanspruch auf ganz Italien ausgedehnt; nur Sizilien und Sardinien, wohin sich die Bourbonen und die Mitglieder des Hauses Savoyen geflüchtet hatten, blieben davon verschont. Nach dem Sturz Napoleons wurde Italien einer neuen Ordnung unterworfen, wobei der Wiener Kongreß die Vormachtstellung Österreichs sanktionierte. Selbständig blieben das Königreich Sardinien, das Großherzogtum Toskana, die drei Herzogtümer Parma, Modena und Lucca, der Kirchenstaat sowie das Königreich beider Sizilien. Die Lombardei und Venetien fielen an Österreich, Genua an Sardinien-Piemont. Der Nationalstaat bildete sich in der Folge der drei Unabhängigkeitskriege von 1848/49, 1858/59 und 1867. Im Jahr 1861, nach dem Anschluß von Mittelitalien und nach der Eroberung Siziliens und Süditaliens durch Giuseppe Garibaldi, wählte das Turiner Parlament Viktor Emanuel von Savoyen zum König von Italien. 1870 war mit der Ausrufung Roms zur Hauptstadt der Prozeß des Risorgimento abgeschlossen. Im Ringen um die zukünftige Gestalt des Landes hatte die von dem liberalkonservativen Minister Cavour verfochtene monarchistische Lösung über die republikanisch-demokratische Aktionspartei Giuseppe Mazzinis, der auch Garibaldi angehörte, den Sieg davongetragen, und das sollte auch für die Literatur folgenschwere Konsequenzen haben.

Der rasche Einigungsprozeß wäre ohne die Französische Revolution und Napoleons Wirken in Italien undenkbar gewesen. Durch sie wurden die italienischen Intellektuellen traumatisch mit den Ereignissen jenseits der Alpen konfrontiert, so daß sich eine veränderte Sensibilität und ein neues Bewußtsein bilden konnten. Auch wenn Napoleon mit dem Ausverkauf der Republik Venedig, die er im Tausch gegen Flandern an Österreich gab und deren schmachvolles Ende er durch den Vertrag von Campoformio 1797 besiegelte, sowie durch seine ausbeuterische Politik die Italiener tief enttäuschte, markierte die Französische Revolution das Ende der politischen Passivität und der künstlerischen Randstellung Italiens.

Nach der Hochblüte der Renaissance durch Fremdherrschaft ausgebeutet und von den Zentren der Macht abgeschnitten, war Italien zwar als das Land der Sehnsüchte und der Träume künstlerischer Erfüllung angesehen und aufgesucht worden, doch die wichtigen kulturellen Impulse kamen von außen. Als obligates Reiseziel eines jeden anspruchsvollen jungen Aristokraten oder Bür-

Eine neue politische Ordnung

Camillo Benso Graf von Cavour, Radierung von Pietro Santamaria nach einer Zeichnung von Antonio Masutti

Italien ein Land für Bildungsreisende

gers verkam Italien zum ästhetischen Erlebnis, das ohne eine Wahrnehmung der sozialen und politischen Wirklichkeit des Landes konsumiert wurde: »eine ganze Nation ... bloß als eine Ergötzung für sich«, wie der Historiker Barthold Georg Niebuhr kritisch zu Goethes italienischen Reiseerfahrungen anmerkte. Besonders nach dem Wiener Kongreß, der die Restauration in Italien einleitete, verschärfte sich der Blick des Auslands für die Probleme der Halbinsel, die jetzt nicht mehr als ein utopisches Arkadien, sondern als ein erschöpftes, rückschrittliches Land erschien. Auch die italienischen Dichter begannen, die eigene Nation als ein »Land der Toten« zu betrachten. So verglich im Londoner Exil Ugo Foscolo Italien mit einem Leichnam, und Giacomo Leopardi führte in seinen Versen Klage über die »tote Zeit, die Nebel decken/ von Überdruß und Ekel«. In der Tat spielt Italien – nach den Triumphen der Renaissance und der Barockzeit – zu Beginn des 19. Jahrhunderts in Wissenschaft und Literatur keine bedeutende Rolle mehr. Bewegungen und Geschmacksveränderungen, die in Europa vollzogen worden sind, werden unter der Last einer mächtigen Tradition, die zum sterilen akademischen Kult heruntergekommen ist, nicht wahrgenommen. So hält die Romantik in Italien einen verspäteten Einzug, bleibt stets eine Herausforderung und verbindet sich mit aufklärerischen oder rationalistischen Elementen der vorhandenen humanistischen und katholischen Tradition, um zu überleben.

Wirtschaftlich bleibt Italien bis zum letzten Jahrzehnt des Jahrhunderts vornehmlich ein agrarisches Land mit unterschiedlichen Produktionsverhältnissen im Norden und im Süden. Während im Süden die Vertreter des Ancien Régime an verkrusteten sozialen Strukturen festhalten, verwandeln sich die Großgrundbesitzer im nördlichen Teil rasch in eine Klasse von Agrarkapitalisten, die freilich auch bereit sind, die politische Verantwortung zu übernehmen.

Die unübersehbaren Probleme eines Staates, der zunächst die politische und

Giovanni Francesco Guercino: »Et in Arcadia ego«

dann die soziokulturelle Einheit verwirklichen muß, machen die ethische und ideologische Ausrichtung der Literatur vor und nach der Einheit des Landes verständlich. Charakteristisch ist, daß die Hauptsorge der bürgerlichen Intellektuellen im Kampf gegen Denkrichtungen besteht, die diese Einheit gefährden können. Darunter verstanden sie sowohl die Vorherrschaft der Dialekte als auch Strömungen oder Ideologien, die, wie die Romantik oder die positivistische Philosophie, als nicht im Einklang mit den Traditionen Italiens empfunden werden. Dabei übersahen sie oft – wie der marxistische Politiker und Philosoph Antonio Gramsci in seinen *Quaderni del carcere* (1926–1937) kritisieren sollte –, daß das Haupthindernis für eine wirklich nationale Literatur eher der Graben zwischen den Intellektuellen und dem Volk war. So lehnte sogar der der demokratischen Partei Giuseppe Mazzinis angehörende Schriftsteller Ippolito Nievo eine Volksdichtung, die den Anspruch erhebt, vom Volk gelesen zu werden, als utopisch und heuchlerisch ab. Im zweiten Drittel des Jahrhunderts läßt die erreichte Einheit Widersprüche zutage treten, die der Kampf um die Einigung des Landes verdrängt oder vermindert hatte. Die politische Funktion der Literatur verliert an Bedeutung. Die Schriftsteller entdecken ihre regionalen Wurzeln und beginnen, sich gegen den kulturellen Zentralismus zu wehren. Mit dem Versuch Giosuè Carduccis, durch die Wiederaufnahme der klassischen Tradition und der politischen Mythen des Risorgimento wieder an eine echte nationale Tradition anzuknüpfen, geht ein Kapitel italienischer Literaturgeschichte zu Ende.

Kluft zwischen Intellektuellen und Volk

Ottocento als Epoche

Epochengrenzen haben immer etwas Willkürliches; die zwischen der italienischen Literatur des Settecento und der des Ottocento sind besonders durchlässig und schwer auszumachen. Wann beginnt die italienische Moderne? Ist sie in der symbolistischen Lyrik von Giovanni Pascoli oder im rhetorischen, nationalistischen Klassizismus Gabriele D'Annunzios vernehmbar? Endet der Ottocento wirklich mit *Mastro Don Gesualdo* (vgl. S. 292 ff), dem letzten großen Roman des Verismus, wie der Kritiker Carlo Salinari behauptet, oder überlebt sein Geist weit in den chronologischen Novecento hinein, in dem – wie Alberto Asor Rosa meint – zum ersten Mal eine gemeinsame nationale Sprache geschaffen wurde? Im folgenden sollen einige charakteristische Züge der Epoche des Risorgimento aufgezeigt werden, ohne jedoch eine deutliche Zäsur zwischen beiden Jahrhunderten ziehen zu wollen, welche die offensichtliche Gleichzeitigkeit ungleichzeitiger Tendenzen in Frage stellen würde. Auffallend ist zunächst die Konzentration auf wenige Protagonisten: Ugo Foscolo, Alessandro Manzoni, Giacomo Leopardi, später Giovanni Verga, und vielleicht Giosuè Carducci. Dabei erweist es sich als notwendig, das kanonbildende Urteil Francesco De Sanctis' mit neueren Wertungen zu konfrontieren, die am Maßstab veränderter Kriterien zu einem anderen Verständnis von Klassizität und Größe gelangen. Exemplarisch für eine solche kontroverse Wertung ist etwa der Fall der sich nicht der Hochsprache bedienenden Dichter Carlo Porta oder Giuseppe Gioacchino Belli. Kann man die italienische Literatur des Ottocento gemäß einer Etikettierung, die für beinah alle europäische Literaturen in der Zeit zwischen 1830 und 1880 gilt, als realistisch bezeichnen? Der Vergleich mit dem kritischen Realismus französischer Autoren des 19. Jahrhunderts und vor allem mit dem Naturalisten Emile Zola zeigt hingegen, daß selbst Schriftsteller wie Giovanni Verga, die gewöhnlich als Realisten bezeichnet werden, nur bedingt in dieses Schema passen. Denn obwohl ein Realist im Blick auf die sozialkritische Thematik und auf die Ausklammerung der subjektiven Perspektive, strebt Verga über die Wirklichkeit der Fakten durch die Mythisierung einer die moderne Zivilisation übersteigenden, archaischen Welt hinaus. Dieser nostalgische, mythische, geschichtsfremde Zug, der einen Großteil der italienischen Literatur des Ottocento kenn-

Emile Zola und seine Frau auf ihrer Italienreise 1894

zeichnet und auf den Bruch zwischen Intellektuellen und Volk sowie auf die Spannung zwischen nationalistischen und regionalistischen Positionen zurückzuführen ist, erklärt auch die substantielle Schwäche der Gattung »Roman« im Vergleich mit anderen Ausdrucksformen. Während sich die bürgerlichen Romanciers um eine Lösung des Problems der italienischen Nationalsprache bemühten, machte dem Roman eine andere, freilich nicht nur literarische Form ihren Platz in der Volksseele streitig – das Melodrama. Zu Recht erkannte man in ihm den wahren Volksroman des italienischen Ottocento.

Im europäischen Vergleich wird sichtbar, daß im 19. Jahrhundert von der italienischen keine wesentlichen Impulse auf andere Literaturen überspringen, vielmehr öffnet sie sich umgekehrt Strömungen und Bewegungen, die aus England, Frankreich oder Deutschland auf sie einwirken und zur produktiven Aneignung führen. Dabei erweisen sich zwei Modelle, die seit der Neuzeit das kulturelle Leben auf der Halbinsel bestimmen, die klassische Tradition und der Katholizismus, als übermächtig. Sie erscheinen als Verbündete der konservativen, politisch siegreichen Kräfte. Spannungen und Widersprüche, aber auch gelungene Synthesen deuten jedoch auf die Präsenz anderer Elemente hin, deren Tragweite im Novecento vollends deutlich werden sollte.

Klassik und Katholizismus

Ugo Foscolos Weg im Horizontwandel zwischen Neoklassizismus und Romantik

In der etwa zwei Jahrzehnte währenden Zeitspanne der napoleonischen Herrschaft bildete sich in Italien eine neue intellektuelle Schicht, die aktiv am gesellschaftlichen Leben teilnahm und wesentlich zur Entstehung eines Nationalbewußtseins beitrug. Vor dem Feldzug Bonapartes und vor der Einführung des Code Napoléon war es für Angehörige der bürgerlichen Schichten fast unmöglich gewesen, die Existenz eines Literaten zu führen, ohne gleichzeitig in den geistlichen Stand zu treten. Das erklärt zum Beispiel, warum unabhängige und freiheitliche Persönlichkeiten wie Ludovico Antonio Muratori oder Giuseppe Parini Priester geworden waren. Nach 1796 besserte sich die Situation für die Angehörigen des bürgerlichen Stands: Ihnen eröffnete sich die Chance einer militärischen Laufbahn in den Armeen Napoleons. Außerdem wurde es leichter, an Universitäten, Kunstakademien, in der Verwaltung oder im Journalismus Karriere zu machen. Exemplarisch für diesen neuen Typ eines bürgerlichen Intellektuellen sowie für die Schwierigkeiten und die Konflikte, die diese neue Rolle mit sich brachte, ist der Lebensweg des Venetianers Ugo Foscolo. In seinem Werk spiegeln sich Spannungen und Widersprüche einer Epoche, die auch von den Zeitgenossen als eine Zeit des Umbruchs erlebt wurde, am deutlichsten. Im Übergang vom Neoklassizismus zur Romantik, von der rastlosen, aber nie erfüllten Suche nach vollkommener Schönheit und Perfektion angespornt, wollte Ugo Foscolo im Leben immer wieder wechselnde Rollen spielen: als Dichter, Patriot, Soldat, Lehrer, Liebhaber. Mit keiner dieser Masken konnte er seine Existenzangst überwinden. Sein dichterischer Weg im Spannungsfeld zwischen klassischer Perfektion und romantischer Unruhe wurde von zwei Polen bestimmt: der Spannung zwischen Natur und Gesellschaft, zwischen dem Streben nach der Selbstverwirklichung des Einzelnen und den äußeren gesellschaftlichen Zwängen, andererseits von dem festen Glauben an die versöhnende Kraft der Kunst und an deren Fähigkeit, die Widersprüche der Welt

Ugo Foscolo, Porträt von François Xavier Fabre

aufzulösen und sie zu überwinden. In dieser Konstellation handelte es sich weniger um einen Antagonismus zwischen verschiedenen ästhetischen und poetologischen Konzeptionen, als vielmehr um einen existentiellen Konflikt, der seine Kunst prägte. Die klassizistische Komponente in seinem Werk ist als Teil seiner romantischen Weltanschauung zu betrachten, denn darin ist die ständige Suche nach einer Durchdringung und Angleichung zwischen Leben und Kunst zu spüren. »Als die Revolution des Jahres 1795 den Prinzipien, die Italien seit vielen Jahrhunderten regierten, einen gewaltigen Stoß und die Gemüter und die Interessen jeder seiner Provinzen in Aufruhr versetzte, … war Ugo Foscolo noch jung, nicht aber so jung, daß er nicht von den Beispielen seiner berühmten Zeitgenossen profitieren konnte; und in der Tat: Die radikale Umwälzung im politischen System seiner Heimat, seine militärische Erziehung und der Anteil, den er am öffentlichen Leben nahm, reiften seinen Geist und formten seinen Charakter in einer gänzlich anderen Art, als es mit seinen Vorgängern geschehen war. Denn diese waren nicht mehr fähig, die Impulse jener Ereignisse zu verspüren, für die Foscolo einen eigenen Stil erschuf.«

Delikaterweise stammen diese Zeilen über Ugo Foscolo, die sowohl die Genesis als auch die Richtung seines künstlerischen Geschmacks so treffend darstellen, vom Autor selbst. Er hatte die politische und literarische Bedeutung seines Werkes in einem Aufsatz dargelegt, der in England unter dem Namen des Literaturkritikers John Cam Hobhouse erschienen ist. In dieser Schrift spiegelt sich nicht nur die Erkenntnis der Bedeutung wider, die Autoren wie Vittorio Alfieri und Giuseppe Parini für seine Bildung hatten, sondern auch das Bewußtsein, ein neues Kapitel in der italienischen Literatur aufgeschlagen zu haben. Foscolo, Kritiker und Historiker seiner selbst, hatte mit mehr Scharfblick als die meisten Zeitgenossen die Verankerung des Werkes in der Geschichte als jenes Element bestimmt, das die aufklärerische Abstraktheit der von ihm bewunderten Schriftsteller zu überwinden vermochte.

Das persönlichste und sprechendste Werk Foscolos ist der Briefroman *Ultime lettere di Jacopo Ortis,* der von den persönlichen Erlebnissen des Autors, insbesondere von seinen politischen Erfahrungen stark geprägt ist. Ugo Foscolo wurde auf der jonischen Insel Zante, die damals zur Republik Venedig gehörte, 1778 geboren und übersiedelte nach dem Tod des venezianischen Vaters, zusammen mit der griechischen Mutter, nach Venedig. Schon früh begeisterte er sich für die Ideen der Französischen Revolution, schrieb eine Tragödie *Tieste* (1796) nach Vittorio Alfieris Vorbild, die mit großem Erfolg aufgeführt wurde, jedoch den Argwohn der venezianischen Regierung erweckte. Als Revolutionär verdächtigt, mußte er 1797 Venedig verlassen. Er meldete sich als Gebirgsjäger zur Armee Napoleons, dem er in der Ode *A Napoleone liberatore* (1797) huldigte. Am 17. Oktober 1797 schloß Napoleon mit Österreich den Vertrag von Campoformio: Venedig verlor so nach einer tausendjährigen Geschichte seine Unabhängigkeit. Von Napoleon, in dem Foscolo zuvor den Befreier Italiens gesehen hatte, tief enttäuscht, verließ Foscolo für immer die Stadt und begann ein Leben, in dem Liebe, Literatur und Schlachten einander ablösten.

1798 finden wir Foscolo in Bologna; hier erschien der erste Teil der *Ultime lettere di Jacopo Ortis*. Nach einem ersten Abschied von der Armee im Jahre 1800 überarbeitet Foscolo den Roman, der inzwischen ohne seine Zustimmung von einem mittelmäßigen Schriftsteller beendet worden war. Er schickte ein Exemplar an Goethe nach Weimar mit einem Begleitbrief, in dem er auf den Wahrheitsgehalt seines Werkes hinwies; eine Antwort bekam er nicht. Die Tatsache, daß der Dichter das Bedürfnis hatte, sich in verschiedenen Lebensphasen mit diesem Roman zu beschäftigen, bestätigt die Meinung des Literaten und Freundes von Foscolo, Melchiorre Cesarotti, daß der *Ortis* «ein Stück seiner

Der Frieden von Campoformio besiegelt das Ende der Republik Venedig.

Seele« darstelle. Durchaus kritisch meinte der Klassizist Cesarotti: »Über deinen *Ortis* möchte ich nicht sprechen. Er ruft in mir Mitleid, Bewunderung und Abscheu hervor. Dieses Werk ist von einem Genie in einem akuten Fieberanfall geschrieben worden, es ist von einer tödlichen Erhabenheit und einer verderblichen Vorzüglichkeit. Ich sehe leider, daß es das Werk deines Herzens ist.« Der Roman erzählt das Schicksal von Jacopo, einem jungen Venezianer, der, nach dem Ausverkauf seiner Heimat durch Napoleon zur Emigration gezwungen, sich in die Braut eines anderen verliebt und aus Verzweiflung das Leben nimmt. Die Motive des Schmerzes über den Verlust des Vaterlandes und der unglücklichen Liebe sind in der Geschichte eng miteinander verschmolzen. Foscolo selbst sah das Hauptverdienst des Buches darin, daß es die Leser und insbesondere das weibliche Publikum mit den politischen Begebenheiten vertraut machte. Freilich war es die heroische Melancholie des Jacopo, in dem die Leser einen italienischen Werther sahen, welche die Gemüter aufschäumen und den Roman zu einem großen Erfolg werden ließ. Der Freiheitskämpfer und Literat Giuseppe Mazzini berichtet, daß er in seiner Jugend den ganzen *Ortis* auswendig gelernt hatte; seine Mutter mußte sogar befürchten, er wolle sich das Leben nehmen. Diese außerordentliche Wirkung des Romans beunruhigte Foscolo, denn sie stand in Widerspruch zu dem Glauben an die gesellschaftliche Funktion der Literatur, der Basis seiner Poetik. So distanzierte sich Foscolo zwar nicht wie Goethe, der in seinen *Römischen Elegien* den *Werther* verflucht hatte, später von seinem Jugendwerk, war aber stets bemüht, den vaterländischen Charakter seines Romans zu unterstreichen. Dies wird verständlich, wenn man bedenkt, daß Italien im 18. Jahrhundert zwar eine Blüte der Gattung »Roman« erlebt hatte, dieses Genre jedoch als kommerzielle Gattung verachtet war, da es sich nicht, wie etwa die Novelle, auf eine gelehrte Tradition stützen konnte. Foscolo, der schon in seinen frühen Studien dem Roman eine große Aufmerksamkeit geschenkt und mit Begeisterung die großen Bücher der Zeit, vor allem die englischen »novels« gelesen hatte, suchte nach einer Legitimation für diese »verführerische« Literaturform. Er war der Meinung, daß der Schriftsteller sich darum bemühen soll, die Leser als Bürger anzusprechen und aufzurichten. Dabei betrachtet er Autor und Leser als Teil desselben politischen und kulturellen Systems, denn gemeinsam sollen sie das Ziel einer Bildung der italienischen Nation verfolgen. In dieser Konzeption könne auch der Roman als das meistgelesene Buch seine Legitimation als »Zeuge des menschlichen Herzens« und des »Zeitgeistes« erlangen. Der *Ortis* macht Foscolo zwar berühmt, wird aber auch, vor allem infolge der auffälligen Ähnlichkeit mit Goethes *Werther,* von den Kritikern als bloße Nachahmung negativ beurteilt. Das verbittert Foscolo, der sich zur Wehr setzt mit der Beteuerung, *Werther* sei ihm erst in die Hände gefallen, nachdem *Ortis* druckreif auf dem Tisch lag. Abgesehen von den vielen formalen und inhaltlichen Differenzen liegt der Hauptunterschied wohl in der Lebensauffassung. Werther stirbt nicht an der aussichtslosen Liebe zu einer bereits versprochenen Frau, sondern an der Erkenntnis, daß es für den Menschen unmöglich ist, mit der Natur eins zu werden. Anders Ortis: Nicht das romantische Gefühl des Weltschmerzes, sondern die Resignation über die politische Lage Italiens treibt ihn in den Tod. In der Verweigerung und im Protest der Romangestalt spiegelt sich die heimatlose Unrast ihres Autors wider. Damit kann dieser erste und einzige Roman Foscolos als Chiffre für den eher literarisch-politischen als philosophischen Charakter der italienischen Romantik gelten. Mit der Figur des Ortis hat Foscolo, der nicht anders als sein Zeitgenosse Stendhal mit obsessiver Beharrlichkeit von dem Wunsch getrieben war, von sich selbst ein Portrait zu entwerfen, in dem die literarische Welt ihn erkennen könnte, sich zu einem romantischen Helden stilisiert. Aus der Begegnung mit

Der Maler Andrea Appiani stellte im Auftrag des Vizekönigs Eugène Beauharnais die Apotheose Napoleons im Königspalast von Mailand dar.

Literatur und Gesellschaft

Titelblatt der ersten Ausgabe des Romans *Ultime lettere di Jacopo Ortis*

Mailand und die Piazza
alla Scala mit dem
berühmten Theater

dem Werk von Laurence Sterne, dessen *Sentimental Journey through France and Italy* (1768) er im Jahr 1805 übersetzte und der ihn stark beeinflußte, entstand als weitere Stilisierung seiner Persönlichkeit die Figur des Didimo. Foscolo zeichnet diese Gestalt in einer Notiz auf, die er der Übersetzung hinzufügte, sowie in einem frühen Fragment, dem sogenannten *Sesto tomo dell'io* (1799–1800), das zu seinen Lebzeiten unveröffentlicht blieb. Mit der tragikomischen Figur des Didimo, den Foscolo als Autor der Übersetzung vorstellt, entwarf er einen Charakter, dessen Haupteigenschaften Ironie und Skepsis sind; diese literarischen Formen wollte er auch in Italien heimisch machen. Freilich hat er, nachdem wiederholte Versuche, weitere Romane nach dem Vorbild des Engländers zu schreiben, gescheitert waren, in der lyrischen Gattung Erfolg gehabt. Besonders intensiv war Foscolos literarisches Schaffen in den Jahren zwischen 1801 und 1804, die er überwiegend in Mailand verbrachte. Die Repubblica Cisalpina hatte lediglich zwei Jahre existiert (1797–1799), aber das politische Klima der Stadt verändert: Zum ersten Mal hatten Politiker aus ganz Italien im selben Parlament gesessen. Mailand war zu einer Hauptstadt Italiens aufgestiegen, in der ein reges kulturelles Leben herrschte. Theater und Konzerthäuser boten eine glänzende Kulisse für das gesellschaftliche Treiben, Verlage wurden gegründet, es erschienen Zeitschriften, welche die neuen Ideen verbreiteten. In der anregenden Atmosphäre der Stadt, die ihm den Umgang mit der vornehmen Gesellschaft erlaubte, schrieb Foscolo zwei Oden: »A Luigia Pallavicino caduta da cavallo« (1800) und »All'amica risanata« (1802), die dem literarischen Geschmack des Neoklassizismus verpflichtet sind. Diese Stilrichtung, der wir in der zweiten Hälfte des 18. Jahrhunderts überall in Europa begegnen, orientierte sich an einem an der Antike gebildeten Regelkanon; sie übernahm in Italien aber auch arkadische Elemente des Rokoko mit seiner Tendenz, im ästhetischen Spiel Leben und Kunst harmonisch zu verbinden. Foscolo besingt eine Welt der idealen Schönheit, die durch einen Hauch von Sinnlichkeit verfremdet wird. Dabei vermeidet er jede auch noch so sanfte Ironisierung aristokratischer Lebensformen, wie sie etwa Giuseppe Parini praktiziert hatte. Daß diese Gedichte trotz ihrer Traditionsgebundenheit modern wirken, liegt an Foscolos virtuoser Verwendung der mythologischen Bilder und an seinem Vermögen, subjektive Momente geschickt einzuführen. So endet »All'amica risanata« mit einer Anspielung auf den Geburtsort des Dichters und auf seine Verwurzelung in der klassischen griechischen Welt. Zwischen 1801 und 1803 verfaßte Foscolo zwölf Sonette von großer Dichte und Ausdruckskraft. Der Insel, auf der er geboren wurde, ist »A Zacinto« gewidmet; das Gedicht, das eine raffinierte, kreisförmig angelegte lexikalische und syntaktische Struktur aufweist, rückt das Motiv des Exils als Los des Menschen in den Mittelpunkt der poetischen Erfahrung. Foscolo und Odysseus, der romantische und der klassische Held, erscheinen vereint durch die fatale Pilgerfahrt, die ihre Existenz bestimmt, letztendlich aber entzweit; denn die Ahnung sagt dem Dichter voraus, daß ihm keine Rückkehr beschieden sein wird:

> Tu non altro che il canto avrai del figlio,
> o materna mia terra; a noi prescrisse
> il fato illacrimata sepoltura.

(Nur den Gesang wirst Du vom Sohn haben, mütterliche Erde/ Uns beschied das Schicksal ein Grab ohne Tränen).

Todesmotiv

In der Ambivalenz der Liebes- und Todessymbole bekommt das Gedicht eine spannungsvolle Dynamik: Einerseits wird durch die Bilder ein mythischer Raum von leuchtender Lebensfülle geschaffen, andererseits prägt ein düsteres

Schicksalsgefühl die Grundstimmung des Sonetts. Die Vision von einer klassischen griechischen Kultur der Harmonie und der Seelenruhe, die Johann Joachim Winckelmann entworfen hatte, erfährt eine Brechung: Das romantische Motiv vom Tod als Sehnsucht und Versuchung des Menschen steht im Gegensatz zur Utopie eines mythischen Griechenland als Sinnbild des Lebens und des ungetrübten Glücks. Foscolo verfolgt die Suche nach Natur und Authentizität am überzeugendsten in den Sonetten, in denen er vom eigenen Selbst, von persönlichen Erlebnissen sprechen kann. So dient in »Alla sera« der Abend – vielfach zum poetischen Gleichnis verdichtet – als Spiegelbild des sehnsuchtsvoll ersehnten Todes. In »In morte del fratello Giovanni« weicht das schmerzvolle Empfinden der Trauer dem Gefühl der Versöhnung mit der in Gestalt der Mutter evozierten Natur. Herausragendes Merkmal dieser Lyrik ist die vielschichtige Struktur und die Intensität der gefühlsbetonten Sprache. Insbesondere die kunstvollen Verbindungen von Adjektiven und Substantiven (so z.B. »fatal quiete« oder »illacrimata sepoltura«) erzeugen die Wirkung kleiner abgeschlossener Welten im dichterischen Kosmos.

1804 folgte Foscolo den italienischen Truppen in die Normandie, wo Bonaparte die Landung in England vorbereitete. Nach Mailand zurückgekehrt, begann er 1806 das lyrisch-philosophische Gedicht *I Sepolcri,* das er im folgenden Jahr veröffentlichte. Die Grabesthematik gehört zu den bevorzugten Motiven der Dichtung Foscolos, der damit feinfühlig auf die Auswirkungen einer veränderten Sensibilität im Hinblick auf die Todesproblematik reagierte. Denn der von der Aufklärung ausgelöste Prozeß der Säkularisierung hat nicht nur eine neue und bewußtere Einstellung zum Tod bewirkt, er hatte durch die Unterdrückung von religiös tradierten Normen auch Ängste erzeugt, die zu einer Verstärkung der pathetischen und bedrohlichen Elemente in den Todesdarstellungen der literarischen Texte führte. Von der frühromantischen Tradition der Grabeslyrik beeinflußt, die in Italien vor allem dank der Lyrik des Engländers Thomas Gray bekannt war, übernimmt Foscolo metrische und stilistische Formen von den italienischen Klassizisten Giuseppe Parini, Vittorio Alfieri und Vincenzo Monti und läßt sich auch von der homerischen Dichtung inspirieren, die er 1806 – im Jahr der Komposition der *Sepolcri* – übersetzt. Thematisch behandelt er den dramatischen Kampf zwischen der allmächtig zerstörenden Kraft der Natur und den kulturellen Leistungen der Menschen in der Geschichte der Zivilisation. Foscolo, der Vertreter einer materialistischen Wirklichkeitsauffassung, die keine transzendenten Ziele kennt, wird von der Suche nach positiven Werten getrieben, die als Grundlage für eine Völkergemeinschaft dienen können. Diese Werte gewinnt er aus dem Mythos und aus der Geschichte, die das Beispiel großer Taten vermitteln. Politisch vertritt Foscolo, der durch seinen Hymnus das napoleonische Edikt von Saint-Cloud bekämpfen wollte, demzufolge die Friedhöfe anonym sein sollten und aus den Städten zu verbannen wären, eine gegen das Gleichmacherische gerichtete Haltung, die damals vor allem von den Konservativen verfochten wurde. Jenseits seiner moralischen und pädagogischen Absicht jedoch stellt das Gedicht durch die Dichte seiner Symbole, Analogien und allegorischen Bezüge ein Werk dar, das als Höhepunkt der Sensibilität und der Kultur der italienischen Frühromantik zu betrachten ist.

Die *Sepolcri* spiegeln eine Phase des Lebens Foscolos wider, in der – trotz der pessimistischen Einschätzung der politischen Situation – der Glaube an seine Mission als Eingeweihter und Prophet einer nationalen Idee ungebrochen war. Durch persönliche Enttäuschungen – unter anderem wurde der ihm 1808 übertragene Lehrstuhl für Rhetorik in Pavia kurz danach abgeschafft – und durch die immer reaktionärere Politik Napoleons verfiel Foscolo in einen düsteren Pessimismus. So bezeugen die politischen Schriften, die nach 1809 entstanden

DEI

SEPOLCRI

CARME

DI

UGO FOSCOLO

BRESCIA
PER NICOLO BETTONI
MDCCCVII

Titelblatt der Sepolcri

Die Gräber:
Weihestätten eines
säkularisierten Kults

Düsterer Pessimismus

Romantisierendes Bild von
Ugo Foscolo im Park der
Villa Bellosguardo

sind, eher den Einfluß des harten Realismus eines Thomas Hobbes oder
Niccolò Machiavelli als eine Prägung durch den aufklärerischen Optimismus
von Voltaire oder Rousseau. Auch die 1811 in Mailand aufgeführte Tragödie
Ajace, in der durch die epischen Figuren von Ajax und Agamemnon sinnbild-
lich der Konflikt zwischen Foscolo und dem »Tyrannen« Napoleon ausgetragen
wird, artikuliert durch den Selbstmord des Protagonisten den verzweifelten
Protest des Dichters. Der mangelnde Erfolg dieser Tragödie, die nach der ersten
Vorstellung von der französischen Zensur verboten wurde, sowie der Bruch der
Freundschaft mit dem Hofdichter Vincenzo Monti bewogen Foscolo dazu, von
Mailand nach Florenz zu ziehen. Hier verlebte er in der Villa von Bellosguardo
inmitten von Liebschaften und zärtlichen Freundschaften in den Jahren 1812
bis 1813 eine Zeit der Heiterkeit und schöpferischer Muße, deren Zauber er in
zahlreichen Briefen festgehalten hat. Dem Aufenthalt in Florenz ist die Entstehung des Gedichts über die »Grazien« zu verdanken. Das dem neoklassizistischen Kanon verpflichtete Werk spannt den Bogen von der Geschichte zum
Mythos: Der Vergleich zwischen klassischem Ideal und zeitgenössischer Misere
inspiriert Foscolo zur Vision eines goldenen Zeitalters: Schönheit und Kunst
vermögen als Alternative zur Brutalität der Geschichte die Werte der Menschlichkeit: Mitleid, Ehre und Anstand, aufrechtzuhalten. Der Literaturkritiker
Luigi Russo hat das unvollendete Werk, das der kritische Geschmack des
19. Jahrhunderts als zu intellektualistisch abgelehnt hatte, sogar »als das ›Paradiso‹ dieses Dante des modernen Zeitalters« bezeichnet. Strukturell besteht das
Gedicht aus drei Hymnen; die erste schildert die Geburt der Chariten und der
Venus und ist dem neoklassizistischen Bildhauer Antonio Canova gewidmet,
der gerade seine Venus in den Uffizien ausgestellt hatte. Die zweite beschreibt
die Riten zu Ehren der Göttinnen, die drei Frauen, die Florentinerin Eleonora
Mancini, die Bologneserin Cornelia Martinetti und die Mailänderin Maddalena
Bignami auf dem Hügel von Bellosguardo zelebrieren. Die dritte schließlich
erzählt die mythische Erschaffung eines Schleiers, der die Grazien vor dem
menschlichen Begehren schützen soll, damit sie ihren göttlichen Auftrag, die
Menschheit zu vervollkommnen, vollenden können. Das Schöne, wie es in der
griechischen Vergangenheit aufleuchtet, wird als Quelle der Moralität und der
Zivilisation besungen.

Die Gruppe der »Grazie«
von Antonio Canova

Mit den *Grazie* hinterließ Foscolo sein poetisches Testament. Nach der Schlacht bei Leipzig, die das Ende der napoleonischen Ära ankündigte, erhielt die Hoffnung der italienischen Öffentlichkeit auf Unabhängigkeit und auf eine konstitutionelle Regierung neue Nahrung. In Mailand ließen aber Unruhen unter der Bevölkerung, die zur Ermordung des Finanzministers Prina führten, die Versuche des Vizekönigs Eugène Beauharnais, sein Reich zu bewahren, scheitern. In der Lombardei wurde ohne nennenswerten Widerstand die österreichische Hegemonie wiederhergestellt. Foscolo, der nach Mailand zurückgekehrt war und dem Vizekönig seine Dienste angeboten hatte, weigerte sich, den neuen Herrschern den Treueid zu leisten, und ging ins freiwillige Exil – zuerst in die Schweiz und dann 1816 nach England. In London wurde Foscolo anfänglich in den liberalen Kreisen herzlich aufgenommen. Er widmete sich vornehmlich verlegerischen und publizistischen Tätigkeiten sowie der Umarbeitung seiner Schriften. Seine letzten Jahre verbrachte der Emigrant in bitterer Armut. Seine Wiege hatte im klassischen Griechenland gestanden, sein Tod ereilte ihn 1827 im nordischen Stammland der Romantik.

Santa Croce in Florenz. In diese Kirche wurde 1871 Foscolos sterbliche Hülle überführt.

Die Literatur der Romantik

Programm einer neuen Kultur

Im Unterschied zum deutschen und zum französischen Bürgertum, das mit Reformation und Revolution auf eine stolze emanzipatorische Tradition zurückblicken konnte, besaß die italienische Gesellschaft eine schmale, ängstliche und vorsichtige bürgerliche Elite, die niemals ernsthaft an den Privilegien von Adel und Klerus gerüttelt hatte. Das neue schöpferische Element, das den geistigen und politischen Durchbruch des Risorgimento ermöglichte, war die Romantik. Goethe berichtet im Jahre 1818 mit leiser Ironie über eine heftige Auseinandersetzung, die südlich der Alpen tobte und die Italiener in zwei Parteien, die Klassiker und die Romantiker entzweite: »Romantico! Den Italiern ein seltsames Wort, in Neapel und dem glücklichen Campanien noch unbekannt, in Rom unter deutschen Künstlern allenfalls üblich, macht in der Lombardei seit einiger Zeit großes Aufsehen«. Bekanntlich gehörte in Deutschland zu dieser Zeit die literarische Frühromantik bereits der Vergangenheit an; der Wiener Kongreß hatte jene restaurative Wende eingeleitet, die durch die Karlsbader Beschlüsse direkte Konsequenzen für das kulturelle Leben haben sollte. In Italien hatte das Ende der napoleonischen Ära keineswegs die ersehnte Freiheit gebracht; vor allem der Norden des Landes, wo die Hoffnung größer gewesen war, erlebte den erneuten Sieg der reaktionären Kräfte und die Last der Fremdherrschaft als eine schockierende Erfahrung. Hier bildeten sich Kreise, die den Zusammenhang zwischen den erniedrigenden politischen Verhältnissen und der Bedeutungslosigkeit der literarischen Landschaft deutlich sahen und darauf mit dem Programm einer neuen Kultur reagierten. Mit der neuen Gewichtung der politischen Problematik begann die allmähliche Veränderung des literarischen Geschmacks. Nur wenige Ausländer durchschauten freilich diese Konstellation so deutlich wie der Italien-Reisende Stendhal, der im Juli 1817 fragen konnte: »Was ist im 19. Jahrhundert eine Literatur ohne Freiheit?« Selbst Goethe, der das italienische Kulturleben aufmerksam verfolgte, neigte dazu, die Polemik zwischen Klassizisten und Romantikern auf die formale Seite zu reduzieren und ihre wichtigste Eigenschaft, die Verknüpfung dichterischer und politischer Fragen, außer acht zu lassen.

In der Polemik, die vor allem in den Jahren 1816 bis 1818 in den Mailänder

*Klassiker und
Romantiker*

Ludovico Arborio
Gattinara di Breme,
Radierung aus dem
19. Jahrhundert

*Ästhetische Theorie der
Romantik*

Zeitschriften *Biblioteca italiana*, *Spettatore italiano* und *Conciliatore* ausgetragen wurde, artikulierte sich das Bedürfnis nach einer neuen Literatur, die sich gegenüber den Problemen der Zeit programmatisch öffnete. Die Kritik an der klassizistischen Regelästhetik, am Gebrauch der Mythologie und an der Nachahmung literarischer Quellen, die von den Romantikern vorgebracht wurde, war kein akademisches Unternehmen, sie zwang vielmehr zum Nachdenken über die Funktion von Literatur und über das Selbstverständnis der eigenen nationalen Tradition. Der Anlaß zum Streit war aus Frankreich gekommen: Im Jahr 1816 veröffentlichte die *Biblioteca italiana* einen Artikel von Madame de Staël mit dem Titel *Über die Art und den Nutzen der Übersetzung*. In diesem berühmten Aufsatz warnte die Schriftstellerin die Italiener davor, sich dem Geist der Erneuerung zu verschliessen, und ermunterte sie, sich mit anderen modernen Literaturen zu beschäftigen. Die Reaktion auf den Appell von Madame de Staël fiel in ganz Italien heftig aus, die Kulturnation spaltete sich in zwei Lager: Während die einen die Treue zur italienischen Tradition beschworen und in der Schrift eine Beleidigung der Italiener erblickten, sahen die anderen in einer Erweiterung des Horizonts die Chance, Italien aus der Enge und von der Last einer steril gewordenen Literatur zu befreien. Die Polemik mutete wie eine späte Wiedergeburt jener Kontroverse an, die unter dem Namen »Querelle des Anciens et des Modernes« schon Ende des 17. Jahrhunderts in Frankreich die Geister entzweit hatte. Hat die Dichtung teil an einer historischen Fortschrittsbewegung, und reicht daher die Dichtung der Modernen über die der Alten hinaus, oder stellt die Poesie der Antike ein nie wieder erreichtes Perfektionsmodell dar? Die Auseinandersetzung, die sich um diese Fragestellung entfaltete, war die Geburtsstunde der italienischen Romantik als literarischer Schule. Ihr Organ fanden die Romantiker in der 1818 gegründeten Zeitschrift *Il Conciliatore*, welche die Auffassung vertrat, die Literatur solle als Vermittlerin von ethischen und bürgerlichen Werten fungieren. Die nationalen Gefühle der Redakteure des *Conciliatore*, – alle führende Köpfe der lombardischen und piemontesischen Intelligenz wie: Ludovico Di Breme, Silvio Pellico, Pietro Borsieri, Ermes Visconti – erregten bald den Argwohn der österreichischen Zensur. Die Zeitschrift wurde verboten, ihre Autoren verfolgt. Einige von ihnen gründeten in Florenz einen zweiten romantischen Literatenkreis, der sich um die Zeitschrift *Antologia* scharte. Am Ende des dritten Jahrzehnts hatte sich die Prognose von einem Sieg der ästhetischen Theorie der Romantik über die Klassik bewahrheitet, die Alessandro Manzoni in seiner *Lettera sul romanticismo* gestellt hatte: »Wenn ein Fremder, der von den Auseinandersetzungen, die hier über die Romantik stattfanden, gehört hätte, sich über den jetzigen Stand der Debatte informieren wollte, könnte man tausend zu eins wetten, daß man ihm ungefähr die folgende Antwort geben würde. Die Romantik? Man hat eine Weile davon geredet, jetzt spricht man nicht mehr darüber; das Wort ist vergessen worden«. Freilich fügt Manzoni hinzu, die ästhetische Theorie der Romantik, also ihre Art, das Schöne zu verstehen und darzustellen, sei tief in das italienische Bewußtsein eingedrungen und habe die Grundsätze des Klassizismus erschüttert. Der katholische Dichter und Philologe Niccolò Tommaseo hat, polemisch gegen den Klassizismus, die Prinzipien einer romantischen Literatur folgendermaßen zusammengefaßt: Wahrheit der Inhalte, die vornehmlich Themen der vaterländischen Geschichte behandeln sollten, Volkstümlichkeit im Ausdruck, Freiheit von rhetorischen Regeln und von dem Gebot der Nachahmung der antiken Vorbilder. Vor allem sollte diese Dichtung dem Gesetz des Herzens gehorchen: »La lingua della mente è compresa da pochi; quella del cuore da tutti« (Die Sprache des Geistes wird von wenigen verstanden, jene des Herzens von allen).

Das Verhältnis der Italiener zur Romantik blieb dennoch gespannt, die Frage nach Natur und Eigenschaften der Bewegung wurde widersprüchlich beantwortet – bis hin zu der radikalen These, daß es eine italienische Romantik nie gegeben habe. Die Romantik wurde als ein fremdes, nordisches Phänomen angesehen, das die führende kulturelle Rolle, die das Land in der Renaissance hatte und die in der klassizistischen Tradition bewahrt wurde, endgültig in Frage stellte. Die Einsicht, daß sie eine radikale Wandlung in Bewußtsein und Substanz des künstlerischen Schaffens darstellte, setzte sich in der italienischen Literaturkritik relativ spät durch. Dabei wurde insbesondere auf den philosophischen, mystischen und individualistischen Charakter der deutschen Romantik und auf die eher ethische Ausprägung der italienischen hingewiesen. In Wirklichkeit bedeutete die romantische Bewegung auch in Italien eine Erneuerung der literarischen Vorbilder sowie der stilistischen Normen und Systeme. Diese Erkenntnis wurde in Italien durch die Tatsache erschwert, daß weder Aufklärung noch Romantik im Lande selbst entstanden und in ihrer reinen Ausprägung auszumachen waren. Italien, wo der Klassizismus tiefe Wurzeln hatte, hat dieser Tradition nie ganz abgeschworen: Charakteristisch ist beispielsweise das Fortleben von aufklärerischen Denkformen und klassizistischen Stilmerkmalen bei Schriftstellern, die – sowohl was die Entstehungszeit ihrer Werke als auch die Natur ihrer Inspiration anbelangt – eher der Romantik zuzurechnen wären. Das gilt insbesondere für die große Dichtertrias des Ottocento, also für Foscolo, Manzoni und Leopardi.

Italienische Romantik

Vor allem an drei Faktoren läßt sich eine Veränderung des literarischen Geschmacks in der Romantik erkennen: Der Wechsel literarischer Modelle, die Krise bestimmter Gattungen und stilistischer Mittel und ihre Ersetzung durch neue und schließlich eine veränderte Auffassung von der Rolle des Schriftstellers in der Gesellschaft. Der Wandel, der sich an der Schwelle zum 19. Jahrhundert in der italienischen Literatur ereignete, betraf sowohl das Verständnis der Antike als auch das Interesse für bestimmte Texte der modernen italienischen Literatur. Noch im Settecento war vor allem der bukolische Vergil verehrt worden; jetzt verlangte der künstlerische Geschmack die Abwendung von arkadisch-idyllischen Themen: Homer, der epische Dichter der *Ilias* und der *Odyssee* wurde nun in den Himmel gehoben. Schwärmerisch bekennt der Protagonist des autobiographischen Briefromans von Ugo Foscolo *Le ultime lettere di Jacopo Ortis* seine Vorliebe: »Omero, Dante e Shakespeare, tre maestri di tutti gli ingegni sovrumani, hanno investito la mia immaginazione ed infiammato il mio cuore...« (Homer, Dante und Shakespeare, drei Vorbilder aller übermenschlichen Geister haben meine Einbildungskraft angeregt und meine Leidenschaft entflammt...). Dantes *Divina Commedia,* ein Werk, das von der klassizistischen Kritik stiefmütterlich behandelt worden war, wird zum Kultobjekt: »Dante, der Homer der neuen Zeit, dieser heilige Dichter unserer geheimnisvollen Religion, dieser Riese im Geist, tauchte seinen Geist in den Styx, um in der Hölle zu landen, und seine Seele war ebenso tief wie die Abgründe, die er beschrieb.« Dies schrieb Madame de Staël, die Schriftstellerin, die vor allem durch ihr Buch *De l'Allemagne* (1810) die Hauptvermittlerin der Gedanken der deutschen Romantik in Italien wurde. Der Dichter Giacomo Leopardi, der in seinen jungen Jahren Partei für die Klassizisten ergriffen hatte, nannte in seinem *Zibaldone* Dante Alighieri »un mostro per i francesi, un dio per noi« (ein Ungeheuer für die Franzosen, ein Gott für uns). Wenn auch die Beschäftigung mit Shakespeares Theater im Italien der Romantik nicht die Rolle spielte, wie dies – vor allem dank Goethes *Wilhelm Meister* – in Deutschland der Fall war, so war doch ein neues Interesse und Verständnis für sein Werk auch hier zu spüren. Die Wende brachte die 1817 erfolgte Übersetzung der *Vorlesungen über dramatische*

Literarische Vorbilder

Porträt Madame de Staëls
von François Gérard

Kunst und Literatur von August Wilhelm Schlegel, die großes Aufsehen erregte. Auf Shakespeare berief sich Alessandro Manzoni in seiner *Lettre à Ms. Chauvet sur l'unité de temps et de lieu dans la tragédie* (1819), in der er die aristotelischen Regeln der Einheit von Zeit, Raum und Handlung kritisierte und die Legitimität der Stilmischung für das moderne historische Drama verteidigte.

Schwächen der Lyrik   Eine dominierende Rolle in der europäischen Romantik fiel der Lyrik zu. Gerade in dieser Gattung, in der traditionell von Dante bis Giovanbattista Marino Italien eine Vorbildfunktion ausgeübt hatte, bot die italienische Literatur dieser Epoche – wenn man von der großen Ausnahme Giacomo Leopardis absieht – ein blasses Bild. Gefragt war eine Dichtung, die Emotionen zu wecken vermochte und als Appell an Freiheitsdrang und Nationalgefühl verstanden werden konnte. Die Einbindung in die ideologischen und politischen Konflikte der Zeit und das daraus resultierende Bewußtsein der Dichter, eine historische Mission zu erfüllen, begünstigte Genres wie Ballade, Romanze und patriotisches Gedicht. Besonders anschaulich illustrieren die vaterländischen Gedichte von Giovanni Berchet den Geist der romantischen Dichtung in der Epoche des Risorgimento. Seine Lyrik ist nach dem Vorbild des Melodramas gebaut: Epische und lyrische Motive entsprechen dem Rezitativ und der Arie in der Oper. Berchets Intention, eine suggestive Wirkung zu erzielen, wird durch die Wahl der metrischen Formen verstärkt. Der rasche Übergang von verschiedenen Versmaßen, der Gebrauch des Reims sowie die starke Rhythmisierung der Verse sollen einen unmittelbaren Kontakt zum Publikum herstellen. In »Il romito del Cenisio« begegnet ein nordischer Reisender, der sich unterwegs nach Italien befindet, inmitten einer Alpenlandschaft dem alten Vater des in einem habsburgischen Gefängnis schmachtenden Dichters Silvio Pellico. Der ahnungslose, sich auf Italien freuende Fremde wird barsch zurückgewiesen:

> Maledetto
> chi s'accosta senza piangere
> alla terra del dolor!

> (Verdammt, wer ohne Tränen sich dem Land des Schmerzes nähert).

Dem Kampf der italienischen Freistädte gegen Kaiser Barbarossa ist »Il giuramento di Pontida« gewidmet:

> L'han giurato. Gli ho visti in Pontida
> convenuti dal monte e, dal piano.
> L'han giurato; e si strinser la mano
> cittadini di venti città.
> Oh spettacol di gioia! I Lombardi
> son concordi, serrati a una lega.

> (Sie haben es geschworen, ich habe sie in Pontida gesehen/ sie kamen aus Berg und Tal/ Sie haben es geschworen und sich die Hand gegeben/ die Bürger aus zwanzig Städten/ O freudiges Bild! Die Lombarden/ sind einträchtig, im Bund vereint).

Aus der Zeit des Risorgimento stammt auch die italienische Nationalhymne. Sie wurde von dem Mazzini-Anhänger Goffredo Mameli geschrieben, der 1849 zweiundzwanzigjährig bei der Verteidigung der römischen Republik gegen die französischen Truppen starb. Das Volk als Wahrer der heiligen Werte der Nation und das klassische Vorbild Roms rücken in den Vordergrund des Gedichts:

Porträt des jungen
Dichters Goffredo Mameli

Nationalhymne

Fratelli d'Italia, l'Italia s'è desta.
Dell'elmo di Scipio s'è cinta la testa
dov'è la vittoria? le porga la chioma
che schiava di Roma Iddio la creò.«

(Italienische Brüder, Italia ist erwacht/ sie hat sich bewehrt mit
dem Helm des Scipio./ Wo bleibt der Sieg? Sie neigt ihr Haupt
vor der Göttin des Sieges/ da Gott sie schuf als Sklavin Roms).

An der geschwollenen Sprache dieser Hymne läßt sich ablesen, wie groß zur
Zeit des Risorgimento der Abstand zwischen staatstragendem Bürgertum und
Volk war. In der Tat: So wie das Fehlen jeden ökonomischen oder sozialen
Inhalts im politischen Programm Giuseppe Mazzinis die ländliche Bevölkerung
aufständischen Parolen gegenüber gleichgültig ließ, so verfehlte die gehobene
Sprache der Literatur mit ihren historischen und klassischen Bezügen oft den
wahren Adressaten, das Volk.

Die Dialektik der Dialekte

Sprachgeschichtlich kennt die italienische Literatur zwei verschiedene Traditionen: Die eine orientiert sich an der streng einheitlichen stilistischen Konzeption
Francesco Petrarcas, der die florentinische Mundart als Modell für seine Dichtung nahm; die andere an einer an regionalen Ausdrucksweisen reichhaltigen
Hochsprache nach dem Vorbild Dante Alighieris. Diese Spannung, welche die
italienische Literaturgeschichte durchzieht, entlädt sich im Jahrhundert des
Risorgimento in der besonderen Aufmerksamkeit, die den dichterischen Möglichkeiten der Dialekte gewidmet wird. Wie der Kritiker Gianfranco Contini
bemerkt hat, gehört die italienische zu den wenigen Nationalliteraturen, welche
die Dialektdichtung nicht ausgrenzen, sondern wie selbstverständlich einbeziehen. Neu war in der Romantik die Intention, Dialekt nicht nur satirisch wie in
der »makkaronischen« Dichtung, sondern auch als Instrument der Erforschung
und Darstellung von Wirklichkeitsbereichen, die traditionell von der Literatur
ausgespart worden waren, einzusetzen. Das wurde in dem Moment möglich,
als sich die strenge Stiltrennung der Klassik zugunsten einer experimentellen
Stilmischung durchsetzte. Man erkannte die subversive Kraft, die in den Dialekten enthalten war, und benutzte sie als Waffe gegen die Mächtigen und zugleich
als Form der Solidarität mit dem Volk.

Portas Gesellschaftskritik

Es ist das Verdienst zweier markanter Dichterpersönlichkeiten, des Mailänders Carlo Porta und des Römers Giuseppe Gioacchino Belli, die Perspektive
»von unten auf« in die Dichtung eingebracht zu haben. In ihrem realistisch-pika-
resken Werk wirkten sie dem falschen Pathos des allegorisierenden Klassizismus
entgegen; sie gaben der Dichtung jenen Wirklichkeitsbezug zurück, der in einer
Tradition, die sich nach dem Kanon der Nachahmung von literarischen Vorlagen richtete, unterdrückt worden war. Ihrer bürgerlichen Herkunft und aufklärerischen Bildung nach gingen Porta und Belli von vergleichbaren Bedingungen
aus. Unterschiedlich war indessen das Stadtmilieu, in dem sie lebten und schrieben: das europäisch aufgeklärte Mailand zwischen napoleonischer Ära und
Restauration für den einen, das reaktionär-päpstliche Rom – von Pius VII. bis
Pius IX. – für den anderen.

Die Jugend Carlo Portas, Sohn eines habsburgischen Beamten, wurde durch
den ständigen Wechsel der französischen und der österreichischen Herrschaft in

»La cameretta portiana«,
Gemälde von Giuseppe
Bossi; der Maler Bossi
links, Porta rechts

seiner Heimatstadt überschattet. Seinen Lebensunterhalt verdiente er, nach
einem Intermezzo als Schauspieler, als kleiner Finanzbeamter. Nachdem seine
Hoffnung, die Lombardei könnte nach dem Auszug der Franzosen die Unabhängigkeit erlangen, sich zerschlagen hatte, wandte sich der Aufklärer Porta den
neuen Gedanken und Utopien der Romantik zu. In seinem Mailänder Haus traf
sich ein Kreis gleichgesinnter liberaler Patrioten und Verfechter einer demokratischen Kultur, die sogenannte »cameretta portiana«. Auch den jungen Romantikern, welche die Zeitschrift *Conciliatore* gegründet hatten, stand der Freund
Alessandro Manzonis und Tommaso Grossis bis zu seinem frühen Tod im Jahr
1821 nahe. Mit seiner Dichtung kämpfte Porta gegen konservative und reaktionäre Elemente in Literatur und Gesellschaft an, indem er das Mailänder Kleinbürgertum sympathisch in Szene setzte. So hat er zum Beispiel 1792, eine Tradition wiederaufgreifend, die in der lombardischen Metropole fast ebenso lebendig war wie im Venedig Goldonis, die Dialektverse *El lava piatt del Meneghin
ch'è mort* geschrieben. Durch die Übertragung einiger Gesänge der *Divina
Commedia* (1801–1805) in den Mailändischen Dialekt verfeinerte er nicht nur
formal seinen Stil, sondern verwandelte in sozialkritischer Absicht die theologische Vision Dantes in einen Reisebericht nach dem Muster der didaktischen
Romane des 18. Jahrhunderts. Porta steht dem Humor Laurence Sternes oder
Jean Pauls nahe und versucht, seine Gestalten und Szenen mit Wirklichkeit und
Lebenskraft auszustatten. Das politische, aber auch das alltägliche Leben der
Zeit der Restauration gestalten sich zur bitteren Satire. Trotz seines kompromißlosen Realismus verschließt er sich dem Glauben an einen möglichen Fortschritt nicht: Korruption, Heuchelei, Dummheit und Unterdrückung sind
keine unumstößlichen Gesetze des Lebens; sie sind vielmehr Produkt veränder-
barer sozialer Mißstände. Seine Welt, die er mit einer nie populistisch wirkenden Anteilnahme beschreibt, ist ein Babel von pittoresken Gestalten, das Heer
der namenlosen kleinen Leute, die von den Mächtigen wie von den Literaten
ignoriert oder vernachlässigt werden. Die Helden seines Volksepos sind zum
festen Bestandteil des lombardischen Bildungsgutes geworden. Giovanni, der

Frontispiz zu *El lava piatt
del Meneghin ch'è mort* von
1793

Exekution im päpstlichen
Rom des 19. Jahrhunderts;
das Aquarell von
Jean-Baptiste Thomas
zeigt das rückständige
Leben im Kirchenstaat.

Protagonist des Gedichts »I desgrazi« oder des »Olten desgrazi de Giovannin
Bongee«, 1812–1813 geschrieben, ist das Sinnbild des naiven und linkischen
Stoffel, der von den Schlauen und Gewalttätigen hinters Licht geführt wird.
Demgegenüber haben Figuren wie Marchionn im »El lament del Marchionn di
gamba avert« (1816) und vor allem Ninetta in der »Ninetta del Verzee« (1814),
pathetische Gestalten, die das Leben ungerecht straft, eine hohe dramatische
Qualität. Portas beißende Satire, die frei von jeder Konvention und Prüderie die
zeitgenössische Gesellschaft bloßstellte, fiel den repressiven Tendenzen der postrisorgimentalen Kritik zum Opfer. Erst im veränderten Klima des Neorealismus
konnte seine in vielen Hinsichten revolutionäre Erfahrung Vorbild für den
sprachlichen Experimentalismus eines Pier Paolo Pasolini oder Carlo Emilio
Gadda werden. Wollte Porta durch seine Dichtung den Beweis erbringen, daß
die niedrigen Schichten der Gesellschaft literarisch durchaus dramatische
Subjekte sein können, so bekämpft Belli mit gleicher Wut klassizistische Vorurteile und christliche Mythenbildung.

Hintergrund des dichterischen Werks Giuseppe Gioacchino Bellis ist die
Stadt Rom in einer Epoche, in der das politische Papsttum einen Überlebenskampf gegen Revolution und Moderne führte. Von den 2279 Sonetti romaneschi
sind die meisten in der Zeit zwischen 1828 und 1847 entstanden. Nur einige
Gedichte aus diesem bemerkenswerten Werk wurden zu Bellis Lebzeiten veröffentlicht. Wenige Freunde, darunter der russische Schriftsteller Nicolai Gogol
und der französische Literat Charles Augustin Sainte-Beuve, kannten sein
Werk. Als Sprache verwendet Belli den römischen Dialekt in jener eigenwilligen
und verdorbenen Form, in der ihn das Lumpenproletariat seiner Tage in den
Gassen der Stadt sprach. Während in der ersten Hälfte des 19. Jahrhunderts im
übrigen nicht toskanischen Italien die Mundarten als Alltagssprache akzeptiert
waren und die Hochsprache nur schriftlich oder bei offiziellen Anlässen gesprochen wurde, war in der Heiligen Stadt die italienische Hochsprache die Alltagssprache. Hier sah man auf die Mundart, das »romanesco«, herab wie auf eine
pervertierte Spielart – eine »lingua brutta e buffona« (eine häßliche und närri-
sche Sprache) nennt sie Belli selbst.

Durch die Verwendung des Dialekts wollte der hochkultivierte Dichter – der
dank einer reichen Heirat bis 1837 eine ruhige Gelehrtenexistenz führen konnte – den Untergang der christlich-feudalen Gesellschaft im sterbenden Kirchenstaat veranschaulichen. Daher die Unverblümtheit und Härte seiner Ausdrucksweise, die das Leben in seiner rohen Wirklichkeit beschreibt, aber auch mit
expressionistischer Darstellungslust verzerrt. Er wurde zum literarischen Zeugen einer desolaten Welt, deren Gesetz nicht der Fortschritt, sondern der Rückschritt in eine immer düsterere Hölle ist. Die Macht des Lächerlichen, die
Komik, zieht in dieser menschlichen Komödie Arme und Reiche, Papst und
Volk vor das gleiche Tribunal; alle werden, wie es die Metapher des Sonetts »Il
caffettiere filosofo« meisterhaft suggeriert, wie Kaffeebohnen in der giganti-
schen Kaffeemühle des Lebens durchgewirbelt, um schließlich vom Abgrund
aufgesogen und zermahlen zu werden:

Die subversive Kraft des Dialekts

Giuseppe Gioacchino Belli

E l'ommini accusì viveno ar monno,/ misticati pe mano de la sorte,/ che se li gira tutti in tonno in tonno;/ e movènnose ognuno, o piano, o forte,/ senza capillo mai caleno a fonno,/ pe cascà ne la gola de la morte
(Und so leben denn die Menschen auf der Welt/ vom Schicksal durcheinander gewirbelt,/ das sie alle durch die Mühle dreht,/ und ein jeder bewegt sich sacht oder schnell,/ sie gehen unter ohne zu verstehen/ und fallen in des Todes Rachen).

Als der reaktionäre Papst Gregor XVI. 1846 vom »liberalen« Pius IX. abgelöst wurde, der am Anfang seines Pontifikats viele Hoffnungen erweckt hatte, geriet Belli in eine Krise. Der Dichter erschrak angesichts der neuen Realität, die mit Mazzini und Garibaldi in sein Rom Einzug gehalten hatte, und zog es vor, die Augen vor der Wirklichkeit des Risorgimento zu verschließen. Er verwandelte sich in einen eifrigen Verteidiger von Thron und Altar und verbot sogar in seinem Amt als »Zensor der politischen Moral« die Melodramen von Rossini und Verdi. Nach seinem Willen hätten seine *Sonetti romaneschi* nach seinem Tod (1861) verbrannt werden sollen. Wie im Falle Portas auch, wurde die Größe Bellis, die berühmte Zeitgenossen wie Stendhal und Gogol erkannt hatten, lange Zeit ignoriert. Man warf ihm pessimistischen Materialismus vor und reduzierte seine literarische Bedeutung auf die enge Dimension der komischen Skizze. Heute hingegen erkennt man in der tragischen Begabung dieses »plebeischen Shakespeare« (Ferrucci), in seiner unerschöpflichen Phantasie und Gestaltungsgabe sowie in der Ausdruckskraft seiner Sprache eine der großen Erscheinungen des romantischen Geistes in der italienischen Literatur.

Auf dem Feld der in der Hochsprache geschriebenen Lyrik waren die Bürde der Tradition und die Gefahr der provinziellen Enge größer als etwa in der erzählerischen oder dramatischen Dichtung. Hier erschöpfte die italienische Romantik ihre Möglichkeiten erst nach der Krise der Jahrhundertwende, als im Kampf zwischen dem Anspruch der Wissenschaft auf Wahrheit und der poetischen Fiktion das Unbehagen über den Verlust der sakralen Dimension der Kunst erneut die Suche nach romantischen Motiven aktuell werden ließ. In der Epoche der Restauration prägten zwei Dichterpersönlichkeiten, die mit dramatischer Kohärenz auf die Probleme ihrer Zeit reagierten, die Literaturszene. Das Werk Manzonis und das Leopardis stellten einen doppelten Gipfel dar inmitten einer im Grunde mittelmässigen poetischen Landschaft.

Alessandro Manzoni

Alessandro Manzoni, Jugendporträt von Francesco Hayez

In der Generation der Romantik repräsentiert Alessandro Manzoni den Literaten, der am deutlichsten auf die Zeit reagiert und die kulturellen Veränderungen der »società letteraria« in Italien wahrnimmt. In den italienischen Staaten hatten Französische Revolution und napoleonische Umwälzungen eine tiefgreifende Veränderung des Kulturlebens eingeleitet, die ein dreihundert Jahre altes System ins Wanken geraten ließen. In Frage gestellt wurde ein Modell von Kultur, das auf dem Wort basierte. Das Buch und die Akademie erschienen als unzureichend, und man suchte nach Erweiterungsmöglichkeiten. Auch in Italien begann eine komplexer werdende Gesellschaft, schichtenspezifische Barrieren zu überwinden, und die kulturellen Chancen, welche die neuen Kommunikationsmittel (z.B. Zeitschriften, Reisen, Bildinformationen) boten, in Anspruch zu nehmen. Es entwickelte sich ein neues Leseverhalten, zu dem halböffentliche Lesungen in Clubs, Cafés und Buchhandlungen beitrugen; auch die Frauen begannen zunehmend, die Lust am Lesen zu entdecken. Zeitschriften, aber auch Almanache und politische Blätter, die alle Ebenen der Information abdeckten, überschwemmten den Markt und erreichten jetzt in ländlichen Gegenden auch das nicht alphabetisierte Publikum. In der Buchproduktion schlug sich die Tendenz nieder, das Volk im Sinne der romantischen Ideologie zu gewinnen: durch den Druck von Klassiker-Reihen mit relativ hohen Auflagen, die eine Senkung des Verkaufspreises ermöglichten.

Alessandro Manzoni hat in seinem Werk, das eine Synthese der historischen, religiösen, ästhetischen, moralischen und politischen Reflexionen seiner Zeit darstellt, in fruchtbarer Weise den pädagogischen Auftrag der Aufklärung mit dem neuen Geist der Romantik in Einklang gebracht. Das Interesse für soziale und ethische Probleme ist Manzoni freilich in die Wiege gelegt worden. Als Sohn der Giulia Beccaria, der Tochter des berühmten aufklärerischen Juristen und Gegners von Folter und Todesstrafe, Cesare Beccaria, und des Grafen Pietro Manzoni 1785 in Mailand geboren, bekam er durch den Besuch von Klosterschulen eine strenge religiöse Erziehung. Unter dem Eindruck der Lektüre zeitgenössischer Dichter und aufklärerischer Denker öffnete er sich jedoch früh den neuen revolutionären Ideen, wie das 1801 geschriebene Gedicht »Il trionfo della libertà« bezeugt. Zu einem prägenden Erlebnis wurde die Bekanntschaft mit dem Kreis der »Ideologues« in Paris, wohin er der Mutter gefolgt war. Zudem verband ihn eine innige Freundschaft mit dem Historiker und Kritiker Claude Fauriel, der viel zur Verbreitung der deutschen Romantik in Frankreich beigetragen hat, und seiner Gefährtin Sophie de Condorcet. Der kritische Geist, den Manzoni in den Pariser Kreisen in sich aufgenommen hat, prägte sein Denken nachhaltig auch noch, als er sich 1808 zum katholischen Glauben zurückwandte. 1810 kehrte die Familie – Manzoni hatte gerade die Genferin Henriette Blondel geheiratet – endgültig in die Heimat zurück. Dem hektischen Leben in der lombardischen Metropole – Mailand war zu dieser Zeit das lebendigste politische und kulturelle Zentrum in Italien –, zog Manzoni jedoch bald die Ruhe des nahegelegenen Landguts in Brusuglio vor. Hier schrieb er zwischen 1812 und 1813 die ersten *Inni Sacri:* »La Resurrezione«, »Il nome di Maria«, »Il Natale«, »La Passione« und später das bedeutende Gedicht »La Pentecoste« (1822). Wenn diese Texte auch sehr den Eifer des Konvertiten widerspiegeln, sind sie doch literarisch von hohem Interesse. Denn in diesem Genre brach Manzoni mit der lyrischen Tradition des Petrarkismus und bekannte sich zu einer Dichtung, die einen sittlichen Auftrag erfüllt, indem sie sich an die »Volksseele« wendet und deren Überzeugungen artikuliert. Wie mächtig der Einfluß war, den der Glaube auf die Weltsicht des Dichters ausübte, spürt der Leser in den historischen Studien, die Manzoni dazu dienten, die theoretischen Voraussetzungen seiner Ideologie zu prüfen und zu rechtfertigen. So bekämpfte er in der 1818 entstandenen Schrift *Osservazioni sulla morale cattolica* aufs schärfste die These des Genfers Sismondi, derzufolge der Grund des Verfalls der italienischen Nation in der Rolle der katholischen Kirche zu suchen sei.

Porträt des Literaten und Historikers Claude Fauriel und seiner Gefährtin Sophie de Condorcet, die Manzoni in Paris freundlich aufnahmen.

Mit der Geschichte als Ort der Macht und der undurchdringlichen Pläne Gottes beschäftigt sich die Ode »Il 5 maggio« (1821), die dem Tod Napoleons gewidmet ist und später von Goethe übersetzt wurde. Auch eine weitere Ode »Marzo 1821«, im gleichen Jahr entstanden, aber erst 1848 mit einer Widmung an den vor Jena gefallenen Theodor Körner veröffentlicht, offenbart den christlich gefärbten Patriotismus Manzonis. Ihr liegt ein unmittelbarer politischer Anlaß zugrunde; denn sie wurde in den unruhigen Tagen geschrieben, als die lombardischen Patrioten angesichts von revolutionären Aufständen den Ein-

Christlich gefärbter Patriotismus

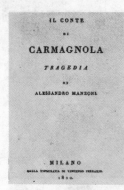

Titelblatt der ersten
Auflage der Tragödie *Il
Conte di Carmagnola*

Eine Szene aus der
Tragödie *Adelchi* in der
Ausgabe von 1845

marsch piemontesischer Truppen erwarteten. Die napoleonische Ära hatte in ganz Italien Einheits-und Freiheitsbestrebungen geweckt, die der Geheimbund der »Carbonari« – so genannt nach den Köhlern Calabriens – schürte. In Neapel und Piemont wurde die revolutionäre spanische Verfassung ausgerufen. Der mit Hilfe Österreichs überall wiederhergestellten Ordnung folgte die Unterdrückung: In Lombardo-Venetien führte sie zur Verhaftung des Führers der lombardischen Carbonari, Federigo Confalonieri, und des Dichters Silvio Pellico. Die liberale Zeitschrift *Il Conciliatore,* der Manzoni nahegestanden hatte, war bereits Ende 1818, als die Auswirkungen der Karlsbader Beschlüsse in Italien spürbar wurden, verboten worden. Unter dem Eindruck dieser Ereignisse, die ihn schwer erschütterten, rechtfertigte der christliche Moralist den Kampf der Italiener gegen die reaktionären Kräfte mit dem religiösen Argument: Gott lehnt die fremde Usurpation ab (»Dio rigetta la forza straniera«).

In diese Zeit fällt auch die Arbeit an den Tragödien *Il Conte di Carmagnola* und *Adelchi,* in denen Manzoni seine Ansichten über Wesen und Legitimität eines christlichen Dramas in die theatralische Praxis umsetzte. Beide Werke sind mit Elementen eines Passionsspiels durchwoben. Die Protagonisten, der Condottiero aus der Renaissance und der langobardische Prinz, erscheinen als Opfer, deren Tod wie in der christlichen Heilslehre nur auf einer höheren Ebene einen Sinn ergibt. Zentrales Anliegen Manzonis in diesen Tragödien, die sich eher zur Lektüre als für eine Inszenierung eignen (*Carmagnola* wurde zum ersten Mal 1828, *Adelchi* 1843 aufgeführt), war die ethische Hinterfragung der Geschichte: die Frage nach der moralischen Verantwortung vor Gott. Dabei sollte der Chor, den Manzoni in die romantische Tragödie wiedereinführte, als Instanz des kritischen Zuschauers dienen, dem die Aufgabe zukommt, das Bühnengeschehen zu reflektieren und zu kommentieren. *Il Conte di Carmagnola* und *Adelchi* konfrontierten die Italiener mit der Aussichtslosigkeit ihrer historischen Lage. Manzoni, der intensive historische Studien, vor allem zum italienischen Mittelalter betrieben hatte, konzentrierte seine Aufmerksamkeit auf den Begriff der Nation. Gegenüber den stolzen Eroberern, den Langobarden und Franken, erscheint das versklavte italienische Volk als namenloses Heer, »un volgo disperso che nome non ha«, wie es in der letzten Strophe des Chors des *Adelchi* heißt. Ein tiefer Pessimismus prägt die Weltsicht des Dichters: Wie Rousseau ist Manzoni von der Negativität der Gesellschaft überzeugt; die Menschen gehorchen einem einzigen Trieb, dem der Selbsterhaltung und -behauptung, die Mächtigen machen Lüge, Betrug und Verrat zum Maß ihres Handelns. So beschwört die trostlose Botschaft des sterbenden Adelchi das Drama der conditio humana, die keinen Ausweg aus dem Dilemma sieht, entweder das Böse zu tun oder es erleiden zu müssen: »loco a gentile/ a innocente opra non v'è/ non resta che far torto o patirlo«. Dem falschen weltlichen Machtstreben steht die Gemeinschaft der von der christlichen Botschaft erlösten Seelen gegenüber: Die von Karl verstoßene langobardische Prinzessin Ermengarda findet im Kloster einen Ort des Friedens. In seinem dramatischen Werk wollte Manzoni die Starre und Kälte der klassizistischen Tragödie überwinden. Dies gelang ihm vortrefflich in den lyrischen Partien, welche die Gefühle und die menschliche Betroffenheit des Dichters ausdrücken, nicht jedoch im Entwurf der Charaktere und der historischen Epoche; hier blieb der romantische Dichter nicht nur seinem großen Vorbild Shakespeare deutlich unterlegen, sondern auch Friedrich Schiller, dessen *Wallenstein* viele Vergleichselemente zu *Carmagnola* bietet.

Die Unversöhnbarkeit von Ethik und Politik – ein Motiv, das Manzoni mit Schiller verbindet – steht im Mittelpunkt des Romans *I Promessi Sposi,* eines Werks, das eine Überwindung der ethischen Resignation der Tragödien und eine Vertiefung im Sinne der christlichen Botschaft darstellt. Mit den Dramen hatte Manzoni jenes gebildete Publikum, das von den Freiheitshelden Vittorio Alfieris begeistert war, ansprechen und zum Nachdenken über die grausamen Mechanismen der Geschichte bewegen wollen. Die negative Bilanz konnte jedoch die bürgerlichen Erwartungen und die menschlichen Sehnsüchte des romantischen Dichters nicht befriedigen. Ein Gefühl für die kommende Nation, der Glaube an die Macht des Wortes und die emanzipatorische Kraft der Vernunft trieben Manzoni dazu, die Lösung aus der beklemmenden Krise schließlich im Projekt einer Versöhnung von Katholizismus und Moderne zu suchen. Er wollte – durch den Erfolg der historischen Romane Walter Scotts beflügelt – ein Buch schreiben, das nicht nur von einer schmalen Elite, sondern von einer ganzen Nation gelesen wurde. In der Zeit zwischen April 1821 und September 1823 widmete sich Manzoni, mit wenigen Unterbrechungen, der Komposition seines Romans. Eine erste provisorische Fassung, die den Titel *Fermo e Lucia* trug, blieb ein Entwurf und wurde erst 1915 unter dem Titel *Gli sposi promessi* veröffentlicht. 1827 erschien in Mailand die erste Ausgabe in drei Bänden (die sogenannte »ventisettana«), die den endgültigen Titel *I promessi sposi. Storia milanese del secolo XVI, scoperta e rifatta da A. Manzoni* trug. Zwischen 1840 und 1842 erschien schließlich, nach einer erneuten sprachlichen Überarbeitung (die bekannte »risciacquatura in Arno«), die definitive Ausgabe (die »quarantana«). Der langwierige Entstehungsprozeß der *Promessi Sposi* signalisiert weniger den Kampf eines Autors um einen eigenen literarischen Stil als den Versuch, das Problem der Kommunikation zwischen Schriftsteller und Publikum zu lösen. Die zeitgenössischen italienischen Schriftsteller bedienten sich der Hochsprache, wie sie von der 1582 gegründeten »Accademia della Crusca« festgehalten wurde; sie entsprach der Ausdrucksweise der florentinischen Schriftsteller des Trecento. Die bereits vom romantischen Kreis des *Conciliatore* erhobene Forderung nach einer außerakademischen Sprache, die von der gesamten italienischen Bevölkerung verstanden und gesprochen wurde, stimmte mit dem politischen Anspruch Manzonis nach einer modernen Nation überein, die »una d'arme, di lingua, d'altare, di memorie, di sangue, di cor« (einig in den Waffen, in der Sprache, im Altar, in der Erinnerung, im Herzen) sein sollte. In *Fermo e Lucia* wandte Manzoni eine Sprache an, die aus einer Mischung von literarischen und lombardischen, umgangssprachlichen Elementen bestand, sich jedoch auch französischer Entlehnungen bediente. In der Ausgabe von 1827 war das Modell das Toskanische als schönste italienische Sprache (»la lingua incomparabilmente più bella, più ricca«); beibehalten wurden nur jene lombardischen Formen, die ein Äquivalent im toskanischen Gebrauch hatten. In der Endfassung der *Promessi Sposi* verzichtete Manzoni schließlich auf lombardische und archaisierende Anklänge und paßte sich dem florentinischen Sprachgestus an: Eine stilistische Entscheidung von epochaler Bedeutung, welche auch von späteren Kritikern, die für eine größere sprachliche Vielfalt des Italienischen plädierten, anerkannt wurde. Durch die Wahl der toskanischen Mundart, wie sie durch die gebildete Schicht gesprochen wurde, hatte sich der lombardische Dichter zwar für die Tradition entschieden, aber das romantische Kriterium der Lebendigkeit der dichterischen Sprache gerettet.

Der Erfolg des Romans in Italien – vierzig Auflagen in einem Jahr – überraschte selbst Manzoni; sein Publikum war das neue Bürgertum, also jene Schicht, die im Zeichen der Aufklärung ihre ideologische Reife errungen hatte und die nun in einem Korsett von kulturellen, sprachlichen, aber auch sozialen und ethischen Normen gebändigt werden mußte. Dafür eignete sich das Genre Roman vorzüglich, denn durch die Verwendung der Prosa, durch die Konzen-

Titelblatt der illustrierten Ausgabe der *Promessi Sposi*. Durch diese Ausgabe, die Manzoni selbst finanziert hatte, wollte er Raubdrucke des Romans verhindern. Der finanzielle Erfolg blieb jedoch aus.

Forderung nach einer Einheitssprache

Die Anfangsszene der *Promessi Sposi:* Don Abbondio, dem ängstlichen Pfarrer, wird unter Drohung verboten, die Trauung von Renzo und Lucia zu zelebrieren.

Ein Roman für die ganze Nation

tration auf individuelle Ereignisse und einen moralischen Anspruch vermochte der Roman ein breites Publikum zu erreichen; über die Identifikation mit den Helden forderte er zum Nachdenken über die tradierten Werte heraus und zeigte neue Möglichkeiten, die sich dem Einzelnen in der modernen Gesellschaft eröffneten. Thema des Romans, der den Italienern zu einem neuen nationalen Bewußtsein verhelfen sollte, wurde die Darstellung eines kritischen Abschnitts der italienischen Geschichte, versinnbildlicht am Schicksal eines bäuerlichen Brautpaars in der Lombardei zur Zeit des Dreißigjährigen Kriegs. Die Handlung des Romans entsprach bewährten literarischen Mustern. Manzoni gab vor, in einem verschollenen Manuskript aus dem 17. Jahrhundert die Geschichte der Verlobten Renzo und Lucia gefunden zu haben, und erzählte sie seinen Lesern in einem zeitgemäßen Stil neu. Ein spanischer Edelmann verhindert durch Einschüchterung des Dorfpfarrers die Trauung, und er verfolgt das Mädchen, um es sich gefügig zu machen. Nach unzähligen Hindernissen und Abenteuern, wie dem Ausbruch einer Brotrevolte in Mailand, der Pest, Entführungen und Bekehrungen, endet die Geschichte mit der Hochzeit des Paars. Um diese Kernhandlung herum bewegt sich eine Fülle von fiktiven und historischen Gestalten, die Manzoni realistisch und mit feiner, psychologisch geschulter Beobachtungsgabe entwirft.

Auktoriales Erzählen

Was die Erzählperspektive betrifft, so handelt es sich bei den *Promessi Sposi* um einen auktorialen Roman, der durch eine starke Präsenz des Erzählers gekennzeichnet ist. Dieser greift direkt in die Handlung ein, indem er die Erzählstrategie erklärt, die Komplizenschaft des Lesers sucht, ihn zu überzeugen und zu beeinflussen versucht. Manzoni schlüpft in den Mantel des Historikers, des Psychologen, des Sprachwissenschaftlers, während die Vaterschaft der Geschichte listig dem »Anonymus«, dem erfundenen Autor eines alten Manuskripts, überlassen wird.

Mit diesem, von Cervantes bis Umberto Eco immer wieder mit Vorliebe verwendeten literarischen Mittel spaltet Manzoni die Rolle des Erzählers. Dem Anonymus fällt, auch wenn er als Zeuge des Geschehens Garant der Wahrheit der Geschichte ist, die Rolle zu, das subjektive, fiktive Moment der künstleri-

Renzo in der Mailänder Kneipe »Zum Vollmond«, zeigt ein Brot, das beim Volksaufstand erbeutet wurde; Graphik von Gallo Gallina (1829)

schen Schöpfung darzustellen. Ihm gegenüber soll der Erzähler die objektive Instanz, die über den Dingen steht, verkörpern. In zahlreichen Dialogen und Monologen, die einen großen Reichtum an stilistischen Möglichkeiten zur Entfaltung bringen, und durch meisterhaft praktizierte Ironie tritt der Autor Manzoni zurück und läßt den Gestalten seines Romans viel Raum für ein stilistisches Eigenleben. Das zeigt sich deutlich in den verschiedenen Schattierungen, welche die soziokulturellen Eigenheiten der handelnden Personen wiedergeben. So werden das bäuerliche Milieu komisch, die Mittelschicht humoresk, der Adel satirisch und die Politiker sarkastisch beschrieben. Der für Italien neue bürgerliche Geist offenbart sich bei Manzoni in der Schilderung des Konflikts zwischen der Sphäre des Privaten mit ihren legitimen Bedürfnissen nach Selbstverwirklichung und den Zwängen der Macht. Das Böse wird dabei nicht, wie etwa im Märchen, im Zufall oder im Spiel mythischer Kräfte gesucht, sondern in den korrupten menschlichen Institutionen ausgemacht. Die *Promessi Sposi* entsprechen aufgrund ihrer moralisch-pädagogischen Absicht der Typologie des sozialkritischen Romans. Hier wird nicht das Ziel verfolgt, eine ruhmreiche nationale Vergangenheit zu rekonstruieren; vielmehr wird der Bruch aufgezeigt, der die Moderne von der abzulehnenden Vergangenheit trennt, und ein Modell für die Zukunft entworfen. Die Epoche, die Manzoni als Kulisse für seinen Roman wählt, das frühe 17. Jahrhundert, ist insbesondere für die der spanischen Besatzungsmacht unterstellte Lombardei eine dunkle und demütigende Zeit gewesen. Im Unterschied zu den Aufklärern, die exotische Länder bevorzugten und zu den deutschen Romantikern, die mittelalterliche Themen behandelten, entschied sich Manzoni für eine auch räumlich vertraute und zeitlich nicht allzu ferne Epoche. Eine historische Entfernung von zwei Jahrhunderten garantierte aus der Sicht Manzonis das Interesse des Lesers, ohne die erzählerische Spannung zu gefährden; darüberhinaus wurde der nötige Abstand zur zeitgenössischen Realität gewahrt und mythisierenden Tendenzen vorgebeugt. Auf die Analyse der historischen, sozialen und wirtschaftlichen Bedingungen – wie etwa im Exkurs über die Gründe der verheerenden Hungersnot und der Pest – wollte der Schriftsteller, der die Augen auf die zukünftige Nation Italien gerichtet hatte, nicht verzichten. Freilich mißfielen derartige Ausführungen schon den zeitgenössischen Kritikern. So beklagte Goethe, der ein Bewunderer Manzonis war, daß dieser plötzlich »den Rock des Poeten auszog und als nackter Historiker« dastand. Aber auch die Leser, die empfindsame psychologisierende Romane gewohnt waren, wurden in ihren Erwartungen enttäuscht; denn anders als in den französischen und englischen Vorbildern fehlte in den *Promessi Sposi* jedes Gespür für die Gefühlswelt der Liebenden. Ein Vergleich zwischen der ersten und der letzten Fassung des Romans zeigt, daß Manzoni Szenen, die an hedonistische oder Schauerromane erinnern könnten, immer mehr zurückgenommen hat. So wurde die Geschichte der zum Klosterleben gezwungenen »Nonne von Monza« mit blasseren Farben dargestellt, auf Andeutungen verkürzt und zur Episode heruntergestuft. Der pädagogisch-moralische Tenor der *Promessi Sposi* verweist auf die Gattung des Bildungs- oder Entwicklungsromans: Renzo und Lucia, die jungen Protagonisten, reifen durch eine Reihe von Prüfungen zu sittlich gefestigten Bürgern heran, sie verlassen ihren bäuerlichen Stand und bringen es zum kleinbürgerlichen Handelsstand. Dennoch zieht der vom Jansenismus beeinflußte Manzoni ein pessimistisches Fazit: Ein Fortschritt ist zwar im technischen und wissenschaftlichen Bereich erkennbar, die Welt aber gleicht einer Bühne, auf der sich dunkel und für die Menschen unentzifferbar der göttliche Plan der Vorsehung verwirklicht. Die Einwirkung der jansenistischen Denker von Port-Royal zeigt sich nicht nur in der Geschichtsauffassung Manzonis, sondern auch in seiner rigorosen moralischen Einstellung;

Poet oder Historiker?

Handschriftliche Widmung Goethes an Alessandro Manzoni

diese wiederum ist für seine ästhetische Theorie – insbesondere für die Reflexion über das Verhältnis zwischen Dichtung und Wahrheit – von großem Gewicht, ja sie gerät dem Dichter schließlich zum Verhängnis. In seiner Schrift *Sul romanzo storico* – 1830 geschrieben, aber erst 1845 gegen den Willen des Autors veröffentlicht – sieht sich Manzoni zur Kritik seines eigentlichen literarischen Beispiels genötigt; die platonische Verurteilung der Kunst wiederholend, nimmt er darin gegen die Vermengung historischer und fiktiver Elemente Stellung, lehnt sie als verwirrend für den Leser und daher als moralisch verwerflich ab.

Politik dank einer gemeinsamen Sprache

In den letzten Jahrzehnten seines langen Lebens konzentrierte Manzoni seine Aufmerksamkeit vornehmlich auf das Problem der Sprache. Dieses hatte ihn seit seiner Jugend unentwegt beschäftigt. Wenn Manzoni weder den perfekten italienischen Nationalstaat konzipiert noch politisch brauchbare Konzepte geliefert hat, so kann man sein Werk gerade wegen seiner intensiven Bemühung, eine gemeinsame italienische Sprache zu schaffen, die sowohl eine gesprochene als schriftliche Sprache sein sollte, doch als eminent politisch betrachten. Dem um einen Nationalstaat kämpfenden italienischen Bürgertum wurden die *Promessi Sposi* zum Kultbuch. Manzonis Verdienst war es, den emanzipatorischen Geist der Aufklärung und den katholischen Glauben miteinander in Einklang gebracht zu haben. Ironie der Geschichte: Kurz vor seinem Tod im Jahr 1873 war das Dogma der Unfehlbarkeit des Papstes verkündet worden; seiner weltlichen Macht wurde gewaltsam ein Ende gesetzt. Damit trat die Unmöglichkeit, Liberalismus und Klerikalismus miteinander zu versöhnen, schmerzlich vor Augen.

Giacomo Leopardi

Gratwanderung zwischen Aufklärung und Romantik

Ein Vergleich, eine Gegenüberstellung Manzonis und Leopardis hat unter italienischen Literaturhistorikern geradezu Tradition; schon die Zeitgenossen sahen zwischen ihren Schicksalen eine sonderbare Übereinstimmung und einen radikalen Gegensatz zugleich. Beide erlebten den Prozeß der Krise und des Wertewandels, der in der Zeit des Umbruchs zwischen ausklingender Aufklärung und beginnender Romantik Italien politisch, wirtschaftlich und sozial tief veränderte, bewußt und kritisch und nahmen in ihren Werken als Denker und Moralisten dazu Stellung. Sie kämpften freilich ideologisch an entgegengesetzten Fronten: dem katholischen Glauben verpflichtet der eine, der materialistischen und skeptischen Tradition der Antike der andere. Als eine Gratwanderung zwischen Aufklärung und Romantik kann das Werk beider Dichter charakterisiert werden. Doch während Manzonis Realismus und seine christlich-nationale Ideologie seine Zugehörigkeit zur Welt der europäischen Romantik belegen, weisen die Gedanken Leopardis über die Romantik hinaus und machen ihn zu einem der luzidesten Vertreter der Moderne. Dies erklärt das Ansehen, das Leopardi in der Zeit nach dem Ersten Weltkrieg sowohl bei dem Literatenkreis, der sich um die Zeitschrift *Ronda* scharte, als auch bei den Dichtern des Hermetismus genoß. Sie verehrten in ihm den Geist, der die poetische Erfahrung der französischen Parnassiens und Symbolisten vorweggenommen hatte; dabei bewunderten die einen vor allem den Humanisten und hervorragenden Stilisten des *Zibaldone,* die anderen die »poesia assoluta« der *Canti.* Heute zieht die prophetische Aktualität mancher philosophischer Intuitionen Leopardis sowie seine Schärfe und Originalität als Denker die Aufmerksamkeit der Kritik auf

Giacomo Leopardi

sich. In Wirklichkeit lassen sich bei Leopardi spekulative und poetische Momente schwerlich voneinander trennen. Gerade die Fähigkeit zur Verschmelzung beider Dimensionen macht die Eigentümlichkeit seiner Persönlichkeit aus und erklärt die Faszination, die eine Kunst ausübt, welche nach dem Wort Paul Valérys die Fähigkeit besitzt, »die Gedanken zum Singen zu bringen«.

Giacomo Leopardi wuchs in der kleinen mittelitalienischen Stadt Recanati, die damals dem rückständigen Kirchenstaat angehörte, als Sohn einer konservativen, streng katholischen, adligen Familie auf. Sein Vater, der Graf Monaldo, wurde als Verfasser eines der aggressivsten legitimistischen Pamphlete der Zeit bekannt, seine Mutter, Adelaide Antici, war eine strenge und abweisende Frau, die ihre Aufgabe in der Erhaltung des angeschlagenen Familienvermögens sah. Das Studium der Antike prägte Leopardis Bildung: Durch strenge Arbeit in der väterlichen Bibliothek sammelte er schon in jungen Jahren ein schier unglaubliches Wissen an und entwickelte sich als hervorragender Übersetzer und Philologe, ruinierte dabei aber für immer seine Gesundheit. Der Zusammenhang zwischen Krankheit und Pessimismus hat schon zu Lebzeiten des Dichters Literaturwissenschaft und Leser beschäftigt. Leopardi wehrte sich, wie aus einem im Jahre 1832 geschriebenen Brief an den Schweizer Historiker Luigi De Sinner zu erfahren ist, gegen die Absicht, seine »Philosophie der Verzweiflung« auf sein Leiden zurückzuführen, und verwarf schließlich verbittert diese Erklärung, die er als ungerecht und erniedrigend empfand: »Bevor ich sterbe, werde ich gegen diese Erfindung der Schwachheit und der Vulgarität protestieren und meine Leser bitten, sich eher mit der Widerlegung meiner Beobachtungen und Überlegungen zu befassen als damit, meine Krankheiten anzuklagen«. Heute tendiert man dazu, Leopardis Mißbildung und Leidenserfahrung als einen naturgegebenen Faktor zu betrachten, der seine Welterfahrung bestimmte und sein kritisches Bewußtsein ungeheuer schärfte. Neben den Klassikern der Antike las Leopardi in jungen Jahren die französischen Aufklärer und Materialisten des 18. Jahrhunderts. Unter dem Einfluß dieser Denker begann er, die Kultur seiner Zeit mit wachsender Schärfe unter die Lupe zu nehmen. Er beschäftigte sich im *Saggio sopra gli errori popolari degli antichi* (1815) mit der Frage, mit welchen Vorurteilen und Fehlern die geistigen Kräfte, die die Völker bewegen, durchsetzt seien. Dabei kam er zu der Ansicht, daß die Kultur des Volkes, das die Französische Revolution gemacht hatte, im wesentlichen nicht aufgeklärter, also freier von Vorurteilen sei als die Kultur der Griechen und der Römer. Im Vergleich zur Moderne aber war die Antike Leopardi zufolge eine Epoche, in der die Menschen im Einklang mit der Natur zu leben wußten und die Fülle ihrer Triebe großherzig und frei von Aberglauben ausleben konnten. Politisch bot die freie republikanische Gesellschaft der Antike dem Individuum jene Möglichkeiten der Persönlichkeitsentfaltung, welche die anämische und apathische Gegenwart geradezu unterdrückt. Von diesen Gedanken sind die 1818 entstandenen Canzoni »All'Italia« und »Sopra il monumento di Dante« geprägt; sie wurden im Klima des Risorgimento als Produkt patriotisch-nationaler Gesinnung verstanden. In Wahrheit verarbeiteten sie aber literarische Motive, die aus der klassischen Tradition und aus der Lektüre Alfieris stammten und wenig mit den Anliegen der romantischen Schule gemeinsam hatten.

Der Standort dieses Querdenkers an der Schwelle zwischen Aufklärung und Romantik wird eher verständlich, wenn man ihn mit Ideen in Verbindung bringt, deren kritisches Potential erst im 20. Jahrhundert zur Entfaltung kam. Leopardi hat gesehen, daß das Programm der Moderne in einer »Entzauberung der Welt« endet, welche erst die Natur und dann den Menschen vergewaltigt und verarmt. Er formuliert daher eine erbitterte Kritik an der modernen Vernunft und deren Verengung auf zweckrationale Denkformen. Damit scheint

Monaldo Leopardi und Adelaide Antici; Porträts, die im Palazzo Leopardi in Recanati aufbewahrt sind.

Entzauberung der Welt

Der junge Leopardi
beteiligte sich aus dem
fernen Recanati an den
Auseinandersetzungen
in Mailand.

*Nachahmung der Natur
und Studium der Antike*

Flucht in die Idylle

つねにいとしかりしは　この孤独なる小山 [オボル山のこと]
とこの垣根。それは最果ての地平線の大半より
孤独を抑けたり。
されど坐して　眺度しつ、
かの限界の彼方の限りなき空間と
超人的沈黙と　深閉たる静寂を
心のうちで　想ひ描きたり、そこでは
心も怯え恐れます、同じて　風が
これらの木立の間で声を立つるを聞きとき、
余は　かの無限の沈黙を　この [其の] 声と
比較し続けたり。同じくして永劫しは
永遠と　死ねる時日と　生ける現局と
その [其一変化の] 音、かくて　この [空間時間の] 広大無辺
の中で　余の思ひは溺れたり。
──而して　この海の中の難破は　余に快かりき。

Isamu Taniguchi, 1981

Japanische Übersetzung
des Gedichts »L'Infinito«
von Isamu Taniguchi
(1981)

er Argumente gegen das Destruktive des Fortschritts vorwegzunehmen, die erst mehr als ein Jahrhundert später zur vollen Geltung kamen. Diese Gedanken liegen der Rede zugrunde, die der zwanzigjährige Leopardi 1818 schrieb, während in Mailand die Auseinandersetzung zwischen Klassizisten und Romantikern die Gemüter erregte; weil sie zur geistigen Aufbruchsstimmung der Zeit schlecht paßte, hat er sie zu Lebzeiten nicht veröffentlicht. Dieser *Discorso di un italiano intorno alla poesia romantica* ermöglicht einen Einblick in die Ästhetik Leopardis. Der Dichter bestimmt drei Kriterien für die Entstehung eines Kunstwerkes: Die Inspiration des Künstlers, die Nachahmung der menschlichen und kosmischen Natur und das Studium der Antike. Die Vermittlung durch die klassische Poesie erscheint für den modernen Menschen notwendig, weil sie ihm erlaubt, in jene Welt der »Unwissenheit und der grenzenlosen Phantasie« einzutauchen, die sonst nur den Kindern vorbehalten ist. Der Dichter soll in der Tiefe seines Wesens, sozusagen in der Kindheit der eigenen Seele, die spiegelbildlich der Kindheit der Völker entspricht, die Einfachheit und Kraft der Natur entdecken.

Im *Discorso* bekämpft Leopardi die Romantiker; ihnen lastet er vor allem an, zu Barden jener Zivilisation geworden zu sein, die er in der Tradition von Rousseau als korrumpierende Kraft ansieht. Voll von jugendlichem Pathos entwickelt Leopardi hier jene Antithesen, die sowohl seine philosophischen als auch seine poetischen Werke bestimmen: so die Spannung zwischen Natur und Vernunft, Natur und Gesellschaft, Schönem und Wahrem oder Imagination und Gefühl. Charakteristisch für die Weltanschauung Leopardis war die Entdeckung der Welt der Kindheit und der Antike als normativer Größen und die mythisierende Vorstellung einer heiligen und wohlwollenden Natur. Doch war er damit kein rückwärtsgewandter, ewig gestriger Klassizist, vielmehr erkannte er durch die Beschäftigung mit der Antike die Schwächen seiner Gegenwart. Die klassischen Vorbilder erschienen Leopardi im dumpfen Klima der Restauration, die er im bigotten und reaktionären Milieu des Kirchenstaats erlebte, als unerreichbar. Sein Fazit: Die moderne Poesie konnte sich nicht mehr naiv und bildlich geben, sondern sie war gezwungen, philosophisch und sentimental aufzutreten. Diese Erkenntnis war aus einer schweren existentiellen Krise erwachsen, in die er 1819 geriet. Leopardi, der vergebens versucht hatte, sich durch eine Flucht der erstickenden Kleinwelt Recanatis zu entziehen, erkrankte schwer an den Augen und mußte längere Zeit untätig in verdunkelten Räumen leben. Angesichts der Hoffnungslosigkeit seiner persönlichen Situation und der politischen Stagnation im Lande reagierte Leopardi zuerst mit der Flucht in die Welt der Empfindung und der Imagination; er schrieb Gedichte, die er nach dem klassischen Vorbild »Idilli« nannte. Er selbst verwendete die Bezeichnung »Idilli« vor allem, um das subjektive Moment in der Naturerfahrung auszudrücken. Charakteristisch für die Idylle ist der Kontrast zwischen einem vertrauten Raum und einer kosmischen Dimension, der in der Bewegung von einer konkreten Wirklichkeit in die Grenzenlosigkeit des Absoluten sichtbar wird. Leopardi will ältere Formen sowohl inhaltlich wie stilistisch erneuern: Er verzichtet auf den Reim und verwendet als metrische Form den freien Elfsilber, der ihm große Variationsmöglichkeiten in Rhythmus, Melodie, Tempus und innerer Versdynamik erlaubt. Berühmt geworden ist »L'Infinito« (1819), eine Idylle, die zu den schönsten und dichtesten Gedichten in der italienischen Literatur des 19. Jahrhunderts zählt. Die Spannung zwischen Innenraum und Außenraum, zwischen Zeit und Ewigkeit, zwischen Natur und Geschichte löst sich im Gefühl einer kosmischen Harmonie auf, welche die Dinge mystisch zu bannen vermag. Das Unendliche ist die Dimension, welche die Empfindungen und Sehnsüchte des jungen Leopardi am besten versinnbildlichen kann: Sie wird durch die wunder-

Der Hügel des »Infinito«
in Recanati, der den
Dichter inspirierte.

Manuskriptseite von
»L'Infinito«

bare Musikalität der Sprache vermittelt. Die Musik, mit ihrer Auflösung des Bildes in den Ton, und nicht, wie für den neoklassischen Geschmack, die Plastik oder die Malerei, stellt für Leopardi die höchste Kunstform dar. Diese Ansicht belegt die erstaunliche Nähe des einundzwanzigjährigen Dichters aus Recanati zur Gedankenwelt der europäischen Romantik, die er freilich in dieser Zeit noch nicht hinreichend kennt. Im letzten Teil von »L'Infinito« wird der Tod zum Thema: Die vergangenen Zeiten sowie die Erinnerung an die sich selbst auffressende Geschichte rufen die Erfahrung des Nichts hervor. Das Meer – als Metapher des Unendlichen und des Lebens zugleich – empfängt den Dichter – dem mythischen Narziß eher verwandt als dem Odysseus des Epos – und gibt ihn einem sanften kosmischen Auflösungsprozeß anheim:

> E come il vento/ odo stormir tra queste piante, io quello/ infinito silenzio a questa voce/ vo comparando: e mi sovvien l'eterno,/ e le morte stagioni, e la presente/ e viva, e il suon di lei. Così tra questa/ immensità s'annega il pensier mio:/ e il naufragar m'è dolce in questo mare.
> (Und wenn des Windes Rauschen/ durch diese Bäume geht, halt ich die Stimme/ dem Schweigen, dem unendlichen entgegen,/ ihm zum Vergleich: des Ewigen gedenk ich,/ der toten Jahreszeiten und der einen,/ die heute lebt und tönt. Und so versinken/ im Unermeßlichen mir die Gedanken,/ und Schiffbruch ist mir süß in diesem Meere). [Übers.: Hanno Helbling]

In der Zeit zwischen 1820 und 1822 empfand Leopardi mit zunehmender Intensität das Bedürfnis, sich über die Grundlagen seiner dichterischen und menschlichen Existenz Klarheit zu verschaffen. Bereits im Jahre 1817 hatte er begonnen, seine philosophischen Gedanken sowie seine Interpretationen klassischer und zeitgenössischer Texte in einem Tagebuch, dem *Zibaldone*, festzuhalten, das er bis 1832 führte. Allein in der Zeit zwischen Januar 1820 und November 1822 entstand mehr als die Hälfte der insgesamt 4526 Seiten. Philosophisch ist besonders die sogenannte »teoria del piacere« von Interesse, die Leopardi in dieser Zeit in Auseinandersetzung mit christlichen und platonischen Positionen entwickelt. Danach sind die Menschen dem Unglück geweiht, da sie das grenzenlose Verlangen nach Glück, das ihrer Natur innewohnt, niemals befriedigen können. Am wenigsten unglücklich sind jene Menschen, die sich den »Illusio-

Sehnsucht nach Glück

nen« hingeben können und durch große Kunstwerke Befriedigung erfahren.
Solange Leopardi glauben konnte, daß die Menschen wenigstens in der klassischen Antike die Fülle des Lebens auskosten konnten, betraf sein Pessimismus
die unselige Gegenwart – »questo secol di fango« nennt sie Leopardi in der
Kanzone »Ad Angelo Mai« (1820) –, in der er leben mußte.

Revolte und Freitod
Die intensive Beschäftigung mit den Philosophen des Hellenismus, die ihn
mit dem Phänomen des Pessimismus in der Antike vertraut machten, das
Studium der französischen Aufklärer sowie später die begeisterte Lektüre des
Werther und der Bücher von Madame de Staël bewirkten in ihm einen Wandel.
Dem historischen Pessimismus folgte jetzt ein kosmischer, denn das Unglück
des Menschen wurde als existentielles Schicksal empfunden. Obwohl Hoff-
nungslosigkeit und Verzweiflung von jetzt ab Leopardis Weltbild bestimmen,
ist nicht die Resignation, sondern die im Freitod ausgedrückte Revolte die poeti-
sche Chiffre, welche dieser Philosophie entspricht. Der Held der Kanzone
»Bruto Minore« (1821) wählt den Freitod, um die Götter zu beschämen, die
Heroismus und Tugend bestrafen:

> Stolta virtù, le cave nebbie, i campi
> Dell'inquiete larve
> Son le tue scole, e ti si volge a tergo
> il pentimento.
> (Törichte Tugend; Nebelbilder und/ Gefilde wirrer Schemen/
> Sind deine Schulen, und dir zieht und strebt/ die Reue nach).
> [Übers.: Michael Engelhard]

Für Brutus wie für die unschuldig unglückliche Dichterin Sappho im »Ultimo
canto di Saffo« (1822) ist der Tod die einzige adäquate menschliche Antwort auf
das sinnwidrige Verhalten der Götter. Das Schreckensbild des bösen Gottes, das
als Sinnbild des kosmischen Grauens durch die Werke der Aufklärer von
Voltaire bis Sade geistert, wird von Leopardi mit letzter Konsequenz dichterisch
gezeichnet. Der thematische Konflikt zwischen der schauerlichen Wahrheit
(»orrido vero«) und der glückverheißenden Schönheit wird in der Kanzone »La
primavera o delle favole antiche« (1822) thematisiert. Wie kaum ein anderer
Dichter dieser Zeit – darin vielleicht nur Hölderlin vergleichbar – hat Leopardi
unter dem Verlust der sakralen Dimension gelitten, die in der Antike in der
mythologischen Belebung der Natur lebendig gewesen war.

Obwohl viele Ansichten Leopardis eine große Nähe zur Poetik der deutschen
Frühromantik aufweisen (so entspricht das von ihm verwendete Kategorienpaar
»poesia d'immaginazione« und »poesia sentimentale« dem bekannten Schiller-
schen von naiver und sentimentalischer Dichtung, aber auch der Unterscheidung Friedrich Schlegels zwischen objektiver und interessanter Dichtung), so
spricht doch sein radikaler Pessimismus für ihn allein. Insbesondere seine zyklische Geschichtsauffassung war der teleologischen des deutschen Idealismus geradezu entgegengesetzt: Blüte und Verfall folgen unaufhörlich aufeinander; für
den angeblichen Fortschritt der Moderne hatte Leopardi nur Hohn und Sarkasmus übrig. Sein Weg führte in eine immer tiefer werdende Trostlosigkeit, in
seinem Denken hatte Machiavelli den Sieg über Rousseau davongetragen. An
der Verwandlung des Naturbegriffs von einer positiven in eine negative Größe –
die »vaga« (liebliche) Natur bekommt die Züge einer blinden Macht, die in
ihrem ewigen Zyklus von Verfall und Blüte keine Rücksicht auf das Individuum
kennt – kann man diesen Prozeß ablesen. Sein Naturbegriff wird von ambivalenter Spannung getragen; das zeigen die *Operette Morali* (1824) – ein poetisches
Prosawerk aus 24 satirischen Dialogen nach Lukian. Im »Dialogo di una natura
e di un'anima« trägt die Natur noch keine Schuld für das menschliche Unglück

Giacomo Leopardi in
einer Zeichnung von
Tullio Pericoli

während sie im »Dialogo della natura e di un Islandese«, der nur einige Monate später entstand, als blinde, die Menschen zerstörende Kraft erscheint. Pessimismus, Resignation und Verweigerung angesichts der skandalösen Präsenz des Bösen in der Welt werden thematisiert. Wie auf einer geschlossenen Bühne treten historische oder mythische Figuren aus der Antike auf, allegorische Gestalten oder anonyme Zeitgenossen, Dichter, Philosophen, Wissenschaftler, alle in ihrer Existenz befangen, alle mit der Frage nach dem Glück und dem Sinn des Lebens beschäftigt. Einige Texte wie der »Cantico del gallo silvestre« oder der Chor der Mumien im »Dialogo di Federico Ruysch e delle sue mummie« zeigen, daß Leopardis Religion »ein wahrer metaphysischer Glaube sei, der auf der Gewißheit des Nichts gründet« (Karl Vossler). Fast das ganze Jahr 1824 hatte Leopardi in Recanati, wohin er nach einem einjährigen Aufenthalt in Rom zurückgekehrt war, mit der Komposition der *Operette* verbracht. Die römische Kultur war ihm armselig, feige und töricht erschienen, die Kurie korrupt und reaktionär. Aber das Grab des Dichters Torquato Tasso hatte ihn zu Tränen gerührt und jenes Gefühl der Diskrepanz zwischen vergangener Größe und armseliger Gegenwart verspüren lassen, das in seinen patriotischen Gedichten lebendig ist.

Junge Bäuerin in der traditionellen Tracht von Recanati. So soll die »donzelletta« im Gedicht »Il sabato del villaggio« ausgesehen haben.

In Recanati entstanden 1828 einige seiner großen Gedichte wie »A Silvia«, »Il passero solitario«, »Le ricordanze«, »La quiete dopo la tempesta«, »Il Sabato del villaggio«. Eine Einladung seiner florentinischen Freunde – Leopardi hatte Kontakte zu dem liberalen Kreis von Giovan Pietro Viesseux und seiner Zeitschrift *Antologia* geknüpft – erlaubte es ihm, 1830 seine Heimatstadt für immer zu verlassen. In der anregenden intellektuellen Atmosphäre von Florenz verlebte Leopardi intensive Jahre. Hier verliebte er sich in Fanny Targioni-Tozzetti, eine Frau, die in der florentinischen Gesellschaft einen literarischen Salon unterhielt und die Leopardi zu den Gedichten »Amore e morte« und »Consalvo« inspirierte. In Florenz lernte er auch Antonio Ranieri kennen, knüpfte mit ihm eine enge Freundschaft und begleitete ihn im Oktober 1833 nach Neapel. In der parthenopäischen Stadt, in deren Klima er sich besser fühlte, blieb er bis zu seinem Tod (1837). Hier schrieb er das Heldengedicht »I Paralipomeni della Batracomiomachia« (1834), das seine satirische Begabung am intensivsten ausdrückt. Das Werk, das eine Art Fortsetzung des von Leopardi dreimal übersetzten pseudohomerischen Gedichts darstellt, enthält eine unerbittliche Diagnose seiner Zeit. Kurz nach der Niederschlagung der lokalen Aufstände der Jahre 1831/32 geschrieben, bekämpft das Werk sowohl die reaktionären als auch die liberalen Kräfte, die, als Mäuse und Frösche verkleidet, sich einen erbärmlichen und lächerlichen Kampf liefern. Hinter den Parolen und Handlungen der Kontrahenten sah Leopardi eine gemeinsame, laizistische oder christliche Fortschrittsideologie verborgen, die die Wahrheit über die menschliche Natur verkannte: Leopardis pessimistischer Philosophie erscheinen die abendländischen Mythen einer göttlichen Vorsehung, einer gutartigen Natur und einer idealen Gesellschaft als gefährliche menschliche Irrtümer.

Abkehr von Recanati

Nicht dem satirischen oder dem philosophischen, sondern vor allem dem lyrischen Werk mit seiner magischen Fähigkeit, Bilder und Gedanken in Musik und Klang zu verwandeln, verdankte Leopardi zu Lebzeiten seinen Ruhm. 1835 hat er seine Gedichte neu geordnet und sie als geschlossenen Zyklus unter der Bezeichnung *Canti* veröffentlicht. Darin berücksichtigte er neben chronologischen Kriterien auch thematische und stilistische. Die Sammlung enthält neben vaterländischen und philosophischen Gedichten (*Inni* und *Canzoni*) und den frühen Idyllen auch die sogenannten *Canti pisano-recanatesi* mit Kompositionen wie: »A Silvia«, »Le ricordanze«, »Canto notturno di un pastore errante dell'Asia«, »La quiete dopo la tempesta« und »Il sabato del villaggio«. Neu ist in

Der Turm von Recanati wird in der Idylle »Il passero solitario« erwähnt.

diesen Gedichten die Einbeziehung der Dimension der Alltäglichkeit und ein kontemplativer Realismus. De Sanctis und Carducci, die in diesen Werken den höchsten Ausdruck von Leopardis Lyrik sahen, gaben ihnen den Namen »nuovi« beziehungsweise »grandi idilli«. Liebesgedichte, die in der Zeit der unglücklichen Liebe Leopardis zu der Florentinerin Fanny Torgioni-Tozzetti entstanden, und zwei Grabgedichte schließen die Sammlung, die heute auch die beiden Kompositionen aus dem vorletzten Lebensjahr Leopardis enthält »Il tramonto della luna« und »La ginestra«. Dieses Gedicht, ein siebenstrophiger Gesang, der alle wesentlichen Themen und Motive des späten Leopardi vereinigt, hat vor allem durch die Verbindung von radikalem Nihilismus und dem Appell an die menschliche Solidarität die Aufmerksamkeit der Kritik auf sich gezogen. Der Ginster, die der Gewalt der Natur trotzende Blume der Wüste, wird zum Sinnbild der Poesie als schöner Schein. Von der Beteuerung der katholisch-liberalen Denker, daß der menschliche Fortschritt durch die Religion möglich sei, aber auch von dem illusorischen Fortschrittsglauben aufklärerischer Prägung angewidert, verwirft Leopardi den Trost billiger Mythen. Nur aus der mutigen Erkenntnis des unausweichlichen Unglücks können die Menschen die Kraft schöpfen und den tödlichen Kampf gegen die Natur aufnehmen:

> E tu, lenta ginestra,
> che di selve odorate
> queste campagne dispogliate adorni,
> anche tu presto alla crudel possanza
> soccomberai del sotterraneo foco,
> …
> ma più saggia, ma tanto
> meno inferma dell'uom, quanto le frali
> tue stirpi non credesti
> o dal fato o da te fatte immortali

> (Du aber, zäher Ginster,/ der dies wüste Land/ mit duftendem Gebüsch verschönt – auch du/ wirst bald der mitleidlosen Macht des Feuers,/ des unterirdisch schwelenden, erliegen,/ … verständiger als der Mensch/ und minder schwach, weil dir der Glaube fehlt,/ vom Schicksal, von dir selber/ sei dein Geschlecht zur Ewigkeit erwählt). [Übers.: Hanno Helbling]

Die *Canti* sind ein Werk, das wie der *Canzoniere* von Petrarca in seiner Geschlossenheit wahrgenommen werden muß. Der philosophische Gedanke, der diesem poetischen Gebilde Einheit gibt, ist die Vorstellung von der Unendlichkeit, die wie in einem musikalischen Crescendo zur Empfindung, zum Gefühl und schließlich zur Idee wird. Sie begleitet Leopardi von der sensualistischen Philosophie der Jugend bis hin zum radikalen Nihilismus der reiferen Jahre. In einer Notiz der im Unterschied zum *Zibaldone* zur Veröffentlichung bestimmten Sammlung der *Pensieri* (1832) formuliert Leopardi die Quintessenz seiner Philosophie. Danach ist die Langeweile das erhabenste unter den menschlichen Gefühlen, weil durch sie das Empfinden für die Nichtigkeit alles Seienden vermittelt wird. Dieser Gedanke mündet nicht ins Religiöse, sondern führt zu einer Ästhetisierung der Wirklichkeit. Die Illusion, der schöne Wahn, wird so für Leopardi, wie später für Nietzsche, zum Sinnbild des Schicksals des modernen Menschen mit seiner trostlosen Überzeugung, daß Wahrheit nur schadet und Leben Überwindung der Wahrheit bedeutet. Freilich mußte in einer Epoche, welche die enge Bindung der Literatur an die Wahrheit und an die Politik predigte, die Skepsis Leopardis befremdlich wirken. Die Zeitgenossen, die seine dichterische Größe bewunderten, zogen es vor, ihn in diesem Punkt mißzuverstehen. So schrieb der Kritiker Francesco De Sanctis: »Leopardi ist ein Skeptiker und macht uns gläubig. Er glaubt nicht an eine bessere Zukunft für das Vaterland und erzeugt Liebe und Mut zu großen Taten … Hätte das Leben ihm die Jahre bis 1848 geschenkt, er hätte als Kämpfer und Tröster neben uns gestanden.«

In Wirklichkeit war Leopardi mit seiner fortschrittsfeindlichen Einstellung im kulturellen Klima des frühen Risorgimento ein Außenseiter. Gefragt war eine Literatur, die fähig war, durch die Analyse der Vergangenheit zur gegenwärtigen Lage des Landes Stellung zu nehmen und so die Bildung einer nationalen Identität zu fördern. Manzoni und nicht Leopardi wurde das Vorbild für die Generationen, die den Traum eines neuen Italien träumten. Nach dem Beispiel der *Promessi Sposi* entstand eine Flut von historischen Romanen, gleichzeitig eine profilierte politische Literatur.

Die neue Rolle der Intellektuellen

Die italienischen Intellektuellen spielten beim politischen Aufbruch aus der Restauration eine tragende Rolle. Sie bewältigten in einem Land, das gleichzeitig die höchste Zahl von Analphabeten und von Universitäten in Europa aufwies und in der sich die Elite oft weniger als ein Teil des Volkes, denn als eine eigene Kaste betrachtete, eine Aufgabe von epochaler Bedeutung. Die gebildete Schicht war seit vielen Generationen kosmopolitisch eingestellt. Italien übte für sie die Funktion einer utopischen Größe aus, die mit dem Mythos von Rom und der klassischen Antike eng verbunden war. Erst in der napoleonischen Ära begann der Begriff der Nation politische Bedeutung zu gewinnen, auch wenn die italienische Literatur aufgrund ihres Festhaltens an traditionellen Formen – selbst in den Augen wohlwollender Ausländer wie Stendhal – als bis hin zur Extravaganz verspätet erschien. Die Bindung der Dichtung an die Wahrheit, die primär als nationale Wahrheit verstanden wurde, macht die Blüte politischer Schriften in der Literatur des 19. Jahrhunderts in Italien verständlich. Die Werke von Melchiorre Gioia, Vincenzo Cuoco, Giuseppe Ferrari, Carlo Cattaneo, aber vor allem von Giuseppe Mazzini und Vincenzo Gioberti wurden zu Kulttexten für die italienische Bildungselite und schufen nach 1860 die Grundlage für die politische Kultur der jungen Nation.

Schriftsteller des Risorgimento in einem zeitgenössischen Stich

Die Persönlichkeit, die revolutionäre Praxis und politische Theorie verband und zum Apostel und Propheten der Einheit Italiens wurde, war der Genueser Giuseppe Mazzini. Im politischen Kampf, den er mit religiösem Eifer und mit Unbeugsamkeit führte, sah er eine hohe moralische Verpflichtung. Sein Werk war die Gründung der Vereinigung »Giovine Italia« (1831), eines Bundes, der zwischen der alten Form der politischen Sekte und der zukünftigen der Partei lag. Sie sollte einen Volksaufstand bewirken, mit dem Ziel, eine einheitliche italienische Republik zu errichten.

In zahlreichen philosophischen und politischen Schriften – besonders wichtig: *D'una letteratura europea* (1829) und *Dei doveri dell'uomo* (1861) – vertrat Mazzini seine Auffassung von einer nationalen Mission der Literatur; er sah ein Vorbild in Friedrich Schiller, dem Dichter, »der auch im Tode die Hoffnung bewahrte« (»morì sperando«). Die Faszination, die Mazzini auf Generationen von Italienern ausübte, war in der radikalen Konsequenz seines Denkens und Handelns begründet. Dem demokratischen Weg, den er verfolgte, war zwar

Giuseppe Mazzini

Durch einen Spalt der
Porta Pia (Photo Ludovico
Tuminelli) drangen 1870
die Italiener in Rom ein
und beendeten so die
weltliche Macht des
Papstes.

Der katholische liberale
Schriftsteller Vincenzo
Gioberti, während er mit
einem Fuß die »Reaktion«
unterdrückt.

kein Erfolg beschieden: Das Italien, von dem Mazzini träumte, war nicht das, das vom Königshaus Savoyen und dessen Minister Cavour schließlich verwirklicht wurde. Größeren politischen Erfolg hatte der gemäßigte Block, der dem Weg der Reform und nicht dem der Revolution den Vorzug gab. Im Buch *Il primato morale e civile degli Italiani* (1843) des piemontesischen Abbé Vincenzo Gioberti fanden die Gemäßigten ihre Gedanken und Hoffnungen artikuliert. Gioberti sah die Wiedererstehung Italiens untrennbar mit der Erneuerung des Papsttums verbunden. Politisch befürwortete er eine Konföderation italienischer Kleinstaaten unter der Führung des Papstes. Andere piemontesische Intellektuelle, die dem savoyardischen Königshaus treu waren, wie Cesare Balbo oder Massimo D'Azeglio, griffen die Ideen Giobertis auf, distanzierten sich aber von seiner welfischen Vision und sahen die Zukunft Italiens in der Monarchie.

Die Historie als literarisches Thema

Es ist auffallend, daß das Risorgimento, das auf dem Feld der politischen und historischen Literatur sehr produktiv war, kaum bedeutende Romane hervorgebracht hat, die dieser Aufbruchsbewegung literarisches Gewicht gaben. Der Befreiungskampf der Italiener lieferte zwar Stoff für lyrische Kompositionen, aber er inspirierte – wenn man von dem Roman Ippolito Nievos *Le confessioni di un ottuagenario* absieht, das eher die Vorgeschichte des Risorgimento thematisiert – keine Werke, die ihre Zeit überlebten. Die Ereignisse, die die Autoren erfolgreicher historischer Romane der Romantik wie Tommaso Grossi in *Marco Visconti* (1834), Massimo D'Azeglio in *Ettore Fieramosca o la disfida di Barletta* (1833) oder Francesco Domenico Guerrazzi in *La battaglia di Benevento* (1827–28) oder in *L'assedio di Firenze* (1836) zum Gegenstand ihrer Werke machten, stammten aus dem Mittelalter. Diese Zeit und insbesondere der Freiheitskampf der Kommunen gegen den Kaiser erschien als die Epoche, die am besten die Spannungen und Wünsche der Gegenwart auszudrücken vermochte.

Den historischen Roman erneuern und ihn durch den Sittenroman ersetzen wollte einige Jahrzehnte später Giuseppe Rovani, ein Vorläufer der Mailänder Scapigliatura, in seinem Werk *Cento anni*. Im Vorwort des umfangreichen, zwischen 1859 und 1864 erschienenen Werkes, in dem der Autor nicht ohne

Tommaso Grossi, Porträt
von 1818

Ironie die Wahl des allgemein als sittenverderbend geschätzten Genres verteidigt, stellt er den Tod des historischen Romans fest: »Da più anni ... il romanzo
storico sembra scomparso dalla faccia del mondo« (Seit mehreren Jahren ...
scheint der historische Roman von der Erde verschwunden zu sein). Die Alternative, die schon Manzoni empfohlen hatte, bestand darin, die weniger bekannten
Seiten der nationalen Geschichte aufzudecken, also jene charakteristischen
Ereignisse in Erinnerung zu rufen, die nur mündlich, in juristischen Akten oder
in Familienchroniken festgehalten worden waren. Der Charme des Romans
liegt in der Erfindungskunst Rovanis, nicht nur Fakten, sondern auch philosophische und kunstkritische Meinungen sowie Künstlergestalten lebendig
zu vermitteln: »Wir werden Tenöre und Sopranistinnen aus dem vergangenen
Jahrhundert im Kleinen Theater des Palazzo Ducale singen hören ... und in
unserer Laterna Magica die Schatten der Dichter, Literaten, Maler und Denker
vorüberziehen sehen«. Die Ereignisse werden aus der unmittelbaren Geschichte
vergegenwärtigt und dem Leser durch einen vertraulichen Dialog dargeboten.
Dabei wird die eigentliche Fabel, eine konsequenzenreiche Straftat, die das
Leben einiger mailändischer Familien über vier Generationen beschattete, zum
eleganten Vorwand; so auch die Erfindung eines einhundertjährigen Zeugen, in
dessen Gedächtnis sich die Ereignisse zusammendrängen. Inhaltlich wie stilistisch nimmt der Roman, der sich mit seinem ironischen Realismus und bürgerlich aufgeklärten Menschenverstand in die Tradition des lombardischen Realismus einfügt, moderne journalistische Stilformen voraus, die von Gabriele
D'Annunzio am Ende des Jahrhunderts mit anderer Intention wieder aufgegriffen werden.

Sittenroman

Die nationalen Biographien

Eine Gattung, der die italienische Romantik interessante Werke verdankt, ist die
Autobiographie; sie ist in der Epoche des Risorgimento zugleich historisches
Dokument und folgt daher meist pädagogischen Absichten, die oft Introspek-
tion, Erinnerungsarbeit und Dramatik vermissen lassen. Drei Bücher sind
besonders erwähnenswert: *Le mie prigioni* (1832) von Silvio Pellico, die *Ricor-
danze della mia vita* (1875) von Luigi Settembrini und *I miei ricordi* (1867) von
Massimo D'Azeglio; davon ist nur das erste zu Lebzeiten des Autors veröffent-
licht worden. Silvio Pellico, einer der Gründer des *Conciliatore* und bekannter
Tragödiendichter, wurde 1820 wegen Verschwörung von der österreichischen
Polizei verhaftet und verbüßte 15 Jahre in der berüchtigten mährischen Festung
Spielberg. Das Werk, ein Dokument des Leidens einer sanften und religiösen
Seele, bewegte damals die Leser auch außerhalb Italiens und übte eine starke
politische Wirkung aus. Während das Buch des Literaturhistorikers und Patrioten Luigi Settembrini wegen seines kräftigen, antirhetorischen Stils überzeugt,
wirkt die belehrende Intention in der Biographie des Politikers und Schwieger-
sohnes von Manzoni, Massimo D'Azeglio, trotz des Reichtums an historischen
Episoden und Erinnerungen, störend. Autobiographisch kann man, wenn man
sie unter einem bestimmten Blickwinkel betrachtet, auch das Werk zweier
Persönlichkeiten ganz unterschiedlicher Prägung nennen, die in einer intensiven
und originellen Art die Geburt der neuen nationalen Mythologie verkörperten:
Francesco De Sanctis und Ippolito Nievo. Sowohl für den Historiker als auch
für den Romancier wurde die Konzentration auf die Dimension der Individualität als Schlüssel für die Interpretation der Geschichte zum Motor ihrer Werke.

Silvio Pellico in der
»Scuola d'Arte e Mestieri«
in Mailand. Die
italienischen Romantiker
aus dem Kreis der
Zeitschrift *Il Conciliatore*
teilten die Auffassung der
Aufklärer, nach der dem
Schriftsteller eine wichtige
Rolle in der Entwicklung
der Gesellschaft zukommt.

Titelblatt der *Storia della letteratura italiana* (1870–71) von Francesco de Sanctis

Ideal des bäuerlichen Lebens

Giuseppe Garibaldi mit seiner Familie

Beide wurden, indem sie ihre durch den Filter einer mächtigen Subjektivität geläuterte Sicht der Geschichte entwickelten, zu Verkündern eines kollektiven Mythos.

Vor allem durch seine als »Klassiker« geltende *Storia della letteratura italiana* (1870–71) begründete De Sanctis die moderne italienische Literaturkritik. Genial verwandelte er die traditionelle Ergebenheit gegenüber statisch aufgefaßten literarischen Modellen in den Glauben an die Geschichte ihrer Evolution und eröffnete damit die Perspektive von der Vergangenheit zu einer offenen Zukunft hin. An Vico und Herder anknüpfend, konzipierte er die Geschichte als einen Prozeß von Zerfall und Regeneration. Dabei verband er das aufklärerische Verständnis der Literatur als Ausdruck der Gesellschaft mit dem Glauben an eine dialektisch fortschreitende Bewegung der Geschichte. In seinem Werk, das gleichzeitig Kulturgeschichte und Darstellung bedeutender Autoren sein will, verfolgte De Sanctis die Bildung eines nationalen Bewußtseins durch die Jahrhunderte, weil in ihr die Quelle einer lebendigen Literatur erblickt wird: »Nur das lebt in der Literatur, was auch im Bewußtsein lebendig ist«. So gebührt Machiavelli ein Ehrenplatz in der italienischen Literaturgeschichte, weil er das Gewissen seines Jahrhunderts verkörpert und mit ihm der Regenerationsprozeß beginnt. Besonders erhellend ist De Sanctis' Interpretation von Dantes *Divina Commedia* – insbesondere des *Inferno* –, ebenso die Deutung Giacomo Leopardis, dessen europäisches Format er als erster erkannte. Wenn sich De Sanctis' Literaturgeschichte trotz der geschichtsphilosophischen Systematik so spannend wie ein Roman lesen läßt, so ist dies nicht nur seinem lebendigen, kraftvollen, zuweilen ironischen Stil zu verdanken, sondern auch seiner Gabe, Gestalten und Ereignisse lebendig und farbig darzustellen. Dabei gewinnen auch jene Autoren Profil, die nach De Sanctis Interpretationsschema eher als zweitrangig gelten sollten, also Dichter wie Petrarca oder Tasso, die in seiner Sicht zwar Vertreter einer höchst virtuosen und musikalischen, aber letzten Endes inhaltsleeren Kunst waren.

Ippolito Nievos Roman *Le confessioni di un italiano,* geschrieben in nur acht Monaten zwischen Dezember 1857 und August 1858, erschien erst im Jahre 1867 unter dem Titel *Confessioni di un ottuagenario.* Nievo, der am Befreiungskrieg Garibaldis in Sizilien teilgenommen hatte, war seit sechs Jahren tot. Vermutlich aufgrund seines ungewohnten strukturellen Aufbaus sowie der gewagten stilistischen und ideologischen Lösungen blieb der Roman bei seinem Erscheinen unbemerkt. In den Augen der zeitgenössischen Kritik verletzte Nievos Werk die Regeln, die nach Manzoni den historischen Roman bestimmen sollten, in dreierlei Hinsicht: erstens durch die Wahl einer zeitnahen Epoche (die Handlung umfaßt die Zeit zwischen 1775 und 1855), zweitens durch die Verwendung der autobiographischen Form, drittens durch die praktizierte Mischung verschiedener sprachlicher und stilistischer Ebenen. Diese damals für die Kritik wie für das Publikum irritierenden Merkmale entsprachen aber einer präzisen ideologischen Absicht. In Frankreich war gerade ein Jahrzehnt zu Ende gegangen, das literarisch durch das sozialistisch-humanitäre Engagement der Tendenzromane von George Sand geprägt war. Die idealisierte Schilderung der bäuerlichen Sitten, welche Sand in ihren populären Werken zum Leben erweckte, wurde in Italien eifrig nachgeahmt. Schriftsteller wie Giulio Carcano und Caterina Percoto lösten die Welle der »letteratura campagnola« aus; Publizisten wie Carlo Cattaneo in der Zeitschrift *Politecnico* oder Carlo Tenca im *Crepuscolo* befaßten sich intensiv mit den Problemen und den Lebensbedingungen der bäuerlichen Bevölkerung. Unmittelbar vor der Niederschrift des Romans im Jahre 1857 hatte der Versuch des Dichters Carlo Pisacane, einem Anhänger Mazzinis, den Süden Italiens von den Bourbonen zu befreien, in einem Blutbad geendet, das die Kluft zwischen Landproletariat und Bürgertum schmerzlich zu Tage gebracht hatte. Diese Tragödie hatte das Bedürfnis verstärkt, die lähmende Enttäuschung, die das Scheitern der Hoffnungen der Revolutionsjahre 1848 und 1849 verursacht hatte, zu überwinden. Durch seine doppelte Natur eines historischen und sozialen Romans reagierte das Werk sensibel auf die Lage des Landes; es wollte durch demokratische Gesinnung und realistischen Sinn als Hoffnungsträger wirken. So sagt der achtzigjährige Protagonist, der in den Eingangspassagen des Romans den Bogen seines Lebens zwischen Ancien Régime und Risorgimento beschreibt: »Am Tag des Evangelisten Lukas, am 18. Oktober des Jahres 1775, kam ich als Venetianer zur Welt, und ich werde, so Gott will, als Italiener sterben, wann es der Vorsehung, die die Welt geheimnisvoll regiert, gefällt«.

Karikatur von Ippolito Nievo aus der satirischen Zeitschrift *Uomo di pietra*

Strukturell verbinden die *Confessioni* drei Komponenten, die dem ländlichen, dem Abenteuer- und dem Memoirengenre entsprechen. Die ersten sechs Kapitel – sicher die schönsten des Buches –, die die Kindheit und frühe Jugend des Helden Carlo Altoviti erzählen, gleichen einer Pilgerfahrt durch ein wildes und ursprüngliches Friaul. Die Beschreibung der Burg von Fratta, in der die kleine Waise aufwächst, seine kindlichen Abenteuer mit der Cousine Pisana, gehören zur Schullektüre italienischer Kinder. Demgegenüber weist der zentrale Teil des Buches, der den patriotischen Abenteuern des Helden inmitten der Turbulenzen einer der unruhigsten Zeiten der modernen Geschichte gewidmet ist, neben glänzenden auch ermüdende Partien auf. Sowohl in diesem historischen Teil als auch im letzten hat Nievo dem Geschmack des Abenteuerromans des 18. Jahrhunderts und wohl auch den Schauerromanen à la Eugène Sue Konzessionen gemacht. Ob man nun der feinen psychologischen Analyse vor allem kindlicher und weiblicher Charaktere oder den pikaresken Zügen mehr Beachtung schenkt, der Roman ist sicher eines der interessantesten Spätwerke der italienischen Romantik. Immer dort, wo Nievo Ideologie und Vorbilder vergißt, löst sich die Spannung zwischen dem Imaginären und dem Geschichtlichen im Fluß der Erinnerung und in der gemütvoll-humorigen Wärme der Erzählung auf. Die interessante Neuigkeit von Nievos Roman, seine Modernität liegt freilich in der unkonventionellen Erzählperspektive: Mit der Erfindung eines durchaus nicht heroischen Erzählers, eines Antihelden, wählt Nievo bewußt die Perspektive »von unten auf«, die es ihm erlaubt, den Kontrast zwischen der Mittelmäßigkeit der Person und der Größe der Zeit erzieherisch einzusetzen. Sind deshalb die *Confessioni* als Bildungsroman nach dem großen, sicher wirksamen Vorbild des *Emile* von Rousseau zu lesen? Überzeugender ist die Lektüre als offenes Kunstwerk: Nievo experimentiert in genialer Unbekümmertheit mit verschiedenen zeitgenössischen literarischen Formen, weil er sich biographisch, dichterisch und als Bürger in einer Phase der Unfertigkeit fühlte. Auch in sprachlicher Hinsicht durchlebt Nievo den Konflikt zwischen seiner Verwurzelung im Venetischen und der Notwendigkeit, als Italiener zu denken und zu schreiben. Seine Lösung ist so demokratisch wie seine politische Gesinnung: Seine Sprache ist bewußt antiliterarisch mit volkstümlichen und dialektalen Komponenten gespickt, reich an Metaphern und Redewendungen, die aus dem Alltag stammen. Nievo wollte ein breites Publikum erreichen, von allen gelesen werden, auch »von den Frauen am Kamin an den langen Oktoberabenden«. Die feine Ironie der Erzählung, so anders als die überlegene Weisheit Manzonis, erscheint als ein schelmisches Lachen, das die Vitalität der Jugend und des Volkes auf dem Weg zur Nation widerspiegelt.

Nievos Roman als offenes Kunstwerk

Zwischen Einheit und Jahrhundertwende

»Das Italien des Ottocento hat etwas Kleinliches, Erschöpftes, Provinzielles an sich«: Zu dieser harten und gewiß ungerechten Beurteilung der italienischen Kultur des späten 19. Jahrhunderts wurde der Schriftsteller Alberto Moravia durch einen Vergleich mit der Situation Frankreichs in der gleichen Epoche angeregt. Gegenüber der kulturellen und sozialen Reife der Nachbarnation erscheint ihm die Literatur und gesellschaftliche Entwicklung des aus den Hoffnungen und Träumen des Risorgimento erwachten Italien provinziell und armselig. In der Tat, 1857 waren in Paris *Les Fleurs du mal* und *Madame Bovary* erschienen, Werke, welche die poetische Erfahrung von Symbolismus und Realismus als Überwindung der Romantik frühzeitig zum Ausdruck brachten. Hippolyte Taine hatte in seiner *Philosophie de l'art* (1865) die Grundlage für eine positivistische Ästhetik gelegt. Auch in Italien verdrängte die Philosophie Auguste Comtes allmählich den katholischen Spiritualismus Antonio Rosminis oder Vincenzo Giobertis, und in der Literaturwissenschaft – wenngleich Francesco De Sanctis seine »romantische« Literaturgeschichte erst 1872 veröffentlichte – setzte sich die positivistische Schule durch.

Die literarische Landschaft blieb aber ohne neue Impulse und Ideen. In der Gattung des Romans war die Welle der historischen Werke in der Nachfolge Manzonis verebbt, der autobiographisch-lyrischen Variante war nach dem vielversprechenden Anfang von *Fede e bellezza* (1840) von Niccolò Tommaseo kein Erfolg beschieden. Eine gewisse Vitalität zeigte die Gattung der »letteratura

Stich von Roberto Focosi für die Mailänder Ausgabe (1852) des Romans *Fede e bellezza* von Niccoló Tommaseo

campagnola«, aber auch hier fehlten – wenn man von der Literatur Nievos absieht – Meisterwerke. Ein noch trüberes Bild bot die Lyrik. In diesem Genre schien das große Beispiel von Foscolo oder Leopardi vergessen; mit ihren melodischen Versen, aber gestrigen Inhalten vermochten Giovanni Prati und Aleardo Aleardi wenig oder nichts. Ihre Dichtung wurde zum Sinnbild für ein ohnmächtiges Wiederaufleben der Spätromantik, das heftige Ablehnung hervorrief. So lehnte die Scapigliatura die realistischen Ausdrucksformen ab, die der italienischen Romantik eigen waren, und suchte in der Welt des Irrationalen und Phantastischen einen Ausweg aus der Krise angesichts der Übermacht der Wissenschaft. Der Dichter Giosue Carducci versuchte, auf der Grundlage einer rationalen, wissenschaftsgläubigen Weltanschauung eine Rückkehr zur Tradition des Klassizismus zu bewirken. Der Verismus schließlich bekannte sich zu den Prinzipien der positivistischen Philosophie und erhob die Entpersönlichung der Kunst, die eine subjektive Einmischung des Künstlers in sein Werk ausschloß, zum dichterischen Kanon. Gegenüber der französischen Kultur, die den Bonus einer jahrhundertalten politischen Einheit und eines kämpferischen Bürgertums hatte, blieb dennoch ein Gefühl der Unterlegenheit bestehen. Der Versuch, an die Moderne anzuschließen, mußte im prekären Gleichgewicht einer sich formierenden Gesellschaft in den Anfängen steckenbleiben. Gegenüber der übrigen europäischen Kultur verhielten sich die italienischen Schriftsteller passiv, sie nahmen zwar Anregungen auf, die von außen kamen, und eigneten sie sich in origineller Weise an, blieben im ganzen aber in der Welt der eigenen Tradition haften.

Die erste italienische Avantgarde: die Scapigliatura

Zwischen 1860 und 1880 kann man in der italienischen Literatur eine Veränderung im ästhetischen Geschmack registrieren, die sich als Ergebnis eines schwierigen und zuweilen schmerzlichen Prozesses der Interessenverlagerung von einer romantischen zu einer realistischen Sensibilität einstellte. Dieser Prozeß, der charakteristisch für eine Zeit der Krise und des Wertewandels war, vollzog sich jedoch nicht kontinuierlich; so traten oft Überschwänge spätromantischer Sensibilität und realistisches Empfinden gleichzeitig auf. Vor allem herrschte das Gefühl vor, in einer säkularen Verspätung gegenüber anderen Literaturen zu verharren. Nach einer längeren Zeit der Beschäftigung mit sich selbst spürten die italienischen Schriftsteller nun das Bedürfnis, sich Ideen und Strömungen zu öffnen, die aus dem Ausland und vor allem aus Frankreich kamen. Die Literatur dieser Zeit spiegelt das intellektuelle Unbehagen, das sich aus dem Zerfall der alten Wertvorstellungen und aus der schwierigen und mühseligen Auseinandersetzung mit der neuen sozialen Wirklichkeit entwickelt hatte. Das Krisenbewußtsein, die Rezeption der europäischen Romantik und Forderungen einer realistischen Ästhetik trafen zusammen. Diese literarische Landschaft, in der sich einander widersprechende existentielle und künstlerische Bedürfnisse artikulierten, bildete den Hintergrund für die Entstehung der Scapigliatura.

Titelblatt und Illustration des Romans von Cletto Arrighi *La Scapigliatura e il 6 febbraio*

Die Bezeichnung Scapigliatura (von »gli scapigliati«, die Zerzausten) ist zum ersten Mal als Titel des Romans *La Scapigliatura e il 6 febbraio* (1862) von Cletto Arrighi faßbar. Der Autor hatte sie als Ausdruck für eine antibürgerliche, unangepaßte Lebensweise, wie sie in Künstlerkreisen in Turin und vor allem in Mailand praktiziert wurde, verwendet und sich dabei durch den im Jahre 1851 erschienenen Roman von Henry Murger *Scènes de la vie de Bohème* inspirieren lassen. Sie wurde dennoch bald als Kennzeichen einer literarischen Bewegung verstanden, auch wenn sich in der lockeren Gruppe von Künstlern, zu der unter anderem Arrigo und Camillo Boito, Giovanni Camerana, Salvatore Farina, Carlo Alberto Dossi, Emilio Praga, Giuseppe Rovani, Iginio Ugo Tarchetti, Luigi Gualdo und teilweise der junge Giovanni Verga gehörten, kaum eine literarische Schule ausmachen läßt. Diese Autoren bildeten die erste »Avantgarde« in Italien und machten sich einige Grundmuster romantischer Sensibilität zu eigen, so den antibürgerlichen Protest, die Verherrlichung der sinnlichen Liebe und des Bösen als Ausdruck unerkannter Möglichkeiten des Menschlichen. Charakteristisch war für sie zudem der Dialog mit der Musik und der bildenden Kunst (die »tre arti sorelle« von Giuseppe Rovani) von deren Affinität zur Literatur sie überzeugt waren. Bevor im Naturalismus das Böse in der Form des zu entlarvenden sozialen Elends literarisch thematisiert wurde, tauchte es in den Werken der Scapigliatura als ästhetisch dämonische Verführung der Seele auf, als Versuchung, den Horizont der eigenen Erfahrung durch Ausflüge in die Räume des Phantastischen und des Schaurigen zu erweitern.

Die Scapigliatura verstand sich als Reaktion gegen die als starr und akademisch empfundene italienische Tradition, die sie in Alessandro Manzoni und Giuseppe Verdi verkörpert sah. So verhöhnte Emilio Praga den Autor der *Promessi Sposi* und ging so weit zu verkünden, der Dichter könne ruhig sterben, da die Stunde des Antichristen gekommen sei; der spätere Librettist Verdis, Arrigo Boito, warf in seiner Jugend dem Komponisten gar vor, »den Altar der italienischen Musik profaniert« zu haben. Dieser respektlose Protest spiegelte die Enttäuschung wider, in einer Stadt leben zu müssen, die das europäische Flair, das sie in den ersten Jahrzehnten des Jahrhunderts genoß, eingebüßt

Giuseppe Verdi in einem Porträt des Ferrareser Malers Giovanni Boldini

Giuseppe Mengoni baute
die »Galleria« in Mailand
im Stil der Renaissance.

hatte. Man blickte gern auf die Kulturlandschaft jenseits der Alpen, und Paris wurde wieder einmal zur heimlichen Hauptstadt Italiens, nachdem Emilio Praga von dort mit der Ästhetik der *Fleurs du mal* die Sehnsucht nach der Morbidität des Großstadtlebens importiert hatte. Carlo Dossi wiederum fühlte sich von dem Humorismus der Engländer angezogen, von Swift, Fielding, allen voran aber von Laurence Sterne, dessen *Tristram Shandy* er in der *Vita di Alberto Pisani* originell nachahmte. Eine Vorbildfunktion hatte für alle die deutsche Romantik, insbesondere E.T.A. Hoffmann, dessen mit Wirklichkeitssinn gepaarte, ausschweifende Phantasie Spuren in vielen Werken der Scapigliati hinterließ. Ihr künstlerisches Programm, das die Übereinstimmung zwischen Literatur und Leben forderte, wollte die Scapigliatura auch durch ihren Lebensstil artikulieren; damit schuf sie jenen Mythos einer mailändischen »Bohème«, der dank vieler literarischer Aufzeichnungen bis heute lebendig geblieben ist.

Im Jahre 1870 zählte Mailand bereits 250 000 Einwohner, eine rege Bautätigkeit ließ neue Viertel entstehen und veränderte das Gesicht der Stadt. Industrie hatte sich angesiedelt, wie das Beispiel der gummiverarbeitenden Fabrik von Giovan Battista Pirelli, eines ehemaligen »garibaldino« zeigt; es entstanden in der Stadt die ersten Arbeiterhäuser. Die berühmte »Galleria«, eine der ersten in Europa, wurde 1868 nach zweieinhalbjähriger Bauzeit fertiggestellt. Andererseits hatte die nur schleppend vorankommende kulturelle und wirtschaftliche Einigung des Landes Frustrationen und Enttäuschungen in der Generation hervorgerufen, die in jungen Jahren das rauschhafte Klima des Biennium 1859/60 erlebt hatte und jetzt mit dem Triumph des merkantilistischen Geistes konfrontiert war. Darauf reagierte sie mit einer Kritik gegen die Kultur ihrer bürgerlichen Väter, die jedoch meistens auf der Ebene des Lebensstils ausgetragen wurde. So lebten die Scapigliati im Schatten der Betriebsamkeit der Stadt in

Mailänder Straßenbild,
gemalt von M. Bianchi
(1873)

Konventikeln vereint, ein euphorisches Leben inmitten von Maskenbällen, Orgien und berühmt gewordenen Festmahlen nach lateinischen oder mailändischen Rezepten. Freilich ertrug mancher dieser »poètes maudits« das Los der Armut und Ausgrenzung nicht und endete tragisch im Alkoholismus oder durch Selbstmord. Das trug im philisterhaften Klima der italienischen Literaturkritik in der zweiten Hälfte des Jahrhunderts zur Bildung einer negativen Legende über die Scapigliati und auch zu einer weitgehenden Unterdrückung ihrer Werke bei, die erst später von der Kritik wiederentdeckt wurden.

Carlo Dossi in einem Porträt des italienischen Impressionisten Camillo Cremona

Den Scapigliati verdankt die italienische Literatur wichtige Anregungen zur Erneuerung der Sprache. So versuchten vor allem der Piemontese Giovanni Faldella und der Lombarde Carlo Dossi das enge Korsett der Stilistik Manzonis zu sprengen. Hatte dieser es als seine Aufgabe angesehen, den Italienern eine gemeinsame, allen verständliche, lebendige literarische Sprache zu geben, so bemängelte Dossi die enge Begrenzung, die eine pedantische Anlehnung an das Toskanische mit sich brachte. Durch seine sprachlichen Experimente, die er vor allem in *Goccie d'inchiostro* (1880) an den Tag legte, überwand er den geschliffenen Stil der Schule Manzonis und nahm durch seine Verwendung des mailändischen Dialekts die Sprachmischung des Neorealismus vorweg. Ihre kongeniale Ausdrucksform fanden die Autoren der Scapigliatura in der Kurzprosa, die besonders geeignet war, ihrer sowohl realistischen wie phantastischen Welt Ausdruck zu geben. Für das Verständnis ihrer Ästhetik ist dennoch ein Roman wichtig: *Fosca* (1869) von Iginio Ugo Tarchetti, die Geschichte einer zwiespältigen, tragisch endenden Leidenschaft zwischen einem jungen Offizier und einer häßlichen und kranken Frau. Dieses autobiographische Werk vermag wichtige Motive der »sensibilità scapigliata« sichtbar zu machen. Es thematisiert die Spannung zwischen erlebnisreicher Stadt und ödem Provinzleben und das Bedürfnis, jeden geistigen Impuls auf ein physisches Datum zu reduzieren. Der Versuch, Krankheit, Tod, die Tiefe der Psyche auf rational erklärbare Fakten zurückzuführen, wird als Versuchung der Seele dargestellt, die die Realität Lügen straft. Die Grenzen zwischen Leben und Kunst verschwinden, die Erzählung bekommt die Dimension des Traums, oder besser des Alptraums einer schizoiden künstlerischen Existenz, die zum Scheitern verurteilt ist. Erzähltechnisch wirkt die Geschichte, in der sich nichts ereignet und die nur von Spannungen und Emotionen lebt, statisch und als im wesentlichen den stilistischen Merkmalen des 19. Jahrhunderts verhaftet, wenn auch längere, in der indirekten Rede gehaltene Ich-Passagen moderne Stiltechniken vorwegnehmen.

Erneuerung der italienischen Sprache

Unter den Erzählern der Scapigliatura sind vor allem die Brüder Boito und Luigi Gualdo erwähnenswert, die bemerkenswerte Novellen verfaßt haben. Meisterhaft angelegt in Aufbau und Spannung ist die Erzählung *L'alfiere nero* (1867) von Arrigo Boito, die eine schicksalhafte, tödlich endende Schachpartie zwischen einem Weißen und einem Schwarzen zum Gegenstand hat. Die Hautfarbe der Kontrahenten, die sinnbildlich den weltimmanenten Dualismus zwischen Gutem und Bösem, Licht und Finsternis widerspiegeln soll, läßt das Spiel, das als Zeitvertreib beginnt, zum Kampf auf Leben und Tod geraten. Dabei identifiziert sich der Schwarze mit seinem für die Freiheit gegen die Kolonialherrschaft kämpfenden Bruder und besiegt in einem verzweifelten, bis zur totalen Erschöpfung ausgetragenen Gefecht den überlegenen Rivalen, der ihn schließlich erschießt. Die Erzählung veranschaulicht einige der philosophischen Ideen der Scapigliatura, die ihre Brückenfunktion zwischen Romantik und Naturalismus deutlich machen. Die Welt wird als psychophysische Einheit gedeutet, in der die Grenzen zwischen Materie und Geist verschwimmen und die Kategorien von Raum und Zeit gesprengt werden. Die Menschen, die von gewaltigen Leidenschaften verzehrt werden, sind wie im Naturalismus unfrei,

Zwischen Romantik und Naturalismus

Arrigo Boito am Klavier nach einer Karikatur von Tranquillo Cremona

Spielball von obskuren Kräften, die sie umtreiben und sie in den Tod, in die Depression oder in den Wahnsinn stürzen. Dabei steht der Künstler gemäß den Vorstellungen der Romantiker im Mittelpunkt des literarischen Schaffensprozesses, und seine Aufgabe wird darin gesehen, Erfahrungen und nicht wie bei den Naturalisten Beobachtungen, wiederzugeben. Die zwiespältige Natur der künstlerischen Produktion und der Entstehung des Kunstwerkes als Resultat des Willens, der Technik und der Eingebung wird in der Erzählung *La scommessa* (1868) von Luigi Gualdo thematisch. Ein Schriftsteller geht um einer immensen Geldsumme willen eine riskante Wette ein. Er muß in einer einzigen Nacht ein Kunstwerk erschaffen. Psychologisch genau wird die Alptraumnacht des Dichters beschrieben, der unter dem unmenschlichen Druck versagt und den Verstand verliert.

Verwandtschaft mit der Dekadenz

Die Autoren der Scapigliatura zeigen eine erstaunliche Affinität zur modernen Dekadenzliteratur. Nicht zufällig hat ein Filmregisseur wie Luchino Visconti – der sich auch von anderen Kunstwerken der europäischen Dekadenz, wie etwa *L'innocente* von Gabriele D'Annunzio oder Thomas Manns *Tod in Venedig* für seine Filme anregen ließ – die Novelle *Senso* von Camillo Boito verfilmt und dadurch einem breiten Publikum bekannt gemacht. Dennoch lassen vor allem zwei Merkmale der Scapigliati, der bewußte Einsatz der Ironie als Stilmittel und ein ausgeprägtes sozialkritisches Bewußtsein, ihren Abstand zum ästhetischen Empfinden der bald darauf einsetzenden »fin-de-siècle«-Literatur erkennen.

Ein kurzer Befreiungsversuch

Die kometenhafte Bewegung der Scapigliatura mit ihrem Willen, die italienische Kultur aus den erstickenden Fängen der Tradition zu befreien und ihr neue Wege zu bahnen, stellte einen ehrlichen, wenn auch oft dilettantischen Versuch dar, über die sozialen, wirtschaftlichen und psychologischen Probleme der sich formierenden bürgerlichen Gesellschaft zu reflektieren und ihre Widersprüche künstlerisch darzustellen. Ihre Tragik bestand darin, mit großem Eifer und mit Phantasie eine literarische Revolution angestrebt zu haben und doch weitgehend in engen traditionellen Denkmustern befangen geblieben zu sein. Der kühne Sprung in die literarische Moderne gelang paradoxerweise demjenigen unter ihnen, der die Konsequenzen aus dem Unbehagen über die Widersprüche, die die errungene Einheit zutage treten ließ, zog und den Weg zu einem neuen literarischen Stil fand: Giovanni Verga. Damit wurde, wenn auch nur auf dem Gebiet der Literatur, der hegemoniale Anspruch der norditalienischen Kultur in Frage gestellt. Unter dem Einfluß des französischen Naturalismus erwuchs aus dem Drang nach realistischer Wiedergabe von Sprache und Wirklichkeit, unter den veränderten Bedingungen, die das südliche Italien bot, das Œuvre von Verga.

Die Spannung zwischen Peripherie und Zentrum: der Verismus

Nord-Südgefälle

1860, das Jahr der Einigung, bedeutete für Italien nicht nur eine politische Zäsur, auch im Hinblick auf die Literatur waren seine Auswirkungen gewaltig: Eine der schwerwiegenden Folgen war die Entstehung verschiedener literarischer Kulturen im Süden und im übrigen Land. Die in vieler Hinsicht als traumatisch empfundene Anpassung des agrarischen Südens an die Bedürfnisse des sich rasch kapitalistisch entwickelnden Nordens vertrieb die Illusion einer positi-

Eine Schwefelgrube in Sizilien: Das Photo dokumentiert das Elend der oft kindlichen Arbeiter. Die italienischen Veristen lenkten in ihren Werken die Aufmerksamkeit auf die unwürdigen Lebensbedingungen in den ländlichen Gebieten Süditaliens.

ven Entwicklung und gab sehr bald einer erbitterten Kritik am Risorgimento Nahrung. Phänomene wie das »brigantaggio« (Brigantentum) oder das Erstarken der Mafia sowie die Verelendung weiter Teile der ländlichen Bevölkerung wurden als Zeichen einer verfehlten Politik gedeutet. Historiker wie Pasquale Villari und Giustino Fortunato entwickelten eine besondere Sensibilität für das Problem der wirtschaftlichen und kulturellen Andersartigkeit der Gesellschaft im Süden und erhoben Anklage gegen die Ausbeutung des Südens durch den Norden. Die sizilianischen Intellektuellen beschritten einen eigenen Weg: Hier wurde die Literatur als Sprachrohr der menschlichen und kulturellen Marginalisierung der Insel empfunden.

Der Verismus – diese Bezeichnung setzte sich erst 1870 in Italien durch, als das Werk Zolas bekannt wurde und eine lebhafte Auseinandersetzung um die neue literarische Bewegung begann – übernahm in einem veränderten sozialen und politischen Klima Forderungen der Romantik, vor allem in der bewußten Suche nach einer Wiedergewinnung der mündlichen Tradition, wie sie in den Märchen und Legenden des Volkes fortlebte, und in der Zuwendung zu den niedrigen Schichten und ihrer bodenständigen Kultur. Pessimismus und Resignation angesichts der Trostlosigkeit des menschlichen Schicksals verdüsterten den Horizont einer Wirklichkeitserfahrung, die jedes evolutionistische Denken oder den christlich-liberalen Glauben ablehnte: Die Veristen erlebten die Geschichte – ganz im Unterschied zu den französischen Naturalisten – als negative Kraft und machten es sich zur Aufgabe, ihren Betrug zu entlarven. Grund zu diesem Pessimismus bot die Situation des Landes im Überfluß. Der Weg, den Italien gewählt hatte, um zu einem modernen Staat zu werden und die Eingliederung in die europäische Wirtschaft zu vollziehen, verlangte eine Politik der kompromißlosen freien Marktorientierung. Anfang der achtziger Jahre wurde die italienische Landwirtschaft nach einer relativ günstigen Entwicklung von einer Krise erschüttert, die vor allem die strukturell schwach entwickelten

Historischer Pessimismus

Brief vom Luigi Capuana
an Federico de Roberto,
Rom 7. Juni 1890

Gebiete im Süden schwer traf. Diese Rezession verschlechterte die schon harten Lebensbedingungen der süditalienischen Bauern, die Abwanderung nahm erschreckende Ausmaße an. Gleichzeitig erlebte der Norden einen Aufschwung; dank des Einvernehmens zwischen den Großgrundbesitzern des Südens und der Wirtschafts-und Handelsbourgeoisie des Nordens floß Kapital in die reicheren Regionen. Die hier einsetzende Industrialisierung wurde durch protektionistische Maßnahmen gefördert, die ein weiteres Sinken der Agrarpreise verursachte und so den Abstand in der Entwicklung zwischen Norden und Süden noch vergrößerte. Obwohl eine Reihe von parlamentarischen Untersuchungen über die Lage der ländlichen Bevölkerung die öffentliche Meinung für dieses Problem sensibilisiert hatten, blieb das Leben der Bauern und der Fischer im Süden über Jahrzehnte hinweg erbärmlich. Diese Welt der Armut und Entbehrung fesselte die Aufmerksamkeit der aus dem Süden stammenden italienischen Veristen, denn sie bot ihnen die Anschauung der konkreten Realität menschlichen Verhaltens in Extremsituationen, welche die französischen Naturalisten im Lebenskampf der Metropole Paris beobachtet hatten. Doch ihr Blickwinkel war ein anderer: Den italienischen Veristen fehlte das Gefühl der Zugehörigkeit zu dem von ihnen dargestellten Milieu, das für Emile Zola charakteristisch war. Vielmehr blickten sie mit den Augen des Landedelmanns auf eine zwar nicht unvertraute, aber doch im Grunde fremde Welt. Das Literaturverständnis des französischen Schriftstellers entsprach überdies einer demokratisch-egalitären sozialen Auffassung, die das Postulat der Rationalität der bürgerlichen Gesellschaft akzeptierte und auf deren Verwirklichung drängte: Die Enttäuschung über die verpaßte Wende im rückständigen Süden erzeugte dagegen bei den italienischen Veristen eine fatalistische Haltung, die sich einer konservativen, resignierten Sozialphilosophie anschloß.

Capuana – Theoretiker des Verismus

Photo von Luigi Capuana.
Der Schriftsteller war
einer der ersten, der die
Photographie als Mittel
der Dokumentation und
der Erforschung der
sozialen Wirklichkeit
verwendete.

Die Poetik des Verismus wurde vor allem von Luigi Capuana entwickelt, einem Autor, der viele Jahre seines Lebens außerhalb Siziliens verbrachte und seine reiche literarische und publizistische Tätigkeit in Florenz, Mailand und Rom entfaltete. Von den Grundsätzen des französischen Naturalismus, der in Anlehnung an Hyppolite Taine die Ergebnisse der Erfahrungswissenschaften auf die Literaturkritik übertragen hatte, distanzierte sich Capuana. Er lehnte die philosophischen Prämissen eines mechanischen Determinismus ab und sah den Weg zu einer Erneuerung der Kunst einzig und allein im Kriterium der direkten und gewissenhaften Wirklichkeitsbeobachtung. Die maßgebliche Instanz für die Literatur sollte die Wahrheit sein; umgekehrt galt jede Literatur, die sich über das alltäglich Erfahrbare erheben wollte, als unwahr. Capuana ging es vor allem darum, die Wiedergabe subjektiver Erfahrungen, die in der romantischen Literatur üblich war, durch die objektive Darstellung psychischer Prozesse zu ersetzen. Capuanas bevorzugtes Thema war die Provinz als Lebensform. Mit geschultem Blick schildert der aus der kleinen Stadt Mineo stammende Schriftsteller die langweilige, konventionelle Existenz von Menschen, die verspätet die kulturellen Signale, die aus den Metropolen des Kontinents kommen, wahrnehmen und in ein provinzielles Verhalten umsetzen.

Besonders überzeugend erscheint Capuana in der Darstellung weiblicher Charaktere, die er sowohl in der Novellistik als auch im Roman meisterhaft zeichnete. Daher ist sein vielleicht interessantestes Werk der 1879 geschriebene und Emile Zola gewidmete Roman *Giacinta,* die modern anmutende Geschichte der zerstörerischen Auswirkung eines Traumas, das eine in der Kindheit erlittene Gewalttat in der Seele einer jungen Frau hinterläßt. Recht erfolgreich wurde auch Capuanas Roman *Il marchese di Roccaverdina* (1901), in dem er hellsichtig eine Paranoia analysiert, die nach naturalistischem Muster als Resultat einer erblichen Konditionierung erklärt wird. Der Publizist, der die Berichte von Franchetti und Sonnino über die miserable Lage der Schwefelarbeiter und Bauern in Sizilien gekannt und selbst über das Räuberwesen in Sizilien geschrieben hat, verfolgte in seinen Werken das Verhalten der Mächtigen mit wissenschaftlicher Akribie, ohne jedoch für das Problem der gesellschaftlichen Verantwortung ernsthaft Interesse zu zeigen.

Dichterisch überzeugender als Capuana verstand es sein Landsmann und Freund Giovanni Verga, die Bedürfnisse von Gruppen und kulturellen Minderheiten zu artikulieren und zu präsentieren. Damit schockierte er eine soziale und intellektuelle Elite, die von der Illusion einer homogenen und konfliktfreien Gesellschaft lebte. Verga wurde 1840 als Sohn kleinadliger Grundbesitzer in Catania geboren; früh zeigte sich seine literarische Begabung, denn der historische Roman *I Carbonari della montagna* (1861), den er als Student an der juristischen Fakultät seiner Heimatstadt schrieb und den er an Alexandre Dumas schickte, war bereits sein zweites, patriotische Themen behandelndes Werk. Von der Enge des provinziellen Lebens angewidert, aber auch in der Hoffnung, dem Ruhm des großen Vincenzo Bellini, des »Schwans von Catania«, der auf dem Kontinent berühmt geworden war, nachzueifern, verließ Verga 1865 Sizilien und ließ sich in Florenz nieder. Hier, in der neuen provisorischen Hauptstadt des jungen Reiches und der alten literarischen und sprachlichen Hauptstadt Italiens, fand der Schriftsteller ein inspirierendes Gesellschaftsleben vor. In Florenz schrieb Verga seinen ersten erfolgreichen Roman *La storia di una Capinera* (1871), die an die Tradition von Diderot und Manzoni anknüpfende Geschichte einer Nonne. Das Interesse für erotische und mondäne Themen blieb zunächst bestehen, als Verga im November 1872 nach Mailand übersiedelte. Dort entstanden eine Reihe von Romanen, die durch ihre Themenwahl sowie gewisse sozialkritische Akzente den Einfluß der Scapigliatura erkennen lassen. Verga, der in Mailand freundlich aufgenommen worden war, genoß das rege kulturelle Leben der Stadt, das vor allem auf dem Gebiet der Musik glänzte. Damals war Giuseppe Verdi der ungekrönte König der Metropole, aber seit der aufsehenerregenden Inszenierung des *Lohengrin*, der 1873 an der Scala uraufgeführt wurde, diskutierte man eifrig über Wagner, dessen Bewunderer der mit dem Autor des *Mephisto*, Arrigo Boito, befreundete Verga werden sollte.

Vincenzo Bellini
(1802–1835)

Der sizilianische Schriftsteller schien zuerst unkritisch der Faszination der Großstadt zu verfallen: In einem Brief an seinen in Sizilien weilenden Freund Capuana, den er nach Mailand locken wollte, gab Verga der Begeisterung für das Leben in einer freien und anregenden Atmosphäre Ausdruck: »Du mußt wie ich in der freien Luft (»grand'aria«) leben; für uns, die an Geist und Nerven kränkeln, ist die freie Luft das Leben in einer großen Metropole.« Bald darauf sollte indes die Ernüchterung folgen: Obwohl seine Romane einen gewissen Erfolg genossen, war Verga mit sich unzufrieden. Weder in *Eva* (1873) noch in den beiden darauffolgenden Romanen *Tigre reale* (1875) und *Eros* (1875), oder in den Erzählungen, die das soziale Leben in Mailand beschrieben, hatte er seinen wahren Stil gefunden. Der souveräne Gebrauch einer einfachen, realitätsnahen Ausdrucksweise gelang ihm erst, als er sich wieder der Welt seiner Kindheit und Jugend zuwandte. Zu dieser stilistischen Wende hatte ihn die Lektüre der in Italien in Mode gekommenen französischen Naturalisten inspiriert. Es zeigte sich, daß Vergas Kunst die Polarität zwischen dem »Ort der Schrift und dem Ort der Erinnerung« sowie die Distanz zwischen der eigenen sozialen Umwelt und der fiktional beschriebenen künstlerisch benötigte. Wie später bei Pirandello, Vittorini oder Lampedusa wirkte sich bei Verga die Erfahrung von Einsamkeit, sowie die Berührung mit der Fremde und mit anderen gesellschaftlichen und kulturellen Milieus anregend aus: Seine Helden wurden die Unangepaßten, die von der Gesellschaft Ausgestoßenen, die im Lebenskampf Unterle-

Begeisterung für die Großstadt

Luigi Capuana (links) mit Giovanni Verga

genen: In sie projizierte Verga persönliche und kollektive Erfahrungen. Ein erstes Beispiel für die Annäherung an eine Welt, die zur Welt der »Bohème« seiner früheren Romane geradezu als antithetisch erscheint, ist die 1874 verfaßte Erzählung *Nedda. Bozzetto siciliano,* die pathetische Geschichte einer Olivensammlerin. In *Nedda* war Verga die prägnante Charakterdarstellung eines Menschen gelungen, der inmitten einer unerbittlichen Umwelt eine natürliche Güte bewahrt. Auf der stilistischen Ebene jedoch bleibt die Novelle durch ihr gefälliges literarisches Toskanisch und durch die Neigung zur populistischen Verklärung unbefriedigend. Demgegenüber zeigt sich in der 1880 erschienenen Sammlung *Vita dei campi,* daß Verga den Rückgang in eine archaische Welt, der er sich durch eine ethnische und psychologische Verwandtschaft verbunden fühlte, meisterhaft zu gestalten wußte. Einige von diesen Erzählungen, so *Jeli il pastore* oder *Rosso Malpelo,* gehören zu den schönsten der italienischen Literatur.

Darwinismus als Romanthema

Sein Meisterwerk schuf Verga mit dem Roman *I Malavoglia* (1881), der Geschichte des Niedergangs einer Fischerfamilie aus dem kleinen sizilianischen Dorf Aci Trezza. Darin wollte Verga seine Theorie der Unpersönlichkeit der Kunst unter Beweis stellen. Und doch bedeutet das Zurücktreten des Autors als sinnstiftender Instanz keineswegs eine ideologische Neutralität. Verga, der in Anlehnung an Zolas Romanfolge der *Rougon-Macquart* seinen alle sozialen Schichten erfassenden Zyklus der »Besiegten« (»vinti«) konzipiert, wollte den darwinistischen Kampf ums Leben darstellen. Daraus wurde freilich die Poesie des einfachen Lebens in einer intakten ländlichen Kultur: ein Gegenbild zur städtischen Zivilisation. Der Fortschritt erscheint als moderner Moloch, der unbarmherzig seine Opfer verschlingt, das Leiden als das eherne Gesetz des Lebens. Der Niedergang des Clans, in dem reine patriarchalische Sitten herrschen und der die Werte der Tradition verkörpert, beginnt in dem Moment, als eines seiner Mitglieder sich »einer unbestimmten brennenden Sehnsucht nach dem Unbekannten« hingibt, das Dorf verläßt und dadurch die »Religion der Familie« verrät. Gerade die Figur des jungen N'toni Malavoglia, sinnbildlich für die Ängste, die der zu rasche Anschluß an die Moderne hervorrief, sollte im Neorealismo Irritationen auslösen. Daher verwandelte der Regisseur Luchino Visconti in *La terra trema* (1948), der Verfilmung des Romans, N'toni in einen Vorkämpfer für soziale Gerechtigkeit und Erneuerung. Den Zeitgenossen freilich mißfiel das Werk Vergas vor allem aus formalen Gründen. Die Kontamination zwischen literarischer und gesprochener Sprache sowie der Gebrauch dialektaler Wendungen stieß auf Unverständnis. In der Tat war Verga sprachlich neue Wege gegangen: Die traditionelle Alternative zwischen der toskanischen Hochsprache und dem Dialekt hatte er durch die Erschaffung einer eigenen, regional gefärbten Sprache überwunden. In Anlehnung an die mündliche Tradition läßt Verga in seinem Roman einen Volkserzähler auftreten, der sich mitten in der dargestellten Welt befindet und im Laufe der Geschichte zusehends zurücktritt. Durch die Verwendung der erlebten Rede wollte Verga den »allmächtigen« Erzähler abschaffen und Vorgänge und Personen »verlebendigen«. Es gelang ihm eine farbige und pittoreske, an Redewendungen und Sprichwörtern reiche Prosa, die den naiven Charme des Gesprochenen verbreitet.

Nach der Abfassung der *Malavoglia* verdüstert sich das Weltbild Vergas, seine Werke tragen die Spur eines wachsenden Mißtrauens: Die Religion der Familie wird zur Religion des Besitzes. Die *Novelle rusticane* (1883), zu denen Meisterwerke wie *La roba* und *Pane nero* gehören, drücken in ihrem rohen Realismus die Trostlosigkeit und menschliche Härte einer Welt aus, die der Zusammenbruch der alten Werte zerstört hat. Diese Thematik prägt auch den 1888 verfaßten Roman *Mastro Don Gesualdo.* Darin wird die Geschichte eines kleinen Unternehmers in der sizilianischen Provinz beschrieben, der dank harter Arbeit

Titelblatt der *Novelle rusticane*

und vieler Entbehrungen zu Wohlstand gelangt, seinen sozialen Aufstieg aber mit dem persönlichen Glück bezahlen muß. Sein tragisches Scheitern wird zum Symbol der Niederlage des modernen, dem Gesetz des Geldes gehorchenden Individualismus. Während die *Malavoglia* einem überaus straffen rhythmischen Duktus folgten, präsentiert sich *Mastro Don Gesualdo* als eine Folge von großen, voneinander abgesetzten Bildszenen und setzt dem rhythmischen Gleichmaß ein freies Zeitmaß entgegen. Die Kritik lobte die innere Kohärenz und Geschlossenheit des Romans, ein wahrer Erfolg war ihm aber nicht beschieden. Ruhm und Geld sollte Verga vielmehr auf einem Wege erlangen, der seinen Ehrgeiz als Autor nicht befriedigen konnte. Ein junger und noch unbekannter Komponist, Pietro Mascagni, hatte mit seinem Einverständnis ein Libretto aus der Erzählung *Cavalleria rusticana* vertont, die schon als Theaterstück recht populär geworden war. Die Oper erzielte einen durchschlagenden Erfolg, den Verga finanziell für sich geschickt nutzen konnte. Inzwischen hatte Mailand für ihn indes längst die Attraktivität früherer Zeiten verloren, das Kulturleben verlagerte sich immer mehr nach Rom, das um die Jahrhundertwende dank des Talents des Verlegers Angelo Sommaruga und seiner Autoren, allen voran Gabriele D'Annunzio, auch in literarischer Hinsicht zur Hauptstadt wurde. Enttäuscht und resigniert verließ Verga 1893 endgültig Mailand, um in seine Heimatstadt Catania zurückzukehren.

Die Sänger Gemma Bellincioni und Roberto Stagno waren die ersten Interpreten der Oper *La Cavalleria rusticana* (1890) von Pietro Mascagni.

Aufstieg der eleganten Ästheten

Nach seiner Rückkehr nach Sizilien erlosch allmählich seine Kreativität. Das Pendel der Literaturgeschichte, das zwischen Romantik und Naturalismus hin und her geschwungen war, wandte sich wieder vom objektiven Standpunkt des Naturalismus zurück zum Subjektivismus der Romantik. Wie in Frankreich nicht Zola, sondern Huysmans und sein Held »Des Esseintes« den neuen Geist verkörperten, so waren im Italien der Jahrhundertwende nicht die anonymen bäuerlichen Helden von Giovanni Verga, sondern vielmehr die glänzenden Ästheten D'Annunzios gefragt, der seine großen Triumphe feierte. Erst die Leiden des Ersten Weltkriegs bereiteten den Boden für ein neues und besseres Verständnis des sizilianischen Autors. Zu spät freilich für Verga, der trotz der vielen Ehrungen müde und resigniert 1922 in seinem Haus in Catania starb. Seinen 1885 begonnenen Roman *La duchessa di Leyra*, der zum Romanzyklus der »Vinti« gehören sollte, hat er nicht mehr beendet.

Negative Sicht der Geschichte

Unter den Erzählern des Verismus hat Federico De Roberto vor allem dank seines Romans *I Viceré* (1894), einen festen Platz errungen. Der Roman ist Teil einer Trilogie, die der Geschichte des Verfalls der zum sizilianischen Hochadel gehörenden sizilianischen Familie Uzeda gewidmet ist. De Roberto, von Manzoni, Flaubert, Maupassant und Zola, aber auch vom psychologischen Roman Bourgets beeinflußt, will zeigen, daß Macht korrumpiert und eine stets wiederkehrende Abfolge von Unrecht, Unterdrückung und Gewalt hervorbringt. Die Triebfedern von Handlungen und Machenschaften der Herrschenden werden ebenso unerbittlich, ja fast haßerfüllt entlarvt, wie die erbärmliche Unterwürfigkeit der Abhängigen. Mit sicherem Griff rollt De Roberto ein wahres Panoptikum von Gestalten aus allen sozialen Schichten auf, die sich um die Familie gruppieren. Die Perspektive des allwissenden Autors, die er im Roman einnimmt, erlaubt es ihm, souverän mit den zeitlichen und räumlichen Dimensionen zu spielen und in einer Fülle von Episoden, Gedanken und Reden ein groß angelegtes Fresko sizilianischer Geschichte zu entwerfen.

Zwischen Sozialutopie und Reaktion

Dagegen weisen die anderen beiden Romane der Trilogie deutliche Mängel auf, so daß man der Feststellung Capuanas zustimmen könnte, De Roberto habe vom ersten Roman der Trilogie, *L'Illusione* (1891), zum zweiten, *Viceré*, nicht nur einen Sprung, sondern einen langen und wunderbaren Flug unternommen. Immerhin bietet der unvollendet gebliebene letzte Teil des

Matilde Serao im Kreise
anderer Literaten, Rom
1895

Matilde Serao

»Uzeda«-Zyklus, *L'Imperio* (1928), interessante Einblicke in die zwiespältige
Persönlichkeit De Robertos. Der aus kleinbürgerlichen Verhältnissen stammende Autor machte in den Gestalten der beiden Antagonisten Consalvo
Uzeda und Federico Ranaldi auch die eigene Zerrissenheit zwischen sozialuto-
pischen und reaktionären Überzeugungen sichtbar. Freilich ist die Grund-
botschaft des Buches pessimistisch düster: Korruption und Zerfall sind die
ehernen Gesetze, welche die menschliche Gesellschaft und ihre Institutionen
regieren.

In der dem weiblichen Geschlecht wenig Entfaltungsmöglichkeiten bieten-
den Kulturlandschaft des Ottocento gelangte eine Frau zu Ruhm und Ehre, die
zugleich eine brillante Journalistin und eine produktive Schriftstellerin war: die
Neapolitanerin Matilde Serao. Die Frau des Literaten und Verlegers Eduardo
Scarfoglio und Freundin von Verga und D'Annunzio, selbst Zeitungsverlegerin,
spielte in der italienischen Publizistik um die Jahrhundertwende eine bedeutende Rolle. Ihr Werk ist in jener breiten Strömung regionaler Literatur anzusie-
deln, welche die Erwartungen der Leser nach dokumentarischen, Lokalkolorit
vermittelnden Milieuschilderungen mit den sozialkritischen Forderungen des
Naturalismus in Einklang zu bringen versuchte.

Der unermüdlichen Beobachterin des schillernden neapolitanischen und
römischen Volkslebens verdankt die italienische Literatur vierzig Romane und
Erzählsammlungen, die in einem bildreichen realistischen Stil geschrieben sind.
Ihre beste Form fand Matilde Serao in den achtziger und neunziger Jahren des
Jahrhunderts, als sie sozialkritische Romane wie *Il ventre di Napoli* (1884),
Campagna di Roma (1885), oder *Paese di Cuccagna* (1890) verfaßte. Anders als
Verga, Capuana und De Roberto entdeckte die leidenschaftliche Schreiberin,

wenngleich sie mit Vorliebe die unwürdigen Lebensbedingungen der unteren Schichten und des Kleinbürgertums beschrieb, auch die vitalen und humoristischen Seiten des Daseins. Im Unterschied dazu fehlte der Schriftstellerin aber des öfteren die Distanz zur dargestellten Wirklichkeit; sie neigte außerdem zur Schilderung rührender, effektheischender Szenen. Deutliche Schwächen zeigen insbesondere die Romane, die sie in den ersten Jahrzehnten des neuen Jahrhunderts in Anlehnung an Paul Bourget schrieb und die die Stil- und Gattungsmerkmale des Ästhetizismus aufweisen.

Die Bedeutung des Verismus für die italienische Literatur lag vor allem darin, daß er durch eine unsentimentale, nicht populistisch verklärte Darstellung des Lebens der unteren Schichten und durch die Verwendung einer unprätentiösen und konkreten Sprache die Richtung wies, in der jener garstige Graben, der die Kultur der Elite von jener des Volkes trennte, im Sinne einer nationalen Literatur zu überwinden war. Freilich war der Weg noch lang. Die junge Nation suchte im prekären Gleichgewicht zwischen Fortschritt und Immobilismus den Mythos und nicht die Wahrheit. Diesem Bedürfnis konnte aber die desillusionierende Kunst der Veristen nicht entsprechen, es wurde vielmehr durch das klassizistische Pathos des Toskaners Giosue Carducci erfüllt. Ihm fiel die Aufgabe zu, eine erste Synthese zwischen kultureller Tradition und Gegenwart zu vollziehen, wenngleich um den Preis der Marginalisierung anderer Stimmen und ästhetischer Impulse.

Giosue Carducci, der Dichter als Barde vergangener Mythen

Das Ottocento, seine Mythen und seine Syndrome, seine künstlerischen Ideale und seine Geschmacksverfehlungen, seine Utopien und seine Verirrungen fanden in der Person Giosue Carduccis einen idealen Interpreten: Geistige Orientierung nach Europa und Provinzialismus charakterisieren zugleich seine Literatur, die das kulturelle Leben eines halben Jahrhunderts im vereinten Italien prägte. Seinen Erfolg, der heute nur bedingt nachvollziehbar ist, verdankte Carducci vor allem der Fähigkeit, zwei Elemente des kulturellen Bewußtseins seiner Zeit zusammenzuführen: den Mythos vergangener Größe und die Forderung nach Erneuerung in der Gegenwart. Sein »romantischer Klassizismus« verhinderte aber auch die Rezeption des französischen Symbolismus in Italien und schaffte durch die verspätete Illusion einer nationalen Funktion der Kunst ein geistiges Klima, in dem die Botschaft eines D'Annunzio mit ihrer verführerischen Wirkung auf die Massen gedeihen konnte. Sein Lebensweg erscheint beispielhaft für die Stellung der italienischen Intellektuellen in der zweiten Hälfte des Jahrhunderts. 1860, im schicksalhaften Jahr der Einigung im Alter von erst 25 Jahren zum Professor für Rhetorik an der Universität Bologna berufen, verstand sich Carducci als Träger einer zivilen und nationalen Mission, als »poeta vate« des neuen Italien. Dem Italien des Risorgimento war eine große epische Dichtung vorenthalten geblieben; die nationale Bewegung hatte keinen Dichter gefunden, der die Stelle eines Friedrich Schiller oder Victor Hugo im Bewußtsein der Italiener hätte einnehmen können. Carducci erhob den Anspruch, diese Leerstelle zu füllen; er wurde zum Zuchtmeister der literarischen Kultur Italiens. Fatalerweise bewirkte die bevorzugte Position, die Carducci der Lyrik gegenüber der Prosa zuwies, in der offiziellen Kultur des geeinten Italien,

Giosue Carducci in einer Karikatur der Zeitschrift *L'Avanti della domenica*

Giosue Carducci in Faenza
im Jahr 1905

Antike und Mittelalter

Villa Medici, Gemälde des
französischen Malers
Jean-A. Dominique Ingres.
In seinen Gedichten
besang Carducci mit
spätromantischer
Sensibilität das klassische
Rom.

das von leerer Rhetorik und der Flucht vor der Realität gekennzeichnet war,
auch eine Verstärkung provinzieller Tendenzen.

Sein poetisches Ideal konnte Carducci sowohl durch die bewußte Wiedergewinnung und Verwendung antiker und moderner Gedichtformen und Metren
als auch durch seine beeindruckende Fähigkeit verwirklichen, Gestalten und
Atmosphäre vergangener Zeiten lebendig wiedererstehen zu lassen. Steter Bezugspunkt war die mythisierte klassische oder mittelalterliche Vergangenheit.
Dabei stand er unter dem Einfluß des Klassizismus, dem er sich inhaltlich wie
stilistisch verpflichtet fühlte. Doch seine polemische, antiromantische Einstellung war trügerisch: In seinem Weltverständnis konnten die literarischen Vorbilder, die noch im Romantikstreit als antithetisch erschienen waren, klassische
Antike und christliches Mittelalter, friedlich koexistieren. Die Antike erlebte
der Dichter nicht als ästhetischen Mythos, dem eine tröstende Funktion im
Sinne Foscolos zuerkannt wurde, noch idealisierte er das Mittelalter als Zeit der
Einheit von Kirche und Staat zum Wohl der Christenheit; vielmehr wurden
diese Epochen von ihm als Bestandteil der großen Tradition der italienischen
Nation gewürdigt und verklärt. Daher die große Wirkung, die das poetische
Werk Carduccis bis ins Novecento hinein ausgeübt hat. Literarische und politische Polemik bestimmen die frühen Werke, die der Dichter in den ersten zwei
Jahrzehnten nach der Einigung Italiens verfaßte, so in den *Giambi ed Epodi*
(1867–79). »Wissenschaft« und »Fortschritt« waren die Schlagwörter der Zeit,
die von der positivistischen Philosophie beherrscht wurde. Carducci begrüßte
den progressiven Geist der neuen Epoche, dem er das kleinkarierte Klima des
liberalen Italien entgegensetzte, etwa in dem *Inno a Satana* (1863), in dem der
Dichter seine antiklerikale und freiheitliche Gesinnung bekundet.

Geschichte und Natur bilden die beiden Motive der späteren Gedichte. In
Rime nuove (1861–87) und in den *Odi barbare* (1877–89) besingt Carducci
Gestalten und Höhepunkte der mittelalterlichen und der neueren Geschichte
Italiens, in denen er die klassischen Ideale der Vaterlandsliebe, der Tapferkeit
und des Edelmuts verwirklicht sieht, so in den bekannten Gedichten »Dinnanzi
alle Terme di Caracalla«, »Comune rustico« oder »Sui campi di Marengo«.

Dort, wo die Sehnsucht nach der Welt der Ursprünge und nach der heiteren hellenistischen Kultur zum Grundmotiv wird, wie in *Rime e Ritmi* (1899), wird der Leser in eine elegische und kontemplative Grundstimmung versetzt, die den Vitalismus früherer Kompositionen ablöst. Der Dichter ruft eine Welt der puren Form ins Gedächtnis, um dem Elend der modernen Zivilisation und der Öde der Städte, die durch Industrialisierung und Bodenspekulation ihren Charakter verloren haben, zu entfliehen. Carduccis Dichtung ist zeitentrückt: In seiner Zuwendung zur Natur ist nichts von dem Interesse zu spüren, das in den siebziger und achtziger Jahren des Jahrhunderts für Agrarreformen herrschte und zu einer Reihe von mutigen Experimenten geführt hatte. Die Landschaft Carduccis ist idyllisch, und auch die realistischen Szenen und Bilder empfindet man als dichterische Nachahmung der klassischen Antike. Ideologisch gefärbt sind die Gedichte, in denen Carducci die unselige Kolonialpolitik Italiens verteidigte, den Mythos Roms und die Glorie des savoyardischen Piemont feierte. Sie bezeugen den Konservatismus des »poeta vate« in einer Zeit, in der der sizilianische Politiker Francesco Crispi der italienischen Politik eine gefährliche Richtung zu geben begann, welche die Krise der Jahrhundertwende einleitete. Dem heutigen Geschmack vertrauter sind die Gedichte, in denen Carduccis persönliche und familiäre Gefühle zum Ausdruck kommen, wie in »Pianto antico«, oder andere wiederum, in denen durch sensible Naturdarstellungen, die den Kontrast zwischen Licht und Schatten thematisieren, ein Gleichgewicht zwischen der klassischen Sehnsucht nach der Fülle des Lebens und einer romantischen Todessehnsucht erreicht wird.

Carduccis Dichtung war, wenn auch vielleicht unbewußt, machtpolitisch orientiert, ihr fehlte das provokative Element, das aus der Erfahrung der Negativität der eigenen Zeit erwächst. Als Vertreter eines »gesunden« vaterländischen Denkens vermochte er dem Geschmack der jungen Nation mit ihrem rhetorischen und konservativen Pathos besser zu entsprechen als der pessimistische und kritische Giacomo Leopardi oder der aufgeklärte Katholik Manzoni. Sein an Ehrenbezeugungen reiches Leben wurde durch die Verleihung des Nobelpreises 1906, ein Jahr vor seinem Tod, gekrönt.

Die Landschaft der toskanischen Maremma, hier in einem Bild von G. Abbati, ist Thema vieler Gedichte Carduccis.

Letteratura per l'infanzia: Collodi und De Amicis

Zwei Bildungsromane besonderer Art

Eine der Hauptaufgaben der italienischen Intellektuellen im Jahrhundert des Erwachens des nationalen Bewußtseins hatte darin bestanden, durch Literaturgeschichtsschreibung die Wurzeln der eigenen Kultur freizulegen. Die Selbstdarstellung der Gesellschaft durch die Literatur beschränkte sich aber nicht nur auf die Rekonstruktion der Vergangenheit, vielmehr wurde auch im konkreten Einwirken auf die gegenwärtige Gesellschaft eine Aufgabe der Literatur gesehen. Das vollzog sich besonders auf zwei Wegen: Durch die Erschaffung einer einheitlichen Sprache und durch Werke, die eine erhöhte Aufmerksamkeit auf die Welt der Kindheit und ihre Probleme lenkten. Nicht zufällig erschienen in einer Zeit, in der die italienische Kultur damit beschäftigt war, das Problem einer einheitlichen Bildung im Rahmen eines homogenen Wachstums zu lösen, zwei Kinderbücher, die zu den erfolgreichsten der Literatur überhaupt gehören: *Cuore* von Edmondo De Amicis und *Pinocchio* von Carlo Collodi. Sie haben sich als Bildungs- und Entwicklungsromane eigener Art einen festen Platz in der Kulturgeschichte der zweiten Hälfte des 19. Jahrhunderts gesichert.

Edmondo De Amicis hatte seine schriftstellerische Laufbahn als Schilderer

Edmondo de Amicis

Die Illustration von
Arnaldo Ferragutti für
den Roman *Cuore* von
Edmondo De Amicis zeigt
das Klassenzimmer einer
italienischen Grundschule
im Jahr 1886.

*Kompendium der
bürgerlichen Ideale*

Marionette und Kind

Illustration von E.
Mazzanti für die erste
Ausgabe von *Pinocchio*,
1883

des Soldatenlebens und Reiseberichterstatter begonnen. Seine ersten Bücher *La vita militare* (1868), *Ricordi del 1870–71* (1872), *Novelle* (1872) bestanden aus kleinen, brillant geschriebenen apologetischen Geschichten, die für ein breites Publikum konzipiert waren. Auch wenn man darin historische Bildung und politischen Spürsinn oft vermißt, wirken diese Schriften, die der patriotischen Bewußtseinsbildung dienen sollten, bemerkenswert nüchtern. Mit der Beschreibung der harten und entbehrungsreichen Lebensbedingungen des italienischen Kleinbürgertums der Zeit in Kasernen, Schulen und Ämtern kann der Schriftsteller echt und provokativ wirken. De Amicis schrieb *Cuore* (1886), als er bereits ein bekannter und weitgereister Publizist war; im Gegenzug zum verbreiteten Intellektualismus einer Zeit, die vom Geist des Positivismus geprägt war, wollte er den Rechten des Herzens Geltung verschaffen. Diese Absicht wird in einem Brief an seinen Verleger Emilio Treves geäußert, in dem De Amicis den Titel seines Buches erklärt und rechtfertigt.

Cuore ist in Tagebuchform geschrieben, die Zeitspanne umfaßt ein Schuljahr, wobei einzelne Tage herausgegriffen werden, um wichtige Ereignisse hervorzuheben. Als kindlicher Erzähler tritt ein Schüler der dritten Klasse auf. Der Autor greift durch selbständige Darstellungen, *I racconti mensili*, ins Aktionsgeschehen ein, so daß zwischen Rahmenhandlung und den einzelnen Geschichten ein Gleichgewicht entsteht. Einzelne Einschübe stellen Briefe von Vater, Mutter und Schwester dar. Wenn auch der rhetorisch-pathetische Stil und die allzu offene Erbaulichkeit die Lektüre heute erschweren, ist die Bedeutung von *Cuore* als Dokument der Zeit und als getreuer Spiegel der »postrisorgimentalen« Gesellschaft immens; und das erklärt den großen Erfolg, den das Buch für Generationen von Italienern weit über die Zeit seiner Entstehung hinaus hatte. De Amicis vertrat einen gemäßigten und humanitären Sozialismus, der nicht ohne kleinbürgerliche Züge war; sein Hauptwerk wurde, obwohl es ein wahres »Kompendium« der Ideale der Bourgeoisie seiner Zeit war, im übrigen von der faschistischen Kritik mit Mißtrauen betrachtet. Auch wenn De Amicis' Darstellungen angesichts der gewaltigen wirtschaftlichen und sozialen Probleme des Landes heute fast als naiv erscheinen, war es sein pädagogisches Ziel, Vorbilder zu schaffen, die zur Integration der verschiedenen Volksschichten verhelfen sollten – ein Gebot der Stunde.

Verglichen mit der Rhetorik von *Cuore* erscheint *Pinocchio* von Carlo Lorenzini (Collodi) geradezu erfrischend und frech. Sein Autor verdankt der Verwurzelung im Toskanischen nicht nur eine ironische Einstellung zum Leben, sondern auch eine farbige Ausdrucksweise, welche die Lebendigkeit und Natürlichkeit der gesprochenen Sprache widerspiegelt. Damit unterschied er sich vorteilhaft von den zahlreichen zeitgenössischen Schriftstellern aus anderen italienischen Regionen, die in der Nachfolge Manzonis meinten, toskanisch schreiben zu müssen. Sprachliche Phantasie und Einfallsreichtum im Erfinden von Situationen charakterisieren *Die Abenteuer des Pinocchio* (1883), ein Buch, das mit dem Titel *Storia di un burattino* zum ersten Mal als Fortsetzungsroman in einer Kinderzeitschrift erschien. Ihren Erfolg bei Kindern und Erwachsenen verdankte die Erzählung der glücklichen Erfindung eines Geschöpfes, das zugleich Marionette und Kind ist. Collodi überwand damit die verbreitete pädagogische Formel, eine größtmögliche Zahl an Informationen und Kenntnissen in einer schönen Form zu verpacken. Die Geschichte von *Pinocchio* ist realistisch und doch zeitenthoben wie ein Märchen: Die Abenteuer eines armen Kindes, das zwischen seinem Impuls nach einem freien, von jeder Not befreiten Leben und der harten Realität hin und her gerissen wird, sind vor dem Hintergrund der harten Lebensbedingungen des vorindustriellen, agrarischen Italien der Jahrhundertwende zu verstehen. Die Verwandlung des Pinocchio von der leichtsinnigen Marionette zum guten Kind bedeutet keine Befreiung aus der Armut. Das übernatürliche Element – im Buch durch die gute Fee verkörpert – vermag die Verwicklung nur auf der moralischen, nicht aber auf der sozialen Ebene zu lösen. Das tut freilich dem Charme des Buches keinen Abbruch: Dieser ist vor allem Collodis Talent zu verdanken, die kindliche Perspektive in der Erzählung sprachlich und inhaltlich lebendig und humorvoll zu vermitteln.

Karikatur von Rossini (1854)

Das Melodrama als italienischer Volksroman

Die europäische Literatur des 19. Jahrhunderts hatte von der Aufklärung die Vorliebe für zwei Gattungen geerbt, die eine beherrschende Stellung im sozialen und kulturellen Leben vieler Länder einnahmen: für das Drama und den Roman. In England, Frankreich und Deutschland dominierten beide Genres die literarische Szene und konnten sowohl zur Zeit der Romantik als auch während der Restauration Scharen von begeisterten Lesern und Theaterbesuchern für sich einnehmen. Demgegenüber zeigt das italienische Literaturpanorama ein anderes Bild. Zwar existierte auch hier ein Interesse für Romane und dramatische Werke, die literarische Anerkennung seitens der Kritik war dennoch gering. Der Roman wurde erst mit Manzoni hoffähig; was das Theater anbelangt: In Italien wirklich populär und auch im Ausland beliebt und anerkannt wurde im 19. Jahrhundert lediglich ein Genre, die Oper.

Befreiung aus dem Geist der Musik

Neben sozialgeschichtlichen Faktoren – wie der im europäischen Vergleich geringeren Alphabetisierung der Bevölkerung und einer schwach entwickelten bürgerlichen Gesellschaft – trug sicher das Fortwirken der großen Tradition des italienischen Melodramas zu diesem Phänomen bei. Dank charismatischer Persönlichkeiten wie Giuseppe Verdi, aber auch von Komponisten wie Bellini, Rossini, Donizetti oder Paisiello, welche die Tradition des italienischen Melodramas fortsetzten und erneuerten, erlangte das Musiktheater eine große Bedeutung. Diesen Erfolg verdankte die Oper dem sozialkritischen Potential, das in ihr steckte und sie zum Sprachrohr nationaler Gefühle werden ließ. Die Beliebtheit der Oper erklärt sich freilich auch dadurch, daß sie imstande war, das Bedürfnis nach mehr Raum für Phantasie, Gefühle und sinnliche Reize, die durch eine formalistische und elitäre traditionelle Kunst unterdrückt worden waren, zu befriedigen. In einem veränderten politischen Klima überbrückte die Oper, überwand die Musik jene Diskrepanz zwischen den Triumphen, die sie vor allem bei Hof gefeiert hatte, und der geringen Achtung in der Gelehrtenwelt. War noch im 18. Jahrhundert der Musik jede belehrende Funktion abgesprochen worden, so hatten doch die Enzyklopädisten, welche die italienische »opera buffa« gegen das ernste französische Melodrama in Schutz nahmen, den befreienden Geist und die schöpferische Energie erkannt, die sich in der Woge der Melodie entfaltete. Es kann daher nicht überraschen, daß eine Zeit wie die Romantik, die das Gefühl über den »esprit de géométrie« und die Melodie über die Harmonie stellte, sich in der Oper wiedererkannte und sie verherrlichte. Schon im Jahre 1828 hatte Heinrich Heine, der während einer Italienreise Mailand besucht hatte, die politische Bedeutung der Musik für die Italiener erkannt: »Dem armen geknechteten Italien ist ja das Sprechen verboten, und es darf nur durch die Musik die Gefühle seines Herzens kundgeben.« In der Tat ist die Entwicklung der italienischen Oper im Ottocento eng mit der politischen Situation des Landes verknüpft. Das läßt sich am besten erkennen, wenn man die Geschichte des berühmtesten italienischen Opernhauses, der Mailänder

Giuseppe Verdi wurde nicht nur wegen seiner Musik gefeiert, sondern auch, weil in seinem Namen jener des herbeigesehnten Königs Vittorio Emanuele von Savoyen gelesen wurde.

Kein nationales Theater

Scala, verfolgt. Die Musik diente den Besuchern des 1778 eingeweihten Theaters eher als Kulisse für das abendliche Treffen der Mailänder. In den Logen der Patrizier fand das gesellschaftliche Leben der Metropole statt: Es wurde diskutiert, konspiriert, Handel getrieben, Intrigen und Liebschaften wurden gesponnen, wie aus den Reiseberichten Stendhals zu erfahren ist. Der Sieg der Franzosen öffnete im Befreiungsrausch der Revolution die Scala dem Volk, das vollständig von ihr Besitz ergriff. Nach der erneuten Einnahme Mailands durch die Österreicher verfolgten diese argwöhnisch die Freiheitsbestrebungen des Volkes, die durch den Geist der Musik beflügelt wurden. So verbot die österreichische Zensur 1828 die Aufführung des *Guglielmo Tell* von Rossini in der Scala. Geradezu zur Legende und zum Sinnbild des Geistes des Risorgimento wurden einige Jahrzehnte später die Aufführungen von Verdis Opern *Nabucco* und *I Lombardi alla prima crociata*, die einen kollektiven Rausch der Begeisterung auslösten.

Verglichen mit den Triumphen der Oper erscheint die Rolle, welche die Bühnendichtung im literarischen und gesellschaftlichen Leben spielte, weniger bedeutend: Dem Italien des 19. Jahrhunderts fehlte ein nationales Theater. Die klassischen, regelgebundenen Tragödien wurden – trotz der Anerkennung, die Alfieri und Foscolo erfuhren – selten aufgeführt; auch die romantischen Tragödien von Alessandro Manzoni oder Silvio Pellico waren nie wirklich populär und wurden eher gelesen als gespielt. Das bürgerliche Trauerspiel konnte in Italien schwer Fuß fassen und brachte kaum Meisterwerke hervor. Insbesondere fehlte eine Theaterreform wie die Lessings in Deutschland, welche zur Bildung eines nationalen Theaters hätte führen können. Im ganzen 19. Jahrhundert, vor und nach 1860, bildeten die Wanderbühnen das Rückgrat des Theaterlebens. Mit der einzigen Ausnahme zweier höfischer Bühnen, der »Compagnia reale sarda« (1820–39) und der Truppe des Herzogs von Modena (1829–31) kannte man keine Bühnen mit einem festen Ensemble. Die wichtigsten dieser umherreisenden Truppen gastierten in Theaterhäusern, die anderen, die Tradition der

Commedia dell'arte fortführend, meistens auf öffentlichen Plätzen. Die Geschichte des italienischen Theaters des Ottocento ist vor allem die Geschichte seiner Schauspieler. In der zweiten Jahrhunderthälfte förderte der Verismus das Entstehen von Mundartkomödien, in denen die Tradition der Commedia dell'arte wiederaufgenommen wurde. Selten gelang es jedoch, die Ebene einer oberflächlichen Wirklichkeitsdarstellung zu verlassen. Die Krise des Autorentheaters und der Aufstieg des Melodramas bedingen in diesem Jahrhundert einander. Es ist der starken musikalischen und politischen Persönlichkeit Giuseppe Verdis zu verdanken, wenn dieses Genre als bedeutendster Beitrag der italienischen Kultur zur Zeit der Romantik gelten kann. Als erster sah Antonio Gramsci im Melodrama den Ersatz für einen fehlenden Volksroman und stellte fest, daß in Italien die Musiker weit populärer wären als die Literaten. Literaturgeschichtlich wird die Oper durch ihre literarische Komponente wichtig, durch das Libretto, das durchaus als literarisches Produkt gewürdigt werden kann, wenn man zwei Wesensmerkmale berücksichtigt: den Verzicht auf inhaltliche Originalität und die Zugehörigkeit zum Gesamtkunstwerk Oper.

Titelblatt der Partitur der *Traviata* von Giuseppe Verdi

Traditionell hatte das Libretto schon immer Themen und Motive aus anderen Werken entliehen; so erfand z.B. der Librettist Mozarts, Lorenzo da Ponte, seine Stoffe selten frei. Zur Zeit der Romantik änderte sich aber die Quelle der Inspiration: Nicht mehr die antiken Tragödien, wie zur Zeit des höfischen Dichters Metastasio, dienten als Vorlage. Giuseppe Verdi entnahm die Sujets seiner Opern Shakespeares Tragödien, Schillers Dramen oder zeitgenössischen Romanen. Im Blick auf Stil und literarische Substanz büßt das Libretto des 19. Jahrhunderts an Bedeutung ein: Es wird nun maßgeblich von den Komponisten und nicht mehr von Dichtern geprägt. Insbesondere Verdi übte einen starken Einfluß auf die Gestaltung der Libretti aus, bis hin zur Festlegung des Versmaßes und zur Akzentuierung der Verse. Die Gewichtung zwischen Wort und Musik verlagerte sich zuungunsten des Wortes. Im Zeitalter des Risorgimento konnte das Melodrama sich zum Vehikel der Massenkultur entwickeln, indem es sich aristokratische Gattungen zu eigen machte und sie popularisierte. Das wurde dank einer Sprache möglich, die durch Mangel an Natürlichkeit und durch Übertreibung starke Leidenschaften vermitteln konnte, aber auch durch die Schaffung deutlich gezeichneter Charaktere mit einer klar erkennbaren Trennlinie zwischen Gut und Böse. Die abstrakten Grundsituationen der Tragödie wurden in die alltägliche Welt transponiert und mit romanhaften Elementen kombiniert. Anders als der Trivialroman jedoch, der nur den Lesefähigen erfreuen konnte, erreichte das Melodrama als Schauspiel, das sich verschiedener Ausdrucksmittel wie Wort, Musik, Geste und Dekoration bediente, auch die ungebildeten Schichten. Die Oper hatte die Fähigkeit, ein starkes Identifikationspotential im Zuschauer zu erwecken; die Bühne war für ihn so etwas wie ein Ventil für die Befreiung verdrängter Wünsche, elementarer Gefühle und für deren Läuterung. So wurde im patriotischen Klima des Risorgimento Verdis Chor der Gefangenen in *Nabucco,* insbesondere der Ausruf »Oh mia patria, si bella e perduta«, als Chiffre der nationalen Sehnsucht der Italiener zum Ort der kollektiven Identifikation. Auch Rossinis Musik wurde vielfach als politische Botschaft verstanden. In Opern wie *Guglielmo Tell,* aber selbst in *La gazza ladra* oder *L'italiana in Algeri* entdeckten die Zeitgenossen eine Kritik an den Zuständen der Zeit.

Nicht anders als das bürgerliche Drama in Deutschland wurde die italienische Oper im neunzehnten Jahrhundert zum Spiegel von tradierten Normen und Werten: Der pädagogische Auftrag der Kunst wurde im Konsens zwischen Autor und Publikum erfüllt.

Die Oper als Ausdruck der Massenkultur

Titelblatt der Partitur der
Italiana in Algeri von
Gioacchino Rossini

Familie, Vaterland, Religion – die heilige Wertetrias – bestimmte von Verdi
bis Puccini die konservative Weltsicht der Librettiautoren: Durch die Gefühle
wurde die seelische Beteiligung des Publikums auch ideologisch oder politisch
gelenkt. So erzählen die Opernlibretti die Geschichte der italienischen Literatur
als Ideologie- oder Mentalitätsgeschichte. Denn von der Romantik, über Scapigliatura und Verismo bis hin zum Dekadentismus spiegeln sich alle literarischen
Strömungen des italienischen Ottocento in diesen »bescheideneren Romanen«
(Lavagetto).

Die Privatisierung der
gemeinsamen Ideale

Wirklich erfüllen konnte sich die Vision einer Literatur des »national-popo-
lare« im Sinne Gramscis – trotz ihres unkritischen Festhaltens an tradierten
Normen – jedoch nur in der Opernwelt von Verdi. Von Mascagni bis Puccini
läßt sich eine gewisse Verflachung feststellen: Die Moralität wurde zum Moralis-
mus, der Mangel an utopischen Visionen verlagerte im Postrisorgimento die
großen gemeinsamen Ideale ins Private und Bürgerliche. An der Schnittstelle
zwischen altem und neuem Jahrhundert verwandelte Puccinis spätromantische
bürgerliche Musik die Dramen in lyrische Idyllen. So erscheint rückblickend
Giuseppe Verdi als die Gestalt, die neben Alessandro Manzoni den Geist des
italienischen Ottocento am reinsten darzustellen vermag. Beide verstanden es,
der eine durch die Literatur, der andere durch Musik, die Italiener zu einer
Läuterung der nationalen Leidenschaft durch das Menschliche aufzufordern.

NOVECENTO

Trasformismo und liberale Hegemonie

Für das Königreich Italien ist typisch, daß die erste größere Phase der Industrialisierung und die mit ihr verbundene soziale Differenzierung zusammenfällt mit der Epoche des europäischen Imperialismus, so daß wir es im sozialen, politischen und kulturellen Feld mit einer ausgeprägten Ungleichzeitigkeit des Gleichzeitigen zu tun haben, die durch den Nord-Süd Binnengegensatz wie durch die ausgeprägten Unterschiede zwischen den wenigen großstädtischen Zentren (Mailand, Turin, Florenz, Rom) und der Provinz auch im kulturellen Bereich ihre zusätzliche nationale Besonderheit gewinnt. In dieser komplizierten und labilen Situation ist die Form der gesellschaftlichen und politischen Herrschaftsausübung der sogenannte Trasformismo. Gemeint ist damit, daß die traditionellen Parteiungen des Risorgimento und der Phase der Einigung, die historische Rechte um den Grafen Camillo Benso Cavour, die das Großbürgertum Nord- und Mittelitaliens vertritt, und die historische Linke um Giuseppe Mazzini, die das Mittelbürgertum, aber auch Agrarier des Südens repräsentiert, sich aneinander abschleifen und zu einer Art vereinigter politischer Regierungsgruppe verschmelzen, deren Hauptziel es ist, das Land gemeinsam zu regieren, alle oppositionellen Kräfte von der Machtausübung fernzuhalten und Italien noch einen Platz im kolonialen Kräftemessen zu sichern. Die politischen Entscheidungen fallen in personengebundenen und je unterschiedlich sich gruppierenden Machtzirkeln. Parteien traditionellen Typs existieren vorerst nicht. Später auch als in anderen europäischen Ländern formieren sich die Strömungen der Arbeiterbewegung zur sozialistischen Partei. Die Katholiken, denen der Papst die Teilnahme am politischen Leben verbietet, stehen zunächst abseits. Je nach innen- und außenpolitischer Konstellation verschiebt sich innerhalb der liberalen Allianz, die sich auf die Mehrheit von insgesamt drei Millionen, nach Besitz und Bildung legitimierten Wahlberechtigten stützt, das Kräfteverhältnis zu einer autoritären oder liberalen Politikvariante. Symptomatisch für die Absorptionsfähigkeit des Trasformismo ist etwa die Person Francesco Crispis, der aus dem demokratischen Lager des Risorgimento stammt, einen jakobinischen Patriotismus Mazzinischer Provenienz vertritt und in seiner Regierungsära von 1887–1896 diesen Patriotismus zu einer Ideologie des Nationalismus umformt, in deren Namen er wirtschaftlich die Protektion der Schwer- und Werftindustrie betreibt und außenpolitisch zur Teilhabe als Kolonialmacht drängt. Sie geht Hand in Hand mit einer Innenpolitik, welche die katholische und sozialistische Opposition ebenso niederhält wie die Kräfte des sogenannten Irredentismus, dessen Forderungen nach den »unerlösten« Gebieten wie Triest und Trient die Dreibundpolitik mit Deutschland und Österreich belasten. Zu den positiven Maßnahmen gehört die Stärkung der bürgerlichen Schichten in Kommunen und Provinzen durch eine Erweiterung des kommunalen Wahlrechts. Dieses System der Machtsicherung, das mit der militärischen Niederschlagung der Bauernaufstände (»Fasci«) im Süden und der Streiks im Norden mehr auf Gewalt als auf Konsenserzeugung setzt und so die Modernisierung gefährdet, gerät gegen Jahrhundertende in eine akute Krise. Es beginnt die sogenannte Ära Giolitti, in der Giovanni Giolitti, ein Liberaler in der piemontesischen Tradi-

Ungleichzeitigkeit des Gleichzeitigen

Francesco Crispi

»Organisierter« Kapitalismus

Giovanni Giolitti

tion, den Primat einer aufgeklärten Innenpolitik durchsetzt und durch seine in Interessenkonflikten zwischen Arbeitern und Industriellen vermittelnde Politik eines »organisierten« Kapitalismus den industriellen Aufschwung wie insgesamt die Modernisierung des Landes fördert. Verschiebt Giolitti die Politik des Trasformismo also dahingehend, daß er versucht einzelne Führer der sozialistischen Partei und die reformbereiten katholischen Kräfte einzubinden, so bleibt gleichzeitig die Rücksichtnahme auf die Agrarier des Südens bestehen, was den Abstand zwischen den beiden Landesteilen eher vergrößert als verringert und die Emigration – um 1900 pro Jahr 300 000 – zur Dauererscheinung werden läßt. Auch das Nachgeben im Kolonialabenteuer, wie in Lybien (1911), ist nicht ausgeschlossen. Zumindest bis zum Ausbruch des Ersten Weltkriegs erlebt aber Italien eine Phase der innenpolitischen Reformen, die nicht nur 1912 zur Einführung des fast allgemeinen Wahlrechts führen, sondern insgesamt die liberale Hegemonie auf eine moderne Grundlage stellen.

Kulturmodelle und Strategien der Intelligenz

»Juste-Milieu«-Kultur

Kulturell ist die transformistische Allianz geprägt von einer aus der Genese des italienischen Staates zu erklärenden antiklerikalen und nationalen Grundposition, die nach der Einigung ihre radikaleren Ideologieelemente abstreift und sie nur noch bei Bedarf reaktiviert. Es dominiert nach der Stabilisierung der konstitutionellen Monarchie im herrschenden Bürgertum eine Haltung des »Juste-Milieu«: Der vom republikanischen Odendichter zum Neoklassizisten gewandelte Giosue Carducci, der im Königshaus verkehrt, ist sein Nationaldichter; Francesco De Sanctis, der die Geschichte der Literatur italienischer Sprache als im Telos von Anfang an verbürgte Geschichte der Nationalliteratur entwirft, ist sein Sinnverbürger auf dem Feld der Literaturhistorie; Edmondo De Amicis, der die Klassen und Schichten im Namen der Einheit der Nation zu versöhnen sucht, vertritt sein pädagogisches Ideal. Gegen Jahrhundertende findet es schließlich im Neuidealismus des Universalgelehrten Benedetto Croce die Deutung seiner vollzogenen Hegemonie. Wo man sich unterhalten will, bevorzugt man Romane nach dem Geschmack der Bankierstochter aus Italo Svevos *Una vita*, in denen nach einigen Hindernissen die über eine Liebesgeschichte instrumentierte soziale und kulturelle Allianz von Adel und Bürgertum zu einem glücklichen Ausgleich kommt. Oder man läßt sich vom Großverleger Treves, der auch den *Corriere di Parigi* ediert, zu den Pariser Novitäten überreden, im Fall, man ist kühn, sogar zu den Romanen eines Zola, Giovanni Verga und Gabriele D'Annunzio.

Der Naturalismus als künstlerische Ausdrucksform des positivistischen Szientismus hatte mit Verga schon eine für die italienischen Verhältnisse typisch skeptisch-pessimistische Wendung gefunden. Die im französischen Kleinbürgertum vorherrschende kulturelle Mischung von kleinbürgerlich-republikanischem Reformismus, positivistischer Wissenschaftsgläubigkeit, Fortschrittsoptimismus und Naturalismus hat im industriell rückständigeren Italien allenfalls in Turin eine gleichermaßen tragfähige soziale Basis. Der Verleger Sonzogno, der wie sein Konkurrent Treves in Mailand, dem Zentrum der Buchproduktion, angesiedelt ist, spricht mit seinem Verlagsprogramm vor allem die kleinbürgerlich garibaldianischen Schichten an. Für den Stand der Unterentwicklung Italiens spricht, daß er mit seiner »Biblioteca del popolo« noch an die Traditionen der Aufklärung und des Risorgimento anschließen muß und zu allen Wissensgebieten

Unterentwickelte Literaturverhältnisse

(»agricultura«, »arti usuali«, »doveri e diritti dell'uomo« etc.) eine Traktatliteratur präsentiert, die nicht mehr ganz auf dem Niveau älterer Handreichungen dieser Art geschrieben ist, aber erst in Ansätzen dem Wissenschaftsanspruch des positivistischen Zeitalters entspricht. Auch im Bereich der Unterhaltungsliteratur sind die Literaturverhältnisse nicht zuletzt durch die geringere Alphabetisierungsrate noch rückständiger als in den industriell entwickelten europäischen Ländern. Es wird trotz der Erfolge eines Trivialautors wie Emilio Salgari noch weit mehr übersetzt als produziert. So setzt auch Sonzogno im Feuilleton von *Il Secolo*, der auflagenstärksten Tageszeitung, z.T. noch auf den Fortsetzungsroman älterer, vor allem französischer Prägung, während Verga sein Publikum zu überfordern scheint.

Eine eigentlich ideologisch-kulturelle Opposition zum hegemonialen Block entwickelt sich nur langsam. Der offizielle Katholizismus, der mit der Sozialenzyklika *Rerum novarum* (1891) die Politik der Ungleichheit des Liberalismus attackiert, arrangiert sich relativ spät mit dem liberalen Staat, als er 1904 die Teilnahme an den Wahlen gestattet. Die Kirche verfolgt, wenn auch mehr als getriebene denn treibende Kraft, eine Politik eigenständiger kirchlicher sozialer Organisationen (Volksbanken, Unterstützungskassen, Genossenschaften etc.), Schulen und Gewerkvereine und schafft mit diesen zahlenmäßig im Verhältnis zu den analogen Einrichtungen der Arbeiterbewegung geringeren, aber stabileren Institutionen, erste Ansätze, aus dem Ghetto des Ultramontanismus auszubrechen, in das der ›Kulturkampf‹ mit dem laizistischen liberalen Staat sie verwiesen hatte.

Die sozialistische Partei, die sich 1892, unter der Führung des Advokaten Filippo Turati und des Hegelerben Antonio Labriola politisch eine marxistisch-reformistische Plattform schafft, nach der Jahrhundertwende aber zunehmend zu Arrangements mit Giolitti neigt, bleibt weltanschaulich noch weitgehend im Bannkreis des Positivismus und entwickelt keine eigenständige kulturelle Programmatik mit Ausstrahlungskraft.

Das Kleinbürgertum, das mit dem Volkserzieher und Romancier Emilio De Marchi *(Demetrio Pianelli*, 1891) noch glaubt, das Risorgimento nach unten verlängern zu müssen und zu können, gerät in der Ära Giolitti in eine strukturelle soziale und mentale Krise. Seine Vordenker artikulieren nun das Mißbeha-

Rerum Novarum

»Proletarier aller Länder vereinigt Euch!« Italiens Sozialisten begrüßen die Gründung der II. Internationale, 1889.

gen einer Schicht, die sich zwischen Industrie und Arbeiterschaft zerrieben sieht. Der Versuch, dem Liberalismus die politische und kulturelle Hegemonie streitig zu machen, bleibt aber vorerst erfolglos, da das Kleinbürgertum noch über keine eigenständige politische Formation verfügt. Heftige Attacken gegen die Arbeiterschaft paaren sich mit einem pointiert aggressiven Nationalismus, wodurch man sich an eine der offiziellen Politikvarianten zurückkoppelt. Symptomatisch in diesem Kontext ist etwa der Werdegang des Lehrersohns Benito Mussolini, der zunächst in der sozialistischen Partei ein Terrain für seine Ambitionen sucht und mit dem Ausbruch des Kriegs, als Giolittis Balancepolitik abdanken muß, zum aggressiven Interventionisten und Sprachrohr der Kriegspartei im herrschenden Lager wird. Erst als Mussolini in der Krise der Nachkriegszeit mit einer zwar durch heterogene Ideologieelemente nur mühsam gebundenen, aber auf sein Charisma eingeschworenen Massenbewegung auftreten kann, geht das Zeitalter des Trasformismo liberaler Prägung zu Ende.

Reaktionsweisen der literarischen Intelligenz

Die literarische Intelligenz verarbeitet diesen Langzeitprozeß vornehmlich als Zeit der Krise. Diese hat auf der Ebene der gesamtgesellschaftlichen Entwicklung ihren Ort im Widerspruch zwischen der institutionellen und ideologischen Verfestigung der bürgerlichen Gesellschaft des postunitarischen Italien und einem industriellen Wandel, der in Verbindung mit der relativen Schwäche des Landes im internationalen Kontext diese Verfestigung permanent in Frage

Bedrohung oder Objekt des Mitleids? – »Il quarto stato« von Pelizza da Volpedo, 1901

stellt. Wo die herrschenden Eliten in ihrem Bedürfnis nach Stabilisierung die triumphale Rückschau auf das Erreichte privilegieren und so ein intellektuelles, moralisches und ästhetisches Sinn- und Innovationsvakuum erzeugen, da interpretiert vor allem die jüngere postrisorgimentale Intelligenz diesen Widerspruch als Dysfunktion von Kultur und Gesellschaft, die es, je nach Standort, zu beklagen, zu kritisieren oder zu überwinden gilt; wobei diese Dysfunktion zugleich als Legitimationskrise der eigenen, im Wachstum begriffenen sozialen Schicht verarbeitet wird. Hieraus resultieren je nach dem Stand der Entwicklung und der sozialen bzw. kulturellen Herkunft der Autoren unterschiedliche Reaktionsweisen: Man stellt das Selbstverständnis der saturierten offiziellen Gesellschaft in Frage, indem man in risorgimentale Nostalgie ausweicht, einen aggressiven Nationalismus predigt oder Kompensation im Glauben sucht; man entwickelt elitär-aristokratische Verhaltensmuster, um sich von der Verbürgerlichung und der beginnenden Massenkultur zu distanzieren; man beklagt die Gefährdung der Freiheit des Subjekts angesichts der Ökonomisierung und Verrechtlichung der gesellschaftlichen Beziehungen; man versteht sich als Avantgarde, die Kultur und Gesellschaft erneuert; in seltenen Fällen kokettiert man mit einem meist vagen, humanitär geprägten Sozialismus, wobei der kulturelle Traditionalismus der Arbeiterbewegung insgesamt kein ernsthaftes Orientierungsmodell darstellt.

Dekadenzbewußtsein und Überhöhungswille im Fin de Siècle

»Decadentismo«

Eine der ersten Antworten der literarischen Intelligenz auf das kulturelle Vakuum des bürgerlichen »Juste-Milieu« ist die Artikulation eines Dekadenzbewußtseins bei gleichzeitigem Versuch, durch Stilisierungen oder Überhöhungen Auswege zu finden, die allerdings zum überwiegenden Teil noch aus dem Material der Tradition im weitesten Sinn gewonnen sind. Diese Generation, für die Antonio Fogazzaro, Gabriele D'Annunzio und Giovanni Pascoli repräsentativ stehen, sucht noch nicht die Lösung als Avantgarde, sondern bleibt im Horizont der hergebrachten Kulturmuster, die sie erneuert und dehnt, aber nicht zum Zerreißen bringt. Sie ist hierbei zum nicht unwesentlichen Teil auf europäische Vorläufer und Interpretamente angewiesen, da Italien ohne organische Romantik, mit einer verspäteten und schwach artikulierten Bohème (»Scapigliatura«) und ohne den Modernitätsschub in der Lyrik, der Frankreich mit Baudelaire, Rimbaud und Mallarmé auszeichnet, für die Artikulation des ersten strukturellen Dissens von Intellektuellen und Bürgertum, von Literatur und Macht nur ungenügend vorbereitet ist. Für Benedetto Croce, der im Namen der vernunftgebundenen Freiheit eine intensive Polemik gegen die zeitgenössischen Irrationalismen in Philosophie, Literatur und Politik führt *(Letteratura della nuova Italia*, 1903–1911), gelten diese kulturellen Erscheinungen als gleichviele Indikatoren der Dekadenz. Innerhalb des literarischen Koordinatensystems, dem Carducci als Maßstab gilt, erscheinen Autoren wie Fogazzaro, D'Annunzio oder Pascoli als Vertreter einer zweiten, übersteigerten Romantik, krankhaft im Gehalt und exzentrisch in der Form, ein normativer Ansatz, der die Literaturkritik bis weit ins 20. Jahrhundert hinein prägt, sich aber den Blick darauf verstellt, welche Krankheit der »Decadentismo« indiziert.

Blick in den Abgrund und Heilsuche

Die literarische Produktion von Antonio Fogazzaro erstreckt sich im Zeitraum von 1874 bis 1910. Noch vor D'Annunzio, der in dieser Zeit noch veristischen Einflüssen verpflichtet ist, artikuliert Fogazzaro als einer der ersten einige der Themen der Dekadenz, z.T. noch in Fortsetzung der phantastischen Momente der Romanproduktion der Scapigliatura, mit der er sich in Mailand hatte vertraut machen können. Eine gewisse Hypersensibilität, ein übersteigerter Sensualismus, der Hang zum Morbiden und zur extravaganten Situation charakterisieren seinen ersten Roman *Malombra* (1881). Ein adliges Milieu; vermutete und reale Erbschleicherei; die Gefährdung des Dichters durch die Liebe zu einer vampirhaften, neurasthenischen, von Wahn- und Rachevorstellungen getriebenen Gräfin, die glaubt, die Reinkarnation einer wegen eines Fehltritts eingesperrten Verwandten zu sein; der nächtliche Mord am Geliebten und der anschließende Selbstmord im See; die latente Sehnsucht nach der »donna angelicata«, bei der sich zu retten der Held versäumt: Diese und andere erzählerische Ingredienzen der schwarzen Romantik instrumentieren einen Dualismus von Seele und Körper, Geist und Materie, Geschlecht und Liebe, Ideal und Vernunft, dessen erzählerisches Material aber in einem noch naturalistisch präzis beschriebenen Milieu situiert wird, so daß sich der suggestive Charakter der phantastischen und dämonischen Elemente nur in merkwürdiger Brechung entfalten kann. Die ambivalente Stellung zwischen mondänem und veristischem Roman, der zugleich psychische Abgründe andeutet, mag den relativen Publikumserfolg von *Malombra* erklären, das in seiner unentschiedenen Struktur ein Werk des Übergangs bleibt. Von einer wohlhabenden katholisch-liberalen Familie aus Vicenza abstammend, ist Fogazzaro, begünstigt durch eine

Interieur von *Malombra* nach einem Druck von 1844

Heirat mit einer reichen Adligen, nicht gezwungen, seinen Beruf als Rechtsanwalt auszuüben und kann ökonomisch entlastet seine Sujets seinen inneren
weltanschaulichen Neigungen und Konflikten anpassen. Auch in den späteren,
u.a. von dem katholischen Risorgimentophilosophen Antonio Rosmini inspirierten reform-katholischen Romanen, die in einer Zeit innerer Spannungen des
Katholizismus nicht ohne Wirkung bleiben – *Daniele Cortis* (1885), *Piccolo
mondo moderno* (1901), *Il Santo* (1905) und *Leila* (1910) –, verläßt Fogazzaro
nicht völlig den Horizont des Decadentismo. Die Absicht, im Katholizismus
einen weltanschaulichen Ruhepunkt zu finden, glückt nur im historischen Sujet
(*Piccolo mondo antico*, 1895). Eine nicht gebändigte, verquälte Erotik, die schon
Malombra charakterisierte, taucht die weltanschaulichen Elemente der in der
Aktualität angesiedelten Romane in ein für die italienische Literatur insgesamt
nicht untypisches Klima ungesunder Schwüle, das, wie ähnlich schon bei
Niccolò Tommaseo, die Versuchung anziehender erscheinen läßt als ihre über
den Handlungsverlauf mühsam motivierte Sublimierung. Der Heilige, vermittelt auch Figuration der Außenseiterposition des Schriftstellers, muß schließlich
zum Eremiten werden, aus der Gesellschaft also heraustreten, um sein mysti-
sches Programm einer Erneuerung zu verkünden, das von der Kurie aber auf
den Index gesetzt wird, die auch den Autor erfolgreich zum Widerruf veranlaßt.

Antonio Fogazzaro

Nicht der Heilige, sondern der Übermensch und ein im Kult der Latinität
gefaßter Nationalismus sind die Überhöhungsfiguren D'Annunzios. Wo Fogazzaros mit sich und der Kirche kämpfende Helden sinnfällig machen, daß die
Vorsehung aus den *Promessi Sposi* sich als sinnverbürgende Instanz weiter entfernt hat denn je, da reagiert der in Thematik und Manier Fogazzaro nicht
unähnliche D'Annunzio innerweltlich und versammelt die Elemente des Dekadenzbewußtseins zu einer neuen, aristokratisch intendierten Synthese von
Leben und Kunst. Kaum einer wollte je höher hinaus und war zugleich stärker
Kind seiner Epoche als Gabriele D'Annunzio. So groß sein Erfolg bei den Zeitgenossen war, so wenig hat von seinem Werk Bestand. D'Annunzio beginnt mit
einer Gedichtsammlung in der Nachahmung Horaz' und Carduccis (*Primo
vere*, 1879) sowie ersten Novellen veristischer Inspiration (*Terra vergine*, 1882; *Il
libro delle vergini*, 1884). Bald löst er sich unter dem Einfluß der französischen
Avantgarde in der Lyrik von den antiken und nationalen Vorbildern (*Canto
novo*, 1882) und sucht, in oberflächlicher Nachahmung Tolstojs und Dostojewskis, sowie im Anschluß an den französischen Erfolgsautor Bourget den Weg
zum Roman. Mit der Trilogie »einer schwachen Seele«, den *Romanzi della rosa*
(*Il Piacere*, 1889; *L'Innocente*, 1892; *Trionfo della morte*, 1894), deren Helden
zwischen Gut und Böse, zwischen Sinnlichkeit und Verzicht schwanken und die
letztlich an ihrem geistigen Hermaphroditismus scheitern, der sie in den Wahnsinn oder Selbstmord führt, bewegt sich D'Annunzio auf der Grenzlinie der
Bedürfnisse und Abgründe eines im äußerlichen Habitus noch dominant
bürgerlich-philanthropischen Publikums, dem auch die hedonistischen und
ästhetizistischen Ingredienzen im Anschluß an Willam Morris' *Arts and Crafts
movement* und Oscar Wildes *Aesthetic Movement* noch zu früh kommen moch-
ten. Der Amoralismus des Kindesmörders aus *L'Innocente*, der den Fehltritt der
Ehefrau nicht ertragen kann, läßt jedenfalls D'Annunzios Verleger einstweilig
vom geschlossenen Kontrakt Abstand nehmen und verbannt den Text vorerst in
das Feuilleton einer neapolitanischen Tageszeitung. Im Zeichen der Entdek-
kung Nietzsches steht dann die weitere Prosaproduktion (u.a. *Le vergini delle
rocce*, 1895; *Il fuoco*, 1900; *Forse che sì forse che no*, 1910); ebenso das trotz des
Engagements der Duse im ganzen wenig erfolgreiche Projekt, den Übermenschen auf die Bühne zu bringen (u.a. *La città morta*, 1898); schließlich auch das
großangelegte Pleiaden-Fragment der *Laudi del cielo del mare della terra e degli*

*Vom Heiligen zum
Übermenschen*

Gabriele D'Annunzio
in Pose

Frontispiz von *Maia,* 1903

*Ein Meister der
Selbstinszenierung*

eroi (*Maia,* 1903, *Alcyone,* 1903, *Elettra,* 1904, *Merope,* 1912; *Asterope,* 1933)), in dem der Mythos, die großen Gestalten der Menschheit, der Kult des Mediterranen und ein aggressiver Nationalismus die jeweiligen thematischen Schwerpunkte bilden. Eine letzte Facette von D'Annunzios Möglichkeiten zeigen die auf den zeitgenössischen »Frammentismo« reagierenden, zunächst im *Corriere della Sera* veröffentlichten Prosafragmente der *Faville del maglio* (1924, 1928), in denen, wie in *Notturno* (1921), nach dem solaren und imperialen Gestus der *Laus vitae* aus *Maia* nun stärker und stilistisch bescheidener, wenn auch nicht ausschließlich, die Themen des Todes, der Erinnerung und der Vergänglichkeit im Zentrum stehen, die dann das *Libro segreto* (1935) beherrschen.

Wille, Wollust, Stolz und Instinkt *(Maia)* sind die Kernbegriffe des Wert- und Handlungskanons eines Autors, der die Machtphantasmen des Kleinbürgers ebenso bedient wie er versucht, die Machteliten des Staates auf einen innen- wie außenpolitisch aggressiveren Kurs zu orientieren. Der aus Pescara stammende D'Annunzio, der eine hervorragende Ausbildung genießt und sich früh und instinktsicher nach Rom als künftiger kultureller Metropole orientiert, führt sein Leben wie eine Projektion des nietzscheschen Übermenschen. Journalist, Romancier, Dichter, Kunstsammler, von bibliophiler Gelehrsamkeit, unersättlich in mehrfachen Ehen und ungezählten Liebesbeziehungen, Parlamentsabgeordneter in antidemokratischer Absicht, Kriegsheld und schließlich – wenn auch ephemerer – Staatschef eignet D'Annunzio eine unermeßliche Schaffenskraft, Vitalität und seltene Gabe der Selbstinszenierung. Meister des ständigen Wandels und relativ gleichgültig gegenüber dem Inhalt schreibt er nationalistisch inspirierte Gelegenheitsgedichte fast in derselben Manier wie seine parnassianischen Kunstübungen. Er beerbt, besser aggregiert die ganze europäische Dichtung und kaschiert mit Perfektion die Spuren. Da, wo die spätere Avantgarde den Traditionsbruch feiert, ist die Dichtung D'Annunzios wie eine große Museumssammlung, deren beliebige Rekomposition zum Zweck der gelungenen Form oder der politischen Propaganda auf ihre Weise die Krise im Verhältnis von Literatur, Gesellschaft und Politik im ausgehenden Jahrhundert anzeigt.

D'Annunzio, der
dekadente Ästhet im
Lesekabinett

D'Annunzio europäisiert die italienische Literatur und wirkt zugleich in ganz Europa. Er ist wie ein Vulkan im permanenten Ausbruch, dessen Lava keine konsistente Form gewinnt bzw. nur die des gelungenen Augenblicks. Schnelligkeit und technischer Perfektionswille dominieren. Aufgegriffen wird von den Vorläufern und Zeitgenossen nur das, was sich der eigenen und je opportunen Manier bruchlos anpaßt. Die Virtuosität in der Reformulierung der eigenen Themen, im Ausscheiden von nicht mehr Zeitgemäßem, das Verbergen und zugleich Zeigen der artifiziellen Meisterschaft, machen das Signet eines Dichters aus, der schon vor den Futuristen die Techniken der Vermarktung seiner Texte und seiner Person zur Perfektion bringt. Er kalkuliert bei der sorgfältigen Auswahl der Illustratoren die Verbindung von Grafik und Text ein und rechnet zugleich mit den Effekten der Mode, die er in den exuberanten Beschreibungen seiner mondänen Chroniken wie auch an sich selbst zur extravaganten Wirkung bringt. Telefon, Automobil und Flugzeug sind ihm im Moment ihrer Entstehung sofort gleichviel Mittel zur Selbststilisierung wie zum Ausweis seiner steten Aktualität im Roman. Er treibt den Dandy in der Nachfolge Baudelaires und Huysmans auf die Spitze, extrovertiert ihn gleichsam und importiert zugleich dessen Formen in die Politik, deren Ästhetisierung er wie kein anderer vorbereitet, ohne letztlich dauerhaft der große Akteur werden zu können, der zu sein er träumt, da ein anderer, Mussolini, ihn ebenso virtuos beerbt und ihn als Vertreter eines nur ästhetisch dominierten Herrschaftsgestus zum Ornament des faschistischen Staates neutralisiert. D'Annunzios Dichtung zielt auf die Sublimierung des Lebens, wie dieses als persönlicher Kult zum Anlaß der Dichtung wird. Seine Romanfiguren, vorrangig Grafen und Künstler, verkehren mit Vorliebe in Salons, wie er selbst, lieben Hunde und Pferde, aber auch schwere Parfüms, wollen amoralische Renaissancehelden sein und werden ihre Gewissensbisse nicht los. Allein die Schulden, die den exzessiv verschwenderischen Autor im realen Leben von Landsitz zu Landsitz, von einer Stadt in die andere, schließlich für längere Zeit ins französische Exil treiben, enthält er seinen Helden vor. Ansonsten teilen sie seine sexuellen Obsessionen, die morbid dekadente Begierde, das Schwanken zwischen der Hure und der Heiligen, den Geschmack am Skabrösen wie den zutiefst bourgeoisen Hang zur sentimentalen Idylle, zur Selbstreinigung im Hause der Familie. Der gewisse Geruch von Kitsch, das falsche Pathos, die im Verhältnis zum Anlaß überzogene ästhetische Geste haben in dieser unvermittelten Verschmelzung von Narzißmus und gewollt großer Bedeutung ihre tiefere Ursache. Ob er die Gräfin ruiniert, Ehefrauen wie Geliebte in Verbitterung oder Wahnsinn zurückläßt, mit der Duse eine kunstgleiche Verbindung pflegt, die erfolgreicher ist als ihr gemeinsames Theaterschaffen, ob er Italien mit pathetischen Ansprachen in den Krieg treiben will, als abenteuerlich kühner Pilot über Wien Flugblätter abwirft oder sich in Fiume als autokratisch-anarchischer, Europa und gar Italien trotzender Staatschef geriert, immer pflegt D'Annunzio die Legende einer monstruösen und zugleich herrischen Persönlichkeit, die ihm mindest ebenso wichtig ist wie sein Werk, und endet doch im Palazzo Vittoriale eher kläglich als kokainsüchtiger alternder Libertin, dem nicht vergönnt war, Dorian Grays Schicksal zu teilen. Dieses vom faschistischen Staat finanzierte Mausoleum zu Lebzeiten wiederholt in Architektur und Innenausstattung die Ambivalenz und Zerrissenheit zwischen Nippes und Größenwahn, die weder D'Annunzio noch die Epoche, in der er in Blüte stand, in Balance zu bringen vermochten.

Auf den ersten Blick das völlige Gegenstück zu D'Annunzio ist der aus der Romagna stammende Giovanni Pascoli. Um acht Jahre älter, kommt er später als dieser, jedoch nur in Italien, zu literarischer Anerkennung und, vor allem als Schulbuchautor, zu einer immensen Breitenwirkung. Mit Ausnahme einer kurz-

Der Abenteurer vor dem Abflug nach Wien

Ästhetisierung des Politischen

Zwischen Nippes und Größenwahn

Die Duse in *La città morta*

Giovanni Pascoli

Zwischen Regression und Utopie

Hang zur Idylle –
»Primavera« von Filadelfo
Simi (1849–1923)

fristigen Einkerkerung wegen anarchistischer Umtriebe während des Studiums führt Pascoli ein an äußeren Ereignissen armes Leben als Lehrer, Professor für Latein und Griechisch in Messina, Pisa, am Ende als Nachfolger Carduccis in Bologna. Sein bevorzugter Erfahrungsraum ist weder der Salon, noch die Stadt, sondern die ländliche Welt der Toskana in der Umgebung von Barga, wo er sich 1896 definitiv niederläßt. Eine schnell gelöste Verlobung bleibt sein einziges affektives Erlebnis außerhalb der Familie, deren unglückliche Konstellation – ein unaufgeklärter Mord am Vater, der frühe Tod der Mutter, die quasi-erotische Beziehung mit der eifersüchtigen Schwester – die lebensgeschichtliche Basis für seinen Hang zur Weltflucht und Introversion erzeugt. Daraus schafft er einen großen Teil des motivlichen, vor allem aber psychischen Materials seiner Gedichte, die jedoch über den individuellen Befund hinaus zugleich wesentliche Aspekte des Dekadenzsyndroms im Medium der Dichtung thematisieren. Ein ausgeprägter Provinzialismus, der Hang zur Kleinwelt und zur Flucht in die Natur prägen das Leben dieses Dichters und Gelehrten, der gleichwohl der italienischen Lyrik neue Bezirke erschließt. Im Schatten Carduccis teilt Pascoli mit D'Annunzio den Funktionsverlust des Dichters als Seher und Verbürger einer gesellschaftlichen und nationalen Synthese im Medium der Dichtung. Gerade dort, wo er seine poetischen Regressionsräume verläßt und – wie in den *Poemi italici* (1911) – seinen ursprünglichen pazifistisch-sozialistischen Humanitarismus in den offiziellen Nationalismus einmünden läßt, verliert er, wie D'Annunzio in *Merope*, rapide an poetischer Qualität. Pascolis erklärte Absicht, den blinden und kalten Sozialismus von Marx um den Gedanken des Vaterlands, der Nation und der Rasse zu bereichern, zeitigt nur erbärmliche dichterische Konsequenzen. Und wenn er Italiens Kolonialabenteuer als Aufbruch einer proletarischen Nation zu legitimieren sucht *(La Grande Proletaria s' è mossa*, 1911), entgeht auch er nicht dem die italienische Intelligenz der Vorkriegszeit dominierenden Mythos des Großen Kriegs als Regeneration Italiens. Pascolis Stärke bleibt die Artikulation der Modernisierungsängste des Kleinbürgers im Medium der Dichtung, die er als ihr bisher unliterarischster Vertreter der italienischen Lyrik gleichsam ohne Rekurs auf die Tradition Petrarcas wie in deutlicher Absetzung von Carducci, seinem Lehrer, rhetorisch entkleidet und sprachlich erneuert. Allenfalls im Verhältnis zu den Romantikern Aleardo Aleardi, Giovanni Prati, Arturo Graf und zu Edgar Allan Poe lassen sich Anklänge bzw. Affinitäten zum Magischen und Geheimnisvollen nachweisen. Da wo er antike Stoffe aufgreift, verwandelt er sie, wie im Fall seiner Dante-exegese, völlig seinem Gegenwartsbedürfnis an. Pascolis wichtigste Gedichtsammlungen – die *Myricae* (1891), die er bis zur 6. Auflage (1903) ständig erweitert, die *Poemetti* (1897, 1900, 1904 als *Primi P.*), die *Canti di Castelvecchio* (1903, 1905, 1907) und die *Poemi conviviali* (1904, 1905) – erschließen sich wegen der Überkreuzungen in der Genese und der zeitgleichen Entfaltung von Themen und Formen nur schwer einer chronologisch-systematischen Rekonstruktion. Die Sujets dieser Dichtung, wie das Wäldchen, die Quelle, Jahreszeiten, Hochzeit, Geburtstag, die Familie, das Läuten der Kirchturmglocke, die Hecke, die Welt der Vögel, das Nest etc., scheinen eine poetische Welt der Spätromantik, des Biedermeier und der »douceur du foyer« anzuzeigen, in welche die Geschichte keinen Eingang mehr findet. Hierzu gehört auch die Poetik des *Fanciullino* (1895), gleichsam eine franziskanisch inspirierte Apologie der naiven Dichtung. Poesie soll nicht nach der Öllampe, sondern nach Tau und frischem Gras duften. Dieser Vorliebe für eine literarisch unvermittelte Dingwelt korreliert nicht selten eine volkstümelnde Zuwendung zur Welt der kleinen Leute, eine unbestimmt sentimentale Religiosität, ein Wechsel von mikroskopisch genauer Kunstfertigkeit und rustikaler Bodenständigkeit,

gleichviele Voraussetzungen, um kulturell unterschiedlich determinierte Leser-
schichten anzusprechen. Indes handelt es sich um ein Biedermeier im Horizont
des Fin de Siècle. Selbst da, wo Pascoli den Ton scheinbar hebt, wie in den Tafel-
gedichten der *Poemi conviviali*, werden die Helden wie Solon und Achill zurück-
geschraubt auf einen existenziellen Befund der Schwäche und des Todes. Der
die qualitätvolleren Texte prägende Hang zur Unruhe, zum Morbiden, dem
auch die Natur letztlich keine Beruhigung geben kann, schafft eine Gegenständ-
lichkeit ohne Ordnung und Hierarchie, läßt selbst die dialektalen und realistischen Innovationen im Kolorit des Unbestimmten und Geheimnisvollen,
taucht das Alltägliche wie die scheinbare Kunstübung in eine Stimmung von
Onirik und Vision und gibt schließlich dem Kosmischen, wo es die Kleinwelt
überhöhen könnte, eine angsterzeugende Dimension der Relativität. Gegen die
rhetorische Tradition der Dichtung wie gegen die rationalistischen Denkformen
des Positivismus privilegiert Pascoli den »Traum als unendlichen Schatten des
Wahren«. Die semantischen Inadäquanzen von Substantiv und Attribut, die
beherrschende Figur der Synästhesie, die syntaktisch erzielte Ambivalenz der
sich oft nur als Stufe der Erinnerung oder des Traums erweisenden Situationen
rücken ihn da, wo er die Allegorie überwindet, in die Nähe des Symbolismus
europäischer Provenienz. Wenn diese Modernität weniger einer programmatischen Absicht entspricht, denn eine »unbewußte Revolution« (Giacomo Debenedetti) darstellt, so ist sie gleichwohl Voraussetzung für Pascolis künftige
Wirkung, sei es bei den Crepuscolaristen oder den hermetischen Dichtern der
Zwischenkriegszeit.

Ambivalenter Autor –
zwiespältiges Urteil

Zeitflucht und Bildersturm: Crepuscolarismo und Futurismus

Der Terminus »crepuscolare« stammt aus dem Jahre 1910. Giuseppe Antonio
Borgese bezeichnet in einer Sammelrezension die zeitgleich publizierten *Poesie
scritte col lapis* von Marino Moretti, die *Poesie provinciali* von Fausto Maria
Martini und *Sogno e ironia* von Carlo Chiaves in kritischer Absicht als Exempel
einer poetischen Schule, deren Charakteristikum die Langeweile, Sprach- und
Machtlosigkeit sei. Neben Moretti gehören Guido Gozzano und Sergio Corazzini zu den kanonisierten Autoren dieser u.a. vom französischsprachigen Symbolismus provinzieller Prägung (Francis Jammes, Albert Samain, Maurice Maeter-
linck u.a.) beeinflußten Richtung, die sich im nationalen Kontext gegen
D'Annunzios verbale Kraftakte und imperiale Hybris ebenso absetzt wie sie die
biedermeierlichen Züge Pascolis, z.T. ironisierend, fortführt, ohne zugleich
dessen humanitär-kosmischen Impetus noch teilen zu können. Durch die
Crepuscolaristen, die Generation der Jahre 1880–1885, gelangt der schon bei
D'Annunzio und Pascoli sich abzeichnende Verlust der Aura des Dichters und
der Dichtung zu einem ersten, wenn auch noch im Horizont der einfachen
Negation verbleibenden Abschluß. Zugleich kann diese literarische Strömung
durch ihre kulturellen Querverbindungen auch eine gewisse nationale Repräsentanz beanspruchen. Der in Florenz angesiedelte Moretti hält engen Kontakt
zum Turiner Freundeskreis um Gozzano (u.a. *La via del rifugio*, 1907; *I colloqui*,
1911) wie zum römischen Zirkel um Corazzini (u.a. *Piccolo libro inutile*, 1906).
In das Ambiente dieser Bewegung gehören auch die präfuturistischen Dichtungen von Corrado Govoni (*Armonie in grigio e in silenzio*, 1903) und Aldo Palaz-

LA VIA DEL RIFUGIO
Poesie di GUIDO GOZZANO

Weltflucht und Zuflucht
– Illustration der
Erstausgabe

zeschi (u.a. *Poemi*, 1909). Die soziale Verortung der Autoren ist relativ inhomogen und erstmals in der Geschichte der italienischen Literatur weitgehend sekundär im Verhältnis zu ihrem Charakter als literarische Bewegung. Was sie eint, ist ihr gezieltes Sichfernhalten von großen gesellschaftlichen Fragen, die Vorliebe für die kleinen Dinge, ein Prosaismus der Alltäglichkeit, der zur sentimentalen Genreszene, zur hübschen Nichtigkeit oder zum Wortspiel tendiert. Man bescheidet sich mit Beschreibungen eines hinfälligen Parks, einer verlassenen Kirche, der Kindheit, einer welken Blume usw. Der Dichter ist wie ein kleiner Junge, der weint (Corazzini), er schreibt bescheiden mit dem Bleistift (lapis) statt mit der Feder, ist Seiltänzer seiner Seele (Palazzeschi). Das Schwanken zwischen Larmoyanz, ausgestellter Bescheidenheit und melancholischer Ironie entläßt aus sich eine Psychologie des Grau in Grau, eine Intimwelt ohne Tiefendimension, ein nicht selten noch religiös grundiertes Lebensgefühl aus Erinnerung und Todesnähe, schließlich eine generelle Zufälligkeit, Hinfälligkeit und Labilität der, vergilbten Fotografien gleichenden, wie im Dämmer liegenden Wirklichkeitsevokationen.

Verlust der Aura

Wo die Crepuscolaristen den sozial-kulturellen Geltungsverlust der Dichtung verinnerlichen, versucht der Futurismus deren Geltung, wie die der Kunst insgesamt, in einer Theorie der Avantgarde neu zu begründen. Die literarische Geburtsstunde des Futurismus ist das *Manifesto del Futurismo* (1909) von Filippo Tommaso Marinetti, dem Begründer und Haupt der Schule, der den Verlag der internationalen Lyrikzeitschrift *Poesia* zum Organ dieser Bewegung umgestaltet, die bald über Mailand hinaus wirkt und jüngere Dichter aus Palermo, Rom und Florenz anzieht. Mit dem Manifest bringt Marinetti seinen Wandel vom Kosmopoliten Pariser Färbung zum Vertreter eines aggressiven Panitalianismus zum Abschluß, indem er die in der künstlerischen Metropole Europas erfahrenen Impulse vereinseitigt, radikalisiert und zugleich politisiert. Der Text erscheint zum erstenmal als Vorwort zu Enrico Cavvachiolis Gedichtband *Le ranocchie turchine (Die blauen Frösche*, 1909), erhält sein institutionelles Gewicht aber durch den Abdruck auf der ersten Seite des Pariser *Figaro* (20.2.1909). Er entwickelt sein Programm als Kritik an den versteinerten kulturellen Institutionen (Museen, Akademien), an Opportunismus und Nützlichkeitsdenken, an einer nicht zuletzt auf den Crepuscolarismus als Antipoden zielenden Dichtung der »Immobilità«. Im Gegenlauf werden als Mittel der Erneuerung beschworen: Dynamik und Geschwindigkeit (Lokomotive, Automobil, Flugzeug, Motorschiff); Kühnheit und Energie; ein aggressiver dichterischer Gestus (Laufschritt, Schlaflosigkeit, Ohrfeige, Faustschlag); schließlich die Faszination für Masse, Anarchie und Revolte. Die über den schnellen Wechsel der Ebenen suggerierte Ineinssetzung unterschiedlicher Wirklichkeitsbereiche im gemeinsamen Substrat der Bewegung bleibt ohne gedankliche Vermittlung, so daß schließlich Patriotismus und Krieg – »einzige Hygiene der Welt« – als Synthesekonzepte herhalten müssen.

Im Laufschritt – Selbstportrait von F.T. Marinetti, 1914

Aporien der Avantgarde

Wo D'Annunzio in noch traditioneller Formulierung »Seher des neuen Italien« sein will, da formulieren die Futuristen ihren Führungsanspruch für ein im Namen der Jugend legitimiertes Kollektiv, das Leuchtturm und Vorposten sein will, eine Bewegung am äußersten Vorgebirge der Zeit auf dem Weg in das »Unmögliche«. Mit dem Paradox einer Denkform, die sich absolut setzt und doch in eine unbestimmbare Zukunft will, von der her sie sich im scheinbar radikalen Traditionsbruch definiert, verfällt der Futurismus der Aporie aller historischen künstlerischen Avantgarden. Wo sie dominant kunstbezogen argumentieren, werden ihre Innovationen nach und nach über den Markt absorbiert und konventionalisiert, verändern sie den Stil einer Gesellschaft, aber nicht diese selbst. Wo sie sich, wie etwa der Surrealismus, an die politischen Avantgarden anschließen, geraten sie in ein Verhältnis der Unterordnung bzw. in künstlerische Stagnation. Die Spezifik des Futurismus besteht darin, daß er sich von vornherein als Kunstbewegung und politische Bewegung zugleich versteht. Indes trägt das von ihm vorgebrachte vitalistische Programm alle Züge einer gewaltsamen Modernisierung, die weniger auf eine Klärung von Problemen als auf die Erzeugung einer Haltung zielt. Dies macht das Amalgam von Ikonoklasmus, Technikkult, Gewaltbereitschaft und Kriegsverherrlichung trotz der unausgesprochenen Übereinstimmung mit der herrschenden Außenpolitik innenpolitisch zunächst zum kulturellen Außenseiter, später aber kompatibel mit den Diskursformen und politischen Praxen des Faschismus, die der Futurismus in gewissem Sinn vorbereitet: mit dem Resultat, daß er vom Faschismus als Kunstbewegung wie als politische Bewegung zur Bedeutungslosigkeit verurteilt wird.

Kriegslärm als Poesie

Den Hauptmangel einer fehlenden Vermittlung von Form und Inhalt belegt der utilitaristische Umgang mit dem künstlerischen Material. Nach der noch weitgehend rhetorischen Gestaltung des ersten Manifests, das sich selbst als ein Stück Poesie präsentiert, bringen das *Manifesto tecnico della letteratura futurista* (1912) und die *Parole in libertà* (1913) mit der Suche nach den Urelementen, deren enthusiastische Glut über jene des Dichters zu potenzieren sei, ebensowenig eine Lösung der Form-Inhalt Vermittlung wie die Ausführungen zur Destruktion der Syntax, zur Aufhebung der Interpunktion, zur distanten Metapher bzw. willkürlichen Analogiebildung, die in ihrer Einlinigkeit um einiges hinter den etwa von Rimbaud und Mallarmé erreichten Materialstand zurückfallen. Das lautmalerische Gestammel der Kriegsdichtungen Marinettis führt Pascolis manisches Vogelzwitschern in die Imitation des Kriegslärms über (*Battaglia Peso+Odore*, 1912, *Zang Tumb Tumb*, 1914) und bleibt auf dem Stand eines modernisierten veristischen Imitats, welches nur der Idylle das Grausen beibringt.

Revolutionierung des Materials

Die theoretischen und gestalterischen Schwächen Marinettis, der den Futurismus mit einem zutiefst modernen Sinn für die Verbindung von intellektuellem Terror und Reklame (Flugblattaktionen, Strafexpeditionen gegen Kritiker etc.) zu nationaler und internationaler Aufmerksamkeit führt, erschöpfen indes nicht die dichterischen Resultate und die kulturrevolutionäre Tiefendimension der Bewegung. Wo die Dichter die Theorie des freien Verses von Pietro Lucini *(Il verso libero*, 1908), einem zeitweiligen Bundesgenossen, nutzend, auf selbstthematisierendes Agieren verzichten und ihre neuen Sujets über die Traditionskritik entwickeln, kommt es nicht selten zu einer produktiven Auseinandersetzung. Auf intelligente Weise parodiert etwa Palazzeschis »Il mio castello e il mio cervello« *(L'incendiario*, 1910) die hergebrachten Inspirationsmodelle; provokatorisch blasphemisch verfährt die auf die Crepuscolaristen gemünzte Montage von Kirchgang, Melancholie und Verdauungsvorgang in »Anima« von Corrado Govoni *(Poesie elettriche*, 1911); Marinettis zweites Manifest *Uccidiamo il Chiaro di Luna* (1909) steht Pate bei Libero Altomares (= Remo Mannoni) »Sinfonia luminosa« *(I poeti futuristi*, 1912), wo das elektrische Licht der Betschwester Mond heimleuchtet; dem Schwulst verfällt indes Paolo Buzzis *Il canto della città di Mannheim* (1912), ein Hymnus auf die Maschine, in dem die Menschen als deren Objekt in einer als Bühne begriffenen Welt gefeiert werden.

Parodie und Blasphemie

Produktiv ist der gedankliche Impuls Marinettis vor allem da, wo er zur Überschreitung der Grenzen zwischen den Künsten führt, so in der Verbindung der Theorie der *Parole in Libertà* mit der Graphik – z.B. in Ardengo Sofficis *Bif ZF + 18 simultaneità e chimismi lirici* (1915) – ein Verfahren das die Techniken des Designs und der Produktwerbung revolutionieren wird. Produktiv ist auch der Impuls für die bildenden Künste, wo Maler wie Umberto Boccioni und Carlo Carrà durch ihren antiakademischen Umgang mit Raum und Zeit – Zerlegung,

Kunst oder Reklame?, Ardengo Soffici, 1915

Volumen, Rhythmus, Dynamismus, Simultanvisionen etc. –, Anschluß an die
europäische Avantgarde gewinnen und mit Ausstellungen in Paris, Berlin und
Brüssel (1912) auch zu europäischer Wirkung gelangen. Ohne größere Werke
zu hinterlassen, gibt die Geräuschmusik Luigi Russolos ebenso zukunftsweisende Anstöße wie das futuristische Theater, das mit seinen ineinandergeblende-
ten Wirklichkeitsfragmenten des modernen Lebens, der Trennung von Bühne
und Zuschauerraum, der Aktivierung des Publikums und dem Kunstmittel des
Schocks die Ablösung von den traditionellen Aufführungs- und Sehgewohnhei-
ten beschleunigt.

Als weltanschauliches System eine der wichtigen Schaltstellen auf dem Weg
zum italienischen Faschismus (Marinetti, *Al di là del Comunismo*, 1920) ist der
von Gottfried Benn als Begründer der modernen Kunst in Europa gefeierte
Futurismus trotz seiner theoretischen Schwächen ein wichtiger Motor innerhalb der europäischen Avantgardebewegungen, dessen Spuren sich bis zu Dada,
den Surrealisten und der russischen Avantgarde der zwanziger Jahre verfolgen
lassen; und dies zu einer Zeit, wo nicht wenige seiner italienischen Vertreter als
Flugzeugdichter und Gestalter von Kirchenfenstern enden.

Die Zeitschriften in der Ära Giolitti

Crepuscolarismo und Futurismus erschöpfen nicht das gedankliche und künstlerische Material der Vorkriegsära. Dies belegt das Spektrum der Zeitschriften, in
dem *La Voce* (1908–1916) eine besondere Rolle zukommt. Während *Il Regno*
(1903–1906) von Enrico Corradini, ästhetisch in der Carducci-Tradition
stehend, die Bourgeoisie auffordert, ihren Führungsanspruch gegen die Arbeiterklasse durchzusetzen und politisch-kulturell die imperiale Mission Italiens zu
reaktivieren, während der von Giovanni Papini herausgegebene *Leonardo*
(1903–1907), pointiert antichristlich und antisozialistisch, einen idealistischen
Kult der Kunst propagiert und nach einer Phase eines unverdauten Pragmatis-

mus im Okkultismus versandet, schließlich Giuseppe Antonio Borgese mit *Hermes* (1904–1906) den Kult der Latinität pflegt und nach dem Muster D'Annunzios in der Feier der Bellezza einen aristokratisch gewendeten ästhetischen Imperialismus vertritt, ist die in Florenz erscheinende Wochenzeitschrift *La Voce* nicht nur wegen ihrer längeren Lebensdauer das repräsentativste Organ dieses Zeitraums. An der Bandbreite ihrer Themen wie an der weit gefächerten Zahl ihrer Mitarbeiter lassen sich am besten die sozialen, politischen und kulturellen Aspirationen der in der Hauptsache dem italienischen Klein- und Mittelbürgertum verbundenen Intelligenz ablesen, die als relativ eigenständige soziale Schicht sich in diesem Zeitraum selbst in einem quantitativen Wachstumsschub befindet und vor qualitativ neuen Fragestellungen steht. Die Blütezeit der Zeitschrift fällt in die Jahre 1908–1911, wo sie ein breit ausdifferenziertes, im weitesten Sinn politisch-kulturelles Terrain besetzt. Der Lybienkrieg (1911) bildet einen ersten Katalysator. Selbständig macht sich Gaetano Salvemini, der die linksliberale, stärker auf Empirie denn auf programmatische Verlautbarungen setzende *Unità* (1911–1920) gründet. Die ethisch-politische Inspiration der Literaturkritik wie das politische Engagement insgesamt schwächen sich ab. Nach einem siebenmonatigen Intermezzo unter der Leitung Papinis (1912) öffnet sich die Zeitschrift stärker literarischen Ausdrucksformen, vor allem den Vertretern des »Frammentismo«, die das poetische Prosa-Fragment als modernes Ausdrucksmittel einsetzen. Ende 1913, als Prezzolini immer entschiedener seine philosophisch-politischen Interessen zur Geltung bringt, verliert *La Voce* weitere ihrer Weggefährten. Als der erste Weltkrieg beginnt, steht sie geschlossen auf der Seite der Interventionsbefürworter. Unter der Leitung von Guiseppe De Robertis (Ende 1914–1916) schließlich wird die Zeitschrift zur *Voce letteraria*. Zeichen dieser Verengung sind ein nur noch allgemein formuliertes Engagement, das Konzept der Dichtung als Dichtung (»poesia come poesia«), der Kritik als einfühlendes Verstehen (»saper leggere«), des Kriegs als inneres Erlebnis, in dem Pflicht und Mitleid, Selbstverleugnung und Schicksal, Geschmack am Irrationalen und Gefühl für die Sühne verschmelzen. In der Blütezeit der *Voce* ist die Kritik am offiziellen Italien wie an der Sterilität der Tradition, welche die Zeitschrift mit dem Futurismus teilt, jeweils gekoppelt mit der Intention der Erziehung und der Erneuerung des Landes. Diese Haltung erzeugt ein spezifisches Amalgam politisch-ethischer Kulturalität, das bei gegebenem Grad des realen Einflusses die Politik meist im Rhetorisch-Literarischen beläßt und auf der anderen Seite die Anforderungen an die Literatur nicht selten politisiert bzw moralisiert. Dies führt auf die Dauer auch zu Zerwürfnissen zwischen den stärker politischen und den stärker literarisch orientierten Beiträgern. Die Zeitschrift ist in dieser Zeit gleichsam das Organ einer Intellektuellenpartei. In den Worten Prezzolinis geht es um die Interessenvertretung der »italiani colti«, die anders als die Interessenverbände der Industrie oder der Arbeiter, nicht nur die Leitung des Landes nicht bestimmten, sondern nicht einmal ihren Rat und ihre Stimme gebührend zu Gehör brächten. Die intendierte Rolle als Meinungstechniker, Konsenshersteller, politischer Ratgeber ist also zugleich Verarbeitungsmuster der Identitätssuche der Intellektuellenschicht, die sich in dieser Phase der italienischen Geschichte als eigenständige soziale Gruppe herauszubilden beginnt, aber zu einer vertieften Analyse ihrer Widerspruchslage zwischen relativer Autonomie und sozialer Funktion noch nicht in der Lage ist. Daher rührt ein ständiges Schwanken zwischen Evasion und Reformwille, zwischen Eigenständigkeit des Kulturellen und dessen pragmatischer Verwertung, zwischen Erziehungs- und Organisationsabsicht; Widersprüche, welche die Zeitschrift immer wieder an die herrschende Politik anbinden, auf die sie eigentlich Einfluß nehmen will. Der typische Schriftsteller der *Voce*, sei er ihr organischer oder gele-

Laboratorium der Intelligenz

Eine Intellektuellenpartei

Erstausgabe, Florenz,
Libreria della Voce, 1912

»Das Leben ist oft
schrecklich. Es lebe
das Leben!« Nr. 1,
1. Januar 1913

Denken in Gegensätzen

gentlicher Beiträger, hat ein moralisch-erzieherisches Dispositiv nach dem Kriterium der Authentizität und bezieht daraus eine impressionistische bzw. expressionistische Art sich auszudrücken, deren fragmentarischer Charakter sich nicht zuletzt gegen Croces Systematik von oben herab richtet. Er ist in der Regel offen für europäische Entwicklungen und will die nationalen Wert- und Traditionsmuster revidieren bzw. modernisieren.

Bei allen Gemeinsamkeiten lassen sich gleichwohl zwei kulturell unterschiedlich disponierte, letztlich unverträgliche Flügel unterscheiden. Die Kernmannschaft, mit Giuseppe Prezzolini, Papini und Soffici repräsentiert die florentinische Fraktion, die schon vor der Zeitschriftengründung in engem Kontakt steht. Mit einem Gespür für das Neue ebenso wie für das jeweils Opportune und die Themen, welche die Zeitschrift an die offizielle Politik anschlußfähig machen, ist diese Gruppe kulturell raffinierter und auch intellektualisierter als der vorwiegend ethisch bzw. religiös dominierte, provinzgeprägte Flügel um den Triestiner Scipio Slataper *(Il mio Carso*, 1912), den protestantischen Piemontesen Piero Jahier *(Ragazzo*, 1919) den moralisch-intransigenten Ligürier Giovanni Boine *(Frantumi*, postum 1918), zu dem auch der aus Mailand stammende, anarchisierende Clemente Rebora *(Frammenti lirici*, 1913) und Camillo Sbarbaro *(Pianissimo*, 1914) mit seiner »Poesie bleierner Verzweiflung« (Boine) zu zählen sind. Diese Vertreter einer metaphysisch inspirierten Generation ohne Halt, die das Fragment, den moralischen Aufschrei und die Kargheit als ihre Form der Einheit von Kunst und Leben zum Prinzip erheben und da, wo sie den Krieg überleben, entweder verstummen oder zu keiner dauerhaften literarischen Leistung finden, lösen sich um 1913 mehrheitlich von der Zeitschrift. In diesem Jahr gründet der allgegenwärtige Papini, der alle Metamorphosen der italienischen Intelligenz dieser Zeit verkörpert, mit Unterstützung des kaum weniger wandlungsfähigen Ardengo Soffici die Zweiwochenschrift *Lacerba* (1913–1915), die das sich bereits 1912 abzeichnende Scheitern einer synthetischen Lösung von Politik und Kultur auf ihre Weise verarbeitet. Explizit apolitisch, mehr literarisch ausgerichtet, stark nach Frankreich geöffnet, eminent experimentierfreudig und skandalbezogen, überschneidet sich das Programm dieser Zeitschrift zeitweilig mit dem der Futuristen, pflegt sie wie diese einen Stil des rhetorischen Terrors. Die Abstinenz gegenüber der Politik richtet sich indes nur gegen deren offizielle, gemäßigt-liberale Formen. Am Ende mutiert *Lacerba* zur rein politischen Zeitschrift und gehört zu den heftigsten Befürwortern der Intervention. Die selbsternannte Avantgarde erweist sich einmal mehr als soziale und politische Nachhut. Bis 1913 zeigt die Namensliste der Beiträger von *La Voce* eine breite nationale Repräsentanz: Schriftsteller wie Riccardo Bacchelli, Umberto Saba und Aldo Palazzeschi, Literaturkritiker wie Giuseppe Antonio Borgese, Emilio Cecchi und Renato Serra, Politiktheoretiker wie Gaetano Salvemini und Giovanni Amendola, Kunstkritiker wie Roberto Longhi, aber auch Wirtschaftswissenschaftler wie Luigi Einaudi verdeutlichen, daß die Zeitschrift, nicht zuletzt auch durch die Kontroversen zwischen Benedetto Croce und Giovanni Gentile, das zentrale intellektuelle Laboratorium der italienischen Kultur in der Vorkriegszeit darstellt, ohne daß allerdings ihr programmatischer Eklektizismus eine kohärente Entwicklung erlaubte. Natur und Sozialität, Ethik und Biographie, Gesetz und Leben, Ordnung und Chaos, Pflicht und Freiheit, Religiosität und Idealismus, Totalität des Menschen und Partikularität der Einzelexistenz, in diesen Gegensatzpaaren formuliert man die Fragen der Zeit. Die Bandbreite der Sujets, oft nach Themenheften geordnet, umfaßt praktisch das gesamte soziale und kulturelle Feld: Nationalismus und Sozialismus, Ethik und Politik, Literatur und Malerei, Bildungseinrichtungen, Unterentwicklung des Südens, Bürokratiekritik. Es bleibt das Dilemma einer nicht geglückten Synthese zwischen Literatur und Leben, Kultur und Politik, ein Dilemma, das für die Krise einer ganzen Generation steht, als deren Vermächtnis Serras *Esame di coscienza di un letterato* (1915) gelesen werden kann, in dem Benedetto Croces historischer Optimismus ebenso ausgeschlagen wird wie das Allheilmittel des Nationalismus, aber auch jenes der Begeisterung für den Krieg, in dem Serra kurz darauf fällt.

Auf dem Weg zur literarischen Moderne: Italo Svevo, Luigi Pirandello, Federigo Tozzi

Die ersten Autoren einer weltliterarischen Modernität sind zugleich Außenseiter im nationalen literarischen Leben. Dies gilt insbesondere für Italo Svevo, der erst in den zwanziger von Eugenio Montale, James Joyce und Bénjamin Crémieux entdeckt wird. Aber auch für Federigo Tozzi, der, durch das Engagement seines Förderers Borgese zu Beginn der zwanziger Jahre kurzfristig als Romancier der moralischen Erneuerung bekannt und mißverstanden, für lange Zeit in den Hintergrund tritt, bevor ihn die Kritik der sechziger und siebziger Jahre als italienischen Kafka wiederentdeckt. Einen Sonderfall stellt Luigi Pirandello dar. Er ist insofern Außenseiter, als er in keinem der literarischen Milieus zuhause ist. Er bleibt jedoch mit seinen der äußerlichen Faktur nach veristischen Romanen ebenso im Kontakt mit dem Zeitgeschmack, wie er sein Theater zunächst auf tradierten Mustern aufbaut. Die Modernität der drei Autoren gründet darin, daß sie sich im Unterschied zu ihren Vorgängern und Zeitgenossen – und dies gilt auch für den Modernismus der Futuristen – weder auf einfache Evasions- und Regressionslösungen noch auf erpreßte Versöhnungen bzw. oberflächliche Überhöhungen einlassen, sondern die Modernisierungsfolgen an ihrem literarischen Personal so ausloten, daß diese in ihren Resultaten für Psyche und Verhalten als nicht mehr hintergehbar erscheinen. Die in allen Literaturen wirkende Diskrepanz zwischen kanonischer Bedeutung und zeitgenössischer Wirkung kann in Italien insofern besonders ausgeprägt zur Geltung kommen, als bis in den Faschismus hinein gerade das Ausweichen vor der Modernitätserfahrung das kulturelle Leben dominiert.

Italo Svevo, mit eigentlichem Namen Aaron Hector Schmitz, stammt aus Triest. Sein Pseudonym versinnbildlicht die italienisch-deutsche Herkunft der Eltern und zugleich die kulturelle Ambivalenz der Handelsmetropole des österreichisch-ungarischen Kaiserreichs. Das geschäftliche Desaster des Vaters zwingt ihn, als Bankangestellter zu arbeiten. Nach den ersten literarischen Mißerfolgen mit *Una vita* (1892) und *Senilità* (1898) und einer Phase der kontemplativen Beschäftigung mit dem zeitgenössischen Kathedersozialismus, die zur zeitweiligen Mitarbeit an der Zeitschrift *La critica sociale* (1897) führt, wird Svevo dank einer Einheirat vornehmlich Geschäftsmann. Er lernt an der Berlitz School in Triest Englisch und den Lektor James Joyce kennen, schreibt nach dem ersten Weltkrieg noch einmal einen großen Roman mit *La coscienza di Zeno* (1923) und kommt, kaum beginnt sein Ruhm, durch einen Unfall ums Leben.

Literat unter Geschäftsleuten, zugleich einer der wenigen Geschäftsleute unter den Literaten, sprachlich und gefühlsmäßig Italiener in einer Stadt der k.u.k. Monarchie, Jude und Pazifist in einer Welt des Kriegs, diese lebensgeschichtlich konfliktuellen Determinationen mögen es sein, die Svevo dazu

Geschäftsmann und Literat

Italo Svevo

Triest als Erfahrungsraum

prädestinieren, die Widersprüche der Moderne mit einem geschärften Sensorium wahrzunehmen und darzustellen. Mit seinen in der aktuellen Gegenwart spielenden Romanen halten die großen Themen des Angestellten und des Unbewußten Einzug in die Literatur italienischer Sprache.

In der Welt der Angestellten mit ihren kleinlichen Rivalitäten, vergeblichen Aufstiegsträumen und Revolten spielt das Schicksal des Landarztsohnes Alfonso Nitti aus *Una vita*. Er hat große Schwierigkeiten mit mechanischen Arbeitsvorgängen und der Kontrolle seiner Arbeit durch andere. Literatur und Philosophie sind seine Gegenwelten. Jedoch kommt sein Hauptwerk, ein Traktat über die Ethik in der modernen Welt, nicht über das erste Kapitel hinaus. Die Literatur öffnet ihm den Weg zum Aufstieg über die Tochter seines Arbeitgebers, die ihn als Koautor für einen Erfolgsroman gewinnen will. Der Gegensatz von Kunst und Leben wiederholt sich auf der Ebene der Kunstkonzeption selbst und führt im Kreislauf wieder in das Leben zurück. Nitti gibt nach einigen Widerständen sein Vorhaben eines handlungsarmen Antiromans auf, mit dem psychischen Resultat, daß auf »merkwürdige Weise« die Arbeit am Roman und jene in der Bank sich zu ähneln beginnen. Ebenso empfindet der Bildhauer Balli aus *Senilità*, wenn dieser sich bei der Arbeit an einem Werk für einen kunstunverständigen bürgerlichen Auftraggeber nach seinem früheren Posten als Handelsinspektor zurücksehnt. Die Anpassungsleistung Nittis wird zwar mit einem heimlichen und verheimlichten Sexualakt belohnt, indes bleibt er auch hier Objekt fremden Handelns, verwehrt ihm zugleich die Ichschwäche, die ihn charakterisiert, die Einsicht in die psychisch-sozialen Reaktionsweisen der Geliebten aus dem ihm fremden Milieu. Die wegen des drohenden Skandals halb erzwungene, halb auch freiwillige Flucht in den Heimatort bringt keine Erlösung. Der grausame Tod der Mutter in einer ländlichen Kleinwelt voller Egoismus, Neid und Verstellung destruieren nach der Gegenwelt der Kunst auch die Möglichkeit der Beruhigung im »idillio campestre«. Als der Held zurückkehrt, ist die Geliebte mit einem Mann aus ihren Kreisen verlobt. »Unfähig zum Leben«, ist für ihn der Selbstmord der ersehnte Ausweg. Alfonso Nitti ist ein »inetto«, ein Lebensuntüchtiger, kein Besiegter wie die vergeblich gegen ihr Schicksal anrennenden Helden Vergas. Gleichsam am Gegenpol zu D'Annunzios Übermenschen, handelt er nach der Intention Svevos (*Profilo autobiografico*, 1928) in der philosophischen Tradition Schopenhauers. Sein Scheitern hat indes lebensweltliche Konkretion. Im Gegensatz zu den späten Dandys und ihrer ästhetizistischen Selbstbespiegelung der Literatur des Fin de siècle ist der Angestellte eine modernere und zugleich leistungsfähigere Projektionsfigur. An ihm können die Zwänge der Arbeitswelt, das Objektwerden in der kapitalistischen Rationalität ebenso erzählt werden wie es dieser Sozialtypus erlaubt – leichter als etwa der des Proletariers –, einen Helden mit intellektuellen Möglichkeiten und erträumten Ausbruchsversuchen zu modellieren, deren Vergeblichkeit ihn interessant macht. Svevos Helden sind gebrochene Helden, letztlich auf sich selbst zurückgeworfen, modernitätsunangepaßt, ohne romantisierenden Ausweg in der Natur und ohne Sublimationsmöglichkeit in der Kunst. In diese Reihe gehört auch Emilio Brentani, der Held aus *Senilità*, ein kaufmännischer Angestellter in den Dreißigern der, früh resigniert und gealtert, von einem lokalen Ruhm als Verfasser eines einzigen Romans zehrt. Sein Ausbruchsversuch im Medium der Leidenschaft zu einer kleinbürgerlich-proletarischen jungen Frau mit zahlreichen Liebhabern, von denen er nichts weiß bzw. nichts wissen will, steht in der Tradition jenes literarischen Figurationstyps Intellektueller/Volk/Hure, der im 20. Jahrhundert, u.a. in Tozzis *Con gli occhi chiusi* (1919), in Moravias *La Romana* (1947) oder in Buzzatis *Un amore* (1963), eine der wichtigen Verarbeitungsformen des Engagementproblems darstellt. Diese Erzählkonstellation er-

Intellektuellenträume –
Männerphantasien

laubt es, Identitätskrisen im sozialen Raum auszumessen und zu vertiefen. Die Helden verfallen in Abwendung von ihrer sozialen Schicht zunächst dem Faszinosum der Vitalität und Ursprünglichkeit des Objekts ihrer Begierde. Nach einem Anpassungs- bzw. Läuterungsprozeß kehren sie entweder – wie schon der Held von *La dame aux camélias* – in ihr Milieu zurück oder sie bekräftigen mit der Abkehr von der unstandesgemäßen Geliebten zugleich ihre problematische Existenz des Intellektuellen zwischen allen sozialen Fronten. Auch die Beziehung zwischen Brentani und Angiolina Zarri folgt im wesentlichen diesem Muster. Svevos Held verfällt ihrer sinnlichen Anziehungskraft, träumt vom Sozialismus als Voraussetzung für das Gelingen ihrer ungleichen Beziehung, während sie es jedoch mit den Reichen hält, und er verstrickt sich, alle familiären Bande und Freundschaften vernachlässigend, fast bis zur Selbstaufgabe, bevor ihn der Tod seiner Schwester zur Besinnung bringt. In der sentimentalen Erinnerung Brentanis verschmelzen schließlich das Bild seiner Schwester und der Geliebten zu einer Idealvorstellung, in welcher die schon bei Fogazzaro und D'Annunzio virulenten Männerphantasien in neue Kombinationen übergeführt werden: Sinnlicher Engel, Krankenschwester und »Mater dolorosa«. Daß Svevo sich derartiger Zusammenhänge bewußt ist, zeigt sein distanziert-ironischer Erzählstil, der die subjektive Selbstwahrnehmung und die Phantasien der Helden seiner beiden ersten Romane zielgerichtet in Kontrast zu ihren Handlungen setzt, derart ihre latenten Motivationen freilegt und bisweilen auch mehrere Lesarten ermöglicht. Die Identität seiner Figuren bleibt im Zustand der Fragilität, ihre Zeiterfahrung ist bereits subjektiv und situationsgebunden. Wenn Svevo hier schon erzählerisch die Einsichten der Psychoanalyse vorwegnimmt, so sucht er jedoch anders als diese die Koordinaten für das Unbewußte nicht allein in der familiären, sondern auch in der gesellschaftlichen Konstellation. Damit wird auch die Frage nach dem biographischen Charakter seiner Romane nebensächlich. Dies verdeutlicht insbesondere *La coscienza di Zeno* (1923), wie schon die beiden ersten Werke mehr ein europäischer Text in italienischer Spra-

Literarische Psychoanalyse

Svevo mit dem Maler Umberto Veruda (1. v.l.) und Freunden, 1894

che denn ein italienischer Roman, der allerdings durch die Replik Pirandellos in *Uno, nessuno e centomila* (1926) ebenso in die nationale Erzähltradition eingeht, wie *Senilità* den Personenkonstellationen Moravias als Relief dient. Der von Svevo selbst als Bruder Emilios und Alfonsos bezeichnete Zeno hat wie diese musische und literarische Interessen, ist ebenso energielos, im Unterschied zu ihnen jedoch vermögend. Die Handlungsmuster des durch Selbstverschulden gescheitertern Aufstiegs und der sinnlich-sentimentalen Klassenflucht werden ergänzt um das Modell des Müßiggängers, der Anschluß an die Gesellschaft sucht. Statt aus den gesellschaftlichen Verhältnissen heraus, will er in sie hinein, wodurch sein Psychodrama und seine Handlungshemmungen eine andere Statur gewinnen und zu einer tieferen Form der Epochendiagnose führen. Der Roman präsentiert sich als eine auf Anraten des Psychiaters geschriebene Anamnese, von der sich der Arzt in der Präambel distanziert, weil der Patient die Behandlung abgebrochen hat. Wo der Text die Theorie des Unbewußten und den Oedipuskomplex in Thematik und Erzählstrategie scheinbar bekräftigt, artikuliert er zugleich ein tiefes Mißbehagen an der Hybris der Psychoanalyse, »alle Erscheinungen dieser Welt um ihre große Theorie herum zu gruppieren«. Der hypochondrische Zeno, literarische Figur und sich selbst problematisierender Erzähler in einem, ist immer dabei, die letzte Zigarette zu rauchen, heiratet und liebt, wiewohl er es jeweils nicht möchte, betrügt die ausgehaltene kleinbürgerlich-proletarische Geliebte mit der ungeliebten Ehefrau, verehrt seinen Vater und vergällt ihm Leben samt Sterbestunde. Er wird nicht aktiv, wann er soll, aber dann, wenn er es besser ließe, und treibt so seinen schöneren und musisch begabteren Nebenbuhler und Geschäftspartner, der ihm die begehrte Frau genommen hat, in den Tod. Gesundung findet der kranke Held erst, als er seine permanenten Skrupel verliert, die ihn seine Interessen nur auf Umwegen verfolgen ließen: als aktiver und erfolgreicher Geschäftsmann, der am Krieg profitiert. Die Erinnerungsstationen ergeben ein polyphones, langsam komplexer werdendes und zum ständigen Perspektivenwechsel zwingendes Verweissystem ohne Gravitationszentrum. Wo die handlungspsychologisch gesehen korrekt erzielte Heilung des hypochondrischen Rentiers durch unternehmerische Arbeit subjektiv Sinn zu stiften scheint, gerät sie objektiv zum Mittel der Zerstörung. Der Held gesundet an der Krankheit der Epoche. Normalität wird derart zum leeren Begriff. »Das gegenwärtige Leben ist bis zu den Wurzeln verschmutzt«, lautet Zenos abschließende Diagnose. Die Lösung kann in seiner Phantasie nur aus der Katastrophe kommen, aus dem Waffenarsenal der Zukunft, dessen sich »ein um ein wenig Kränkerer als die anderen« bedienen wird, um durch eine gewaltige Explosion den Erdball zu zerstören.

Der Kranke ist die Epoche

Auch der zweite große Kritiker der Modernisierung, Luigi Pirandello, ist nur schwer in einer der Hauptströmungen der italienischen Literatur einzuordnen. Seine wenigen Freundschaften verbinden ihn vorwiegend mit den literarischen Traditionalisten, ohne daß er deren Idealisierung des 19. Jahrhunderts teilte. Er bleibt auch unbeeindruckt vom Mythos des Risorgimento, den die jugendlichen Opponenten gegen das saturierte, offizielle Italien ins Feld führen. Er meidet schließlich den Kontakt zur literarischen Avantgarde und hat nichts von der oberflächlichen Polemik gegen das Ottocento, wie sie den Futurismus auszeichnet. Pirandello höhlt das 19. Jahrhundert sozusagen von innen aus, indem er vor der Folie einer scharfsichtigen Kritik an den Machtstrukturen des geeinten Italien die romantischen und liberalen Illusionen im Vorgang seiner erzählerischen und theatralischen Figurationen vor- und ad absurdum führt. Im Unterschied zu Svevo jedoch bleibt er noch in der Nostalgie der verlorenen Unmittelbarkeit der gesellschaftlichen Beziehungen befangen. Dies wird evident, als er auf dem Höhepunkt seiner Laufbahn den Eintritt in die faschisti-

Luigi Pirandello

sche Partei erklärt. Die tragische Selbsttäuschung, die Diktatur würde eine Renaturalisierung der modernen Gesellschaft erlauben, hat ihre Wurzeln in der Tiefe und in den Grenzen seiner gesellschaftlichen Einsichten. Parallel zur akademischen Laufbahn, mit einer Promotion in Bonn über die greco-sikulischen Dialekte (1891) und einer Professur für Italienische Literatur, die er wegen des Bankrotts der väterlichen Schwefelgruben anzunehmen und bis 1922 wahrzunehmen gezwungen ist, beginnt Pirandello seine literarische Laufbahn, wie vor ihm D'Annunzio, zunächst mit dichterischen Versuchen (*Mal giocondo*, 1889, *Elegie renane*, 1891), geht aber unter dem Einfluß Luigi Capuanas schnell zu ersten Prosatexten unter veristischen Vorzeichen über. Bereits die ersten Novellen, wie der Roman *L'Esclusa* (1901) – die Darstellung des tragischen Schicksals einer Frau, die unter den archaischen Normen und Verdächtigungen einer Kleinstadt zerbricht –, verdeutlichen, wie Pirandello zwar seinen literarischen Ausgang im ländlich-kleinstädtischen Raum Siziliens nimmt, jedoch schon früh weniger das Lokalkolorit als den besonders konstruierten Fall zum Ausgangspunkt seiner Gesellschaftsdiagnose macht. Der erste Text, der Pirandello auf europäischer Ebene bekannt macht, ist der auch umgehend ins Deutsche übersetzte Roman *Il fu Mattia Pascal* (1904). Hier öffnet Pirandello den Raum Siziliens und schafft mit der Darstellung der ›Irrungen und Wirrungen‹ des von einem postrisorgimentalen Geschäftemacher ruinierten Landbesitzerssohns und nachherigen Dorfbibliothekars den Roman der modernen verrechtlichten Existenz. Der von seiner Familie versehentlich oder absichtlich für tot erklärte Held nutzt diese Chance und jene eines Roulettegewinns in Monte Carlo, um eine neue Identität anzunehmen. Als er sich nach einer Weltreise in einer Pension in Rom niederläßt, scheitert er an der Sehnsucht nach einer authentischen Liebesbeziehung, die er ohne Legalisierung nicht eingehen kann. Selbst für den Hund, der ihm diese Beziehung ersetzen soll, müßte er als Adriano Meis Steuern bezahlen, wozu er nicht in der Lage ist, ebensowenig wie Zeugen für ein Duell zu finden, worauf er mittels eines fingierten Selbstmords ein zweites Mal aus dem Leben scheidet und wieder nach Hause zurückkehrt, wo die inzwischen wiederverheiratete Gattin ihn mit Nachdruck und Erfolg darum bittet, der verblichene Mattia Pascal zu bleiben, als den ihn sein Grabstein bereits ausweist. Der in der Ichform erzählte Roman, der als ländliche Groteske beginnt und als solche zu enden scheint, erhält durch die Schlußpointe eine philosophische Dimension. Außerhalb des Gesetzes und nicht wieder in seiner alten Befindlichkeit ist der Held in jener Grenzsituation, die das fiktive Personal Pirandellos auch künftig auszeichnet.

Pirandello, dessen Produktion und Gedankenentwicklung nach dem Prinzip kommunizierender Röhren verfährt, begibt sich mit *I vecchi e i giovani* (1909 u. 1912) auf den Weg der nachholenden geschichtlichen Ursachenforschung. Dieser in den Jahren 1892–1894 spielende Roman ist gleichsam die Vollendung des von Verga nicht vollendeten Zyklus *I Vinti*. Die Niederschlagung des Aufstandes der sizilianischen Fasci wird zum Anlaß einer verzweigten Familiengeschichte und der in ihr wirkenden Generationenkonflikte, an deren Ende die Vertreter aller Klassen und Schichten als gescheitert dastehen. Der so geführte historische Roman negiert zugleich Geschichte als Sinnstiftungsmodus, was die scheinbare Geschichtslosigkeit der späteren Sujets erklären kann. Gleichzeitig mit der Arbeit an diesem Roman versucht Pirandello mit dem Essay *L'Umorismo* (1908, 2. verm. Aufl., 1920) theoretisch einzuholen, was er in *Mattia Pascal* erzählerisch gestaltet hatte. Unter »Umorismo« versteht Pirandello den Übergang vom Komischen, als Erkennen des Gegenteils zum Empfinden dieses Gegenteils über die Reflexion. Der Humor als besondere Verbindung von Lachen und Mitleiden ist für ihn ästhetischer Grenzfall und zugleich die Form

»Eure Exzellenz, ich fühle, daß dies der geeignetste Moment ist, eine Überzeugung zu erklären, die ich in aller Stille nährte und pflegte. Wenn Eure Exzellenz mich für würdig erachten, in die Faschistische Partei einzutreten, werde ich zu meiner größten Ehre in ihr den Platz des niedrigsten und gehorsamsten Mitglieds erbitten.«
Luigi Pirandello
September 1924

Roman der verrechtlichten Existenz

Geschichtliche Ursachenforschung

Humor als ästhetischer Grenzfall

Urkunde des Nobelpreises
1934

höchster Bewußtheit. Der humoristische Schriftsteller stiftet nicht Sinn, sondern problematisiert ihn im dauernden Aufdecken des Gegensatzes von Sein und Schein. Er kennt keine konstanten Charaktere, sondern nur widersprüchliche Vielschichtigkeit. Jede Konstruktion von Identität scheitert am strukturellen Gegensatz von Form und Leben. Der Mensch ist »Violine und Kontrabaß« zugleich, und diese Befindlichkeit darzustellen, ist für Pirandello die Aufgabe der Kunst, die im Gegensatz zu ihrer traditionellen Funktion der Kompensation oder zu einem vom Naturalismus erhobenen pseudoobjektiven Wahrheitsanspruch, zum »nützlichen« und zugleich kritischen »Spiegel für das Leben« werden muß. Interessanter als einzelne Denkanstöße, die Pirandello aus zweitrangigen Autoren schöpft, ist die strukturelle Verwandtschaft seines Denkens, insbesondere mit jenem Nietzsches. Dessen Gedanke von der »Rolle« als »ein Resultat der äußeren Welt, auf die wir unsere ›Person‹ stimmen« und den sich der Herrenmensch nutzbar machen soll, wird bei Pirandello zur Quelle des Leids und des Mitleids. Wie Nietzsche ist Pirandello unerbittlicher Kritiker des Rationalismus bzw. dessen naiver Vorstellung einer objektiven Wirklichkeit und eines einheitlichen Ich. Er verbleibt jedoch auch in einer von Simmel zeitgleich vertretenen Vorstellung von der Dualität eines eigentlichen Subjekts und eines Subjekts, das Teil einer gesellschaftlich organisierten Kultur ist, die es als lebendiges in Positionen, Rollen, Meinungen, Institutionen etc. einschränkt.

Technikkritik

Pirandellos Diagnose und Kritik an den Formen der Modernisierung der gesellschaftlichen Beziehungen paart sich schließlich mit einer Kritik an der Technik. Der Kameramann, der in dem 1915 unter dem Titel *Si gira* als Fortsetzungsroman veröffentlichten und 1925 als *Quaderni di Serafino Gubbio operatore* in Buchform publizierten Roman in flashartigen Sequenzen die Geschichte seiner Erlebnisse im Kontext einer Filmproduktion erzählt, wird zum Medium einer auch auf den zeitgenössischen Futurismus zielenden Kritik am Geschwindigkeitsrausch, an der Unterwerfung des Menschen unter die Maschine, an der die Spiritualität einschränkenden Technisierung der Gesellschaft und der Kunst.

Rückzug aus der Gesellschaft

Letzter Ausweg, aus diesem Dilemma der Modernitätserfahrung herauszutreten, ist die Verweigerung durch den Rückzug aus der Gesellschaft. Dies ist das Thema von Pirandellos letztem Roman *Uno, nessuno e centomila* (1926), der sich auch als Replik auf *La coscienza di Zeno* lesen läßt, war ihm der Text doch von Svevo persönlich übereignet worden. Das schon 1912/1913 im Ansatz konzipierte Werk, dessen Grundidee bis zur endgültigen Fassung die *Novelle per un anno* experimentell auslegen und schärfen, instrumentiert, wie die gesamte Prosa Pirandellos, die Modernität ihres Themas weniger über den relativ konventionellen Stil als über die verfremdende Situation. Erzählt wird die Geschichte des Wucherers und Bankiers Moscarda, der wegen einer Bemerkung seiner Ehefrau über seine Nase in eine Identitätskrise gerät, sein Eigentum verschenkt, deswegen für verrückt erklärt wird und in einem Obdachlosenasyl endet. Das schon von Cyrano de Bergerac und Nikolai Gogol zur Vertiefung psychologischer Prozesse eingesetzte Motiv der deformierten Nase gewinnt im physischen Sinne jedoch keine Plastizität. Ihre leichte, vom Helden zuvor nicht bemerkte Schräglage, wird gleichwohl, in umgekehrter Proportion zum realen Defekt, zum Katalysator einer Identitätskrise, die sich schnell und tief entfaltet. Über die realen und vorgestellten Blicke der anderen wird der Held »Einer, Keiner, Hundertausend«. Das vom Autor als »Roman der Zersetzung der Persönlichkeit« bezeichnete Sujet pointiert die zuvor entwickelten Konstellationen zu einer Art gnoseologischen Langerzählung, welche in den Worten des Autors die »positive Seite meines Denkens« zum Ausdruck bringen soll. Wo Zeno in die Welt eintritt, tritt Moscarda aus ihr heraus: aller Rollen entledigt, ein Stück Natur ohne Zeit und Raum. In dieser Suche nach einer positiven Seite gewinnt

Die faschistische Lösung

auch Pirandellos faschistisches Engagement seinen tieferen Sinn. Mussolini, der begnadete Schauspieler mit je wechselnden Rollen, wird paradoxerweise für Pirandello in seiner Funktion als Diktator der einzig Lebendige in der toten Form der sozialen Tyrannis, der das »Gesetz«, d.h. die Schranken der Verrechtlichung aufzuheben und den Zwang der sozialen Rollen außer Kraft zu setzen scheint.

Nicht zufällig konnte Mussolini behaupten, Pirandello mache faschistisches Theater, ohne es zu wollen, läßt sich doch die berechtigte Destruktion aller ideologischen Formen der Behauptung von sozialer Kohärenz auch als Erzeugung einer mentalen Disposition lesen, die den Ausweg in gewaltsamen Lösungen sucht. Pirandellos Theaterschaffen steht unter dem Paradox, daß er die in seinem Essay *Illustratori, attori e traduttori* (1907) geäußerte Überzeugung, das Theater könne wegen seiner Verfälschung des geschriebenen Textes per definitionem keine Kunstform darstellen, noch zu einem Zeitpunkt bekräftigt *(Le Temps*, 20.7.1925), als er mit der eigenen Truppe des Teatro d'Arte, seinen nationalen und europäischen Ruf als Avantgardeautor definitiv befestigt. Dieser Widerspruch zwischen Text und Aufführung, der zur selben Zeit auch die bedeutenden Theoretiker und Regisseure des europäischen Theaters wie André Antoine, Konstantin Stanislawski, Wsewolod Meyerhold und Gordon Craig beschäftigt, gewinnt für den Autor Pirandello seinen spezifischen Sinn. Er wendet sich erst dann der Bühne zu, als der Krieg – für ihn Epoche der Aktion par excellence – die kontemplativere Form der Narrativik ins zweite Glied zurücktreten läßt. Zugleich rückt bereits in seiner ersten intensiven Theaterphase von 1916–1918, in der der kleinbürgerlich egozentrische Protagonist seine Identitätsprobleme noch vorwiegend mit Angst besetzt (u.a. *Pensaci, Giacomino*, 1916), die Verfremdung der Handlungsmuster des gehobenen Boulevardtheaters (»teatro brillante«) in den Vordergrund, ein Verfahren, mit dem gleichzeitig das Theater des Grotesken erste Erfolge feiert. Gegen die Boulevardbühne wie gegen die Ausläufer des naturalistischen und symbolistischen Theaters geht Pirandello mit Konsequenz den Weg der reflexiven Infragestellung der Institu-

Mussolini bei der Arbeit

Theater im Theater

Sechs Personen suchen einen Autor, Szenenentwurf von Hermann Krehn zur Inszenierung von Max Reinhardt, Berlin 1924

tion und bringt ihn mit *Sei personaggi in cerca d'autore* (1921) zu einem vorläufigen Abschluß. In dieser Konzeption eines Theaters im Theater, die er mit weiteren metatheoretischen Stücken befestigt (*Ciascun a suo modo*, 1924; *Questa sera si recita a soggetto*, 1930), findet Pirandellos Paradox seine geeignete Form, scheint zugleich der für ihn zentrale Gegensatz von Kunst und Leben (»forma e vita«) seine Distinktion zu verlieren. Der Schwebezustand, in dem sich Mattia Pascal in einer noch durchgeführten Mimesis von Realität bewegt, ist in den sechs Personen, die ihren Autor suchen, auf eine Ebene gehoben, die das Mimesisproblem beliebig potenzieren läßt und es dadurch außer Kraft setzt. In dieser Perspektive bedeutet das zu den bekanntesten zählende Stück *Enrico IV* (1922), in welchem der Held Freiheit nur im Wahnsinn gewinnt und sein Leben als Theater inszeniert, einen formalen Rückschritt, gewinnt aber gleichzeitig eine inhaltliche Radikalität, die mit der von *Uno nessuno e centomila* vergleichbar ist.

Zurück zum Mythos

Die innere Konsequenz in Pirandellos Schaffen wird schließlich dort deutlich, wo der große Zerstörer der romantischen und liberalen Mythen in der Spätphase seines Theaterschaffens selbst zum Mythenerzeuger (u.a. *Lazzaro*, 1929) wird. Die individuelle Renaturalisierung Moscardas wird ergänzt durch die soziale Renaturalisierung in den *Giganti della montagna* (Uraufführung 5.6.1937), ein Dramenfragment, das nach den Worten Pirandellos mit der Versöhnung von Kunst und Leben hätte enden sollen, unter der Bedingung, daß sich die Kunst ihrer Absonderung vom Volk entledige und dieses für sie Verständnis gewinne. Am Ende des Romanschaffens steht eine negative, am Ende des Theaterschaffens eine positive Utopie.

Federigo Tozzi, dessen Werk in den Jahren 1910–1920 entsteht, ist gleichsam der instinktgeleitete Antipode zu Pirandello. Von Pirandello stammt auch die unter den Zeitgenossen selten hellsichtige Beobachtung, man müsse bei Tozzi, wie bei einem impressionistischen Kunstwerk, zurücktreten, um seine Schreibweise zu verstehen. Der in Siena geborene Gastwirtssohn, Studienabbrecher und zeitweilige Eisenbahnangestellte, der geboren wird, als die *Malavoglia*

Ein literarischer Autodidakt

erscheinen, ist literarischer Autodidakt mit fragmentarischen Lektüren, darunter Poe und Dostojewski. Nur vorübergehend ist der literarische Einfluß D'Annunzios. Erst spät, nach seiner Übersiedlung nach Rom, findet Tozzi wenn auch nur sporadischen Zugang zum literarischen Milieu der Hauptstadt. Das Gros seines Werks wird erst postum publiziert. Der zeitweilige Anhänger eines libertären Sozialismus, der um 1910 zu einem ultrakonservativen Katholizismus übergeht, bleibt in seinen Romansujets inhaltlich scheinbar weltanschauungsfern. Die Novelle »Il crocefisso« aus der Sammlung *Giovani* (1920), in der die Vorstellung einer von Gott nicht zu Ende geschaffenen Welt und einer noch nicht zur Form gekommenen Materie erscheint, oder die emblematische Zuordnung von Mensch und Tier in der Sammlung *Bestie* (1917), die auf einen mittelalterlich-mystischen Hintergrund verweist, gehören zu den wenigen manifesten Belegen eines philosophisch-weltanschaulichen Antriebs, der in den übrigen Texten verdeckt bleibt bzw. als unausgesprochene Dynamik die Schreibweise prägt. Tozzis Figuren stammen vorrangig aus dem ländlichen Kleinbürgertum. Sie fürchten sich vor dem Fälligkeitstermin des nächsten Wechsels, werden unvermutet Opfer der Justiz, ersticken in der Enge ihrer Existenz und sind zugleich bewegungsunfähig. Wo sie mit der modernen Welt der Banken in Berührung kommen, reagieren sie hilflos. Die Stadt, Thema des im Nachlaß überkommenen Romans *Gli egoisti* (1923), ist eine Kloake voller halbnackter Frauen und rasender Automobile. Jedoch bildet auch das Land keinen Ort der Beruhigung. Der während des Faschismus unternommene Versuch, Tozzi als Vorläufer einer regional geprägten, gesunden und bodenständigen Kultur zu reklamieren, hat in dieser Form keinen Halt. In Siena und seiner ländlichen

Federigo Tozzi

Umgebung dominieren Atavismus, Grausamkeit und Gewalt. Aufgespießte Kröten, zerquetschte Vögel, das Quälen der Schwachen, die Mordabsicht, in Krisen bis zur Tat gedeihend, gehören zum Alltag. Pirandellos Bemerkung, daß wir Tozzis Figuren mit Angst verfolgen, da ihr Schicksal unvorhersehbar sei, hat ihre Grundlage in deren jähen Gemütsschwankungen, ihrer geringen Fähigkeit zur Reflexion, ihrem bruchlosen Übergang von der Auflehnung zur Anpassung, ihrer Sehnsucht nach Reinheit und der Niedrigkeit ihres Verhaltens, im sie prägenden Gegensatz von Masochismus und Gewaltbereitschaft. Auch die Huren, Behinderten, Stadtstreicher etc., die Tozzis literarisches Personal ergänzen, radikalisieren nur die Charakterzüge, die schon den ›normalen‹ Helden eignen und verkörpern in einem Verhältnis von Anziehung und Abstoßung die Figur des gesellschaftlichen Außenseiters als möglichen Fluchtweg und zugleich potentielles Schicksal. Jenseits einer biographischen Deutung, zu der uns Tozzi genügend Anlaß gibt, ist sein literarisches Universum, nachdrücklicher noch als jenes von Pirandello, zugleich Symptom für die generelle und tiefe Verstörtheit im Kopf des Kleinbürgers, der aus den Widersprüchen der Epoche keinen Ausweg findet. In diesen Kontext gehört der Eisenbahnangestellte aus den früh konzipierten *Ricordi di un impiegato* (1927), der weder ein Register führen noch telegraphieren kann. Prototypisch für den Zusammenhang von Modernitätsunangepaßtheit, Identitätsschwäche und Aggressivität steht Pietro Rosi, der Held von *Con gli occhi chiusi* (1919), ein Gastwirtssohn in der Adoleszenzkrise, mit Neigung zur Klassenflucht und der Sehnsucht nach einer seine zeitweiligen sozialistischen Träume ersetzenden, authentischen Liebesbeziehung zu einer Frau aus dem Volk. Bis zur Desillusion und noch in dieser bleibt er ein von Schwindelanfällen und Blickangst gepeinigter, latent und offen gewalttätiger Held, antriebsschwach und lethargisch, mit unvermittelten Entschlüsssen, unfähig, etwas zu Ende zu bringen. Im engen Milieu von Siena ebensowenig zu Hause, wie er sich in Florenz entwurzelt fühlt, findet er weder Anerkennung beim autoritären Padre Padrone noch Halt in der Liebe, von der er nur erwartet und für die er nichts einsetzt. Auch Remigio Selmi, die Hauptfigur von *Il podere* (1921), ist nicht in der Lage, die von der Familie und der Gesellschaft an ihn gerichteten Anforderungen einzulösen. Das Gericht, das ihn zu einer Geldzahlung an die Geliebte des verstorbenen Vaters zwingt, ist lediglich der Auslöser zu seinem Ruin, an dem die ganze Stadt wie bei einer Verfolgungsjagd teilnimmt. Einer seiner Landarbeiter, der ihn am Ende, vermutlich wegen seiner Unfähigkeit, erschlägt, ist nur mehr Vollstrecker eines längst gefällten Urteils. Eine ähnlich kafkaeske Stimmung herrscht über den drei Brüdern Gambi in *Tre croci* (1920), die unfähig sind, die geerbte Buchhandlung zu führen, Wechselfälschungen begehen, um ihre Freßgier, ihr parasitäres Phlegma und ihre Lebensuntüchtigkeit zu kaschieren, und alle zugrunde gehen.

Das Ende des »Idillio campestre«

Die Eselin aus der Erzählung »Il ciuchino« (*Le novelle*, 1963), die ihr Junges nicht stillt und es verenden läßt, ist eine der signifikantesten Konstellationen für den in den Augen Tozzis heillosen Weltzustand. Um diesen darzustellen, greift Tozzi zu erzählerischen Mitteln, die ihn mehr noch als seine ungeschönte Thematik zu einem Avantgardisten der italienischen Literatur machen. Wo Pirandello den Charakter zerfallen sieht, kommt er bei Tozzi erst gar nicht zustande. Wo D'Annunzio die Gewalt rhetorisch ästhetisiert, ist sie bei Tozzi im Rohzustand und in jeder noch so alltäglichen Handlung präsent. Anders als bei Pirandello, der analytisch erzählt, leben die Erzählungen Tozzis, hierin Svevo näher, vom Ungesagten, von der Instrumentierung des Unbewußten. Aber anders als in Svevos distanziert-intellektuellem Verfahren, erscheint es bei Tozzi als abruptes Blanc bzw. wird es nur über den jähen Handlungswechsel ins Bewußtsein des Lesers gehoben. Trotz mancher Anklänge bleibt die Verwandt-

Expressionistische Schreibweise

schaft zu Kafka eher rudimentär. Die schnelle Schnittechnik, die Alogizität der Handlung mittels einer Heteronomie der Dauer, die Erzählzeit und erzählte Zeit extrem disoziiert, der schon im Futurismus beobachtbare Hang zur entfesselten Metapher – der einem Stück Eis gleichende Mond, die an Sonnenstrahlen aufgehängten Wolken –, das in Antithese zum Verismo formulierte Konzept, »mit den Augen der Seele« aus der »beobachteten Realität« eine »geschaute Realität« zu schaffen, wie schließlich die in heftigen Handlungskontrasten zum Ausdruck kommende Sehnsucht nach emphatischem »Leben« machen Tozzi eher zu einem Geistesverwandten des Expressionismus. Wie die Novellen meist in der dem »Frammentismo« nahen Skizze ohne Pointe stecken bleiben, so finden sie als Entwürfe von Langtexten nur mühsam zur Großform des Romans, dessen Anspruch auf kohärente Sinnstiftung die Epoche nicht mehr erlaubt, in der Tozzis Erzählen sich ausbildet.

Modernisierung und autoritärer Synkretismus: der italienische Faschismus

In Giuseppe Antonio Borgeses Roman *Rubè* (1921) taumelt der Held – ein sizilianischer Rechtsanwalt, der vergeblich im Norden Karriere zu machen versucht – von einer beruflichen und seelischen Krise in die andere, bis er schließlich in Mailand in einem Zustand fortgeschrittener Verwirrung scheinbar zufällig in eine Massendemonstration gerät, wo man ihn, von einem Polizeipferd niedergetreten, aufliest: mit einer roten Fahne in der linken und einer schwarzen Fahne in der rechten Hand. Borgese, der liberale Großkritiker und zukünftige Schwiegersohn Thomas Manns, der Anfang der dreißiger Jahre als einer der zwölf von 1200 Universitätslehrern den Eid auf den faschistischen Staat verweigert und in

Fabrikbesetzung bei Fiat, 1920

den USA im Exil verbleibt, gibt mit diesem Ausgang seines Romans zugleich eine berechtigt pessimistische Diagnose über die politische Zukunft des Landes und des zur Abfassungszeit noch regierenden liberalen Machtkartells.

Nachkriegskrise

Nach dem ersten Weltkrieg beherrschen die Massenbewegungen das politische Leben. Die Katholiken formieren sich, ermutigt von Papst Benedikt XV., unter Führung Don Sturzos zum Partito popolare und gewinnen zusammen mit den Sozialisten unter dem Verhältniswahlrecht eine Mehrheit gegenüber den Liberalen. Indes sind alle drei Parteien aus ideologischen Gründen untereinander nicht zur Koalition fähig. Eine durch den Krieg verschärfte Wirtschaftskrise, die nicht erfüllten Hoffnungen auf gerechtere Landverteilung, ein Heer von durch den Krieg Entwurzelten und Beschäftigungslosen, die Fabrikbesetzungen des Jahres 1920, schließlich die nationalistische Agitation wegen der nur z.T. befriedigten Gebietsansprüche (Fiume, Dalmatien), all dies schafft im Verein mit den schwierigen Mehrheitsverhältnissen im Parlament ein Klima der Instabilität, in dem die faschistische Bewegung schnellen Zulauf gewinnt. 1921 formiert sie sich zum Partito Nazionale Fascista mit rund 200 000 Mitgliedern. Im selben Jahr gründet die revolutionäre Fraktion der Sozialisten um Amadeo Bordiga, Antonio Gramsci und Palmiro Togliatti die Kommunistische Partei. Die sich schnell verbrauchenden liberalen Regierungen unter Francesco Saverio Nitti, Giovanni Giolitti, Ivanoe Bonomi und Luigi Facta tolerieren, daß die faschistischen Kampftruppen (»squadre«) Rathäuser, Parteibüros der Linken und Gewerkschaftszentralen in Brand stecken und ebnen im Verein mit dem Königshaus Benito Mussolini den Weg zur Macht.

Das italienische Kleinbürgertum versammelt sich also mehrheitlich nicht hinter der roten Fahne, sondern wird zur Massenbasis des Faschismus. Mit dem Sinn für die Pointe hat man das Lavieren Mussolinis auf dem Weg zur Durchsetzung seiner Macht als römische Variante des Trasformismo bezeichnet, die über jene des Altmeisters in dieser politischen Technik, des Piemontesen Giolitti, die Oberhand behält. Nach einigen Anlaufschwierigkeiten und einer letzten Krise im Kontext der Ermordung des sozialistischen Abgeordneten Giacomo Matte-

Faschistische »Squadre« beim Marsch auf Rom

otti (1924), welche den Auszug der Parlamentsopposition aus der Kammer nach sich zieht, gelingt es dem Faschismus durch die Mobilisierung seines Anhangs bei gleichzeitigem relativen Ausgleich der Interessen mit König, Wirtschaft, Armee und Kirche (Lateranverträge, 1929), schließlich mittels Säuberungen der radikalen Elemente des eigenen Lagers, den Konsens für das Regime zu stabilisieren. Dessen Wirtschaftspolitik paßt sich ohne größere Reibungsverluste an die Erfordernisse der Industrie an. Nach einem anfänglichen Wirtschaftsliberalismus, mit dem die Fesseln der Kriegsökonomie gelöst werden, fügt sich auch die ab 1926 durchgesetzte Politik der Gleichschaltung der Wirtschaftsverbände und der staatlichen Koordinierung der Ökonomie relativ bruchlos in die nach der großen Rezession von 1929 weltweite Notwendigkeit verstärkter Staatsintervention, mit welcher der italienische Faschismus die schon im 19. Jahrhundert dominierende Variante der Modernisierung auf erweiterter Stufenleiter fortsetzt und den italienischen Kapitalismus international konkurrenzfähig macht.

Faschismus und Kapitalismus

Imperiale Ambitionen – Das Ziel Mussolinis ist das Ziel des Augustus

Gleichwohl eignet den ideologischen und politischen Durchsetzungsformen des Faschismus, sowohl in den Anfängen als auch noch in den dreißiger Jahren, eine Spezifik, die ihn dem Kleinbürgertum als Alternative zum herrschenden System plausibel erscheinen lassen. Als soziale Zwischenschicht ist es empfänglich für einen eklektischen politischen Diskurs, der seinen latenten Antikapitalismus ebenso bedient, wie er seine Ängste vor der Proletarisierung und den Modernisierungsfolgen aufzufangen sucht. Als Evasionsmuster suggeriert die Ideologie der Bodenständigkeit die mögliche Rückkehr zu vorindustrieller Sicherheit. Als Bindemittel sozialer Energie versprechen die nationalistischen Mythen mit der Fortsetzung der einstigen imperialen Größe Italiens Kontinuität. Gleichzeitig fungieren sie als Projektionsfläche für die Zukunft, in deren Namen einstweilige soziale Opfer legitimiert werden können. Dem Anschein nach eine revolutionäre Ideologie des dritten Wegs, die den Mythos der Erneuerung, der Faszination für die Gefahr und der Jugendlichkeit pflegt, bildet die faschistische Ideologie auch ein Auffangbecken für die Hoffnungen relevanter Teile der Intelligenz. Die Vorkriegsintelligenz kann sich in der Illusion wiegen, nun endlich an der Macht teilhaben zu können, während sich für die jüngere Generation scheinbar vielversprechende Zukunftslinien abzeichnen. Zwar verliert der Faschismus mit seiner ›Normalisierung‹, d.h. dem definitiven Arrangement mit den traditionellen Machteliten und der Kirche, ein Stück seiner ideologischen Anziehungskraft, im Gegenzug hält er aber in gewissem Umfang eine innerfaschistische Opposition präsent, welche die Redynamisierung des ursprünglichen Impetus möglich erscheinen läßt.

Diese sich in der historischen Abfolge unterschiedlich akzentuierende Januskopfigkeit zwischen Revolutionarismus und Staatsideologie, zwischen Bauerntümlichkeit und Modernisierung, Traditionsfeindschaft und Traditionspflege, erklärt die Zustimmung sozial und kulturell unterschiedlicher Segmente des Klein- und Mittelbürgertums bzw. seiner Intelligenz. Sie macht auch verständlich, warum die traditionellen kulturellen Eliten dem Faschismus nicht nur negative Aspekte abgewinnen, zumal er ihre Kontinuität im Staatsapparat weitgehend garantiert und mit Benedetto Croce und dessen unzensierter Zeitschrift *La Critica* dem Liberalismus seinen ideologischen Spielraum beläßt.

Faschismus und Industrie – Mussolini und Giovanni Agnelli eröffnen gemeinsam die Werke »Fiat Mirafiori« in Turin, 1939

Zumindest bis zum Bündnis mit dem deutschen Nationalsozialismus verfolgt der Italienische Faschismus nach seiner Konsolidierung ab 1926 eine Innenpolitik, die das Mittel des Terrors einschränkt, der physischen Vernichtung des Gegners die Überwachung, Inhaftierung und Verbannung vorzieht und zur Erzeugung von Konsens Propaganda mit sozialpolitischen Maßnahmen verbindet. Trotz der Anstrengungen des Parteisekretärs Achille Starace ab

Anfang der dreißiger Jahre gelingt die totale ideologische Durchdringung des Landes außerhalb des Erziehungswesens allenfalls in äußerlichen Ritualen und im Führerkult um Mussolini, dessen programmatischer Eklektizismus zugleich die Grenzen für die Entwicklung einer kohärenten Doktrin markiert. Leitlinie der Kulturpolitik ist ein autoritärer Synkretismus, der an die ideologischen Traditionen der Vorkriegszeit anknüpft, sie z.T. radikalisiert und in je opportune Mischungsverhältnisse bringt, hierüber Diskussionen im eigenen Lager in gewissen Grenzen zuläßt, auch apolitische Nischen duldet, aber da mit Zensur und Verbot eingreift, wo die Autoren sich konkret auf die Widersprüche der Gesellschaft der Zeit einlassen. Dieser autoritäre Synkretismus prägt Themen und Formen der literarischen Kultur der Zwischenkriegszeit und bestimmt auch direkt und indirekt die Strategien der literarischen Intelligenz. Die scheinbar apolitische Kunstübung der »Prosa d'Arte« steht neben der politisch gemeinten Hermetik der Lyrik. Realistisch zu schreiben ohne Beschreibung der Konflikte, die der Faschismus im Alltag erzeugt, bedeutet impliziten Konsens. In einer linksfaschistischen Zeitschrift zu publizieren, kann manchem schon als Beglaubigung der eigenen Integrität erscheinen. Gesellschaftlich sensible Themen sind nur im historischen oder anderweitig verfremdeten Sujet zu behandeln. Man folgt mit scheinbaren Antithesen wie Europa oder Region den Impulsen, die das Regime selbst vorgibt. Mit Nachdruck auf Amerika und seine Literatur zu schauen, ist schon ein Akt des Widerstands.

*Staatliche Kulturpolitk –
Strategien der
literarischen Intelligenz*

Zwischen Ideologie und Design: Alltagskultur im Faschismus

Bedeutet die Zurücknahme der bürgerlichen Öffentlichkeit einen Verlust an Modernisierungsqualität, so ist der Alltag im Faschismus moderner als in der Epoche der liberalen Hegemonie und wird weit stärker als in der Vorkriegszeit zum ästhetikrelevanten Problem. Der römische Gruß und das futuristische Design der Campari-Reklame können friedlich miteinander koexistieren. Der Hang zur Uniform behindert letztlich nicht den Siegeszug des Borsalino. Die hysterische Begeisterung bei den Massenspektakeln des Regimes verträgt sich ohne weiteres mit dem Geschmack am Surrogat des »romanzo rosa«, der dank der weitgehend vollzogenen Alphabetisierung massenhafte Verbreitung findet. So bewegt sich die Alltagskultur zwischen ideologischem Anspruch und Verkaufsdesign, zwischen privater Idylle und heroischer Geste, Widersprüche, die meist unerörtert nebeneinander stehen und erst in der Zeit der Autarkie und Kriegsvorbereitung zu Konflikten führen. »Mille lire al mese«, so ein populäres Lied aus den dreißiger Jahren, bilden den Traum des Angestellten von einem angenehmen Leben. In den italienischen Haushalten gibt es Anfang der zwanziger Jahre zwar noch mehr Nationalflaggen als Badezimmer (12%), die Hygieneerziehung und die Baumaßnahmen des Regimes bringen aber unbestreitbare Fortschritte. Die »cucina economica«, ein Sparherd zum Preis von 475 Lire, gehört zu den modernen Errungenschaften. Angesichts des schmalen Haushaltsbudgets folgt man der Ratgeberin *Petronilla*, röstet den Kaffe nach, da er so um einige Centesimi billiger ist und greift zur Fleischbrühe aus Italdado, ein Extrakt, der zu Beginn der Kriegspolitik Mussolinis (1935) mit der Aufschrift »Autarkes Produkt« versehen wird und das kirchliche ›Imprimatur‹ für den Verzehr in der Fastenzeit trägt. »Caffè-caffè?«, fragt die Hausfrau um zu sagen,

*Modernisierung und
Alltag*

Autarkes Produkt

»Campari Selz« von
Fortunato Depero, ca.
1924–1925, und der
römische Gruß

daß sie keinen Ersatz serviert. Die Anschaffung der ab 1930 auf den Markt gelangenden Elektrogeräte wie Bügeleisen oder Frisierstab steht des hohen Preises wegen noch oft genug in Konkurrenz zu den Ausgaben für einen neuen Hut, das Merkmal der Abgrenzung gegenüber den Arbeiterfrauen.

Der offiziell gewünschte Prototyp von Frau wäscht sich mit Viset oder Palmolive, nimmt wenig Rouge, vermeidet den maskulinen Kurzhaarschnitt nach französischem Muster und benutzt statt des im Verruf stehenden Parfüms aus Paris das nationale Lavendelprodukt »Colpevole«. Man trägt schon Kunstfaserstrümpfe, deren Laufmaschen in mühseliger Kleinarbeit aufgenommen werden müssen. Schwarze Unterwäsche gilt als anrüchig und darf wegen unliebsamer Assoziationen zu den faschistischen Schwarzhemden nicht in den Auslagen erscheinen. Der Idealmann der faschistischen Ära trägt in Zivil keinen Hut, hat Brillantine im Haar und ständig eine Zigarette im Mundwinkel. Er achtet auf Qualität und Aussehen der Kleidung und verabscheut stark duftende Seifen.

Ihre weiblichen Träume erfüllt sich die Kleinbürgerin mit dem Liebesroman *Avventura a Budapest* (1932) des Erfolgsautors Ferenc Kormendi. Ab der Mitte der dreißiger Jahre kann sie *Omnibus*, die erste Illustrierte heutigen technischen Zuschnitts, lesen. Beim Gang ins Kino, das der Faschismus mit der Gründung von Cinecittà (Rom, 1937) fördert und kontrolliert, aber nur wenig mit eigenen Produktionen beeinflußt, bevorzugt sie leichtgängige sentimentale Kost wie *Darò un milione* (1935) von Mario Camerini und meidet eher die direkte Propaganda von *Camicia nera* (1933). Gelegentlich hat sie die Möglichkeit, mit ihrem Mann höherstehende Interessen zu befriedigen, wenn die Freizeitorganisation »Opera Nazionale Dopolavoro« ihren »Karren der Thespis«, eine technisch bestausgerüstete Theatertruppe, in die Stadt schickt.

Borsalinoreklame um
1930

Die bevorzugte Zeit für die Liebe zwischen Ehemann und Ehefrau ist der freie Samstagnachmittag, den das Regime 1935 einführt und eigentlich zur sportlichen Ertüchtigung (und Kriegsvorbereitung) vorsieht. Der Faschismus regelt nicht nur die Preise für das Bordell, er prämiert auch Ehe und Kinderaufzucht. Die einzige Präservativmarke Ha-Tu ist von schlechter Qualität und nur unter dem Ladentisch zu haben. Ende der dreißiger Jahre müssen die offiziellen Verlautbarungen den geringen Erfolg in der »bevölkerungspolitischen Schlacht« eingestehen.

»Sohn der Wölfin«, – ab 1936 wurden auf Veranlassung Mussolinis alle Kinder vom ersten Lebenstag an für die »Opera nazionale balilla« verpflichtet.

Während die Erwachsenen den römischen Gruß in der Regel auf eine kurze Armbewegung reduzieren, unterliegen die Schulen einer strengeren Disziplin. Die Schulbücher halten das faschistische Italien mit dem Lob seiner ländlichen Wurzeln und seiner technischen Errungenschaften auf jeder Seite präsent. In den *Piccoli libri della Patria* erscheinen in der Reihe »Helden und Märtyrer« Mazzini und Garibaldi mit Zeugnissen ihrer Menschlichkeit und Tapferkeit. Zu den Helden gehört auch Giuseppe Battista Perasso, genannt Balilla, dem die Legende 1746 die erste Widerstandsaktion gegen den österreichischen Besatzer zuschrieb etc. Den breitesten Raum nimmt die traurig-arme Kindheit des Duce ein, auf den Gedichte auswendig zu lernen sind, die seine Geburt mit der Jesu Christi vergleichen. Wo die Kinder naturgemäß lieber zur Mickey Mouse greifen, müssen sie ab 1942 mit einem italianisierten braven Tuffolino Vorlieb nehmen. Die Mitgliedschaft in der faschistischen Kinderorganisation »Opera Nazionale Balilla« und im Jugendverband der »Gioventù italiana del littorio« ist zwar nicht obligatorisch, wer sich ihr entzieht, kommt jedoch nicht in den Genuß der damit verbundenen kostenlosen Schulmahlzeiten, Ferienaufenthalte etc. Die Uniform für Jungen gibt es im Kaufhaus »La Rinascente« für 39 Lire, die entsprechende für die »piccola italiana« kostet 6 Lire mehr. Trotz dieser Tendenz zur Gleichschaltung ist es für den einzelnen Lehrer noch möglich, das 1939 in die Schulbücher eingefügte Kapitel über die Ungleichheit der jüdischen Rasse zu überspringen. Während der Schulfunk mit Sequenzen wie »Die Gründung Roms«, »Roter Terror in Spanien« etc. die Jugend zu beeinflussen sucht, wird das Radio erst 1937 mit dem ›Volksempfänger‹ Balilla – 430 Lire, zahlbar in 18 Monatsraten – breiteren Bevölkerungsschichten zugänglich.

1938 bedeuten eine Million Geräte ein Zwölftel der Bestückung in Deutschland. Während die besseren Kreise noch Konzert und Theater vorziehen, die Intellektuellen das Radio als ein Unterhaltungsmittel für Dummköpfe verachten und die Arbeiter es sich nicht leisten können, entdeckt das Mittel- und Kleinbürgertum die Intimität des abendlichen Radiohörens, bei dem die Sendung nicht den Hintergrund, sondern das Hauptereignis darstellt. Das Regime sucht diese Hörbereitschaft nach dem Abendessen zu nutzen, beschränkt die direkte Propaganda aber auf 10 Kommentarminuten.

Werbung für das Volksradio Balilla

Die faschistische Ära ist noch weitgehend ein Zeitalter des Fahrrads und der öffentlichen Verkehrsmittel. Der Kleinbürger mietet sich einmal im Jahr eine Karosse zu einem lange vorbesprochenen Ausflug. Im Jahr 1932 präsentiert Fiat auf dem Automobilsalon von Mailand den Ballila 508, das erste ›Volksauto‹ (7 Liter, 80 km/h), das mit einem Preis von 9900 Lire für die Standardfamilie mit nur einem Verdienst vorerst kaum erschwinglich ist. So bleibt den Arbeitern und kleinen Angestellten nur der vom Kleinbürgertum eher gemiedene Treno popolare des »Dopolavoro«. Er fährt sie ab 1932 für die Dauer von acht Jahren in der dritten Klasse mit 70 % Skonto ans Meer oder in die Berge und transportiert sie später als Soldaten an die Front.

Von der Verknüpfung des Unterschiedenen zum autoritären Staat: Croce und Gentile

Benedetto Croce

Philosophie des Geistes

Interessierte
Erkenntnistheorie

Die philosophische Kultur der Epoche wird dominiert von Benedetto Croce und von Giovanni Gentile. In Neapel, dem Zentrum des Hegelianismus im Risorgimento, führt Croce ein Leben als in den bedeutenden Zeitfragen engagierter Privatgelehrter und beeinflußt als Herausgeber der Zeitschrift *La Critica-Rivista di storia, letteratura e filosofia* (1903–1944) nachhaltig das geistige Leben Italiens in der ersten Jahrhunderthälfte. Sein Neuidealismus ist eine Variante der in ganz Europa um die Jahrhundertwende wirkenden antipositivistischen Reaktion mit spezifisch nationalen Zügen. Croce lernt den Marxismus und Hegel über einen seiner Lehrer, Antonio Labriola, kennen. Hegel, den er in seiner Schrift *Ciò che è vivo e ciò che è morto della filosofia di Hegel* (1909) der katholischen Umarmung durch den Risorgimentophilosophen Bertrando Spaventa entzieht, bleibt, auch wenn Croce in seiner *Contributo alla critica di me stesso* (1915) dessen Bedeutung für sein eigenes Philosophieren abzuschwächen versucht, eine zentrale Referenz für sein Gedankensystem. Dieses, in manchem dem ebenfalls hegelianisierenden Eklektizismus des französischen »Juste-Milieu«-Philosophen Victor Cousin aus den dreißiger Jahren des 19. Jahrhunderts vergleichbar, will die ideologische Hegemonie des Liberalismus zu einem Zeitpunkt befestigen, als zumindest in der Kunst und Literatur dessen geistige und ideologische Voraussetzungen schon unterminiert waren. Im ersten Jahrzehnt des neuen Jahrhunderts entwickelt Croce eine auf Grundbegriffen der philosophischen Tradition aufgebaute »Folge von Systematisierungen«, die in seinem Verständnis als Stufen des Geistes auf dem Weg zur »Filosofia dello Spirito« dialektisch zu durchschreiten sind: das Schöne *(Estetica come scienza dell'espressione e linguistica generale*, 1902); das Wahre *(Lineamenti di una logica come scienza del concetto puro*, 1905), das Nützliche und das Gute *(Filosofia della pratica: economia ed etica*, 1909). Schlüsselbegriff für den Aufbau dieses Systems, das Croce später um eine ethisch dominierte *Teoria e storia della storiografia* (1917) ergänzt, ist, in bewußter Unterscheidung zu Hegels Dialektik der Gegensätze, die Denkfigur der Verknüpfung des Unterschiedenen, ein Philosophem, das alle Zeichen der Epoche trägt, in der es entsteht. Seit 1910 Senator, gehört Croce auch politisch zur liberalen Elite des Landes. In einer politischen Lesart kann man die Verknüpfung der Unterschiede als philosophisches Äquivalent zum Trasformismo Giolittis deuten. Wie Giolitti adaptiert Croce Impulse des Marxismus zu eigenen Zwecken. Mit ihm teilt er die Zurückhaltung in der Frage der Kriegsintervention Italiens. Ihm stellt er sich 1920 als Unterrichtsminister zur Verfügung. Wie er pflegt auch Croce den taktischen, z.T. fördernden Umgang mit der faschistischen Bewegung. Erst nachdem diese sich als Diktatur etabliert hat, geht Croce von dieser Linie ab und wird mit seinem gegen das von Gentile redigierte *Manifesto degli intellettuali del fascismo* (21. April 1925) initiierten Manifest der antifaschistischen Intellektuellen *(Risposta di scrittori, professori e pubblicisti italiani, al manifesto degli intellettuali fascisti*, 1. Mai 1925) zur geistigen Führerfigur der antifaschistischen Opposition, genauer der liberalen Kreise, die sich in Distanz zum Regime halten. Nach dessen Sturz ist Croce noch Minister in den Kabinetten Badoglio und Bonomi, gründet die Liberale Partei, deren Präsident er zeitweilig ist, und glaubt an die alten Verhältnisse wieder anknüpfen zu können, zu einer Zeit, da nicht nur der Liberalismus keine Chance mehr besitzt, sondern auch das philosophisch-ästhetische System seines Vordenkers rapide an Einfluß verliert.

Croces Ästhetik, die das Schöne vom Wahren und Guten trennt, läßt sich als im europäischen Maßstab verspätete philosophische Bekräftigung der Autonomie der Kunst lesen, die zugleich eine konstruktive Antwort auf den Naturalismus und die europäische Dekadenz zu geben versucht. Im Gegensatz zur der Sphäre des Universellen angehörenden Philosophie fallen für Croce in der Kunst als Sphäre des Individuellen Intuition und Ausdruck ineins. Gegen die unpersönliche Kunstauffassung des Verismo und gegen die zeitgenössische positivistische Literaturwissenschaft naturwissenschaftlicher Provenienz privilegiert er eine Literaturgeschichte als Abfolge individueller geistiger Akte, eine Konzeption, in der Ästhetik und Psychologie ineinanderübergehen. Erst in einer von Schriften über Ariost, Goethe und Dante begleiteten zweiten Phase *(Poesia e non poesia,* 1923) wehrt Croce der Gefahr einer neuromantischen Auslegung und hebt stärker auf den universellen Charakter der Kunst ab, die als Ausdruck oder Repräsentanz des Realen in widerspruchsvoller Entfaltung zu Ordnung und Harmonie dränge, so daß im Idealfall, wie etwa bei Goethe, Poesie, Persönlichkeit und Menschheit zusammenfallen. Auch wenn sich später in *La poesia* (1936) das Begriffssystem mildert und den nichtpoetischen Ausdrucksformen der »Literatur« ein wenn auch minderes Daseinsrecht gibt, bleibt insgesamt der Sachverhalt eines dominant philosophischen, in der Praxis rückwärtsgewandten Herangehens, dessen klassizistische Kategorialität, vor allem der zweiten Phase, den Weg zur zeitgenössischen Literatur eher versperrt denn befördert. Sobald die weltliterarische Bedeutung eines Svevo oder Pirandello befestigt ist, wird die geringe heuristische Leistungsfähigkeit eines Systems erkennbar, das glaubt, mit der Reformulierung der Mittel des 19. Jahrhunderts die Probleme des zwanzigsten analytisch bewältigen zu können. Dies schließt seine vorerst intensive Wirkung in der italienischen Literaturkritik (u.a. Luigi Russo, Walter Binni, Attilio Momigliano u.a.) keineswegs aus.

Die Philosophie von Giovanni Gentile wird schon von scharfsichtigen Zeitgenossen als reaktionäre Variante von Croces Neuidealismus gesehen, die den Übergang in den Faschismus vollzieht. Gentile, der bei einem Spaventaschüler über die Risorgimentoideologen Antonio Rosmini und Vincenzo Gioberti promoviert, deutet den Faschismus als bestimmte Form der Einlösung der nationalen Einigungsbewegung, in der sich die Forderung Mazzinis nach der Einheit von Gedanke und Tat verwirklicht. Die philosophische Grundlage seines »Attualismo« entwickelt er in den beiden Hauptwerken *Teoria generale dello spirito come atto puro* (1916) und *Il sistema di logica come teoria del conoscere* (1917–1921). Es handelt sich um eine immanente Philosophie des Geistes, die im Gegensatz zu Croce den Akt des Denkens als einzige Realität begreift, der zugleich die Transzendenz selbst schafft. Führt dies in der Ästhetik zu einer in Studien über Dante, Manzoni, Leopardi befestigten Auffassung von der moralisch-künstlerischen Einheit des Kunstwerks, die ihren normativen Bezug noch offenhält, so findet Gentiles Revision Hegels durch Fichte auf dem Gebiet der Philosophie diesen Bezug in einer organizistischen Staatstheorie, in welcher der Staat als das Universale verstanden wird, in dem das Individuum seine Partikularität überwindet. Ein Staat, der in späteren Versionen, im Gegensatz zu Hegel, weder durch das Völkerrecht noch durch die Privatsphäre Beschränkungen unterworfen sein soll.

Mit dieser Konzeption verschafft Gentile dem Regime die Dignität einer respektablen Staatsphilosophie zu einer Zeit, als es noch um parlamentarische Zustimmung ringen muß. Als Unterrichtsminister in den Jahren 1922–1924 zeichnet er verantwortlich für eine Schulreform, welche die humanistische Ausbildung, eine schärfere Selektion und die Verstärkung des Religionsunterrichts in den Grundschulen vorsieht. Er ist Präsident des »Convegno per la

Autonomie der Kunst

Klassisches Kunstideal

Giovanni Gentile

Organizistische Staatstheorie

*Propagandist des
Faschismus*

Cultura fascista« (März 1925) an dem u.a. Pirandello, Curzio Malaparte, Marinetti, Ugo Ojetti, Alfredo Panzini, Ardengo Soffici teilnehmen. Als Leiter des »Istituto fascista di cultura« (1925), als Autor von Propagandaschriften des Typs *Che cos' è il fascismo?* und als Mitverfasser des Enzyklopädieartikels *La dottrina del fascismo* (1932) gehört Gentile zu den aktivsten Propagandisten des Faschismus. Gleichwohl bleibt er in der Partei wegen des konservativen Habitus seiner Philosophie und seiner ausgedehnten Kontakte zu den traditionellen Eliten umstritten. So muß er in den dreißiger Jahren ins zweite Glied zurücktreten, wenn man den Posten als Direktor der Elitehochschule der Scuola normale superiore von Pisa so bezeichnen will. Dies schmälert nicht seine Loyalität, die er bis zum bitteren Ende der Republik von Salò beibehält, bevor er in Florenz von einer Gruppe von Partisanen getötet wird.

Erzwungene Unübersichtlichkeit: die Zeitschriftenkultur

Verbot und Gewalt

Radikale philosophisch-politische Erneuerungsversuche, wie sie zu Anfang der zwanziger Jahre in der Fiat-Stadt Turin entstehen, werden von der Diktatur durch Verbot und physische Bedrohung erstickt. So z.B. die an Gaetano Salveminis *Unità* (1911–1920) anschließende Zeitschrift *Rivoluzione liberale* (1922–1925), in der ihr Herausgeber Piero Gobetti den Impuls seiner *Energie Nuove* (1918–1920) verlängert und die aus der Auseinandersetzung mit Antonio Gramscis *Ordine Nuovo* (1919–1920) geschärfte Kritik am Liberalismus alter Prägung weiterentwickelt. Der mit Gramsci befreundete Gobetti denunziert den Faschismus als legitimen Erben der oligarchischen und parasitären Demokratie und sieht in der Stärkung der italienischen Arbeiterklasse eine wichtige Vorbedingung zur notwendigen Modernisierung der italienischen Bourgeoisie auf dem Weg zu einer herrschenden Klasse, die ihre Führungsrolle zu Recht wahrnimmt. Die Anregungen aus dem Marxismus verbinden sich mit den Denktraditionen der piemontesischen Aufklärung zu einer Kritik am wirtschaftlichen Protektionismus, an den feudalen Strukturen des Mezzogiorno und an der in Italien besonders ausgeprägten Diskrepanz zwischen Staat und Gesellschaft. Hinzu kommt die in Gobettis Kulturzeitschrift *Il Baretti* (1924–1926) im Namen einer Öffnung nach Europa formulierte Ablehnung des kulturellen Provinzialismus sowie die auch Croce einschließende Auseinandersetzung um die Verantwortung der Intellektuellen. Eine derartig offene Debatte in einer bürgerlichen Öffentlichkeit läßt der etablierte Faschismus nicht mehr zu. Gobetti stirbt an den Spätfolgen einer faschistischen Provokation. Antonio Gramsci, der die von Gobetti verhandelten Themen in seinen 1929–1935 geschriebenen *Quaderni del Carcere* aus marxistischer Perspektive aufgreift, bleibt im Gefängnis ohne Außenwirkung.

Integration und Nischen

Die ausgrenzende Strategie durch Verbot ergänzt die Kulturpolitik des Faschismus durch Maßnahmen der Einbindung. So inauguriert Mussolini 1929 die *Reale Accademia d'Italia* (1929), deren mit fast 3000 Lire im Monat gut dotierter Mitgliedschaft sich neben Pirandello u.a. Ardengo Soffici, Riccardo Bacchelli, Massimo Bontempelli, Giuseppe Ungaretti und sogar Marinetti, der Antiakademiker par excellence, nicht verschließen. Auf dem Zeitschriftensektor sucht Gentiles staatsoffizielle, 1923 in Rom gegründete, *Educazione fascista* (später *Civiltà fascista*), die bürgerliche Rechte zu integrieren. *Il Frontispizio*

Antonio Gramsci; erste
Seite eines Briefes an seine
Mutter, 10.5.1928

(1929–1940) versucht dasselbe mit dem katholischen Lager. Die von dem
›Bewegungs‹faschisten Giuseppe Bottai, Unterrichtsminister ab 1936, verant-
worteten, in Florenz erscheinenden *Critica fascista* (1920–1943) und *Il Primato*
(1940–1943) bilden Auffangbecken für jene Teile der Intelligenz, die außerhalb
der offizialisierten rhetorischen Kultur eine Darstellungs- und Wirkungsmög-
lichkeit suchen. Daneben existiert eine Fülle von Zeitschriften des faschistischen Studentenverbands, die wenig strengen Direktiven unterliegen und neben
ihrer Funktion der Steuerung der jungen Intelligenz zugleich ein Forum mögli-
cher Kritik darstellen. Hat diese Politik eines kulturellen Trasformismo ihre
unbestreitbaren Erfolge, so erzeugt sie zugleich Nischen, in denen Widerständi-
ges zumindest zeitweilig seinen Platz findet und jenseits des offiziellen »Tutto
bene« auch Grundsatzfragen relativ offen ausgetragen werden können. So findet
etwa die Dichtung der inneren Emigration Gastrecht in *Il Frontispizio*, so wird
z.B. *Il Primato* mit seinen großen Umfragen, u.a. zur Lage der Schule oder zum
Existentialismus zu einem Diskussionsforum, das auch jene Probleme verhan-
delt, die schon Gramsci und Gobetti bewegten.

Die ideologische Ausrichtung des Faschismus selbst steht im Zentrum der
um die regionale oder europäische Orientierung der Kultur kreisenden Debatte
zwischen »Strapaese« und »Stracittà«. Hauptvertreter von »Strapaese« ist die
während der parlamentarischen Krise von 1924 in der Nähe von Siena gegründete Zeitschrift *Il Selvaggio* (1924–1943). In ihren ersten beiden Jahren ist sie
Instrument des ländlichen Faschismus, genauer seiner squadristischen Variante,
die sich nicht auf eine Filter- und Ordnungsfunktion gegenüber den Forderungen der ländlichen Massen reduzieren lassen will. Als die Zeitschrift 1926 mit
Hilfe Ardengo Sofficis nach Florenz übersiedelt, wird sie zum vorwiegend kultu-
rell-literarischen Periodikum. Siena (März 1929 – Dezember 1930), Turin
(1930–1931) und Rom (1932–1943) sind die weiteren Stationen der Redaktion auf dem Weg in eine zunehmend ohnmächtige Form der innerparteilichen
Opposition. Chefredakteur und grafischer Gestalter von *Il Selvaggio* ist Mino
Maccari, der vor und nach seinem Ausschluß aus der Partei die Kontinuität
einer kritischen Distanz zum Regime sichert. Den Kontakt zum Bürgertum und
zur städtischen Intelligenz halten Soffici, der mit *Lemmonio Boreo* (1911) schon
eine Gestalt des intellektuellen Squadrismo avant la lettre geschaffen hatte und

Strapaese

Umschlagbild Nr. 3, 1931
Kritik am offiziellen
Faschismus

einmal mehr Giovanni Papini. Zum Umfeld gehört zeitweilig auch der von »Stracittà« übergelaufene Curzio Malaparte. Es publizieren u.a. Linksfaschisten wie Romano Bilenchi oder Vitaliano Brancati, aber auch Elsa Morante. Zu den Illustratoren gehört u.a. Renato Guttuso.

Kulturell geht es den Vertretern des »Strapaese« um die Bekräftigung des aktuellen Werts vermeintlich typisch italienischer Traditionen und Sitten. Trotz vieler scharfer Beobachtungen hindert der antimodernistische und antiintellektualistische Affekt an einer vertieften Reflexion des Gegensatzes von Stadt und Land. Die paradoxe Forderung nach einer Selektion der besten regionalen Traditionen im Blick auf eine starke und fruchtbare nationale Synthese bleibt immer wieder in einem unvermittelten Gegensatz von borniertem Provinzialismus und übersteigertem Nationalismus befangen. Im einzelnen polemisiert man gegen die staatsoffizielle Architektur und implizit gegen deren ökonomische Profiteure, gegen die öffentlichen Selbstinszenierungen des Regimes, die kulturelle Mittelmäßigkeit des »Istituto fascista di cultura« u.a.m. Kritisiert wird auch der Rassismus und die Unterwerfung unter Hitlerdeutschland. Zu den eigenständigen Initiativen gehört die Förderung der »cultura popolare«, etwa durch den Abdruck von nur mündlich überlieferten Volksliedern. Insgesamt fungiert die Zeitschrift, wie auch das von Leo Longanesi gegründete, elitärere Parallelunternehmen *L'Italiano* (1926–1942), als Ventil für die unzufriedene Intelligenz, vor allem der Provinz, was nicht ausschließt, daß der moralisch kritische Antrieb manchem der Mitarbeiter, wie etwa Romano Bilenchi, den Weg zum Antifaschismus öffnet.

Stracittà

Eine wichtige Zielscheibe der Kritik von *Il Selvaggio* ist auch Massimo Bontempellis Zeitschrift *Il Novecento* (1926–1929), die sich im Anschluß an die gleichnamige Kunstbewegung um Carlo Carrà und Giorgio De Chirico ihren Namen gibt. Den Vorwurf des Antiitalianismus erhebt »Strapaese«, von Provinzialismus sprechen die Vertreter von »Stracittà«, die sich aus Kontrastgründen selbst so benennen. Bontempelli versucht den avantgardistischen Impuls des Futurismus zu verlängern und den zeitgenössischen Roman durch einen mythisch-magischen Prosastil zu erneuern. Erneuert werden soll die italienische Kultur vor allem durch den Kontakt mit der europäischen Avantgarde (Dadaismus, Surrealismus), was die *Cahiers de l'Italie et de l'Europe*, so der Name der Zeitschrift zu Beginn, auch durch die Wahl eines Redaktionskomitees verdeutlicht, dem u.a. James Joyce und Ilja Ehrenburg angehören. Gleichwohl bleibt auch *Il Novecento* im Bannkreis der Politisierung des Kulturellen befangen. Wenn man die Öffnung nach Europa mit dem erklärten Ziel betreibt, die Stärkung Italiens, in den Worten Bontempellis die mediterrane Hegemonie, vorzubereiten, bindet sich erneut eine der selbsternannten Avantgarden kurzschlüssig an kunstexterne Ziele. So wird die Auseinandersetzung zwischen »Strapaese« und »Stracittà« in letzter Instanz zu einem Scheingefecht, dessen Kontrahenten

»Mistero e malinconia di una strada«, Giorgio De Chirico, 1914

meist mit nicht scharfer Munition schießen, was nicht ausschließt, daß sie eine für die italienische Kultur zentrale Thematik auf der Strecke lassen und die offizielle Kulturpolitik als Sieger zurückbleibt.

Auf diesen autoritär gesteuerten Synkretismus in der Kulturpolitik reagieren Teile der Intelligenz mit dem Rückzug in die Literatur. In ihrem Selbstverständnis bedeutet dies Wahrung ihrer Integrität, wenn nicht schon eine Form der mittelbaren Opposition. Diese Tendenz deutet sich bereits an mit der von Vincenzo Cardarelli geleiteten römischen Monatszeitschrift *La Ronda* (1919–1922), zu deren Equipe u.a. der Romancier Riccardo Bacchelli und der Kritiker Emilio Cecchi zählen. Ihr Wahlspruch – »Der Stil ist ein Mittel der Verteidigung« – radikalisiert die schon weitgehend kunstzentrierte Haltung der *Voce letteraria* und propagiert gegen die kleine Münze der D'Annunzio-Adepten wie

Rückzug auf die Literatur

gegen das lärmende Avantgardegehabe des in die Jahre gekommenen Marinetti einen Neoklassizismus, der an die Tradition Petrarcas, Manzonis und des Leopardi der *Operette morali* anknüpfen will. Formal bedeutet dies eine die expressionistische Fragmentliteratur der Vorkriegszeit beruhigende »Prosa d'arte«, die im wohlkomponierten »Kapitel« zur Erfüllung kommt. Daß dieser kunsthandwerkliche Rigorismus nicht nur im eigenen Metier auf die »Rückkehr zur Ordnung« (Cecchi) zielt, belegt der gelegentlich geäußerte Wunsch nach einem Staatsstreich von König und Armee ebenso wie die Einstellung der Zeitschrift nach dem Marsch auf Rom.

»Lo stile è una difesa«

Während *La Ronda* die Literarisierung der Literatur in vornehmlich konservierender Absicht vorantreibt, bereitet sie gleichzeitig einen intellektuellen Gestus vor, der mit dem Machtantritt des Faschismus in ein neues Koordinatensystem gerät. Die Verweigerung des Politischen wird zu einer Atempause, in der die italienische Literatur ihren Nachholbedarf an Modernisierung stillen kann. Die von dem zwanzigjährigen Alberto Carocci in Florenz gegründete literarische Monatsschrift *Solaria* (1926–1934), die sich ohne explizite Programmatik präsentiert und vom Personal her zunächst die Fortsetzung von *La Ronda* und *Il Baretti* darstellt, wird zu einer der wichtigen kulturellen Schaltstellen in der Zeit des Faschismus. Sie beschränkt sich auf literarische Themen und verzichtet auf die kontroverse Debatte. Von Gobetti bleibt vor allem der Impuls der Öffnung nach Europa. Unter den ausländischen Autoren, die man vorstellt und präsent hält, steht Dostojewski zunächst als Sigle für die bald verblassende Kontinuität einer vornehmlich moralisch engagierten Kritik. Weit zahlreicher ist die Reihe jener Schriftsteller wie Marcel Proust, André Gide und Paul Valéry, James Joyce und T. S. Eliot, Ernest Hemingway und William Faulkner, Rainer Maria Rilke und Franz Kafka, die thematisch und formal komplexere Fragen aufwerfen und deren problembezogene Präsentation durch Eugenio Montale, Giacomo Debenedetti u.a. die Zeitschrift zum Zentrum der Erneuerung der italienischen Literatur des zwanzigsten Jahrhunderts werden lassen. In *Solaria* ist Platz für die introspektiv lyrische Prosa des jungen Elio Vittorini. Hier kommen die Sprachexperimente eines Carlo Emilio Gadda zu Wort, kann sich mit Gianfranco Contini philologische Präzision und Modernität des Geschmacksurteils verbinden. Die vor allem mit dem Eintritt von Alessandro Bonsanti als Kodirektor in den Jahren 1929–1932 noch forcierte Literarisierung führt langfristig zum Konflikt mit Carocci, der seine moralisch-politischen Interessen nicht mehr im alleinigen Medium der Literatur aufgehoben sieht. Während Bonsanti nach dem Erlöschen von *Solaria* mit *Letteratura* ein ausschließlich literarisches Periodikum ins Leben ruft, gründet Carocci mit Giacomo Noventa *La riforma letteraria* (1936–1939) und später *Argomenti* (1941–1943) Zeitschriften, die sich wieder stärker auf die Probleme Italiens orientieren, und, vor allem mit *Argomenti*, einen vorsichtigen Kurs des Widerstands steuern.

Ein unübersichtliches Terrain – Die Zeitschriften der Zwischenkriegszeit

Zwischen Kunstprosa und Neuem Realismus: der Roman der Zwischenkriegszeit

Borgeses Roman *Rubè*, mit dem der Kritiker durch einen großen welthaltigen Stoff seine Vergangenheit im Schatten D'Annunzios begraben will, trägt in der symbolistisch aufgeladenen Faktur wie in den nicht wenigen rhetorischen Einlagen selbst noch deutlich die Spuren des einstigen Vorbilds. Auch als Kritiker,

Gelobtes Land: Amerika

Erzählte Moral

Gefährdete bürgerliche
Ordnung

der mit seiner Artikelserie *Tempo di edificare* (1923) gegen die in Italien ausgeprägte und durch Benedetto Croce noch einmal bestärkte poetologische Geringschätzung des Romans diesen als Mittel der Erneuerung der italienischen Literatur propagiert, hat Borgese einen schweren Stand. Hinzu kommt, daß er mit seiner Kontinuitätslinie von Verga zu Tozzi und Pirandello mehr an Zusammenhängen verdeckt denn erhellt. So läuft sein Programm einer Erneuerung des Romans theoretisch und praktisch ins Leere. Italien kennt keinen Großstadtroman. *Manhattan Transfer* ist allenfalls Umschlagplatz für die italienischen Emigranten und *Berlin Alexanderplatz* ist nicht nur geographisch weit entfernt von der Piazza Navona. Erst in den dreißiger Jahren wird Amerika, das in der Narrativik als »gelobtes Land« motivisch häufig präsent ist, mit Emilio Cecchis *America amara* (1938) und dem von Vittorini besorgten, aber von der Zensur entschärften Sammelband *Americana* (1942) zu einem Gegenbild der Vitalität, zum Vorbild einer von lokalen Traditionen freien Gemeinsprache und der politischen Demokratie. Ein Idealbild, das wo es nicht der Wirklichkeit entspricht, als dem Faschismus vorgehaltener Spiegel seine Funktion erfüllt. Die auf ein breiteres gebildetes Publikum zugeschnittene Prosa der Zwischenkriegszeit bewegt sich weitgehend zwischen einem Nachhängen und der Trivialisierung älterer Entwicklungsstufen (Verga, D'Annunzio) und der weit verbreiteten Prosa der kleinen Form im Gefolge der *Ronda*. Die Privilegierung der stilistischen Perfektion kann auch gelegentlich gewählte Großformen, wie z.B. den historischen Roman *Il mulino del Po* (1938–1940) eines Riccardo Bacchelli, auf dem Niveau der Kunstübung belassen. Ab Anfang der dreißiger Jahre läßt sich aber auch eine Transformation des veristischen Erzählens beobachten, das zu einem Neuen Realismus drängt. Die auf eine neue Schreibgrammatik zielenden Autoren dieser Richtung, wie z.B. Elio Vittorini, Carlo Emilio Gadda oder Cesare Pavese, wirken noch vornehmlich in einer eingeschränkten Öffentlichkeit, ohne das literarische Klima und das Leseverhalten schon entscheidend zu prägen.

Einen D'Annunzio auf dem Niveau des humanistisch gebildeten Mittel- und Kleinbürgers verkörpert der Gymnasiallehrer Alfredo Panzini, der in seinen stilistisch zwischen Naturalismus und Impressionismus sich bewegenden Romanen und Erzählungen den bürgerlichen Wertekanon von Familie, Arbeit, Vaterland und Pflichtgefühl der meist sinnlichen Versuchung aussetzt und mit Rhetorik und einiger Heuchelei wiederherstellt (u.a. *Io cerco moglie*, 1920; *La pulcella senza pulcellaggio*, 1925). Seine Neigung zum Pointillismus und zur ironischen Digression geht Hand in Hand mit der Konfliktabschwächung, eine Haltung, die auch seinen Reiseberichten *(La lanterna di Diogene*, 1907; *Viaggio di un povero letterato*, 1919) ihre spezifische Färbung einer »terza pagina« des Feuilleton gibt. Populärer, aber demselben Rhythmus der Wiedergewinnung einer gefährdeten Ordnung gehorchend, erzählt Enrico Pea in der Tradition der mündlichen Geschichtenerzähler mit *Moscardino* (1922) und *Il volto santo* (1924) die Kindheit mit dem Großvater in der Toskana als eine Fülle von außerordentlichen Begebenheiten und leidenschaftlichen Verirrungen, welche die Verrücktheit als anderen Pol der Normalität andeuten, sie aber, anders als Pirandello, durch eine Erzählerhaltung auffangen, die neben Volksweisheiten auch Mittel aus dem Arsenal der bürgerlichen Moral zur Beruhigung bereithält. Diese setzt er verstärkt in seinen Romanen ein (u.a *La Maremma*, 1938, *Rosalia*, 1943), wo einmal mehr die Frauen in der Doppelfunktion als Mutter und Geliebte Gefährdung und Beruhigung zugleich zu leisten haben. In die Reihe der moralisierenden Erzähler gehört auch Bruno Cicognani, der die Portraits seiner Außenseiter und Gescheiterten aus den niederen Volksschichten von Florenz (u.a. *Gente di conoscenza*, 1918, *Il figurinaio e le figurine*, 1920) mit

Grazia Deledda mit
Söhnen

einem Firnis christlichen Mitleids überzieht, während er der an ihrer sexuellen Freizügigkeit scheiternden Frauenfigur aus dem Roman *La Velia* (1923) die Auswege versperrt. Ähnlich verfährt Marino Moretti in seinen Provinzgeschichten voller mittelmäßiger Leidenschaften und frommer Lösungen (u.a. *La voce di Dio*, 1917, *I due fanciulli*, 1922), welche die Verzichtmoral seiner crepuscolaristischen Dichtung in der Prosa verlängern.

Mittelmäßige Leidenschaften – Fromme Lösungen

Als Epos des Verzichts lassen sich auch die Romane von Grazia Deledda lesen. Zwischen Naturalismus und Lyrismus bewegt sich das Werk der Autodidaktin und Nobelpreisträgerin (1926), die in einer bis in die Mitte der dreißiger Jahre sich erstreckenden umfangreichen Produktion ihre sardische Heimat zum Schauplatz von Erzählstoffen macht, welche die archaischen Traditionen des Landes in z.T. an Ganghofer erinnernde Handlungsmuster umsetzen. So werden etwa in *Elias Portulu* (1903) und *La madre* (1920) Priester der Gefahr der Verführung ausgesetzt. *Marianna Sirca* (1915) schildert die tragische Liebe der zu Reichtum gekommenen Tochter eines Hirten zu einem Banditen. *Canne al vento* (1913), das als ihr Meisterwerk gilt, erzählt die Geschichte eines Dieners und seiner drei Herrinnen, bei deren Rettung vor dem wirtschaftlichen Ruin er versagt, weil er eine Schuld in sich trägt, die keiner kennt. Die Spiritualisierung des in das Motiv der grundlosen Schuld übersetzten Triebs erfolgt bei Deledda nicht im Namen christlicher Moralvorstellungen, sie ist zwangsläufige Folge eines dunklen Gesetzes, das die sardischen Menschen zum Opfer und zum Schmerz verurteilt. Die ausgesparte psychologische Differenzierung in der Personengestaltung und die scheinbare Akausalität ihres Handelns haben ihre Wurzeln in einer rückständigen Welt voller Tabuisierungen. Das Unbewußte, das sie an- und umtreibt, ist nicht wie bei Tozzi in der Zwischenlage von Archaismus und Modernitätsanforderung angesiedelt, sondern einliniges Resultat einer Dichotomie von Verbot und Begierde. Dieser Dichotomie ordnet sich zunehmend auch die Beschreibung der Landschaft unter, indem das anfänglich naturalistische Kolorit einer Atmosphäre der Legende und des Mythos weicht.

Archaisches Sardinien

Zu den literarischen Entdeckungen der Zwischenkriegszeit zählt der aus einer wohlhabenden römischen Architektenfamilie stammende Alberto Moravia, der mit *Gli indifferenti* (1929) einen vielbeachteten Erstling vorlegt. Der wie ein Kammerstück gehaltene Text entwickelt sein Thema am Beispiel einer verarmten römischen Bürgerfamilie, deren Mitglieder – die verwitwete Mutter, Tochter und Sohn – dem Liebhaber der Mutter ausgeliefert sind, der diese mit der

Ein bürgerliches
Elternhaus – Der junge
Alberto Moravia, 1912

Marx und Freud

»Vor allem dachte ich an
die Literatur« – Alberto
Moravia

Tochter betrügt, den Sohn als Quasi-Vater gängelt und die Hypothek auf das Haus hält. Nicht nur weil der Liebhaber Merumeci physiognomisch und im Verhalten Mussolini ähnelt, läßt sich der Roman als eine in psychologische Termini übersetzte Parabel auf den Faschismus lesen, dem sich das Bürgertum ausliefert und der es sich als Beute hält. Auch in einer weniger zugespitzten Deutung stehen die Frauenfiguren und der schwächliche Sohn in allen Punkten im Kontrast zu den Anforderungen der offiziellen Rhetorik an Mutterrolle und Männlichkeit, signalisiert in jedem Fall der Plural des Titels mehr als eine nur individuelle Haltung der Indifferenz. So versteht die faschistische Kritik den Text als Affront gegen das Regime und erzwingt sein Verbot. Die Reaktion der Avantgardezeitschrift *Solaria* bleibt angesichts der Traditionalität der Schreibweise eher reserviert. Moravia, der *Gli indifferenti* als präexistentialistischen Text verstanden wissen will, geht nach einer verunglückten Imitation Dostojewskis *(Le ambizioni sbagliate*, 1935) und dem Versuch zur satirischen Verfremdung der Regimekritik *(La mascherata*, 1941) wieder den Weg einer nun im Grundsatz geführten Auseinandersetzung mit den Wertnormen und Handlungsmustern seiner Herkunftsklasse, die er in, wenn auch vagem, Bezug auf Freud und Marx an den Themen der Sexualität und des Geldes entwickelt. Zunächst erfolgt diese Kritik im Medium der sich den familiären Normen entziehenden bzw. verweigernden jugendlichen Protagonisten von *Agostino* (1944) und *La disubbidienza* (1948). Später entwickelt sie sich entlang einer Reihe von Intellektuellen- und Künstlerfiguren, deren Identitäts- und Kreativitätskrisen sich jeweils in problematische Liebesbeziehungen verschränken, in denen der Frau zunehmend die salvatorische Funktion entzogen wird. Auch die an der Oberfläche neorealistischen Romane wie *La Romana* (1948) und *La ciociara* (1958) bieten den intellektuellen Protagonisten keinen Ausweg und zerstören mit ihrer scheiternden bzw. nicht zustande kommenden Beziehung zu einer Frau aus dem Volk zugleich die neorealistische Illusion einer soziokulturellen Erneuerung. Selbst die *Racconti Romani* (1954, 1958) reproduzieren in der Aussichtslosigkeit des Schicksals ihrer »disgraziati« jene schon in Moravias erstem Roman angelegte Ontologie der Lähmung, die sich mit der Diagnose neokapitalistischer Strukturen in der Kultur *(Il disprezzo*, 1954) auf moderne Grundlagen stellt. Der Held von *La noia* (1960) schließlich, der sich von der Mutter aushalten läßt und seine Geliebte zu kaufen und damit zu binden sucht, kann Hoffnung auf einen Ausweg aus seiner künstlerischen Krise erst dann schöpfen, als er zum Verzicht auf den Kreislauf von Sesso und Denaro bereit ist und jene Haltung der Contemplatio erreicht, die ihn zugleich außerhalb der Verkehrsformen der bürgerlichen Gesellschaft stellt. Ein letztlich abstraktes Ideal, dessen Höhe Moravia in seiner nachfolgenden Romanproduktion nicht halten kann, die über das Niveau zeit- und marktangepaßter Varianten älterer Problemstände nicht mehr hinausgelangt.

Das Werk Deleddas verdient den Beinamen »magischer Realismus« eher als jenes von Massimo Bontempelli, der den Terminus verwendet, um sein eigenes Erzählen zu charakterisieren, das mit der Metempsychose von *Il figlio di due madri* (1929) und der Geschichte einer alle fünf Jahre von einem Todesfall betroffenen Familie von *Gente nel tempo* (1937) zu einer Preziosität der Konstruktion ohne Geheimnis neigt. Zu den wenigen mit dem realistischen Erzählmuster wenigstens zeitweilig brechenden Erzählern gehört auch Aldo Palazzeschi, der Antikonventionalist der ersten Jahrhunderthälfte par excellence. Zeitgleich und im Kontrast zu Marinettis monströsem *Mafarka le Futuriste* (1911) entsteht der im Untertitel als futuristisch qualifizierte *Il codice di Perela* (1911), ein wie als spielerischer Kontrapunkt zu Marinetti geführter Staatsroman, in dem ein Mann aus Rauch das Gesetzbuch für ein Königreich schreiben soll. Unveröffentlicht bleibt das auf 1925 datierbare *Interrogatorio della Contessa Maria*, die leichthändig präsentierte Befragung eines weiblichen Don Juan, die sich zu einer spielerischen und um so grundsätzlicheren Infragestellung der zeitgenössischen bürgerlichen Sexualmoral ausweitet. In den *Sorelle Materassi* (1934), der Geschichte zweier Stickerinnen aus einem florentinischen Vorort, die ihr nonnengleiches Leben an die Vitalität ihres Neffen veräußern und dabei Ruf und Vermögen verlieren, verbindet sich das ironisch temporeiche Erzählen mit einer realistischen Führung des Sujets zu einer geglückten Synthese von Leichtigkeit und Ernst, die bis dahin allenfalls in Ippolito Nievos *Confessioni di un Italiano* einen Vorläufer findet und die Palazzeschi selbst in seinem späteren Werk nicht mehr gelingt.

Post festum gesehen zu den wichtigsten Sprachexperimenten gehören Carlo Emilio Gaddas *La madonna dei filosofi* (1931) und *Il castello di Udine* (1933), die z.T. schon in *Solaria* publizierte Texte vereinen. Schon in diesen frühen Entwürfen wie später in *L'Adalghisa. Disegni Milanesi* (1944) setzt der Elektroingenieur Gadda seine professionelle Genauigkeit ein zu einer in erster Linie über die Kritik an der humanistisch-literarischen Literaturtradition vermittelten Gesellschaftskritik, die sich zugleich als Sprachkritik entfaltet und deren Qualitäten die herrschende »Prosa d'arte« anämisch erscheinen läßt. Selten kommt es zu einer geschlossenen Handlung, wie in der Liebesgeschichte des neurotischen Ingenieurs aus *La madonna dei filosofi*, die wie bei Gaddas Vorbild Manzoni, aber völlig überraschend, in der Idylle endet. In den kruden Portraits von Kinobesuchern oder der karikaturalen Beschreibung einer lyrischen Oper, im Kriegserlebnis wie im Reisebericht, in der Selbstanalyse wie in den Szenen aus dem Innenleben des Bürgertums von Mailand, immer gilt Gaddas Anstrengung zuerst der stilistischen Genauigkeit. In einer stellenweise barocken, aber präzisen Sprachführung, werden alle Register gezogen – historische wie literarische, einschließlich der Fachsprache und des Dialekts –, um die konventionalisierten Bedeutungen der Wörter aufzubrechen, welche in der Sicht Gaddas die Wahrheit versperren. Eine Wahrheit, die keinen gesellschaftlichen Fluchtpunkt kennt und die auch dem ideologischen Kauderwelsch Mussolinis nicht anders begegnen kann als mit ineinandergeschachtelten Fragmenten genau bezeichneter Verstörung.

Wo Moravia den Binnenraum der bürgerlichen Verkehrsformen letztlich geschlossen hält und Gadda in der Hauptsache an der Sprachkritik ansetzt, arbeiten andere Autoren näher an den in die italienische Gesellschaft eingelagerten sozialen, regionalen und kulturellen Spannungen und suchen jenseits veristischer Mimikry und wohlfeiler Versöhnung neue Wege des Zugangs zu dieser Wirklichkeit, wodurch, je nach Reichweite des Blicks und Tiefenschärfe der Diagnose, die Wechselbeziehung von Sujetwahl und Engagement auch neue Formen der Darstellung erzeugt.

Eine Ausnahme in diesem Kontext ist Ignazio Silone, Kommunist, später Sozialdemokrat, der im Exil mit *Fontamara* (1930) einen Roman verfaßt, welcher in Handlungsführung und Erzähltechnik formal in das Klima der Nachkriegszeit gehört, damit auch das Problem aufwirft, inwieweit der Faschismus die Romanentwicklung der Zwischenkriegszeit steuert. Die Schilderung des verzweifelten Kampfs der Bewohner eines Abruzzendorfs um ihre Wasserstelle, welche die faschistischen Behörden einem neureichen Geschäftemacher zuschanzen, erfolgt durch wechselnde Erzähler aus dem Dorf, ein auf das choralische Erzählen des Neorealismus vorausweisendes Verfahren, das zugleich die Aufnahme des Widerstands und die Zusammenarbeit mit einem Funktionär der verbotenen kommunistischen Partei glaubwürdig machen soll. Exzeptionell durch sein Thema ist auch der Roman *Tre operai* (1934) von Carlo Bernari, der

Sprachgenauigkeit als Widerstand

Zwischen Klasse und Region

Ignazio Silone

Proletarische Helden –
Kleinbürgerliche
Sehnsüchte

*Nostalgischer
Regionalismus*

Ein linksfaschistischer
Roman

vor allem durch *Speranzella* (1949), ein Panorama der italienischen Nachkriegszeit, bekannt wird. Der Sohn eines Färbereibesitzers mit ungeregelter Ausbildung schmilzt seine Erfahrungen aus dem väterlichen Betrieb in die Figur des
ungelernten Arbeiters Teodoro, der in den Streikjahren kurz vor dem Machtantritt des Faschismus seinen Weg zwischen Reformismus und Revolution
sucht, zwischen kleinbürgerlichen Sehnsüchten und einem Leben als Agitator
schwankt und dabei die Liebe und die Freundschaft verfehlt. Der Roman,
dessen Protoversion noch eine kleinbürgerliche Personenfiguration besitzt,
erschließt der italienischen Literatur nach dem Angestellten die Welt des Prole-
tariats in einem antiklischeehaften grauen und regnerischen Neapel der Streik-
jahre kurz vor dem Faschismus. Bernari vermeidet sowohl die Klippe der Idealisierung als auch der Denunzierung seiner Personen. Dies gelingt nicht zuletzt
mittels einer kunstvollen, vor allem an Tozzi und dem französischen Surrealismus geschulten, monoton-dissonanten Schreibweise, die in Verbindung mit
den Techniken des Anakoluths, einer dialektalen Syntax, des bruchlosen Übergangs von der dritten zur ersten Person u.a. eine realistische Grundierung von
innen heraus erzeugt, welche mit dem naturalistischen Verfahren der Illustration von Milieu nur noch wenig gemein hat. *Tre operai* wird nach seinem
Erscheinen verboten. Bernari, der als Buchhandelsangestellter und Redakteur
sein Leben fristet, publiziert erst wieder nach der Befreiung, ohne indes die
Qualität seines Erstlings noch einmal zu erreichen.

Mit Corrado Alvaro sind wir im Regionalismus als dominanter Form der
Sinnstiftung bzw. Sinnverweigerung. Alvaros Haupttext, *Gente in Aspromonte*
(1930), beschwört nostalgisch eine Welt des Südens, in der die kalabresischen
Bergbewohner nach dem Gesetz der Natur leben und die sozialen Konflikte,
wenngleich scharf markiert, letztlich als Naturbestandteil einer im Vergehen
begriffenen Welt erscheinen. Alvaro, ein Schriftsteller des Status quo (Vittorini), behält in seiner lyrisierenden und die Folklore nicht immer vermeidenden
Schreibweise einen aus seiner Zugehörigkeit zu *Il Novecento* rührenden Vorbehalt bei, der seinen Gegenstand in spürbarer Distanz hält, ohne diese indes in
den Text als Spannung hineinzunehmen. Dialektisch subtiler verfährt Vitaliano
Brancati, der nach Anfängen in der Manier der faschistischen Hagiographie
(*L'amico del vincitore*, 1932) sich vom Regime löst und mit dem ersten Roman
einer Trilogie des »Gallismo« (*Don Giovanni in Sicilia*, 1942) zum Mittel der
Satire greift, um die bürgerlichen Eliten des Südens und des Nordens einander
zu kontrastieren. Wobei er dem Männlichkeitskult und der Trägheit der Sitten
in Catania mehr an Poesie abgewinnt als der Promiskuität und Effizienz, die in
Mailand das Leben bestimmen.

Ist Alvaros Kalabrien ein Stück regressive Utopie, wird Sizilien für den in
Syrakus geborenen Elio Vittorini ein in die Zukunft weisendes Projekt. Der aus
kleinen Verhältnissen kommende Vittorini beginnt im Umkreis der *Solaria* mit
den in der Faktur sich stilistisch an Proust, Svevo und Joyce orientierenden
Erzählungen von *Piccola borghesia* (1931), deren kleinbürgerliche Helden
vergeblich aus der Mittelmäßigkeit ihrer Existenz zu fliehen suchen. Dem Kleinbürgertum folgt der Sohn eines Fabrikbesitzers aus *Il garofano rosso* (*Solaria*,
1932–1934), der sich gegen die bürgerlichen Normen wie gegen den scheinhei-
ligen Sozialismus des Vaters auflehnt, Sympathie mit den Arbeitern empfindet,
als Linksfaschist mit der von der ersten Liebe geschenkten roten Nelke im
Knopfloch auch den Behörden verdächtig bleibt und schließlich die Vollendung seines Erwachsenwerdens durch eine sympathisch gezeichnete, zugleich
geheimnisvoll bleibende Prostituierte erfährt. Die erzählerisch und weltanschaulich heterogene Struktur des zusätzlich von der Zensur verstümmelten Textes
markiert eine erzählerische Krise Vittorinis, die er mit *Viaggio in Sardegna*

(1936) zu überwinden beginnt, als er zum ersten Mal die Reise als Erkenntnis-
modell und Modus der Wiedergewinnung von Lebenssinn erprobt. Die Hauptfigur von *Conversazione in Sicilia (Letteratura* 1938–1939) schließlich kommt
aus der Arbeiterklasse. Vittorini, der langsam zum Faschismus in Distanz geht,
versieht seinen Helden mit der Haltung einer »abstrakten Wut«, deren Heilung
im mythischen Projektionsraum Siziliens erfolgt. Dort findet über die Wieder-
begegnung mit der durch die Mutter verkörperten archetypalen Welt von
Krankheit und Heilung, Liebe und Tod eine gleichsam nachgeholte Initiation
des Heimkehrers statt, die zugleich Wiedergewinnung von Identität und Hand-
lungsanweisungen auf der Suche nach einer Rettung der »verletzten Welt«
verspricht. Das erzählende Ich bleibt trotz seiner sozialen Kennzeichnung
ebenso apsychologisch und abstrakt wie die hinzukommenden allegorischen
Helferfiguren, die für unterschiedliche weltanschauliche Optionen der Dul-
dung, des Kompromisses und der Revolte stehen, ohne daß der Text eine
Lösung privilegiert. Sowohl die mythische Formung des Themas wie der lyrisch
hieratische Stil belassen Vittorinis Weg zum Engagement im Modus einer unbestimmten Überhöhung, in der Identität nicht mehr als Problem der Differenz
erscheint. Dies liegt weniger an der Zensur, sondern entspricht, wie auch Vittorinis Werk nach der Befreiung zeigt, einer nun verfestigten weltanschaulich
poetologischen Wahl. Wo Cesare Pavese in *Paesi tuoi* (1941) den Außenbetrach-
ter beibehält, dessen Distanz zur dörflichen Welt des Piemont zugleich die
Sonderstellung des städtischen Intellektuellen chiffriert und den Vorbehalt auch
des späteren Engagements von Pavese schon anzeigt, da hebt Vittorini diese
Distanz willentlich auf. Mit dem Ergebnis, daß auch der Widerstandsführer aus
dem in der Illegalität geschriebenen *Uomini e no* (1945) ein Namenloser ist,
dessen freiwilliges Opfer alle Züge einer Selbstauslöschung trägt.

Vittorini beim Lesen der
Bibel, Bleistiftzeichnung
von Eugenio Montale

*Ein abstraktes
Proletariat*

Es gibt kein unschuldiges Land:
die Lyrik zwischen Sinnsuche und Hermetik

Anders als der kritisch intendierte Roman, der, wenn auch durch die Zensur
behindert, die gesellschaftlichen Widersprüche in der Figuration von Klasse
und Region kenntlich zu machen sucht, ist die Lyrik auf der Suche nach der
»Terra promessa« (Ungaretti) per Gattungszwang stärker auf die Individualität
selbst verwiesen und muß auch auf weit unmittelbarere Weise ihre Problematik
im Sprachmaterial selbst austragen. Dies bedeutet nicht, daß nicht auch in
ihren scheinbar gesellschaftsfernen Texten gesellschaftliche Entscheidungen
fallen. Hierbei steht die italienische Lyrik in der Situation, daß sie auf das
gesamte Material der modernen europäischen Lyrik zurückgreifen kann und
zugleich gezwungen ist, ihre poetologische Verspätung in einer prekären gesellschaftlichen Situation ins Produktive zu wenden.

Eher Außenseiter in diesem Kontext ist Umberto Saba. Er stammt aus Triest,
das ihn und seine Dichtung prägt. Hier führt der aus begüterter Familie stammende Saba ein Antiquariat, das ihm die für sein Werk notwendige Muße läßt.
Wie Svevo kommt auch Saba erst durch eine Sondernummer von *Solaria*
(1928) zur späten Geltung. Dies liegt an der Traditionsgebundenheit und
naiven Haltung einer Lyrik, die Saba von seiner Generation und den zeitgenössischen Strömungen des Crepuscolarismo und der Vorkriegsavantgarden abson-
dert. Er steht auch abseits des europäischen Symbolismus. Seine Dichtung

Verspätung als Chance

Jenseits der literarischen
Strömungen

Quello che resta da fare ai poeti.

Ai poeti resta da fare la poesia onesta.

Autograf von *Quello che resta da fare ai poeti*

Poesie als Mitteilung

Giuseppe Ungaretti

gewinnt ihre Spezifik nicht primär durch die Arbeit am Zeichen, sondern am Bezeichneten: ungewohnte Vergleiche (die Ehefrau als weiße Junghenne, schwangere Färse etc.), eine Stilmischung von altem und modernem Vokabular. Ohne größere Experimente in Syntax, Metrik und Reim besteht Saba gegen D'Annunzios »schöne aber zum Großteil hinfällige Verse« (*Quello che resta da fare ai poeti*, 1911) auf einer weniger der Schönheit denn der Wahrheit verpflichteten Poetik, welche die prekäre Einheit von Alltäglichkeit und Welthaltigkeit, in seinen Worten, den »Kanarienvogel und die ganze Welt« (*Quasi un racconto*, 1951) zur Darstellung bringen will. Sabas umfangreiches Werk erschließt sich den Zugang zur Welt noch weitgehend mit den erkenntnistheoretischen Mitteln des 19. Jahrhunderts, zu der bisweilen jene der Psychoanalyse hinzutreten. Die Einsamkeit seines lyrischen Ichs ist nicht metaphysisch wie bei den Modernen, sondern noch psychologisch. Dichtung bleibt für ihn in der Funktion des Trosts, auch der individuellen Therapie. Das Verhältnis zu Dingen und Menschen ist noch Agens und Medium des »psychologischen Romans« (Saba), als den er sein lyrisches Werk begreift. Gleichwohl formen die Gedichtsammlungen die Etappen eines Lebens im Horizont der Einsicht in die letzliche Unheilbarkeit der Weltverhältnisse. Signet dieser Störung ist jenes »male di vivere«, das nur prekäre Momente des Glücks lindern. Die Frau, Triest, ein heiterer Himmel, Kinder, Tiere, Jahreszeiten sind nur gleichviele »Rosen um einen Abgrund zu verbergen« (»Quante rose a nascondere un abisso«). Die heitere Verzweiflung, die einem der Gedichtzyklen (*La serena disperazione*, 1913–1915) den Titel gibt, ist zugleich die Formel für ein Dichten, das seine existentielle Problematik trotz späterer Öffnung zu den Stilmitteln Ungarettis und Montales primär noch in der Form des offenen oder versteckten Oxymorons bewältigt. Dieses Verfahren wiederholt sich auf höherer Ebene in der Trennung von dichterischem Werk und poetologischer Reflexion. Wo in der modernen Lyrik Entwicklung des Sujets und Infragestellung der Möglichkeit poetischen Sprechens ineinsfallen (»mise en abîme«), da zerfällt Sabas Dichten in die existentiell dominierte Thematik seines *Canzoniere* (1948), so der an Petrarca anschließende Titel für das Gesamtwerk, und in die *Storia e cronistoria del Canzoniere* (1948), welche das eigene Schaffen in erklärende Distanz nimmt und zugleich eine Poetik bekräftigt, die gegen hermetische Dunkelheit das Bedürfnis der Welt nach Mitteilung und Klarheit ins Feld führt. Gelegentlich folgt sein Orten, Dingen und Personen nacherlebbare Plastizität verleihendes Werk auch Zeitstimmungen und Zeitläufen, so wenn er in »Attraversando l'Appennino Toscano nell'estate del 1913« den ersten Weltkrieg vorwegnimmt oder in *Preludio e Fughe* (1928–1929) mit der Flut, die ein Volk zusammen mit dem lyrischen Ich ertränkt, kaum verhüllt auf den Faschismus zielt, der ihn, den Halbjuden, Ende der dreißiger Jahre, nach den Rassegesetzen aus der Öffentlichkeit verbannt.

Zum Faschismus bekannte sich Giuseppe Ungaretti, der in seiner dichterischen Produktion indes wenig manifeste Spuren dieser verfehlten Überzeugung hinterläßt. Ungaretti wächst in Ägypten auf, ist als Jugendlicher auf den *Mercure de France* abonniert und tendiert zum Anarchismus. Im Paris der Vorkriegszeit, wohin er 1912 übersiedelt, kommt er in Kontakt mit der Avantgarde, u.a. Apollinaire, Bergson, Picasso und publiziert in *Lacerba* mit *Il paessaggio d'Alessandria d'Egitto* seine ersten noch im Zeichen Apollinaires stehenden Verse. Es folgt der erste Gedichtband *Il porto sepolto* (1916), integriert in den Zyklus *Allegria di naufragi* (1919), mit dem nach der communis opinio Italien Anschluß an die Lyrik der Moderne gewinnt. Für den qualitativen Sprung macht Ungaretti nicht zuletzt das Erlebnis des Kriegs verantwortlich – »ein Schiffbruch ohne Ende«, der das Leben »dinglich« macht und die Ewigkeit im

Augenblick beschlossen sein läßt. Ungaretti läßt die spätromantisch-humanistische Inspiration in der Manier Pascolis und den ethischen Schrei der Dichter der *Voce* hinter sich. Er überwindet auch die rhetorische Kunstübung im Gefolge D'Annunzios und die primär technizistisch-politische Programmatik der Futuristen. Das sich als Kriegstagebuch präsentierende *Allegria di naufragi*, das 1931 den Titel *Allegria* annimmt, hat auch nichts gemein mit dem biographischen Verfahren Sabas. Vielmehr heben die Texte den situativen Sachverhalt sofort in eine Dimension des Absoluten. Das seine Präsenz unterstreichende lyrische Ich leidet nicht am Schmerz der Menschen oder der Welt, sondern am Unvermögen, Teil des Universums zu sein. Welt und Menschheit finden Konsistenz und Bedeutung nur im Ich, dem sie unterworfen werden, um als Wort zu erblühen. Die Dinge existieren nur als vergängliches Prädikat des Absoluten. Dieses wiederum ist nur im durchsichtigen Wort präsent, das sich zugleich im Abgrund einer Subjektivität ohne Psychologie konstituiert. So präsentiert sich die Hermetik Ungarettis als ein ohne vermittelnde Instanzen geführter Dialog zwischen Ich und Absolutem, wie er in dem Kurzgedicht »M'illumino/d'immenso« (Ich erleuchte mich/aus Unermeßlichem) seinen prägnanten und zugleich metaphysischen Ausdruck findet. Wo Ungaretti Syntax und Interpunktion auflöst oder distante Metaphern bildet, ersetzt er die Beliebigkeit der Verwendung dieser Kunstmittel bei den Futuristen durch eine strenge Sparsamkeit, die zu rhetorikfreien Minimalformen führt. Diese zielen nicht auf semantische Verdichtung, sondern auf ein »reines Alphabet des Absoluten« (Giorgio Bàrberi Squarotti), zu dessen Erstellung die von Blancs umsperrten Wörter ihre Bedeutungen wie auf einen großen Bildschirm des Schweigens projizieren und dabei ihre Anspielungen, ihre Mehrfachbedeutungen, ihre Bezüge zum Geheimnis und zum Absoluten entfalten. So gesehen ist die Lyrik Ungarettis deutbar als ein im Horizont Mallarmés entwickeltes lyrisches Pendant zu Gentiles zeitgleicher Philosophie des »reinen Akts«, der seine eigene Transzendenz schaffen soll. Auch bei Ungaretti bleibt dieser Akt letztlich auf eine transsubjektive Setzung verwiesen, die der Dichter des Absoluten politisch zunächst im Faschismus, weltanschaulich in der Rückkehr zum Katholizismus (1929) und poetisch in der Verschwisterung von Absolutem und Gott findet. Innerhalb seiner *Vita di un uomo*, so der Titel des Gesamtwerks, zu deren äußeren Lebensdaten eine Angestelltenstelle im Außenministerium (1921–1936) und Professuren in Sao Paulo (1936) und Rom (1942) zählen, zeigt die zweite Sammlung *Il sentimento del tempo* (1933) neben der Rückkehr zu lyrischen Formen der Tradition (Petrarca, Leopardi) eine Tendenz zur Verstärkung des christlichen Impulses mit der hohen Form der Hymne sowie eine den Anspruch des Ichs zurücknehmende Rückkehr zur Ordnung, die ihre Entsprechung in den Themen der Windstille, der Ruhe, des erreichten Endes findet. Im nächsten Zyklus *Il dolore* (1947), der eine Kette von privaten Schicksalschlägen, den Krieg und die Invasion verarbeitet, dominieren dann zur barocken Form neigende, wieder stärker subjektzentrierte Themen. Formale Entsprechung sind die Klage und der qualvolle Monolog. Gott ist nur noch ein flüchtiger Trost. Die Fragment bleibende Sammlung *La terra promessa* (1948) schließlich folgt erneut der Bewegung der Entsubjektivierung, evoziert in den Masken von Aeneas und Dido das Thema Jugend und Herbst des Alters und kommt schließlich im esoterischen Rezitativ des Palinurus zu einer Poetik zwischen »Verführung des Schlafs« und »Impulsen zur Tat«, deren tönende Suggestion nicht mehr auf Aktivierung, sondern Verzauberung des Lesers zielt.

Im Verhältnis zur naturalistisch-psychologischen Schreibweise Sabas und zu Ungarettis abstrakter Intellektualität, die am Ende auf Überhöhung nicht verzichten kann, steht die Dichtung von Eugenio Montale der Lyrik der Euro-

Die Dinge als Prädikat des Absoluten

Rhetorikfreie Minimalformen

Versöhnungsmuster

Montale und seine Landschaft

päischen Moderne am nächsten und ist in den Grenzen der vorindustriellen, lebensweltlichen Verengung, die sie mit den anderen Autoren der Zwischenkriegszeit teilt, zugleich ein sie weitertreibender Teil. Montale stammt aus bürgerlichem genuesischem Geschäftshaushalt mit Landsitz am Meer, hat einen Abschluß als Buchhalter, studiert zeitweilig Gesang und erlebt den ersten Weltkrieg als Frontoffizier. Sein erstes reifes Werk, die *Ossi di seppia* (1921–1925), die in Gobettis antifaschistischem Zeitschriftenverlag *Il Baretti* erscheinen, zeigen bereits im Titel den Zug zur »schmucklosen Wesentlichkeit« (Hans Hinterhäuser) und eine strenge Distanz des Verfassers gegenüber seinem lyrischen Strandgut, in dessen schlichter, oft spröder Formung die crepuscolaristischen Einflüsse und der von den ligurischen Vorläufern Giovanni Boine und Camillo Sbarbaro überkommene ethische Impuls schon fast verwischten

Spuren gleichen. Das den Zyklus eröffnende Programmgedicht, welches mit den berühmten Versen schließt, daß allein sagbar sei, »was *nicht* wir sind, was *nicht* wir wollen« (»ciò che *non* siamo, ciò che *non* vogliamo«), ordnet seine Poetik der Negation durch ein konkretisierendes »heute« noch primär den politischen Verhältnissen zu und läßt sich als Programm der inneren Emigration verstehen. Die in dem Gedicht ebenfalls vorgetragene Absage an eine »Formel, die Welten eröffnet«, bedeutet zugleich auch grundsätzlichen Verzicht auf die Haltung des dichterischen Sehers. Wenn Montale in *Stile e tradizione* (*Il Baretti*, 1925) von einer »Sprache der Verständigung« spricht, »die uns mit der Menge verbindet, für die man ungehört arbeitet«, dann bezeichnet diese Formulierung eines vergeblichen Engagements jenes Paradox der modernen Lyrik, das schon Mallarmé vom »vergeblichen Stern« seiner Poesie sprechen ließ. Wo kein Krokus verloren auf staubiger Wiese erglänzen kann, so das Bild für die Abweisung der Schönheit als Trost, da legt Montale den Akzent auf die »krumme, reisigtrockene Silbe«, bleiben die Gegenstände in konkreter Benennung – Dreimaster statt Schiff, Pappel statt Baum – bar jeglichen metaphorischen Glanzes.

Die titellosen Gedichte der *Ossi di seppia* entfalten ein poetisches Universum ohne metaphysischen Trost. Selten erscheint ein Fragment der Hoffnung wie die Sonnenblume, die ihr furchtsam gelbliches Antlitz auf dem vom Salzhauch versengten Landstück dem spiegelnden Azur des Himmels darbietet. In bis zur Kakophonie entstellter Lautlichkeit und regelbrechender Reim- bzw. Strophengestaltung entfaltet sich die in bleicher Mittagshitze liegende Landschaft Liguriens (Meer, Agave, Fels, Kiesel) in einer Nullstufe von Zeit und Erinnerung. Diese Poesie ohne Glauben an die Poesie gewinnt Anschluß an die Dimension der Zeit bzw. der Geschichte in *Le occasioni* (1928–1939), eine Sammlung, die in Florenz, dem literarischen Zentrum der Zeit, entsteht, wo Montale, nach seiner Genueser und Turiner Zeit, als Direktor der Bibliothek Vieusseux bis zu seiner politisch begründeten Entlassung (1938) arbeitet und zu den Mitarbeitern der Avantgardezeitschrift *Solaria* gehört. *Le occasioni*, ein Buch, das neben *Sentimento del tempo*, die jüngere Generation des Ermetismo besonders beeinflußt, führt das schon in den *Ossi di seppia* gepflegte Verfahren der »gegenständlichen Korrelation« (T.S. Eliot) zur Meisterschaft. Nicht Metaphern oder Analogien erzeugen die poetische Wirkung, sondern Ketten von Gegenständen bzw., wie in *Le occasioni*, Serien von Situationen, die als gleichsam objektive Symbole für sich stehen und nur durch den Rhythmus, in den sie eintreten, auf den ungestillten Bedarf an Sinn verweisen. Ein Verfahren, das sich im Verlauf des Gesamtwerks zu einer Art selbstreferentiellem Symbolismus entwickelt, wenn einzelne Elemente (Staub, Glas, Rad etc.) durch Wiederholung Eigenwert gewinnen bzw. durch Kontextwechsel neue Bedeutungen entfalten. Die Situationen in *Le occasioni*, in denen sich erstmals Frauenfiguren konturieren (Gerti, Liuba, Dora Markus), sind kleine, dialogisch geführte, konzentrierte Minimalromane, deren karge Elemente den Zusammenhang im Dunkel lassen, nur Bruchstücke an fahl Erinnertem evozieren und so die sich andeutende Möglichkeit, die geschlossene Zeit aufzubrechen, wieder zurücknehmen. Diese Zurücknahme gilt auch für die Einsprengsel der Zeitgeschichte. Eines der bekanntesten Gedichte aus der Reihe der »Motette« (»La speranza pure di rivederti/m'abbandonava...«), verbindet die durch Tod und Vergangenheit markierte verlorene Hoffnung auf ein Wiedersehen, vermutlich der Geliebten, mit dem scheinbaren Alltagssplitter eines zwei Schakale an der Leine führenden livrierten Dieners in Modena. Die parataktische Verknüpfung von privatem Verlust und verfremdeter politischer Zeitanspielung illustriert die Spezifik eines poetischen Zugangs zur Welt, für den in den Worten Montales »am heutigen Menschen alles intern und extern zugleich ist«. Zeitgeschichte bleibt äußerliche Zutat. Es dominiert der anthropologische, auf das Individuum zentrierte Blickwinkel. Geschichte ist in letzter Instanz eine ontologisch begriffene Tragödie. Auch die in den Zyklus *La bufera e altro* (1940–1956) eingehende letzte Gedichtsammlung vor dem Sturz des Faschismus, *Finisterre*, deren Titel über die Etymologie die historische Grenzsituation evoziert, legt ihre Anspielungen auf die Zeitgeschichte wie Intarsien in das jeweilige Gedicht ein und beläßt ihnen zugleich eine semantisch-syntaktische Polysemie, die auch eine Lesart außerhalb des historischen Zusammenhangs ermöglicht.

Gegenstände als selbstreferentielle Symbole, »Natura morta con sei oggetti« von Giorgio Morandi, 1959

Bezieht Montales Dichtung der Zwischenkriegszeit ihre Qualität und zugleich diskursiv-politische Dimension aus dem Horizont eines Individuums, das der Dingwelt und der Natur, der Zeit und der Geschichte Sinn entzieht und zugleich einen metaphysischen Antrieb präsent hält, der mit äußerster Diskretion seine Spannung entfaltet, so droht sein Werk da an Substanz zu verlieren, wo diese Diskretion aufgegeben wird und die bisher beibehaltene negative Theologie des Verborgenen Gottes zur positiven Setzung zu tendieren scheint; etwa in den späteren Gedichten von *La Bufera e altro*, wo die Frauenfigur (Iris) als eine zweite Beatrice bei der Heilsuche auftritt. Ein Schritt, den Montale mit größerem Vorbehalt und größerer Delikatesse als Ungaretti geht und dessen poesieschädliche Konsequenzen er weitgehend vermeiden kann. Nicht zuletzt auch durch ein längeres Schweigen, bevor er mit *Satura* (1962–1970) seinen Ruf als bedeutendster Lyriker Italiens im 20. Jahrhundert definitiv befestigt.

Geschichte als ontologische Tragödie

Negative Theologie

Der Terminus Ermetismo, der auf die akademische Literaturkritik der dreißiger Jahre zurückgeht (Francesco Flora, *La poesia ermetica*, 1936)) und dort das dunkle Dichten eines Ungaretti abwertet, bezeichnet heute im weiteren Sinn die hermetische Lyrik der Zwischenkriegszeit insgesamt, im engeren Sinn die Vertreter der jüngeren Generation, welche den polemisch gemeinten Begriff aufgreifen und auf ihre Dichtung positiv beziehen.

Ermetismo

Salvatore Quasimodo, der aus Sizilien stammt, wird von Elio Vittorini in das Milieu um *Solaria* eingeführt, in deren Edition auch sein erster Gedichtzyklus *Acque e Terre* (1930) erscheint. Man hat ihn »mehr als ersten Schüler denn als letzten Meister der italienischen Hermetik« (Carsaniga) bezeichnet, während er anderen als Inspirator des Ermetismo gilt, dem er sich selbst in der Zeit auch zuordnet. Quasimodo, dessen sinnliche gebändigte Wortmystik ihre Herkunft von D'Annunzio nicht verleugnen kann, inspiriert sich auch an Dino Campanas *Canti orfici* (1914), die erst mit ihrer zweiten Auflage von 1928 zur Wirkung kommen und kraft ihrer dunkel symbolreichen Sprache die jüngere Dichtergeneration nachhaltig beeinflussen. Die erste Sammlung Quasimodos wie die folgenden Zyklen (*Oboe sommerso*, 1932; *Odore di Eucalyptus ed altri versi*, 1933; *Erato e Apollion*, 1936; *Nuove poesie*, 1942) offenbaren einen ausgeprägten Hang zur Klangmagie und zu einem reduzierten Material an Wortmustern (Wasser, Wolke, Wind, Insel, Baum, Sumpf, Herz), deren auf das »Licht«

Salvatore Quasimodo

Dichtung als Engagement

Libero De Libero und
Leonardo Sinisgalli,
Zeichnung von Mario
Mafai, 1931

hin gravitierender Symbolwert trotz mancher an Ungaretti geschulter syntaktischer Ambivalenzen leicht faßlich bleibt. Wo Ungaretti das Absolute im Wort zu fassen sucht und Montale es als metaphysische Absenz verbirgt, da wird es bei Quasimodo im Mythos Siziliens als Ort der Kindheit wieder zugänglich; auch die existenzielle Angst schwächt sich ab zu einer heilbaren Melancholie des aus der Heimat ›Exilierten‹. So bleiben die Kunstmittel der Analogien, der Korrespondenzen und die Musikalität der Verse nicht selten im Status der rhetorischen Unterstreichung, eine Schwäche, die in der engagierten Phase Quasimodos nach dem Zweiten Weltkrieg (u.a. *Giorno, dopo giorno*, 1947; *La vita non è sogno*, 1948; *Discorso sulla poesia*, 1956) noch deutlicher zutage tritt und die Absicht des »Rifare l'uomo« im Stand der rhetorischen Beschwörung beläßt.

Die Konzentration auf die Dichtung als ureigene Form des Engagements steht im Zentrum des Ermetismo, der nach dem Futurismus die zweite im Wortsinn poetische Schule in der italienischen Literatur des 20. Jahrhunderts darstellt. Der D'Annunzios Konzeption des ›Lebens als Kunst‹ aufgreifende und umkehrende Text *Letteratura come vita* (1938) von Carlo Bo – erschienen in der auf ein katholisches Publikum zugeschnittenen Zeitschrift *Il Frontispizio* – wird zum mehr oder minder offiziellen Manifest einer Gruppe von Dichtern (u.a. Carlo Bo, Mario Luzi, Alfonso Gatto, Piero Bigongiari, Libero De Libero, Oreste Macrì), welche die Distanz zum Faschismus in einer Dichtungssprache artikulieren, die die Errungenschaften der Lyrik der Moderne, u.a. des Surrealismus, mit der Suche nach dem Absoluten verbinden will. Inhaltlich findet der Ermetismo seine Anregungen mehr bei Ungaretti, formal mehr bei Montale, philosophisch bei Kierkegaard, Jaspers und Heidegger, die zu den Vorzugsautoren der Schule gehören. Nach der Verschärfung des innenpolitischen Kurses im Gefolge der engeren Bindung an Deutschland wechselt die Dichtergruppe vom quasioffiziellen *Frontispizio*, wo sie längere Zeit Gastrecht genoß, zu *Campo di Marte* (1938–1939) von Vasco Pratolini und Alfonso Gatto, die mit dem polemisch gemeinten Titel ihrer Zeitschrift anzeigen, daß auch die Diskussion um die gesellschaftliche Funktion der Poesie eine Form der Kriegsführung sein kann. Nach dem Erlöschen von *Campo di Marte* wechselt die Gruppe zu *Letteratura* von Alessandro Bonsanti oder zu den *Prospettive* von Curzio Malaparte, institutionelle Kontexte, in denen sich auch eine textnahe Literaturkritik entfaltet (Gianfranco Contini, Luciano Anceschi u.a.), die Croces spekulatives Verfahren endgültig verabschiedet. Erwartung, Absenz und Übergang (»Attesa«, »Assenza«, »Transito«) sind die poetischen und metakritischen Termini, in denen die Vertreter des Ermetismo ihre existentielle, vermittelt auch politische, und poetologische Problematik formulieren (u.a. Libero De Libero, *Eclisse*, 1940; Mario Luzi, *Avvento notturno*, 1941; Piero Bigongiari, *La figlia di Babilonia*, 1942). Es handelt sich um eine Schwellenhaltung, die ihre Gegenstände zu Symbolen einer sich mehr oder minder verringernden Distanz von Bild und lyrischem Ich erhöht, ohne diese Distanz je zu schließen. Der Dichter und die Dichtung bleiben im Verhältnis zu den Dingen, trotz des gesuchten Übergangs, letztlich im Zustand der »Assenza«, der die Poesie des Ermetismo konstituiert und sie als Haltung der Verweigerung in der Epoche auch politisch konnotiert. Ist diese Haltung mit jener Montales vergleichbar, so unterscheiden sich die Dichter dieser Schule von ihm durch den stärker Ungaretti verpflichteten Antrieb, das dichterische Wort selbst wieder mit metaphysischer Weihe zu versehen und ihm Offenbarungsfunktion zu überantworten. Wo die »Poesie in letzter Instanz als Stütze der unverrückbaren Idee Gottes« (Carlo Bo, 1940) begriffen wird, da verliert das Engagement in der Poesie in der Tendenz wieder seinen gesellschaftskritischen Stachel und erzeugt einen Aristokratismus im Geiste, der nicht wenigen Vertretern des Ermetismo den Weg in die Resistenza verstellt.

Das dichterische Wort als Teil der Offenbarung

Die Zeit nach 1945

Wie für andere europäische Länder waren auch für Italien die letzten Kriegsjahre, mit deutscher Besatzung, Bürgerkrieg und Resistenza, von entscheidender Bedeutung für die gesellschaftliche und kulturelle Entwicklung in der Nachkriegszeit. Im Unterschied zu Frankreich war jedoch das faschistische Regime in Italien nicht durch eine militärische Niederlage aufgezwungen, sondern seit 1922 als eine ureigene ›Erfindung‹ fest im Land etabliert. Mussolini konnte auf breite Zustimmung in der Bevölkerung zählen, und er behandelte die oppositionellen Intellektuellen lange nicht so brutal wie Hitler: soweit sie nicht direkt politisch gefährlich erschienen, wie etwa Antonio Gramsci oder Leone Ginzburg, begnügte sich die Staatsmacht im allgemeinen damit, sie wie Carlo Levi oder Cesare Pavese zeitweilig in entlegene Provinzen zu verbannen (»confinamento«). Angesichts der immer offensichtlicher werdenden Widersprüche zwischen der faschistischen Propaganda und der gesellschaftlichen Realität wuchs aber ab Mitte der dreißiger Jahre der Widerstand von Künstlern und Intellektuellen, selbst wenn nicht wenige von ihnen dem Faschismus gegenüber anfangs eher positiv eingestellt waren. Nicht nur für Vittorini wurde hierbei das Engagement Italiens gegen die Republik im Spanischen Bürgerkrieg zu einem Wendepunkt. Breiteren Rückhalt in der Bevölkerung erhielt die Resistenza allerdings erst nach dem Kriegseintritt Italiens (1940), dem Angriffskrieg gegen die Sowjetunion und der sich schon 1942 abzeichnenden Niederlage der Achsenmächte, da nun auch den Kommunisten – die in der Resistenza das weitaus stärkste Kontingent (fast 90 %) stellten – nicht mehr durch den Hitler-Stalin-Pakt die Hände gebunden waren und die erdrückende Abhängigkeit Italiens von Nazideutschland im ›parallelen Krieg‹ für alle immer spürbarer wurde. Mussolini wurde kurz nach der Eroberung Siziliens durch die Alliierten vom faschistischen Großrat im Einvernehmen mit dem König abgesetzt (25. Juli 43) und nach den berühmten ›45 Tagen‹ des Zögerns und Taktierens gab Badoglio den Waffenstillstand mit den Alliierten am 8. September 43 bekannt. Die deutsche Armee hatte inzwischen das noch nicht befreite Nord- und Mittel-Italien besetzt und daraufhin das Marionettenregime der Repubblica Sociale Italiana mit dem aus der Gefangenschaft befreiten Duce in Salò eingerichtet. Unmittelbar nach dem Waffenstillstand fanden unter dem äußeren Druck der Besatzung Kommunisten, Sozialisten, Liberale (an ihrer Spitze Benedetto Croce) und die 1942 neu entstandene Democrazia Cristiana im Comitato di Liberazione Nazionale (CLN), der Keimzelle des zukünftigen Staates, zusammen. Sie einigten sich trotz unüberbrückbarer ideologischer Differenzen auf den kleinsten gemeinsamen Nenner, den militärischen Kampf gegen die deutschen und italienischen Nazis und, weitaus schwieriger, auf politische Grundkonzepte, die eine grundlegende soziale, ökonomische und politische Erneuerung des Landes vorsahen. Allerdings wurden diese nie in einem offiziellen Dokument in der Art des ›Programme Commun‹ der französischen Résistance fixiert, und auch die Frage der zukünftigen Staatsform blieb vorläufig noch offen. In den letzten Kriegsjahren prägen unterschiedliche Erfahrungen die beiden Teile Italiens. Der Süden wurde rasch, fast ohne eigenes Zutun und unter weitgehender Beibehaltung der alten Machtelite befreit. In der Mitte und im Norden wurde der langwierige Partisanenkampf einer neuen politischen, nicht kompromittierten Schicht gegen die deutsche Armee und gegen die eigenen Milizen sowie die politische Diskussion über die Zukunft zu einer Art ›Schule der Demokratie‹. Dadurch wurden die bereits vor dem Krieg bestehenden, von den Faschisten aber mit imperialer Einheitspropaganda übertünchten gravierenden sozialen, ökonomi-

La Resistenza

Faschistische Propaganda: »Glauben, gehorchen, kämpfen«

25. Juli 1943: das Volk
feiert das Ende des
Faschismus in Italien

schen, kulturellen und politischen Unterschiede zwischen dem Norden und
dem Süden Italiens noch verstärkt. Im Süden konnten sich außerdem unter der
Protektion der Amerikaner die von den Faschisten nach Amerika verjagten
Mafiosi mit einem gewissen Schein von Recht als antifaschistische Ordnungsfak-
toren in entscheidende politische Funktionen drängen. Im Norden dagegen
wurde die »rivoluzione antifascista« von einer neuen politischen Schicht getragen, die mit der während und vor dem Faschismus tonangebenden politischen
Elite gebrochen hatte und mit einer breiten und vielfältigen, vorwiegend
kommunistischen Volksbewegung verbunden war.

Orientierungsbedarf

Der Bürgerkrieg, die politische Diskussion in der Resistenza und der Zusammenbruch des Faschismus führten zu ideologischem Orientierungsbedarf und
gaben den Intellektuellen eine gesellschaftliche Funktion, wie sie sie seit dem
Risorgimento nicht mehr gehabt hatten. Der Kontakt bürgerlicher Intellektueller mit den die Resistenza hauptsächlich tragenden Volksschichten, in Norditalien vor allem die relativ gut organisierten Industrie- und Landarbeiter, führte
dazu, daß sich die Mehrzahl der Schriftsteller, aber auch der Filmemacher, politisch auf die Seite dieser Schichten stellten und sich, oft ohne eine genauere
Kenntnis der theoretisch-ideologischen Implikationen, im PCI engagierten
oder ihm zumindest nahestanden. Das Engagement bestand zunächst in einer
Aufarbeitung der jüngsten Geschichte und dann in einer gesteigerten Aufmerksamkeit für die drängenden sozialen Probleme des Landes, wie die rasante Industrialisierung und das sich verschärfende Nord-Süd-Gefälle. Ein dem sozialen
Fortschritt und dem Sozialismus verpflichtetes Geschichtsbild, die darauf basie-
rende kritische Analyse und daraus abgeleitete Orientierungshilfe und Wertever-

De Gasperi, Nenni,
Togliatti: die
Schlüsselfiguren der
unmittelbaren
Nachkriegszeit

mittlung sind jedoch nicht nur eine Frage des Inhalts, sondern auch der literarischen und filmischen Form, insoweit verbindliche Weltmodelle und Zukunftsentwürfe nur mit einem Rückgriff auf ästhetisch schon überholte Positionen des
19. Jahrhunderts, speziell den Realismus, zu gestalten sind. Nur so ist das kulturelle Phänomen zu erklären, das man den »neorealismo« nennt.

Für die enge Verbindung des Geistes der Resistenza mit dem »neorealismo«
spricht, daß diese kulturelle Strömung bzw. die Illusion ihrer Kohärenz sich in
dem Maße auflöst, in dem auf politischem Gebiet die Restauration siegt und
die utopischen Hoffnungen auf eine grundlegende Umgestaltung der italienischen Gesellschaft enttäuscht werden.

Die große Desillusion

Als Hauptträger des gemeinsamen antifaschistischen Kampfes des CNL
wurden die Kommunisten zunächst ab April 1944 an der politischen Macht
verschiedener provisorischer Regierungen beteiligt. Allerdings erst, nachdem
Togliatti in der ›Wende von Salerno‹ nicht einmal mehr die sofortige Abdan-
kung des kompromittierten Königs verlangte, um durch diese Kompromißbe-
reitschaft das politische Gewicht der antifaschistischen Koalition zu stärken und
von den Alliierten als Partner anerkannt zu werden. Schon hier – und erst recht,
als er auch auf die Revidierung der Lateranverträge verzichtete – deutete sich an,
daß die Neugestaltung der politischen Landschaft, wie sie von großen Teilen der
Resistenza, auch dem sozialreformerischen Flügel der Democrazia Cristiana,
erträumt worden war, wohl Illusion bleiben würde. Die in der Volksfront verei-
nigte Linke aus Sozialisten und Kommunisten konnte zwar noch bei den
Wahlen von 1946 zur Verfassunggebenden Versammlung (verbunden mit dem
Referendum über die Abschaffung der Monarchie) die Mehrheit erringen, die
antifaschistische Einheitsfront begann jedoch abzubröckeln. Die Angst vor dem
Kommunismus, der Einfluß der Kirche und der Alliierten führten bereits 1947,
nach Unterzeichnung des Friedensvertrags und dem Ausbruch des Kalten Krieges, zum Ausschluß der Kommunisten und Sozialisten aus der Regierung und
brachten bei den ersten Wahlen zur Nationalversammlung (18. April 1948)
einen deutlichen Rechtsrutsch. Je höher die Erwartungen der Intellektuellen in
die Radikalität der Neugestaltung gespannt waren, desto größer war die Enttäuschung durch die tatsächlich geschaffenen politischen und ökonomischen Reali-
täten. Und zwar in doppeltem Sinne. Nicht nur durch die Ausbootung der
Kommunisten aus der Regierung und die massive Restauration der alten Strukturen, sondern auch wegen der Politik der Kommunistischen Partei selbst, die
sich in der Zeit ihrer Regierungsbeteiligung (immerhin stellten sie den Minister
für Finanzen und denjenigen für Handel, Arbeit und Landwirtschaft) und auch
später in der Opposition, durch immer neue pragmatische Kompromisse, von
denen der sogenannte »compromesso storico« nur einen späten Ausläufer
darstellte, von den bürgerlichen Parteien in die Pflicht nehmen ließ. Die von

den Kommunisten weitgehend mitgetragene, rücksichtslos forcierte Industrialisierung, ohne die ursprünglich geforderte Umverteilung des Besitzes und der
Produktionsmittel, war weit davon entfernt, die sozialen Gegensätze einzueb-
nen. Sie führte zu starker Binnenmigration, Proletarisierung und Entwurzelung
großer Bevölkerungsteile vor allem im Süden. Daher wandte sich im Laufe der
Jahre die Mehrzahl der Intellektuellen von der Kommunistischen Partei ab; eine
Entwicklung, die durch den Stalinismus und die Niederschlagung des Ungarn-
aufstands 1956 noch beschleunigt wurde. Selbst 1968 kann man noch als spätes
Echo dieser nach dem Krieg enttäuschten Hoffnungen auf eine radikale gesellschaftliche Neugestaltung betrachten.

Der (neue) Blick auf die
(neue) Wirklichkeit –
Neorealismo

Für eine bestimmte Art von Literatur, Film und Malerei, die sich schon unter
dem Faschismus in einzelnen Werken ankündigt, von den unmittelbaren Nachkriegsjahren bis in die frühen fünfziger Jahre aber das kulturelle Feld fast
ausschließlich beherrscht, hat sich der Begriff »neorealismo« eingebürgert. Nach
einhelligem Urteil der Autoren und der Experten ist aber die Bestimmung des
Begriffs schwierig und eher vage, da es sich nicht um eine Schule mit einem
ausformulierten ästhetischen und ideologischen Programm, ja nicht einmal um
eine fest umrissene Gruppe von Autoren handelt. Als frühe Vorläufer des Neorealismo gelten die von der Zensur verbotenen Romane *Tre operai* des Carlo
Bernari (1934), Cesare Paveses *Paesi tuoi* (1941) und der Film *Ossessione* (1942)
von Luchino Visconti; – als Marksteine der Blütezeit die *Conversazione in Sicilia*
(1941) und *Uomini e no* (1945) von Elio Vittorini, das Gemälde *Crocifissione*
(1941) und die Zeichnungen *Gott mit uns* (1945) von Renato Guttuso; Carlo
Levis *Cristo si è fermato a Eboli* (1945), Roberto Rossellinis *Trilogia della guerra
(Roma città aperta,* 1945, *Paisà,* 1946, *Germania anno zero,* 1947), *La terra
trema,* 1946 (nach Vergas Roman *I Malavoglia)* von Luchino Visconti, *Sciuscià*
(1946) und *Ladri di biciclette* (1948) von Vittorio De Sica und Cesare Zavattini.
Cesare Paveses *La luna e i falò* (1950) und Italo Calvinos irreal fabulierende, allegorische Romane *(I nostri antenati,* 1960; einzeln publiziert zwischen 1952 und
1959) markieren neben anderen das Ende der neorealistischen Epoche. Die
Unterschiedlichkeit im Stil dieser Werke läßt ihre Gemeinsamkeiten im Stoff,
vor allem aber im ›Zeitgeist‹ suchen, der ihrer Entstehung zugrundeliegt. Wie

Das Gemetzel der Fosse
Ardeatine: Zeichnung aus
der Serie »Gott mit Uns«
(1944) von Renato
Guttuso

Vittorio De Sica, *Ladri di
biciclette,* 1948

schon der Realismus des späteren 19. Jahrhunderts ist nämlich auch der Neo-Realismus in erster Linie ein »moralischer Begriff [‚der] genau das als Wirklichkeit darstellt, was die bürgerliche Gesellschaft sich bemüht zu verbergen« (Roland Barthes).

Der Neorealismo – der Begriff tauchte schon Anfang der vierziger Jahre im Zusammenhang mit Pavese und in der Filmkritik auf – war insofern genuin antifaschistisch, als er mit Hilfe einer neuen, die Künstlichkeit der seitherigen Ausdrucksmittel überwindenden Sprache und die Beobachtung seither verdrängter Wirklichkeitsbereiche hinter die offizielle Wirklichkeitsfassade blickt. Die faschistische Führung versuchte nämlich in ihrem Bestreben nach nationaler Einheit und imperialer Größe, möglichst alle Partikularismen und Gegensätze innerhalb Italiens zu unterdrücken und durch militärisches Engagement außerhalb des Landes vergessen zu machen. Die Klassengegensätze innerhalb der italienischen Gesellschaft, aber auch die gravierenden wirtschaftlichen und sozialen Probleme und Unterschiede zwischen dem inzwischen hochindustrialisierten Norden und dem agrarischen, weitgehend archaischen Süden wurden durch eine korporative, patriotische Ideologie übertüncht, Zerfallserscheinungen der bürgerlichen Gesellschaft, der wichtigsten Trägerschicht des Regimes, wurden verschwiegen, die regionalen kulturellen Differenzen durch ein Verbot der Dialekte in der Schule und die forcierte Propagierung des literarischen Einheitsitalienisch eingeebnet. Themen wie Armut und Verbrechen, soziales und psychisches Elend durften nicht behandelt werden, wie die Schwierigkeiten beweisen, die Alberto Moravia mit *Gli indifferenti* und Carlo Bernari mit *Tre operai* hatte.

Das römische Altstadtviertel Trastevere; Marie Luise Kaschnitz bezeichnete es als »Region der kreatürlichen Fruchtbarkeit, der Armut und der üppigen Mahlzeiten, des Gitarrengezupfs und der Mundartlieder«

Neben den genannten nonkonformen italienischen Autoren, zu denen man auch noch Ignazio Silone hinzurechnen könnte, dessen Werke zuerst im Schweizerischen Exil erscheinen mußten, gab es auch Versuche innerhalb des faschistischen Kulturprogramms, etwa die Problematik des ländlichen Raums anzugehen. Doch geschah dies in der antidekadentistischen Strapaese-Literatur meist eher volkstümelnd-verklärend als sozialkritisch. Wichtiger, da nicht durch Verbindungen mit dem Faschismus kompromittiert, war allerdings der Einfluß amerikanischer Kultur. Die demokratische Gesellschaftsform und die fortgeschrittene Industrialisierung ließen dort auch die unteren Volksschichten über das im 19. Jahrhundert in Europa Übliche hinaus als einen der Literatur würdigen Gegenstand erscheinen, die Sprache und Darstellungsart konnten sich ungehemmt von beengenden Traditionen auf die Wirklichkeit des 20. Jahrhunderts einstellen. Massimo Bontempelli propagierte schon ab 1926 in seiner Zeitschrift *900* die amerikanische Literatur als Vorbild. Zwei der bedeutendsten Vertreter des Neorealismo, Vittorini und Pavese, waren gleichzeitig wichtige Übersetzer und Vermittler amerikanischer Literatur. Elio Vittorinis Anthologie *Americana. Raccolta di narratori* wurde zwar gleich nach ihrem Erscheinen (1941) beschlagnahmt, konnte aber im Jahr darauf mit einer fremden Einleitung und ohne Vittorinis Anmerkungen wiedererscheinen. Pavese promovierte über Walt Whitman und übersetzte Melville *(Moby Dick,* 1932) sowie Steinbeck *(Uomini e topi,* 1938); sein Roman *Paesi tuoi* (1941) lehnte sich stilistisch eng an das amerikanische Vorbild *The Postman always rings twice* (1934) von J. M. Cain an, dessen Fabel, in die italienische Provinz transponiert, auch Viscontis erstem neorealistischem Film *Ossessione* (1942) zugrundelag. Amerika war für Italien seit Ende des 19. Jahrhunderts, der Zeit der großen Emigrationswellen, erst recht aber unter der Diktatur Mussolinis das ›gelobte Land‹, das Land der unbegrenzten Möglichkeiten und der Freiheit, ein Symbol, auf das sich auch alle utopischen Hoffnungen der vom Faschismus enttäuschten jungen Schriftstellergeneration konzentrierten. »Questa America non ha bisogno di

Das Vorbild Amerika

Titelblatt der Zeitschrift *900* von Massimo Bontempelli

Colombo, essa è scoperta dentro di noi, è la terra a cui si tende con la stessa speranza e la stessa fiducia dei primi emigrati e di chiunque sia deciso a diffendere a prezzo di fatiche e di errori la dignità della condizione umana.« (Giaime Pintor) (Dieses Amerika braucht keinen Columbus, es ist in uns entdeckt, es ist das Land, zu dem man mit derselben Hoffnung und demselben Vertrauen wie die ersten Auswanderer und wie all jene strebt, die die Würde der conditio humana um den Preis von Anstrengungen und Irrtümern verteidigen wollen). So war es nur verständlich, daß als Reaktion auf neoklassizistische Bestrebungen im faschistischen Italien Amerika auch auf ästhetischem Gebiet zum Vorbild wurde.

Das neue Massenmedium Film

In einem nur lückenhaft alphabetisierten Land wie dem damaligen Italien bekam das neue und die unmittelbare Identifikation erleichternde Massenmedium Film eine besonders wichtige Rolle. Die Filme amerikanischer Herkunft stillten den ›Hunger nach Realität‹, der von den faschistischen *Telefoni-bianchi*-Filmen und deren hohler Propaganda nicht befriedigt werden konnte. Das amerikanische Vorbild zeigt schon in den letzten faschistischen Propagandafilmen Rosselinis (*Uomini sul fondo*, 1941, *Un pilota ritorna*, 1942, *L'uomo della croce*, 1943) seine Wirkung, indem Kamera-Einstellung und die Symbolik der realistischen Details die ausdrückliche ideologische Botschaft unterminieren. Jedenfalls standen die Ausdrucksmittel des neorealistischen Films und der neorealistischen Literatur bei Kriegsende schon bereit, sonst hätten Rossellinis Filme und Vittorinis, Pratolinis und Paveses Romane nicht schon ab 1945 erscheinen können. Die von den genannten neorealistischen Werken dargestellte ›Realität‹ unterschied sich allerdings entscheidend von derjenigen des Realismus des 19. Jahrhunderts, da sie auf einer fundamental gewandelten ökonomischen und sozialen Situation und auf einer inzwischen in ihrer Fortschritts- und Technikgläubigkeit verunsicherten Weltsicht beruhte. Die durch funktionalisierte Beschreibungen und Autorenerklärungen lückenlos motivierte, ›realistische‹ Handlungskette wird von einer Vielfalt monologischer und dialogischer Stimmen und Perspektiven ersetzt, die Handlung zerstückelt, der Schluß bleibt offen; die Sprache steigt von der hohen Warte des gottähnlichen, alleswissenden und erklärenden Demiurgen hinab in die Niederungen des Alltags mit seinem einfachen Satzbau, seinem beschränkten, unliterarischen Vokabular und seinem scheinbaren Leerlauf. Selbst dem heutigen Leser erscheinen daher Vittorini und Pavese weniger traditionell ›realistisch‹ als ›modern‹. Aufgrund der Tatsache, daß einige der berühmten neorealistischen Autoren sich in der Resistenza und später im PCI engagiert haben (Vittorini, Pavese, Calvino), gilt der Neorealismus als dezidiert außerliterarisch bestimmt, als Produkt der Resistenza und ihres politischen, vorwiegend sozialistischen Vermächtnisses. Die Erfahrung menschlicher Solidarität über alle Klassenschranken hinweg, das Gefühl gebraucht zu werden, die »astratti furori« (Vittorini) durch sinnvolles, zukunftsgerichtetes Handeln überwinden zu können, vor allem aber die zeitweilige Entideologisierung des Kampfes um der gemeinsamen antifaschistischen Zielsetzung willen, die sich auf eine allgemein humanitäre Linie zurückzog, konnte die Illusion entstehen lassen, der Neorealismo eigne sich trotz seiner teilweise modernen Formen zur Propagierung sozialistischer Positionen. Italo Calvino formuliert diese existentielle Aufbruchsstimmung, die dem Neorealismo zugrundeliegt, im Vorwort (1964) zu seinem Resistenzaroman *Il sentiero dei nidi di ragno* (1947) folgendermaßen: »Das Aufblühen der Literatur in jenen Jahren war mehr noch als ein künstlerisches ein physiologisches, existentielles und kollektives Faktum, und wir Jungen – die gerade noch in letzter Minute Partisanen werden konnten – fühlten uns nicht erdrückt, besiegt, ›ausgebrannt‹ sondern siegreich, von der Schubkraft des kaum beendeten Kamp-

Die europäische Avantgarde

Cesare Pavese und Elio Vittorini

fes angetrieben, als alleinige Inhaber seines Erbes.« Doch, schon die Art, wie sich der Held von Vittorinis *Uomini e no* dem sozialistischen Nachkriegs-Aufbauwerk durch einen Quasi-Selbstmord entzieht, läßt die Schwierigkeiten ahnen, welche die im PCI engagierten Schriftsteller trotz besten Willens haben werden, ihre an den Verlust eines einheitlichen Weltbilds und an den Verlust der Illusion eines geschichtsmächtigen Subjekts gebundene moderne Art zu schreiben mit den fortschritts- und technikgläubigen Imperativen der Partei zu vereinbaren. Das von Calvino erwähnte »physiologische« Bedürfnis führte in der Nachkriegszeit zu einer reichlichen Produktion von nicht oder nur partiell fiktional verarbeiteter Bekenntnisliteratur. Nur den wenigsten dieser Autoren, die ihre Erlebnisse während ihrer Verfolgung bzw. in der Resistenza beschrieben, gelang es, ihre existentielle Ausnahmesituation so darzustellen, daß sie die Zeit überdauerten, da bekanntlich »für die Kunst der gute Wille nicht genügt« (C. Pavese). Zu den gelungenen Zeugnissen gehören Carlo Levis *Cristo si è fermato a Eboli* (1945), Elio Vittorinis *Uomini e no* (1945), Primo Levis *Se questo è un uomo* (1947) und Natalia Ginzburgs *Inverno in Abruzzo* (1944, später in: *Le piccole virtù*, 1963).

Letteratura di testimonianza

Noch prägender für das allgemeine Bild, ja den Mythos der Resistenza ist aufgrund der Massenwirkung, neben anderen Filmen, Rossellinis *Roma città aperta* (1945), den er zu drehen begann, als die Deutschen noch in der Stadt waren. Die Originalschauplätze, die vielen Laiendarsteller, die zeitliche Nähe zu den Ereignissen, ihre die Dinge und Landschaften – hauptsächlich Stadt-Landschaften – symbolisch und mit Gefühlen aufladende, nicht nur dekorative oder Lokalkolorit verbreitende Detailgenauigkeit, die den Eindruck erweckt, als sprächen die Dinge selbst (eine Art Belebung, wie sie sich im damals geläufigen Begriff »lacrimae rerum« zeigt), all dies verleiht diesem und ähnlichen Filmen einen quasi-dokumentarischen Charakter. Auffällig ist indessen der diametrale Gegensatz zwischen dem ideologischen Gehalt der beiden ersten Filme Rossellinis (*Roma città aperta*, 1945; *Paisà*, 1946) und dem dritten (*Germania anno zero*, 1947). Die ersten spielen in Italien und verherrlichen den spontanen, weniger politisch als menschlich motivierten Widerstand aller Bevölkerungsschich-

Rossellinis Trilogia della guerra

Rossellinis Roma città aperta wird 1945 uraufgeführt, hier ein Aussschnitt mit Anna Magnani

ten und aller Parteiungen, die im Kampf gegen die feindlichen Deutschen bzw. an der Seite der kulturell so verschiedenen, nun verbündeten Alliierten eine gemeinsame Identität entdecken. Dieser Kampf, der mit den bewährten Ingredienzien des Melodramas (die gute, schwangere Mamma, die stirbt, der gute Priester als Märtyrer und eine Reihe diabolischer Gegenspieler, darunter die Böse, die den Helden verrät) geführt wird, erlöst das italienische Volk von der Schuld des Faschismus; das von der Resistenza gestiftete Harmoniebedürfnis geht so weit, daß im Rom-Film fast als einziger Kollaborateur der Präfekt übrigbleibt. Das faschistische Ventennio kann schnell vergessen und der Blick hoffnungsvoll in die Zukunft gerichtet werden. Der Film endet zwar mit der Hinrichtung eines der Helden, gleichzeitig aber mit einem optimistischen Blick auf die Garanten der Zukunft, die Jugend. Es liegt sicher nicht nur am Schauplatz (der desolaten Kulisse des völlig zerstörten Berlin), wenn der dritte Film über die ›Stunde Null‹ in Deutschland schon zwei Jahre später keinen Hauch von Optimismus mehr ausstrahlt und gerade die Jugend als zuinnerst vom Faschismus infiziert darstellt: die Stimme Hitlers und seiner Einpeitscher ist allgegenwärtig, der junge Edmund bringt nach der von seinem Lehrer immer noch vertretenen Maxime vom Recht des Stärkeren zuerst seinen Vater, dann sich selbst um. Daß mit dem Kriegsende der Faschismus nicht nur in Deutschland nicht spurlos aus den Köpfen verschwunden ist, zeigt auch Vasco Pratolinis *Un eroe del nostro tempo* (1949). Sein heranwachsender Held Sandrino praktiziert nach wie vor die anerzogene Herrenmenschenideologie, skrupellos bis zum Mord. Bereits 1947 ist also mit dem Zerfall der antifaschistischen Einheit auch die Illusion eines angeblich nur oberflächlichen, aufgezwungenen Faschismus und eines quasi ›natürlichen‹ klassenübergreifenden Gemeinsinns vergangen.

Rückzug auf das Humanitäre

Der Rückzug auf die Darstellung der »condition humaine« (die sich schon in einer Titelwahl wie *Uomini e no* und *Se questo è un uomo* zeigt) unter den extremen Bedingungen von Verbannung, Krieg, Bürgerkrieg und Konzentrationslager wie auch der Rückzug auf das Mitleid, die Güte, die Liebe und die Menschlichkeit erleichtert den allgemeinen Konsens, mit dem diese Werke aufgenommen werden. Gerade beim ›kleinen Mann‹ und in den ländlichen Schichten mit ihren zum Teil noch archaischen Lebensformen erscheint die humanitäre Grundsubstanz noch am ehesten bewahrt. So kommt es, daß die Autoren und Regisseure durch diese allgemein humanitäre zunächst eine parteipolitische Ausrichtung vermeiden, daß uns aber heute Filme wie *Roma città aperta* oder *Ladri di biciclette* von De Sica, aber auch Bücher wie Vittorinis *Uomini e no* stellenweise sentimental, schwarz-weiß-malend und emphatisch vorkommen. Dagegen gefeit sind lediglich die Teile, die zugunsten einer detailgenauen Beobachtung auf melodramatische Tränendrüsen-Effekte verzichten, besonders der aufs Moralisieren verzichtende ›naturwissenschaftliche‹ Blick eines Carlo und Primo Levi, eines Italo Calvino oder einer Natalia Ginzburg.

Enttäuschung

Da der Neorealismo mit dem moralischen Anspruch der Wahrheit und der schonungslosen Darstellung der ›Wirklichkeit‹ angetreten ist, kann es nicht lange ausbleiben, daß er auch die eigenen Mythen am Prüfstein der ›Realität‹ entlarvt: die klare Trennung der Welt in Gute und Böse sowie die Überzeugung von einem zielgerichteten Fortschritt in Richtung auf eine gerechtere, die alten sozialen Klüfte überwindende Gesellschaft. Doch Italien läßt sich die Mythen nicht so leicht nehmen. Ein Werk wie *Tempo di uccidere* (1947) von Ennio Flaiano, in dem eben kein Resistenza-Held, sondern ein eher durchschnittlich mutiger, durchschnittlich feiger und durchschnittlich rassistischer italienischer Soldat sich im äthiopischen Kolonialkrieg in den dreißiger Jahren inmitten einer detailliert beschriebenen, aber deswegen nicht minder phantastischen, unerklärlich fremden und bedrohlichen Umwelt unerbittlich immer tiefer in

Schuld verstrickt, wird daher trotz des Premio Strega kein Publikumserfolg. Erst
in den fünfziger Jahren, als sich das kulturelle Klima von der neorealistischen
Zuversicht bereits abgewandt hat, wird Flaiano auf dem Umweg über den Film
berühmt, als Drehbuchverfasser zu so bekannten Fellini-Filmen wie *I vitelloni*
(1953), *La strada* (1954), *La dolce vita* (1960), *Otto e mezzo* u.a. Selbst Autoren,
die Miglieder des PCI waren oder ihm zumindest nahe standen, bringen es
nicht einmal in der ersten Nachkriegsbegeisterung fertig, ein uneingeschränkt
fortschrittsoptimistisches Bild zu zeichnen. Zwei erzähltechnische Elemente mit
ideologischem Hintergrund stellen sich dem entgegen: Ein fortschrittsgläubiges
Geschichtsverständnis verkörpert sich seit den entsprechenden Vorbildern aus
dem 19. Jahrhundert im chronologischen und zielgerichteten Handeln eines
Helden, der seinen Namen mit einem Happy-End verdient. Realitätsbeschrei-
bungen werden zum Zweck einer lückenlosen Motivation funktionalisiert oder
dienen als authentisierende »effets du réel« (R. Barthes). Schon in *Uomini e no*
jedoch wird die Handlung immer wieder durch Reflexionen, Rückblenden,
Träume etc. durchbrochen und bringt nicht mehr die Selbstillusion eines
Happy-End auf. Carlo und Primo Levi beschränken sich zunächst auf eine fast
anthropologische Beobachtungsposition, wobei sich die beobachtete Realität
gegen eine teleologische Sinngebung und damit gegen eine romanhaft organisierte Handlung sperrt. Trotz der Begeisterung für die gesellschaftlich-politi-
schen Aufgaben der Literatur und dem Engagement im PCI läßt sich der größte
Teil der neorealistischen Schriftsteller nicht im Sinne eines ›sozialistischen
Realismus‹ in die Dienste der Partei einspannen. Die Versuche dieser Autoren,
Werke im Sinne des geschichtlichen Fortschritts, des Klassenbewußtseins etc.
zu schreiben, scheitern: Vittorinis *Le città del mondo*, Calvinos *I giovani del Po*

Fellini, *La strada* (1954)
mit Giulietta Masina und
Anthony Quinn nach
einem Drehbuch von
Flaiano

Renato Guttuso:
»Togliattis Begräbnis«,
1972

bleiben unvollendet, abgesehen vom Versuch des *Compagno* kehrt auch Pavese
zum geschichtsaufhebenden Mythos zurück. Doch sperrt sich nicht nur ihr
Kunstverständnis mit den oben angedeuteten Folgen für die Gestaltung ihrer
Werke dagegen, sondern sie werden auch von der Geschichte, nachdem einmal
das einigende Band des antifaschistischen Kampfes mit der Niederlage des Fein-
des zerbrochen ist, auf den Boden der historischen und sozialen Tatsachen
zurückgeholt. Die Ausbootung der Kommunisten aus der Regierung nach
Ausbruch des Kalten Krieges (1947) und das Attentat auf Togliatti zeigen die
sich verschärfenden Klassengegensätze innerhalb der italienischen Gesellschaft.
Die immer offensichtlicher werdende Restauration der alten gesellschaftlichen
Verhältnisse auf der einen und die Niederschlagung des Ungarnaufstandes
(1956) durch die Sowjetunion auf der anderen Seite zerstören die Hoffnungen
auf einen Neuanfang.

Elio Vittorini

Elio Vittorinis Schaffen ist symptomatisch für das Schicksal einer ganzen
Generation von italienischen Intellektuellen unter dem Faschismus, im antifaschistischen Kampf, in der Begeisterung des Neuanfangs und in der Enttäuschung durch die tatsächliche Politik. Nach seiner eigenen biographischen
Einteilung gehört sein erstes Nachkriegswerk, der in den letzten Monaten des
Partisanenkampfes, an dem er selbst aktiv teilnahm, in Mailand geschriebene
und schon 1945 publizierte Roman *Uomini e no,* noch zu seiner »antifaschistischen« Periode, der zweiten nach einer eher »literarischen«, und schließt sich
damit in Weltbild und Stil eng an den schon in den vierziger Jahren erschienenen Roman *Conversazione in Sicilia* an.

Der Text von *Uomini e no* besteht aus seitenlangen, auf den ersten Blick bana-
len, alltäglichen Dialogen, hinter denen beschreibende und erzählende Teile
zurücktreten. Die einzelnen Repliken sind jedoch nur sehr kurz, so daß, nicht
nur vom Schriftbild her (die Replik beginnt jeweils in einer neuen Linie), der
Eindruck des Hektischen, Fiebrigen und Fragmentarischen entsteht. Gegenläu-
fig wirkt die insistierende, fast zwanghafte Wiederholung einzelner Wörter,
Wortgruppen oder ganzer, nur leicht variierter Sätze, die in den Repliken
immer wieder auftauchen und die dadurch emphatisch mit Bedeutung aufgeladen werden. Der von sich in der dritten Person erzählende Partisan mit dem
Kodenamen »Enne 2« hat ein abgespaltenes (Schriftsteller-) Ich, das in der
ersten Person (durch eigene Kapitel und kursive Schrift markiert) das Geschehen um »NN« kommentiert, reflektiert, mit Erinnerungen und Traumgesichten
umgibt. Die Geschichte des Partisanenkampfes, in dem menschliche Werte
wiederaufleben, die unter dem Faschismus verschüttet waren, ist verwoben mit
der persönlichen Problematik des Helden, dem Scheitern der Liebe zu Berta.
Das Buch endet auch nicht mit dem Sieg, sondern mit dem verzweifelten Selbst-
opfer des Helden (»combattere e perdersi«). Obwohl der Titel eine Schwarz-
Weiß-Einteilung in deutsche ›Un-Menschen‹ und italienische ›Menschen‹ nahe-
zulegen scheint, trennt Elio Vittorinis »Credo dell'uomo« nicht zwischen Nationen, sondern zwischen Gut und Böse. Elio Vittorini differenziert zwischen dem
brutalen und menschenverachtenden deutschen Schergen, der einen Unschuldi-
gen von Bluthunden zerfleischen läßt, und dem einfachen deutschen Soldaten
mit seinem »müden Arbeitergesicht«, den umzubringen der Partisan im Schlußkapitel nicht übers Herz bringt. Von marxistischer Seite wurde Elio Vittorini
später vorgeworfen, sein Humanismus sei ein Zerfallsprodukt der faschistischen
Ideologie, in dem sich deren uneingelöste soziale Komponenten mit denjenigen
des Liberalismus mischten (Alberto Asor Rosa). Dieses humanitäre Pathos ist
jedenfalls ein Produkt des parteienübergreifenden antifaschistischen Kampfes,
der ideologische Differenzen unter diesem gemeinsamen Nenner verbergen
mußte. Auch im Scheitern des Helden zeigt sich die Verweigerung des parteioffi-

Titelblatt von Elio
Vittorini, *Uomini e no*

ziellen Zukunftsoptimismus. Der offene Konflikt mit dem PCI, dem Elio Vittorini schon seit seiner Partisanentätigkeit angehörte und dem er gleich nach dem
Krieg als Chefredakteur der Parteizeitung *Unità* diente, bricht allerdings erst
um die von ihm gegründete und geleitete Zeitschrift *Il Politecnico* aus.

Schon der Titel dieser Zeitschrift, die die dritte, »kulturelle« Phase im Leben
Vittorinis dominiert, weist auf eine liberale Tradition hin. Sie nimmt den
Namen einer Mailänder Zeitschrift wieder auf, die im 19. Jahrhundert von
Carlo Cattaneo herausgegeben wurde und die als bürgerliche Zeitschrift dem
technischen und sozialen Fortschritt verpflichtet war. Neben der ebenfalls dem
PCI nahestehenden Zeitschrift *Società,* dem liberalsozialistischen *Il Ponte* und
dem liberal-laizistischen *Belfagor,* versucht *Il Politecnico* dem allgemeinen Informations- und Orientierungsbedürfnis durch eine fast enzyklopädische Ausrichtung entgegenzukommen: Neben literarischen Texten, die teils in der Tradition
des Amerikanismus stehen (als Fortsetzungsroman erscheint Hemingways *Wem
die Stunde schlägt,* trotz seiner deutlichen Kritik an der Rolle der Kommunisten
im Spanischen Bürgerkrieg), teils die europäische Avantgarde repräsentieren
(Franco Fortini schließt sich mit *La poesia è libertà* an den französischen Surrealismus an), stehen Giulio Pretis Artikel über die angelsächsische Philosophie,
die mit den idealistischen und (idealistisch-)marxistischen Positionen in Italien
kontrastiert. Bildende Kunst, Architektur und die politische Tagesdiskussion –
es gibt kein aktuelles Thema das *Il Politecnico* nicht unorthodox anfaßte;
bezeichnenderweise gibt es aber keine ›Realismus-Debatte‹. Diese wenig parteikonforme Richtung führt zu Reibereien mit der Parteispitze, schließlich zu
einem Austausch offener Briefe mit Palmiro Togliatti und knapp ein Jahr
danach zur Einstellung der Zeitschrift. Im genannten offenen Brief wehrt sich
Vittorini vehement gegen seine Instrumentalisierung für Parteizwecke. Kunst
und Partei seien streng zu trennen. Die Kunst stelle über die politischen Forderungen hinausgehende Ziele auf (»esigenze interne, segrete, recondite
dell'uomo«) und es sei nicht seine Aufgabe, Rattenfängerdienste zu leisten
(»suonare il piffero per la rivoluzione«), wie sie die sowjetische Literatur mit
ihrer falschen Idylle (»arcadia«, »lirismo«) unter dem Stalinismus zu leisten
gezwungen sei.

In der letzten Lebensperiode Vittorinis (ab 1948) steht die Herausgebertätigkeit im Vordergrund. Er initiiert und betreut Buchreihen *(I Gettoni* bei Einaudi,
Medusa und *Nuovi Scrittori stranieri* bei Mondadori), in denen er junge Autoren, wie die französischen »Nouveaux Romanciers« und die italienische Neoavantgarde, fördert, und mit denen er den Neorealismus überwinden und die
experimentellen Schriftsteller etablieren hilft. Seine Wirkung auf die Orientierung der italienischen Literatur der Nachkriegszeit bis in die 60er Jahre hinein
ist kaum zu überschätzen. Zu seinen spektakulärsten Entscheidungen zählt,
allerdings erst, nachdem das Buch bei der Konkurrenz zu einem Welterfolg
geworden war, die Ablehnung des *Gattopardo* von Tomasi di Lampedusa, den er
als ein formal und ideologisch überholtes Werk einstufte. Vittorinis Glaube an
die Möglichkeit einer durch Technik und Wissenschaft befreiten, glücklichen
Industriegesellschaft steht hinter seinem literarischen Spätwerk, das allerdings
bezeichnenderweise weitgehend unvollendet geblieben ist. Herrschte in der
Conversazione in Sicilia noch das regressive Element vor, das immerhin die Basis
für die »neuen Pflichten« des gereiften Menschen abgab, in *Uomini e no* trotz
des hoffnungsvollen Sieges über das Böse die persönliche Verzweiflung und das
individuelle Scheitern, so zeigt schon die grundlegende Umarbeitung der melodramatischen *Donne di Messina* (1949, 1964) eine insgesamt fortschrittsgläubigere Haltung. Der in *Le città del mondo* (geschrieben ab 1950 bis ca. 1955,
unvollendet, publ. postum 1969) unternommene Versuch, die Entwicklung

Titelblatt der ersten
Nummer von *Il Politecnico*

Il Politecnico
(1945–1947)

Vittorini als Herausgeber

vom mythischen Paradies archaischer Gesellschaftsformen bis zu modernen Formen des Zusammenlebens in der Stadt parabelartig anhand eines sizilianischen Hirten und seines Sohnes darzustellen, scheitert an der ungelösten Spannung zwischen einer ›realistisch‹ motivierten, chronologisch geordneten Handlung und der starken Anziehungskraft der lyrisch gestalteten rückwärtsgewandten Utopie des Mythisch-Archaischen, welcher der Junge auf seiner Suche nach einem neuen, allerdings irdischen »Jerusalem« verfällt. Diese Spannung prägt in ähnlicher Weise auch das Werk Pasolinis, der sich aber schon bald entschieden gegen die moderne technische Welt der Konsumgesellschaft und für das angeblich noch im römischen Subproletariat beziehungsweise in der Dritten Welt erhaltene Archaische entscheidet. Eine konsequent moderne Lösung dieser sich um das Thema der modernen Stadt kristallisierenden Spannung, die allerdings auch auf die Romanform verzichtet, gelingt Italo Calvino in *Le città invisibili*.

Cesare Pavese, der mit Vittorini zusammen einen entscheidenden Einfluß auf das für die Nachkriegszeit wichtige Verlagshaus Einaudi und damit auf die neorealistische Strömung nimmt, hat mit *Paesi tuoi* (1941) eine an den Amerikanern geschulte, für Italien neue Literatursprache geschaffen, die sich im Dialog, in ihren Agrammatismen und im Idiomatischen eng an den Dialekt und den Großstadt-Slang anlehnt. Schon dort wird die »campagna« und das (hyper-) naturalistisch geschilderte Geschehen symbolisch aufgeladen. Die intensive Beschäftigung mit Mythostheorien führt ihn dazu, seine eigenen Kindheitserinnerungen zu mythisieren und in den Rahmen der antiken Mythentradition *(Dialoghi con Leucò,* 1947) zu stellen. Von der theoretischen Beschäftigung mit den entsprechenden Wissensgebieten zeugt auch eine zusammen mit dem Ethnologen Ernesto De Martino bei Einaudi herausgegebene Buchreihe (›Collezione di studi religiosi, etnologici e psicologici‹). Wie Nietzsche ist Pavese fasziniert vom Dionysisch-»Wilden«, das er im naturnahen Leben des amerikanischen Mittelwestens oder – auf dem Gebiet der Kunstformen – bei Picasso und Joyce wiederfindet. Doch interessiert ihn daran nicht die Brutalität der Zerstörung oder das Ungezähmte der Instinkte – die ihm moralisch nicht mehr annehmbar erscheinen, wenn sie ihm im Terror des Bürgerkrieges begegnen –, sondern die Öffnung auf das Geheimnisvolle, auf neue Ausdrucksmöglichkeiten, die die Unordnung durchaus künstlerisch ordnen. In einem Tagebucheintrag formuliert er dies folgendermaßen: »il selvaggio, il titanico, il brutale, il reazionario sono superati dal cittadino, dall'olimpico, dal progressivo« (Das Wilde, das Titanische, das Gewalttätige, das Reaktionäre sind vom Städtischen, Olympischen, Progressiven überwunden worden) *(Il mestiere di vivere,* [2]1990). Diese Grundeinstellung wird auch an der Entwicklung seines Werks von *Paesi tuoi* über die *Dialoghi con Leucò* (1947) zum vorbildlichen Entwicklungsroman eines Proletariers *(Il Compagno,* 1947) deutlich. Der Nachkriegsoptimismus hält bei Pavese weniger lange vor als bei anderen politisch engagierten Schriftstellern, da ihm positive Resistenza-Erfahrungen fehlen. Wie sehr er auch vom »Wilden« als dem Nährboden des Neuen und dem Lebenselixier der Kunst angezogen ist, so abgestoßen ist er von seinen historischen Erscheinungsformen; seine immer wieder selbstquälerisch analysierte Tatenlosigkeit während der Resistenza geht sicher auch darauf zurück, daß er den Rückfall in atavistische Verhaltensformen auch gegenüber dem Bösen nicht mitmachen kann. In enger Verbindung mit den psychischen Problemen ist als Ursache für seinen Selbstmord sicher auch die Spannung zwischen dem Erwartungsdruck der Umgebung nach eindeutigem politischem Engagement und seiner Tendenz zur Flucht in die Zeitlosigkeit des Mythos zu sehen. Diese Ambivalenz zeigt sich auch in seinem letzten, erst kurz vor seinem Freitod erschienenen Roman *La luna e i falò* (1950), der noch einmal das Thema der Verankerung der individuellen Lebens-

Paveses Abschiedsworte, auf die erste Seite der *Dialoghi con Leucò* geschrieben

David Levine, Cesare Pavese, aus »Levines lustiges Literarium«, 1970

geschichte im Mythos wiederaufnimmt. Der Protagonist ›Anguilla‹ ist bezeichnenderweise ein Bastard, der sich trotz oder gerade wegen dieses Geburtsmakels und der damit verbundenen Bindungslosigkeit erfolgreich durchs Leben schlägt, indem er sich »aal«-glatt dem politischen Kampf in Italien durch die Emigration nach Amerika entwindet und nach Jahren der Abwesenheit als gemachter Mann zurückkehrt in das Dorf, das er gleichwohl nicht als seine Heimat betrachten kann. Einerseits empfindet er Sehnsucht nach Verwurzelung in einer Heimat und nach einer identitätsstiftenden Geschichte, andererseits ist er fasziniert vom Leben auf dem Lande, das lediglich vom ewigen, im Mythos gefeierten Kreislauf der Jahreszeiten bestimmt ist, und sieht den Freiraum, den die in Amerika verwirklichte Geschichtslosigkeit bietet. »In America, – dissi – c'è di bello che sono tutti bastardi.« (Das Schöne in Amerika ist, sagte ich, daß alle Bastarde sind.) Sie bildet die Grundlage seines Erfolgs, während die besitzbürgerliche Familie, bei der er als Knecht diente, im Unglück endet. Schon die beiden Bestandteile des Titels (der Mond und die Johannisfeuer) verweisen auf die ewige Wiederkehr des Gleichen und das ›letzte Wort‹ bestätigt diese Orientierung. Zwar drückt die Historie, der Bürgerkrieg zwischen den »repubblichini«, den faschistischen Anhängern der Repubblica di Salò, und den Resistenzakämpfern dem Geschehen seinen geschichtlich einmaligen Stempel auf, doch wird das zwischen den Fronten zerriebene ›Opfer‹, das trotz des Verdachts, eine Doppelagentin zu sein, den Namen Santa trägt, zu Asche verbrannt und damit dem Kreislauf der Natur zurückgegeben. Die mythische Natur siegt so über die Geschichte, denn sie hat – wie der letzte Satz verkündet – inzwischen die Spuren der Feuerstelle verwischt, die ohnehin nicht mehr an die geschichtliche Tat, sondern an den heidnisch-zeitlosen Brauch der Johannisfeuer erinnern.

Nicht vom Mythischen versucht wird Natalia Ginzburg. Sie schreibt im Gegensatz zu anderen neorealistischen Autoren wortkarg, ohne jedes Pathos, ohne jedes Sendungsbewußtsein, ohne die Anmaßung, eine Wahrheit zu verkünden oder der Erinnerung einen übergeordneten Sinn zu verleihen. Ihre Art, Geschichte, sei es die italienische Nationalgeschichte oder die individuelle Geschichte ihrer Helden, in kleinste Portionen zu zerlegen, weitgehend kommentarlos in einer klaren, eher unterkühlten Sprache zu beschreiben, zeigt sie in fiktionalen Werken *(La strada che va in città*, 1942) ebenso wie in ihrem Antifaschismus- und Resistenza-Roman *Tutti i nostri ieri* (1952). In ihrem wohl bekanntesten Werk, *Lessico familiare* (1963), das als Ausdruck der Verweigerung einer globalen, nachträglichen Sinngebung wie ein ›Wörterbuch‹ nach »voci« (›Stichwörtern‹ oder vielmehr ›Stimmen‹) und nicht an einem Handlungsstrang entlang geordnet ist, schildert sie aus scheinbar emotional unbeteiligter Distanz Erinnerungsreste, kleine, alltägliche Ereignisse (wie auch schon in *Le voci della sera,* 1961 und in *Le piccole virtù,* 1962), die in Zeiten des Faschismus für eine sozialistisch orientierte, jüdische Professorenfamilie alles andere als harmlos waren: die kleinen und die großen Schwächen ihres ständig vorwurfsvollen, autoritären Vaters, ihrer fröhlich-phantasievoll kindlichen Mutter, ihrer Geschwister und Bekannten, meist antifaschistischen Intellektuellen. Selbst wenn sie sich der Urteile so weit wie nur möglich in einer Art stolzer Zurückhaltung enthält, so vibriert doch die seelische Spannung noch in den dürrsten, beiläufigsten Mitteilungen zwischen den Zeilen. Sie erreicht dies durch die sparsamsten Mittel, wie etwa in der klaglosen Mitteilung vom Tod ihres Mannes Leone Ginzburg, der an den Folgen der Folterung durch die Gestapo starb, indem sie das Wort »deutsch« insistierend wiederholt und trockene Umstandsbestimmungen aneinanderreiht, die in einer nachklappenden, symbolisch metereologischen Angabe gipfeln: »Leone era morto in carcere, nel braccio tedesco delle carceri di

Geschichte als »Lexikon«

Natalia Ginzburg

Primo Levi

Schreiben gegen den
Untergang

Regina Coeli, a Roma durante l'occupazione tedesca, un gelido febbraio«. An ihrem ausgeprägten, persönlichen Stil zeigt sich, daß »Realismen« sehr verschieden aussehen können. Vor allem aber, daß der Neorealismus weniger eine Frage des Stils, als der Ideologie des Werkes ist.

Das wird auch an Primo Levi deutlich. Bei aller Ähnlichkeit des ›naturwissenschaftlichen Blicks‹ steht für ihn im Gegensatz zu Natalia Ginzburg nach dem Krieg die Sinnsuche im Vordergrund: allerdings ist nicht die Resistenza als menschlich und politisch positive Erfahrung das ihn prägende Erlebnis (er hat eher unangenehme Erinnerungen an die kurze Zeit als Partisan bis zu seiner Festnahme), sondern die alles Vorstellbare sprengende Erfahrung der Welt des Konzentrationslagers. Auschwitz, das er überlebt, weil er sich als Chemiker nützlich machen kann, stellt ihn vor die fast unlösbare, jedoch vor der Verzweiflung rettende Aufgabe, die Absurdität des organisierten Wahnsinns zu verstehen (»farsene una ragione«). Er beginnt schon im Lager zu schreiben, wobei er sich bemüht, das Leben im Lager als eine Art riesiges sozialpsychologisches Experiment des Überlebenskampfes unter extremsten Bedingungen zu beobachten und als »gigantesca esperienza biologica e sociale« möglichst objektiv zu beschreiben. Hinter dem biologischen Erklärungsparadigma steht erkennbar dem Naturwissenschaftler vertrautes Darwinistisches Gedankengut, das sich auch in der deterministischen Kapitelüberschrift »I sommersi e i salvati« äußert, die außerdem den Titel seines letzten Buches (1986) abgibt. In *Se questo è un uomo* (1947; aber erst nach der Neuauflage von 1956 erfolgreich) legt Levi zunächst Zeugnis ab, vor allem aber, und das unterscheidet den Text von vielen ähnlichen Dokumenten, reflektiert er über die »condition humaine« und versucht, diese Überlegung ästhetisch zu verarbeiten. Nach eigenem Eingeständnis waren die Vorstufen zu *Se questo è un uomo* plan- und systemlos, »wirr«, und Levi schafft es bezeichnenderweise erst unter der Perspektive einer Familiengründung, der »Unordnung« eine Ordnung zu geben, obwohl es vielleicht sogar gerade die in seinen Augen noch vorhandenen »strukturellen Mängel« und der »fragmentarische Charakter« des Buches sind, die mit ihrer strukturell sichtbaren Unmittelbarkeit und Betroffenheit eine der wichtigsten Qualitäten seines Werkes ausmachen. Das gilt auch für die zeitliche Fortsetzung seiner Erlebnisse in *La Tregua* (1963), eine Beschreibung der an picaresken Umwegen reichen Heimkehr des von der unmittelbaren Lebensbedrohung Befreiten über Rußland nach Italien.

Im Gegensatz zu vielen modernen Autoren (etwa Beckett) hält Levi auch nach dem Niedergang des Neorealismo trotz oder vielmehr gerade wegen der persönlichen Erfahrung des Absurden verzweifelt an der Sinn vermittelnden Aufgabe von Literatur und der Kommunikationsfähigkeit von Sprache fest. Das zeigt sich auch in seinem bewußt »klassischen« (Cesare Cases) Italienisch, seiner Forderung nach einem »italiano marmoreo, buono per i lapidi«. Ein Titel wie *Il sistema periodico* (1975) beweist das tiefverwurzelte Bedürfnis, Ordnung in das Chaos erinnerten Erlebens zu bringen, selbst wenn es sich nur um eine aus der Chemie geliehene, ja fast eine ›alchimistische‹ handelt. (Parallelen zur kombinatorischen Tarock-Ordnung der *Città invisibili* des ebenfalls naturwissenschaftlich geprägten Freundes Calvino sind unübersehbar.) Das Absurde ist für Levi, der Kafkas *Prozeß* ins Italienische (1983) übersetzte, weder, wie für den gläubigen Juden, Christen oder Kommunisten, eingebettet in eine transzendente Sinngebung noch, wie für die Existentialisten, die Grundlage der absoluten Freiheit und Verantwortung, sondern ist für ihn Ansporn – und hierin ist er noch Erbe der Aufklärung und des Positivismus –, die Suche nach den naturgesetzlichen Gründen aufzunehmen. Daher liegt ihm auch die Art nicht, in der ein anderer KZ-Häftling, Paul Celan, die Erfahrung des Lagers verarbeitet: Das Dunkle, nicht mehr Kommunizier- und Erklärbare endet seiner Meinung nach notwendig im Selbstmord, während der Naturwissenschaftler wie Job (vgl. »Giobbe« in: *Ricerca delle radici*, 1981) »sich im Verstehen rette« – ein Verstehen, das allerdings nicht mit dem Verzeihen verwechselt werden dürfe; und ein Verstehen, das ihn schließlich doch nicht vor dem Verzweifeln und dem Selbstmord retten konnte.

Vom Neorealismo zum Sperimentalismo

Ist Vittorini der italienische Schriftsteller, der durch sein Werk und sein kulturpolitisches Wirken die Epoche des Faschismus und des Neorealismus beispielhaft illustriert, so stellt Italo Calvino die Verbindung zu den 60er und 70er Jahren und ihren spezifischen literarischen Entwicklungen her. Zunächst ist auch für ihn die persönliche Erfahrung der Resistenza fundamental für seine Entwicklung als Schriftsteller. Gemeinsam hat er mit Vittorini und Pavese die Prägung durch die amerikanische Literatur; im Gegensatz zu ihnen debütiert er jedoch erst in der Nachkriegszeit. In seinem Resistenza-Roman *Il Sentiero dei nidi di ragno* (1947) gelingt ihm die angestrebte neorealistische »Objektivität« vor allem dadurch, daß er die Identifikation von eigenem Ich und Romanhelden auflöst. Er erzählt aus der Perspektive der Zentralfigur Pin, eines neuen Gavroche ohne die Sentimentalitäten Victor Hugos oder auch Vittorio De Sicas *Ladri di biciclette*. Pin ist doppelt marginalisiert, durch seine gesellschaftliche Stellung wie auch durch seine Weltsicht: als verwahrlostes, fast ganz auf sich selbst gestelltes Waisenkind und als ›Naiver‹, wenn auch nicht ›Unschuldiger‹, der Dinge und menschliches Handeln aus einer politisch weitgehend indifferenten, menschlichen Neugier betrachtet. Die »Regression« auf den kindlichen Blickwinkel erlaubt nicht nur Distanz zur für ihn unverständlichen Welt der Erwachsenen, Calvino entgeht so auch dem Zwang, die Vergangenheit seines Helden unter dem Faschismus rechtfertigen und das Geschehen insgesamt im Rahmen traditioneller Ideologien explizit deuten und moralisch werten zu müssen. Das kann er einer Nebengestalt wie dem Politkommissar Kim überlassen, der über die Gewalt und den Sinn historischen Handelns reflektiert. Für Pin und auch den übrigen ziemlich bunt zusammengewürfelten Haufen eher zweideutiger, kaum politisch motivierter Resistenza-Helden konkretisiert sich der Widerstandskampf in erster Linie als Flucht vor existentiellen Problemen in Haß und, wenn auch seltener, in Zuneigung. Die kindliche Neugier auf die konkrete Erscheinungsform von Menschen und Dingen und der Verzicht auf psychologisierende Innenschau verleihen dem Werk trotz des teilweise kruden Realismus einen »tono fiabesco« (Pavese), wie er auch in den anderen Erzählungen (gesammelt in *I racconti*, 1958) anzutreffen ist. Die »leggerezza« des Märchens, mit dem sich Calvino ausführlich beschäftigt hat (Anthologie der *Fiabe italiane*, 1956) verschmilzt mit ironischer Distanzierung und bietet daher keine billigen Tröstungen, sondern eine im Detail scharfsichtige Analyse und unaufdringliche Kritik der italienischen Nachkriegsgesellschaft. Calvino übernimmt psychoanalytische und surrealistische Vorstellungen, wenn in seinen Erzählungen zahlreiche als ›Helden‹ auftretende Kinder und etliche kindlich gebliebene *(Marcovaldo)* bzw. in kindliches Verhalten zurückfallende Erwachsene *(Furto in una pasticceria,* in: *I racconti)* ihre Distanz zu den geltenden Normen dadurch bewahren oder wiedergewinnen, daß sie das Realitätsprinzip der Erwachsenenwelt noch nicht internalisiert haben bzw. aus ihm aussteigen

Italo Calvinos Anfänge

Märchenton

Italo Calvino

Calvino als Überwinder des Neorealismus

und so ein märchenhaftes Reich der Freiheit besitzen, das teilweise schon phantastische Züge trägt, ohne deswegen den Bezug zur Realität zu verlieren.

Diese didaktische Funktionalisierung des Märchens hat bei Calvino einen aufklärerischen und politischen Anspruch und ordnet sich insofern dem Neorealismus zu. *Marcovaldo ovvero le stagioni in città* (gesammelt erschienen 1963) erinnert nicht nur im Titel an Voltaires *Candide ou l'optimisme.* Der märchenhaft germanische Name kennzeichnet Marcovaldo als (modernen) Märchenhelden. Trotz der Misere seiner Hilfsarbeiterexistenz inmitten einer norditalienischen Industriestadt träumt er von der heilen Natur und vom Glück und trotz seiner fortwährend desillusionierenden Erfahrungen bleibt er ein unverbesserlicher Optimist, der sich unverdrossen durch die industrielle Nachkriegsrealität des Wirtschaftswunderlandes Italien schlägt. Auch Themen wie Bauspekulation *(La speculazione edilizia,* 1957), industrielle Umweltzerstörung *(La nuvola di smog,* 1958) und Wahlbetrug *(La giornata di uno scrutatore,* 1963) werden von Calvino in dieser ironisch-witzigen, unpedantischen Art angegangen.

Schon mit Beginn der fünfziger Jahre, parallel zur politischen Ernüchterung, die nach der Niederschlagung des ungarischen Aufstandes durch die Sowjetunion 1956 mit dem Austritt Calvinos aus dem PCI gipfelte, beginnt Calvino sich vom Neorealismus zu lösen, indem er die märchenhaft-phantastischen Elemente in seinem Erzählen konsequent fortentwickelt. Einen bezeichnenden Einschnitt bildet der mit der veränderten »musica delle cose« begründete Abbruch der Arbeit am neorealistischen und klassenbewußten Roman *I giovani del Po* (geschrieben 1950/1; 1957/8 teilweise in *Officina* veröffentlicht) und die Hinwendung zu den drei folgenden, 1960 unter dem Titel *I nostri antenati* zusammengefaßten, phantastisch-allegorischen Romanen. Diese Wende bedeutet nicht, ebensowenig wie bei vielen anderen experimentell arbeitenden Schriftstellern (etwa Pier Paolo Pasolini oder auch Edoardo Sanguineti), daß sich Calvino von der Idee trennt, Literatur könne uns etwas über Wirklichkeit mitteilen und kritisch verändernd wirken, sondern nur daß diese Wirklichkeit in seinen Augen inzwischen viel komplexer ist, als es einst aus der Begeisterung der Resistenza erschien. Thema und didaktische Zielrichtung bleiben sich in den *Giovani del Po* und in *Il Visconte dimezzato* (1952) gleich: die Überwindung des trotz seiner historischen Verkleidung modernen, »verstümmelten«, seiner Arbeit, seinem Mitmenschen und sich selbst »entfremdeten« Menschen und die Verwirklichung eines neuen ganzheitlichen Menschenideals (»l'uomo totale«). Die Phantastik, die vom Kontrast zwischen dem völlig realistischen Detail und insgesamt irreal-groteskem Geschehen lebt, erlaubt es jedoch, die engen Grenzen des bisher schon systematisch und ideologisch Gedachten und im Neorealismus künstlerisch Verwirklichten spielerisch zu überschreiten. Calvino kann dabei an eine Tradition anknüpfen, wenn auch die Gattung der phantastischen Literatur in Italien selbst im 19.Jahrhundert eher spärlich vertreten war. Zwei Ausnahmen bestätigen die Regel: Tommaso Landolfi *(La pietra lunare* 1939; bis zu den *Racconti impossibili* 1966, *Le labrene* 1974 und *A caso* 1975; Auswahl von Calvino: *Le più belle pagine di Tommaso Landolfi* 1982) und Dino Buzzati, der 1940 mit *Il deserto dei Tartari* und vielen symbolisch-surrealen Erzählungen (gesammelt in *Sessanta racconti* 1958) eine halluzinierte, unheimliche Welt schuf. Daneben nimmt sich Italo Calvinos Phantastik sehr zuversichtlich aus. Denn *I nostri antenati* haben einen festen ideologisch-philosophischen Kern, der sie besonders als Schullektüre beliebt macht und um den ein wahres Feuerwerk an vergnüglicher Fabulierlust abbrennt, die der Tendenz zur allegorischen Schwere und Steifheit glücklich entgegenwirkt. Dem durch überlebte gesellschaftliche und ideologische Zwänge gefesselten Individuum stellt Calvino als Gegenbild den harmonischen, willensstarken Menschen, Dichter, Forscher und

Revolutionär in einem gegenüber, der nur dem eigenen Gesetz, der eigenen Vernunft und den Idealen der Freiheit und des Fortschritts verpflichtet ist *(Il barone rampante,* 1957); beziehungsweise dem noch undifferenzierten, mit der Materie verschmolzenen (Ur-)Menschen Gurdulù den künstlichen, rein gesellschaftlich-funktionalen Agilulfo, denen es beiden gleichermaßen an wahrer geschichtlicher Existenz fehlt *(Il cavaliere inesistente,* 1959).

»Die Landung der Türken«, Illustration von Domenico Gnoli für I. Calvino, *Il barone rampante,* 1957

Obwohl Calvino mit seinen phantastischen Werken zunehmend die neorealistische Vorstellung einer mit dem Schlüssel liberaler und sozialistischer Geschichtstheorien erklärbaren, »lesbaren« Welt ablehnt und den strukturalistischen und später in Richtung Dekonstruktivismus gehenden Vorstellungen seiner französischen Freunde um Roland Barthes und die Zeitschriften *Tel Quel* und *Communications* zuneigt, hält er bis zuletzt daran fest, daß Literatur im Bezug zur Wirklichkeit steht und eine Aufgabe bei der Wirklichkeitsbewältigung hat: »Die Wirklichkeit ist nicht lesbar, aber wir müssen gleichwohl versuchen, sie zu entziffern.« (Interview von 1985) Unter diesen Prämissen stehen auch noch seine experimentellen Romane aus den siebziger Jahren. Wie bei vielen französischen »Nouveaux Romanciers«, war der Einfluß der Theorie auf die Schreibpraxis nicht immer von Vorteil: In *Se una notte d'inverno* (1979) verschränkt Calvino kunstvoll zehn verschiedene Romananfänge und verquickt sie mit den Reaktionen des Lesers. Dieser experimentelle Metaroman steht unter dem Einfluß der strukturalistischen Erzähltheorie, wenn er auch nicht dem humorlosen Ernst eines Robbe-Grillet folgt. Gelungener erscheint die Integration von Theorie und Erzählpraxis in den Werken, in denen der theoretische Anspruch eher implizit als explizit zum Ausdruck kommt: In den *Città invisibili* (1972), seinem wohl vollkommensten Werk, benützt Calvino die grundsätzliche und nur fragmentarische Erkennbarkeit von Welt auf der Grundlage von zeichentheoretischen Überlegungen dazu, prosagedichtähnliche Städteschilderungen nach strengen, aber willkürlichen Regeln anzuordnen, d.h. sie nicht zeitlich und kausal zu verknüpfen, sondern nach den Gesetzen des Tarock (wie auch im *Il castello dei destini incrociati* 1969, 1973) bzw. der seriellen Musik oder der Collage. Damit erreicht er ein harmonisches Gleichgewicht zwischen Reflexion (Khublai Khan und Marco Polo, an dessen *Milione* sich Calvino entfernt anlehnt) und den Städteschilderungen, die dem Leser reiches und offenes Material für seine Kombinations- und Interpretationsgabe liefern.

Die Vorstellung von Literatur als eine Art der Annäherung an die immer neu und nur näherungsweise zu erkennende Wirklichkeit steht auch hinter seinem Werk *Palomar* (1983), in dem er durch eine an Francis Ponge geschulte Art der Beschreibung zum Kern der Dinge vorzustoßen versucht. Er überträgt den Namen Palomar vom Teleskop auf dem Mount Palomar in Kalifornien auf seinen Helden, der sich mit der akribischen Beobachtungsgabe eines Naturwissenschaftlers den Dingen nähert, eine Familientradition, die ihn gegen postmoderne, radikal dekonstruktivistische Theoreme feit. Als eine Summe seiner literaturtheoretischen Überlegungen, die er immer wieder in Zeitungen, Zeitschriften und Vorträgen anstellte (gesammelt in *Una pietra sopra,* 1980, *Collezione di sabbia,* 1984), erscheinen postum die unvollendeten für Harvard gedachten Vorlesungen, *Lezioni americane* (1988). Nicht nur mit diesen theoretischen Äußerungen übte Calvino einen entscheidenden Einfluß auf die Entwicklung der italienischen Literatur aus, sondern auch durch seine Tätigkeit als Herausgeber von Zeitschriften *(Il Menabò di letteratura* zusammen mit Vittorini; 1959–1967) und in seiner Eigenschaft als Verlagslektor bei Einaudi, wo er in den Begründungen seiner Ablehnung bzw. in seinen Verbesserungsvorschlägen *(I libri degli altri,* 1991), seine Konzeption von Literatur und ihrer gesellschaftlichen Funktion sanft aber bestimmt durchzusetzen versucht.

Reflexion über Literatur

Der Zwang literaturgeschichtlicher Systematisierung verleitet oft dazu, nicht in das gewählte System passende Phänomene auszublenden oder zumindest unterzubewerten. Tatsächlich betrifft die Überwindung des Realismus in den fünfziger Jahren und die Hinwendung zum Experimentellen nur einen kleinen Teil der italienischen Schriftsteller. Daneben gibt es einen breiten Strom, der sich von den neueren Tendenzen nur bedingt berühren läßt und weiterhin einen »realismo non funzionale« (Vittorini), d.h. einen nicht dezidiert ideologisch gebundenen Realismus praktiziert. Für Beppe Fenoglio etwa bleiben die Erfahrungen des Krieges und der Resistenza in den heimatlichen Langhe bestimmend, von den *Ventitre giorni della città di Alba* (1952), über *La malora* (1954) und *Primavera di bellezza* (1959) bis zum erst postum erschienenen, von Calvino hochgelobten Roman *Partigiano Johnny* (1968). Ähnlich kreisen Giorgio Bassanis Romane und Erzählungen fast ausschließlich um die Schicksale bürgerlicher Schichten seiner Heimatstadt Ferrara unter Faschismus und Krieg. Die ›realistische‹ Bewältigung der Vergangenheit in den *Cinque storie ferraresi* (1956), *Gli occhiali d'oro* (1958) und *Il giardino dei Finzi-Contini* (1962), die alle zusammen mit anderen als *Romanzo di Ferrara* (1973) erscheinen, geschieht in einer »prosa d'arte«, die sich auch durch das ethisch-politische Engagement nicht vom Weg abbringen läßt. Ein alltäglicheres Sprachniveau hält Carlo Cassola in seinen zahlreichen Resistenzaromanen seit 1949 durch, die in *Il taglio del bosco. Racconti lunghi e romanzi brevi* (1959) gesammelt vorliegen und 1960 mit *La ragazza di Bube* (1960, Premio Strega) eine preiswürdige Krönung erfahren. Selbst Elsa Morante kehrt nach einem magisch-symbolischen Fantasy-Roman (*L'isola di Arturo* 1957), der die Dimensionen realistischer Raum- und Zeitdarstellung sprengt, zum Realismus, zur Zeit der deutschen Besatzung und des Krieges zurück mit ihrem Bestseller *La storia* (1974), der als billigen Trost spendendes Machwerk mit anarchisch-evangelistischer Ideologie (Giuliano Manacorda) kritisiert wird, eine Tendenz, die sich schon in dem eigenartig anachronistischen Vitalismus von *Il mondo salvato dai ragazzini* (1968) ankündigt, um dann im Psychoterror von *Aracoeli* (1980) ins pessimistische Gegenteil zu verfallen. Selbst wenn der Realismus kontinuierlich in der italienischen Literatur präsent bleibt, so fehlt ihm ab den fünfziger Jahren doch die Begeisterung für den Neuanfang und die (scheinbare) ideologische Sicherheit, die den Beginn der neorealistischen Phase kennzeichnet.

Elsa Morante

Vom miracolo economico zur contestatione

Die große, aus der Erinnerung an die Resistenza gespeiste Aufmerksamkeit der italienischen Schriftsteller für gesellschaftliche Veränderungen und für die Politik, die sich bis heute in einer für Deutschland undenkbar regen Beteiligung der italienischen Intellektuellen an der Massenpublizistik fortsetzt, sorgt dafür, daß Politik und ästhetische Diskussion eng miteinander verzahnt bleiben. Als die antifaschistische Einheit 1947/48 zerbricht und als von den Schriftstellern eine klarere, über das humanitäre Engagement hinausgehende ideologische Stellungnahme gefordert wird, erweist sich im Streit um den *Politecnico* die Kombination von neorealistischer künstlerischer Praxis und linker, fortschrittsgläubiger Ideologie als nicht unproblematisch. Auch wenn die meisten Schriftsteller den sozialistischen Realismus ablehnen, so bedeutet dies nicht, daß sie sich von den politischen Zielen der Linken abgewandt hätten. Auf Distanz zur kommunistischen Partei allerdings gehen sie in größerer Zahl nach den auf den Tod Stalins

(1953) folgenden Enthüllungen über den Stalinismus und erst recht nach der Niederschlagung des Ungarnaufstandes (1956). Die Sozialistische Partei Italiens kündigt ihre Aktionseinheit mit den Kommunisten auf und bewegt sich auf das Centro-sinistra-Bündnis (1963) zu; ja selbst die Kommunisten propagieren einen eigenen, von der UdSSR unabhängigen Weg zum Sozialismus. Damit ist die Zeit der ideologischen Sicherheiten, die sich auf das Vorbild der Sowjetunion stützen, und die Zeit der großen Zukunftsentwürfe vorbei. Von den bürgerlichen Parteien sind die Weichen im Nachkriegsitalien ohnehin längst gestellt: gegen grundlegende Strukturreformen, für einen schnellen Wiederaufbau und raschen Konsum; gegen eine umfassende Reform des Agrarsektors im Süden (trotz begrenzter Ansätze und der Cassa per il Mezzogiorno) und gegen einen Erhalt der dortigen archaischen Lebensformen, wie sie Carlo Levi vorschwebte, aber für Industrialisierung und Urbanisierung, für eine Verlagerung der überzähligen Arbeitskräfte in die Industriestädte des Nordens und des Auslands; gegen eine alle Schichten umfassende national-populäre, aufklärerische Kultur (Gramsci), für die konsumorientierte Massenkultur amerikanischen Stils. Entsprechend wird auch die Spielart des Neorealismus obsolet, die sich der Darstellung der historischen und sozialen Grundlagen der arbeitenden Klassen und einer fortschrittlichen gesellschaftlichen Orientierungsfunktion verschrieben hat. Dies macht die Diskussion um Vasco Pratolinis Roman *Metello* (1955) deutlich, ein Roman, in dem der früh verwaiste Titelheld durch Arbeitskämpfe und menschliche Bindungen zum erfolgreichen und verantwortungsbewußten Klassenkämpfer heranreift. Was den einen als die Vollendung der von Gramsci geforderten national-populären, engagierten Literatur gilt, zu der Pratolini schon die *Cronache di poveri amanti* (1947) beigesteuert hat, gilt der weniger linientreuen Linken (z.B. Franco Fortini und Alberto Asor Rosa) als inzwischen von der Geschichte überholter, populistischer, sentimentaler »metellismo«. Pratolini selbst schlägt mit den beiden folgenden Romanen seiner Trilogie *Una storia italiana,* nämlich *Lo scialo* (1960) und *Allegoria e derisione* (1966) einen anderen Weg ein, indem er sich wieder dem intellektuellen kleinbürgerlichen Milieu und einem experimentelleren Stil zuwendet. Doch verbindet ihn allein schon der Versuch, mit einem Roman-Zyklus ein dreiviertel Jahrhundert italienischer Sozialgeschichte nachzugestalten, mit historiographischen und ästhetischen Vorstellungen des 19. Jahrhunderts, die noch die Illusion nähren, die Geschichte Italiens souverän überblicken und bewerten zu können. Eine ähnliche Signalfunktion wie *Metello,* wenn auch auf niedrigerem Niveau, haben im Bereich des Films das kitschige *Miracolo a Milano* (1951) von De Sica/ Zavattini und *Paese, amore e fantasia* (1953) von Luigi Comencini, eine Art ländlich sentimentaler Genremalerei, die bald den auf neorealistischen Anfängen aufbauenden, unkonventionellen Gesellschaftsanalysen Federico Fellinis *(La dolce vita,* 1962, *Otto e mezzo,* 1963) und Michelangelo Antonionis *(La notte,* 1960, *L'eclisse,* 1962, *Blow-up,* 1967) weichen müssen.

Das Thema Literatur und Industrie wird durch die sozialen Probleme nahegelegt, vor die das Wirtschaftswunderland Italien durch die forcierte Industrialisierung im Norden, die dadurch hervorgerufene Migrationswellen aus dem Süden mit der Entwurzelung großer Bevölkerungsteile, den Anbruch des Zeitalters des Autos und des Fernsehens (1956) und das Zerbrechen jahrhundertealter Lebensformen gestellt wird. Das Thema hat für die Schriftsteller eine politische, eine lebenspraktisch-biographische und eine literaturtheoretische Seite: In Italien waren zwar in den fünfziger Jahren viele neue Arbeitsplätze geschaffen worden, das Land war unter die zehn größten Industrienationen aufgestiegen und der Lebensstandard war, wie man an der Bauwut dieser Jahre und am Straßenverkehr ablesen konnte, spektakulär gestiegen. Doch den unleugbaren Fort-

Bruno Caruso, »Der Zeitungsverkäufer«, 1952

Corradino D'Ascanio gestaltet 1945 die »Vespa 98«, die von Piaggo produziert wird.

Olivetti – Plakat von
Giovanni Pintori, 1949

»Il mare dell'oggettività«

Paolo Volponi

Pier Paolo Pasolini

schritten standen gravierende Defizite gegenüber, wie der weitere Niedergang des Südens, die mangelnden strukturellen Reformen, der Rückstand in den zukunftsträchtigen Spitzentechnologien, die ungenügende Beteiligung der breiten Massen am Wohlstand. Damit rückten die menschenverachtenden und entfremdenden Seiten des modernen Industrie-Kapitalismus in den Vordergrund, sei es in den Chefetagen wie in Goffredo Parises grotesker Schilderung *(Il padrone,* 1965), sei es in der harten Konkurrenz der industriellen Arbeitswelt wie in den *Tempi stretti* (1957) des Ottiero Ottieri und dem *Memoriale* (1962) des Paolo Volponi. Mit den speziellen Problemen der Industrialisierung des Südens setzt sich Ottieri in *Donnarumma all'assalto* (1959) auseinander. Die verschärften Probleme des Südens, die Dauerkrise der Landwirtschaft, die schleppende bis mißglückte Industrialisierung, Landflucht und Emigration, Klientelismus und organisiertes Verbrechen, veranlassen eine ganze Reihe süditalienischer Autoren zu geschichtlicher Ursachenforschung und aktueller Gesellschaftsanalyse. Ab 1947 beschäftigten große Firmen wie Olivetti, Fiat und Pirelli Intellektuelle, die nicht nur dem häßlichen Kapitalistenimage, sondern der Verdinglichung und Entfremdung in der industriellen Arbeitswelt entgegenwirken sollten. Sie waren meist in den Abteilungen für Werbung, innerbetriebliche Kommunikation und im Sozialbereich (Franco Fortini, Giovanni Giudici, Ottiero Ottieri, Vittorio Sereni), aber zum Teil später auch im Management tätig (Paolo Volponi). In den meisten Fällen verkam der lobenswerte Ansatz jedoch bald zur bloßen Imagepflege und zum Kultursponsoring. Das Thema »Letteratura e industria« wird im *Menabò di letteratura* (4, 1961) und in den folgenden Heften auch theoretisch abgehandelt. Die Auswirkungen der zweiten industriellen Revolution mit ihrer umfassenden Technisierung, Automatisierung und Mediatisierung und die Fortschritte der Wissenschaften wirkten sich auf das Weltbild insgesamt aus und damit auch auf die Art, wie sich Wirklichkeit in der Kunst ästhetisch gestalten ließ. Es setzte sich immer mehr das Bewußtsein durch, daß die gewaltigen sozialen, aber auch erkenntnistheoretischen Umwälzungen mit einem formal an das 19. Jahrhundert angelehnten Literaturbegriff nicht mehr adäquat zu gestalten seien. Doch die daraus gezogenen Konsequenzen sind durchaus verschieden. Calvino nimmt in seinem Artikel »Il mare dell'oggettività« *(Menabò* 5) eine Mittelposition ein zwischen zwei deutlich unterschiedenen Reaktionen auf die gegenüber der optimistischen Aufbauphase des Nachkriegsitaliens grundlegend veränderten Situation: zwischen dem trotzigen Festhalten am politischen Engagement, wenn auch zum Teil gegen die etablierten linken Parteien und mit Hilfe experimenteller Literatur (in der Gruppe um die Zeitschrift *Officina*: Pier Paolo Pasolini, Roberto Roversi, Gianni Scalia, Franco Leonetti, Paolo Volponi, Franco Fortini), und dem weitgehenden Rückzug aus dem direkten politischen »impegno« zugunsten einer auf die Umkrempelung der Sprache und des literarischen Systems gerichteten Aktivität des »gruppo 63«. Calvino hält trotz aller formalen Experimentierfreudigkeit nichts davon, in dem von den modernen Wissenschaften verbreiteten »mare dell'oggettività« unterzugehen und sich wie die französische ›école du regard‹ der sog. »Nouveaux Romanciers« auf das Beschreiben zu beschränken, das dem Leser keinen Sinnzusammenhang mehr vermitteln kann und will. Vielmehr möchte er trotz dieser Erkenntnis den ethisch-moralischen Anspruch der Literatur aufrechterhalten und das »Labyrinth« (in Anlehnung an Alain Robbe-Grillets Roman *Dans le labyrinthe,* 1959) eher »herausfordern« als sich ihm »unterwerfen«.

Zu denen, die sich nicht unterwerfen, sondern sich fast schon verzweifelt der sich abzeichnenden Entwicklung zur technisierten Konsumgesellschaft, wenn es sein muß, auch als freibeuterischer Einzelkämpfer entgegenstellen, gehört

Pier Paolo Pasolini, eine der faszinierendsten und vielseitigsten Gestalten der italienischen Nachkriegskultur. Als Lyriker, Romancier, Essayist, Regisseur, Schauspieler und Maler repräsentiert er einen Intellektuellentyp, dessen öffentliche Resonanz in Deutschland kaum denkbar ist. In seltener Konsequenz gelingt es ihm, die widerständige Rolle des Intellektuellen und Künstlers auf immer neuen Gebieten auszuprobieren, immer wieder Skandal zu erregen in einer Zeit, in der Skandale rasch assimiliert und zum Geschäft umgemünzt werden. Das Anders-Sein gehört für ihn zu den Grunderfahrungen seines Lebens, wobei seine »diversità« als Homosexueller und die damit verbundene emotionale und soziale Marginalisierung als Auslöser und schmerzlicher Stachel wirkt. Diese Andersartigkeit, zunächst eher erlitten als angenommen und nach einer Anzeige wegen Verführung Minderjähriger mit der Entlassung aus dem Schuldienst und der Ausstoßung aus der Kommunistischen Partei bezahlt, wird zum nie erlahmenden Antrieb, gegen jegliche Art von Konformismus in der Nachkriegsgesellschaft zu rebellieren und grundsätzlich gegen den Strom zu schwimmen, so daß er sich schließlich mit fast allen politischen Strömungen, ja mit seinen engsten Freunden überwirft und in die Rolle eines mythischen Opfers steigert. Eine imaginierte und in vielen Texten prophezeite Rolle, die in seiner Ermordung am Strand von Ostia durch einen römischen Strichjungen von der Realität eingeholt wird. Die Provokationen, Skandale und Prozesse sind nicht Selbstzweck oder bloße Eigenwerbung, sondern ein von den frühen spätsymbolistischen, intim-narzißtischen Dialektgedichten (s.u.) über die Romane zu den Massenmedien Film und Zeitung verfolgter Versuch, durch einen Wechsel der Ausdrucksmittel eine immer größere, der kulturellen Situation angepaßte »leggibilità« und Wirksamkeit zu erreichen. Nach dem Verlust seines Arbeitsplatzes als Lehrer im ländlichen Friaul, der Heimat seiner Mutter, lebt er in ärmlichen Verhältnissen in Rom und kommt dort mit einer anderen Gegenwelt zur modernen Industriegesellschaft in Berührung, der Welt der gewalttätigen, entwurzelten, von der Konsumgesellschaft verführten Jugendlichen der Borgate, deren Familien in den Migrationen des Krieges und des beginnenden Wirtschaftswunders an die Peripherie der Großstadt gespült wurden. Das Milieu der Protagonisten seines ersten Romans, *Ragazzi di vita* (1955), steht zwar in der neorealistischen Tradition, doch von der marxistischen Linken wird der Roman wegen seines Defätismus und mangelnden Klassenbewußtseins seiner Helden getadelt. Die Konservativen zerren ihn wegen seiner obszönen Stellen vor Gericht – was übrigens nicht wenig zum Erfolg des Werkes beiträgt. Für seine vom Neorealismus unterschiedene Form des Realismus wird der Begriff des »sperimentalismo« geschaffen. Pasolini sympathisiert mit dem normabweichenden Verhalten und dem trotz allem ›guten Kern‹ seiner Helden aus der ›mala vita‹, Gelegenheitsdieben, Strichjungen und Zuhältern, die trotz ihres Strebens nach ein bißchen Glück und Reputation und trotz ihrer von Pasolini bewunderten Vitalität im brutalen Überlebenskampf der Industriegesellschaft scheitern. Der Protagonist Riccetto ertrinkt symbolischerweise in den Industrieabwässern des Tiber, Tommaso aus dem folgenden Roman (*Una vita violenta*, 1959) stirbt an der Armeleute-Krankheit Schwindsucht, nachdem er sich, ein moderner Christophorus, als Retter in die Hochwasserfluten gestürzt hatte. In diesem zweiten Roman bemüht sich Pasolini auch, für seine Helden anhand von Streikaktionen und politischer ›Bildung‹ so etwas wie eine klassenkämpferische Perspektive zu entwickeln. Doch die Vertreter der etablierten Parteien sind links wie rechts korrupt, nicht am Gemeinwohl, sondern an ihren Eigeninteressen orientiert. Die *ragazzi* verweigern sich nicht nur einer ›ordentlichen‹ Lebensweise, sondern sie sprechen auch eine eigene, den »kastrierenden« Tendenzen des Gemein-Italienischen ausweichende Sprache, eine ihrerseits aber wieder

»diversità«

Zeichnung von Pasolini: »Il mondo non mi vuole più e non lo sa«

Pier Paolo Pasolini

Anna Magnani in
Pasolinis *Mamma Roma*,
1962

sehr formelhafte, restringierte Mischung aus römischem Dialekt und Großstadt-Slang. Tatsächlich jedoch wirkt diese mit Hilfe von authentischen Sprechern und Spezialisten studierte Sprache exotisch, trotz ihrer Vulgarität irgendwie künstlich, zumal sie mit atmosphärisch stimmungsvollen Schilderungen in
bestem literarischem Italienisch kontrastiert. Pasolini mythisiert nach der »Ver-
treibung aus dem Paradies« der friaulischen Jugend die »verzweifelte Vitalität«
der Jungen aus dem Subproletariat, er stilisiert sie trotz ihrer Bosheit und Unver-
schämtheit zu Opfern, zu säkularisierten Heiligen des Dopoguerra. Hierbei
verbindet er kruden Realismus mit ästhetisch anspruchsvoller, fast klassischer
Gestaltung und Zitaten berühmter Bilder und Texte, ein Verfahren, das sich
auch in den beiden ersten, aus den Romanen gewonnenen, elegisch-patheti-
schen Filmen *Accattone* (1961) und *Mamma Roma* (1962) wiederholt: in der
Schlußszene liegt der tote Accattone in der gleichen Perspektive aufgebahrt wie
der tote Christus von Mantegna.

Der Film als »Sprache
der Wirklichkeit«

　　Pasolini vollzieht den Übergang vom Roman zum Film nicht nur um der
»leggibilità« willen, sondern weil er in ihm einen nicht durch die Sprache (vor
allem die künstliche italienische Hoch- und Literaten-Sprache) verfälschten
Zugang zur Realität sieht, die Möglichkeit, etwas Neues zu sagen mit Hilfe
einer authentischen »Sprache der Wirklichkeit«. Als Regisseur verwendet er
daher mit Vorliebe Laienschauspieler (darunter viele Freunde und Bekannte)
und filmt an den Originalschauplätzen. Neben seiner im engeren Sinne künstlerischen Tätigkeit betätigt sich Pasolini intensiv als Mitherausgeber (zusammen
mit Franco Leonetti und Roberto Roversi) und Mitarbeiter der Zeitschrift *Offi-*

Officina

cina (1955/58, 1959), einer allen neuen literarischen Strömungen, von der
Debatte um die Rolle der realistischen Kunst bis zu den strukturalistischen
Ansätzen Barthes' und Goldmanns, von der dekadenten bis zur experimentellen
Literatur offenen Publikation. *Officina* versucht, die politischen Divergenzen
dieser politischen Umbruchzeit (1956) innerhalb der Mitarbeiter auf eine literarische Ebene zu transformieren und sich bei allem politischen Engagement vom
Ermetismo gleich wie vom Neorealismo abzusetzen – ein Balanceakt, der nicht
lange durchzuhalten ist. Außerdem ist Pasolini ein eifriger und unkonventionel-
ler Artikelschreiber (gesammelt in *Le belle bandiere*, 1978, *Il caos*, 1979, *Scritti*

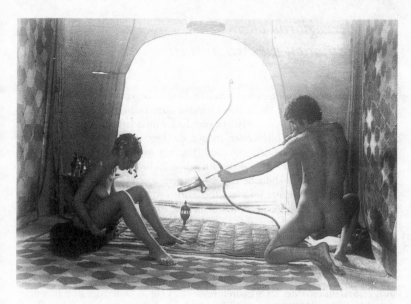

Szene aus dem Film *Il fiore delle mille e una notte* von Pasolini, 1974

*corsari,*1975) und ein – wenn auch von den Wissenschaftlern nicht selten belächelter – Theoretiker, der aufmerksam die neuesten Entwicklungen des Strukturalismus, der Anthropologie, der Linguistik und der Semiologie verfolgt und in seine eigenen Theorien einbaut *(Empirismo eretico,* 1972). Seine Angriffe gegen die Konsumgesellschaft, der offensichtlich auch das von ihm idealisierte Subproletariat verfällt, werden immer heftiger. Dafür entdeckt er als eine Art regressiver Utopie einerseits die früheste christliche Welt *(Il Vangelo secondo Matteo,* 1964), die primitiv religiöse Welt blutrünstiger antiker Mythen *(Edipo re,* 1967, *Medea,* 1969 mit Maria Callas in der Hauptrolle), das Mittelalter wie auch die Dritte Welt beziehungsweise das, was von ihr in Italien, speziell in Neapel und Palermo, sowie in Afrika und dem Orient noch vorhanden ist. In diesen Zusammenhang gehört seine Verfilmung von drei spätmittelalterlichen Erzählsammlungen, *Il Decameron, I Racconti di Canterbury, Il fiore delle 1001 notte* in der *Trilogia della vita* (1970–74). Diese Filme, die eine natürliche Sexualität feiern zu Zeiten, in denen das angeblich noch ungebremste Lustprinzip herrscht, zeigen schon die für Pasolini typische Verquickung von Sexualität und Gewalt: neben Liebesszenen steht eine Kastration, neben der Feier des Lebens eine Kreuzigung. Die Trilogie wird von Pasolini schon 1975 widerrufen *(Abiura della Trilogia della vita),* da die sexuelle Befreiung von der Konsumgesellschaft, der sie als utopisches Bild gegenübergestellt werden sollte, für ihre eigenen Zwecke »instrumentalisiert« worden sei. Pasolini wählt schließlich 1975 zwei spektakuläre Formen, seiner seitherigen Hoffnung, die Welt durch Kritik und durch den Rückgriff auf den Mythos zu einer menschenwürdigen Zukunft zu führen, abzuschwören: Zum einen seinen letzten Film *Salò o le 120 giornate di Sodoma,* der in der geschlossenen Welt einer Villa zur Zeit der zusammenbrechenden faschistischen Republik von Salò spielt, als dem Sinnbild einer unerträglich menschenverachtenden, durch keine sittlichen oder sonstigen Schranken mehr gebremsten Ausübung sadistischer Macht. Und zum anderen seinen vielfach als delegierten Selbstmord gedeuteten gewaltsamen Tod. Beide sorgen, vor allem durch ihr Zusammenspiel, für unerhörtes Aufsehen in ganz Europa.

Regressiver Mythos

Der Mezzogiorno oder
die Faszination des Archaischen

Der Versuchung der rückwärtsgewandten Utopie begegnet man nicht nur bei Pasolini, sondern in der Süditalien-Literatur allgemein. Im Gegensatz zu den beiden ersten Wellen, der veristischen um die Jahrhundertwende und der an die Strapaese-Literatur anschließenden in den dreißiger und Anfang der vierziger Jahre, die fast ausschließlich von Süditalienern getragen werden, entdecken nach dem Krieg in der dritten, neorealistischen Welle zunehmend auch Norditaliener den Süden. Die süditalienischen Autoren interessieren sich nach einem Aufenthalt in den industrialisierten, fortschrittsgläubigen und nationalstaatlich denkenden nördlichen Zentren für ihr in den Augen der bürgerlichen italienischen Leser exotisch-marginales Herkunftsland, das sie mit der archaischen Kreatürlichkeit eines von der Natur determinierten Lebens und mit seiner sozialen Rückständigkeit fasziniert und gleichzeitig ängstigt. Die norditalienischen Neorealisten jedoch betrachten die ›diversità‹ des Südens wie anthropologische Feldforscher, sei es als Verbannter wie Carlo Levi, den die angebliche Geschichtslosigkeit fasziniert, oder als Sozialreformer wie Danilo Dolci, der sich angesichts des Elends zum Handeln aufgerufen fühlt; der Sizilianer Leonardo Sciascia versucht eine Synthese beider Gesichtspunkte, der historischen und der sozialen Analyse, als Grundlage einer aufklärerisch-kritischen Haltung, die den kulturellen Kreuzungspunkt Sizilien als »Metapher« für ganz Europa sieht *(La Sicilia come metafora,* 1979).

Der Turiner Arzt und Maler Carlo Levi entdeckt während seiner Verbannung in das Dorf Gagliano bei Eboli (Lukanien), eine verloren geglaubte Welt: »non soltanto un paese ignoto, ignoti linguaggi, lavori, fatiche, dolori, miserie e costumi, non soltanto animali e magia, e problemi antichi non risolti, e una potenza contro il potere, ma l'alterità presente, la infinita contemporaneità, l'esistenza come coesistenza, l'individuo come luogo di tutti i rapporti, e un mondo immobile di chiuse possibilità infinite.« (Nicht nur ein unbekanntes Land, unbekannte Sprachen, Arbeiten, Mühen, Schmerzen, Nöte und Gewohnheiten, nicht nur Tiere und Magie, alte nicht gelöste Probleme, eine Gewalt gegen die Macht, sondern auch das gegenwärtige Anderssein, die unendliche Gegenwärtigkeit, die Existenz als Koexistenz, das Individuum als Ort der Beziehung und eine unbewegliche Welt abgeschlossener, unendlicher Möglichkeiten.) Obwohl er die Verhältnisse in seinem Bericht *Cristo si è fermato a Eboli* (1945) nicht beschönigt, plädiert Levi dafür, die unabänderliche, unhistorische Welt der Bauern mit ihrer faszinierenden archaischen und magischen, vorchristlichen Kultur in ihrer Andersartigkeit zu erhalten. In seiner Eigenschaft als Arzt dringt er mit naturwissenschaftlich geschultem Blick in die sozialen und politischen Strukturen der verelendeten Bauern, der intrigierenden Reichen und ihrer kleinbürgerlichen Statthalter ein, während er als ästhetisierender und mythisierender Maler die herbe Faszination der Landschaft und ihrer abergläubischen Menschen beschreibt. Ähnlich wie Vittorini ergreift ihn inmitten der hohlen Propaganda der Faschisten und erst recht nach dem Zusammenbruch ihrer imperialen Fortschrittsideologie die Nostalgie des Humanen, von Ideologien Unbeschädigten, eine Tendenz, die ihm von der zukunftsgläubigen Nachkriegslinken übelgenommen wurde. Tatsächlich fühlt sich Levi nicht zum ärztlichen Helfer und revolutionären Reformer berufen. Er zieht das Malen vor und kehrt trotz der Bitten der Dorfbewohner nach seiner Begnadigung dem Verbannungsort den Rücken. Seinen sozialkritischen Erneuerungswillen, der auch

Carlo Levi porträtiert in seinem Atelier die Schauspielerin Silvana Mangano, 1966

seinen späteren Sizilienreportagen zugrundeliegt *(Le parole sono pietre,* 1955), äußert er in eher abstrakten föderalistischen Reformvorschlägen, die die gröbsten, vom Zentralismus verursachten sozialen Mißstände beseitigen, sonst aber alles beim (unveränderlich und darin faszinierenden) Alten lassen sollten. Der Neapoletaner Domenico Rea erkennt als Hauptgefahr der Regionalliteratur das Pittoreske und tadelt seine Kompatrioten *(Le due Napoli,* 1955) wegen der von ihnen vervielfältigten stereotypen Bilder der Bewohner Neapels: ›bitterarm, ungebildet aber doch so froh‹ *(Spaccanapoli,* 1947; *Fate bene alle anime del Purgatorio,* 1977).

Carlo Levi, *Le parole sono pietre,* Titelbild nach einem Bild des Autors, 1955

Als Sozialreformer kommt Danilo Dolci nach Sizilien. Er geht seine Aufgabe, den ärmsten der Armen zu helfen, mit der Akribie eines Anthropologen an, indem er hunderte von Leuten über ihre Lebensgeschichte befragt und über diese »immediate verità«, die sozialen Mißstände in Palermo (Wohnungssituation, Arbeitslosigkeit etc.) und im sizilianischen Hinterland einer größeren Öffentlichkeit bekanntmacht. Aus den Einzelveröffentlichungen *Banditi a Partinico* (1955), *Inchiesta a Palermo* und *Spreco* stellte er 1963 die *Racconti siciliani* zusammen. Obwohl er sich bemüht, das Genrehafte zu vermeiden und gleichzeitig die expressiven Qualitäten der Texte zur Geltung zu bringen, ist für den gemütlich im Sessel sitzenden, in einer ›meilenweit‹ entfernten, entfremdeten industriellen Welt lebenden Leser die Gefahr des Pittoresken kaum zu bannen. Der Kampf der armen landlosen Bauern steht im Mittelpunkt des Werks des molisanischen Autors Francesco Jóvine *(Le terre del Sacramento,* 1950), über die dortigen Bauernaufstände von 1921/22 wie auch des Rocco Scotellaro. Dieser aus der Basilicata stammende Schriftsteller, dessen Werke allerdings alle erst postum erscheinen, bringt es aus bescheidenen Verhältnissen zum Bürgermeister seiner Gemeinde, in deren politischen Kämpfen er aufgerieben wird. Er beschreibt den sozialen und kulturellen Niedergang der Landbevölkerung im Süden, teils in Gedichten *(E fatto giorno,* 1954), teils aus der autobiographischen Perspektive *(L'uva puttanella,* 1955, unvollendet) oder aber in Sammlungen, in denen die betroffenen Hirten und Landarbeiter selbst mit ihrer Lebensgeschichte zu Wort kommen *(Contadini del Sud,* 1954). Im Unterschied zu Dolci sind es bereits Identitätsgeschädigte, die nicht mehr fraglos der mythischen und magischen Welt angehören. Sie sind durch Akkulturation ihrer ursprünglichen Kultur entfremdet, und das Erzählen soll ihnen im Sinne Scotellaros helfen, sich ihrer selbst bewußt zu werden. Für den Calabresen Saverio Strati, der noch als Bauer anfängt, volkstümliche Erzählungen, Märchen und Legenden zu sammeln *(I cento bambini,* 1977; *Miti, racconti e leggende,* 1985), kommt zu den alten, traditionellen Problemen des Südens vor allem noch die Emigrationsproblematik hinzu *(La Marchesina,* 1956; *Mani vuote,* 1960; *Terra di emigranti,* 1975; *La conca degli aranci,* 1986).

Contadini del Sud

Neben dieser ›Literatur von unten‹ gibt es einen Roman, der das Bild des Mezzogiorno, genauer Siziliens, vor allem im Ausland nachhaltig geprägt hat: *Il Gattopardo* (1958) von Giuseppe Tomasi di Lampedusa. Der spätere Weltbestseller wurde noch zu Lebzeiten des Autors von den Verlagen Mondadori und Einaudi wegen seiner traditionell dekadentistischen Machart abgelehnt, erschien dann aber bei Feltrinelli auf Betreiben des Schriftstellers Giorgio Bassani. Als ein verspäteter Nachfolger der geliebten französischen und englischen Realisten *(Lezioni su Stendhal,* 1977; *Letteratura inglese,* 1989) bietet er weder ein verklärendes noch ein sozialkritisches, sondern ein ›(pseudo)-olympisches‹ Bild von Sizilien im Übergang vom bourbonischen Regime über Garibaldi zum italienischen Königreich. Der einem Vorfahren des Autors nachgestaltete Protagonist aus altem Feudaladel, Fürst Fabrizio Salina, sieht im Immobilismus der sizilianischen Gesellschaft – der trotz der millionenfach nachgewiesenen Mobili-

Titelbild der Originalausgabe von Tomasi di Lampedusas *Il Gattopardo*

Leonardo Sciascia

tät der Emigranten zu den unausrottbaren Mythen zählt – nicht etwa eine Folge der zum Teil bis heute unter veränderten Formen weiterlebenden feudalen Gesellschaftsstrukturen, sondern in naturalistischer Manier eine fatale Auswirkung der natürlichen Lebensgrundlagen und der jahrhundertelangen Fremdherrschaft. Pessimistische Resignation äußert sich nicht ganz uneigennützig im »gattopardismo«, einem Transformismus, der bei aller oberflächlichen Veränderung alles beim Alten läßt. Tancredi, der Neffe und Nachfolger des Fürsten, formuliert das so: »Bisogna che tutto cambi perché tutto rimanga com'è.« (Es muß sich alles ändern, damit alles bleibt, wie es ist.) Vermutlich bekannter als der Roman selbst ist seine Verfilmung durch Visconti 1963, die in Deutschland jedoch leider meist nur in einer Kurzfassung zu sehen ist, welche die historischen Bezüge zur Einigung Italiens, vor allem die Unterdrückung ihrer garibaldinischen, d.h. ihrer sozialen, demokratischen Komponente durch Cavour dem Unterhaltungswert der dekadenten aristokratischen Welt opfert.

Aus seiner Perspektive von ›unten‹, in die seine eigenen Erfahrungen als Grundschullehrer im armen Binnenland (*Le parocchie di Regalpetra*, 1956) eingehen, gewinnt Leonardo Sciascia ein ganz anderes Bild von der Gegenwart Siziliens. Als moderner Aufklärer, der gerne im Kampf gegen die modernen Vorurteile, sprich Ideologien (Kommunismus und Katholizismus und ihre eigenartige Symbiose in Italien), seine französischen Vorgänger zitiert (*Candido ovvero Un sogno fatto in Sicilia*, 1977), betrachtet er die Geschichte ›anders‹ als die offizielle Geschichtsschreibung. Er lehnt die Mythisierung der angeblich zeitlosen »sicilitudine« der Sizilianer ab und sieht in der Geschichte Siziliens ein durchaus analysierbares, wenn auch nicht immer rational erklärbares Knäuel von kulturellen Einflüssen, Interessen und Machtkämpfen, Betrug und Übervorteilung. Seine historische Situationen rekonstruierenden Romane (*Morte dell' Inquisitore*, 1964) werden so zu einer Mischung aus Politkrimi und »conte philosophique«, die unaufdringlich aber deutlich Analogien zur Gegenwart aufscheinen lassen (so die »strategia della tensione« der Rechten in den Jahren um 1970 in *I pugnalatori*, 1976). Einfache, eindeutige Lösungen der verworrenen kriminellen Struktur der Geschichte bieten seine »gialli enigmatici« trotz ihrer eher traditionellen Schreibweise nicht mehr, handle es sich um den rätselhaften Tod des Atomphysikers Majorana (*La scomparsa di Majorana*, 1975) oder auch um die mafiosen Strukturen der zeitgenössischen italienischen Politik (*Il contesto*, 1971, verfilmt von F. Rosi unter dem Titel *Cadaveri eccellenti*, 1975; *Todo modo*, 1974; *L'affaire Moro*, 1978), neben der die eigentliche, ›alte‹ Mafia fast einen sympathischen, ›ehrenwerten‹ Zug bekommt (*Il giorno della civetta*, 1961; verfilmt von D. Damiani 1968). Sizilien, dem Sciascias ganze liebevolle Aufmerksamkeit gilt, von der Folklore bis zu den großen Söhnen (Verga, Capuana, Pirandello und seinem Lehrer Brancati), wird so mit seinem Kulturengemisch zum Musterfall, an dem sich italienische, ja die europäischen Verhältnisse studieren lassen (*La Sicilia come metafora*, 1979).

Im Schatten der breiten Wirkung Sciascias, die auch mit dessen aktivem Engagement in der Politik (als Abgeordneter zuerst in Palermo, dann in Rom und Straßburg) zusammenhängt, steht unverdientermaßen Vincenzo Consolo, der in literarisch anspruchsvollerer Weise als jener Geschichte am Beispiel derjenigen Siziliens hinterfragt: von der Schilderung seiner Kindheit unmittelbar nach dem Kriege in *La ferita dell'aprile* (1963), dem komplexen Geschichtsbild aus der Aufbruchszeit zwischen 1848 und 1860, in dem an Gadda erinnernden, Geschichte vielstimmig und vielsprachig orchestrierenden Roman *Il sorriso dell'ignoto marinaio* (1976), über die traumhaft musikalische »favola teatrale« *Lunaria* (1985) zum metapoetischen *Retablo* (1987).

Vincenzo Consolo

Auf dem Weg zur Neoavantgarde

Während sich die Mezzogiorno-Literatur überwiegend in den traditionellen Bahnen des realistischen Erzählens bewegt, rufen immer mehr Schriftsteller im industrialisierten Norden nach radikal veränderten Darstellungsformen. Als großes Vorbild dient ihnen dabei Carlo Emilio Gadda, dessen beachtliches Vorkriegswerk zum Teil trotz Teilveröffentlichungen erst nach dem Kriege *(Racconto italiano di ignoto del Novecento,* 1924–26, publ.1983; *La cognizione del dolore,* 1936, Teilpubl. 1938–41; 1963, 1971) einem breiteren Publikum bekannt wird. Berühmt wird er jedoch durch seinen Detektivroman *Quer pasticciaccio brutto de via Merulana* (1957). Obwohl Teile davon – unzeitig – bereits 1946–47, in der Blütezeit des Neorealismo, erschienen sind, kann er sich als Bucherfolg erst durchsetzen, nachdem die ersten Nachkriegsillusionen über die Möglichkeiten, Geschichte zu beeinflussen und über die diesem Zweck dienende, ›realistische‹ Literatur verflogen sind. Gaddas grundsätzlich skeptisch distanzierte, kritische Einstellung zur Welt gilt gleichermaßen vor wie nach dem Krieg. Zwar geht er schonungslos mit dem »catastrofico ventennio« und dem »mussolinismo«, einem zum Priapismus verkommenen Eros, ins Gericht (schon in *La cognizione* und im *Pasticciaccio,* ganz dezidiert aber im Pamphlet *Eros e Priapo. Da furore a cenere,* 1967), doch ohne die Sicherheit eines linken Zukunftsglaubens. Seine Werke unterminieren jegliche Art von festem Weltbild und folgerichtig auch die damit verbundene lückenlos und ›logisch‹ motivierte Romanhandlung. Er knüpft damit an Romantraditionen an, die unter dem Eindruck der Psychoanalyse (Svevo und die Surrealisten) und der modernen Naturwissenschaften, denen er durch seinen Beruf als Elektroingenieur verbunden ist, schon die erste Hälfte des Jahrhunderts prägen.

Carlo Emilio Gadda

Wie berühmte Beispiele von Robbe-Grillets *Gommes* bis zu Ecos *Il nome della rosa* – und eben auch *Quer pasticciaccio* – beweisen, eignet sich zur Demontage des geschlossenen realistischen, noch aus dem positivistischen 19. Jahrhundert stammenden Weltbilds nichts so gut wie der Detektivroman, der mit einem solchen Weltbild und dem es begründenden indiziellen Wissenschaftsparadigma (Carlo Ginzburg) steht und fällt. Die Demontage geschieht in Form des Anti- oder Pseudo-Detektivromans, an dessen Ende nicht die Wiederherstellung der gestörten Weltordnung steht, sondern die ernüchternde, aber offensichtlich phantasieanregende ›prästabilierte Disharmonie‹ (Gaddas *Quer pasticciaccio)* oder aber eine augenzwinkernd primitive Leserbedürfnisse befriedigende, lieblos eilfertige Auflösung (Eco, Fruttero & Lucentini). Ein Detektiv, der wie Gaddas Dott. Ingravallo mit Hilfe seiner überdurchschnittlichen Intelligenz und seiner nach eifriger Lektüre moderner wissenschaftlicher Werke gewonnenen ›realistischen‹ Weltsicht ausdrücklich davon ausgeht, daß man die Kantsche Kategorie der Kausalität revidieren müsse, daß es für ein Verbrechen nicht einen oder eine überschaubare Anzahl von Schuldigen und nachvollziehbare Motive gebe, sondern eine ganze Windrose von »causali«, daß die Welt und Geschichte allgemein nicht rational geordnet, sondern ein Kuddelmuddel, eben ein »pasticciaccio« sei, der hat nach herkömmlicher Auffassung seinen Beruf verfehlt. Zumindest wird er keine ›gerichtsverwertbaren‹ Beweise liefern können. Seine Untersuchungen dehnen sich ins Uferlose, verlieren sich trotz hyperrealistischer Details (etwa bei der Beschreibung des corpus delicti) im anscheinend Irrelevanten. Doch diese traumhaften Abschweifungen, dies Schwelgen in der bunten Fülle der Beschreibungen (etwa eines römischen Marktes), dies unmerkliche Hinübergleiten ins Mythische und Metaphorische ist

Das Paradigma des Detektivromans

»tutta una rosa di causali«

Verweigerung des Erzählens

nicht spielerischer Selbstzweck, wie bei Teilen der Neoavantgarde, sondern eine philosophisch-naturwissenschaftlich begründete Methode der Annäherung an eine zerfaserte, vor allem in ihren menschlichen Handlungen schwer greifbare Wirklichkeit. Das bewußte Verweigern des traditionellen Erzählens zeigt sich wie auch im früher schon mehrfach umgearbeiteten Roman *La cognizione del dolore* in der Banalisierung und plumpen Übertreibung traditioneller Erzählverfahren, in einer Fragmentierung des Handlungsverlaufs und der Kapitelstruktur (davon zeugt auch die komplizierte Publikationsgeschichte seiner wichtigsten Werke, deren Kapitel zum Teil einzeln oder in wechselnden Kontexten erschienen sind) sowie die offenen, ›unbefriedigenden‹ Schlüsse, die eher von einem zyklischen Umkreisen des Problems zeugen als von einer systematischen Spurensuche. Besonders auffällig ist Gaddas jeglicher Aufforderung zu gedanklich-rationaler Klarheit hohnsprechende Verdunkelung der Sprache, in *Quer pasticciaccio* vorwiegend durch eine Art »romanesco« und einen Strudel von Neologismen, Archaismen, Technizismen, Verdrehungen und Wortspielen. Komplizierteste syntaktische und argumentative Gefüge verheddern sich in einem Anakoluth, chaotische Aufzählungen dienen als Analoga der tatsächlichen Unordnung. Eine Unordnung, die Gadda auch hinter der scheinbaren, jedoch nur vordergründig sprachregelnden Ordnung des faschistischen Polizeistaates ausmacht und gnadenlos offenlegt. Das gute Dutzend Werke, das nach Gaddas Tod (1973) bis heute erschienen ist, zeugt von seiner wachsenden Bedeutung als (neben Italo Calvino) *dem* Klassiker der italienischen Erzählliteratur des 20. Jahrhunderts. Seine Entwicklung von den Anfängen um 1918 bis zu seinem typischen »barocken« Spätstil mit dem »spastischen Sprachgebrauch« (Giuliano Manacorda) ist gut in dem Sammelband *Le bizze del capitano in congedo e altri racconti* (1981) zu verfolgen.

Die »Gruppe 63«

Gadda wird zwar vom »gruppo 63« als einer der Vorreiter der experimentellen Literatur gepriesen, doch ist er, dem jede Form von interesselosem Sprachspiel fernliegt, auf seine Art extrem ›realistisch‹ und von der ethischen Aufgabe der Literatur überzeugt. Da die Widersprüche zwischen politischem Engage-

Die »Gruppe 63« (von rechts): Giuliani, Sanguineti, Balestrini, Eco, der Verleger Scheiwiller, Pagliarani, Porta

ment und literarisch experimentellem Programm sowohl in *Officina* wie in *Il Menabò di letteratura,* nicht nur im inhaltlichen, sondern vor allem im formalen und sprachlichen Bereich ungelöst bleiben, orientiert sich eine ganze Reihe junger Autoren grundsätzlich um: weg von den ›realistischen‹ Inhalten hin zu einem Primat der Form, weg vom direkten politischen Engagement und literarischer Gesellschaftsanalyse, den »romanzi ben fatti« der Neorealisten, hin zu dem Versuch, durch sprachliche und formale Experimente auf das Bewußtsein der Leser zu wirken. Den deutlichsten Bruch mit der neorealistischen Epoche vollzog in den späten fünfziger Jahren die Neoavantgarde, deren Mitglieder auf dem Kongreß in Palermo 1963 in Anlehnung an die deutsche Gruppe 47 den »gruppo 63« gründen. Aufgrund eines hohen Anteils von Wissenschaftlern neigt sie zu ausgeprägter Theoriebildung. Zu ihren Gründern zählen neben Alfredo Giuliani, der die Anthologie *I Novissimi. Poesie per gli anni '60* (1961, [2]1965), herausgibt, unter anderen Elio Pagliarini, Edoardo Sanguineti, Nanni Balestrini, Antonio Porta, Renato Barilli, Umberto Eco, Angelo Guglielmi und Alberto Arbasino, die sich seit 1956 um Luciano Anceschis Zeitschrift *il verri* scharen. Als Schüler Antonio Banfis und der Husserlschen Phänomenologie kritisiert Anceschi die ›geschlossenen‹ Systeme (seien sie nun idealistisch oder marxistisch), die er durch ›offene‹, nach dem Vorbild des linguistischen und anthropologischen Strukturalismus, der modernen Sprachphilosophie und der Psychoanalyse französischer Prägung ersetzt sehen möchte. Eco formuliert diese Forderungen für den Bereich der Literatur in *Opera aperta. Forma e indeterminazione nelle poetiche contemporanee* (1962). Die italienische Kultur der sechziger Jahre soll in Analogie zur rasanten und chaotischen sozialen, wirtschaftlichen und politischen Veränderung Italiens umgekrempelt werden, da sie der Meinung der Neoavantgarde nach zwischen dem Ermetismo (als einer Spielart des Decadentismo) und dem Neorealismus (einem Ableger des Naturalismus) noch im 19. Jahrhundert lebe und »versumpft« sei. Anknüpfend an die historischen Avantgardebewegungen des Futurismus, Dada und Surrealismus verschreibt sich die italienische Neoavantgarde der systematischen »Überschreitung« tradierter literarischer Normen. »Schizomorfia«, »asintattismo«, »violenza operata sui segni«, »discontinuità del processo immaginativo« sind Schlagworte, hinter denen eine radikale Zurücknahme des dichtenden Ich als Produzent von Bedeutungen steht, stattdessen wird eine möglichst rein beschreibende »poetica degli oggetti« postuliert und eine »fantasia linguistica«, die die Bewußtseinsänderung eher von der Arbeit mit den Signifikanten als von politischen Programmen erwartet: Wenn schon die kapitalistische Ordnung nicht in der politischen Realität überwunden werden kann, so sollen doch wenigstens ihre Analoga auf dem Gebiet der Sprache und der literarischen Formen zerstört werden. Zwar ist das wichtigste Experimentierfeld der Gruppe die Lyrik – soweit man in ihren Texten eine solche Trennung nach traditionellen Gattungen überhaupt noch vornehmen kann –, doch hat sie sich als Antipode der kommerzialisierten Massenliteratur, der sie ihre kritische Aufmerksamkeit widmet (Eco, *Apocalittici e integrati. Comunicazioni di massa e teorie della cultura di massa,* 1964; *Il superuomo di massa. Studi sul romanzo popolare,* 1977), auch auf dem Gebiet der erzählenden Literatur und ihrer Theorie *(Gruppo 63. Il romanzo esperimentale,* herausgegeben von Nanni Balestrini, 1966) betätigt. Edoardo Sanguinetis *Capriccio italiano* (1963) weist trotz (oder gerade wegen) der demonstrativen Fiktionalität ein überraschend konventionelles Grundmuster auf: eine Ehekrise, kombiniert mit Kinderwunsch, Geburt und harmonisches Happy-End. Das Geschehen hat seine wichtigsten Bezugspunkte im Archetypischen; als literarische Paten erkennt man hinter den ins Alltägliche eingetauchten mythischen Instanzen Vittorinis *Conversazione in Sicilia,* Pavese und den surrealistischen

Das Vorbild der historischen Avantgardebewegungen

Roman. Spielerischer geben sich, wie schon im Titel angekündigt *Il giuoco dell'oca* (1967) und *Il giuoco del Satyricon. Un imitazione da Petronio* (1970). Unter den Erzählern des »gruppo 63« ragen als besonders sprachschöpferisch hervor Luigi Malerba *(La scoperta dell'alfabeto,* 1963; *Salto mortale,* 1968, ²1985; *Il pianeta azzurro,* 1986; *Il fuoco greco,* 1990), der sich auch als phantasievoller Kinderbuchautor betätigte (zusammen mit Tonino Guerra: *Storie dell'anno Mille,* 1973) und der Literaturwissenschaftler, Mitarbeiter von zahlreichen Zeitungen und Verlagen, Giorgio Manganelli, mit kompliziert gebauten experimentellen Werken *(Hilarotragoedia,* 1964), die zum Teil in die Nähe des Traktats gehen *(Discorso dell'ombra e dello stemma o del lettore e dello scrittore considerati come dementi,* 1982), mit phantastischen Erzählungen *(Agli dèi ulteriori,* 1972), die sich zum »conte métaphysique«, zu Meditationen über das Nichts ausweiten *(La palude definitiva,* 1991), und mit hochinteressanten Beispielen für eine postmoderne Lektüre bzw. »réécriture« des *Othello (Cassio governa a Cipro,* 1977) und des *Pinocchio (Pinocchio: un libro parallelo,* 1977), wo fast jedes Wort des Originaltextes einen ganzen Horizont von Glossen eröffnet.

Die 68er Jahre

Die Ereignisse um und nach 1968 lassen den »gruppo 63« auseinanderfallen. Die Meinungsverschiedenheiten sind zwar nicht grundsätzlich neu, doch fordern die politischen Auseinandersetzungen klarere Stellungnahmen. Wie fast überall in der westlichen Welt brechen 1968 auch in Italien lang schwelende Konflikte auf. Die westliche wie die östliche Schutzmacht sind moralisch diskreditiert, einerseits durch den Vietnam-Krieg, andererseits durch die Unterdrückung des Prager Frühlings, so daß sich die utopischen Hoffnungen auf das ferne, kulturrevolutionäre China richten müssen. Die innenpolitischen, sozialen Spannungen in Italien, die von den nicht durchgeführten Strukturreformen nach dem Kriege herrühren, werden zunächst noch durch das Wirtschaftswunder überdeckt. Die Mitte-Links-Regierungen meistern zwar die Rezession von 62/63, allerdings um den Preis einer weitgehend unternehmerfreundlichen Politik, die die Wirtschaft unter Sozialisierung der Kosten wieder ankurbelt und die in diese Regierung gesetzten Hoffnungen nach einer gerechteren Verteilung des Wohlstands enttäuscht. Der »autunno caldo« von 1969 ist also nicht nur ein Arbeitskampf, sondern ein Kampf um ein neues »modello di sviluppo«, das das kapitalistische Entwicklungsmodell der letzten 20 Jahre grundsätzlich in Frage stellt. Die Protestbewegung führt, da ja auch die traditionelle Oppositionspartei nicht mehr als Repräsentant der eigenen Interessen der jüngeren Generation empfunden wird, dazu, daß sich die »nuova sinistra« links vom PCI bildet, verbunden mit einem chaotischen Wachsen linker Gruppierungen (z.B. Lotta

Studentendemonstration
in Mailand 1968

Continua, Potere Operaio) und sogenannter basisdemokratischer Einrichtungen. Die Polarisierung der politischen Landschaft außerhalb der etablierten Parteien und der Gewerkschaften wird von einer nicht genauer greifbaren und auch in den seltensten Fällen ›ergriffenen‹ Rechten zur »strategia della tensione« benützt, die sich in terroristischen Akten (1969 mehrere Bombenanschläge in Mailand) und Staatsstreichversuchen (z.B. 1970 des Altfaschisten J.V. Borghese) äußert. Die von der außerparlamentarischen Linken dem Staat als allzu nachsichtigem ›Komplizen‹ zur Last gelegten Terroranschläge (»strage di Stato«) sind Anlaß zum Gegenterror der auf Reformen drängenden Jugend, – ein Terror, der nach der Ölkrise (1973/74) und dem noch engeren Zusammenrücken der ›vernünftigen‹, institutionalisierten gesellschaftlichen Kräfte, besonders der beiden größten etablierten Parteien und ihrer Protagonisten, Enrico Berlinguer und Aldo Moro, im »compromesso storico«, in eine Art Bürgerkrieg (Höhepunkt ist die Entführung und Ermordung Moros 1978) ausartet.

Schon vor den Ereignissen des Jahres 1968 setzt eine Neuaufnahme der Diskussion über die Rolle der Kultur und der Intellektuellen im gesellschaftlichen Entwicklungsprozeß ein (Fortini, *Verifica dei poteri*, 1965 und Asor Rosa *Scrittori e popolo. Il populismo nella letteratura italiana contemporanea*, 1965). Die Kultur habe sich zwar als fähig erwiesen, die gesellschaftlichen Probleme zu analysieren, aber kaum, zu ihrer Lösung beizutragen. In praktischer Konkurrenz zu den revolutionären politischen Ereignissen spaltet sich die Neoavantgarde unter heftigen Diskussionen (zu verfolgen in der Zeitschrift *Quindici*, 1967–69) in eine »reformistische« Gruppe um Anceschi, Guglielmi und Barilli, die nach wie vor für eine strikte Trennung von Kultur und Ideologie eintrat, und eine Gruppe um Sanguineti, der sich auch schon früher für eine bewußt ideologiekritische Funktion der Literatur eingesetzt hatte *(Ideologia e letteratura*, 1965) und der die Literatur mit ihrer Arbeit am Bewußtsein im Dienste praktischer politischer Erfolge sehen will.

Am weitesten geht von den ehemaligen Mitgliedern des »gruppo 63« in seiner aktiven Teilnahme am politischen Kampf Nanni Balestrini. Als Mitbegründer des Potere Operaio (1968) muß er, von der Justiz wegen Angehörigkeit zu einer kriminellen Vereinigung verfolgt, nach Frankreich und Deutschland fliehen. Er stellt seine experimentelle Collage-Technik *(Tristano*, 1966) ganz in den Dienst seiner politischen Ziele. Berühmt wird sein Roman *Vogliamo tutto* (1971; gefolgt von *La violenza illustrata*, 1976). In der fiktiven Autobiographie eines Arbeiters aus dem Süden, den es nach Mailand verschlagen hat, kommt der Held durch nüchterne Ereignis- und Zustandsschilderungen aus der Arbeitswelt und ihren Kämpfen, aber auch durch Kollektiväußerungen in der Art von Flugblättern und Handzetteln zur Sprache, die sich in Anlehnung an Paul Lafargue *(Le droit à la paresse*, 1883, ins Italienische übersetzt 1968) gegen das bürgerlich kapitalistische Dogma der Arbeit wenden. Sie halten es dabei weniger mit De Amicis »soldato del lavoro« als mit Pinocchio, der angesichts der fleißigen Bienen ausruft: »Io non sono nato per lavorare!« (Ich bin nicht zum Arbeiten geboren!).

Nach dem Grundsatz, daß jede kulturelle Aktivität nicht nur politisch sein muß, sondern immer schon ist, gewinnen Autoren wie Franco Fortini *(Questo muro 1962–1972*, 1973), Roberto Roversi *(Le descrizioni in atto*, 1970), Francesco Leonetti *(Irati e sereni*, 1974), Giovanni Raboni *(Cadenza d'inganno*, 1975) eine besondere Bedeutung. Im gleichen Zusammenhang stehen die Versuche, neue Formen alternativer Kultur zu entwickeln: Modelle der Selbstfinanzierung und neue Produktions- und Vertriebsformen, an den traditionellen Verlagen und Druckereien vorbei, werden unter Beteiligung bekannter Autoren wie Fortini, Roversi, Andrea Zanzotto und Dario Fo ausprobiert, der außerdem

Titelblatt von Edoardo Sanguineti, *Ideologia e linguaggio*, 1965

Franco Fortini

eine eigene alternative Theatertruppe aufbaut. Neue Unmittelbarkeit und Betroffenheit zu gewinnen, durch eine die literarischen Kanones negierende Literatur, versucht die sogenannte »letteratura selvaggia«. Der Genueser Metallarbeiter Vincenzo Guerrazzi möchte eine proletarische Literatur in dem Sinne schaffen, daß die Arbeiterklasse Subjekt und Objekt des literarischen Werkes wird. Als eine Art kollektive Produktion gehen Wandinschriften, Diskussionsbeiträge und Korrekturvorschläge von Arbeitskollegen in den Text des die antifaschistischen Solidaritäts-Demonstrationen genuesischer Arbeiter in Reggio Calabria schildernden Romans wie *Nord e Sud uniti alla lotta* (1974; oder der Erzählungen *Vita operaia in fabbrica: l'alienazione,* 1972) ein. Von wenigen Ausnahmen abgesehen (etwa die fragmentarische Autobiographie des apulischen Drehers Tommaso Di Ciaula *Tuta blu,* 1978; *L'odore della pioggia,* 1980 oder die Memoiren des analphabetischen naiven Malers Pietro Ghizzardi *Mi richordo anchora,* 1976) kommen sie aber selten über die »letteratura di testimonianza« hinaus, wenn sie auch einen heilsamen Kontrast zu den nach Literarizität strebenden Darstellungen des Elends durch die etablierten Autoren, etwa den Calabresen Saverio Strati *(Noi lazzaroni,* 1972; *Il selvaggio di Santa Venere,* 1977; *Il visionario e il ciabattino,* 1978) oder die Sarden Giuseppe Dessí *(Paese d'ombra,* 1972) und Gavino Ledda *(Padre padrone: l'educazione di un pastore,* 1975) bieten. Insgesamt gesehen haben die Ereignisse um 1968 kaum wesentliche Veränderungen in der Sprache und den Ausdrucksmitteln gebracht. Alle entscheidenden Experimente eines Calvino, Pasolini, Sanguineti oder Zanzotto fallen in die Zeit davor. Die Autoren scheinen eher abgeschreckt vom abstrakten Aktionismus und der sprachlichen Regression des um sich greifenden »sinistrese«, das mit ›parteichinesischen‹ Parolen und Schlagworten gespickt ist.

Die neue Lust am Erzählen

»Nuovi narratori«

Nachdem die 68er Unruhen den »gruppo 63« zerfasert und der Anstoß von außen, ähnlich wie in der Nachkriegszeit, noch einmal zu engagierter Literatur animiert hat, nachdem auch die Möglichkeiten des antinarrativen Experimentierens ausgereizt sind, setzt sich schon seit Mitte der 70er Jahre (Antonio Tabucchi *Piazza d'Italia,* 1975; *Il piccolo naviglio,* 1978) eine neue ›Lust am Erzählen‹ durch. Die nicht organisierte Gruppe der sogenannten »giovani scrittori« – die man besser »nuovi narratori« nennt, da sie so jung nicht mehr sind: Antonio Tabucchi *1943; Daniele Del Giudice *1949; Andrea De Carlo *1952; Pier Vittorio Tondelli *1955 – übt durch ihre Tätigkeit im Verlagswesen, der Literaturkritik und in den Jurys für Literaturpreise einen nicht zu unterschätzenden Einfluß auf die aktuelle Literaturszene in Italien aus. Ihr Erzählen unterscheidet sich allerdings deutlich vom traditionellen, ›naiven‹, da sie es mit metanarrativen Elementen durchsetzen. Der Einfluß Umberto Ecos auf diese Entwicklung wird überschätzt, doch hat sie der Welterfolg seines Romans *Il nome della rosa* (1980) sicher nicht gebremst. Eco, der bis auf einige kurze Satiren und Parodien *(Diario minimo,* 1963) im »gruppo 63« vornehmlich als Theoretiker hervorgetreten ist, stellt einen in Italien gar nicht so seltenen Glücksfall dar, in dem sich theoretische Reflexion mit Kreativität verbinden. Er verwendet seine Erkenntnisse über die Massenliteratur *(Ritorno dell'intreccio,* 1972), die innerhalb der Neoavantgarde zunächst zur Begründung einer radikal antinarrativen Poetik gedient haben, nun dazu, einen nach den Regeln dieser Massenliteratur gestrickten Roman zu verfassen und gleichzeitig diese Strickmuster offenzulegen. »Die

Umberto Eco gezeichnet von Tullio Pericoli

Karikatur aus *Tutti da Fulvia*, von Tullio Pericoli und Emanuele Pirella zur Situation der jungen Autoren:
Sanguineti: Den Roman eines jungen Schriftstellers zu verreißen ist ein wahres Vergnügen. – Fulvia: Die jungen Schriftsteller! Die jungen Schriftsteller!.
–Sanguineti: Es macht den andern Spaß. – Es macht einem selber Spaß. – Fulvia: Und kostet nichts.

postmoderne Antwort auf die Moderne besteht in der Einsicht und Anerkennung, daß die Vergangenheit, nachdem sie nun einmal nicht zerstört werden kann, da ihre Zerstörung zum Schweigen führt, auf neue Weise ins Auge gefaßt werden muß: mit Ironie, ohne Unschuld.« *(Postille a ›Il nome della rosa‹, 1983)* So kommen in diesem durch einen seither in Europa unbekannten Werberummel unterstützten Bestseller nach Maß alle Leser auf ihre Kosten: die weitgestreute Schar derjenigen, die sich an »sex and crime« und mittelalterlicher Exotik, die etwas spärlichere, die sich an geistiger Nahrung wie Theologie und Philosophie delektieren, und die Schar der Eingeweihten, der er augenzwinkernd zu verstehen gibt, daß er das alles nur aus Lust und Tollerei erzählt, daß er ja weiß, daß man heute ›eigentlich‹ so nicht mehr erzählen kann, ... Kühn ist es allerdings, diese Art zu schreiben als »postmodern« zu bezeichnen, denn sie dekonstruiert nichts, da sie dem Leser keine intellektuelle Arbeit aufbürdet, sondern zu genüßlicher, in der Höhenkammliteratur so lange vermißter Schmökerei verführt. Eine banale Liebeserklärung (»Ich liebe dich inniglich«) wird nicht, wie Eco in den *Postille* behauptet, dadurch postmodern, daß man den Satz vorausschickt »Wie jetzt Courths-Mahler sagen würde«. Damit wird im Gegenteil die für die postmoderne Form der Ironie typische Ambiguität zerstört – und der Liebhaber hat höchstens seine Phantasielosigkeit unter Beweis gestellt.

Das Mißverständnis des Begriffs Postmoderne wird deutlich, wenn man den Umfang der Bücher Ecos (*Il pendolo di Foucault*, 1988, benützt das gleiche, eher noch ausgeweitete Verfahren) mit den schmalen Sammel-Bändchen eines anderen schreibenden Literaturwissenschaftlers, Antonio Tabucchi, vergleicht. Auch

Der Autor in der Rolle seiner Hauptfigur

Die Kunst der
Anspielung

in seiner Erzählung *Il gioco del rovescio* (1981) geht es um ein Spannung erzeugendes Geheimnis, die rätselhafte Botschaft, die im Wort »sever« sowohl das umgekehrte französische ›rêves‹ (›Träume‹) als auch das spanische Äquivalent von italienisch »rovescio«, nämlich ›revés‹ enthält. Der Text bildet die Suche nach der eigenen Identität in der Suche nach dem anderen ab, einer Suche in Form von diskontinuierlichem Erzählen von Reisen und Träumen. Dahinter steht »in nuce« und nicht »in extenso« ausgebreitet der Horizont der Barockliteratur mit der Vorstellung vom ›Leben als Traum‹ bzw. ihrer Umkehrung vom ›Traum als Leben‹. Dieses »Umkehrspiel« hat einen ebenfalls unausgesprochenen erkenntnistheoretischen Hintergrund, der in der Schilderung von Velasquez' »Las Meninas« nur angedeutet wird: Michel Foucaults Analyse dieses Bildes in *Les mots et les choses* (1966), wo es um den Rollenwechsel zwischen Betrachter, Maler und Modell und die aus diesem »Umkehrspiel« entstehende Unsicherheit der Identität und der Weltwahrnehmung geht. Während also in Tabucchis Werken die Kunst des markierten und unmarkierten Zitierens und Anspielens dem Leser immer neue, nie abgeschlossene Horizonte eröffnet, ihn zu immer neuer Arbeit des Sinn-Abbaus und der Sinn-Suche anregt, breitet Eco das ganze gelehrte Material wie einen ausgeschütteten Exzerptkasten aus und schränkt dadurch den Horizont paradoxerweise ein. (Daß der Roman auch ohne die intertextuellen Verweise auskommt, zeigt die Verfilmung.)

Die »nuovi narratori« nehmen Calvinos »sfida al labirinto« (und nicht zuletzt auch seine literarischen Anregungen, wie etwa das *Castello dei destini incrociati*, 1969, 1973) auf und machen die ›Suche‹ bei der Klärung geheimnisvoller Fälle zum Muster ihres Erzählens. Sie folgen damit dem indiziellen Paradigma, das Svevo in der *Coscienza di Zeno* mit ihren beiden ungeklärten Todesfällen und Gadda in *Quer pasticciaccio* in seiner positivistischen Form unterminiert haben. Die »nuovi narratori« setzen es, wenn auch im inzwischen gewonnenen Bewußtsein all seiner Vorläufigkeit und Unabgeschlossenheit, als den einzig möglichen Weg der Wirklichkeitsannäherung wieder in sein Recht ein. Diese zentrale Rolle der »Spurensicherung« und ihre betont antipositivistische Methode, die als Metadiskurs durchscheint, wird verständlicher, wenn man als geistigen Hintergrund einen Schlüsseltext der späten 70er Jahre, Carlo Ginzburgs *Spie.*

Carlo Ginzburg

Radici di un paradigma indiziario (1979; seit 1978 in verschiedenen Fassungen in verschiedenen Zeitschriften erschienen und ausführlich diskutiert) hinzuzieht, der den Ursprung des Erzählens mit dem »sapere congetturale« des spurenlesenden und in einem zeitlichen und kausalen Zusammenhang spurendeutenden Jägers in Verbindung bringt. Die Art der Spurensuche steht dabei in einem engen Zusammenhang mit dem jeweiligen naturwissenschaftlich-philosophischen Weltbild, das die Methode der Spurenverknüpfung regelt und den Realitätsbezug definiert. Während Eco in *Il nome della rosa* das traditionelle positivistische Detektivparadigma leicht ironisch verfremdet ausschlachtet, verwenden die »nuovi narratori« ihre im Text gesammelten und ausgebreiteten Indizien zu einer unendlichen, immer nur vorläufigen und unvollkommenen, aber im Unterschied zu den amerikanischen, Derrida noch überbietenden Dekonstruktivisten nie willkürlichen Sinnschöpfung und Zeichendeutung. Diesen extremen Dekonstruktivismus, dessen Zeichen immer nur auf andere Zeichen verweisen und in unbegrenzter und durch den Text nicht mehr zu kontrollierender Vermehrung ins »Horizontlose« abdriften, ohne je bei einer ›wahren‹, »transzendentalen« Bedeutung anzukommen, nimmt Tabucchi in *Il filo dell'orizzonte* (1986), einem weiteren Anti-Detektivroman, aufs Korn. (Um eine weitere Suche, diesmal nach einem Freund, geht es in *Notturno indiano*, 1984.)

Tabucchis Werke besitzen trotz allem Anspielungsreichtum die von Calvino so sehr geschätzte »leggerezza«. Vor allem seine kürzeren Erzählungen sind

Antonio Tabucchi

charakterisiert von seiner Liebe zu den »cose fuori luogo«, diesen »kleinen, unwichtigen Zweideutigkeiten« *(Piccoli equivoci senza importanza,* 1985, *Volatili del Beato Angelico,* 1987), die den Leser in eine leichte, unruhige Spannung versetzen und in ihm ein nie restlos befriedigtes, aber auch nie ganz enttäuschtes Erklärungsbedürfnis wecken. Die intertextuelle Dichte seiner Texte eröffnet dem entsprechend vorgebildeten Leser ein reiches Betätigungsfeld, ohne den weniger versierten zu frustrieren.

Daniele Del Giudice

Betonter gedankenträchtig ist das Werk Daniele Del Giudices, das um das Problem sprachlicher Darstellung von Wirklichkeit kreist, sei sie nun literarisch oder naturwissenschaftlich. In *Lo stadio di Wimbledon* (1983) sucht er zwischen Triest und London die Spuren des Triestiner Intellektuellen Roberto Bazlen, eines großen kulturellen Anregers der Nachkriegszeit, der jedoch so gut wie nichts publiziert hat (außer Übersetzungen von S. Freud und C.G. Jung; postum *Lettere editoriali,* 1968, *Note senza testo,* 1970; *Il capitano di lungo corso,* 1976). Das Rätsel des nicht schreibenden Literaten wird nicht etwa planmäßig und zielstrebig gelöst, sondern nur wie zufällig eingekreist durch die vielfältigen, fragmentarischen und widersprüchlichen Antworten zahlreicher Zeugen, und bleibt letztlich offen. Dennoch hat sich der Leser der Realität, so weit dies überhaupt möglich ist, genähert. Dieses erkenntnistheoretische Prinzip verschieden kodierter und jeweils eingeschränkter Zugänge zur Wirklichkeit und die daraus folgende Erzählpraxis bildet auch das Thema der Dialoge zwischen einem jungen Atomwissenschaftler und einem Erfolgsschriftsteller in *Atlante occidentale* (1985), wenn auch hier der Reiz der Vielstimmigkeit im theoretischen Zwiegespräch verlorengeht. Die »nuovi narratori« werden in ihrer oft hyperrealistischen Beschreibungsmanier mit der »école du regard« in Verbindung gebracht. Doch ist das ein Zug, der auch ältere Schriftsteller wie Gianni Celati kennzeichnet. Wie Eco Literaturwissenschaftler in Bologna und Sprachexperimentierer im Umfeld der Gruppe 63 *(Comiche,* 1971, *Parlamenti buffi,* 1983, eine Sammlung dreier schon früher veröffentlichter Romane), kommt er mit *Narratori delle pianure* (1985; daran anschließend *Quattro novelle sulle apparenze,* 1987; *Verso la foce,* 1989) zu einem betont einfachen, oralen Erzählern aus der Poebene abgelauschten Stil. Die völlig unprätentiösen Geschichten über außergewöhnliche Alltäglichkeiten, die ohne intertextuelle Verweise und metanarrative Einschübe auskommen, geraten in ihrer kommentarlosen Trockenheit zu parabelartigen Gebilden, hinter denen die Landschaft der Poebene und ihre Menschen in ihrer Verletztheit seltsam distanziert aufscheinen.

Geradeso detailversessen, aber eher in der Form von indiskreten Nahaufnahmen oder Comic strips à la Roy Lichtenstein, die bewußt an der Oberfläche bleiben, nähert sich Andrea De Carlo seinen Gegenständen (De Carlo war Regieassistent Fellinis und hat seinen Roman *Treno di panna* 1981 selbst verfilmt). Er wagt im Gegensatz zu den »Nouveaux Romanciers« durchaus längere, kohärente Erzählsequenzen, wobei er sich auch nicht scheut, schließlich sein eigenes Erzählen wieder zu desavouieren. Der Roman *Uccelli da gabbia e da voliera* (1982) kreist nicht um poetologische und erkenntnistheoretische Reflexionen, sondern spielt mit Versatzstücken aus der Massenliteratur und der Konsumwelt, um sie in ihrer Trivialität und Verlogenheit bloßzustellen. Das geht soweit, daß die seit den Tagen des spätantiken Romans abgedroschene, genüßlich verzögerte Begegnung der Liebenden nach langer Suche ganz offen als billiges »remake« bloßgestellt wird: »Ci abbracciamo in mezzo alla folla confusa di viaggiatori, e sono stupito dalla consistenza dei suoi capelli tra le mie dita, delle sue labbra a contatto delle mie labbra. E adesso sono *sicuro* di aver già visto questa scena, e non solo questa ma tutte quelle che l'hanno preceduta, anche se so che è ridicolo dirlo quando tutto è già successo.« (Wir küssen uns inmitten der anonymen

Nahaufnahmen

Stefano Benni

Verfügbarkeit der Stile

Menge der Reisenden, und ich bin von der Konsistenz ihrer Haare zwischen meinen Fingern, ihrer Lippen in der Berührung mit meinen Lippen überrascht. Und jetzt bin ich sicher, diese Szene schon gesehen zu haben, und nicht nur diese Szene, sondern auch alle jene, die ihr vorausgingen, auch wenn ich weiß, daß es lächerlich ist, das zu sagen, wenn alles schon geschehen ist.) Der spielerische Umgang mit trivialem Material birgt allerdings die Gefahr, letztlich doch über Trivialitäten nicht hinauszukommen. Hat man bei Eco den Trost, geschichtlich Interessantes spannend aufbereitet zu erfahren, so sinkt diese Chance mit dem Trivialitätspegel der Versatzstücke. Autoren wie Pier Vittorio Tondelli (*Altri libertini*, 1980; *Pao pao*, 1982; *Rimini*, 1985; *Camere separate*, 1989) oder auch Stefano Benni schöpfen ihre Themen und Zitate aus einer für die traditionelle Literatur und den bildungsbürgerlichen Leser ungewohnten Kultursphäre, der lebendigen, internationalen Jugendszene der Schlager, des Films, der Fernsehwerbung, der Comics und Science Fiction, der Drogen und des Tourismus. Tondelli schreibt bezeichnenderweise auch nicht in den guten alten Literaturzeitschriften, sondern in *Rockstar* und *Linus*. Bennis *Terra!* (1983), eine Mischung aus Science Fiction und *Terra X*, mit kurzen nachdenklich politisch-philosophischen Anwandlungen wurde zum Bestseller. Einen wahren Wirbel von skurrilen, phantastischen, geistreichen und respektlosen Einfällen, durchmischt mit pasticheartigen Stücken entfesselt er in der Erzählerrunde von *Il bar sotto il mare* (1987) und in den Vertraulichkeiten des Zauberers Baol (*Baol. Una tranquilla notte di regime*, 1990).

Die unbeschränkte Verfügbarkeit aller literarischen Stile und Schreibweisen sorgt für ein äußerst vielfältiges Bild in der gegenwärtigen italienischen Literatur. Neben den »nuovi narratori« gibt es zahlreiche Erzähler, die zwischen realistischem, phantastischem und experimentellem Erzählen ihren unverwechselbaren Ton gefunden haben. Den historischen (teilweise mit authentischem Material arbeitenden) Romanen Fulvio Tomizzas (*Materada*, 1982, *Gli sposi di via Rossetti*, 1986), angesiedelt im Triestiner Grenzland, in dem die nationalen Gegensätze aufeinanderprallen, steht das völkerverbindende Fließen der Donau gegenüber (Claudio Magris *Danubio*, 1986), die trotz aller Kriege Mitteleuropa und den Balkan in einen einzigen geschichtlichen und geistigen Raum stellt. Dacia Maraini rückt in zahlreichen Romanen Frauengestalten in den Vordergrund (*Storia di Piera*, 1980; *Isolina, la donna tagliata a pezzi*, 1985), vom untersten Rand der Gesellschaft, in der Art der »letteratura selvaggia« (*Memorie di una ladra*, 1972), bis zur hochadligen Sphäre des *Gattopardo* in *La lunga vita di Marianna Ucría* (1990). Eine bürgerliche Welt im Umbruch zwischen Kindheit und Erwachsensein, zwischen einem archaischen Mallorca, einem halbfeudalen Neapel und der entmythisierten Gegenwart wird von Fabrizia Ramondino in einer Mischung von Erzählung, Autobiographie und Reflexion dargestellt (*Althénopis*, 1981; *Storie di patio*, 1983; *Taccuino tedesco*, 1987; *Un giorno e mezzo*, 1988; *Star di casa*, 1991). Giulia Morandini fasziniert durch ihren psychoanalytischen Blick, der sie historische Situationsberichte vielfach psychologisch gebrochen vermitteln läßt (*I cristalli di Vienna*, 1978; *Caffè Specchi*, 1983; *Angelo a Berlino*, 1987). Die wörtlich genommene Text-Metapher liegt dem Roman *L'invenzione della verità* (1988) von Marta Morazzoni zugrunde, der die Erfindung geschichtlicher und ästhetischer ›Wahrheit‹ im Bewußtsein einer Stickerin aus dem Mittelalter und eines modernen Künstlers sinnfällig in ›Gewebe‹ und Stickerei umsetzt.

Literatur und Massenkultur

Es war schon davon die Rede, daß in Italien, einem Land mit einer lebendigen Religiosität, die das Bedürfnis nach Übernatürlichem befriedigte, und bis nach dem Zweiten Weltkrieg mit einem deutlichen technologischen und ökonomischen Rückstand, dafür aber mit einer fest verankerten humanistischen Tradition, die phantastische Literatur nur spärlich vertreten ist. Die Ausnahmen Tommaso Landolfi und Dino Buzzati bestätigen die Regel, während Calvino in *I nostri antenati* eher eine postmoderne allegorische Phantastik wiederaufleben läßt. Das gleiche gilt für die Science Fiction, die seit ihrem Durchbruch mit Hilfe der GI's eine amerikanische Domäne bleibt, es sei denn, sie erscheint wie bei Calvino als eine ›archäologische‹ Fantascienza in den *Cosmicomiche* (1965) und *Ti con zero* (1967). Calvinos Interesse für die Naturwissenschaften läßt keine naive Begeisterung noch eine Verteufelung des technischen Fortschritts aufkommen, sondern strebt in der phantastischen Fiktion nach einer rationalen Aufklärung über die Grundlagen unserer Welt, über die Möglichkeiten und Grenzen der Naturwissenschaften und der Möglichkeiten sprachlicher Darstellung. (Alfredo Castelli kreiert 1982 mit der Comic-Serie *Martin Mystère* eine solche *Fantascienza archeologica* auf populärem, aber durchaus anspruchsvollem Niveau.) Ein schönes Beispiel für die Durchdringung von Massenliteratur und sogenannter Höhenkammliteratur bietet Italien nicht nur bei den jüngsten »nuovi narratori«, sondern auch auf dem Gebiet des Detektivromans. Sowohl im Sinne der oben besprochenen Anti-Detektivromane als auch in Gestalt der beiden augenblicklich erfolgreichsten »giallo«-Produzenten Italiens, Carlo Fruttero und Franco Lucentini. Sie schreiben nicht nur anspruchsvolle Krimis (von *La donna della domenica,* 1972 bis zu *La verità sul caso D.,* 1989), sondern sie leiteten auch jahrelang die wichtigste Fantascienza-Reihe *Urania* (Mondadori) und übersetzten avantgardistische Literatur (z.B. Beckett und Robbe-Grillet), wenn sie nicht selber solche schrieben (Lucentini *Notizie degli scavi,* 1964).

Es wird zwar häufig vom Einfluß des Films auf die moderne Literatur gesprochen, viel seltener jedoch von dem oben angesprochenen Einfluß anderer eng mit dem Film verbundener Formen der visuellen Massenkultur wie Fotoromanzo und Fumetti. Die für die postmoderne Literatur typische sekundäre Verwendung von Texten gehört zu den Grundmustern der beiden eben genannten Massenmedien, die damit sowohl einem Erfordernis des Marktes gehorcht, nämlich pausenlos Fortsetzungen zu produzieren, als auch dem Bedürfnis der meist jugendlichen Leser (aber nicht nur dieser), Vertrautes in neuem Gewand wiederzufinden. Der Fotoromanzo der fünfziger Jahre (also noch vor der eigentlichen Fernsehzeit) setzt Pflichtlektüren der Schule wie die *Promessi sposi* in Bilder um (1953), die Fumetti gehen aber einen Schritt weiter. Schon seit den dreißiger Jahren werden die Abenteuer Paperinos (Donald Duck) in Italien weitgehend von italienischen Autoren und Zeichnern an die eigene Kultur adaptiert. Die Schulklassiker bzw. die von ihnen in der Schule gebotene Interpretation werden dabei travestiert und parodiert, vom Topolino-Dante über den Paperino Il Paladino bis zum Doctor Paperus oder den *Promessi paperi, Paperin furioso* (1982), in einer durchaus originellen Mischung der kindlichen Einbildungskraft mit Elementen aus den verschiedensten Traditionen und den verschiedensten Gattungen. Ab der Mitte der sechziger Jahre tauchen in enger Verbindung mit der Protestbewegung sogenannte »fumetti d'autore« auf, also nicht nur namenlose Serienprodukte, sondern Comics mit ausgeprägter individueller Handschrift, zunächst in Spezialzeitschriften wie dem linksintellektuel-

Phantastik und »fantascienza« (Science Fiction)

»Gialli« (Detektivroman)

»Fotoromanzi« und »fumetti« (Comics)

Beispiel eines »fumetto« zur Geschichte von Adam und Eva

len *Linus* (ab 1965; mit theoretischen Beiträgen berühmter Autoren zur Kultur-industrie) und dem eher auf Abenteuer, Humoristik und Satire spezialisierten *Eureka* (ab 1967; darin auch die Serie *Sturmtruppen* von Bonvi), dann aber meist auch in Alben.

Zu den international bekanntesten gehört Hugo Pratt, dessen Abenteurer-Figuren »Sgt. Kirk« und »Corto Maltese« (seit 1983 auch der Name einer Comics-Zeitschrift) inzwischen einen festen Platz im kollektiven Imaginären Italiens besitzen. Der satirische Zeichner Francesco Tullio Altan gehört etwa mit der Gestalt des resigniert-schlauen Arbeiters »Cipputi« zu den zeichnerisch und sprachlich originellsten, da er weniger literarischen Vorbildern verpflichtet ist als Hugo Pratt (Joseph Conrad) und auch Guido Crepax mit seiner Figur »Valentina« (Sade, Sacher-Masoch, *Histoire d'O.*). Die raffiniertesten Spiele räumlicher und zeitlicher Wahrnehmung in vielfältigen Schachtelungen und Spiegelungen erlaubt sich Milo Manara, der auch mit erotischen Fumetti beginnt *(Il gioco*, 1982), um dann intertextuelle Geflechte mit Reminiszenzen aus Pratt, Borges, John Lennon, Picasso und Fellini zu konstruieren *(Storie brevi*, 1984).

Luchino Visconti gezeichnet von Tullio Pericoli

Das italienische Theater der Nachkriegszeit

Das italienische Theater sucht nach den provinziellen Jahren unter dem Faschis-mus den Anschluß an die internationale Bühne. Luchino Visconti, der 1936–1940 Assistent Jean Renoirs war, inszeniert in Rom schon ab 1945 Jean Cocteau, Jean Anouilh und Jean-Paul Sartre, William Carlos Williams und Arthur Miller. Da die offensichtliche Schwäche des italienischen Repertoires auf die Schwäche der das Theaterleben tragenden Schicht des Bürgertums zurückgeführt wurde (Vito Pandolfi 1946 in einem Artikel des *Politecnico* im Anschluß an Gramsci), konnte die Demokratisierung des Theaters zu einer

Arlecchino servitore di due padroni von Goldoni unter der Regie von Giorgio Strehler, Kostüme und Bühnenbild von E. Frigerio, Piccolo Teatro, 1956

wichtigen kulturpolitischen Forderung im Nachkriegsitalien werden. Giorgio Strehler eröffnet 1947 zusammen mit Paolo Grassi mit dem sozialkritischen Stück *Nachtasyl* von Maxim Gorki das bis heute wohl erfolgreichste italienische ›Teatro stabile‹, das Piccolo Teatro di Milano. Es soll als öffentlich subventioniertes Theater, wie später Jean Vilars Théâtre National Populaire (TNP) und die deutschen Landestheater, mit niedrigen Eintrittspreisen und einem ›vernünftigen‹, d.h. in diesen ersten zukunftsfrohen Nachkriegsjahren nicht zu negativen und zu experimentellen Programm der »moralischen Mobilisierung« (P. Puppa) dienen und das Theater aus dem Ghetto der bürgerlichen Prestigeveranstaltung befreien (»Teatro d'arte per tutti«). Es werden daher Klassiker gespielt (berühmt wurde Strehlers Goldoni-Inszenierung *Arlecchino, servitore di due padroni),* aber auch viele Stücke von Brecht, dessen episches Theater mit dem »effetto V[erfremdung]« dem Orientierungsbedürfnis des Dopoguerra ebenso entgegenkommt wie das französische Theater des Existentialismus. Es fehlt allerdings nach wie vor an italienischen Bühnenautoren für dieses auf dem linken politischen Spektrum angesiedelte demokratische Theater, wobei wohl auch eine Rolle spielt, daß sich in Italien inzwischen die künstlerische Leitung durch einen Regisseur anstelle des traditionellen »capocomico« bzw. anstelle des Autors (man denke etwa an Pirandello) durchgesetzt hat. Einerseits führt dies zu einer größeren künstlerischen Kohärenz des Repertoires, das nicht mehr nur aus einer Kette von ›großen Rollen‹ eines Stars oder Erfolgen eines Autors besteht, andererseits wird aber damit die Verbindung zu den Stückeschreibern gelockert und den Talenten das Überwechseln zum Film erleichtert (Visconti, Flaiano, Pasolini, um nur die bekanntesten zu nennen.)

An zeitgenössischen italienischen Autoren beherrschen unmittelbar nach dem Krieg bereits etablierte wie die beiden Juristen Diego Fabbri und Ugo Betti das Feld, in deren Stücken Schuld, Gewissenskonflikte und moralisches Engagement, meist unter mehr oder minder orthodoxer katholischer Perspektive, dargestellt werden. Typisch hierfür ist Bettis 1944 geschriebenes, aber erst 1949 in Rom uraufgeführtes Stück *Corruzione al Palazzo di Giustizia.* Nach dunklen Affären in einer kafkaesken Stadt mit zynischen und korrupten Richtern wird die Schuld entgegen aller Erwartung doch gesühnt: Einem der Hauptschuldigen, Cust, der unschuldiges Leben zerstört hat, ist der Gedanke unerträglich, daß Gut und Böse letztlich ununterscheidbar sein sollen. Reuig klagt er sich daraufhin selbst an, um die Welt davor zu bewahren, daß sie dem »caso« und damit dem »caos« verfiele. Auch die Stücke Fabbris sind »moralische Prozesse«, mit einem Hauch Paul Claudel, François Mauriac und einem Schuß Giovanni Guareschi. Er schreibt ein zur Restauration der 50er Jahre passendes jesuitisch-didaktisches Theater, mit ziemlich eindeutigen Ideenträgern, wie dem asketischen Gläubigen, der gegen den Skeptiker *(Inquisizione,* 1950), und dem Liebenden, der gegen den egoistischen Verführer *(Il seduttore,* 1951) ausgespielt wird. Pirandello'sches Theater im Theater beherrscht den *Processo a Gesù* (1952–54), in dem der Prozeß Christi verbunden mit zahlreichen biblischen Reminiszenzen (Maria Magdalena, der verlorene Sohn, der Schächer etc.) in die zeitgenössische Welt projiziert wird. Mit gegenreformatorischem Eifer werden die zersetzenden Tendenzen des modernen Denkens mit Traumgesichten und Gebeten bekämpft, die Konversion der Theatergemeinde durch ein ästhetisches Fegefeuer vorbereitet. (Was Dario Fo nicht daran hindern wird, wenige Jahre später in *Mistero buffo* die gleichen oder ähnliche Szenen parodistisch umzukehren.) Doch schon in der Zeit der moralischen Gewissenserforschung und des politischen Engagements gibt es Formen des Theaters, denen die Propagierung der ›Werte‹, seien sie nun von links oder rechts, suspekt vorkommt – nicht nur im respektlosen Kabarett, sondern auch in dem ihm nahestehenden Theater des

Gewissenserforschung

Ennio Flaiano

Nihilismus und Glaube

Ennio Flaiano. Schon 1946 debütiert er mit der Farce *La guerra spiegata ai poveri,* einem Antikriegsstück, in dem die grotesken Rechtfertigungen zu Symptomen eines allgemeinen Kollapses der Werte und der damit verbundenen gesicherten Sprachbedeutungen werden. Perspektivenloses Versinken im Alltag der Konsumwelt zeigt *Un marziano a Roma* (1960), ein Stück, das falsche Heilserwartungen aufs Korn nimmt, wobei die Begeisterung für den ›Erlöser‹ schon bald in seichtsinnigem Geschwätz und Großstadttrubel erstickt. Seine desillusionierenden Erfahrungen in der Welt des Filmes (mit deutlichen Hinweisen auf den zu dieser Zeit mit Fellini gedrehten Film *Otto e mezzo)* verarbeitet Flaiano in *La conversazione continuamente interrotta* (1972): Das Klima der hohlen Künstler-Salonplaudereien, der künstlerischen und moralischen Austrocknung, die sich in Geistreicheleien erschöpft, der »inanità discorsiva della disperazione« (P. Puppa).

Unter den neuen Namen, die erst nach dem Krieg bekannt wurden, erfreuen sich eines gewissen Erfolges der vor allem als Regisseur bekannt gewordene Luigi Squarzina mit seinen neorealistischen historischen Dokumentations-Stücken über die Situation der Evakuierten in den Vorstädten von Rom *(L'esposizione universale,* 1948) oder über die Resistenza *(La Romagnola,* 1957); Federico Zardi *(Giacobini,* 1957) und Carlo Terron mit Stücken aus der Zeit der deutschen Besetzung *(Giuditta,* 1949).

Giovanni Testori tritt zuerst mit neorealistischen Erzählwerken aus der Welt des Mailänder Lumpenproletariats hervor, denen er in Erinnerung an Eugène Sue den Sammeltitel *I segreti di Milano* gibt *(Il ponte della Ghisol,* 1958 u.a.). Das Theaterstück aus dem gleichen Milieu *(Arialda,* 1960, 1961 von Visconti in Mailand inszeniert, im selben Jahr, in dem dieser auch den melodramatischen Film *Rocco e i suoi fratelli* drehte) ist ein einziger Fluch gegen die Gesellschaft, die das Proletariat in Hunger und moralischen Verfall zwinge, ein Stück, das mit einer Anklage wegen Obszönität den letzten spektakulären Fall von Zensur in Italien auslöst. Nihilistische Alpträume beherrschen auch Testoris Stücke, die nach einem in der Nachkriegszeit beliebten Muster (Giraudoux, Sartre etc.) antike und klassische Theaterstoffe demontieren und das Böse in ewiger Allianz mit der Macht als metaphysisches Prinzip anklagen *(Ambleto,* 1972: »Papà rex, capo, dux, Benito«). Um die Hölle des Lebens zu beenden,

Szenenbild aus *L'Arialda* von Testori unter der Regie von L. Visconti, 1960

hilft nur das Gebet ans Nichts um einen Weltuntergang in einem einzigen
»peto« *(Macbetto,* 1974) oder die Vergewaltigung, Entmannung und Tötung
des Vaters durch den Sohn *(Edipo,* 1977), der schließlich vom ›Publikum‹ besei-
tigt wird. Die Auflösungserscheinungen ergreifen auch die Sprache, die ähnlich
wie bei Gadda in einen Strudel von dialektalen, archaischen, obszönen und
neuerfundenen Wörtern gestürzt wird, ohne jedoch die befreiend karnevaleske
Wirkung wie bei Dario Fo zu entfalten. Aus dieser ausweglosen Situation, die
an jene der in Italien häufig gespielten französischen Dramatiker Jean Genet
und Eugène Ionesco oder an den Engländer Harold Pinter erinnert, kann nur
der Untergang oder aber, in einer christlichen Wendung, die Testori ab 1978
nimmt, nur das auf der Bühne inkarnierte Wort Rettung bringen. Der Lebensekel wird abgelöst von einem unvermittelten Glaubensbekenntnis des Autors
auf der Bühne und von langen Tiraden gegen die moderne Gesellschaft, gegen
die weltlichen Trugbilder, die das Heilige zerstört haben *(Conversazione con la
morte,* 1978; *Interrogatorio a Maria,* 1979; *Factum est alla prova,* 1981).

Im großen und ganzen ist aber schon in den sechziger Jahren die Zeit der
marxistisch-populistischen und der katholisch-integristischen Stücke vorbei.
Nackte Existenzangst oder jugendlicher Zynismus bestimmen Stücke wie
(D'amore si muore, 1958; *Memoria di una signora amica,* 1963; *Persone naturali e
strafottenti,* 1974) von Giuseppe Patroni Griffi oder die politischen Stücke von
Giorgio Prosperi *(Il re,* 1960; *La congiura,* 1961). Auf den aus der Enttäuschung
über die Nachkriegszeit geborenen Lebensekel gibt es auch noch andere Antworten als Glauben oder Zynismus. Parallel zu ihren Bemühungen auf dem Gebiet
der Poesie und der erzählenden Literatur versuchen Mitglieder des »gruppo 63«
die Grenzen der Sprache auch auf dem Theater auszuloten. In einer vom Maler
Toti Scialoja 1965 in Szene gesetzten Folge von szenischen Aufführungen (Giordano Falzoni *L'occhio,* Elio Pagliarani *La merce esclusa,* Nanni Balestrini *Improv-
visazioni,* Alfredo Giuliani *Povera Juliet),* geraten die von der Bedeutung befreiten Laute im Verein mit Geste, Bild und Ton zum Sprachspiel. Edoardo Sanguineti hat die Kombination von Musik und poetischem Wort in mehreren Texten
für das Theater wieder aufgenommen; unter anderem in *Paesaggio* (1961/62)
für Sopran, zwei Chöre und Instrumente nach der Musik von Luciano Berio;
Traumdeutung (1964) für eine weibliche und drei männliche Stimmen in einer
Aufführung für das Deutsche Fernsehen, *Protocolli* (1968) für die RAI. Auf
Sanguinetis *Faust. Un travestimento* (1985) folgt als weiteres »travestimento«
1989 die *Commedia dell'Inferno. Un travestimento dantesco.* Der Untertitel weist
zunächst auf den wörtlichen Sinn von ›Verkleidung‹ hin, als Synonym für Theater, für Simulation fremder Personen, Orte, Zeiten, dann aber auch auf die lite-
rarische Gattung der ›Travestie‹ im Sinne einer Veränderung des ursprünglichen
Textmaterials in der Form einer ›Illustration‹, einer Umsetzung in allegorische
Vision und durch Szenenanweisungen ergänzte Verbildlichung im dramatischen Spiel. Der Titel wird anachronistisch als Gattungsbezeichnung für ein
Drama genommen, Dante und Vergil treten als Erzähler an den Rand gegenüber den dramatischen Einzelszenen des Werks (z.B. Francesca, Ugolino, die
Sodomiten und die Malebranche). Um das Skelett der Danteschen Original-
texte lagert sich sukzessive das Fleisch der Gestik, der Stimme und der Handlung, außerdem der Dantekommentare von Boccaccio und Benvenuto und
weitere Intertexte in den jeweiligen Originalsprachen (z.B. Latein für Andreas
Capellanus, Altfranzösisch für Chrétien de Troyes, Englisch für Ezra Pound), so
daß Dantes eigene Vielstimmigkeit ebenfalls ›in Szene gesetzt‹ wird.

Auf der anderen Seite macht sich, besonders unter dem Einfluß Becketts
(etwa auf Carlo Quartucci *Sacco,* 1973; *Richiamo,* 1975; *Cottimisti,* 1977;
Teatro, 1982), entgegen dem alleinigen Vertrauen der Neoavantgarde in das

*Neoavantgardistisches
Theater*

Szenenbild aus Sanguinetis
*Commedia dell'Inferno. Un
travestimento dantesco,*
1989

Aphasie und Dialekt

befreiende Wort ein grundsätzliches Mißtrauen in die Kommunikationsmög-
lichkeiten des Menschen und in die Kommunikationsfähigkeit der Sprache
breit. Dem Dialekt wird jedoch im Gegensatz zur literarischen Steifheit der
»lingua di piombo« (Anton Giulio Bragaglia) in Verbindung mit dem Komisch-
Pathetischen der volkstümlichen Theaterformen eine ungebrochene Kommunikationsfähigkeit zugetraut. Die Verfolgung des Dialekts durch die offizielle
Kulturpolitik des Faschismus hat ihm in der Nachkriegszeit einen revolutionären Nimbus beschert. Der Kontrast zu den nivellierenden Tendenzen der
Massen- und Konsumgesellschaft mit dem Vordringen eines rhetorisierten und
verflachten Einheits-Italienisch verleiht dem Dialekt die Faszination des Wider-
ständigen und Authentischen. Abgesehen von wenigen Ausnahmen wie z.B. das
1956 von Strehler inszenierte *El nost Milan* von Carlo Bertolazzi gelingt es aber
mit dem allgemeinen Rückgang der Dialekte im Italien der Massenmedien
immer weniger, diese auf der Bühne zu verwenden, ohne nostalgisch oder
kitschig zu werden. Als eines der wenigen ›Reservate‹ bleibt noch Neapel, da das
dortige Theater auf eine hochstehende Dialekt-Tradition zurückschauen kann,
die eine »contaminazione« des Dialekts mit modernen Theaterformen erlaubt,
die ja ihrerseits zunehmend aus ›primitiven‹ Vorformen schöpfen. So liegen
Roberto De Simonis' *La gatta cenerentola* (1976; an Basiles ›Aschenputtel‹-
-Variante angelehnt) ernsthafte anthropologische und volkskundliche Studien
zur Volksmusik und vorchristlichen Gebräuchen und Riten des Mezzogiorno
zugrunde, die mit der Flucht aus der Geschichte ins Phantastische und Irrationale dennoch den rebellischen, die Ordnung in Frage stellenden Impetus des
Volkstheaters nicht verloren gehen lassen.

*Neapolitanischer Mythos
De Filippo*

Einen wesentlichen Beitrag zur Etablierung des neapolitanischen Dialekts auf
den Bühnen ganz Italiens (ähnlich wie Goldoni für das Venezianische) leistet
Edoardo De Filippo als hervorragender Vertreter jener Tradition, die Stoffe von
allgemeinem Interesse mit volkstümlicher Kultur und Dialekt zu verbinden
weiß. Er stammt aus einer neapolitanischen Schauspielerfamilie und debütiert
mit seinen Geschwistern in jenen volkstümlichen Theaterformen, die schon
sein Vater, Eduardo Scarpetta, unter dem Einfluß des französischen Vaudeville
zu reformieren begonnen hat: von der weitgehend improvisierten, teils gesunge-
nen, deftig obszönen Farce in Dialekt zur ausformulierten, geschriebenen Form
mit ausführlichen Regieanweisungen, die schließlich nur noch ein regional
gefärbtes Italienisch benützt und die immer weniger an öffentlichen Orten wie
der Straße als vielmehr im kleinbürgerlichen Interieur der Familie spielt. De
Filippo wird schon zu Lebzeiten dadurch zum Mythos, daß er Volkstümlichkeit
mit demokratischem Engagement für die Probleme des Südens, heitere Leichtigkeit mit unmittelbarer Expressivität, die Errungenschaften des modernen europäischen Theaters mit den alten Rezepten der »comici dell'arte« ideal zu vereinen weiß. Auf diese Weise bleibt das »gründlich studierte« Neapel nicht pittoreske Folkore-Szenerie wie in so vielen Dialektstücken, sondern wird zur Metapher allgemeiner existentieller Situationen. Obwohl er mit dem Ausbruch des
Zweiten Weltkriegs einen fortschreitenden Zersetzungsprozeß in der italienischen Gesellschaft am Werk sieht, herrschen in seinen ersten Stücken nach dem
Krieg optimistische Töne vor. Allerdings hängt das Happy-End der ambivalenten Helden, die sich schließlich gegen Korruption, Menschenverachtung und
Gleichgültigkeit mit volkstümlicher Schlauheit durchsetzen, immer am seide-
nen Faden. Ähnlich wie bei Pirandello liegen Tragik und Komik nahe beieinan-
der, und die heitere Lösung, die sich trotz der auf dem Hintergrund jahrhundertelangen Elends pessimistischen Weltsicht durchsetzt, wird zwar realistisch motiviert, bleibt aber doch märchenhaft glücklich: Amalia, die samt Hausfreund
und ganzer Familie in den Wirren des Kriegsendes reich geworden ist *(Napoli*

Edoardo De Filippo

milionaria!, 1945), wendet sich einsichtig von ihren einträglichen Schwarz-
marktgeschäften und sonstigen Eskapaden ab, um ›arm aber glücklich‹ mit dem
schon fast vergessenen, überraschend aus deutscher Zwangsarbeit zurückgekehr-
ten Familienvater Gennaro in häuslichem Frieden zu leben. Die allgemeine,
dem Publikum aus der Seele gesprochene Stimmung faßt Gennaro folgendermaßen zusammen: »S'ha da aspettà. – Ama'. Ha da passa' 'a nuttata.« In *Filumena
Marturano* (1946) setzt die jahrelang ausgebeutete Frau schließlich zur allgemeinen Zufriedenheit ihr Recht durch. Doch schon in den fünfziger Jahren werden
diese helleren Töne verdunkelt durch die in der Wirtschaftswunderzeit nicht
mehr so leicht durch moralische Appelle zu bannende Macht des Geldes *(Bene
mio e core mio,* 1955). Das Thema des Theaters als einzigem (illusionären)
Gegengewicht gegen die übermächtige, schwärzeste politische und soziale Realität, als »uscita di sicurezza« menschlich gescheiterter Existenzen, beherrscht bis
zuletzt De Filippos Schaffen *(Arte della commedia,* 1964; *Gli esami non finiscono
mai,* 1973), wenn das Rollenspiel nicht geradezu zum schamlosen Betrug unter
dem Geruch der Heiligkeit benützt wird *(Il contratto,* 1967).

Edoardo de Filippo in der
Schlußszene des 2. Akts
von *Napoli milionaria!*

Obwohl auch Pasolini in seiner Lyrik und in seinen ersten Romanen mit dem
nonkonformistischen Potential des Dialekts arbeitet und er ähnlich wie Testori
dem untergegangenen Heiligen nachtrauert, trennen seine Theaterstücke Welten von denen De Filippos und Testoris. Seinem generellen Nonkonformismus
treu versucht er auch auf dem Gebiet des Theaters gegen den Strom zu schwimmen – gegen den Strom des konventionellen bürgerlichen Theaters, aber auch
gegen denjenigen der seiner Meinung nach zur Mode verkommenen Avantgarde. In seinem *Manifesto per un nuovo teatro* (1968) propagiert er ein »Teatro
della Parola«, das die ›realistische‹ Darstellung von Wirklichkeit dem Kino über-
läßt, das sich aber außerdem deutlich vom »Teatro della Chiacchiera«, dem
konventionellen bürgerlichen Unterhaltungsbetrieb und vom als antibürgerliche Provokation gedachten, vorsprachlich stammelnden, hysterisch provozie-
renden »Teatro del Gesto« oder »dell'Urlo« distanziert, das er als bloße Negation
ebenso zur »bürgerlichen Antikultur« rechnet. Das »Theater des Worts« ist trotz
aller berichteten Monstruositäten – oder gerade wegen der Unmöglichkeit, sie
auf der Bühne darzustellen, – ein extrem stilisiertes, zum Mythos erhobenes
Theater. Es ist in Freiversen abgefaßt, um der Konventionalität der üblichen
Theaterdiktion zu entgehen, und daher kaum dramatisches Spiel, sondern ein
»poetisches Theater«, eine Art »poesia orale, resa rituale dalla presenza fisica
degli attori in un luogo deputato a tale rito« (oraler Poesie, die durch die physische Präsenz der Schauspieler an einem für einen solchen Ritus bestimmten Ort
zum Ritual wird). Zentrales Thema seiner »autodrammi corsari« (nach Übersetzungen bzw. Bearbeitungen: *Orestiade, Il Vantone, Calderon;* von 1965?-1974
mit vielfachen Umarbeitungen) ist die »diversità«, das normabweichende Verhalten, und sein Gegenpol, der »conformismo medio borghese«, der sein latentes
Anders-Sein ängstlich unterdrückt und in sadistischen bis selbstzerstörerischen
Anfällen auslebt *(Orgia).* Die Gewalt, welche die Konformität aufrechterhält,
und die gewalttätigen Ausbrüche aus ihr äußern sich für Pasolini vornehmlich
im ununterscheidbar vermischten sexuellen und politischen Bereich: in den
Gewalt weitergebenden Perversitäten (Julian in *Porcile* – nach dem gleichnami-
gen Film 1969 – hat die Schweine bis zum Gefressen-Werden gern; in *Affabula-
zione,* 1966, verliebt sich der Vater in den Sohn) und in den von der Gewalt
befreienden politischen Revolutionen (Jan Pallach im fragmentarischen *Bestia
da stile).* Die eigentliche Bühne dieser Stücke ist der Kopf des Lesers. Da es auf
der Bühne kaum Handlung und keine Inszenierung gibt, kommt als Publikum
für solche Stücke, wenn sie überhaupt aufgeführt wurden, nur eine Elite dem
Autor gleichwertiger Intellektueller in Betracht. Die Illusion der Nachkriegs-

*Pasolinis »teatro della
parola«*

Selbstbildnis Pasolinis

zeit, mit dem Theater erzieherisch auf die inzwischen konsumverführten Massen zu wirken, hat Pasolini längst aufgegeben.

Abgesehen von diesen den Rahmen des herkömmlichen Theaters sprengenden Versuchen, gibt es die vielfältigsten Ansätze, das etablierte, öffentlich subventionierte Theater (»I Stabili«) abzulösen, das von den nicht ›etablierten‹, unkonventionelle Aufführungsorte und -formen wählenden »off«-Theatern vor allem seit den Jahren der »contestazione« der Trägheit und politischen Gängelung beschuldigt wird; zumal es ihm trotz aller guten Vorsätze bei der Konkurrenz von Film und Fernsehen kaum gelungen ist, neue Zuschauerschichten zu erobern oder gar durch die ›Bildung der Massen‹ seine politischen Ziele zu erreichen. 1967 trifft sich nach einem Aufruf einer Gruppe von Theaterleuten in der Zeitschrift _Sipario_ (darunter die Kritiker Franco Quadri und Edoardo Fadini, die viel für das Bekanntwerden der ausländischen Avantgardetheater in Italien getan haben; die Regisseure Luca Ronconi und Emanuele Luzzati, die Schauspieler-Regisseure Carmelo Bene und Leo De Berardinis, Musiker wie Sylvano Bussotti etc.) in Ivrea die Theater-Avantgarde Italiens zu einem »Convegno per un Nuovo Teatro«, um gemeinsam dem Avantgardetheater in Italien mehr Resonanz zu verschaffen. Die Diskussion über alle Aspekte avantgardistischen Theaters führt zwar nicht zu einer einheitlichen Linie, was auch wohl kaum zu erwarten oder gar zu wünschen gewesen wäre, wohl aber zu einem kulturpolitischen Schub für diese Art von Theater und seine Protagonisten, von denen besonders der bei Grotowski geschulte Eugenio Barba (der allerdings sein _Odin Teatret_ in Oslo gründet), Carmelo Bene und Dario Fo dauerhaften Erfolg verbuchen können.

Obwohl die Zustimmung nicht ungeteilt ist (Pasolini: »Fo ist eine Art Pest des italienischen Theaters«), gehört Dario Fo, als Schauspieler, Sänger, Texter, Bühnenautor und Regisseur in einem, sicher zu den auch im Ausland bekanntesten Theatermachern des heutigen Italien. Nach Anfängen im Kabarett und Variété gelingt es ihm zusammen mit seiner aus einer Volksschauspielerfamilie stammenden Frau Franca Rame, ein zwischen Lausbubenstreichen und grotesk-provokativer Satire des bürgerlich kapitalistischen Establishments angesiedeltes volkstümliches, gleichzeitig politisches und trotz der Konkurrenz von Kino und Fernsehen erfolgreiches politisches Theater zu schaffen. Er vermischt in ganz persönlicher Art verschiedenste Theater-Genres populären Charakters, vom mittelalterlichen Mysterienspiel über Gauklerspäße, Farcen, Marionettentheater, Commedia dell'arte bis zur Revue, dem Zirkus, dem Stummfilm und dem Variété, ja bis zu den Dada-Spektakeln und dem Theater des Absurden. Dem liegt die Vorstellung zugrunde, daß sich vor allem in den volkstümlichen Formen eine alternative, gegenüber der etablierten Macht respektlose Untergrundkultur erhalten habe. Dementsprechend sind die Stücke häufig bunt zusammengewürfelt aus Sketches, Songs, Lazzi, Parodien, in denen er sich chargierend lächerlich macht über die Moden und Lebensgewohnheiten des Bürgertums, Klerikalismus, jede Form von Autorität oder ›starkem Staat‹. Zusammengehalten werden die einzelnen Elemente durch eine Art Conferencier, der in seinen Kommentaren die Möglichkeit wahrnimmt, sich auf das jeweilige Publikum einzustellen und auf »incidenti« (spontan oder provoziert) improvisierend zu reagieren. Seinen Höhepunkt erlebt Fo in den späten 60er Jahren im Zusammenhang mit den großen Streikwellen, Fabrikbesetzungen und Studentenprotesten. Damals geht er mit seiner Truppe _La Comune_ auf die Straße, zu den streikenden Arbeitern in die besetzten Fabriken (z.B. Lip), in die bestreikten Universitäten und besetzten Häuser, in die Irrenanstalten und Gefängnisse, auf Volksfeste und zu politischen Prozessen. Im meistgespielten Stück Italiens der 70er Jahre, im _Mistero buffo_ (1969), das auch in Deutschland durch Zensurversuche

»Convegno per un Nuovo Teatro«

»Un comico in rivolta«

Dario Fo

wegen angeblicher Gotteslästerung unfreiwillige Förderung erfährt, setzt er auf
einer bis auf minimale Requisiten leeren Bühne buchstäblich Himmel und
Hölle in Bewegung. Wie ein mittelalterlicher Gaukler, der nach- und nebeneinander in Dutzende von Rollen schlüpft, schöpft er frei und beliebig anachronistisch aus der Bibel, den apokryphen Evangelien und anderen ›geheiligten‹
Texten. Er reklamiert Christus als Sozialrevolutionär und geriert sich als
aufmüpfiger und clownesker Herold jener umstürzlerischen Volkskultur, der
seine ganze Liebe und Phantasie gilt. Es werden nicht nur die Ideologien auf
den Kopf gestellt, auch die sprachlichen und körperlichen Ausdrucksformen
geraten außer Rand und Band, wobei sich Fos schauspielerisches Talent virtuos
entfalten kann. Er greift auf die ›internationale‹ Gaukler-›Sprache‹, das »grammelot« zurück, bestehend aus in Intonation und Rhythmus wort- und satzähn-
lichen Geräuschen einer mit Dialekten durchsetzten undefinierbaren Sprache,

Dario Fo, »grammelot«

deren Bedeutung sich durch Gestik und Mimik erschließt. Wird bei den mittelalterlichen Stoffen der aktuelle Zeitbezug in Prologen zu den einzelnen Szenen
mehr oder minder explizit, so nehmen Stücke wie *La signora è da buttare*
(1967) direkt oder *Morte accidentale di un anarchico* (1971) indirekt (über die
Geschichte eines 1921 von der New Yorker Polizei ermordeten Anarchisten)
aktuelle politische Ereignisse ins Visier: den Vietnam-Krieg oder den bis heute
ungeklärten Todes-›Fall‹ des Anarchisten Giuseppe Pinelli. Im Vordergrund
steht zum Mißfallen der linksorthodoxen wie der avantgardistischen Kritiker
der oft grobe komische Effekt, das Vergnügen des breiten Publikums, weniger
die aufklärerisch-erzieherische Wirkung etwa eines Goldoni oder des damals,
vor allem durch die Inszenierungen Strehlers am Piccolo Teatro, in Italien so
erfolgreichen Brecht, den Fo für verbürgerlicht und idealistisch hält.

Luca Ronconi beginnt zunächst auch als Schauspieler, widmet sich aber von
1966 an ganz der Regie. Er gehört weniger zu den futuristisch-dadaistischen
Bilderstürmern des Theaters als zu denjenigen, die unter souveräner Mißachtung der ökonomischen Gesetze des Theatermarktes, der rasches, billiges und
gefälliges Arbeiten verlangt, systematisch großen Texten der Theaterliteratur
neue Räume im übertragenen und im wörtlichen Sinne erschließt. Er arbeitet
wie seine Vorbilder Ariane Mnouchkine (Théâtre du Soleil, Paris), Patrice
Chéreau oder Peter Stein (Schaubühne, Berlin) monatelang mit großen Schau-
spielergruppen (im *Orlando furioso* wirkten 40 Schauspieler mit) in überdimen-
sionierten Räumen (einer säkularisierten Kirche in Spoleto für den *Orlando,* im
Hof des Palazzo Ducale in Urbino für die *Lunatici* Middletons 1966). Er gräbt
mit sicherem Gespür bibliographische Raritäten fürs Theater aus (1968 *Il
Candelaio* [1582] von Giordano Bruno, 1972 *La Centaura* [1622] von Giovan
Battista Andreini) und legt es dabei nicht auf falsche Aktualisierung an, sondern
darauf, die unüberbrückbare Distanz zu den damaligen Verständnisrahmen
(erst recht der antiken Stoffe *L'Orestea,* 1973; *Le Baccanti,* 1978) spürbar zu
machen. Daher sollen die Schauspieler sich auch nicht in ihre Rollen hineinver-
setzen, sondern als bloße unpersönliche Aktanten (im Sinne von Greimas) ohne
Identität fungieren. Der Schauspieler ist nur noch die »stazione di passaggio«
(Franco Quadri) einer gegenüber der üblichen Bühnensprache verzögerten,
verstümmelten Sprache und Diktion. Die Illusion der räumlichen Einheit wird
beispielhaft aufgegeben in seinem *Orlando furioso* (in der Dialog-Bearbeitung
von Edoardo Sanguineti, 1969), den er mit Greifen und Ungeheuern an mehreren Schauplätzen gleichzeitig von verschiedenen Gruppen spielen läßt. Aus
einer dynamischen Gleichzeitigkeit, die den Futuristen alle Ehre gemacht hätte,
sucht sich der zwischen den verschiedenen Bühnen und Szenen wie auf einem
Jahrmarkt lustwandelnde Zuschauer seine Lieblingsszenen aus, ohne daß es ihm
je gelingen könnte, sich eine komplette Geschichte zusammenzusetzen.

Neue Theater-Räume

Postmodernes Theater

Carmelo Bene ist der Star unter denjenigen sehr verschiedenen Regisseuren der neuen Generation, die wieder gleichzeitig Schauspieler und Autor oder zumindest (meist sehr freie) Bearbeiter der von ihnen inszenierten und gespielten Texte sind (Mario Ricci, Memè Perlini, Giancarlo Nanni, Leo De Berardinis, Perla Peragallo, Giuliano Vasilicò u.a.) und dabei manieristisch die künstlerischen Ausdrucksmittel sämtlicher Avantgarden des 20. Jahrhunderts von Alfred Jarry, den Futuristen und Antonin Artaud bis zum »Living« und dem »Bread and Puppet Theater« souverän für ihre Ziele einsetzen. Charakteristisch sind für Bene seine musikalisch unterlegten dramatischen Lesungen von Lyrikern (Dante, Campana, Leopardi und vor allem Majakowski ab 1960), wozu auch noch seine musikalische Aufführung von Byrons *Manfred* mit Schumanns Musik zu rechnen wäre (1979), seine Bearbeitungen von Erzählwerken (*Pinocchio,* 1961, *Manon,* 1964), die als szenische Lesungen (*Don Chisciotte,* 1968 zusammen mit Leo De Berardinis) ein vielschichtiges Drama auf kahler Bühne lediglich suggerieren, und seine radikalen Shakespeare-Bearbeitungen aus den 70er Jahren. Unter dem Einfluß und in Zusammenarbeit mit den postmodernen französischen Philosophen Derrida und Deleuze arbeitet er an der »Dekonstruktion« des Theaters, des Autoren- und Schauspieler-Ichs (im *Otello,* 1979, geht er soweit, die Hautfarbe und das Geschlecht der Rollen zu vertauschen bzw. aufzuheben), der dramatischen Handlung und ihrer Motivation sowie schließlich der Sprache, die teils in Gesang und Musik überführt, teils durch elektronische Mittel zersplittert, vervielfacht und verfremdet wird. Dennoch führt jede neue Dekonstruktion wieder zu einer neuen Selbstbestätigung des Theaters und seines Protagonisten. »Es bleibt alles, aber in einem neuen Licht, mit neuen Klängen, mit neuen Gesten.« (Gilles Deleuze)

Carmelo Bene in *Romeo und Julia,* 1976

Vollendung und Überwindung des Ermetismo in der neueren italienischen Lyrik

Krieg, Bürgerkrieg und Resistenza haben in Italien im Vergleich zu Frankreich auf dem Gebiet der Lyrik und auch im Vergleich zur eigenen erzählenden Literatur überraschend wenig Auswirkungen gezeigt, so daß man kaum von einem wesentlichen Einschnitt im Jahre 1945 reden kann; eine neorealistische Lyrik gar scheint es nicht zu geben. Von einigen weniger bekannten Namen abgesehen, die dem eher gedämpften Ermetismo schrillere, kämpferische Töne entgegenstellen, fehlt in Italien eine offen antifaschistisch engagierte Lyrik, wie sie die Résistance hervorbringt und in der Eluard oder Aragon Volkstümlich-Nationales mit den Avantgarde-Errungenschaften des Surrealismus zu verknüpfen wissen. Der Kontrast ist umso auffallender, als Frankreich jahrzehntelang die großen lyrischen Vorbilder liefert. Nicht daß die Kriegsereignisse keine Auswirkungen auf die Großen der italienischen Lyrik gehabt hätten (die Spuren sind in Ungarettis *Dolore,* 1947, oder Montales *Finisterre (versi del 1940–42),* 1943, sowie in Vittorio Serenis Kriegs- und Gefangenschaftserlebnissen, *Diario d'Algeria,* 1947, deutlich zu verfolgen), doch handelt es sich überwiegend um elegische Klagen über das Unglück des Vaterlandes (Salvatore Quasimodo, *Con il piede straniero sopra il cuore,* 1946). Die fast bruchlose Kontinuität zwischen dem hermetischen Dichten der Großen der Zeit zwischen den beiden Weltkriegen, Ungaretti (gest. 1970), Montale (gest. 1981) und Quasimodo (gest. 1968), und ihrem Dichten nach Kriegsende (die unter ihrem Einfluß stehenden Jünge-

Montale, Ungaretti und
Quasimodo

ren mit eingeschlossen) ist in ihrer Poetik begründet. Der Ermetismo sieht nach
dem Kriege keine Veranlassung, seine grundsätzliche poetologische Einstellung
zu ändern. Zumal er durch die Betrachtung der »conditio humana an sich«
(Montale in einem Interview von 1951), jenseits aller Ideologien, auf seine
gattungsbedingte, indirekte Weise teilweise die gleiche Aufgabe erfüllt wie der
explizitere Neorealismo, der versucht, das unter dem Faschismus verdrängte
Humane zur Sprache zu bringen. Er weigert sich (ob in richtiger oder falscher
Einschätzung der genuinen Möglichkeiten moderner Dichtung, mag dahinge-
stellt bleiben), die Poesie in den Dienst der allgemeinen Nachkriegseuphorie zu
stellen und »uns das Wort zu sagen, das wir schon immer erwarten« (»Chissà se
un giorno…« in *Quaderno di quattro anni,* 1977). Das ergibt einen scheinbar
paradoxen Befund: Solange die Dichter noch die Geheimnisse der Existenz
ergründen wollen und glauben, etwas mitzuteilen zu haben, reden sie kryptisch
– ab dem Moment, in dem sie nicht mehr daran glauben, da ihnen die Welt
entzaubert und banal erscheint, genügt ihnen weitgehend die Banalität der
kommunikativen Sprache. Denn insgesamt ist nach dem Krieg selbst bei den
Exponenten hermetischer Chiffrierung und Reduktion eine Zunahme der
diskursiven, narrativ-alltäglichen Elemente zu beobachten, außerdem ein Hang
zur expliziten, nicht mehr nur suggerierten Reflexion, der bis zur Redseligkeit
gehen kann. Einen anderen Stellenwert hat das Diskursive bei den noch am
ehesten einer realistischen Strömung zuzuordnenden Dichtern wie Pasolini und
Fortini, die trotz, ja gerade mit Hilfe sprachlich komplexer Gebilde auf direkte
gesellschaftliche und politische Wirkung abzielen und die von Sanguineti daher
in Abgrenzung zu den sprachlichen Experimentierern der »nuova avanguardia«
dem »sperimentalismo realistico« zugeordnet werden. Parallel bzw. unter dem
Eindruck dieser beiden Flügel entwickelt sich auch der Ermetismo von innen
heraus weiter (Mario Luzi, Giorgio Caproni) und kommt in Andrea Zanzotto
zu seiner glücklichsten Synthese mit den neueren Strömungen.

Ein spezielles Problem der italienischen Lyrik stellt das Schreiben im Dialekt   *Dialektlyrik*
dar. Grundsätzlich ist dies in Italien keine Frage der ›Volkstümlichkeit‹, sondern
in erster Linie ein Protest gegen die nivellierende, vereinheitlichende, zuerst
faschistische, dann konsumorientierte Zentralkultur. Der Dialekt ist damit nur
eine Sonderform der poetischen Sprache, in dem Sinne, als sie die instrumentali-
sierte, verflachte, klischeehafte und ideologieverdächtige Gebrauchssprache

ersetzt. Daher steht meist Dialektdichtung beim gleichen Autor gleichberech-
tigt neben Dichtung in Italienisch. Sie bedeutet so zum einen den Gipfel der
Hermetik, allein schon deswegen, weil sie von einem Großteil auch der italienischen Leser nicht ohne Übersetzung zu verstehen ist (Pasolini und Zanzotto
geben deshalb die eigene Übersetzung gleich dazu); zum anderen, häufig damit
verbunden, den Versuch einer Regression auf das angeblich Authentische eines
»linguaggio del passato«, der ›Mutter-Sprache‹, des »viscerale« (etwa bei dem
Sizilianer Ignazio Buttitta *Un pani si chiama pani,* 1954, *La peddi nova,* 1963; *Io
faccio il poeta,* 1972). Meist ist damit ein mehr oder minder nostalgisches Eintau-
chen in die untergehende oder inzwischen bereits untergegangene bäuerliche
Welt verbunden, sei es nun in »lingua« (Cesare Pavese, Mario Luzi, Rocco Scotellaro) oder in »dialetto« oder in beiden (Pasolini, Zanzotto). Daher können auch
Einteilungen nach geographischen Gesichtspunkten, wie sie in der modernen
italienischen Literaturgeschichtsschreibung beliebt sind (die lombardische, ligu-
rische, lukanische etc. »Linie«) nur begrenzten Aussagewert haben. Montales
Ligurien, Luzis Toskana, Zanzottos Venetien, Pasolinis Friaul, Pierros Lukanien
sind Orte des meist nur erinnerten ›Anderen‹, gleichgültig wie diese Landschaft

nun ›wirklich‹ ist und wo der Autor wirklich wohnt. Wichtiger ist deshalb die
Komponente der Marginalität im Vergleich zu den politischen, ökonomischen
und linguistischen Zentren, die im Falle des Mailänders Franco Loi *(Stròlegh*
1975) sich in die soziale Marginalität des Großstadtproletariats mit seinem eigenen dialektalen Sprachgemisch im Kontrast zur herrschenden bürgerlichen
Schicht verwandelt.

    Obwohl Giuseppe Ungaretti nach dem *Taccuino del vecchio* (1960) nur noch
wenige Gedichte geschrieben hat und der 1969 erschienene Band *Tutte le poesie.
Vita d'un uomo* eine Art Summe seines Lebens darstellt, beherrscht Ungaretti
mit seinem Werk auch noch die Nachkriegszeit. Zwar nicht so sehr mit seinen
letzten Gedichten, die immer mehr zur tagebuchartigen, alltäglichen Notiz
tendieren, als mit den frühen, deren revolutionäre Neuerungen in Metrik und
Rhythmus für viele junge Dichter das erste zu imitierende Beispiel sind, so wie
man in der Generation vor ihm nicht an Giovanni Pascoli, Gabriele D'Annun-

*Montales »quarto
tempo«*

zio oder Guido Gozzano vorbeikam. Etwas anders liegt der Fall bei Eugenio
Montale, der in den siebziger Jahren noch einmal eine neue Schaffensphase
erlebt (die vierte nach *Ossi di sepia,* 1925; *Le occasioni,* 1939; *La bufera e altro,*
1956). Mit *Satura* (1971), der Titel weist darauf hin, beginnt Montale Themen
und Register bunt zu mischen: Gespräche mit dem Jenseits, ernsthafte Meditationen über den Sinn der Existenz wechseln mit Themen von banaler Alltäglichkeit, einer Art »arte povera« (so der Titel eines Gedichts in *Diario del '71 e del
'72,* 1973). Der Ton wird plaudernder, und dennoch steht hinter dieser bescheideneren Diktion der alte ethische Anspruch. Hauptthema ist die polemische
Auseinandersetzung mit dem Realen, das kaum eine rationale Interpretation als
›Geschichte‹ erlaubt – sie ist für Montale eher ein fortgesetzter »sacco«. Das

einzig Greifbare bleiben die Objekte, die einzigen konkreten Zeugen des
Gelebt-Habens und des Lebens. Der zunehmend prosaische Ton seiner letzten
Sammlungen ahmt die ›Prosa der Verhältnisse‹ nach, in denen er nur noch
Verflachung ins Inauthentische wahrzunehmen vermag, ein »ständiges Oxymoron« zwischen »historischem Materialismus und evangelischer Armut/Pornogra-
phie und Befreiung« (»Lettera a Malvolio«). Gegen die allgemeine Sinnlosigkeit
des Seins ruft Montale allerdings zum Widerstand auf. Doch nach dem Verlust
des Glaubens an Gott, an die Natur und an die Geschichte ist auch der Glaube

Eugenio Montale
gezeichnet von Renato
Guttuso

an die Poesie erschüttert: »Forse la poesia sarà ancora salvata/ da qualche raro
fantasma peregrinante muto/ e invisibile ignaro de se stesso.« (Vielleicht wird
die Dichtung noch durch ein seltenes, stummes und unsichtbares Phantasma

gerettet, das sich selbst nicht kennt.) *(Quaderno di quattro anni,* 1977). Die Tendenz zur kaum mehr gebundenen, ›altersweisen‹ Rede im Spätwerk Montales trifft sich mit seiner seit dem *Diario* zunehmenden Neigung zum Selbstkommentar und zur Reflexion über Dichtung *(Sulla poesia,* 1976, mit seiner Rede zur Verleihung des Nobelpreises), die aber kaum mehr neue Anstöße zu geben vermag.

Zunächst stehen die Gedichte des Literaturwissenschaftlers Mario Luzi im Zeichen des französischen Symbolismus, aber auch der Preziosität der Parnassiens und gleichzeitig der hermetischen italienischen Lyrik. Er bleibt ihr auch nach dem Krieg grundsätzlich treu, selbst wenn seine Gedichte einen stärker erzählenden Zug bekommen. Von einem neorealistischen Engagement hält er nichts. Er rechtfertigt sich im Gedicht »Presso il Bisenzio« (in: *Nel magma,* 1966) vor kaugummikauenden, also offensichtlich amerikanisierten »compagni«, in einer Szene, die sich an Dantes Begegnung mit den allegorischen »fere« zu Beginn des *Inferno* anlehnt. Hochmütig bis mitleidig hat er nur Verachtung übrig für seine aggressiv-schüchternen Gesprächspartner, die ihn vor die auf die Gegenwart übertragene Resistenza-Alternative »sich retten« oder »untergehen« stellen und ihm vorwerfen, daß er sich darauf beschränke, »zu denken und die Umläufe der Uhren des Geistes für eine ewige Gegenwart nach der Planetenbewegung zu stellen«. Die Distanz zur Zeitgeschichte zeigt sich auch thematisch in der häufigen Evozierung menschenleerer toskanischer und umbrischer Landschaft in ihren konkreten Einzelheiten (Bäume, Auen, Lehm, Holz, Dornenhecken, Glühwürmchen etc.) aber immer im Licht der zeitenthebenden Gestirne (besonders in den Nachkriegswerken *Un brindisi,* 1946; dem Liebesgespräch *Quaderno gotico,* 1947; *Primizie del deserto,* 1952; zusammen mit anderen gesammelt 1960 als *Il giusto della vita; Dal fondo delle campagne* 1965). Doch ist es nicht die strahlende Bildkalender-Toskana, sondern eine Landschaft mit Regen, Nebel und Schnee, entsprechend der grundsätzlich pessimistischen, nach kosmischen Uhren gehenden, nur mühsam durch den christlichen Glauben gestützten Weltsicht. Wenn er sich mit dem Problem geschichtlicher Krisenzeiten auseinandersetzt, wie etwa im Versdrama *Ipazia* (1971 mit dem Pendant *Il messagero* 1977), wo die tolerant aufgeklärte hellenistische Philosophin Hypatia von den christlichen Eiferern in Stücke gerissen wird, so geschieht dies in an Heraklit erinnernden Metaphern (»immobilità del mutamento«) der sich ewig zyklisch erneuernden, samenstreuenden Natur, vornehmlich aber in Wind und Sturm, durch die der Blitz der zeitlosen poetischen Wahrheit leuchtet, oder in den Metaphern des schmelzend verwandelnden Feuers *(Nel magma,* 1963; *Per il battesimo dei nostri frammenti,* 1985).

Mario Luzi gezeichnet von Hans Joachim Madaus

Auch Pier Paolo Pasolini knüpft ursprünglich an den Symbolismus an. Er beginnt seine künstlerische Laufbahn mit Gedichten sowohl »in lingua« *(L'usignolo della Chiesa Cattolica (1943–49)* 1958) als auch in friaulischer Sprache. (Die Sammlung von Jugendgedichten, *La meglio gioventù,* 1954, wird von ihm 1975, kurz vor seinem Tod, in einer Art zyklischer, resignativer Rückkehr zu den eigenen, nun aber fast masochistisch beschädigten Ursprüngen wiederaufgenommen: *La nuova gioventù* (mit eigener italienischer Übersetzung) vereint so die *Poesie a Casarsa* von 1942 und Gedichte aus den fünfziger Jahren mit einem zweiten Teil von 1974 *La seconda forma de »La meglio gioventù«.)* Friaulisch ist zwar die Sprache seiner Mutter, er selbst mußte sie jedoch erst erlernen. Sie erfüllt gleichzeitig verschiedene Funktionen: Auf der persönlichen, psychologischen Ebene ist sie ein Regressionsversuch zur geliebten Mutter und der von ihr repräsentierten ländlich-archaischen, vitalen Welt und damit ein Protest gegen den Repräsentanten der Autorität, den italienisch sprechenden, wenig geliebten Vater, einen dem verarmten Adel entstammenden, nach dem

Lyrischer »sperimentalismo realistico«

Krieg dem Alkohol erliegenden faschistischen Offizier. Die Sprachwahl hat aber auch eine politische Komponente: die Auflehnung gegen die vom Faschismus gegen die regionalen Dialekte massiv protegierte Einheits-Hochsprache und damit gegen den autoritären, zentralistischen Faschismus selbst. Auf der literarischen Ebene wird die Rückkehr zur »viszeralen«, »naiven« und (literarisch) »jungfräulichen« Sprache der Mutter zu einem »eccesso di squisitezza«, zu einem Gipfel hermetischen Sprechens und distanzierten Experimentierens mit einer ›fremden‹ Sprache (vgl. die beigegebenen Übersetzungen) in der Nachfolge der Symbolisten (einige der Dialekt-Gedichte sind Übersetzungen Rimbauds und Eliots) und gleichzeitig in Distanz zum damals das literarische Feld beherrschenden italienischen Ermetismo. Dieser »decadentismo spontaneo« (Pier Vincenzo Mengaldo) wird fast zwanghaft beherrscht von den Themen der Mutter, der narzißtischen Jugend und des Todes und ist der erste Ausdruck des Pasolinischen Mythos, der sich später aus der modernen industriellen Konsumgesellschaft heraus auf andere präkapitalistische, ›primitiv‹ religiöse Gebiete zurückzieht: auf das römische Subproletariat, eine heroische Antike, ein idealisiertes Mittelalter und schließlich auf die Dritte Welt.

Mit den *Ceneri di Gramsci* (1957), die auf seinen Rom-Erfahrungen aufbauen, und den folgenden Gedichtsammlungen *(La religione del mio tempo,* 1961; *Poesia in forma di rosa,* 1964; *Trasumanar e organizzar,* 1971 – alle mit einigen Ergänzungen zusammengefaßt in *Le poesie,* 1976) bekommt seine Lyrik einen immer stärker diskursiven Ton, der das biographische Material mit weitschweifenden politischen, sozialen und ideologischen Reflexionen auflädt. Die sehr frei benützten traditionellen Versformen (häufig die Terzine) und eine teils vitalistisch-realistische, teils sehr gewählte Sprache benützt er als eine Art orakelhaften, Widerspruch abwehrenden Schutzschild für seine Ansichten. Franco Fortini spricht in diesem Zusammenhang von dem Versuch, mit Hilfe lyrischen Sprechens eine »Immunität gegen Widerlegung« zu erreichen.

Gramscis Grab in Rom

Der Dichter als Zeuge und Opfer der Geschichte

Franco Fortini gehört mit Vittorini, Calvino und Pasolini zu denjenigen, die auf das Kulturleben der Nachkriegszeit in Italien entscheidenden Einfluß genommen haben, als Übersetzer (Eluard, Proust, Brecht, Goethe), als Literaturkritiker *(Saggi italiani,* 1974; *Nuovi saggi italiani,* 1987 u.a.) sowie als Mitherausgeber und Mitarbeiter wichtiger Zeitschriften *(Il Politecnico, Nuovi Argomenti, Botteghe Oscure, Ragionamenti, Paragone, Officina* u.a.) und Zeitungen (gesammelt in: *Dieci inverni 1947–1957. Contributo ad un discorso socialista,* 1957; *Verifica di poteri,* 1965; *Questioni di frontiera,* 1977; *Insistenze,* 1985). Vom Einfluß Ungarettis und Montales löst er sich noch unter dem Eindruck von Krieg, rassischer und politischer Verfolgung, Emigration und Resistenza *(Foglio di via,* 1946), ohne daß er sich deswegen bei aller kämpferischen Zukunftshoffnung naiv dem »impegno«- Mythus des Neorealismo verschrieben hätte. Als Literaturwissenschaftler und politisch engagierter Intellektueller gehört seine Aufmerksamkeit den vermittelnden Instanzen bei der Produktion eines literarischen Werks, während er allen Formen der angeblichen Unmittelbarkeit, sei sie nun offen subjektiv oder objektiv-›realistisch‹, mißtraut. Hierin gründet auch seine Skepsis gegenüber der nur scheinbaren Freiheit experimenteller Literatur, sei sie nun neoavantgardistisch oder auch realistisch wie bei Pasolini (vgl. sein Anti-Pasolini Epigramm »Diario linguistico«), eine Skepsis, die ihn öfters zu klassischen Formen für aktuelle Themen führt und zu seiner Vorliebe für Epigramme von chinesischer oder Brechtscher Prägnanz *(L'ospite ingrato. Testi e note per versi ironici,* 1966; *Penultime* in *Versi scelti 1939–1989,* 1990). Die Distanz zwischen der Realität und dem lyrischen Text soll auch dem Leser bewußt werden und er soll sich an ihrer Überwindung im metaphorischen oder allegorischen Deutungsprozeß beteiligen. Die eigene Deutung, etwa in Form von qualifizierenden Adjektiven, wird so weit wie möglich zurückgenommen *(Questo muro,* 1973). Das dichterische Bild soll nicht nur suggestiv auf den Leser wirken, er soll es begrifflich nachvollziehen und seiner ideologisch wachen Urteilskraft unterwerfen. Daher tendiert Fortini wie sein Vorbild Brecht zur Allegorie und zur Parabel, deren Reiz in der Spannung und Alterität zwischen Zeichen und Bedeutung liegt (»Una facile allegoria« aus *Poesia e errore,* 1959). Gleichzeitig ist sich Fortini bewußt, daß die sprachliche Form der Wirklichkeit der Geschichte immer nur annäherungsweise gerecht werden kann, daß Dichten immer ein offenes und unabschließbares Projekt bleibt, was sich auch in Reihen und Gedichtvariationen (»Poesia delle rose«) äußert. Fortini war trotz seines eindeutigen Engagements auf der Linken (bis 1957 war er Mitglied der Sozialistischen Partei) kein linientreuer Marxist. Sein Kommunismus war für ihn »Dichtung der Existenz im Kampf mit der Geschichte und folglich mit der eigenen selben Entfremdung«. Er neigte eher zur Frankfurter Schule und ihrer Ästhetik der Negativität und fühlte sich als Dichter in der Rolle des Zeugen und des Opfers einer tragisch aufgefaßten Geschichte. »Die Natur ist zu schwach, um die Kämpfe nachzuahmen. Die Dichtung ändert nichts. Nichts ist sicher, aber du schreibst.« (»Traducendo Brecht« aus *Una volta per sempre. Poesie 1938–1973,* 1978)

Franco Fortini gezeichnet von Tullio Pericoli

Die Neoavantgarde

Einen radikal anderen Weg zur Bewußtseinsveränderung als der »sperimentalismo realistico« schlagen die »novissimi« (so genannt nach der von Alfredo Giuliani herausgegebenen Anthologie *I Novissimi* von 1961) ein: Elio Pagliarini *(La ragazza Carla e altre poesie,* 1962; *Lezione di fisica e Fecaloro,* 1968), Nanni Balestrini *(Il sasso appeso,* 1961; *Ma noi facciomone un'altra,* 1968) und Antonio Porta *(Quanto ho da dirvi. Poesie 1958–1975,* 1977) – um nur die wichtigsten zu nennen. Der ebenfalls dazugehörige Edoardo Sanguineti hat mit *Laborintus* (1956) bereits vor der Konstituierung des »gruppo 63« ein Werk geschaffen, das ihn als einen der hervorragenden Exponenten der italienischen Neoavantgarde ausweist. Schon im Titel wird auf wesentliche Elemente ihrer Poetik angespielt: er enthält die verbreitete Metapher der modernen Welt als ›Labyrinth‹, als »confusione«, auf die der Dichter mit einer »Poetik der Unordnung« reagiert, die hauptsächlich in einer systematischen Destruktion der traditionellen Sprache und einer Zerstückelung ihrer Weltbilder besteht (vgl. auch die Titel der Sammlungen *Wirrwarr,* 1972; *Postkarten,* 1978; *Stracciafoglio,* 1980; *Segnalibro,* 1982; *Alfabeto apocalittico,* 1984). Doch hat diese ›Mühe‹, der Kampf gegen die aus ideologischen (kapitalistischen) Interessen vorgegaukelte Sprach- und Weltordnung auch ihre konstruktive Seite, denn der propagierte »pathetisch-komische« Gebrauch der etablierten Sprache geschieht vermittels streng geordneter, überraschender Neukombinationen, die durch gelenkte Assoziationen eine authentischere Kommunikation ermöglichen sollen.

Die Texte von *Laborintus* bestehen zum Teil aus vollständigen, in sich sinnvollen Zitaten, die über mehrere Abschnitte verteilt und mit anderen, häufig fremdsprachigen (lateinischen, altgriechischen, englischen, französischen und deutschen) Zitaten kombiniert werden. Darin unterscheidet sich Sanguineti deutlich von einem seiner Vorbilder, dem Dada-Künstler Tristan Tzara, dessen Rezept zur Schaffung neuer Poesie bekanntlich darin bestand, einen beliebigen Zeitungstext zu zerschnipseln, die Teile zu mischen und sie wieder willkürlich zusammenzusetzen. Näher steht Sanguineti den Surrealisten, wenn auch sein Glaube an die Authentizität des Unbewußten nicht mehr ganz so ungebrochen ist, als daß er die geheimnisvolle Wort-Initiation nicht lieber selbst regulierte. Die völlige Aufgabe des traditionellen Verses und die von den Futuristen übernommene Zerbrechung der Syntax und der damit verbundenen etablierten Logik wird neben der schon traditionellen visuellen Typographie durch neue

Edoardo Sanguineti

rhythmische und gedankliche Gliederungsformen wettgemacht: durch den Wechsel der Sprachen und Sprachregister sowie den reichlichen Gebrauch von Klammern und anderen Interpunktionszeichen (bes. Gedankenstriche, Doppelpunkte). Die dichterische »Grenzüberschreitung« geschieht »in der Hoffnung, aus dem »Palus putredinis« [so der Titel eines Abschnitts aus *Laborintus*] zwar mit schmutzigen Händen hervorzugehen, aber den Sumpf überwunden zu haben« – ein Bild, das später leicht verändert im Münchhausenschen Zopf des Andrea Zanzotto wiederauftauchen wird. Doch läßt das in den späten fünfziger und in den sechziger Jahren wachsende »crepuscolare« Bewußtsein der Ohnmacht, etwas an den wirklichen Verhältnissen und der »mortale malattia morale« ändern und aus der »Verformung durch die bürgerliche Erfahrung« ausbrechen zu können, die Texte immer häuslich alltäglicher (»piccoli fatti veri«), moralisch-autobiographischer und ausschnitthafter werden, bis er schließlich mit *Quintine* (1985) eine Art von Abgeklärtheit erreicht, die es ihm erlaubt, selbstironisch Abzählreime und Non-sense-Verse zu produzieren.

»Oltranza-oltraggio«
der Sprache

Andrea Zanzotto ist nach einhelligem Urteil der Altmeister (Montale, Contini) wie auch der neueren Kritik (Stefano Agosti) der bedeutendste und innovativste Lyriker der Nachkriegszeit. Auch Zanzotto betrachtet die Welt als »Labyrinth«, in dem in Übereinstimmung mit den Erkenntnissen der Epistemologie allein der Sprache die »sublime« und gleichzeitig »lächerliche« Möglichkeit und die Aufgabe der Orientierung zukommt; die Sprache wird zum Zopf, an dem sich die Welt unter dem aufmunternden Zuruf des Dichters – »Su, bello, su.// Su, münchhausen.« – aus dem Sumpf zieht. (So im Gedicht »Al mondo« in *La beltà*, 1968 und im Interview mit F. Camon 1976.) Zanzottos Anfänge seit den 30er Jahren, in der Nachfolge Ungarettis und Quasimodos, aber auch Hölderlins, Leopardis und Rilkes, bis hin zu den französischen Surrealisten (besonders Eluard), die erst 1951 in *Dietro il paesaggio* bzw. erst 1972 in *A che valse?* veröffentlicht wurden, sind in ihren poetischen Mitteln eher epigonal, doch zeigt sich schon hier die fruchtbare Ambivalenz zwischen der Zerstörung der Kommunikation des Ich mit der Welt und den Mitmenschen, der Versuchung des Verstummens (Mallarmé, Valéry) und dem Ringen um eine neue Kommunikation mit Hilfe eines radikal umgemodelten Sprachmaterials (»catarsi liberatoria«). (Einerseits ist das Ich getrennt von der Welt, versteckt »dietro il paesaggio«, andererseits aber auch geborgen in ihr wie im Schoß oder im Grab; oder, wie es in einem Gedichttitel heißt, »Balsamo, bufera« in einem.) In *Elegia* (1954), *Vocativo* (1957), *IX Ecloghe* (1962) arbeitet Zanzotto ähnlich wie die Neoavantgarde eine neue, experimentelle Sprache aus, die man ›philologisch‹ nennen könnte (Zanzotto ist Altphilologe), insofern sie alle morphologischen, syntaktischen, phonetischen und etymologischen Möglichkeiten der Sprache, ja verschiedener lebender europäischer Sprachen, ausnützt, zu denen als verbindendes Element zwischen der oft ironisch verwendeten hohen italienischen Dichtersprache und den modernen Neologismen und Technizismen noch Latein und als regressiver Urgrund Zanzottos heimatlicher Dialekt (Pieve di Soligo, Treviso) kommt. Auf seiner Suche nach dem Authentischen im Ich versucht er gar noch hinter den Dialekt zurückzugehen, zum Vorsprachlichen, zum kurz vor der Aphasie liegenden Gestammel und der Kindersprache (petèl). Die Betonung, die (zurecht) auf Zanzottos Nähe zur Psychoanalyse eines Lacan und den linguistisch-strukturalistischen Theorien Foucaults, Lévi-Strauss' und anderer in der Literaturkritik gelegt wird (besonders durch Stefano Agosti), erweckt den Eindruck, als sei seine Lyrik vorwiegend bedeutungszerstörend, ein Spiel mit dem »signifiant«, eine Reduktion der Wörter zu Klang und Stimme bzw. zu Schrift, die zum Teil in rudimentäre Zeichnungen übergeht. Doch auch in der Psychoanalyse steht hinter dem Signifiant ein (meist unbewußtes, zu analysierendes) Signifié; Zanzottos Oxymora, Paronomasien, ironische Zweideutigkeiten, etymologische und pseudoetymologische ›Spielereien‹, Zergliederung der Wörter in Morpheme und Phoneme und die daraus entstehenden Neukombinationen regen den Leser zur Bedeutungsschöpfung an, selbst wenn sie nie die (vorgebliche) Eindeutigkeit von Ideologien erringen werden noch sollen. Nach Meinung Zanzottos schickt der Dichter, hierin ein Verwandter von Calvinos Palomar, »so etwas wie ein Radar ... oder eine Radarwelle aus, die hinausgeht und mit einer Antwort zurückkehrt. Auch wenn er es selbst ist, der alles macht, so ist dem in Wirklichkeit doch nicht ganz so, denn das, was hinausgegangen und wiedergekommen ist, hat von dem etwas gesagt, was draußen war.« In diese Richtung geht auch seine Forderung nach einer Art pädagogisch-therapeutischen Funktion der Dichtung, die dazu führt, daß er sich durchaus nicht in den Elfenbeinturm zurückzieht, sondern als Literaturkritiker (*Fantasie d'avvicinamento,* 1991) und als verantwortungsbewußter Intellektueller und aufklärender Humanist Stellung nimmt.

Andrea Zanzotto
gezeichnet von Pasolini

Ermetismo, Sperimentalismo realistico, Neoavantgarde – auf die Zweifel an der Kommunikationsfähigkeit der Sprache und auf ihre Zersplitterung in verschiedene Idiome und Laute reagiert die jüngste Generation italienischer Dichter nach 1968 mit einer scheinbar radikalen Rückwendung, indem sie vordergründig so tun, als schrieben sie auf einer tabula rasa, obwohl auch sie meist auf einer literaturwissenschaftlichen Ausbildung und häufig auf Übersetzertätigkeit aufbauen und souverän auf der Klaviatur der poetischen Errungenschaften dieses Jahrhunderts spielen. Dafür aus der Vielzahl der Stimmen zwei, deren Dauer einigermaßen gesichert ist: Dario Bellezza lehnt sich im aggressiv spöttischen und selbstironischen Stil deutlich an den verehrten Pasolini an (*Morte di Pasolini,* 1981), und reklamiert für sich all das, was die Kritik ›verboten‹ hat. In seinem Gedicht »Il mare dell'oggettività« (in *Invettive e licenze,* 1971) reagiert er, ohne ihn zu nennen, mit völliger Verweigerung auf Calvinos heroischen Aufruf, nicht wie die »Nouveaux Romanciers« im »mare dell'oggettività« (1959) unterzugehen, sich nicht dem »Labyrinth« der Wirklichkeit zu ergeben (Calvino, *La sfida al labirinto,* 1962), sondern trotz aller Vorläufigkeit der Erkenntnis gegen das Chaos anzugehen. Doch ist die Verweigerung der seit dem Symbolismus vom ›echten‹ Dichter geforderten Rolle des ›poète maudit‹ so provokativ, daß sie in Selbstironie umschlägt. Die auf den ersten Blick voraussetzungslos einfache Poesie erweist sich dabei, wie in der sogenannten Postmoderne üblich, als gespickt mit intertextuellen Verweisen und ironischen Brechungen. Valerio Magrelli, der zunächst als Übersetzer französischer Autoren (Verlaine, Mallarmé, Valéry) hervortrat, gibt ohne jegliche heroische Pose in einfachster und doch exquisiter Sprache, in alltäglichen, aber in ihrer stilisierten Einfachheit eindrucksvollen Stilleben (meist mit Schreibutensilien) kurze postmodern-philosophische Denkanstöße, die sich fast ausschließlich um das Schreiben selbst drehen. Eine Annäherung an das, was man Wirklichkeit nennt, ist nur noch als Reflexion über ihre Wahrnehmung und über ihre Umsetzung in Zeichen möglich. Dabei entsteht Metapoesie auf höchstem Niveau in einfachster Sprache (»Bleistift sein ist geheimer Ehrgeiz./ Langsam auf dem Papier verglühen/ und im Papier verbleiben/ zu andrer neuer Form erhoben./ So von Fleisch zu Zeichen werden,/ von Werkzeug zu zartem/ Gerippe des Gedankens.« *Ora serrata retinae,* 1980; *Nature e venature,* 1987), selbst wenn der Anlaß so aktuell ist wie die deutsche Vereinigung (*Winterreise,* 1991).

Die tabula rasa als Schreibunterlage

BIBLIOGRAPHIE

Diese Auswahlbibliographie enthält
nur Sekundärliteratur in deutscher Sprache.

Geschichte, Kulturgeschichte, Nachschlagewerke, epochenübergreifende Sammelwerke

Aspekte objektiver Literaturwissenschaft. Die italienische Literaturwissenschaft zwischen Formalismus, Strukturalismus und Semiotik hrsg. von Volker Kapp, Heidelberg 1973
Bibliographie der deutschen Übersetzungen aus dem Italienischen hrsg. von Frank-Rutger Hausmann und Volker Kapp, Tübingen 1992 ff
Buck, August, *Italienische Dichtungslehren vom Mittelalter bis zum Ausgang der Renaissance,* Tübingen 1952
Buck, August, *Die Kultur Italiens,* Frankfurt/M. 1964
Chastel, André, *Die Kunst Italiens,* München 1961, 2 Bde.
Chiellino, Carmine / Marchio, Fernando / Rongoni, Giocondo, *Italien,* 2. neu bearbeitete Auflage, München 1989
Ciao, bellezza. Deutsche Dichter über Italien. Ein Lesebuch hrsg. von Petra und Manfred Hardt, München/Zürich 1988
Curtius, Ernst Robert, *Europäische Literatur und lateinisches Mittelalter,* München ⁶1967
Elwert, W. Theodor, *Aufsätze zur italienischen Lyrik,* Wiesbaden 1967
Elwert, W. Theodor, *Italienische Metrik,* Wiesbaden ²1984
Forschungsstand und Perspektiven der Italianistik. Ein deutsch-italienischer Dialog hrsg. von Peter Blumenthal und Volker Kapp, Erlangen/Nürnberg 1988
Friedrich, Hugo, *Epochen der italienischen Lyrik,* Frankfurt 1964
Goez, Werner, *Grundzüge der Geschichte Italiens in Mittelalter und Renaissance,* Darmstadt 1975
Italia viva. Studien zur Sprache und Literatur Italiens. Festschrift für Hans Ludwig Scheel hrsg. von Willi Hirdt und Reinhard Klesczewski, Tübingen 1983
Heydenreich, Titus, *Tadel und Lob der Seefahrt. Das Nachleben eines antiken Themas in den romanischen Literaturen,* Heidelberg 1970
Hocke, Gustav René, *Manierismus in der Literatur. Sprach-Alchimie und esoterische Kombinationskunst,* Reinbek bei Hamburg 1959
Huse, Nobert/Wolters, Wolfgang, *Venedig. Die Kunst der Renaissance. Architektur, Skulptur, Malerei 1460–1590,* München 1986
Italienische Kunst. Eine neue Sicht auf ihre Geschichte, Berlin 1987, 2 Bde.
Italienische Literatur in deutscher Sprache. Bilanz und Perspektiven, hrsg. von Reinhard Klesczewski und Bernhard König, Tübingen 1990
Kammerer, Peter / Krippendorf, Ekkehart, *Reisebuch Italien. Über das Lesen von Landschaften und Städten,* Berlin 1979–1981, 2 Bde.
Kindlers Neues Literaturlexikon hrsg. von Walter Jens, München 1988 ff.
Klapp-Lehrmann, Astrid / Hillen Wolfgang, *Einführung in die bibliographischen Hilfsmittel für das Studium der Romanistik, II. Italienische Sprach- und Literaturwissenschaft,* Bonn 1989
Kruft, Hanno-Walter, *Geschichte der Architekturtheorie. Von der Antike bis zur Gegenwart,* München 1991
Lill, Rudolf, *Geschichte Italiens vom 16. Jahrhundert bis zu den Anfängen des Faschismus,* 3. verbesserte Auflage, Darmstadt 1986
Literaturgeschichtsschreibung in Italien und Deutschland. Traditionen und aktuelle Probleme hrsg. von Frank Baasner, Tübingen 1989
Maurer, Doris / Maurer, Arnold E., *Literarischer Führer durch Italien,* Frankfurt 1988
Mönch, Walter, *Das Sonett. Gestalt und Geschichte,* Heidelberg 1955

Neues Handbuch der Literaturwissenschaft hrsg. von Klaus von See, Bd. 7–22, Wiesbaden 1981–1985

Olschki, Leonardo, *Geschichte der neusprachlichen wissenschaftlichen Literatur*, I. *Die Literatur der Technik und der angewandten Wissenschaften vom Mittelalter bis zur Renaissance,* Heidelberg 1919, II. *Bildung und Wissenschaft im Zeitalter der Renaissance in Italien,* Florenz 1922, III. *Galilei und seine Zeit,* Halle 1927

Pastor, Ludwig Freiherr v., *Geschichte der Päpste seit dem Ausgang des Mittelalters,* Freiburg i. Br. 1955–61

Pochart, Götz, *Theater und bildende Kunst im Mittelalter und in der Renaissance in Italien,* Graz 1990

Riesz, János, *Die Sestine – ihre Stellung in der literarischen Kritik und ihre Geschichte als lyrisches Genus,* München 1971

Schlosser, Julius von, *Die Kunstliteratur. Ein Handbuch zur Quellenkunde der neueren Kunstgeschichte,* Neudruck Wien 1985

Schulze-Witzenrath, Elisabeth, *Einführung in die Literaturwissenschaft für Italianisten,* Bochum 1990

Seidlmayer, Michael, *Geschichte Italiens (Mit einem Beitrag: »Italien vom Ersten bis zum Zweiten Weltkrieg« von Theodor Schieder),* Stuttgart 1962

Vossler, Karl, *Die Dichtungsformen der Romanen* hrsg. von Andreas Bauer, Stuttgart 1951

Anfänge und Duecento

Eisermann, Tobias, *Cavalcanti oder die Poetik der Negativität,* Tübingen 1992

Elwert, W. Theodor, *Die italienische Literatur des Mittelalters. Dante, Petrarca, Boccaccio,* München 1980

Folena, Gianfranco, *Überlieferungsgeschichte der altitalienischen Literatur,* in: Karl Langosch u.a. (Hrsg.), *Geschichte der Textüberlieferung der antiken und mittelalterlichen Literatur;* Bd. II: *Überlieferungsgeschichte der mittelalterlichen Literatur,* Zürich 1964

Die Gedichte aus Dantes «De vulgari eloquentia». Eine Anthologie provenzalischer, französischer und italienischer Gedichte des Mittelalters, ausgewählt, übersetzt und eingeleitet von Frank-Rutger Hausmann, München 1986

Grundriß der romanischen Literaturen des Mittelalters, Bd. X/1,2 *Die italienische Literatur im Zeitalter Dantes und am Übergang vom Mittelalter zur Renaissance* hrsg. von August Buck, Heidelberg 1989 (Bd. X,1: 1987; Bd. X,2: 1989)

Klein, Hans-Wilhelm, *Latein und Volgare in Italien. Ein Beitrag zur Geschichte der italienischen Nationalsprache,* München 1957

Il Novellino. Das Buch der hundert alten Novellen. Italienisch/deutsch. Übers. u. hrsg. von János Riesz, Stuttgart 1988

Schulze, Joachim, *Sizilianische Kontrafakturen: Versuch zur Frage der Einheit von Musik und Dichtung in der sizilianischen und sikulo-toskanischen Lyrik des 13. Jahrhunderts,* Tübingen 1989

Stahl, Berthold, *Adel und Volk im Florentiner Dugento,* Köln/Graz 1965

Wehle, Winfried, *Dichtung über Dichtung. Dantes Vita Nuova: die Aufhebung des Minnesangs im Epos,* München 1986

Trecento

Auerbach, Erich, *Dante als Dichter der irdischen Welt.* Nachdruck Berlin 1969

Boccaccios Decameron hrsg. von Peter Brockmeier, Darmstadt 1974

Brockmeier, Peter, *Lust und Herrschaft. Studien über gesellschaftliche Aspekte der Novellistik. Boccaccio, Sacchetti, Margerete von Navarra, Cervantes.* Stuttgart 1972

Buck, August / Pfister, Max, *Studien zu den »volgarizzamenti« römischer Autoren in der italienischen Literatur des 13. und 14. Jahrhunderts.* München 1978

Dante Alighieri. Aufsätze zur Divina Commedia hrsg. von Hugo Friedrich, Darmstadt 1968

Felten, Hans, *Wissen und Poesie. Die Begriffswelt der Divina Commedia im Vergleich mit theologischen Lateintexten,* München 1972

Gruber, Jörn, *Laura und das Trobar car. Studien zur stilistischen Funktion des Enjambements in der provenzalischen und italienischen Lyrik von den Anfängen bis Francesco Petrarca,* Hamburg 1976

Hardt, Manfred, *Die Zahl in der Divina Commedia,* Frankfurt/M. 1973

Heitmann, Klaus, *Fortuna und Virtus. Eine Studie zu Petrarcas Lebensweisheit,* Köln/Graz 1958

Keßler, Eckhard, *Petrarca und die Geschichte. Geschichtsschreibung, Rhetorik, Philosophie im Übergang vom Mittelalter zur Neuzeit,* München 1978

König, Bernhard, *Die Begegnung im Tempel. Abwandlungen eines literarischen Motivs in den Werken Boccaccios,* Hamburg 1960

Krautter, Konrad, *Die Renaissance der Bukolik in der lateinischen Literatur des XIV. Jahrhunderts von Dante bis Petrarca,* München 1983

Krömer, Wolfram, *Kurzerzählungen und Novellen in den romanischen Literaturen bis 1700,* Berlin 1973

Neuschäfer, Hans-Jörg, *Boccaccio und der Beginn der Novelle. Strukturen der Kurzerzählung auf der Schwelle zwischen Mittelalter und Neuzeit,* München 1969

Pabst, Walter, *Novellentheorie und Novellendichtung. Zur Geschichte ihrer Antinomie in den romanischen Literaturen,* Heidelberg ²1967

Petrarca 1304–1374. Beiträge zu Werk und Wirkung hrsg. von Fritz Schalk, Frankfurt/M. 1975

Petrarca hrsg. von August Buck, Darmstadt 1976

Rheinfelder, Hans, *Dante-Studien* hrsg. von Marcella Roddewig. Köln/Wien 1975

Sandkühler, Bruno, *Die frühen Dantekommentare und ihr Verhältnis zur mittelalterlichen Kommentartradition,* München 1966

Stierle, Karlheinz, *Petrarcas Landschaften. Zur Geschichte ästhetischer Landschaftserfahrungen,* Krefeld 1979

Tuchman, Barbara W., *Der ferne Spiegel. Das dramatische 14. Jahrhundert,* Düsseldorf 1980

Wetzel, Hermann H., *Die romanische Novelle bis Cervantes,* Stuttgart 1977

Quattrocento

Batkin, Leonid M., *Die italienische Renaissance. Versuch einer Charakterisierung eines Kulturtyps,* Basel-Frankfurt/M. 1981

Bauer-Formiconi, Barbara, *Die Strambotti des Serafino dall'Aquila,* München 1967

Baxandall, Michael, *Die Wirklichkeit der Bilder. Malerei und Erfahrung im Italien des 15. Jahrhunderts,* Frankfurt 1987

Buck, August, *Humanismus. Seine europäische Entwicklung in Dokumenten und Darstellungen,* Freiburg/München 1987

Burckhardt, Jacob, *Die Kultur der Renaissance in Italien. Ein Versuch.* Durchgesehen von Walter Goetz, Stuttgart 1976

Burke, Peter, *Die Renaissance in Italien. Sozialgeschichte einer Kultur zwischen Tradition und Erfindung,* Berlin 1984

Cassirer, Ernst, *Individuum und Kosmos in der Philosophie der Renaissance* (1927), Nachdruck Darmstadt 1987

Eigen, Hella, *Die Überlieferung der »Letteratura cavalleresca«. Ihre Stellung auf dem italienischen Buchmarkt des 15. Jahrhunderts,* Wiesbaden 1987

Gerl, Hanna-Barbara, *Rhetorik als Philosophie. Lorenzo Valla,* München 1974

Giustiniani, Vito Rocco, *Alamanno Rinuccini, 1426–1499. Materialien und Forschungen zur Geschichte des florentinischen Humanismus,* Köln/Graz 1965

Guthmüller, Bodo, *Studien zur antiken Mythologie in der italienischen Renaissance,* Weinheim 1986

Hirdt, Willi, *Studien zum epischen Prolog. Der Eingang in der erzählenden Versdichtung Italiens,* München 1975

Keßler, Eckhard, *Das Problem des frühen Humanismus. Seine philosophische Bedeutung bei Coluccio Salutati,* München 1968

Kristeller, Paul Oskar, *Die Philosophie des Marsilio Ficino,* Frankfurt 1972

Kristeller, Paul Oskar, *Humanismus und Renaissance,* München 1974

Kristeller, Paul Oskar, *Acht Philosophen der italienischen Renaissance,* Weinheim 1986

Link, Jochen, *Die Theorie des dichterischen Furore in der italienischen Renaissance,* München 1970

Martin, Alfred von, *Soziologie der Renaissance,* München ³1974

Müller, Gregor, *Bildung und Erziehung im Humanismus der italienischen Renaissance. Grundlagen – Motive – Quellen,* Wiesbaden 1969

Müller, Hubert, *Früher Humanismus in Oberitalien: Albertino Mussato: Ecerinis,* Frankfurt/M. u.a. 1987

Müller-Bochat, Eberhard, *Leon Battista Alberti und die Vergil-Deutung der »Disputationes Camaldulenses«. Zur allegorischen Dichtererklärung bei Cristoforo Landino,* Krefeld 1968

Panofsky, Erwin, *Die Renaissance der europäischen Kunst,* Frankfurt/M. 1979

Piper, Ernst, *Savonarola. Umtriebe eines Politikers und Puritaners im Florenz der Medici,* Berlin 1979

Roellenbleck, Georg, *Das epische Lehrgedicht Italiens im fünfzehnten und sechzehnten Jahrhundert. Ein Beitrag zur Literaturgeschichte des Humanismus und der Renaissance,* München 1975

Waschbüsch, Alfons, *Polizian. Ein Beitrag zur Philosophie des Humanismus,* München 1972

Weiss, Rainer, *Cristoforo Landino. Das Metaphorische in den »Disputationes Camaldulenses«,* München 1981

Zu Begriff und Problem der Renaissance hrsg. von August Buck, Darmstadt 1969

Cinquecento

Beiträge zur Rezeption der italienischen und spanischen Literatur in Deutschland im 16. und 17. Jahrhundert hrsg. von Alberto Martino, Amsterdam 1990

Breitenbürger, Gerd, *Metaphora. Die Rezeption des aristotelischen Begriffs in den Poetiken des Cinquecento,* Kronberg 1975

Buck, August, *Machiavelli,* Darmstadt 1985

Europäische Bukolik und Georgik hrsg. von Klaus Garber, Darmstadt 1976

Frommel, Christoph Luitpold, *Michelangelo und Tommaso dei Cavalieri.* Mit der Übertragung von Francesco Diaccettos »Panegirico all'amore«, Amsterdam 1979

Grimm, Jürgen, *Die Einheit der Ariost'schen Satire,* Frankfurt 1969

Haupt, Helmut, *Bild- und Anschauungswelt Torquato Tassos,* München 1974

Hempfer, Klaus W., *Diskrepante Lektüren: die Orlando-furioso-Rezeption im Cinquecento. Eine historische Rezeptionsforschung als Heuristik der Interpretation,* Stuttgart 1987

Hinz, Manfred, *Rhetorische Strategien des Hofmanns. Studien zu den italienischen Hofmannstraktaten des 16. und 17. Jahrhunderts,* Stuttgart 1992

Hirdt, Willi, *Gian Giorgio Trissinos Porträt der Isabella d'Este. Ein Beitrag zur Lukian-Rezeption in Italien,* Heidelberg 1981

Hösle, Johannes, *Pietro Aretinos Werk,* Berlin 1969

Interpretation. Das Paradigma der europäischen Renaissance-Literatur, Festschrift für Alfred Noyer-Weidner, hrsg. von Klaus W. Hempfer und Gerhard Regn, Wiesbaden 1983

Italien und die Romania in Humanismus und Renaissance, Festschrift für Erich Loos hrsg. von Klaus W. Hempfer und Enrico Straub, Wiesbaden 1983

Kremers, Dieter, *Der »Rasende Roland« des Ludovico Ariosto. Aufbau und Weltbild,* Stuttgart u. a. 1973

Krömer, Wolfram, *Christliche Tragödie, moralische Komödie und die Rezeption des antiken Dramas in der italienischen Renaissance,* Innsbruck 1975

Leo, Ulrich, *Torquato Tasso. Studien zur Vorgeschichte des Secentismo,* Bern 1951

Leo, Ulrich, *Ritterepos – Gottesepos. Torquato Tassos Weg als Dichter,* Köln 1966

Ley, Klaus, *Giovanni Della Casa (1503–1556) in der Kritik. Ein Beitrag zur Erforschung von Manierismus und Gegenreformation,* Heidelberg 1984

Ley, Klaus, *Die »scienza civile« des Giovanni Della Casa. Literatur als Gesellschaftskunst in der Gegenreformation,* Heidelberg 1984

Literatur zwischen immanenter Bedingtheit und äußerem Zwang hrsg. von Alfred Noyer-Weidner; Bd. 1: Annamaria Coseriu, *Zensur und Literatur in der italienischen Renaissance des XVI. Jahrhunderts. Baldassare Castigliones »Libro del Cortegiano« als Paradigma;*

Bd. 2: Ulrike Kunkel, *G.B. Pignas »Il ben divino« – ein petrarkistischer canzoniere?*, Tübingen 1987

Loos, Erich, *Baldassare Castigliones »Libro del Cortegiano«. Studien zur Tugendauffassung des Cinquecento*, Frankfurt 1955

Die Pluralität der Welten. Aspekte der Renaissance in der Romania hrsg. von Wolf-Dieter Stempel und Karlheinz Stierle, München 1987

Regn, Gerhard, *Torquato Tassos zyklische Liebeslyrik und die petrarkistische Tradition. Studien zur »Parte prima« der »Rime« (1591/1592)*, Tübingen 1987

Ritterepik der Renaissance hrsg. von Klaus W. Hempfer, Stuttgart 1989

Übersetzung und Nachahmung im europäischen Petrarkismus. Studien und Texte hrsg. von Luzius Keller, Stuttgart 1974

Seicento

Albrecht-Bott, Marianne, *Die bildende Kunst in der italienischen Lyrik der Renaissance und des Barock. Studie zur Beschreibung von Portraits und anderen Bildwerken unter besonderer Berücksichtigung von G.B. Marinos »Galleria«*, Wiesbaden 1976

Blumenberg, Hans, *Die Legitimität der Neuzeit*, Frankfurt 1966

Bruno, Giordano, *Heroische Leidenschaften und individuelles Leben. Auswahl und Interpretation. Mit einem Essay »Zum Verständnis des Werkes« und einer Bibliographie* hrsg. von Ernesto Grassi, Reinbek bei Hamburg 1947

Buck, August, *Forschungen zur romanischen Barockliteratur*, Darmstadt 1980

Drost, Wolfgang, *Strukturen des Manierismus in Literatur und bildender Kunst. Eine Studie zu den Trauerspielen Vicenzo Giustis (1532–1619)*, Heidelberg 1977

Esrig, David, *Commedia dell'Arte*, Nördlingen 1985

Goebel-Schilling, Gerhard, *Poeta Faber. Erdichtete Architektur in der italienischen, spanischen und französischen Literatur der Renaissance und des Barock*, Heidelberg 1971

Grassi, Ernesto, *Macht des Bildes: Ohnmacht der rationalen Sprache. Zur Rettung des Rhetorischen*, München [2]1979

Hauser, Arnold, *Der Manierismus. Die Krise der Renaissance und der Ursprung der modernen Kunst*, München 1964

Krömer, Wolfram, *Die italienische Commedia dell'arte*, Darmstadt 1976

Kuon, Peter, *Utopischer Entwurf und fiktionale Vermittlung. Studien zum Gattungswandel der literarischen Utopie zwischen Humanismus und Frühaufklärung*, Heidelberg 1986

Lange, Klaus Peter, *Theoretiker des literarischen Manierismus. Tesauros und Pellegrinis Lehre von der »acutezza« oder von der Macht der Sprache*, München 1968

Schröder, Gerhart, *Logos und List. Zur Entwicklung der Ästhetik in der frühen Neuzeit*, Königstein/Ts. 1985

Schulz-Buschhaus, Ulrich, *Das Madrigal. Zur Stilgeschichte der italienischen Lyrik zwischen Renaissance und Barock*, Bad Homburg v. d. H. 1969

Schulze, Joachim, *Formale Themen in Gian Battista Marinos »Lira«*, Amsterdam 1978

Stern, Fred B., *Giordano Bruno – Vision einer Weltsicht*, Meisenheim/Glan 1977

Settecento

Die Autobiographie. Zu Form und Geschichte einer literarischen Gattung hrsg. von Günter Niggl, Darmstadt 1989

Burke, Peter, *Vico: Philosoph, Historiker, Denker einer neuen Wissenschaft*, Berlin 1987

Daus, Hans Jürgen, *Selbstverständnis und Menschenbild in den Selbstdarstellungen Giambattista Vicos und Pietro Giannones. Ein Beitrag zur Geschichte der italienischen Autobiographie*, Genf/Paris 1962

Feldmann, Helmut, *Die »Fiabe« Carlo Gozzis: Die Entstehung einer Gattung und ihre Transposition in das System der deutschen Romantik*, Köln/Wien 1971

Goldoni hrsg. von Wolfgang Theile, Darmstadt 1977

Hoeges, Dirk, *Zur Zeitschrift »Il Caffè« und zur Strategie italienischer und französischer Aufklärung*, Krefeld 1978

Maurer, Arnold E., *Carlo Goldoni: Seine Komödien und ihre Verbreitung im deutschen Sprachraum des 18. Jahrhunderts,* Bonn 1982
Müller, Peter, *Alessandro Pepoli als Gegenspieler Vittorio Alfieris. Ein literarischer Wettstreit im Settecento,* München 1974
Noyer-Weidner, Alfred, *Die Aufklärung in Oberitalien,* München 1957
Oper als Text: Romanistische Beiträge zur Libretto-Forschung hrsg. von Albert Gier, Heidelberg 1986
Schreiber, Klaus Dieter, *Untersuchungen zur italienischen Literatur- und Kulturgeschichtsschreibung in der zweiten Hälfte des Settecento,* Bad Homburg v. d. H. 1968
Wuthenow, Ralph-Rainer, *Das erinnerte Ich: Europäische Autobiographie und Selbstdarstellung im 18. Jahrhundert,* München 1974

Ottocento

Adler, Alfred, *Holzbengel und Herzensbildung. Studie zu De Amicis »Cuore« und Collodis »Pinocchio« und anderen literarischen Aspekten des italienischen Lebensstils,* München 1972
Bitsch, Hannelore, *Die Emanzipation der Frau. Wie sie sich bei den italienischen Autorinnen zwischen 1860 und 1920 darstellt,* Frankfurt/M. 1980
Blank, Hugo, *Goethe und Manzoni: Weimar und Mailand,* Heidelberg 1988
Goethe und Manzoni. Deutsch-italienische Beziehungen um 1800 hrsg. von Werner Ross, Tübingen 1989
Hempel, Wido, *Manzoni und die Darstellung der Menschenmenge als erzähltechnisches Problem in den »Promessi sposi«, bei Scott und in den historischen Romanen der französischen Romantik,* Krefeld 1974
Hempel, Wido, *Giovannis Vergas Roman »I Malavoglia« und die Wiederholung als erzählerisches Kunstmittel,* Köln-Graz 1959
Hösle, Johannes, *Alessandro Manzoni: Die Verlobten,* München 1975
Literarische Tradition und nationale Identität. Literaturgeschichtsschreibung im italienischen Risorgimento hrsg. v. Friedrich Wolfzettel und Peter Ihring, Tübingen 1991
Maurer, Karl, *Giacomo Leopardis Canti und die Auflösung der lyrischen Genera,* Frankfurt/M. 1957
Meter, Helmut, *Figur und Erzählauffassung im veristischen Roman. Studien zu Verga, De Roberto und Capuana vor dem Hintergrund der französischen Realisten und Naturalisten,* Frankfurt/M. 1986
Montanari, Mario, *Die geistigen Grundlagen des Risorgimento,* Köln/Opladen 1963
Oswald, Stefan, *Italienbilder. Beiträge zur Wandlung der deutschen Italienauffassung 1770–1840,* Heidelberg 1985
Praz, Mario, *Liebe, Tod und Teufel. Die schwarze Romantik,* München 1963
Scheel, Hans Ludwig, *Giacomo Leopardi und die Antike. Die Jahre der Vorbereitung (1809–1818) und ihre Bedeutung für das Gesamtwerk,* München 1959
Schwaderer, Richard, *Idillio campestre. Ein Kulturmodell in der italienischen Erzählliteratur des 19. Jahrhunderts. Untersuchungen zu Struktur, Funktion und Entwicklung,* München 1987
Steinkamp, Volker, *Giacomo Leopardis »Zibaldone«. Von der Kritik der Aufklärung zu einer »Philosophie des Scheins«,* Frankfurt/M. 1991
Sträter, Theodor, *Briefe über die italienische Philosophie* hrsg. von A. Gargano, Köln 1991
Vetterli, W. A., *Geschichte der italienischen Literatur des 19. Jahrhunderts,* Bern 1950
Zamboni, Giuseppe, *Die italienische Romantik – ihre Auseinandersetzung mit der Tradition,* Krefeld 1953
Zur italienischen Geistesgeschichte des 19. Jahrhunderts, Köln-Graz 1961

Novecento

Akzente, Heft 5 (1988). Sonderheft zur modernen italienischen Poesie
Aspekte des Erzählens in der modernen italienischen Literatur hrsg. v. Ulrich Schulz-Buschhaus und Helmut Meter, Tübingen 1983

Baumgarth, Christa, *Geschichte des Futurismus,* Reinbek b. Hamburg 1966

Betti, Emilio, *Der Dichter Ugo Betti im Lichte seiner Lyrik. Erzählkunst und Dramatik,* München 1968

Bondy, François, *Italo Svevo,* Reinbek bei Hamburg 1990

Brütsch, Hans Raoul, *Der Canzoniere Umberto Sabas,* Zürich 1951

Dario Fo über Dario Fo hrsg. und kommentiert von Hannes Heer, Köln s. d.

Conzen, Brigitte, *Dekadenz und idealistische Antidekadenz. Studien zu Giovanni Pascoli und Benedetto Croce,* Darmstadt 1982

Demetz, Peter, *Worte in Freiheit. Der italienische Futurismus und die deutsche literarische Avantgarde,* München/Zürich 1990

Ecos Rosenroman. Ein Kolloquium hrsg. von Alfred Haverkamp und Alfred Heit, München 1987

«... eine finstere und fast unglaubliche Geschichte?« Mediävistische Notizen zu Umberto Ecos Mönchsroman »Der Name der Rose« hrsg. von Max Kerner, Darmstadt 1987

Eversmann, Susanne, *Poetik und Erzählstruktur in den Romanen Italo Calvinos. Zum Verhältnis von literarischer Theorie und narrativer Praxis,* München 1979

Frenzel, Herbert, *Virgil in der modernen Lyrik Italiens,* Krefeld 1957

Gersbach, Markus, *Carlo Emilio Gadda. Wirklichkeit und Verzerrung,* Zürich 1969

Goebel-Schilling, Gerhard / Sanna, Salvatore A. / Schulz-Buschhaus, Ulrich, *Widerstehen. Anmerkungen zu Calvinos erzählerischem Werk,* Frankfurt/M. 1990

Grevel, Liselotte, *Il Politecnico 1945–1947. Zur Monographie einer Kulturzeitschrift Italiens,* Frankfurt/M. 1978

Hinterhäuser, Hans, *Italien zwischen Schwarz und Rot,* Stuttgart 1956

Hinterhäuser, Hans, *Der Weg des Lyrikers Cesare Pavese,* Krefeld 1969

Hinterhäuser, Hans, *Italienische Lyrik im 20. Jahrhundert. Essays,* München/Zürich ²1990

Hösle, Johannes, *Cesare Pavese,* Berlin ²1964

Hösle, Johannes, Nachwort zu Tozzi, *Erinnerungen eines* Angestellten, München 1988

Hofer, Karin von, *Funktionen des Dialekts in der italienischen Gegenwartsliteratur. Pier Paolo Pasolini,* München 1971

Ickert, Klaus / Schick, Ursula, *Das Geheimnis der Rose – entschlüsselt. Zu Umberto Ecos Weltbestseller »Der Name der Rose«,* München 1987

Italienische Literatur der Gegenwart in Einzeldarstellungen hrsg. von Johannes Hösle und Wolfgang Eitel, Stuttgart 1974

Kanduth, Erika, *Wesenszüge der modernen italienischen Erzählliteratur. Gehalte und Gestaltung bei Buzzati, Piovene und Moravia,* Heidelberg 1968

Kanduth, Erika, *Cesare Pavese im Rahmen der pessimistischen italienischen Literatur,* Wien-Stuttgart 1971

Kiffer, Monika, *Mussolinis Afrika-Feldzug 1935/36 im Spiegel von Literatur und Propaganda der Zeit,* Bonn 1988

Konflikt der Diskurse. Zum Verhältnis von Literatur und Wissenschaft im modernen Italien hrsg. von Helene Harth, Susanne Kleinert und Birgit Wagner, Tübingen 1991

Konstruktive Provinz. Italienische Literatur zwischen Regionalismus und europäischer Orientierung hrsg. von Helene Harth, Barbara Marx und Hermann H. Wetzel, Frankfurt/M. 1992

Lenzen, Verena, *Selbsttötung. Ein philosophisch-theologischer Diskurs mit einer Fallstudie über Cesare Pavese,* Düsseldorf 1987

Leo, Ulrich, *Fogazzaros Stil und der symbolistische Lebensroman. Studien zur Kunstform des Romans,* Heidelberg 1928

Marek, Heidi, *Elio Vittorini und die europäische Erzählkunst,* Heidelberg 1990

Neorealismus. Text + Kritik 63 (1979)

Noyer-Weidner, Alfred, *Zur Frage der »Poetik des Wortes« in Ungarettis »L'Allegria«,* Krefeld 1980

Pier Paolo Pasolini hrsg. von Hermann H. Wetzel, Mannheim 1984

Rauhut, Franz, *Der junge Pirandello oder das Werden eines existentiellen Geistes,* München 1964

Rössner, Michael, *Pirandello Mythenstürzer,* Wien 1980

Schlumbohm, Dietrich, *Die Welt als Konstruktion. Untersuchungen zum Prosawerk Cesare Paveses,* München 1978

Schulze, Joachim, *Montales Anfänge. Imitatio, Meditation der Landschaft und Wandlung der Wirklichkeit in »Ossi di seppia«,* Heidelberg 1983

Siciliano, Enzo, *Pasolinis Leben und Werk,* Frankfurt/M. 1985

Stauder, Thomas, *Umberto Ecos Der Name der Rose. Forschungsbericht und Interpretation. Mit einer kommentierten Bibliographie der ersten sechs Jahre internationaler Kritik (1980–1986),* Erlangen 1988

Italo Svevo. Ein Paradigma der europäischen Moderne hrsg. v. Rudolf Behrens und Richard Schwaderer, Würzburg 1990

Zibaldone. Zeitschrift für italienische Kultur der Gegenwart hrsg. von Helene Harth und Titus Heydenreich, München 1986 ff.

PERSONEN- UND WERKREGISTER

BILDQUELLEN

Nicht in allen Fällen war es möglich, die Rechtsinhaber heute geschützter Texte zu ermitteln. Selbstverständlich wird der Verlag berechtigte Ansprüche auch nach Erscheinen des Buches erfüllen.

Deutsche Literaturgeschichte
Von den Anfängen bis zur Gegenwart

Von Wolfgang Beutin u.a.
4. überarb. Auflage
1992. X, 662 Seiten, 400 Abb., gebunden
ISBN 3-476-00667-0

Englische Literaturgeschichte

Herausgegeben von Hans Ulrich Seeber
1991. X, 461 Seiten, 364 Abb., gebunden
ISBN 3-476-00774-X

Französische Literaturgeschichte

Herausgegeben von Jürgen Grimm
2. Auflage 1991. X, 390 Seiten, 150 Abb., gebunden
ISBN 3-476-00766-9

Frauen Literatur Geschichte
Schreibende Frauen
vom Mittelalter bis zur Gegenwart

Herausgegeben
von Hiltrud Gnüg und Renate Möhrmann
1985. XIV, 562 Seiten, Leinen
ISBN 3-476-00585-2

Christoph Helferich
Geschichte der Philosophie
Von den Anfängen
bis zur Gegenwart und Östliches Denken

2., überarbeitete und erweiterte Auflage
1992. 572 Seiten, 192 Abb., gebunden
ISBN 3-476-00775-8

Metzler Autoren Lexikon
Deutschsprachige Dichter
und Schriftsteller
vom Mittelalter bis zur Gegenwart

Herausgegeben von Bernd Lutz
1986. VI, 674 Seiten mit 330 Abb., gebunden
ISBN 3-476-00599-2

Metzler Philosophen Lexikon
Dreihundert biographisch-
werkgeschichtliche Porträts
von den Vorsokratikern
bis zu den Neuen Philosophen

Herausgegeben von Bernd Lutz
1989. VI, 851 Seiten mit 268 Abb., gebunden
ISBN 3-476-00639-5

Ralf Schnell
Die Literatur der Bundesrepublik
Autoren, Geschichte, Literaturbetrieb

1986. 432 Seiten, 208 Abb., gebunden
ISBN 3-476-00604-2

VERLAG
J.B. METZLER

Catherine Clément
Die Frau in der Oper –
Besiegt, verraten und verkauft
Aus dem Französischen
von Annette Holoch.
Mit einem Vorwort
von Silke Leopold

1992. 239 Seiten und 24 Seiten Abb., gebunden
ISBN 3-476-00785-5

Catherine Clément hat das erste Buch über die Oper geschrieben, das dem Bild der Frau nachspürt, wie es in und durch Musik geschrieben wird. Wenn man die Stücke betrachtet, die im trügerischen Glanz einer betörenden Musik schwelgen, so sieht man eine endlose Reihe besiegter Frauen, deren Unglück die Männergesellschaft genießt, bevor sie sich zu Tisch begibt: gemordete und verlassene, betrogene und verherrlichte, verabscheute und bewunderte Frauen. Wenn der Vorhang fällt, erhebt sich zwar die getötete Sängerin und ertrinkt in den Blumenbuketts ihrer Verehrer. Doch das Bild des getöteten Mädchens bleibt hinter allem Lächeln. Die Leserinnen und Leser begegnen hier Isolde und Lulu, Carmen und Mélisande, Norma und Turandot, den Frauen Don Giovannis, den Heroinen Bellinis, Donizettis, Verdis, Puccinis und Richard Strauss', nicht zuletzt den verlorenen Töchtern in Wagners »Ring«-Tetralogie. Dieses Buch wird alle, die die Oper lieben, aber auch diejenigen, die noch nie in der Oper waren, gleichermaßen faszinieren. Indem die Autorin aufdeckt, wie unter dem Schein der Bewunderung unsere Kultur ihr Spiel mit den Frauen getrieben hat, zieht sie die Leserinnen und Leser unwillkürlich in ihren Bann. Es ist ein leidenschaftlich geschriebenes und begeisterndes Buch.

VERLAG J.B. METZLER

J. B. Metzler Verlag